REPRESENTATIVE SPANISH AUTHORS

SPAIN—CITIES AND REGIONS

SPAIN—MOUNTAINS AND RIVERS

(Note to student: Cover the upper map; then name the cities and regions on the lower one. Next try naming the rivers and mountains on the upper map without looking at the lower one.)

Representative Spanish Authors

WALTER T. PATTISON
University of Minnesota

DONALD W. BLEZNICK
University of Cincinnati

IN TWO VOLUMES
VOLUME TWO
THIRD EDITION

New York
OXFORD UNIVERSITY PRESS
London   Toronto
1971

Preface to the Third Edition

This revision remains faithful to the original concept and format which contributed to the considerable success of the two previous editions. The second edition's editorial materials have been carefully scrutinized and amended in a number of places, e.g. the section "How To Read Spanish Poetry." It is hoped that this edition, with its new selections, improved headnotes, abundant footnotes, and extensive end vocabulary, will continue to elicit the excellent reception from colleagues and students that the work has enjoyed for almost three decades.

Volume I of *Representative Spanish Authors* now extends from the Middle Ages through the eighteenth century and many of the selections are new. A major change is the inclusion of Lope de Vega's *Fuenteovejuna* in its entirety. The medieval *jarchas*, Gonzalo de Berceo and Feijoo are now represented for the first time in this anthology. Passages of substantial length have been added to several important works: the *Poema del Cid*, *El libro de buen amor*, *La Celestina*, and *Don Quijote*. The poetry of Quevedo appears for the first time and more poems have been added to those of Luis de León and Góngora.

The substantial revision of Volume II will be especially noticed in our expanded coverage of the twentieth century. This volume now begins with Romanticism which features the complete version of José Zorrilla's classic *Don Juan Tenorio*. The headnote on Naturalism has been redone and Clarín (Leopoldo Alas) is included for the first time. The section on the Generation of 1898 has been reorganized and the introductory material to the various authors has been reworked. We have added an abridged version of *Paradox rey*, Pío Baroja's timeless dialogued novel. José Ortega y Gasset is now represented by an essay from the important *La rebelión de las masas*. More twentieth-century poetry has been provided: Jorge Guillén is represented for the first time; Lorca's famous *Llanto por Ignacio Sánchez Mejías* has been included in its entirety; and there are more examples of the poetry of Antonio Machado and Juan Ramón Jiménez. Our anthology has been enriched by the addition of two of the most significant and influential works in the contemporary period: Camilo José Cela's novel *La familia de Pascual Duarte,* and Antonio Buero Vallejo's drama *Historia de una escalera.*

For permission to reprint the materials in this volume, the editors gratefully thank the following individuals and publishing houses. Juan Valera, *Pepita Jiménez,* by permission of Luis Serrat, Madrid, and Pergamon Press Limited, Oxford; Benito Pérez Galdós, *Torquemada en la hoguera* by permission of María Pérez Galdós V. de Verde; Miguel de Unamuno, *Mi religión,* by permission of Don Fernando de Unamuno; Azorín, *Las nubes,* by permission of the heirs of Azorín; Pío Baroja, *Paradox, rey,* by permission of Julio Caro Baroja; Ramón del Valle-Inclán, *El miedo,* by permission of Carlos del Valle-Inclán; Jacinto Benavente, *El marido de su viuda,* by permission of Aguilar, S. A. de Ediciones, Madrid; Antonio Machado, *Campos de Soria, Anoche cuando dormía,* by permission of Don Manuel Alvarez de Lama; José Ortega y Gasset, *El hecho de las aglomeraciones* from *La rebelión de las masas* by permission of Revista de Occidente, Madrid; Rubén Darío, *Sonatina, Canción de otoño en primavera,* by permission of Rosario Martín Villacastín; Juan Ramón Jiménez, *Convalecencia, Anochecer de otoño, Ya están ahí las carretas, La poesía,* by permission of Francisco H. Pinzón Jiménez; Federico García Lorca, *Canción de jinete, Romance de la luna, luna, Llanto por Ignacio Sánchez Mejías,* from *Obras Completas,* © Aguilar S. A. De Ediciones, all rights reserved, by permission of New Directions Publishing Corporation; Jorge Guillén, *Los intranquilos, Perfección, Naturaleza viva,* by permission of the author; Camilo José Cela, *La familia de Pascual Duarte,* by permission of the author; Antonio Buero Vallejo, *Historia de una escalera,* copyright 1955 Charles Scribner's Sons and reprinted by permission of Charles Scribner's Sons.

We wish to thank all our colleagues—too numerous to mention here—who have made useful comments and suggestions. Mr. George Allen, the foreign language editor of Oxford University Press, has always generously offered his valued assistance and encouragement.

W. T. P.
D. W. B.

Contents

Volume Two

REPRESENTATIVE SPANISH AUTHORS

The Nineteenth Century in Spain

When we try to find some unifying or connecting idea running through the history of nineteenth-century Spain, we are confronted with such political chaos and intellectual conflict that our task seems practically impossible. The history of the century is a kaleidoscopic succession of ministers; kings who abdicate, are deposed, or restored; civil wars, assassinations, and military dictators.

The century opens with Carlos IV reigning. Under his prime minister, Godoy, a policy of close alliance with France was followed, which brought disaster to Spain in the destruction of its fleet in the battle of Trafalgar in 1805. With the invasion of Napoleon in 1808, Carlos IV abdicated in favor of his son Fernando VII (1808–33). At first a prisoner of Napoleon, he was set free by the Spanish liberals who, during the king's absence, drew up the famous Constitution of 1812, declaring that the people were the true sovereigns, subjecting the king to the will of elected ministers, and making all citizens equal before the law.

The whole century was a battle to put these reforms into force. No sooner did the liberals win an apparent victory than the king and other traditional forces undid their triumph by swinging the nation back to despotic absolutism. Throughout the rule of Fernando VII, the nation moved like a restless pendulum between the two extremes of personal rule by the king and advanced liberalism.

At the time of Fernando's death in 1833, many liberals had just returned from exile outside of Spain, while in the country, the Carlist party, which believed in the strictest adherence to old traditions, was seeking power. Thus, the beginning of the reign of Isabel II (1833–68) is also the beginning of a

1

civil war between the liberals, who supported Isabel, and the Carlists, who
desired the absolute rule of her uncle, Don Carlos. Isabel showed a frivolity
typical of Bourbon monarchs, for after having gained the throne through the
support of the liberals, she rejected the constitution which they wished to
impose and ruled by personal whim and decree. She was finally deposed in
1868, largely because of her immoral private life.

Spain now found itself in the curious situation of believing in monarchical
government (the Cortes voted three to one in favor of a monarchy) and not
being able to find a king. The crown was offered to three princes who turned
it down. After two years had passed in these futile attempts, Amadeo de
Saboya was persuaded to take over the ruling of the nation in 1871, but on
the very day he landed in Spain, his chief supporter, General Prim, was
assassinated. In spite of Amadeo's sincere efforts to bring some order to the
country, he failed, and abdicated in 1873. The same Cortes which had voted
for a monarchy only five years before now voted for the establishment of a
republic. It was doomed to failure, because its leaders were idealistic and
impractical theorists. Chief among them was Pi y Margall, a believer in
federalism, by which each region of Spain would be practically independent,
being only loosely bound to the central government. But when even single
villages set themselves up as independent states, chaos could be the only
result, and in desperation the country called back the Bourbon line, in the
person of the son of Isabel II, Alfonso XII (1875–85).

Alfonso proved himself a conscientious monarch, and the country, which
had gone through a second Carlist war during the unsettled years preceding
his restoration, was now in need of a complete rest. Political strife was held
down and the country made rapid industrial progress. Alfonso XII died
while still young, during an epidemic of cholera. At the king's death, his
son Alfonso XIII, the last king of Spain, had not yet been born. Therefore,
during his minority, which covered the rest of the nineteenth century, the
policies of his father were continued, and the country paid greater attention
to economic development than to the conflicts of political factions. However,
the progress of a quarter of a century was checked by the disastrous defeat
of Spain by the United States in the Spanish-American War (1898).

Even from this brief account the unrest and turbulence which ran throughout nineteenth-century Spain will be apparent. We can never understand
this century unless we realize that fundamentally it is a great struggle between
the traditionalists and the liberals. The fight to establish the Constitution
of 1812 is symbolic of the fight which ran through all aspects of life. On one
hand there were entrenched and well-organized traditionalists, who may be
subdivided into three classes: first of all, the king and the nobility dependent

upon him, who wished to maintain all of their old privileges; in the second place, the clergy and church; and in the third place, especially in the second half of the century, the wealthy. The liberal side, which was always advanced or even radical in its thought, was largely unorganized. It consisted at the beginning of the century mainly of intellectuals whose ambition was to give the country a constitutional monarchy, but as time went on these intellectuals allied themselves with labor movements and demanded much more—namely, the abolition of the monarchy and the establishment of a democratic form of government. Spain did not have a numerous middle class, which in other countries did much to check the ambitions of the two extremes.

One other great force in Spanish life, the army, remains to be described. We must remember that the army in Spain, with its large number of officers and its political generals, has always wielded a powerful influence in the formation of internal policy. Generals often deposed the constitutional government and stepped into power, moved by a desire to cut red tape and believing that they were called on to serve the country through a temporary dictatorship. During the early part of the century, the army was definitely a force for liberalism, yet in later years it lined up on the opposite side. How can we explain this change? While individual officers belonged to either camp, the ideal of the army as a whole seems to have been a constitutional monarchy, so while the king exercised absolute power, it was against him, hence somewhat liberal. But when the country moved towards a democracy, the army now was against that movement, hence somewhat conservative.

The conflict we have outlined manifests itself constantly in Spanish literature of the nineteenth century. Early in the century, the desire to get rid of the oppressive Bourbon monarch, Fernando VII, was identified in the minds of the liberals with their desire to get rid of French classicism, and the triumph of liberalism seemed to them akin to the liberalization of literature by romanticism. Later on, many of the novelists wrote tendentious works of propaganda. For example, we see Fernán Caballero defending the church and the good old way of living; Pereda, in *Peñas arriba*, upholds the old-fashioned virtues and simple life of the country; while on the other hand, Galdós, in *Doña Perfecta*, attacks savagely the benighted ways and backward religion of a small Spanish town; and Larra, in his *cuadros de costumbres*, is constantly criticizing outmoded Spanish customs.

We will not understand the literature of this century unless we realize that it, as every other manifestation of life, was a battlefield where the traditionalists and the liberals were each constantly attempting to wrest victory from the other camp.

Romanticism

We have already seen that up to 1833 a general tendency in literature, called classicism, was being advocated in Spain by the small, cultured upper class. Classicism, with its conservative, mature, well-proportioned point of view towards life, was a submission to society's point of view. The author showed more deference to other people's feelings than to his own.

But a revolt developed throughout Europe against the classic point of view—a revolt which came to be called romanticism, at first derisively, because of the frequence of the adjective "romantic" in the works of one of the early adherents of the movement. Romanticism deliberately opposed every rule of classicism. Thus, romanticism was primarily an exuberant, youthful point of view in which the individual stressed the value of his own feelings and thoughts as opposed to those usually accepted by the group. In its opposition to classicism at every point, romanticism found its inspiration in national legends, usually of the Middle Ages (as opposed to inspiration from the ancient Greek and Roman classics). It found its characters in unusual men, often outcasts from society and oppressed by fate (rather than in the typical, universal man of classicism). Where classicism showed restraint in form (i.e. rules), romanticism imposed no rules at all. While the classic author restrained his personal emotion and concealed his own personality, the romantic author gave free rein to both personality and emotions, which were usually melancholy, since the real world always fell far short of his dreams.

Romanticism swept over Europe about the beginning of the nineteenth century, but did not reach Spain in force until considerably later. As we have seen, all the liberals in politics, who were also liberals in literature, had been exiled by Fernando VII, and at his death swarmed back into Spain and immediately began producing in the new liberal literary vein. But in Spain romanticism was no particular surprise. The Spanish literature of the Golden Age had not adhered to any set of rules; furthermore, the classicism of the eighteenth century had gained no real hold here. Thus, the Spaniards felt that the movement was more of a return to their own national tradition and a patriotic release from the tyranny of an imposed foreign literature than an outright literary revolt.

The productions of romanticism in Spain are not very numerous, as it lasted only to about 1845. While attempts were made to write romantic novels after the pattern of Walter Scott or Dumas *père,* none was successful. Lyric poetry produced four great names: Espronceda, Rivas, Zorrilla, and the later, but still romantic, poet, Bécquer. In the drama, a series of plays appeared between 1834 and 1837, including as its chief successes: *La con-juración de Venecia,* by Martínez de la Rosa; *Macías,* by Larra; *Don Alvaro,* by the Duque de Rivas; *El trovador,* by García Gutiérrez; and *Los amantes de Teruel,* by Hartzenbusch. A few years later (1844) Zorrilla revived the romantic drama in his masterpiece, *Don Juan Tenorio.*

The force of romanticism in the drama was not exhausted, even though purely romantic plays were no longer written. The eclectic drama became popular: an attempt to compromise between classicism (by showing some respect for the unities of time and place) and romanticism (from which the romantic hero, romantic passion, and national historical setting were taken). Without the authors' realizing it, a considerable element of realism entered the new type of play, which was the dominant dramatic form for about half a century.

As is the case with almost every intellectual movement in Spain, romanticism split into a traditionalistic and a liberal faction. The conservative group wanted only to revive the glamorous past and to present its legendary lore with all its local color; while the radical wing wanted to make reforms in both the political and religious life of the country. The romantic revival is well exemplified by Zorrilla, the romantic revolt by Espronceda.

All in all, the production of romanticism in Spain was small, and here, as in the rest of the world, its emphasis on the exceptional, picturesque, and imaginative elements of life often led one into an unreal, fantastic world which could not possibly exist. Yet the elements of romanticism which lived on in later days, after the movement itself was spent, are sufficient to justify it in our eyes. Furthermore, its works, although often disturbingly unreal and melodramatic, contain many real beauties.

José de Espronceda

Espronceda (1808–42), one of the greatest lyric poets of the romantic period and of the whole century, lived a life very similar to that of the heroes of romantic works. From his childhood he was a rebellious liberal. As a student he was involved in a political society against the tyrannical Fernando VII, for which he was imprisoned. Still untamed despite this punishment, he had to flee into exile when only eighteen because of his plotting against the king. He first went to Lisbon, then to England, where he fell in love with a married woman, Teresa Mancha de Bayo. Espronceda joined her in Paris where he showed his contempt for social laws by persuading her to leave her husband for him. There he is said to have fought at the barricades in the Revolution of 1830, he enlisted in an army which was to set Poland free but which was soon dissolved, and finally he joined an army to liberate Spain from the rule of Fernando VII. At the latter's death in 1833, Espronceda returned to Madrid with Teresa, whom, however, he soon abandoned. She died in 1839, and the poet survived her by only three years. He published but three slim volumes of poetry during his life.

Espronceda has often been called the Byron of Spain, and there is undoubtedly a considerable amount of imitation of Byron in his work. Whether or not his Byronic attitude of rebellion against the world is real or merely a pose is a matter of debate. What is certain is that he hoped to get much more out of life than he actually found in it. In a passage recalling his youthful aspirations he exclaims:

> *Yo me arrojé, cual rápido cometa,*
> *En alas de mi ardiente fantasía:*
> *Doquier mi arrebatada mente inquieta*
> *Dichas y triunfos encontrar creía.*

As we shall see in the *Canto a Teresa,* this ardent yearning for glory, liberty, and happiness was never satisfied. Consequently, Espronceda feels that he has been cheated by life. His melancholy is that of one who believes that life has nothing but disappointments to offer him. Again, in the *Canción del pirata* he shows an outcast from society, but one who glories in his isolation. We cannot doubt that Espronceda identified himself with this hero, as with the heroes of *El mendigo, El verdugo, El reo de muerte,* and his other poems on social outcasts.

In two longer poems, *El estudiante de Salamanca,* a reworking of the Don Juan theme, and *El diablo mundo,* a protest against the senselessness of a world which can offer the protagonist but one disillusionment after another, Espronceda aspired to be both a poet and a thinker. It must be confessed, however, that it is chiefly as a poet that he triumphed. The ever-present music in his verse and his great variety of meters have done more to give him the high place which he deserves than any profundity of thought. Rather than original thought, the content of his work is conventional romanticism, just as his life was one of typical romantic rebellion.

Canción del pirata

Con diez cañones por banda,
Viento en popa a toda vela
No corta el mar, sino vuela
Un velero bergantín:
  Bajel pirata[1] que llaman   5
Por su bravura el *Temido,*
En todo mar conocido
Del uno al otro confín.

  La luna en el mar rïela,
En la lona gime el viento,   10
Y alza en blando movimiento
Olas de plata y azul;
  Y ve el capitán pirata,[1]
Cantando alegre en la popa,
Asia[2] a un lado, al otro Europa[2]   15
Y allá a su frente Stambul.[2]

«Navega, velero mío,
  Sin temor,
Que ni enemigo[1] navío,
Ni tormenta, ni bonanza   20
Tu rumbo a torcer alcanza,
Ni a sujetar tu valor.

  «Veinte presas[3]
  Hemos hecho
  A despecho   25
  Del inglés,
  Y han rendido
  Sus pendones
  Cien naciones[4]
  A mis pies.   30

1. An adjective here
2. Objects of *ve* (1. 13)

3. prizes, captured ships
4. Subject of *han rendido*

«Que es mi barco mi tesoro,
Que es mi Dios la libertad,
Mi ley la fuerza y el viento,
Mi única patria la mar.

    «Allá muevan feroz guerra   35
        Ciegos reyes
Por un palmo más de tierra:
Que⁵ yo tengo aquí por mío
Cuanto abarca el mar bravío,
A quien nadie impuso leyes.   40

      «Y no hay playa,
      Sea cualquiera,
      Ni bandera
      De esplendor,⁶
      Que no sienta   45
      Mi derecho,
      Y dé pecho⁷
      A mi valor.

«Que es mi barco mi tesoro,
Que es mi Dios la libertad,   50
Mi ley la fuerza y el viento,
Mi única patria la mar.

    «A la voz de ‹¡barco viene!›⁸
      Es de ver⁹
Como vira y se previene   55
A todo trapo¹⁰ a escapar:
Que yo soy el rey del mar,
Y mi furia es de temer.

      «En las presas
      Yo divido
      Lo cogido¹¹   60
      Por igual:
      Sólo quiero
      Por riqueza
      La belleza   65
      Sin rival.

5. Omit in translating
6. *bandera de esplendor,* glorious flag
7. *dar pecho,* to pay tribute
8. Ship ahoy
9. you should see
10. Here, sail
11. the booty (what is taken)

«Que es mi barco mi tesoro,
Que es mi Dios la libertad,
Mi ley la fuerza y el viento,
Mi única patria la mar.   70

    «¡Sentenciado estoy a muerte!
      Yo me río:
No me abandone la suerte,
Y al mismo que me condena,
Colgaré de alguna entena,   75
Quizá en su propio navío.

      «Y si caigo,
      ¿Qué es la vida?
      Por perdida
      Ya la di,¹²   80
      Cuando el yugo¹³
      Del esclavo,
      Como un bravo,
      Sacudí.

«Que es mi barco mi tesoro,   85
Que es mi Dios la libertad,
Mi ley la fuerza y el viento,
Mi única patria la mar.

    «Son mi música mejor
      Aquilones,   90
El estrépito y temblor
De los cables sacudidos,
Del negro mar los bramidos
Y el rugir de mis cañones.

      «Y del trueno   95
      Al son¹⁴ violento,
      Y del viento
      Al rebramar,
      Yo me duermo
      Sosegado   100
      Arrullado
      Por el mar.

«Que es mi barco mi tesoro,
Que es mi Dios la libertad,
Mi ley la fuerza y el viento,   105
Mi única patria la mar.»

12. considered
13. Object of *sacudí*
14. sound. Translate l. 96 before l. 95, and l. 98 before l. 97.

El diablo mundo

CANTO II

A Teresa: Descansa en paz[1]

¿Por qué volvéis a la memoria mía,
Tristes recuerdos del placer perdido,
A aumentar la ansiedad y la agonía
De este desierto corazón herido?
¡Ay, que[2] de aquellas horas de alegría,   5
Le quedó al corazón sólo un gemido,
Y el llanto que al dolor los ojos niegan,
Lágrimas son de hiel que el alma anegan!

¿Dónde volaron ¡ay! aquellas horas
De juventud, de amor y de ventura,   10
Regaladas de músicas sonoras,
Adornadas de luz y de hermosura?
Imágenes[3] de oro bullidoras,[4]
Sus alas de carmín y nieve pura,
Al sol de mi esperanza desplegando,   15
Pasaban ¡ay! a mi alrededor cantando.

Gorjeaban los dulces ruiseñores,
El sol iluminaba mi alegría,
El aura susurraba entre las flores,
El bosque mansamente respondía,   20
Las fuentes murmuraban sus amores . . .
¡Ilusiones[5] que llora el alma mía!
¡Oh! ¡cuán süave resonó en mi oído
El bullicio del mundo y su ruído!

Yo amaba todo: un noble sentimiento   25
Exaltaba mi ánimo, y sentía
En mi pecho un secreto movimiento,
De grandes hechos generoso guía:
La libertad con su inmortal aliento,

---

1. This canto has nothing whatever to do with the main theme of *El diablo mundo.* Espronceda himself inserted this note: "*Este canto es un desahogo de mi corazón; sáltelo el que no quiera leerlo sin escrúpulo, pues no está ligado de manera alguna con el poema.*" Why is this statement typically romantic?

2. for
3. The poet recalls the lovely dreams of his youth, which, like brilliantly colored butterflies, fluttered around him.
4. seething, teeming
5. youthful dreams

Santa diosa mi espíritu encendía,   30
Contino[6] imaginando en mi fe pura
Sueños de gloria al mundo[7] y de ventura.

El valor y la fe del caballero,[8]
Del trovador el arpa y los cantares,
Del gótico castillo el altanero   35
Antiguo torreón, do[9] sus pesares
Cantó tal vez con eco lastimero,
¡Ay! arrancada de sus patrios lares,[10]
Joven cautiva, al rayo de la luna,
Lamentando su ausencia y su fortuna:[11]   40

El dulce anhelo del amor que aguarda
Tal vez inquieto y con mortal recelo,
La forma bella que cruzó gallarda,
Allá en la noche, entre el medroso velo;[12]
La ansiada cita que en llegar se tarda   45
Al impaciente y amoroso anhelo,
La mujer y la voz de su dulzura,
Que inspira al alma celestial ternura;

A un tiempo mismo en rápida tormenta,
Mi alma alborotaban de contino,[6]   50
Cual[13] las olas que azota con violenta
Cólera, impetuoso torbellino:[14]
Soñaba al héroe ya, la plebe atenta
En mi voz escuchaba su destino,
Ya al caballero, al trovador soñaba,   55
Y de gloria y de amores suspiraba.

Yo desterrado en extranjera playa,
Con los ojos, extático seguía
La nave audaz que argentada raya[15]
Volaba al puerto de la patria mía: 60
Yo cuando en Occidente el sol desmaya,[16]
Solo y perdido en la arboleda umbría,
Oír pensaba el armonioso acento
De una mujer, al suspirar del viento.

---

6. Poetic for *continuo*. In l. 31, an adjective
   modifying *yo* in l. 25. Translate, constantly.
7. in the world
8. knight-at-arms. All the ideas expressed in
   this stanza and the next are thoughts which
   assaulted the young poet's mind and offered
   themselves as subjects for poems. Gram-
   matically all these nouns are subject of
   alborotaban, l. 50.

9. Poetic for *donde*
10. household gods, home
11. bad fortune
12. veil (of night)
13. like
14. Subject of *azota*
15. silvery line; translate, along a foamy track
16. to faint, swoon, disappear. Here present
    tense used for imperfect.

¡Una mujer![17] En el templado rayo　　　　　　　　65
De la mágica luna se colora,[18]
Del sol poniente al lánguido desmayo,
Lejos entre las nubes se evapora;[19]
Sobre las cumbres que florece[20] el mayo,
Brilla fugaz al despuntar la aurora,　　　　　　　70
Cruza tal vez por entre el bosque umbrío,
Juega en las aguas del sereno río.

　　¡Ay! aquella mujer, tan sólo aquélla
Tanto delirio[21] a realizar alcanza,
Y esa mujer tan cándida y tan bella,　　　　　　75
Es mentida ilusión de la esperanza:
Es el alma que vívida destella[22]
Su luz al mundo cuando en él se lanza,
Y el mundo con su magia y galanura,
Es espejo no más de su hermosura:　　　　　　80

　　¡Oh llama[23] santa! ¡celestial anhelo!
¡Sentimiento purísimo! memoria
Acaso triste de un perdido cielo,
¡Quizá esperanza de futura gloria!
¡Huyes y dejas llanto y desconsuelo!　　　　　85
¡Oh mujer! que en imagen ilusoria
Tan pura, tan feliz, tan placentera,
Brindó el amor a mi ilusión primera! . . .

　　¡Oh Teresa! ¡Oh dolor! Lágrimas mías,
¡Ah! ¡dónde estáis que no corréis a mares![24]　　90
¿Por qué, por qué como en mejores días
No consoláis vosotras mis pesares?
¡Oh! los que no sabéis las agonías
De un corazón, que penas a millares
¡Ay!desgarraron, y que ya no llora,　　　　　95
¡Piedad tened de mi tormento ahora!

　　¿Quién pensara jamás, Teresa mía,
Que fuera eterno manantial de llanto,
Tanto inocente amor, tanta alegría,
Tantas delicias y delirio tanto?　　　　　　100

---

17. This is a purely fantastic woman (cf. ll. 75–76) whose presence is felt by Espronceda in all the beauties of nature. She represents a longed-for, perfect being; hence the perfect beauty of nature suggests her to his mind.
18. Translate, she shows herself
19. to disappear
20. to cover with flowers
21. so much ecstatic dreaming (as the young poet had)
22. to flash. The candid soul projects its purity into its imaginations; it expects the things of the world to have its own purity.
23. flame (fire of idealistic love)
24. Translate, in rivers

¿Quién pensara jamás[25] llegase un día,
En que perdido el celestial encanto,
Y caída la venda de los ojos,
Cuanto diera placer causara enojos?

Aun parece, Teresa, que te veo   105
Aérea como dorada mariposa,
En sueño delicioso del deseo,
Sobre tallo gentil temprana rosa,
Del amor venturoso devaneo,
Angélica, purísima y dichosa,   110
Y oigo tu voz dulcísima, y respiro
Tu aliento perfumado en tu suspiro.

Y aun miro aquellos ojos que robaron
A los cielos su azul, y las rosadas
Tintas sobre la nieve, que envidiaron   115
Las de mayo serenas alboradas;[26]
Y aquellas horas[27] dulces que pasaron
Tan breves ¡ay! como después lloradas,
Horas de confianza y de delicias,
De abandono, y de amor, y de caricias.   120

Que así las horas rápidas pasaban,
Y pasaba a la par[28] nuestra ventura;
Y nunca nuestras ansias[29] las contaban,
Tú embriagada en mi amor, yo en tu hermosura:
Las horas[30] ¡ay! huyendo nos miraban,   125
Llanto tal vez vertiendo de ternura,
Que nuestro amor y juventud veían,
Y temblaban las horas que vendrían.

Los años ¡ay! de la ilusión pasaron;
Las dulces esperanzas que trajeron,   130
Con sus blancos[31] ensueños se llevaron[32]
Y el porvenir de oscuridad vistieron:
Las rosas del amor se marchitaron,
Las flores en abrojos convirtieron,
Y de afán tanto y tan soñada gloria,   135
Sólo quedó una tumba, una memoria.

25. Read, *que jamás*
26. dawn. Normal word order: *que las serenas alboradas de mayo envidiaron*
27. Object of *miro*, l. 113
28. *a la par*, at the same time
29. yearning (of love)

30. The hours (or Time) are now personified; they pity the lovers because they foresee their misfortunes.
31. candid, pure
32. Subject, *años*

¡Pobre Teresa! al recordarte siento
Un pesar tan intenso . . . ! embarga[33] impío
Mi quebrantada voz mi sentimiento,
Y suspira tu nombre el labio mío: 140
Para[34] allí su carrera el pensamiento,
Hiela mi corazón punzante frío,
Ante mis ojos la funesta losa,
Donde vil polvo tu beldad reposa.

HIPÉRBOLE

Y tú feliz, que hallaste en la muerte   145
Sombra a que[35] descansar en tu camino,
Cuando llegabas mísera a perderte,
Y era llorar tu único destino:
Cuando en tu frente la implacable suerte
Grababa de los réprobos el sino[36] . . . !   150
¡Feliz! la muerte te arrancó del suelo,
Y otra vez ángel te volviste al cielo.

Roída de recuerdos de amargura,
Árido el corazón sin ilusiones,
La delicada flor de tu hermosura   155
Ajaron del dolor los Aquilones:
Sola, y envilecida, y sin ventura,
Tu corazón secaron las pasiones,
Tus hijos ¡ay! de ti se avergonzaran,[37]
Y hasta el nombre de madre[38] te negaran.   160

Los ojos escaldados de tu llanto,
Tu rostro cadavérico y hundido,
Único desahogo en tu quebranto,
El histérico ¡ay! de tu gemido:
¿Quién, quién, pudiera en infortunio tanto,   165
Envolver tu desdicha en el olvido,
Disipar tu dolor y recogerte
En su seno de paz? ¡Sólo la muerte!

DESCRIPCIONES EXAGERADAS

¡Oh! ¡cruel! ¡muy cruel! . . . ¡Ah! yo entretanto
Dentro del pecho mi dolor oculto,   170
Enjugo de mis párpados el llanto
Y doy al mundo el exigido culto:[39]

---

33. to check, hold back. Subject, *sentimiento*
34. A verb
35. shade in which
36. Poetic license for *signo*
37. The r-form of the imperfect subjunctive is used here for the pluperfect indicative, a literary construction.
38. After breaking with Espronceda, Teresa left her two children—one by her husband and the other by our poet—and eventually became a woman of the streets.
39. *doy . . . culto*, freely, I behave the way people expect me to

Yo escondo con vergüenza mi quebranto,
Mi propia pena con mi risa insulto,
Y me divierto en arrancar del pecho   175
Mi mismo corazón pedazos hecho.

Gozemos sí; la cristalina esfera
Gira bañada en luz; ¡bella es la vida!
¿Quién a parar alcanza la carrera
Del mundo hermoso que al placer convida?   180
Brilla radiante el sol, la primavera
Los campos pinta en la estación florida:
Truéquese en risa mi dolor profundo . . .
¡Que haya un cadáver más, qué importa al mundo![40]

40. An oft-quoted verse which well illustrates
    the violent antithesis between life and death
    often employed by romantic writers.

Mariano José de Larra

When at the age of twenty-eight Larra (1809–37) committed suicide in desperation over a tragic life and an unhappy love affair, he was looked on mainly as a promising young man. Today he is generally regarded as the most representative Spanish romantic author, the *hombre-cumbre* of the movement.

The tragedy of his life dates from his childhood. An unwanted child of a young mother and an old father, he was loved by neither. His father, a doctor and a sympathizer of the French, went into exile in 1813, along with the deposed Joseph Bonaparte. The precocious youngster studied in French schools in Bordeaux and probably in Paris from 1813 to 1818, completely forgetting his Spanish during this time. The event which finished the formation of his character was a tragic love affair in Valladolid when he was sixteen years old. Although we are inadequately informed about this episode of his life, we know that it was a terrific shock to the youth and caused his immediate departure from his family to gain an independent living in Madrid. There he lived a bohemian existence, gradually attaining literary prestige and achieving success first as a dramatist, then as a journalist. For the newspapers and magazines of the time he wrote criticism on the theater, political satires, and *cuadros de costumbres,* of which the latter represent the best of his production. They are little familiar essays, describing some characteristic phase of Spanish life, generally satirical in tone, with the reform of national customs in view. His marriage in 1829 was unhappy from the beginning; the very next year he was engaged in an illicit love affair which was to terminate with his suicide in 1837. The last three years of his life saw him grow more and more bitter. At his funeral, which was attended by all the

15

literary figures of the day, Zorrilla read some impassioned verses which brought him his first recognition.

Larra's tragedy was fundamentally one of inner contradiction. His French education had taught him to believe in logic and progress. qualities which he hoped to bring into Spain, but whose introduction he always found blocked by elements inherent in Spanish character itself. He shared this character and, along with it, a profound love for Spain. Consequently he found himself often wanting progress which would do away with the very things he most intimately loved. His logic forced him to criticize many traits of Spanish nature and gave him a reputation among his contemporaries as an acid critic, even anti-Spanish in his attacks. They refer to his "*tristeza y amargura*" and his "*sarcástica sonrisa.*" But underneath, Larra's real desire was to better Spain. He was not content with inferior things; and part of his desperation derived from the fact that his country was not realizing the great possibilities he felt lay in it. Despite his reputation for sarcasm, under this protective armor he was really a timid man, anxious for friendship and love.

Larra's reputation depends partly on the fascination of his life, partly on the fact that he foreshadows the very ideas concerning Spain which have been in vogue in the twentieth century, and partly on the intrinsic artistic worth of his productions. Larra is both a thinker and a master of self-expression. Because of these two qualities, his popularity has risen in recent years to the point of a veritable cult.

Vuelva usted mañana [1]

Gran persona debió de ser el primero que llamó pecado mortal a la pereza. Nosotros, que ya en uno de nuestros artículos anteriores estuvimos más serios de lo que nunca nos habíamos propuesto, no entraremos ahora en largas y profundas investigaciones acerca de la historia de este pecado, por más que[2] co-nozcamos que hay pecados que pican en[3] historia, y que la historia de los pecados sería un tanto cuanto[4] divertida. Convengamos solamente en que esta institución[5] ha cerrado y cerrará las puertas del cielo a más de un cristiano.

Estas reflexiones hacía yo casualmente no hace muchos días, cuando se presentó

---

1. In several of his *cuadros de costumbres* Larra takes a commonly used phrase, such as this one, as his subject. In it he sees reflected a Spanish trait which he proceeds to illustrate in the essay.

2. *por más que,* however much
3. to enter into, border on
4. *un tanto cuanto,* a bit, rather
5. That is, *pereza*

en mi casa un extranjero de estos que,
en buena o en mala parte, han de tener
siempre de nuestro país una idea exagerada e hiperbólica; de estos que, o creen
que los hombres aquí son todavía los
espléndidos, francos, generosos y caba-
llerescos seres de hace dos siglos, o que
son aun las tribus nómadas[6] del otro lado
del Atlante:[7] en el primer caso vienen
imaginando que nuestro carácter se conserva tan intacto como nuestras ruinas;
en el segundo, vienen temblando por esos
caminos, y preguntan si son los ladrones
que los han de despojar los individuos
de algún cuerpo de guardia establecido
precisamente para defenderlos de los
azares de un camino, comunes a todos los
países.

Verdad es que nuestro país no es de
aquellos que se conocen a primera ni a
segunda vista. . . . Como quiera que entre
nosotros mismos se hallen muchos en esta
ignorancia de los verdaderos resortes que
nos mueven, no tendremos derecho para
extrañar que los extranjeros no los puedan tan fácilmente penetrar.

Un extranjero de éstos fue el que se
presentó en mi casa, provisto de com-
petentes cartas de recomendación para
mi persona. Asuntos intrincados de familia, reclamaciones[8] futuras, y aun proyectos vastos concebidos en París de
invertir aquí sus cuantiosos caudales en
tal cual[9] especulación industrial o mercantil, eran los motivos que a nuestra
patria le conducían.

Acostumbrado a la actividad en que
viven nuestros vecinos, me aseguró
formalmente que pensaba permanecer
aquí muy poco tiempo, sobre todo si no
encontraba pronto objeto seguro en que
invertir su capital. Parecióme el ex-

tranjero digno de alguna consideración,
trabé[10] presto amistad con él, y lleno
de lástima, traté de persuadirle a que se
volviese a su casa cuanto antes,[11] siempre
que seriamente trajese otro fin que no
fuese el de pasearse.[12] Admiróle la proposición, y fue preciso explicarme más
claro.

—Mirad—le dije—monsieur Sans-délai[13]—que así se llamaba—; vos venís
decidido a pasar quince días, y a solventar en ellos vuestros asuntos.

—Ciertamente—me contestó—. Quince
días, y es mucho. Mañana por la mañana
buscamos un genealogista para mis asuntos de familia; por la tarde revuelve sus
libros, busca mis ascendientes, y por la
noche ya sé quién soy. En cuanto a mis
reclamaciones, pasado mañana las presento fundadas en los datos que aquél
me dé, legalizados en debida forma; y
como será una cosa clara y de justicia
innegable (pues sólo en este caso haré
valer[14] mis derechos), al tercer día se
juzga el caso y soy dueño de lo mío. En
cuanto a mis especulaciones, en que
pienso invertir mis caudales, al cuarto
día ya habré presentado mis proposiciones. Serán buenas o malas, y admiti-
das o desechadas en el acto,[15] y son cinco
días; en el sexto, séptimo y octavo, veo
lo que hay que ver en Madrid; descanso
el noveno; el décimo tomo mi asiento
en la diligencia, si no me conviene estar
más tiempo aquí, y me vuelvo a mi casa;
aun me sobran de los quince, cinco días.

Al llegar aquí monsieur Sans-délai,
traté de reprimir una carcajada que me
andaba retozando ya hacía rato en el
cuerpo, y si mi educación[16] logró sofocar
mi inoportuna jovialidad, no fué bastante a impedir que se asomase a mis

6. nomad (referring to the Berbers)
7. Atlas Mountains
8. claims (to an estate or inheritance)
9. *tal cual*, some . . . or other
10. Here, to form
11. as soon as possible

12. Here, to amuse himself
13. Without-Delay (French)
14. *hacer valer;* here, to enforce
15. *en el acto*, immediately
16. breeding

labios una suave sonrisa de asombro y de lástima que sus planes ejecutivos me sacaban al rostro mal de mi grado.[17]

—Permitidme, monsieur Sans-délai—le dije entre socarrón y formal—, permitidme que os convide a comer para el día en que llevéis quince meses de estancia en Madrid.

—¿Cómo?

—Dentro de quince meses estáis aquí todavía.

—¿Os burláis?

—No, por cierto.

—¿No me podré marchar cuando quiera? ¡Cierto que la idea es graciosa! —Sabed que no estáis en vuestro país, activo y trabajador.

—¡Oh! Los españoles que han viajado por el extranjero han adquirido la costumbre de hablar mal siempre de su país por hacerse superiores a sus compatriotas.

—Os aseguro que en los quince días con que contáis no habréis podido hablar siquiera a una sola de las personas cuya cooperación necesitáis.

—¡Hipérboles! Yo les comunicaré a todos mi actividad.

—Todos os comunicarán su inercia.

Conocí que no estaba el señor de Sans-délai muy dispuesto a dejarse convencer sino por la experiencia, y callé por entonces, bien seguro de que no tardarían mucho los hechos en hablar por mí.

Amaneció el día siguiente, y salimos entrambos a buscar un genealogista, lo cual sólo se pudo hacer preguntando de amigo en amigo y de conocido en conocido: encontrámoslo por fin, y el buen señor, aturdido de ver nuestra precipitación, declaró francamente que necesitaba tomarse algún tiempo; instósele,[18] y por mucho favor nos dijo definitivamente que nos diéramos una

vuelta por allí dentro de unos días. Sonreíme y marchámonos. Pasaron tres días; fuimos.

—Vuelva usted mañana—nos respondió la criada—, porque el señor no se ha levantado todavía.

—Vuelva usted mañana—nos dijo al siguiente día—, porque el amo acaba de salir.

—Vuelva usted mañana—nos respondió el otro—, porque el amo está durmiendo la siesta.

—Vuelva usted mañana—nos respondió al lunes siguiente—, porque hoy ha ido a los toros.

¿Qué día, a qué hora se ve a un español? Vímosle por fin, y—vuelva usted mañana—nos dijo—, porque se me ha olvidado. Vuelva usted mañana, porque no está en limpio.[19]

A los quince días ya estuvo; pero mi amigo le había pedido una noticia del apellido Díez, y él había entendido Díaz, y la noticia no servía. Esperando nuevas pruebas,[20] nada dije a mi amigo, desesperado ya de dar jamás con sus abuelos.

Es claro que faltando este principio no tuvieron lugar las reclamaciones.

Para las proposiciones que acerca de varios establecimientos y empresas utilísimas pensaba hacer, había sido preciso buscar un traductor; por los mismos pasos que el genealogista nos hizo pasar el traductor; de mañana en mañana nos llevó hasta el fin del mes. Averiguamos que necesitaba dinero diariamente para comer, con la mayor urgencia; sin embargo, nunca encontraba momento oportuno para trabajar. El escribiente hizo después otro tanto con las copias, sobre[21] llenarlas de mentiras, porque un escribiente que sepa escribir no le hay en este país.

No paró aquí; un sastre tardó veinte

17. *mal de mi grado,* **against my will**
18. Usually *se le instó*
19. clear

20. proofs. Here referring to the family tree.
21. besides

días en hacerle un frac, que le había mandado llevarle en veinticuatro horas; el zapatero le obligó con su tardanza a comprar botas hechas;[22] la planchadora necesitó quince días para plancharle una camisola, y el sombrerero, a quien le había enviado su sombrero a variar el ala,[23] le tuvo dos días con la cabeza al aire y sin salir de casa.

Sus conocidos y amigos no le asistían a una sola cita, ni avisaban cuando faltaban, ni respondían a sus esquelas. ¡Qué formalidad y qué exactitud!

—¿Qué os parece de esta tierra, monsieur Sans-délai?—le dije al llegar a estas pruebas.

—Me parece que son hombres singulares . . .

—Pues así son todos. No comerán por no llevar la comida a la boca.

Presentóse, con todo, yendo y viniendo días, una proposición de mejoras para un ramo[24] que no citaré, quedando recomendada eficacísimamente.[25] A los cuatro días volvimos a saber el éxito de nuestra pretensión.[26]

—Vuelva usted mañana—nos dijo el portero—. El oficial de la mesa[27] no ha venido hoy.

—Grande causa le habrá detenido— dije yo entre mí.

Fuímonos a dar un paseo, y nos encontramos ¡qué casualidad! al oficial de la mesa en el Retiro,[28] ocupadísimo en dar una vuelta con su señora al hermoso sol de los inviernos claros de Madrid. Martes era el día siguiente, y nos dijo el portero:

—Vuelva usted mañana, porque el señor oficial de la mesa no da audiencia hoy.

—Grandes negocios habrán cargado sobre él—dije yo.

Como soy el diablo y aun he sido duende,[29] busqué ocasión de echar una ojeada por el agujero de una cerradura. Su señoría estaba echando un cigarrito al brasero y con una charada del Correo[30] entre manos, que le debía costar trabajo acertar.

—Es imposible verle hoy—le dije a mi compañero—; su señoría está, en efecto, ocupadísimo.

Dionos audiencia el miércoles inmediato, y ¡qué fatalidad! el expediente[31] había pasado a informe,[32] por desgracia, a la única persona enemiga indispensable de monsieur y de su plan, porque era quien debía salir en él perjudicado. Vivió el expediente dos meses en informe, y vino tan informado[33] como era de esperar. Verdad es que nosotros no habíamos podido encontrar empeño para una persona muy amiga del informante. Esta persona tenía unos ojos muy hermosos, los cuales sin duda alguna le hubieran convencido en sus ratos perdidos de la justicia de nuestra causa.

Vuelto de informe, se cayó en la cuenta[34] en la sección de nuestra bendita oficina de que el tal expediente no correspondía a aquel ramo; era preciso rectificar este pequeño error; pasóse al ramo, establecimiento y mesa correspondiente, y hétenos[35] caminando después de tres meses a la cola[36] siempre de nuestro expediente, como hurón que busca el conejo, y sin poderlo sacar

---

22. ready-made
23. brim
24. branch of the government, government office
25. Translate, it being very well recommended.
26. proposition
27. department (of an office)
28. The largest park of Madrid
29. hobgoblin. Larra alludes to a magazine he had published named *El duende satírico del día.*
30. A newspaper
31. plan, proposition
32. Translate, had been sent to the office of investigation and appraisal
33. appraised
34. *caer en la cuenta,* to realize
35. Translate, behold us
36. tail; here, after, in pursuit of

muerto ni vivo de la huronera. Fue el caso al llegar aquí que el expediente salió del primer establecimiento y nunca llegó al otro.

—De aquí se remitió con fecha tantos —decían en uno.

—Aquí no ha llegado nada—decían en otro.

—¡Voto va![37]—dije yo a monsieur Sans-délai—, ¿sabéis que nuestro expediente se ha quedado en el aire como el alma de Garibay,[38] y que debe de estar ahora posado como una paloma sobre algún tejado de esta activa población?

Hubo que hacer otro. ¡Vuelta a[39] los empeños! ¡Vuelta a la prisa! ¡Qué delirio!

—Es indispensable—dijo el oficial con voz campanuda—que esas cosas vayan por sus trámites regulares.

Es decir, que el toque[40] estaba, como el toque del ejercicio militar, en llevar nuestro expediente tantos o cuantos años de servicio.

Por último, después de cerca de medio año de subir y bajar, y estar a la firma o al informe, o a la aprobación, o al despacho, o debajo de la mesa y de volver siempre mañana, salió con una notita al margen que decía: «A pesar de la justicia y utilidad del plan del exponente, negado.»

—¡Ah, ah, monsieur Sans-délai!—exclamé riéndome a carcajadas—, éste es nuestro negocio.

Pero monsieur Sans-délai se daba a todos los oficinistas, que es como si dijéramos a todos los diablos.

—¿Para esto he echado yo viaje tan largo? ¿Después de seis meses no habré conseguido sino que me digan en todas partes diariamente: *Vuelva usted mañana?* ¿Y cuando este dichoso *mañana* llega, en fin, nos dicen redondamente que no? ¿Y vengo a darles dinero? ¿Y vengo a hacerles favor? Preciso es que la intriga más enredada se haya fraguado para oponerse a nuestras miras.

—¿Intriga, monsieur Sans-délai? No hay hombre capaz de seguir dos horas una intriga. La pereza es la verdadera intriga; os juro que no hay otra: ésa es la gran causa oculta: es más fácil negar las cosas que enterarse de ellas.

Al llegar aquí, no quiero pasar en silencio algunas razones de las que me dieron para la anterior negativa, aunque sea una pequeña digresión.

—Ese hombre se va a perder—me decía un personaje muy grave y muy patriótico.

—Ésa no es una razón—le repuse—; si él se arruina, nada se habrá perdido en concederle lo que pide; él llevará el castigo de su osadía o de su ignorancia. . . .

—Puede perjudicar a los que hasta ahora han hecho de otra manera, eso mismo que ese señor extranjero quiere hacer.

—¿A los que lo han hecho de otra manera, es decir, peor?

—Sí, pero lo han hecho.

—Sería lástima que se acabara el modo de hacer mal las cosas. Con que, porque siempre se han hecho las cosas del modo peor posible, ¿será preciso tener consideraciones con los perpetuadores del mal? Antes se debiera mirar si podrían perjudicar los antiguos al moderno.

—Así está establecido; así se ha hecho hasta aquí; así lo seguiremos haciendo.

—Por esa razón deberían darle a usted papilla todavía como cuando nació.

---

37. I swear!
38. A man whose soul was condemned to wander on the earth, going neither to heaven nor hell.

39. again
40. crux, the important point

—En fin, señor, es un extranjero.

—¿Y por qué no lo hacen los naturales del país?

—Con esas socaliñas vienen a sacarnos la sangre.

—Señor mío—exclamé, sin llevar más adelante mi paciencia—; está usted en un error harto general. Usted es como muchos que tienen la diabólica manía de empezar siempre por poner obstáculos a todo lo bueno, y el que pueda que los venza. Aquí tenemos el loco orgullo de no saber nada, de quererlo adivinar todo y no reconocer maestros. Las naciones que han tenido, ya que no el saber, deseos de él, no han encontrado otro medio que el de recurrir a los que sabían más que ellas.

—Un extranjero—seguí—que corre a un país que le es desconocido para arriesgar en él sus caudales, pone en circulación un capital nuevo, contribuye a la sociedad, a quien hace un inmenso beneficio con su talento y su dinero. Si pierde, es un héroe; si gana, es muy justo que logre el premio de su trabajo, pues nos proporciona ventajas que no podíamos acarrearnos solos. Ese extranjero que se establece en este país no viene a sacar de él dinero, como usted supone; necesariamente se establece y se arraiga en él, y a la vuelta de[41] media docena de años, ni es extranjero ya, ni puede serlo; sus más caros intereses y su familia le ligan al nuevo país que ha adoptado; toma cariño al suelo donde ha hecho su fortuna, al pueblo donde ha escogido acaso una compañera; sus hijos son españoles, y sus nietos lo serán; en vez de extraer el dinero, ha venido a dejar un capital suyo que traía, invirtiéndole y haciéndole producir; ha dejado otro capital de talento, que vale por lo menos tanto como el del dinero; ha dado de comer a los pocos o muchos naturales de quien ha tenido necesariamente que valerse; ha hecho una mejora, y hasta ha contribuido al aumento de la población con su nueva familia. Convencidos de estas importantes verdades, todos los gobiernos sabios y prudentes han llamado a sí a los extranjeros: a su grande hospitalidad ha debido siempre la Francia en gran parte su alto grado de esplendor; a los extranjeros de todo el mundo que ha llamado la Rusia ha debido el llegar a ser una de las primeras naciones en muchísmo menos tiempo que el que han tardado otras en llegar a ser las últimas; a los extranjeros han debido los Estados Unidos . . .[42] Pero veo por gestos[43] de usted—concluí interrumpiéndome oportunamente a mí mismo—que es muy difícil convencer al que está persuadido de que no se debe convencer. ¡Por cierto, si usted mandara,[44] podríamos fundar en usted grandes esperanzas! . . .

¿Tendrá razón, perezoso lector (si es que has llegado ya a esto que estoy escribiendo), tendrá razón el buen monsieur Sans-délai en hablar mal de nosotros y de nuestra pereza? ¿Será cosa de que vuelva el día de mañana con gusto a visitar nuestros hogares? Dejemos esta cuestión para mañana, porque ya estarás cansado de leer hoy; si mañana u otro día no tienes, como sueles, pereza de volver a la librería, pereza de sacar tu bolsillo y pereza de abrir los ojos para hojear los pocos folletos que tengo que darte ya, te contaré como a mí mismo, que todo esto veo y conozco y callo mucho más, me ha sucedido muchas veces, llevado de esta influencia, hija del clima y *de*

---

41. *a la vuelta de,* after
42. Larra's arguments sound a little old-fashioned, but they show his interest in economic progress and his lack of sympathy for a purely nationalistic point of view. Such statements caused him to be called "un-Spanish."
43. expression
44. to be in power (in the government)

otras causas, perder de pereza más de una conquista amorosa; abandonar más de una pretensión empezada y las esperanzas de más de un empleo, que me hubiera sido acaso, con más actividad, poco menos que asequible; renunciar, en fin, por pereza de hacer una visita justa o necesaria, a relaciones sociales que hubieran podido valerme de mucho en el transcurso de mi vida; te confesaré que no hay negocio que yo pueda hacer hoy que no deje para mañana; te referiré que me levanto a las once, y duermo siesta; que paso haciendo el quinto pie de una mesa[45] de un café hablando o roncando, como buen batueco, las siete y las ocho horas seguidas; te añadiré que cuando cierran el café, me arrastro lentamente a mi tertulia diaria (porque de pereza no tengo más que una), y[46] un cigarrito tras otro me alcanzan[47] clavado en un sitial, y bostezando sin cesar, las doce o la una de la madrugada; que muchas noches no ceno de pereza, y de pereza no me acuesto; en fin, lector de mi alma, te declararé que de tantas veces como estuve en esta vida desesperado ninguna me ahorqué y siempre fue de pereza. Y concluyo por hoy confesándote que ha más de tres meses que tengo, como la primera entre mis apuntaciones, el título de este artículo que llamé: *Vuelva usted mañana;* que todas las noches y muchas tardes he querido durante este tiempo escribir algo en él, y todas las noches apagaba mi luz diciéndome a mí mismo con la más pueril credulidad en mis propias resoluciones: *¡Eh, mañana le escribiré!* Da gracias a que llegó por fin este mañana, que no es del todo malo; pero ¡ay de aquel *mañana* que no ha de llegar jamás![48]

45. Translate, holding up a café table
46. Supply, smoking
47. Subject, *las doce o la una*
48. After his severe criticism of Spaniards for a character trait of which his logical mind disapproves, Larra has to admit that he, too, shares the same character. We see that he would like to change the very roots of Spanish nature, but knows perfectly well that he cannot. This is the basic conflict within him, the source of his pessimism.

La Nochebuena de 1836

Yo y mi criado: Delirio filosófico

El número 24 me es fatal: si tuviera que probarlo diría que en día 24 nací.[1] Doce veces al año amanece sin embargo un día 24: soy supersticioso, porque el corazón del hombre necesita creer algo, y cree mentiras cuando no encuentra verdades que creer; sin duda por esa razón creen los amantes, los casados y los pueblos, a sus ídolos, a sus consortes y a sus gobiernos; y una de mis supersticiones consiste en creer que no puede haber para mí un día 24 bueno. El día 23 es siempre en mi calendario víspera de desgracia, y a imitación de aquel jefe de policía ruso que mandaba tener prontas las bombas las vísperas de incendios, así yo desde el 23 me prevengo para el siguiente día de sufrimiento y de resignación, y en dando[2] las doce ni tomo vaso en mi mano por no romperle, ni apunto carta[3] por no perderla, ni enamoro a mujer porque no me diga que sí, pues en punto a amores tengo otra superstición: imagino que la mayor des-

1. Larra was born on March 24, 1809.
2. *en dando*, modern Spanish, *al dar*
3. *apuntar carta*, to bet on a card

gracia que a un hombre le puede suceder es que una mujer le diga que le quiere. Si no la cree es un tormento, y si la cree . . . ¡Bienaventurado aquél a quien la mujer dice *no quiero,* porque ése a lo menos oye la verdad![4]

El último día 23 del año 1836 acababa de expirar en la muestra de mi péndola,[5] y consecuente en mis principios supersticiosos ya estaba yo agachado esperando el aguacero[6] y sin poder conciliar el sueño. Así pasé las horas de la noche, más largas para el triste desvelado que una guerra civil;[7] hasta que por fin la mañana vino con paso de intervención, es decir, lentísimamente, a teñir de púrpura y rosa las cortinas de mi estancia.

El día anterior había sido hermoso, y no sé por qué me daba el corazón que el día 24 había de ser *día de agua.*[8] Fue peor todavía; amaneció nevando. Miré el termómetro, y marcaba muchos grados bajo cero; como el crédito del estado.[9]

Resuelto a no moverme . . . , incliné la frente, cargada como el cielo, de nubes frías, [y] apoyé los codos en mi mesa. Ora vagaba mi vista sobre la multitud de artículos y folletos que yacen empezados y no acabados ha más de seis meses[10] sobre mi mesa, y de que sólo existen los títulos, como esos nichos preparados en los cementerios[11] que no aguardan más que el cadáver; comparación exacta, porque en cada artículo entierro una esperanza o una ilusión. Ora volvía los ojos a los cristales[12] de mi balcón; veíalos empañados y como llorosos por dentro: los vapores condensados se deslizaban a manera de lágrimas a lo largo del diáfano cristal; así se empaña la vida, pensaba; así el frío exterior del mundo condensa las penas en el interior del hombre, así caen gota a gota las lágrimas sobre el corazón. Los que ven de fuera los cristales, los ven tersos y brillantes; los que ven sólo los rostros, los ven alegres y serenos . . .

Haré merced a mis lectores de las más de mis meditaciones; no hay periódicos bastantes en Madrid,[13] acaso no hay lectores bastantes tampoco. Dichoso el que tiene oficina, dichoso el empleado aún sin sueldo o sin cobrarlo,[14] que es lo mismo: al menos no está obligado a pensar, puede fumar, puede leer la gaceta!![15]

¡Las cuatro! ¡La comida! me dijo una

4. Larra's marriage had gone on the rocks; his extra-marital affair with another man's wife was becoming more and more disappointing and embittered. Only a month and a half after writing this essay he committed suicide, after a final rupture with his paramour.
5. *la muestra de mi péndola,* the face of my clock.
6. *agachado esperando el aguacero,* squatting down awaiting the shower; here figuratively, hunched up waiting for the blow
7. Larra compares his protracted wakefulness to the civil war which had been dragging on for three years when he wrote this essay.
8. *día de agua,* a rainy day. Just before Larra has said that the dawn had colored his curtains; now he will say that it is snowing. It seems that the allusion to the colors of the sunrise is merely an ironical reference to the conventional pastoral verses, which Larra frequently satirizes.
9. The thermometer was of the Centigrade system where zero is at 32 degrees Fahrenheit. The allusion to the credit of the state refers to the sagging prices of government bonds.
10. *ha más de seis meses,* more commonly, *hace más de seis meses*
11. In many Spanish cemeteries, the coffins are not buried, but slid into long narrow niches in walls surrounding courtyards. Of course, when a new section of a cemetery is built, the empty niches await the new coffins.
12. *cristal,* window pane
13. Understand, enough newspapers to contain all my gloomy thoughts. Remember that Larra's essays appeared in newspapers.
14. The government often skipped salary payments to its employees; another evidence of its low credit. See n. 9.
15. In the government offices the employees did little work, but passed the day talking, smoking, drinking coffee, and reading the official newspaper (*La Gaceta*).

voz de criado, una voz de entonación servil y sumisa; en el hombre que sirve hasta la voz parece pedir permiso para sonar. Esta palabra me sacó de mi estupor e involuntariamente iba a exclamar como don Quijote: «Come, Sancho hijo, come, tú que no eres caballero andante y que naciste para comer»[16] porque al fin los filósofos, es decir, los desgraciados, podemos no comer, pero los criados de los filósofos!!! Una idea más luminosa me ocurrió: era día de Navidad.[17] Me acordé de que en sus famosas saturnales[18] los romanos trocaban los papeles y que los esclavos podían decir la verdad a sus amos. Costumbre humilde, digna del cristianismo. Miré a mi criado y dije para mí: esta noche me dirás la verdad. Saqué de mi gaveta[19] unas monedas; tenían el busto de los monarcas de España; cualquiera diría que son retratos; sin embargo eran artículos de periódico.[20] Las miré con orgullo: «come y bebe de mis artículos», añadí con desprecio: sólo en esa forma, sólo por medio de ese estratagema se pueden meter los artículos en el cuerpo de ciertas gentes. Una risa estúpida se dibujó en la fisonomía de aquel ser que los naturalistas han tenido la bondad de llamar racional sólo porque lo han visto hombre.[21] Mi criado se rió. Era aquella risa el demonio de la gula[22] que reconocía su campo.

Tercié la capa, calé el sombrero y en la calle.

¿Qué es un aniversario? Acaso un error de fecha. Si no se hubiera compartido el año en trescientos sesenta y cinco días ¿qué sería de nuestros aniversarios? Pero al pueblo le han dicho: hoy es un aniversario: y el pueblo ha respondido: «pues si es un aniversario, comamos, y comamos doble», ¿Por qué come hoy más que ayer? O ayer pasó hambre, u hoy pasará indigestión. Miserable humanidad destinada siempre a quedarse más acá o a ir más allá.[23]

Hace mil ochocientos treinta y seis años nació el Redentor del mundo, nació el que no reconoce principio; y el que no reconoce fin, nació para morir. Sublime misterio.

¿Hay misterio que celebrar? Pues comamos, dice el hombre; no dice: reflexionemos. El vientre es el encargado de cumplir con las grandes solemnidades. El hombre tiene que recurrir a la materia para pagar las deudas del espíritu. ¡Argumento terrible en favor del alma!

Para ir desde mi casa al teatro es preciso pasar por la plaza[24] tan indispensablemente como es preciso pasar por el dolor para ir desde la cuna al sepulcro. Montones de comestibles acumulados, risa y algazara, compra y venta, sobras por todas partes y alegría . . .

¡Las cinco! hora del teatro: el telón se levanta a la vista de un pueblo palpitante y bullicioso. Dos comedias de circunstancias, o yo estoy loco.[25] Una repre-

---

16. Larra has apparently confused two passages from the *Quijote*, one in which Quijote tells Sancho to sleep (Part I, Chap. 20) and another where he tells him to eat (Part II, Chap. 59).
17. Although not actually Christmas Day, the celebration of Christmas has begun. Spaniards traditionally have a feast on Christmas Eve, either before or after the midnight mass (*Misa de gallo*).
18. The Roman Saturnalia was a festival lasting from December 17 to December 24 which had many similarities to our Christmas, such as religious ceremonies, exchange of gifts, feasting and gaiety, in which all classes, even slaves, were included. The festival came to be known especially for its licentiousness.

19. *gaveta,* money drawer
20. The coins were "newspaper articles" because they were received in payment for Larra's journalistic work.
21. *lo han visto hombre,* they have seen that he was a man
22. *gula,* gluttony
23. *a quedarse más acá o a ir más allá,* to fall short or to go too far
24. Larra alludes to the *Plaza Mayor* where stands are put up before Christmas to sell food, toys, and candies.
25. *comedia de circunstancias,* play based on an involved plot; *o yo estoy loco,* Larra wagers that he has guessed correctly the trite nature of the plays, or if not, you may call him crazy

sentación en que los hombres son mujeres y las mujeres hombres. He aquí nuestra época y nuestras costumbres. Los hombres ya no saben sino hablar como las mujeres, en congresos y en corrillos. Y las mujeres son hombres, ellas son las únicas que conquistan. Segunda comedia; un novio que no ve el logro de su esperanza: ese novio es el pueblo español: no se casa con un solo gobierno con quien no tenga que reñir al día siguiente.[26] Es el matrimonio repetido al infinito.

Pero las orgías llaman a los ciudadanos. Ciérranse las puertas, ábrense las cocinas. Dos horas, tres horas, y yo rondo de calle en calle a merced de mi pensamiento. La luz que ilumina los banquetes viene a herir mis ojos por las rendijas de los balcones, el ruido de los panderos[27] y de la bacanal que estremece los pisos y las vidrieras se abre paso hasta mis sentidos, y entra en ellos como cuña a mano,[28] rompiendo y desbaratando.

Las doce van a dar: las campanas . . . citan a los cristianos al oficio divino. ¿Qué es esto? ¿Va a espirar el 24 y no me ha ocurrido en él más contratiempo que mi mal humor de todos los días? Pero mi criado me espera en mi casa; como espera la cuba al catador,[29] llena de vino; mis artículos, hechos moneda, mi moneda hecha mosto se ha apoderado del imbécil como imaginé, y el asturiano[30] ya no es un hombre; es todo verdad.[31] . . . La verdad me esperaba en él y era preciso

oírla de sus labios impuros. La verdad es como el agua filtrada, que no llega a los labios sino al través del cieno. Me abrió mi criado, y no tardé en reconocer su estado.

—Aparta, imbécil, exclamé empujando suavemente aquel cuerpo sin alma que en uno de sus columpios[32] se venía sobre mí. ¡Oiga! está ebrio. ¡Pobre muchacho! ¡Da lástima!

Me entré de rondón[33] a mi estancia; pero el cuerpo me siguió con un rumor sordo e interrumpido: una vez dentro los dos, su aliento desigual y sus movimientos violentos apagaron la luz; una bocanada de aire, colada por la puerta al abrirme, cerró la de mi habitación, y quedamos dentro casi a oscuras yo y mi criado, es decir, la verdad y Fígaro,[34] aquella en figura de hombre beodo[35] arrimado[36] a los pies de mi cama para no vacilar, y yo a su cabecera, buscando inútilmente un fósforo que nos iluminase.

Dos ojos brillaban como dos llamas fatídicas enfrente de mí: no sé por qué misterio mi criado encontró entonces, y de repente, voz y palabras, y habló y raciocinó: misterios más raros se han visto acreditados: los fabulistas hacen hablar a los animales ¿por qué no he de hacer yo hablar a mi criado? Oradores conozco yo de quienes hace algún tiempo no hubiera hecho yo una pintura más favorable que de mi astur,[37] y que han

26. Ministries never lasted very long in Spain, but Larra probably had something more specific in mind. A few months before writing this essay, he had been elected *diputado* for Ávila, the city where his paramour was then living. But six days later a revolution deposed the ministry and nullified Larra's election. (One of the leaders of Larra's party was the Duque de Rivas.)
27. *pandero*, tambourine. Many noise-makers are still used in Spanish Christmas festivities.
28. *cuña a mano*, wedge
29. *como espera la cuba al catador*, as the vat waits for the taster
30. *asturiano*, a man from Asturias, on the northern coast. Asturians and Gallegos were

frequently servants in other parts of Spain.
31. An allusion to the famous Latin proverb: *In vino veritas.*
32. *columpio*, swing; here, swaying motion
33. *de rondón*, abruptly
34. *Fígaro*, Larra's pen name, taken from the play by Beaumarchais, *Le Barbier de Seville.* Larra was thinking of a passage in the play where the count asks Fígaro what has given him such a gay philosophy. Fígaro answers: "My habitual griefs. I hasten to laugh at everything from fear of being obliged to weep about it."
35. *beodo*, drunk
36. *arrimar*, to approach; *arrimar a (una cosa)*, to lean on (something)
37. *astur*, Asturian

roto sin embargo a hablar, y los oye el mundo y los escucha, y nadie se admira.

En fin, yo cuento un hecho: tal me ha pasado: yo no escribo para los que dudan de mi veracidad: el que no quiera creerme puede doblar la hoja: ése se ahorrará tal vez de fastidio: pero una voz salió de mi criado y entre ella y la mía se estableció el siguiente diálogo.

—Lástima, dijo la voz, repitiendo mi piadosa exclamación.[38] ¿Y por qué me has de tener lástima, escritor? Yo a ti, ya lo entiendo.

¿Tú a mí? pregunté sobrecogido ya por un terror supersticioso: y es que la voz empezaba a decir verdad.

—Escucha: tú vienes triste como de costumbre: yo estoy más alegre que suelo.[39] ¿Por qué ese color pálido, ese rostro deshecho, esas hondas y verdes ojeras que ilumino con mi luz al abrirte todas las noches? ¿Por qué esa distracción constante y esas palabras vagas e interrumpidas de que sorprendo todos los días fragmentos errantes sobre tus labios? ¿Por qué te vuelves y te envuelves en tu mullido lecho[40] como un criminal, acostado con su remordimiento, en tanto que yo ronco sobre mi tosca tarima?[41] ¿Quién debe tener lástima a quién? No pareces criminal; la justicia no prende sino a los pequeños criminales, a los que roban con ganzúas,[42] o a los que matan con puñal; pero a los que arrebatan el sosiego de una familia seduciendo a la mujer casada o a la hija honesta, a los que roban con los naipes en la mano, a los que matan una existencia con una palabra dicha al oído, con una carta cerrada,[43] a ésos ni los llama la sociedad criminales, ni la justicia los prende, porque la víctima no arroja sangre, ni

manifiesta herida, sino agoniza lentamente consumida por el veneno de la pasión que su verdugo le ha propinado. ¡Qué de tísicos[44] han muerto asesinados por una infiel, por un ingrato, por un calumniador! Los entierran; dicen que la cura no ha alcanzado y que los médicos no la entendieron. Pero la puñalada hipócrita alcanzó e hirió el corazón. Tú acaso eres de esos criminales y hay un acusador dentro de ti, y ese frac elegante y esa media de seda, y ese chaleco de tisú de oro que yo te he visto, son tus armas maldecidas.

—Silencio, hombre borracho.

—No; has de oir al vino, una vez que habla. Acaso ese oro que a fuer de[45] elegante has ganado en tu sarao[46] y que vuelcas[47] con indiferencia sobre tu tocador, es el precio del honor de una familia. Acaso ese billete que desdoblas es un anónimo embustero que va a separar de ti para siempre la mujer que adorabas; acaso es una prueba de la ingratitud de ella o de su perfidia. Más de uno[48] te he visto morder y despedazar con tus uñas y tus dientes en los momentos en que el buen tono cede el paso a la pasión y a la saciedad.

Tú buscas la felicidad en el corazón humano, y para eso le destrozas, hozando[49] en él, como quien remueve la tierra en busca de un tesoro. Yo nada busco, y el desengaño no me espera a la vuelta de[50] la esperanza. Tú eres literato y escritor, y qué tormentos no te hace pasar tu amor propio, ajado diariamente por la indiferencia de unos, por la envidia de otros, por el rencor de muchos. Preciado de gracioso, harías reír a costa de un amigo, si amigos hubiera, y no quieres tener remordimiento. Hombre

---

38. The last thing Larra said, four paragraphs before was "Da lástima."
39. *soler,* to be accustomed
40. *mullido lecho,* downy couch
41. *tarima,* pallet
42. *ganzúa,* skeleton key
43. *carta cerrada,* letter
44. *qué de tísicos,* how many consumptives

45. *a fuer de,* in the manner of
46. *sarao,* party, entertainment (from the French *soirée*). Gambling was common at parties in Larra's time.
47. *volcar,* to pour; to upset
48. *uno* has *billete* as its antecedent.
49. *hozar,* to root (like a pig)
50. *a la vuelta de,* around the corner from

de partido,[51] haces la guerra a otro partido: o cada vencimiento es una humillación, o compras la victoria demasiado cara para gozar de ella. Ofendes y no quieres tener enemigos. ¡A mí quién me calumnia! ¿quién me conoce? Tú me pagas un salario bastante a cubrir mis necesidades; a ti te paga el mundo como paga a los demás que le sirven . . . Despedazado siempre por la sed de gloria, inconsecuencia rara, despreciarás acaso a aquéllos para quienes escribes y reclamas con el incensario en la mano su adulación: adulas a tus lectores para ser de ellos adulado, y eres también despedazado por el temor, y no sabes si mañana irás a coger tus laureles a las Baleares o a un calabozo.[52]

—¡Basta, basta!

—Concluyo; yo en fin no tengo necesidades: tú, a pesar de tus riquezas, acaso tendrás que someterte mañana a un usurero para un capricho innecesario, porque vosotros tragáis oro, o para un banquete de vanidad en que cada bocado es un tósigo. Tú lees día y noche buscando la verdad en los libros hoja por hoja, y sufres de no encontrarla ni escrita.[53] Ente ridículo, bailas sin alegría; tu movimiento turbulento es el movimiento de la llama, que sin gozar ella, quema. Cuando yo necesito de mujeres echo mano de[54] mi salario, y las encuentro, fieles por más de un cuarto de hora; tú echas mano de tu corazón y vas, y lo arrojas a los pies de la primera que pasa, y no quieres que lo pise y lo lastime, y le entregas ese depósito sin conocerla. Confías tu tesoro a cualquiera por su linda cara, y crees porque quieres; y si mañana tu tesoro desaparece, llamas ladrón al depositario, debiendo llamarte imprudente y necio a ti mismo.

—Por piedad, déjame, voz del infierno.

—Concluyo: inventas palabras y haces de ellas sentimientos, ciencias, artes, objetos de existencia. Política, gloria, saber, poder, riqueza, amistad, amor. Y cuando descubres que son palabras, blasfemas y maldices. En tanto el pobre asturiano come, bebe y duerme, y nadie le engaña, y si no es feliz, no es desgraciado, no es al menos hombre de mundo,[55] ni ambicioso, ni elegante, ni literato ni enamorado. Ten lástima ahora al pobre asturiano.[56] Tú me mandas, pero no te mandas a ti mismo. Tenme lástima, literato. Yo estoy ebrio de vino, es verdad; pero tú estás de deseos y de impotencia . . . !!

Un ronco sonido terminó el diálogo; el cuerpo cansado del esfuerzo había caído al suelo; el órgano de la providencia había callado; y el asturiano roncaba. ¡Ahora te conozco, exclamé, día 24!

Una lágrima preñada de horror y de desesperación surcaba mi mejilla ajada ya por el dolor. A la mañana amo y criado yacían, aquél en el lecho, éste en el suelo. El primero tenía todavía abiertos los ojos y los clavaba con delirio y con delicia en una caja amarilla, donde se leía *mañana*. ¿Llegará ese *mañana* fatídico? ¿Qué encerraba la caja? En tanto la *Nochebuena* era pasada y el mundo todo, a mis barbas,[57] cuando hablaba de ella la seguía llamando Noche buena.

---

51. *partido*, political party; *hombre de partido*, a party man

52. After the many violent changes of government in Spain the opponents of the regime in power were often exiled to some distant part of the country, such as the Balearic Islands, or put in jail. A politician had to fear such a possible outcome of his career.

53. *ni escrita*, here, anywhere at all

54. *echar mano de*, to draw on, to appeal to

55. *hombre de mundo*, a society man, man of the world

56. The servant comes back to his starting point, that is, Larra's exclamation of pity for him. The whole harangue of the Asturian has been based on the idea that Larra is more to be pitied than his servant. Since the whole dialogue takes place in the dark and since the servant talks with unusual eloquence, Larra leaves us with the impression that the servant's words are merely projections of his own thoughts.

57. *a mis barbas,* right to my face

The Romantic Drama and José Zorrilla

A series of important dramas appeared in the first years following the introduction of romanticism into Spain. These works have always attracted considerable attention, perhaps even more than they merit on the basis of their intrinsic worth, because they stand as symbols of the revolt against worn-out classicism. All these plays have a common characteristic in the fact that they break all classic rules, and since the number of classic restrictions in this genre was particularly great, it was natural that the romanticists chose it as a field in which to show their rebellious spirit. They set out to undo the earlier restraints so systematically and thoroughly that this breaking of rules became practically a new set of rules in itself. Thus it was indispensable for the play to have a setting which shifted from place to place, and its action had to cover a period of several years. Many duels, murders, and suicides had to take place on the stage, simply because they were prohibited in the classic drama. A mixture of prose and verse, and elaborately detailed stage settings were also used because the older school would not tolerate them.

There is also a certain atmosphere common to all these plays—an atmosphere of immense and fatal passion, great sacrifices, bitter vengeance, impenetrable mystery, cruel murders, and tragic suicides. All this melodramatic element is taken in deadly earnest, although secondary comic scenes are brought in to relieve the gloom of the principal action, again in open contradiction to the classic precepts. The fundamental plot is always tragic; there is no such thing as a romantic comedy. We must admit that occasionally we like to escape from humdrum existence to this fantastic, tortured world, but that as a steady diet its lack of variety soon satiates our appetite.

The romantic hero stalks with somber majesty against this tragic and picturesque background. He is the same person in all romantic plays, for the individualistic traits he receives from one play to another are almost negligible. Gallant, generous, and brave, he attracts to himself, as if by predestination, the heroine's love and makes of passion the very mainspring of his existence. But in every case he is separated from the heroine by a fatal mystery. He frequently is an outcast from society because of his obscure origin. Of course he always turns out to be of the highest nobility, but this revelation comes when Fate has already sealed his and his beloved's doom. He knows or instinctively feels his nobility and inherent greatness and longs for a role in society and a marriage at the level of his aspirations; but as uncomprehending society refuses to take him at his own value, he is plunged in a frustrated melancholy. He feels that the only reason he does not occupy the high station of which he dreams is that a malignant and adverse Fate is always working against him.

Zorrilla (1817–93) was one of the few romantic poets and dramatists to live a long life. As a young man he ran away from his family to Madrid, where he lived a bohemian existence for several years. He attained sudden fame at the age of twenty for his verses to Larra, read at the latter's funeral. Perhaps this meteoric rise was due as much to the impassioned way in which he read them as to their intrinsic worth, for he himself tells us that he broke down when halfway through the poem and had to hand the manuscript to a friend to finish. Zorrilla's greatest literary success was the play *Don Juan Tenorio* (1844). His marriage was unhappy, and he left Madrid, partly to escape his wife, to live in Paris (1850–54) and in Mexico (1854–66). He was a favorite of the emperor Maximilian. After his return to Spain he found that he belonged to a forgotten generation. During his last years he suffered constantly from poverty.

There is an apparent contradiction in Zorrilla's make-up for, despite his romantic escapades as a young man and his life-long adherence to the romantic school in literature, fundamentally Zorrilla was a conservative. The two great sources of his inspiration always were religion and the fatherland. He himself tells us: *"Al publicar el segundo [tomo] he tenido presentes dos cosas, la Patria en que nací y la Religión en que vivo. Español, he buscado en nuestro suelo mis inspiraciones. Cristiano, he creído que mi religión encierra más poesía que el paganismo."* This conservative credo was written only one year after Larra's death, and marks Zorrilla's shift from the romantic revolt to the romantic revival. We can understand that he came later to look on the verses that he wrote for Larra as morally wrong, for Larra's suicide branded him as sacrilegious to the Catholic Zorrilla:

> Broté como una hierba corrompida
> Al borde de la tumba de un malvado
> Y mi primer cantar fue a un suicida
> ¡Agüero fue, por Dios, bien desdichado!
>
> (Introduction to *Obras completas*, 1884)

Zorrilla's best poetic works are those in which he seeks inspiration in his fatherland, goes back into the legendary past of the nation, and brings in the religious traditions and popular beliefs of the people. These poems, most of which run to several hundred lines and combine lyric feeling with dramatic elements in their presentation, he calls *Leyendas*. Zorrilla was a man of the people—another reason why the *leyenda*, an essentially popular form, should be his best mode of expression.

Zorrilla wrote poetry almost as easily as he talked; hence he has the advantage of spontaneity, but the disadvantage of writing entirely too much. There is little intensity of feeling or condensation of emotion in his productions. On the other hand he is a master of musical, flowing verse and beautiful imagery.

Don Juan Tenorio (1844), Zorrilla's greatest literary success, has retained its popularity to the present day. Every year around All Souls' Day (November 2), this play is staged all over Spain and in many parts of Latin America. Zorrilla composed his version of the Don Juan legend within three weeks.

Don Juan, who symbolizes the dashing, dissolute, and irresistible lover, driven by boundless lust to conquer one woman after another, has appeared in more literary reincarnations than any of the other three great heroes in world fiction—Hamlet, Faust, and Don Quijote. He was a figure in the folklore of many European countries centuries before he first appeared in literature in Tirso de Molina's play *El burlador de Sevilla y convidado de piedra* (1630). In Tirso's version, Don Juan is a believer in God but a bad Christian for thinking that the reckoning for his actions would be postponed indefinitely. At the end of the play, he is condemned to hell despite his pleas to have a priest called for confession. Zorrilla's version exemplifies the spirit of the romantic period in that the libertine is saved through the love of a woman *after he dies*. The splendid vitality of the play's poetry, its dynamic action, the stirring drama of its many scenes, and the glamor of the impetuous Don Juan more than compensate for its melodramatic excesses and technical defects, especially in the crowding of action into a brief period.

Don Juan Tenorio

Personajes de Todo el Drama

DON JUAN TENORIO	DON RAFAEL DE AVELLANEDA
DON LUIS MEJÍA	LUCÍA
DON GONZALO DE ULLOA, *Comendador de*	LA ABADESA DE LAS CALATRAVAS DE SE-
Calatrava [1]	VILLA [2]
DON DIEGO TENORIO	LA TORNERA DE ÍDEM
DOÑA INÉS DE ULLOA	GASTÓN
DOÑA ANA DE PANTOJA	MIGUEL
CHRISTÓFANO BUTTARELLI	UN ESCULTOR
MARCOS CIUTTI	ALGUACILES 1.° y 2.°
BRÍGIDA	UN PAJE *(que no habla)*
PASCUAL	LA ESTATUA DE DON GONZALO *(él mismo)*
EL CAPITÁN CENTELLAS	LA SOMBRA DE DOÑA INÉS *(ella misma)*

Caballeros sevillanos, encubiertos, curiosos, esqueletos, estatuas, ángeles, sombras, justicia y pueblo [3]

La acción en Sevilla por los años de 1545, últimos del emperador Carlos V.[4] Los cuatro primeros actos pasan en una sola noche. Los tres restantes, cinco años después y en otra noche.

PRIMERA PARTE

ACTO PRIMERO

Libertinaje y Escándalo

Hostería de Christófano Buttarelli.—Puerta en el fondo que da a la calle; mesas, jarros y demás utensilios propios de semejante lugar.

ESCENA PRIMERA

DON JUAN, *con antifaz, sentado a una mesa escribiendo;* CIUTTI *y* BUTTARELLI, *a un lado esperando. Al levantarse el telón, se ven pasar por la puerta del* 5

fondo máscaras, estudiantes y pueblo con hachones, músicas, etc.

DON JUAN
        ¡Cuál gritan esos malditos!
    Pero ¡mal rayo me parta[5]

1. The military Order of Calatrava, founded in the twelfth century by Sancho III of Castile, was the oldest of the military-religious orders organized to fight against the Moors. Another Comendador, knight commander, of the Order of Calatrava, Fernán Gómez de Guzmán, plays a prominent role in Lope de Vega's *Fuenteovejuna,* included in the first volume of this anthology.
2. *Las Calatravas de Sevilla,* a convent in Seville, associated with the Order of Calatrava

3. The large cast of characters and the inclusion of such varied characters, beings, and things such as masked people, skeletons, statues, angels, and ghosts are typical of the romantic drama.
4. Carlos V, king of Spain (1516–56) and emperor of the Holy Roman Empire (1519–56). The action of the romantic dramas normally takes place in the past; in this case, the time is about three centuries before *Don Juan Tenorio* was first staged.
5. *mal rayo me parta,* may lightning strike me

si, en concluyendo la carta,
no pagan caros sus gritos!
    (*Sigue escribiendo.*)
BUTTARELLI (*A Ciutti.*)
  Buen Carnaval.[6]
CIUTTI (*A Buttarelli.*)
      Buen agosto
para rellenar la arquilla.
BUTTARELLI
  ¡Quiá! Corre ahora por Sevilla   10
poco gusto y mucho mosto.
Ni caen aquí buenos peces,[7]
que son casas mal miradas
por gentes acomodadas,
y atropelladas a veces.[8]   15
CIUTTI
  Pero hoy . . .
BUTTARELLI
      Hoy no entra en la cuenta,
Ciutti; se ha hecho buen trabajo.   20
CIUTTI
  ¡Chito! Habla un poco más bajo,
que mi señor se impacienta
pronto.
BUTTARELLI
      ¿A su servicio estás?   25
CIUTTI
  Ya ha un año.[9]
BUTTARELLI
      Y ¿qué tal te sale?[10]
CIUTTI
  No hay prior que se me iguale;
tengo cuanto quiero, y más.
Tiempo libre, bolsa llena,
buenas mozas y buen vino.   35
BUTTARELLI
  ¡Cuerpo de tal, qué destino!
CIUTTI (*Señalando a D. Juan.*)
  Y todo ello a costa ajena.
BUTTARELLI
  Rico, ¿eh?   40

CIUTTI
      Varea la plata.[11]
BUTTARELLI
  ¿Franco?
CIUTTI   5
      Como un estudiante.
BUTTARELLI
  Y ¿noble?
CIUTTI
      Como un infante.
BUTTARELLI
  Y ¿bravo?
CIUTTI
      Como un pirata.
BUTTARELLI
  ¿Español?
CIUTTI
      Creo que sí.
BUTTARELLI
  ¿Su nombre?
CIUTTI
      Lo ignoro en suma.
BUTTARELLI
  ¡Bribón! Y ¿dónde va?
CIUTTI
      Aquí.
BUTTARELLI
  Largo plumea.[12]
CIUTTI
      Es gran pluma.
BUTTARELLI
  Y ¿a quién mil diablos escribe
tan cuidadoso y prolijo?
CIUTTI
  A su padre.
BUTTARELLI
      ¡Vaya un hijo!
CIUTTI
  Para el tiempo en que se vive,
es un hombre extraordinario;
Mas silencio.

---

6. It is Carnival time, the season immediately preceding Lent, which is observed with merrymaking.
7. *buenos peces*, good customers, "big shots"
8. *atropellado*, rowdy, raucous
9. *Ya ha un año*, A year now
10. *¿qué tal te sale?*, how has it been working out for you?
11. *Varea la plata*, He tosses his money about freely
12. *Largo plumea*, He's scribbling a lot

DON JUAN (*Cerrando la carta.*)
                    Firmo y plego.
¿Ciutti?
CIUTTI
                    Señor.
DON JUAN
                    Este pliego
irá, dentro del Horario
en que reza doña Inés,
a sus manos a parar.
CIUTTI
    ¿Hay respuesta que aguardar?
DON JUAN
    Del diablo con guardapiés
que la asiste, de su dueña,
que mis intenciones sabe,
recogerás una llave,
una hora y una seña;
y más ligero que el viento,
aquí otra vez.
CIUTTI
                    Bien está. (*Vase.*)

ESCENA II

DON JUAN y BUTTARELLI

DON JUAN
Christófano, vieni quà.¹³
BUTTARELLI
    ¡Eccellenza!
DON JUAN
                    Senti.
BUTTARELLI
                    Sento.
Ma hò imparato il castigliano,
se è più facile al signor
la sua lingua . . .
DON JUAN
                    Sí, es mejor;
lascia dunque il tuo toscano,¹⁴
y dime: don Luis Mejía,
¿ha venido hoy?

BUTTARELLI
                    Excelencia,
no está en Sevilla.
DON JUAN
5   Su ausencia,
¿dura en verdad todavía?
BUTTARELLI
    Tal creo.
DON JUAN
10   Y ¿noticia alguna
no tenéis de él?
BUTTARELLI
                    ¡Ah! Una historia
me viene ahora a la memoria
15 que os podrá dar . . .
DON JUAN
                    ¿Oportuna
luz sobre el caso?
BUTTARELLI
20   Tal vez.
DON JUAN
    Habla, pues.
BUTTARELLI (*Hablando consigo mismo.*)
                    No, no me engaño;
25 esta noche cumple el año,
lo había olvidado.
DON JUAN
                    ¡Pardiez!
¿Acabarás con tu cuento?
30 BUTTARELLI
    Perdonad, señor; estaba
recordando el hecho.
DON JUAN
                    Acaba,
35 ¡vive Dios! que me impaciento.
BUTTARELLI
    Pues es el caso, señor,
que el caballero Mejía
por quien preguntáis, dio un día
40 en la ocurrencia peor
que ocurrírsele podía.
DON JUAN
    Suprime lo al hecho extraño;

---

13. *vieni quà,* Italian for *ven acá.* The Spanish
equivalents of the Italian words in the text
are:—¡*Excelencia!—Siéntate;* —*Me siento.*
Mas he aprendido el castellano, si le es más
fácil al señor su propia lengua.

14. *lascia dunque il tuo toscano, deja, pues,*
tu toscano. Toscano, Tuscan, means Italian
here.

que apostaron me es notorio,
a quién haría en un año,
con más fortuna, más daño,
Luis Mejía y Juan Tenorio.

BUTTARELLI

¿La historia sabéis?

DON JUAN

Entera;
por eso te he preguntado
por Mejía.

BUTTARELLI

¡Oh! me pluguiera
que la apuesta se cumpliera,
que pagan bien y al contado.

DON JUAN

Y ¿no tienes confianza
en que don Luis a esta cita
acuda?

BUTTARELLI

¡Quiá! Ni esperanza;
el fin del plazo se avanza,
y estoy cierto que maldita
la memoria que ninguno
guarda de ello.[15]

DON JUAN

Basta ya.
Toma.

BUTTARELLI

Excelencia, ¿y de alguno
de ellos sabéis vos?

DON JUAN

Quizá.

BUTTARELLI

¿Vendrán, pues?

DON JUAN

Al menos uno;
mas por si acaso los dos
dirigen aquí sus huellas,
el uno del otro en pos,
tus dos mejores botellas
prevénles.[16]

BUTTARELLI

Mas . . .

DON JUAN

¡Chito! . . . Adiós.

(Sale Don Juan.)

ESCENA III

BUTTARELLI

¡Santa Madona! De vuelta
Mejía y Tenorio están
sin duda . . . , y recogerán
los dos la palabra suelta.[17]
¡Oh! Sí; ese hombre tiene traza
de saberlo a fondo.

(Ruido dentro.)

Pero
¿qué es esto?

(Se asoma a la puerta.)

¡Anda! ¡El forastero
está riñendo en la plaza!
¡Válgame Dios! ¡Qué bullicio!
¡Cómo se le arremolina
chusma[18] . . . , y cómo la acoquina
él solo! . . . ¡Puf! ¡Qué estropicio!
¡Cuál corren delante de él!
No hay duda; están en Castilla
los dos, y anda ya Sevilla
toda revuelta. ¡Miguel!

ESCENA IV

BUTTARELLI y MIGUEL

MIGUEL

¿Che comanda?[19]

BUTTARELLI

Presto, qui
servi una tavola, amico;
e del Lacryma più antico,
porta due bottiglie.

---

15. *maldita . . . ello,* neither of them has any darn recollection of it.
16. *prevénles,* get ready for them
17. *recogerán los dos la palabra suelta,* will make good on their pledges
18. *¡Cómo se le arremolina chusma,* Look at the way the crowd is milling around him
19. The Spanish translation of the Italian is as follows: —*¿Qué manda?;* —*Pronto, pon aquí una mesa, amigo; y trae dos botellas del Lachryma Christi* (a choice Italian wine) *más viejo;* —*Sí, señor patrón;* —*¡Miguelito, prepara por favor el más rico que hay, date prisa!;* —*Ya me doy prisa, señor patrón.*

MIGUEL
                    Sì,
signor padron.
BUTTARELLI
                    ¡Micheletto,
apparecchia in carità
il più ricco, che si fa,
affrettati!
MIGUEL
                    Giá mi affretto,
signor padrone. (*Vase.*)

ESCENA V

BUTTARELLI y D. GONZALO

DON GONZALO
                    Aquí es.
¿Patrón?
BUTTARELLI
                    ¿Qué se ofrece?
DON GONZALO
                    Quiero
hablar con el hostelero.
BUTTARELLI
Con él habláis; decid, pues.
DON GONZALO
¿Sois vos?
BUTTARELLI
                    Sí; mas despachad,
que estoy de priesa.
DON GONZALO
                    En tal caso,
ved si es cabal y de paso
esa dobla, y contestad.
BUTTARELLI
¡Oh, excelencia!
DON GONZALO
                    ¿Conocéis
a don Juan Tenorio?
BUTTARELLI
                    Sí.
DON GONZALO
Y ¿es cierto que tiene aquí
hoy una cita?

BUTTARELLI
                    ¡Oh! ¿Seréis
vos el otro?
DON GONZALO
5   ¿Quién?
BUTTARELLI
                    Don Luis.
DON GONZALO
No, pero estar me interesa
10   en su entrevista.
BUTTARELLI
                    Esta mesa
les preparo; si os servís
en esotra colocaros,
15   podréis presenciar la cena
que les daré . . . ¡Oh! Será escena
que espero que ha de admiraros.
DON GONZALO
Lo creo.
20   BUTTARELLI
                    Son, sin disputa,
los dos mozos más gentiles
de España.
DON GONZALO
25   Sí, y los más viles
también.
BUTTARELLI
                    ¡Bah! Se les imputa
cuanto malo se hace hoy día;
30   mas la malicia lo inventa,
pues nadie paga su cuenta
como Tenorio y Mejía.
DON GONZALO
¡Ya!
35   BUTTARELLI
                    Es afán de murmurar,
porque conmigo, señor,
ninguno lo hace mejor,
y bien lo puedo jurar.
40   DON GONZALO
No es necesario; mas . . .
BUTTARELLI
                    ¿Qué?
DON GONZALO
45   Quisiera yo ocultamente
verlos, y sin que la gente
me reconociera.

BUTTARELLI

A fe,
que eso es muy fácil, señor.
Las fiestas de Carnaval,
al hombre más principal
permiten, sin deshonor
de su linaje, servirse
de un antifaz, y bajo él,
¿quién sabe, hasta descubrirse,
de qué carne es el pastel?

DON GONZALO

Mejor fuera en aposento
contiguo . . .

BUTTARELLI

Ninguno cae
aquí.

DON GONZALO .

Pues entonces, trae
el antifaz.

BUTTARELLI

Al momento.

ESCENA VI

DON GONZALO

No cabe en mi corazón[20]
que tal hombre pueda haber,
y no quiero cometer
con él una sinrazón.
Yo mismo indagar prefiero
la verdad . . . ; mas, a ser cierta
la apuesta, primero muerta
que esposa suya la quiero.
No hay en la tierra interés
que si la daña me cuadre;
primero seré buen padre,
buen caballero después.
Enlace es de gran ventaja,
mas no quiero que Tenorio
del velo del desposorio
la recorte una mortaja.

ESCENA VII

DON GONZALO y BUTTARELLI, *que trae un antifaz*

5 BUTTARELLI

Ya está aquí.

DON GONZALO

Gracias, patrón;
¿tardarán mucho en llegar?

10 BUTTARELLI

Si vienen, no han de tardar;
cerca de las ocho son.

DON GONZALO

¿Esa es hora señalada?

15 BUTTARELLI

Cierra el plazo, y es asunto
de perder quien no esté a punto
de la primer campanada.

DON GONZALO

20 Quiera Dios que sea una chanza,
y no lo que se murmura.

BUTTARELLI

No tengo aún por muy segura
de que cumplan, la esperanza;
25 pero si tanto os importa
lo que ello sea saber,
pues la hora está al caer,[21]
la dilación es ya corta.

DON GONZALO

30 Cúbrome, pues, y me siento.
(*Se sienta en una mesa a la derecha, y se pone el antifaz.*)

BUTTARELLI (*Aparte.*)

Curioso el viejo me tiene
35 del misterio con que viene . . . ,
y no me quedo contento
hasta saber quién es él.
(*Limpia y trajina, mirándole de reojo.*)

DON GONZALO (*Aparte.*)

40 ¡Que un hombre como yo tenga
que esperar aquí, y se avenga[22]
con semejante papel!
En fin, me importa el sosiego
de mi casa, y la ventura

---

20. *No cabe en mi corazón*, My heart can't believe

21. *está al caer*, is just about up
22. from *avenirse*, to put up with

de una hija sencilla y pura,
y no es para echarlo a juego.[23]

ESCENA VIII

DON GONZALO, BUTTARELLI y D. DIEGO
a la puerta del fondo

DON DIEGO
   La seña está terminante,
   aquí es; bien me han informado;
   llego pues.
BUTTARELLI
            ¿Otro embozado?
DON DIEGO
   ¡Ah de esta casa![24]
BUTTARELLI
            Adelante.
DON DIEGO
   ¿La Hostería del Laurel?
BUTTARELLI
   En ella estáis, caballero.
DON DIEGO
   ¿Está en casa el hostelero?
BUTTARELLI
   Estáis hablando con él.
DON DIEGO
   ¿Sois vos Buttarelli?
BUTTARELLI
            Yo.
DON DIEGO
   ¿Es verdad que hoy tiene aquí
   Tenorio una cita?
BUTTARELLI
            Sí.
DON DIEGO
   Y ¿ha acudido a ella?
BUTTARELLI
            No.
DON DIEGO
   Pero ¿acudirá?
BUTTARELLI
            No sé.

DON DIEGO
   ¿Le esperáis vos?
BUTTARELLI
            Por si acaso
5 venir le place.
DON DIEGO
            En tal caso,
   yo también le esperaré.
   (*Se sienta al lado opuesto a* **D.** *Gonzalo.*)
10 BUTTARELLI
   ¿Que os sirva vianda alguna
   queréis mientras?
DON DIEGO
            No; tomad (*Dale dinero*).
15 BUTTARELLI
   ¡Excelencia!
DON DIEGO
            Y excusad
   conversación importuna.
20 BUTTARELLI
   Perdonad.
DON DIEGO
            Vais perdonado;
   dejadme, pues.
25 BUTTARELLI (*Aparte.*)
            ¡Jesucristo!
   En toda mi vida he visto
   hombre más malhumorado.
DON DIEGO (*Aparte.*)
30 ¡Que un hombre de mi linaje
   descienda a tan ruin mansión!
   Pero no hay humillación
   a que un padre no se baje
   por un hijo. Quiero ver
35 por mis ojos la verdad,
   y el monstruo de liviandad
   a quien pude dar el ser.
   (*Buttarelli, que anda arreglando sus*
   trastos, contempla desde el fondo a D.
40 *Gonzalo y a D. Diego, que permanecerán*
   embozados y en silencio.)
BUTTARELLI
   ¡Vaya un par de hombres de piedra!
   Para éstos sobra mi abasto;

23. *Y no es para echarlo a juego,* And I don't
   intend to gamble away all of this

24. *¡Ah de esta casa!,* Is anybody here?

mas ¡pardiez! pagan el gasto
que no hacen, y así se medra.

ESCENA IX

DON GONZALO, D. DIEGO, BUTTARELLI, EL
CAPITÁN CENTELLAS, AVELLANEDA y DOS
CABALLEROS

AVELLANEDA
  Vinieron, y os aseguro
que se efectuará la apuesta.
CENTELLAS
  Entremos, pues. ¿Buttarelli?
BUTTARELLI
  Señor capitán Centellas,
¿vos por aquí?
CENTELLAS
              Sí, Christófano.
¿Cuándo aquí, sin mi presencia,
tuvieron lugar las orgías
que han hecho raya en la época?
BUTTARELLI
  Como ha tanto tiempo ya
que no os he visto . . .
CENTELLAS
              Las guerras
del Emperador, a Túnez[25]
me llevaron; mas mi hacienda
me vuelve a traer a Sevilla;
y, según lo que me cuentan,
llego lo más a propósito
para renovar añejas
amistades. Conque apróntanos
luego unas cuantas botellas,
y en tanto que humedecemos
la garganta, verdadera
relación haznos de un lance
sobre el cual hay controversia.
BUTTARELLI
  Todo se andará;[26] mas antes
dejadme ir a la bodega.
VARIOS
  Sí, sí.

ESCENA X

DICHOS, menos BUTTARELLI

CENTELLAS
              Sentarse, señores,
y que siga Avellaneda
con la historia de don Luis.
AVELLANEDA
  No hay ya más que decir de ella,
sino que creo imposible
que la de Tenorio sea
más endiablada, y que apuesto
por don Luis.
CENTELLAS
              Acaso pierdas.
Don Juan Tenorio se sabe
que es la más mala cabeza
del orbe, y no hubo hombre **alguno**
que aventajarle pudiera
con sólo su inclinación;
conque, ¿qué hará si se empeña?
AVELLANEDA
  Pues yo sé bien que Mejía
las ha hecho tales, que a ciegas
se puede apostar por él.
CENTELLAS
  Pues el capitán Centellas
pone por don Juan Tenorio
cuanto tiene.
AVELLANEDA
              Pues se acepta
por don Luis, que es muy mi amigo.
CENTELLAS
  Pues todo en contra se arriesga;
porque no hay, como Tenorio,
otro hombre sobre la tierra,
y es proverbial su fortuna
y extremadas sus empresas.

ESCENA XI

DICHOS, BUTTARELLI, con botellas

BUTTARELLI
  Aquí hay Falerno, Borgoña,
Sorrento.[27]

25. Charles V besieged and captured the Moor-
    ish stronghold of Tunis in 1535.
26. *Todo se andará,* All that will be done

27. types of wine: Italian Falernian, French
    Burgundy, and Italian Sorrento

CENTELLAS
          De lo que quieras
sirve, Christófano, y dinos:
¿qué hay de cierto en una apuesta
por don Juan Tenorio ha un año
y don Luis Mejía hecha?   5
BUTTARELLI
Señor capitán, no sé
tan a fondo la materia,
que os pueda sacar de dudas,
pero os diré lo que sepa.   10
VARIOS
Habla, habla.
BUTTARELLI
          Yo, la verdad,
aunque fue en mi casa mesma   15
la cuestión entre ambos, como
pusieron tan larga fecha
a su plazo, creí siempre
que nunca a efecto viniera;
así es, que ni aun me acordaba   20
de tal cosa a la hora de ésta.
Mas esta tarde, sería
al anochecer apenas,
entróse aquí un caballero
pidiéndome que le diera   25
recado con que escribir
una carta, y a sus letras
atento no más, me dio
tiempo a que charla metiera
con un paje que traía,   30
paisano mío, de Génova.
No saqué nada del paje,
que es ¡por Dios! muy brava pesca;[28]
mas cuando su amo acababa
la carta, le envió con ella   35
a quien iba dirigida.
El caballero, en mi lengua
me habló, y me pidió noticias
de don Luis; dijo que entera
sabía de ambos la historia,   40
y tenía la certeza
de que, al menos uno de ellos,
acudiría a la apuesta.
Yo quise saber más de él,
mas púsome dos monedas   45

de oro en la mano, diciéndome:
«Y por si acaso los dos
al tiempo aplazado llegan,
ten prevenidas para ambos
tus dos mejores botellas.»
Largóse sin decir más,
y yo, atento a sus monedas,
les puse en el mismo sitio
donde apostaron, la mesa.
Y vedla allí con dos sillas,
dos copas y dos botellas.
AVELLANEDA
Pues, señor, no hay que dudar:
era don Luis.
CENTELLAS
          Don Juan era.
AVELLANEDA
¿Tú no le viste la cara?
BUTTARELLI
¡Si la traía cubierta
con un antifaz!
CENTELLAS
          Pero, hombre,
¿tú a los dos no los recuerdas,
o no sabes distinguir
a las gentes por sus señas
lo mismo que por sus caras?
BUTTARELLI
Pues confieso mi torpeza;
no lo supe conocer,
y lo procuré de veras.
Pero silencio.
AVELLANEDA
          ¿Qué pasa?
BUTTARELLI
A dar el reloj comienza
los cuartos[29] para las ocho.
          (Dan.)
CENTELLAS
Ved, ved la gente que se entra.
AVELLANEDA
Como que está de este lance
curiosa Sevilla entera.
(Se oyen dar las ocho; varias personas
entran y se reparten en silencio por la
escena; al dar la última campanada, D.

---

28. *brava pesca,* sly rascal

29. *los cuartos,* the chimes which strike the
    quarter hours

*Juan, con antifaz, se llega a la mesa que
ha preparado Buttarelli en el centro del
escenario, y se dispone a ocupar una de
las dos sillas que están delante de ella.
Inmediatamente después de él, entra D.
Luis, también con antifaz, y se dirige a
la otra. Todos los miran.)*

ESCENA XII

DICHOS, D. JUAN, D. LUIS, *caballeros,
curiosos y enmascarados*

AVELLANEDA (*A Centellas, por D. Juan.*)
    Verás aquél, si ellos vienen,
    qué buen chasco que se lleva.
CENTELLAS (*A Avellaneda por D. Luis.*)
    Pues allí va otro a ocupar
    la otra silla. ¡Uf! ¡Aquí es ella!30
DON JUAN (*A D. Luis*)
    Esa silla está comprada,
    hidalgo.
DON LUIS (*A D. Juan.*)
             Lo mismo digo,
    hidalgo; para un amigo
    tengo yo esotra pagada.
DON JUAN
    Que ésta es mía haré notorio.
DON LUIS
    Y yo también que ésta es mía.
DON JUAN
    Luego sois don Luis Mejía.
DON LUIS
    Seréis, pues, don Juan Tenorio.
DON JUAN
    Puede ser.
DON LUIS
          Vos lo decís.
DON JUAN
    ¿No os fiáis?
DON LUIS
         No.
DON JUAN
        Yo tampoco.

DON LUIS
    Pues no hagamos más el coco.31
DON JUAN (*Quitándose la máscara.*)
    Yo soy don Juan.
DON LUIS (*Idem.*)
        Yo don Luis.
(*Se descubren y se sientan. El capitán
Centellas, Avellaneda, Buttarelli y algu-
nos otros se van a ellos y les saludan,
abrazan y dan la mano y hacen otras
semejantes muestras de cariño y amistad.
Don Juan y D. Luis las aceptan cortés-
mente.*)
CENTELLAS
    ¡Don Juan!
AVELLANEDA
        ¡Don Luis!
DON JUAN
         ¡Caballeros!
DON LUIS
    ¡Oh, amigos! ¿Qué dicha es ésta?
AVELLANEDA
    Sabíamos vuestra apuesta,
    y hemos acudido a veros.
DON LUIS
    Don Juan y yo, tal bondad
    en mucho os agradecemos.
DON JUAN
    El tiempo no malgastemos,
    don Luis.
        (*A los otros.*)
        Sillas arrimad.
      (*A los que están lejos.*)
    Caballeros, yo supongo
    que a ustedes también aquí
    les traerá la apuesta, y por mí,
    a antojo tal no me opongo.
DON LUIS
    Ni yo; que aunque nada más
    fue el empeño entre los dos,
    no ha de decirse ¡por Dios!
    que me avergonzó jamás.
DON JUAN
    Ni a mí, que el orbe es testigo
    de que hipócrita no soy,

---

30. *¡Aquí es ella!*, Now things are really going
to happen!

31. *Pues no hagamos más el coco,* Well, let's
stop playing around

pues por doquiera que voy,
va el escándalo conmigo.
DON LUIS
¡Eh! Y esos dos, ¿no se llegan
a escuchar? Vos.
(Por D. Diego y D. Gonzalo.)
DON DIEGO
      Yo estoy bien.
DON LUIS
¿Y vos?
DON GONZALO
     De aquí oigo también.
DON LUIS
Razón tendrán si se niegan.
(Se sientan todos alrededor de la mesa
en que están D. Luis Mejía y D. Juan
Tenorio.)
DON JUAN
¿Estamos listos?
DON LUIS
      Estamos.
DON JUAN
Como quien somos cumplimos.
DON LUIS
Veamos, pues, lo que hicimos.
DON JUAN
Bebamos antes.
DON LUIS
      Bebamos.
      (Lo hacen.)
DON JUAN
La apuesta fue. . . .
DON LUIS
     Porque un día
dije que en España entera
no habría nadie que hiciera
lo que hiciera Luis Mejía.
DON JUAN
Y siendo contradictorio
al vuestro mi parecer,
yo os dije: «Nadie ha de hacer
lo que hará don Juan Tenorio.»
¿No es así?

DON LUIS
     Sin duda alguna;
y vinimos a apostar
quién de ambos sabría obrar
peor, con mejor fortuna,
en el término de un año;
juntándonos aquí hoy
a probarlo.
DON JUAN
     Y aquí estoy.
DON LUIS
Y yo.
CENTELLAS
     ¡Empeño bien extraño,
por vida mía!
DON JUAN
     Hablad, pues.
DON LUIS
No, vos debéis empezar.
DON JUAN
Como gustéis, igual es
que nunca me hago esperar.
Pues, señor, yo desde aquí,
buscando mayor espacio
para mis hazañas, di
sobre Italia, porque allí
tiene el placer un palacio.
De la guerra y del amor
antigua y clásica tierra,
y en ella el Emperador,
con ella y con Francia en guerra,[32]
díjeme: «¿Dónde mejor?
Donde hay soldados, hay juego,
hay pendencias y amoríos.»
Di, pues, sobre Italia luego,
buscando a sangre y a fuego
amores y desafíos.
En Roma, a mi apuesta fiel,
fijé, entre hostil y amatorio,
en mi puerta este cartel:
«Aquí está don Juan Tenorio
para quien quiera algo de él.»
De aquellos días la historia

32. Don Juan has taken part in the wars that Charles V waged against Francis I of France. A good deal of the fighting took place in Italy. Don Juan must prove his valor as well as his amatory talents.

a relataros renuncio;
remítome a la memoria
que dejé allí, y de mi gloria
podéis juzgar por mi anuncio.
Las romanas, caprichosas;   5
las costumbres, licenciosas;
yo, gallardo y calavera;
¿quién a cuento redujera
mis empresas amorosas?
Salí de Roma, por fin,   10
como os podéis figurar:
con un disfraz harto ruin
y a lomos de un mal rocín,
pues me querían ahorcar.
Fui al ejército de España;   15
mas todos paisanos míos,
soldados y en tierra extraña,
dejé pronto su compaña
tras cinco o seis desafíos.
Nápoles, rico verjel   20
de amor, de placer emporio,
vio en mi segundo cartel:
«Aquí está don Juan Tenorio,
y no hay hombre para él.
Desde la princesa altiva   25
a la que pesca en ruin barca,
no hay hembra a quien no suscriba,[33]
y cualquiera empresa abarca
si en oro o valor estriba.
Búsquenle los reñidores;   30
cérquenle los jugadores;
quien se precie, que le ataje;
a ver si hay quien le aventaje
en juego, en lid o en amores.»
Esto escribí; y en medio año
que mi presencia gozó   35
Nápoles, no hay lance extraño,
no hubo escándalo ni engaño
en que no me hallara yo.
Por dondequiera que fui,   40
la razón atropellé,
la virtud escarnecí,
a la justicia burlé
y a las mujeres vendí.
Yo a las cabañas bajé,   45

yo a los palacios subí,
yo los claustros escalé,
y en todas partes dejé
memoria amarga de mí.
Ni reconocí sagrado,
ni hubo razón ni lugar
por mi audacia respetado;
ni en distinguir me he parado
al clérigo del seglar.
A quien quise provoqué,
con quien quiso me batí,
y nunca consideré
que pudo matarme a mí
aquel a quien yo maté.
A esto don Juan se arrojó,
y escrito en este papel
está cuanto consiguió;
y lo que él aquí escribió,
mantenido está por él.

DON LUIS
Leed, pues.

DON JUAN
              No; oigamos antes
vuestros bizarros extremos,
y si traéis terminantes
vuestras notas comprobantes,[34]
lo escrito cotejaremos.

DON LUIS
Decís bien; cosa es que está,
don Juan, muy puesta en razón;
aunque, a mi ver, poco irá[35]
de una a otra relación.

DON JUAN
Empezad, pues.

DON LUIS
              Allá va.
Buscando yo, como vos,
a mi aliento empresas grandes,
dije: «¿Dó iré, ¡vive Dios!
de amor y lides en pos,
que vaya mejor que a Flandes?
Allí, puesto que empeñadas
guerras hay, a mis deseos
habrá al par centuplicadas
ocasiones extremadas

---

33. *a quien no suscriba,* whom he won't add to
his list of conquests

34. *si . . . comprobantes,* if you bring conclu-
sive evidence

35. *poco irá,* there will be little difference

de riñas y galanteos.»
Y en Flandes conmigo di,
mas con tan negra fortuna,
que al mes de encontrarme allí
todo mi caudal perdí,   5
dobla a dobla, una por una.
En tan total carestía
mirándome de dineros,
de mí todo el mundo huía,
mas yo busqué compañía   10
y me uní a unos bandoleros.
Lo hicimos bien, ¡voto a tal!
y fuimos tan adelante,
con suerte tan colosal,
que entramos a saco en Gante   15
el palacio episcopal.
¡Qué noche! Por el decoro
de la Pascua, el buen Obispo
bajó a presidir el coro,
y aun de alegría me crispo   20
al recordar su tesoro.
Todo cayó en poder nuestro;
mas mi capitán, avaro,
puso mi parte en secuestro;
reñimos, yo fui más diestro,   25
y le crucé sin reparo.[36]
Juróme al punto la gente
capitán, por más valiente;
juréles yo amistad franca;
pero a la noche siguiente   30
hui y les dejé sin blanca.
Yo me acordé del refrán
de que quien roba al ladrón
ha cien años de perdón,
y me arrojé a tal desmán   35
mirando a mi salvación.
Pasé a Alemania opulento,
mas un provincial jerónimo,[37]
hombre de mucho talento,
me conoció, y al momento   40
me delató en un anónimo.
Compré a fuerza de dinero
la libertad y el papel;
y topando en un sendero

al fraile, le envié certero
una bala envuelta en él.
Salté a Francia, ¡buen país!
y como en Nápoles vos,
puse un cartel en París,
diciendo: «*Aquí hay un don Luis*
que vale lo menos dos.
Parará aquí algunos meses,
y no trae más intereses
ni se aviene a más empresas,
que adorar a las francesas
y a reñir con los franceses.»
Esto escribí; y en medio año
que mi presencia gozó
París, no hubo lance extraño,
ni hubo escándalo ni daño
donde no me hallara yo.
Mas, como don Juan, mi historia
también a alargar renuncio;
que basta para mi gloria
la magnífica memoria
que allí dejé con mi anuncio.
Y cual vos, por donde fui
la razón atropellé,
la virtud escarnecí,
a la justicia burlé
y a las mujeres vendí.
Mi hacienda llevo perdida
tres veces; mas se me antoja
reponerla, y me convida
mi boda comprometida
con doña Ana de Pantoja.
Mujer muy rica me dan,
y mañana hay que cumplir
los tratos que hechos están;
lo que os advierto, don Juan,
por si queréis asistir.
A esto don Luis se arrojó,
y escrito en este papel
está lo que consiguió;
y lo que él aquí escribió,
mantenido está por él.

DON JUAN
La historia es tan semejante,

36. *le crucé sin reparo*, I ran him through without hesitation
37. *un provincial jerónimo*, a Hieronymite provincial; a Hieronymite belongs to the Order of St. Jerome, and a provincial is a member of a religious order presiding over his order in a given district or province.

que está en el fiel la balanza;[38]
mas vamos a lo importante,
que es el guarismo a que alcanza
el papel; conque adelante.

DON LUIS

Razón tenéis, en verdad.
Aquí está el mío; mirad,
por una línea apartados
traigo los nombres sentados,[39]
para mayor claridad.

DON JUAN

Del mismo modo arregladas
mis cuentas traigo en el mío;
en dos líneas separadas
los muertos en desafío
y las mujeres burladas.
Contad.

DON LUIS

                    Contad.

DON JUAN

                    Veintitrés.

DON LUIS

Son los muertos. A ver vos.
¡Por la cruz de San Andrés![40]
Aquí sumo treinta y dos.

DON JUAN

Son los muertos.

DON LUIS

                    Matar es.

DON JUAN

Nueve os llevo.[41]

DON LUIS

                    Me vencéis.
Pasemos a las conquistas.

DON JUAN

Sumo aquí cincuenta y seis.

DON LUIS

Y yo sumo en vuestras listas
setenta y dos.

DON JUAN

                    Pues perdéis.

DON LUIS

¡Es increíble, don Juan!

DON JUAN

Si lo dudáis, apuntados
los testigos ahí están,
que si fueren preguntados
os lo testificarán.

DON LUIS

¡Oh! Y vuestra lista es cabal.

DON JUAN

Desde una princesa Real
a la hija de un pescador,
¡oh! ha recorrido mi amor
toda la escala social.
¿Tenéis algo que tachar?

DON LUIS

Sólo una os falta, en justicia.

DON JUAN

¿Me la podéis señalar?

DON LUIS

Sí, por cierto; una novicia
que esté para profesar.[42]

DON JUAN

¡Bah! Pues yo os complaceré
doblemente, porque os digo
que a la novicia uniré
la dama de algún amigo
que para casarse esté.

DON LUIS

¡Pardiez, que sois atrevido!

DON JUAN

Yo os lo apuesto si queréis.

DON LUIS

Digo que acepto el partido.
Para darlo por perdido,
¿queréis veinte días?

DON JUAN

                    Seis.

DON LUIS

¡Por Dios, que sois hombre extraño!
¿Cuántos días empleáis

---

38. *está en el fiel la balanza*, the scale stands
    even
39. i.e., written down
40. St. Andrew, brother of St. Peter, was mar-
    tyred on the cross.
41. *Nueve os llevo*, I have nine more than you.
42. *una novicia que esté para profesar*, a novice
    on the verge of taking her final vows

en cada mujer que amáis?

DON JUAN

Partid los días del año
entre las que ahí encontráis.
Uno para enamorarlas,
otro para conseguirlas,
otro para abandonarlas,
dos para sustituirlas
y una hora para olvidarlas.
Pero la verdad a hablaros,
pedir más no se me antoja,
porque pues vais a casaros,
mañana pienso quitaros
a doña Ana de Pantoja.

DON LUIS

Don Juan, ¿qué es lo que decís?

DON JUAN

Don Luis, lo que oído habéis.

DON LUIS

Ved, don Juan, lo que emprendéis.

DON JUAN

Lo que he de lograr, don Luis.

DON LUIS

¡Gastón!

GASTON

Señor.

DON LUIS

Ven acá.

(*Habla D. Luis en secreto con Gastón, y éste se va precipitadamente.*)

DON JUAN

¡Ciutti!

CIUTTI

Señor.

DON JUAN

Ven aquí.

(*Don Juan ídem con Ciutti, que hace lo mismo.*)

DON LUIS

¿Estáis en lo dicho?[43]

DON JUAN

Sí.

DON LUIS

Pues va la vida.[44]

DON JUAN

Pues va.

(*Don Gonzalo, levantándose de la mesa en que ha permanecido inmóvil durante la escena anterior, se afronta con D. Juan y D. Luis.*)

DON GONZALO

¡Insensatos! ¡Vive Dios,
que a no temblarme las manos,
a palos, como a villanos,
os diera muerte a los dos!

DON JUAN Y DON LUIS

Veamos.

DON GONZALO

Excusado es,
que he vivido lo bastante
para no estar arrogante
donde no puedo.

DON JUAN

Idos, pues.

DON GONZALO

Antes, don Juan, de salir
de donde oírme podáis,
es necesario que oigáis
lo que os tengo que decir.
Vuestro buen padre don Diego,
porque pleitos acomoda,
os apalabró una boda
que iba a celebrarse luego;
pero por mí mismo yo,
lo que erais queriendo ver
vine aquí al anochecer,
y el veros me avergonzó.

DON JUAN

¡Por Satanás, viejo insano,
que no sé cómo he tenido
calma para haberte oído
sin asentarte la mano!
Pero di pronto quién eres,
porque me siento capaz
de arrancarte el antifaz
con el alma que tuvieres.

DON GONZALO

¡Don Juan!

---

43. *¿Estáis en lo dicho?*, Are you serious about what you've said?

44. *Pues va la vida*, Then your life is at stake.

DON JUAN

¡Pronto!

(se quita el antifaz)

DON GONZALO

Mira, pues.

DON JUAN

¡Don Gonzalo!

DON GONZALO

El mismo soy.
Y adiós, don Juan; mas desde hoy
no penséis en doña Inés;
porque antes que consentir
en que se case con vos,
el sepulcro ¡juro a Dios!
por mi mano la he de abrir.

DON JUAN

Me hacéis reír, don Gonzalo;
pues venirme a provocar,
es como ir a amenazar
a un león con un mal palo.
Y pues hay tiempo, advertir
os quiero a mi vez a vos
que, o me la dais, o ¡por Dios,
que a quitárosla he de ir!

DON GONZALO

¡Miserable!

DON JUAN

Dicho está;
sólo una mujer como ésta
me falta para mi apuesta;
ved, pues, que apostada và.

(Don Diego, levantándose de la mesa en
que ha permanecido encubierto mientras
la escena anterior, baja al centro de la
escena, encarándose con D. Juan.)

DON DIEGO

No puedo más escucharte,
vil don Juan, porque recelo
que hay algún rayo en el cielo
preparado a aniquilarte.
¡Ah! . . . No pudiendo creer
lo que de ti me decían,
confiando en que mentían,
te vine esta noche a ver.
Pero te juro, malvado,
que me pesa haber venido

para salir convencido
de lo que es para ignorado.[45]
Sigue, pues, con ciego afán
en tu torpe frenesí,
5   mas nunca vuelvas a mí;
no te conozco, don Juan.

DON JUAN

¿Quién nunca a ti se volvió,
ni quién osa hablarme así,
10   ni qué se me importa a mí
que me conozcas o no?

DON DIEGO

Adiós pues, mas no te olvides
de que hay un Dios justiciero.

15 DON JUAN (Deteniéndole.)

Ten.

DON DIEGO

¿Qué quieres?

DON JUAN

20   Verte quiero.

DON DIEGO

Nunca; en vano me lo pides.

DON JUAN

¿Nunca?

25 DON DIEGO

No.

DON JUAN

Cuando me cuadre.

DON DIEGO

30   ¿Cómo?

DON JUAN

Así.

(Le arranca el antifaz.)

TODOS

35   ¡Don Juan!

DON DIEGO

¡Villano!
Me has puesto en la faz la mano.

DON JUAN

40   ¡Válgame Cristo, mi padre!

DON DIEGO

Mientes; no lo fui jamás.

DON JUAN

¡Reportaos, con Belcebú!

45 DON DIEGO

No, los hijos como tú

---

45. *para ignorado,* best left unknown

son hijos de Satanás.
Comendador, nulo sea
lo hablado.

DON GONZALO
                    Ya lo es por mí;
vamos.

DON DIEGO
                    Sí; vamos de aquí,
donde tal monstruo no vea.
Don Juan, en brazos del vicio
desolado te abandono;
me matas . . ., mas te perdono
de Dios en el santo juicio.[46]
(*Vanse poco a poco D. Diego y D.
Gonzalo.*)

DON JUAN
Largo el plazo me ponéis;
mas ved que os quiero advertir
que yo no os he ido a pedir
jamás que me perdonéis.
Conque no paséis afán
de aquí adelante por mí,
que como vivió hasta aquí,
vivirá siempre don Juan.

ESCENA XIII

DON JUAN, D. LUIS, CENTELLAS,
AVELLANEDA, BUTTARELLI, CURIOSOS y
MÁSCARAS

DON JUAN
¡Eh! Ya salimos del paso,
y no hay que extrañar la homilía;
son pláticas de familia,[47]
de las que nunca hice caso.
Conque lo dicho, don Luis,
van doña Ana y doña Inés
en apuesta.

DON LUIS
                    Y el precio es
la vida.

DON JUAN
                    Vos lo decís;
vamos.

DON LUIS
5   Vamos.
(*Al salir, se presenta una ronda que los
detiene.*)

10

ESCENA XIV

DICHOS y UNA RONDA DE ALGUACILES

15 ALGUACIL
                    ¡Alto allá!
¿Don Juan Tenorio?

DON JUAN
                    Yo soy.

20 ALGUACIL
Sed preso.[48]

DON JUAN
                    Soñando estoy.
¿Por qué?

25 ALGUACIL
                    Después lo verá.

DON LUIS (*Acercándose a D. Juan y
riéndose.*)
Tenorio, no lo extrañéis,
30   pues mirando a lo apostado,
mi paje os ha delatado
para que vos no ganéis.

DON JUAN
¡Hola! Pues no os suponía
35   con tal despejo, ¡pardiez!

DON LUIS
Id, pues, que por esta vez,
don Juan, la partida es mía.

DON JUAN
40 Vamos, pues.
(*Al salir, los detiene otra ronda que entra
en la escena.*)

46. Don Diego pardons his son, keeping in
    mind that Don Juan's actions will be
    assessed by God on Last Judgment Day. Don
    Juan's statement in the next verse recalls
    the refrain, *Tan largo me lo fiáis* of Tirso
    de Molina's seventeenth-century Don Juan,
    which implies that final judgment is a long
    way off. Zorrilla's Don Juan claims that he
    will never change his conduct.
47. *homilía* makes an imperfect rhyme with
    familia. Zorrilla was careless and hasty in
    composition.
48. *Sed preso*, You're under arrest.

ESCENA XV

DICHOS y UNA RONDA

ALGUACIL (*Que entra.*)
   ¡Ténganse allá!
¿Don Luis Mejía?

DON LUIS
    Yo soy.

ALGUACIL
 Sed preso.

DON LUIS
    Soñando estoy.
¡Yo preso!

DON JUAN (*Soltando la carcajada.*)
   ¡Ja, ja, ja, ja!
Mejía, no lo extrañéis,
pues mirando a lo apostado,
mi paje os ha delatado
para que no me estorbéis.

DON LUIS
 Satisfecho quedaré
aunque ambos muramos.

DON JUAN
   Vamos:

conque, señores, quedamos
en que la apuesta está en pie.
(*Las rondas se llevan a D. Juan y a D.
Luis; muchos los siguen. El capitán
Centellas, Avellaneda y sus amigos que-
dan en la escena mirándose unos a otros.*)

ESCENA XVI

EL CAPITÁN CENTELLAS, AVELLANEDA y
CURIOSOS

AVELLANEDA
 ¡Parece un juego ilusorio!

CENTELLAS
 ¡Sin verlo no lo creería!

AVELLANEDA
 Pues yo apuesto por Mejía.

CENTELLAS
 Y yo pongo por Tenorio.[49]

FIN DEL ACTO I.°

49. *yo pongo por Tenorio,* I put my money on
Tenorio.

ACTO SEGUNDO

Destreza

Exterior de la casa de D.ª Ana, vista por una esquina. Las dos paredes que
forman el ángulo, se prolongan igualmente por ambos lados, dejando ver en
la de la derecha una reja, y en la izquierda una reja y una puerta.

ESCENA PRIMERA

DON LUIS MEJÍA, *embozado*

DON LUIS
 Ya estoy frente de la casa
de doña Ana, y es preciso
que esta noche tenga aviso
de lo que en Sevilla pasa.

No di con persona alguna,
por dicha mía . . . ¡Oh, qué afán!
Por ahora, señor don Juan,
cada cual con su fortuna.
Si honor y vida se juega,
mi destreza y mi valor,
por mi vida y por mi honor,
jugarán . . .; mas alguien llega.

ESCENA II

DON LUIS y PASCUAL

PASCUAL

 ¡Quién creyera lance tal!
¡Jesús, qué escándalo! ¡Presos!

DON LUIS

 ¡Qué veo! ¿Es Pascual?

PASCUAL

   Los sesos
me estrellaría.

DON LUIS

   ¿Pascual?

PASCUAL

 ¿Quién me llama tan apriesa?

DON LUIS

 Yo. Don Luis.

PASCUAL

   ¡Válame Dios![1]

DON LUIS

 ¿Qué te asombra?

PASCUAL

   Que seáis vos.

DON LUIS

 Mi suerte, Pascual, es ésa.
Que a no ser yo[2] quien me soy,
y a no dar contigo ahora,
el honor de mi señora
doña Ana moría hoy.

PASCUAL

 ¿Qué es lo que decís?

DON LUIS

   ¿Conoces
a don Juan Tenorio?

PASCUAL

   Sí.
¿Quién no le conoce aquí?
Mas, según públicas voces,
estabais presos los dos.
Vamos, ¡lo que el vulgo miente!

DON LUIS

 Ahora, acertadamente
habló el vulgo; y juro a Dios

  5

  10

  15

  20

  25

  30

  35

  40

que, a no ser porque mi primo,
el tesorero Real,
quiso fiarme, Pascual,
pierdo cuanto más estimo.

PASCUAL

 Pues ¿cómo?

DON LUIS

   ¿En servirme estás?

PASCUAL

 Hasta morir.

DON LUIS

   Pues escucha.
Don Juan y yo, en una lucha
arriesgada por demás
empeñados nos hallamos;
pero, a querer tú ayudarme,
más que la vida salvarme
puedes.

PASCUAL

 ¿Qué hay que hacer? Sepamos.

DON LUIS

 En una insigne locura
dimos tiempos ha: en apostar
cuál de ambos sabría obrar
peor, con mejor ventura.
Ambos nos hemos portado
bizarramente a cual más;
pero él es un Satanás,
y por fin me ha aventajado.
Púsele no sé qué pero;[3]
dijímonos no sé qué
sobre ello, y el hecho fué
que él, mofándose altanero,
me dijo: «Y si esto no os llena,[4]
pues que os casáis con doña Ana,
os apuesto a que mañana
os la quito yo.»

PASCUAL

   ¡Esa es buena!
¿Tal se ha atrevido a decir?

DON LUIS

 No es lo malo que lo diga,
Pascual, sino que consiga

---

1. *¡Válame Dios!*, Lord help me!; *válame =
válgame.*
2. *a no ser yo = si no fuese yo;* do not translate the following *me.*

3. *Púsele no sé qué pero,* I found some fault (in his list of conquests)
4. *esto no os llena,* doesn't satisfy you enough

lo que intenta.

PASCUAL
        ¿Conseguir?
En tanto que yo esté aquí,
descuidad, don Luis.

DON LUIS
        Te juro
que si el lance no aseguro,
no sé qué va a ser de mí.

PASCUAL
¡Por la Virgen del Pilar![5]
¿Le teméis?

DON LUIS
        No; ¡Dios testigo!
Mas lleva ese hombre consigo
algún diablo familiar.

PASCUAL
Dadlo por asegurado.

DON LUIS
¡Oh! Tal es el afán mío,
que ni en mí propio me fío
con un hombre tan osado.

PASCUAL
Yo os juro, por San Ginés,[6]
que, con toda su osadía,
le ha de hacer, por vida mía,
mal tercio un aragonés;[7]
nos veremos.

DON LUIS
        ¡Ay, Pascual,
que en qué te metes no sabes!

PASCUAL
En apreturas más graves
me he visto, y no salí mal.

DON LUIS
Estriba en lo perentorio
del plazo y en ser quien es.[8]

PASCUAL
Más que un buen aragonés

no ha de valer un Tenorio.
Todos esos lenguaraces,[9]
espadachines de oficio,
no son más que frontispicio[10]
5   y de poca alma capaces.
Para infamar a mujeres
tienen lengua, y tienen manos
para osar a los ancianos
o apalear a mercaderes.
10 Mas cuando una buena espada,
por un buen brazo esgrimida,
con la muerte les convida,
todo su valor es nada.
Y sus empresas y bullas
15 se reducen todas ellas
a hablar mal de las doncellas
y a huir ante las patrullas.

DON LUIS
¡Pascual!

20 PASCUAL
        No lo hablo por vos,
que, aunque sois un calavera,
tenéis la alma bien entera
y reñís bien, ¡voto a brios![11]

25 DON LUIS
Pues si es en mí tan notorio
el valor, mira, Pascual,
que el valor es proverbial
en la raza de Tenorio.
30 Y porque conozco bien
de su valor el extremo,
de sus ardides me temo
que en tierra con mi honra den.

PASCUAL
35 Pues suelto[12] estáis ya, don Luis,
y pues que tanto os acucia
el mal de celos, su astucia
con la astucia prevenís.
¿Qué teméis de él?

---

5. *Virgen del Pilar,* The Virgin of the Pillar,
   a revered image in Saragossa, the capital of
   Aragon. Since Pascual calls on her it is sug-
   gested that he is Aragonese.
6. A Roman actor who was martyred shortly
   after receiving baptism during the performance of a play
7. *hacer mal tercio,* to play a bad trick, do a
   bad turn; *un aragonés* = Pascual.

8. *Estriba . . . es,* It all hinges on the short
   time limit and on the kind of man he is.
9. braggarts
10. *no son más que frontispicio,* are nothing
    but show; *frontispicio,* frontispiece, an illus-
    trated leaf preceding the title page of a
    book
11. *¡voto a brios! = ¡voto a Dios!,* by God!
12. i.e., released (from prison)

DON LUIS

No lo sé;
mas esta noche sospecho
que ha de procurar el hecho
consumar.

PASCUAL

Soñáis.

DON LUIS

¿Por qué?

PASCUAL

¿No está preso?

DON LUIS

Sí que está;
mas también lo estaba yo,
y un hidalgo me fió.

PASCUAL

Mas ¿quién a él le fiará?

DON LUIS

En fin, sólo un medio encuentro
de satisfacerme.

PASCUAL

¿Cuál?

DON LUIS

Que de esta casa, Pascual,
quede yo esta noche dentro.

PASCUAL

Mirad que así de doña Ana
tenéis el honor vendido.

DON LUIS

¡Qué mil rayos! ¿Su marido
no voy a ser yo mañana?

PASCUAL

Mas, señor, ¿no os digo yo
que os fío con la existencia?

DON LUIS

Sí; salir de una pendencia,
mas de un ardid diestro, no.
Y, en fin, o paso en la casa
la noche, o tomo la calle,
aunque la justicia me halle.

PASCUAL

Señor don Luis, eso pasa
de terquedad, y es capricho
que dejar os aconsejo,
y os irá bien.

DON LUIS

No lo dejo,
Pascual.

PASCUAL

¡Don Luis!

DON LUIS

Está dicho.

5 PASCUAL

¡Vive Dios! ¿Hay tal afán?

DON LUIS

Tú dirás lo que quisieres,
mas yo fío en las mujeres
10 mucho menos que en don Juan.
Y pues lance es extremado
por dos locos emprendido,
bien será un loco atrevido
para un loco desalmado.

15 PASCUAL

Mirad bien lo que decís,
porque yo sirvo a doña Ana
desde que nació, y mañana
seréis su esposo, don Luis.

20 DON LUIS

Pascual, esa hora llegada
y ese derecho adquirido,
yo sabré ser su marido
y la haré ser bien casada.
25 Mas en tanto . . .

PASCUAL

No habléis más.
Yo os conozco desde niños,
y sé lo que son cariños,
30 ¡por vida de Barrabás!
Oíd: mi cuarto es sobrado
para los dos; dentro de él
quedad; mas palabra fiel
dadme de estaros callado.

35 DON LUIS

Te la doy.

PASCUAL

Y hasta mañana,
juntos con doble cautela,
40 nos quedaremos en vela.

DON LUIS

Y se salvará doña Ana.

PASCUAL

Sea.

45 DON LUIS

Pues vamos.

PASCUAL

¡Teneos!

¿Qué vais a hacer?
DON LUIS
          A entrar.
PASCUAL
            ¿Ya?
DON LUIS
¿Quién sabe lo que él hará?
PASCUAL
Vuestros celosos deseos
reprimid, que ser no puede
mientras que no se recoja
mi amo, don Gil de Pantoja,
y todo en silencio quede.
DON LUIS
¡Voto a . . . !
PASCUAL
          ¡Eh! Dad una vez
breves treguas al amor.
DON LUIS
Y ¿a qué hora ese buen señor
suele acostarse?
PASCUAL
          A las diez;
y en esa calleja estrecha
hay una reja; llamad
a las diez, y descuidad
mientras en mí.
DON LUIS
          Es cosa hecha.
PASCUAL
Don Luis, hasta luego, pues.
DON LUIS
Adiós, Pascual, hasta luego.

ESCENA III

DON LUIS

DON LUIS
  Jamás tal desasosiego
tuve. Paréceme que es
esta noche hora menguada
para mí . . ., y no sé qué vago
presentimiento, qué estrago
teme mi alma acongojada.

¡Por Dios, que nunca pensé
que a doña Ana amara así,
ni por ninguna sentí
lo que por ella! . . . ¡Oh! Y a fe
5 que de don Juan me amedrenta,
no el valor, mas la ventura.
Parece que le asegura
Satanás en cuanto intenta.
No, no; es un hombre infernal,
10 y téngome para mí
que, si me aparto de aquí,
me burla, pese a Pascual.
Y aunque me tenga por necio,
quiero entrar; que con don Juan
15 las precauciones no están
para vistas[13] con desprecio.
        (Llama a la ventana.)

ESCENA IV

20 DON LUIS y D.ª ANA

DOÑA ANA
  ¿Quién va?
DON LUIS
25   ¿No es Pascual?
DOÑA ANA
          ¡Don Luis!
DON LUIS
¡Doña Ana!
30 DOÑA ANA
        ¿Por la ventana
llamas ahora?
DON LUIS
        ¡Ay, doña Ana,
35 cuán a buen tiempo salís!
DOÑA ANA
Pues, ¿qué hay, Mejía?
DON LUIS
        Un empeño
40 por tu beldad con un hombre
que temo.
DOÑA ANA
      Y ¿qué hay que te asombre
en él, cuando eres tú el dueño
45 de mi corazón?

13. *no están para vistas,* should not be regarded

DON LUIS
        Doña Ana,
no lo puedes comprender
de ese hombre sin conocer,
nombre y suerte.

DOÑA ANA
          Será vana
su buena suerte conmigo;
ya ves, sólo horas nos faltan
para la boda, y te asaltan
vanos temores.

DON LUIS
        Testigo
me es Dios que nada por mí
me da pavor mientras tenga
espada, y ese hombre venga
cara a cara contra ti.
Mas, como el león audaz,
y cauteloso y prudente
como la astuta serpiente . . .

DOÑA ANA
¡Bah! Duerme, don Luis, en paz,
que su audacia y su prudencia
nada lograrán de mí,
que tengo cifrada en ti
la gloria de mi existencia.

DON LUIS
Pues bien, Ana, de ese amor
que me aseguras en nombre,
para no temer a ese hombre,
voy a pedirte un favor.

DOÑA ANA
Di; mas bajo, por si escucha
tal vez alguno.

DON LUIS
        Oye, pues.

ESCENA V

Doña Ana y D. Luis *a la reja derecha;*
D. Juan y Ciutti, *en la calle izquierda*

CIUTTI
. Señor, ¡por mi vida, que es
vuestra suerte buena y mucha!

DON JUAN
Ciutti, nadie como yo;
ya viste cuán fácilmente

el buen alcaide prudente
se avino, y suelta me dio.
Mas no hay ya en ello que hablar;
¿mis encargos has cumplido?

5 CIUTTI
Todos los he concluído
mejor que pude esperar.

DON JUAN
¿La beata . . .

10 CIUTTI
       Ésta es la llave
de la puerta del jardín
que habrá que escalar al fin,
pues como usarced ya sabe,
15 las tapias de este convento
no tienen entrada alguna.

DON JUAN
Y ¿te dio carta?

CIUTTI
20   Ninguna;
me dijo que aquí al momento
iba a salir de camino;
que al convento se volvía,
y que con vos hablaría.

25 DON JUAN
Mejor es.

CIUTTI
       Lo mismo opino.

DON JUAN
30 ¿Y los caballos?

CIUTTI
       Con silla
y freno los tengo ya.

DON JUAN
35 ¿Y la gente?

CIUTTI
       Cerca está.

DON JUAN
Bien, Ciutti: mientras Sevilla
40 tranquila en sueño reposa
creyéndome encarcelado,
otros dos nombres añado
a mi lista numerosa.
¡Ja, ja!

45 CIUTTI
       ¡Señor!

DON JUAN
       ¿Qué?

CIUTTI
   ¡Callad!
DON JUAN
 ¿Qué hay, Ciutti?
CIUTTI
   Al doblar la esquina,
en esa reja vecina
he visto un hombre.
DON JUAN
    Es verdad;
pues ahora sí que es mejor
el lance. ¿Y si es ése?
CIUTTI
    ¿Quién?
DON JUAN
 Don Luis.
CIUTTI
   Imposible.
DON JUAN
   ¡Toma!14
¿No estoy yo aquí?
CIUTTI
   Diferencia
va de él a vos.
DON JUAN
   Evidencia
lo creo, Ciutti; allí asoma
tras de la reja una dama.
CIUTTI
Una criada tal vez.
DON JUAN
 Preciso es verlo, ¡pardiez!
no perdamos lance y fama.
Mira, Ciutti; a fuer de ronda,15
tú, con varios de los míos,
por esa calle escurríos,
dando vuelta a la redonda
a la casa.
CIUTTI
   Y en tal caso,
cerrará ella.
DON JUAN
    Pues con eso,
ella ignorante y él preso,
nos dejará franco el paso.

CIUTTI
 Decís bien.
DON JUAN
    Corre, y atájale,
5 que en ello el vencer consiste.
CIUTTI
 Mas ¿si el truhán se resiste. . . .
DON JUAN
 Entonces, de un tajo rájale.
10

ESCENA VI

15 DON JUAN, D.ª ANA y D. LUIS

DON LUIS
  ¿Me das, pues, tu asentimiento?
DOÑA ANA
    Consiento.
20 DON LUIS
 ¿Complácesme de ese modo?
DOÑA ANA
    En todo.
DON LUIS
25 Pues te velaré hasta el día.
DOÑA ANA
   Sí, Mejía.
DON LUIS
 Páguete el cielo, Ana mía,
30 satisfacción tan entera.
DOÑA ANA
 Porque me juzgues sincera
consiento en todo, Mejía.
DON LUIS
35 Volveré, pues, otra vez.
DOÑA ANA
   Sí, a las diez.
DON LUIS
 ¿Me aguardarás, Ana?
40 DOÑA ANA
    Sí.
DON LUIS
    Aquí.
DOÑA ANA
45 Y tú estarás puntual, ¿eh?

14. Really?

15. *a fuer de ronda,* making believe you're the night patrol

DON LUIS
        Estaré.

DOÑA ANA
    La llave, pues, te daré.

DON LUIS
    Y dentro yo de tu casa,
    venga Tenorio.

DOÑA ANA
          Alguien pasa.
    A las diez.

DON LUIS
        Aquí estaré.

ESCENA VII

Don Juan y D. Luis

DON LUIS
    Mas se acercan. ¿Quién va allá?

DON JUAN
        Quien va.

DON LUIS
    De quien va así, ¿qué se infiere?

DON JUAN
       Que . . . quiere . . .

DON LUIS
    Ver si la lengua le arranco.

DON JUAN
       El paso franco.

DON LUIS
    Guardado está.

DON JUAN
       Y yo, ¿soy manco?

DON LUIS
    Pidiéraislo en cortesía.[16]

DON JUAN
    Y ¿a quién?

DON LUIS
     A don Luis Mejía.

DON JUAN
    Quien va, quiere el paso franco.

DON LUIS
    ¿Conocéisme?

DON JUAN
        Sí.

DON LUIS
      ¿Y yo a vos?

5 DON JUAN
       Los dos.

DON LUIS
    Y ¿en qué estriba el estorballe?[17]

DON JUAN
10   En la calle.

DON LUIS
    ¿De ella los dos por ser amos?

DON JUAN
       Estamos.

15 DON LUIS
    Dos hay no más que podamos
    necesitarla a la vez.

DON JUAN
    Lo sé.

20 DON LUIS
      Sois don Juan.

DON JUAN
      ¡Pardiez!
    Los dos ya en la calle estamos.

25 DON LUIS
    ¿No os prendieron?

DON JUAN
       Como a vos.

DON LUIS
      ¡Vive Dios!
30   Y ¿huisteis?

DON JUAN
       Os imité:
    y ¡qué!

35 DON LUIS
    Que perderéis.

DON JUAN
      No sabemos.

DON LUIS
40   Lo veremos.

DON JUAN
    La dama entrambos tenemos
    sitiada, y estáis cogido.

---

16. *Pidiéraislo en cortesía,* You might ask for it courteously.
17. *estorbarle:* Translate this and the next three lines as follows: On what does hindering him rest?—On the street.—We both feel ourselves masters of it?—We do.

DON LUIS
    Tiempo hay.
DON JUAN
                Para vos perdido.
DON LUIS
    ¡Vive Dios, que lo veremos!
(*Don Luis desenvaina su espada; mas
Ciutti, que ha bajado con los suyos caute-
losamente hasta colocarse tras él, le su-
jeta.*)
DON JUAN
    Señor don Luis, vedlo pues.
DON LUIS
                Traición es.
DON JUAN
    La boca . . .
(*A los suyos, que se la tapan a D. Luis.*)
DON LUIS
                ¡Oh!
DON JUAN
        Sujeto atrás,[18]
            más.
        (*Le sujetan los brazos.*)
    La empresa es, señor Mejía,
            como mía.
        (*A los suyos.*)
    Encerrádmele hasta el día.
    La apuesta está ya en mi mano.
        (*A D. Luis.*)
    Adiós, don Luis; si os la gano,
    traición es, mas como mía.

ESCENA VIII

DON JUAN

    ¡Buen lance, viven los cielos!
    Estos son los que dan fama;
    mientras le soplo la dama,
    él se arrancará los pelos
    encerrado en mi bodega.
    ¿Y ella? . . . Cuando crea hallarse
    con él . . . ¡Ja, ja! . . . ¡Oh, y quejarse
    no puede; limpio se juega!
    A la cárcel le llevé,

5

10

15

20

25

30

35

40

45

y salió; llevóme a mí,
y salí; hallarnos aquí
era fuerza . . . ; ya se ve,
su parte en la grave apuesta
defendía cada cual.
Mas con la suerte está mal
Mejía, y también pierde ésta.
Sin embargo, y por si acaso,
no es de más asegurarse
de Lucía, a desgraciarse
no vaya por poco el paso.[19]
Mas por allí un bulto negro
se aproxima . . . , y, a mi ver,
es el bulto una mujer.
¿Otra aventura? Me alegro.

ESCENA IX

DON JUAN y BRÍGIDA

BRÍGIDA
    ¿Caballero?
DON JUAN
                ¿Quién va allá?
BRÍGIDA
    ¿Sois don Juan?
DON JUAN
                ¡Por vida de . . .
    ¡Si es la beata! ¡Y, a fe,
    que la había olvidado ya!
    Llegaos; don Juan soy yo.
BRÍGIDA
    ¿Estáis solo?
DON JUAN
                Con el diablo.
BRÍGIDA
    ¡Jesucristo!
DON JUAN
                Por vos lo hablo.
BRÍGIDA
    ¿Soy yo el diablo?
DON JUAN
                Créolo.
BRÍGIDA
    ¡Vaya! ¡Qué cosas tenéis!

18. *Sujeto atrás*, Tie his arms behind his back

19. *a desgraciarse . . . paso*, so that this affair
    will not be ruined by too few (precautions)

Vos sí que sois un diablillo . . .
DON JUAN
Que te llenará el bolsillo
si le sirves.
BRÍGIDA
          Lo veréis.   5
DON JUAN
Descarga, pues, ese pecho.
¿Qué hiciste?
BRÍGIDA
         Cuanto me ha dicho   10
vuestro paje . . . ; y ¡qué mal bicho
es ese Ciutti!
DON JUAN
         ¿Qué ha hecho?
BRÍGIDA
¡Gran bribón!
DON JUAN
         ¿No os ha entregado
un bolsillo y un papel?   20
BRÍGIDA
Leyendo estará ahora en él
doña Inés.
DON JUAN
         ¿La has preparado?
BRÍGIDA
Vaya; y os la he convencido
con tal maña y de manera,
que irá como una cordera   30
tras vos.
DON JUAN
         ¡Tan fácil te ha sido!
BRÍGIDA
¡Bah! Pobre garza enjaulada,
dentro la jaula nacida,
¿qué sabe ella si hay más vida
ni más aire en que volar?
Si no vio nunca sus plumas
del sol a los resplandores,
¿qué sabe de los colores
de que se puede ufanar?   40
No cuenta la pobrecilla
diez y siete primaveras,
y aun virgen a las primeras
impresiones del amor,   45

nunca concibió la dicha
fuera de su pobre estancia,
tratada desde la infancia
con cauteloso rigor.
Y tantos años monótonos
de soledad y convento,
tenían su pensamiento
ceñido a punto tan ruin,
a tan reducido espacio
y a círculo tan mezquino,
que era el claustro su destino
y el altar era su fin.
«Aquí está Dios,» la dijeron;
y ella dijo: «Aquí le adoro.»
«Aquí está el claustro y el coro»;
y pensó: «No hay más allá.»[20]
Y sin otras ilusiones
que sus sueños infantiles,
pasó diez y siete abriles
sin conocerlo quizá.
DON JUAN
Y ¿está hermosa?
BRÍGIDA
         ¡Oh! Como un ángel.
DON JUAN
Y ¿la has dicho? . . .
BRÍGIDA
         Figuraos
si habré metido mal caos
en su cabeza, don Juan.
La hablé del amor, del mundo,
de la corte y los placeres,
de cuanto con las mujeres
erais pródigo y galán.
La dije que erais el hombre
por su padre destinado
para suyo; os he pintado
muerto por ella de amor,
desesperado por ella,
y por ella perseguido,
y por ella decidido
a perder vida y honor.
En fin, mis dulces palabras,
al posarse en sus oídos,
sus deseos mal dormidos

20. *No hay más allá,* That's all there is to the
world; there is nothing more.

arrastraron de sí en pos;
y allá dentro de su pecho
han inflamado una llama
de fuerza tal, que ya os ama
y no piensa más que en vos.

DON JUAN

Tan incentiva pintura
los sentidos me enajena,
y el alma ardiente me llena
de su insensata pasión.
Empezó por una apuesta,
siguió por un devaneo,
engendró luego un deseo,
y hoy me quema el corazón.
Poco es el centro de un claustro:
¡al mismo infierno bajara,
y a estocadas la arrancara
de los brazos de Satán!
¡Oh! Hermosa flor, cuyo cáliz
al rocío aun no se ha abierto,
a trasplantarte va al huerto
de sus amores don Juan.
¿Brígida?

BRÍGIDA

Os estoy oyendo,
y me hacéis perder el tino;
yo os creía un libertino
sin alma y sin corazón.

DON JUAN

¿Eso extrañas? ¿No está claro
que en un objeto tan noble
hay que interesarse doble
que en otros?

BRÍGIDA

Tenéis razón.

DON JUAN

Conque ¿a qué hora se recogen
las madres?[21]

BRÍGIDA

Ya recogidas
estarán. Vos, ¿prevenidas
todas las cosas tenéis?

DON JUAN

Todas.

BRÍGIDA

Pues luego que doblen
a las ánimas,[22] con tiento
saltando al huerto, al convento
fácilmente entrar podéis
con la llave que os he enviado;
de un claustro obscuro y estrecho
es; seguid bien derecho
y daréis con poco afán
en nuestra celda.

DON JUAN

Y si acierto
a robar tan gran tesoro,
te he de hacer pesar en oro.[23]

BRÍGIDA

Por mí no queda,[24] don Juan.

DON JUAN

Ve y aguárdame.

BRÍGIDA

Voy, pues,
a entrar por la portería
y a cegar a sor María
la tornera. Hasta después.

(*Vase Brígida, y un poco antes de concluir esta escena, sale Ciutti, que se para
en el fondo, esperando.*)

ESCENA X

DON JUAN *y* CIUTTI

DON JUAN

Pues señor, ¡soberbio envite!
Muchas[25] hice hasta esta hora,
mas ¡por Dios! que la de ahora
será tal, que me acredite.
Mas ya veo que me espera
Ciutti. ¡Lebrel!

(*Llamándole.*)

CIUTTI

Aquí estoy.

DON JUAN

¿Y don Luis?

CIUTTI

---

21. i.e., the nuns
22. *luego que doblen a las ánimas,* as soon as
they ring the bells for prayers for the souls
of the dead

23. *te . . . oro,* I'll give you your weight in
gold.
24. *Por mí no queda,* It won't fail through any
fault of mine
25. i.e., many deeds

Libre por hoy
estáis de él.

DON JUAN

Ahora quisiera
ver a Lucía.

CIUTTI

Llegar
podéis aquí.
(*A la reja derecha.*)
Yo la llamo,
y al salir a mi reclamo,
la podéis vos abordar.

DON JUAN

Llama, pues.

CIUTTI

La seña mía
sabe bien para que dude[26]
en acudir.

DON JUAN

Pues si acude,
lo demás es cuenta mía.
(*Ciutti llama a la reja con una seña que
parezca convenida. Lucía se asoma a ella,
y al ver a D. Juan, se detiene un momento.*)

ESCENA XI

DON JUAN, LUCÍA *y* CIUTTI

LUCÍA

¿Qué queréis, buen caballero?

DON JUAN

Quiero . . .

LUCÍA

¿Qué queréis? Vamos a ver.

DON JUAN

Ver . . .

LUCÍA

¿Ver? ¿Qué veréis a esta hora?

DON JUAN

A tu señora.

LUCÍA

Idos, hidalgo, en mal hora;
¿quién pensáis que vive aquí?

DON JUAN

Doña Ana Pantoja, y
quiero ver a tu señora.

LUCÍA

5   ¿Sabéis que casa doña Ana?

DON JUAN

Sí, mañana.

LUCÍA

Y ¿ha de ser tan infiel ya?

10 DON JUAN

Sí será.

LUCÍA

Pues ¿no es de don Luis Mejía?

DON JUAN

15   ¡Ca! Otro día.
Hoy no es mañana, Lucía;
yo he de estar hoy con doña Ana,
y si se casa mañana,
mañana será otro día.

20 LUCÍA

¡Ah! ¿En recibiros está?

DON JUAN

Podrá.

LUCÍA

25   ¿Qué haré si os he de servir?

DON JUAN

Abrir.

LUCÍA

¡Bah! Y ¿quién abre este castillo?

30 DON JUAN

Ese bolsillo.

LUCÍA

¡Oro!

DON JUAN

35   Pronto te dio el brillo.[27]

LUCÍA

¡Cuánto!

DON JUAN

De cien doblas pasa.

40 LUCÍA

¡Jesús!

DON JUAN

Cuenta, y di: esta casa,
¿podrá abrir ese bolsillo?

45 LUCÍA

¡Oh! Si es quien me dora el pico . . .

26. Supply *no* before *dude.*

27. *Pronto te dio el brillo,* Its shine quickly caught your eye.

DON JUAN (*Interrumpiéndola.*)
      Muy rico.
LUCÍA
  ¿Sí? ¿Qué nombre usa el galán?
DON JUAN
      Don Juan.
LUCÍA
  ¿Sin apellido notorio?
DON JUAN
      Tenorio.
LUCÍA
  ¡Ánimas del purgatorio!
  ¿Vos don Juan?
DON JUAN
      ¿Qué te amedrenta,
si a tus ojos se presenta
muy rico don Juan Tenorio?
LUCÍA
  Rechina la cerradura.
DON JUAN
      Se asegura.
LUCÍA
  Y a mí, ¿quién? ¡Por Belcebú!
DON JUAN
      Tú.
LUCÍA
  Y ¿qué me abrirá el camino?
DON JUAN
      Buen tino.
LUCÍA
  ¡Bah! Id en brazos del destino . . .
DON JUAN
  Dobla el oro.
LUCÍA
      Me acomodo.
DON JUAN
  Pues mira cómo de todo
se asegura tu buen tino.
LUCÍA
  Dadme algún tiempo, ¡pardiez!

DON JUAN
      A las diez.
LUCÍA
  ¿Dónde os busco, o vos a mí?
5 DON JUAN
      Aquí.
LUCÍA
  Conque estaréis puntual, ¿eh?
DON JUAN
10   Estaré.
LUCÍA
  Pues yo una llave os traeré.
DON JUAN
  Y yo otra igual cantidad.
15 LUCÍA
  No me faltéis.
DON JUAN
      No, en verdad;
a las diez aquí estaré.
20   Adiós, pues, y en mí te fía.
LUCÍA
  Y en mí el garboso galán.
DON JUAN
  Adiós, pues, franca Lucía.
25 LUCÍA
  Adiós, pues, rico don Juan.
  (*Lucía cierra la ventana. Ciutti se acerca
a D. Juan a una seña de éste.*)

30 ESCENA XII

DON JUAN y CIUTTI

DON JUAN (*Riéndose.*)
  Con oro, nada hay que falle.
35 Ciutti, ya sabes mi intento:
a las nueve,[28] en el convento;
a las diez, en esta calle.
      (*Vanse.*)

      FIN DEL ACTO 2.°

28. Zorrilla himself was aware of how absurd it was to have Don Juan accomplish so many things between the end of Act I, scene XI, when the clock struck eight, and the present scene which takes place before nine. In his *Recuerdos del tiempo viejo*, he wrote: *Estas horas de doscientos minutos son exclusivamente propias del reloj de mi Don Juan.*

. . . He added facetiously: *La unidad de tiempo está maravillosamente observada* . . . (I, 169). The romantic dramatists neither followed the unity of time nor those of place and action. The second part of this play takes place five years after the first part.

Acto Tercero

Profanación

Celda de D.ª Inés.—Puerta en el fondo y a la izquierda.

ESCENA PRIMERA

DOÑA INÉS *y* LA ABADESA

ABADESA
    ¿Conque me habéis entendido?
DOÑA INÉS
    Sí, señora.
ABADESA
               Está muy bien;
la voluntad decisiva
de vuestro padre, tal es.
Sois joven, cándida y buena;
vivido en el claustro habéis
casi desde que nacisteis;
y para quedar en él
atada con santos votos
para siempre, ni aun tenéis,
como otras, pruebas difíciles
ni penitencias que hacer.
¡Dichosa mil veces vos;
dichosa, sí, doña Inés,
que no conociendo el mundo,
no le debéis de temer!
¡Dichosa vos, que del claustro
al pisar en el dintel,
no os volveréis a mirar
lo que tras vos dejaréis!
Y los mundanos recuerdos
del bullicio y del placer,
no os turbarán tentadores,
del ara santa a los pies;
pues ignorando lo que hay
tras esa santa pared,
lo que tras ella se queda,
jamás apeteceréis.
Mansa paloma, enseñada
en las palmas a comer

5

10

15

20

25

30

35

del dueño que la ha criado
en doméstico vergel,
no habiendo salido nunca
de la protectora red,
no ansiaréis nunca las alas
por el espacio tender.
Lirio gentil, cuyo tallo
mecieron sólo tal vez
las embalsamadas brisas
del más florecido mes,
aquí a los besos del aura,
vuestro cáliz abriréis,
y aquí vendrán vuestras hojas
tranquilamente a caer.
Y en el pedazo de tierra
que abarca nuestra estrechez,
y en el pedazo de cielo
que por las rejas se ve,
vos no veréis más que un lecho
do en dulce sueño yacer,
y un velo azul suspendido
a las puertas del Edén . . .
¡Ay! En verdad que os envidio,
venturosa doña Inés,
con vuestra inocente vida,
la virtud del no saber.
Mas ¿por qué estáis cabizbaja?
¿Por qué no me respondéis
como otras veces, alegre,
cuando en lo mismo os hablé?
¿Suspiráis? . . . ¡Oh! Ya comprendo;
de vuelta aquí hasta no ver[1]
a vuestra aya, estáis inquieta,
pero nada receléis.
A casa de vuestro padre
fue casi al anochecer,
y abajo en la portería

1. *hasta no ver,* until you see

estará; yo os la enviaré,
que estoy de vela esta noche.
Conque, vamos, doña Inés,
recogeos, que ya es hora;
mal ejemplo no me deis
a las novicias, que ha tiempo
que duermen ya; hasta después.

DOÑA INÉS

Id con Dios, madre abadesa.

ABADESA

Adiós, hija.

ESCENA II

DOÑA INÉS

     Ya se fue.
No sé qué tengo, ¡ay de mí!
que en tumultuoso tropel
mil encontradas ideas
me combaten a la vez.
Otras noches, complacida
sus palabras escuché,
y de esos cuadros tranquilos
que sabe pintar tan bien,
de esos placeres domésticos
la dichosa sencillez
y la calma venturosa,
me hicieron apetecer
la soledad de los claustros
y su santa rigidez.
Mas hoy la oí distraída,
y en sus pláticas hallé,
si no enojosos discursos,
a lo menos aridez.
Y no sé por qué al decirme
que podría acontecer
que se acelerase el día
de mi profesión, temblé,
y sentí del corazón
acelerarse el vaivén,
y teñírseme el semblante
de amarilla palidez.
¡Ay de mí! . . . Pero mi dueña,
¿dónde estará? . . . Esa mujer.
con sus pláticas, al cabo,

me entretiene alguna vez.
Y hoy la echo menos . . . Acaso
porque la voy a perder,
que en profesando, es preciso
5 renunciar a cuanto amé.
Mas pasos siento en el claustro;
¡oh! reconozco muy bien
sus pisadas . . . Ya está aquí.

10

ESCENA III

DOÑA INÉS y BRÍGIDA

BRÍGIDA

15 Buenas noches, doña Inés.

DOÑA INÉS

¿Cómo habéis tardado tanto?

BRÍGIDA

Voy a cerrar esta puerta.

20 DOÑA INÉS

Hay orden de que esté abierta.

BRÍGIDA

Eso es muy bueno y muy santo
para las otras novicias
25 que han de consagrarse a Dios;
no, doña Inés, para vos.

DOÑA INÉS

Brígida, no ves que vicias
las reglas del monasterio,
30 que no permiten . . .

BRÍGIDA

     ¡Bah, bah!
Más seguro así se está,
y así se habla sin misterio
35 ni estorbos. ¿Habéis mirado
el libro que os he traído?

DOÑA INÉS

¡Ay, se me había olvidado!

BRÍGIDA

40 Pues ¡me hace gracia el olvido!²

DOÑA INÉS

¡Como la madre abadesa
se entró aquí inmediatamente!

BRÍGIDA

45 ¡Vieja más impertinente!

---

2. *me hace gracia el olvido,* your forgetfulness really pleases me (said sarcastically)

DOÑA INÉS
Pues ¿tanto el libro interesa?

BRÍGIDA
¡Vaya si interesa, mucho!
Pues ¡quedó con poco afán
el infeliz!

DOÑA INÉS
¿Quién?

BRÍGIDA
Don Juan.

DOÑA INÉS
¡Válgame el cielo! ¿Qué escucho?
¿Es don Juan quien me le envía?

BRÍGIDA
Por supuesto.

DOÑA INÉS
¡Oh! Yo no debo
tomarle.

BRÍGIDA
¡Pobre mancebo!
Desairarle así, sería
matarle.

DOÑA INÉS
¿Qué estás diciendo?

BRÍGIDA
Si ese Horario no tomáis,
tal pesadumbre le dais,
que va a enfermar, lo estoy viendo.

DOÑA INÉS
¡Ah! No, no; de esa manera,
le tomaré.

BRÍGIDA
Bien haréis.

DOÑA INÉS
Y ¡qué bonito es!

BRÍGIDA
Ya veis;
quien quiere agradar, se esmera.

DOÑA INÉS
Con sus manecillas de oro.[3]
Y cuidado que está prieto.[4]
A ver, a ver si completo
contiene el rezo del coro.

(*Le abre, y cae una carta de entre sus hojas.*)

Mas ¿qué cayó?

BRÍGIDA
Un papelito.

DOÑA INÉS
¡Una carta!

BRÍGIDA
Claro está;
en esa carta os vendrá
ofreciendo el regalito.

DOÑA INÉS
¡Qué! ¿Será suyo el papel?

BRÍGIDA
¡Vaya, que sois inocente!
Pues que os feria, es consiguiente
que la carta será de él.

DOÑA INÉS
¡Ay, Jesús!

BRÍGIDA
¿Qué es lo que os da?[5]

DOÑA INÉS
Nada, Brígida, no es nada.

BRÍGIDA
No, no; si estáis inmutada.
(*Aparte.*)
(Ya presa en la red está.)
¿Se os pasa?

DOÑA INÉS
Sí.

BRÍGIDA
Eso habrá sido
cualquier mareíllo vano.[6]

DOÑA INÉS
¡Ay, se me abrasa la mano
con que el papel he cogido!

BRÍGIDA
Doña Inés, ¡válgame Dios!
jamás os he visto así;
estáis trémula.

DOÑA INÉS
¡Ay de mí!

BRÍGIDA
¿Qué es lo que pasa por vos?

DOÑA INÉS
No sé . . . El campo de mi mente
siento que cruzan perdidas

3. *manecillas de oro,* gold book clasps
4. *Y cuidado que está prieto,* And it's really compact

5. *¿Qué es lo que os da?,* What's the matter with you?
6. *mareíllo vano,* slight dizzy spell

mil sombras desconocidas
que me inquietan vagamente,
y ha tiempo al alma me dan
con su agitación tortura.

BRÍGIDA

¿Tiene alguna,[7] por ventura,
el semblante de don Juan?

DOÑA INÉS

No sé; desde que le vi,
Brígida mía, y su nombre
me dijiste, tengo a ese hombre
siempre delante de mí.
Por doquiera me distraigo
con su agradable recuerdo,
y si un instante le pierdo,
en su recuerdo recaigo.
No sé qué fascinación
en mis sentidos ejerce,
que siempre hacia él se me tuerce
la mente y el corazón;
y aquí, y en el oratorio,
y en todas partes advierto
que el pensamiento divierto
con la imagen de Tenorio.

BRÍGIDA

¡Válgame Dios! Doña Ines,
según lo vais explicando,
tentaciones me van dando
de creer que eso amor es.

DOÑA INÉS

¿Amor has dicho?

BRÍGIDA

                Sí, amor.

DOÑA INÉS

No, de ninguna manera.

BRÍGIDA

Pues por amor lo entendiera
el menos entendedor;
mas vamos la carta a ver:
¿en qué os paráis? ¿Un suspiro?

DOÑA INÉS

¡Ay, que cuanto más la miro,
menos me atrevo a leer!
                (*Lee.*)

«Doña Inés del alma mía . . .»
¡Virgen Santa, qué principio!

BRÍGIDA

Vendrá en verso, y será un ripio[8]
que traerá la poesía.
Vamos, seguid adelante.

DOÑA INÉS (*Lee.*)

«Luz de donde el sol la toma,
hermosísima paloma
privada de libertad,
si os dignáis por estas letras
pasar vuestros lindos ojos,
no los tornéis con enojos
sin concluir, acabad . . .»

BRÍGIDA

¡Qué humildad, y qué finura!
¿Dónde hay mayor rendimiento?

DOÑA INÉS

Brígida, no sé qué siento.

BRÍGIDA

Seguid, seguid la lectura.

DOÑA INÉS (*Lee.*)

«Nuestros padres, de consuno[9]
nuestras bodas acordaron,
porque los cielos juntaron
los destinos[10] de los dos.
Y halagado desde entonces
con tan risueña esperanza,
mi alma, doña Inés, no alcanza
otro porvenir que vos.
De amor con ella en mi pecho
brotó una chispa ligera,
que han convertido en hoguera
tiempo y afición tenaz.
Y esta llama, que en mí mismo
se alimenta, inextinguible,
cada día más terrible
va creciendo y más voraz . . . »

BRÍGIDA

Es claro; esperar le hicieron
en vuestro amor algún día,
y hondas raíces tenía
cuando a arrancársele fueron.
Seguid.

7. Supply *sombra*.
8. padding in verse, writing, or speech
9. *de consuno*, jointly
10. The lives of romantic heroes and heroines are generally controlled by fate (*destino*, *sino*). The subtitle of *Don Álvaro* (1835), a famous romantic play of the Duque de Rivas, is *La fuerza del sino*.

DOÑA INÉS (*Lee.*)
    «En vano a apagarla
concurren tiempo y ausencia,
que, doblando su violencia,
no hoguera, ya volcán es.
Y yo, que en medio del cráter
desamparado batallo,
suspendido en él me hallo
entre mi tumba y mi Inés . . .»
BRÍGIDA
    ¿Lo veis, Inés? Si ese Horario
le despreciáis, al instante
le preparan el sudario.
DOÑA INÉS
    Yo desfallezco.
BRÍGIDA
                    Adelante.
DOÑA INÉS (*Lee.*)
    «Inés, alma de mi alma,
perpetuo imán de mi vida,
perla sin concha escondida
entre las algas del mar;
garza que nunca del nido
tender osastes[11] el vuelo,
el diáfano azul del cielo
para aprender a cruzar,
si es que a través de esos muros
el mundo apenada miras,
y por el mundo suspiras,
de libertad con afán,
acuérdate que al pie mismo
de esos muros que te guardan,
para salvarte te aguardan
los brazos de tu don Juan . . .»
            (*Representa.*)
    ¿Qué es lo que me pasa, ¡cielo!
que me estoy viendo morir?
BRÍGIDA (*Aparte.*)
    (Ya tragó todo el anzuelo.)
Vamos, que está al concluir.
DOÑA INÉS (*Lee.*)
    «Acuérdate de quien llora
al pie de tu celosía,
y allí le sorprende el día
y le halla la noche allí;
acuérdate de quien vive

5

10

15

20

25

sólo por ti, ¡vida mía!
y que a tus pies volaría
si le llamaras a ti . . .»
BRÍGIDA
    ¿Lo veis? Vendría.
DOÑA INÉS
                    ¡Vendría!
BRÍGIDA
    A postrarse a vuestros pies.
DOÑA INÉS
    ¿Puede?
BRÍGIDA
    ¡Oh, sí!
DOÑA INÉS
                    ¡Virgen María!
BRÍGIDA
    Pero acabad, doña Inés.
DOÑA INÉS (*Lee.*)
    «Adiós, ¡oh luz de mis ojos!
adiós, Inés de mi alma;
medita, por Dios, en calma
las palabras que aquí van;
y si odias esa clausura
que ser tu sepulcro debe,
manda, que a todo se atreve
por tu hermosura, don Juan.»
            (*Representa D.ª Inés.*)
    ¡Ay! ¿Qué filtro envenenado
me dan en este papel,
que el corazón desgarrado
me estoy sintiendo con él?
¿Qué sentimientos dormidos
son los que revela en mí?
¿Qué impulsos jamás sentidos?
¿Qué luz, que hasta hoy nunca vi?
¿Qué es lo que engendra en mi alma
tan nuevo y profundo afán?
¿Quién roba la dulce calma
de mi corazón?
BRÍGIDA
                    Don Juan.
DOÑA INÉS
    ¡Don Juan dices! . . . ¿Conque ese
        hombre
me ha de seguir por doquier?
¿Sólo he de escuchar su nombre,

30

35

40

45

---

11. *osastes,* archaic form of *osaste*

sólo su sombra he de ver?
¡Ah! ¡Bien dice! Juntó el cielo
los destinos de los dos,
y en mi alma engendró este anhelo
fatal.
BRÍGIDA
      ¡Silencio, por Dios!
  (*Se oyen dar las ánimas.*)
DOÑA INÉS
  ¿Qué?
BRÍGIDA
      Silencio.
DOÑA INÉS
      Me estremezco.
BRÍGIDA
¿Oís, doña Inés, tocar?
DOÑA INÉS
Sí; lo mismo que otras veces
las ánimas oigo dar.
BRÍGIDA
Pues no habléis de él.
DOÑA INÉS
      ¡Cielo santo!
¿De quién?
BRÍGIDA
      ¿De quién ha de ser?
De ese don Juan que amáis tanto,
porque puede aparecer.
DOÑA INÉS
¡Me amedrentas! ¿Puede ese hombre
llegar hasta aquí?
BRÍGIDA
      Quizá,
porque el eco de su nombre
tal vez llega adonde está.
DOÑA INÉS
¡Cielos! Y ¿podrá . . . ?
BRÍGIDA
      ¿Quién sabe?
DOÑA INÉS
¿Es un espíritu, pues?
BRÍGIDA
No; mas si tiene una llave . . .
DOÑA INÉS
¡Dios!
BRÍGIDA
      Silencio, doña Inés,
¿No oís pasos?

DOÑA INÉS
      ¡Ay! Ahora
nada oigo.
BRÍGIDA
      Las nueve dan.
Suben . . . , se acercan . . . , señora . . . ;
ya está aquí.
DOÑA INÉS
      ¿Quién?
BRÍGIDA
      Él.
DOÑA INÉS
      ¡Don Juan!

ESCENA IV

Doña Inés, D. Juan y Brígida

DOÑA INÉS
  ¿Qué es esto? ¿Sueño . . . , deliro?
DON JUAN
¡Inés de mi corazón!
DOÑA INÉS
¿Es realidad lo que miro,
o es una fascinación? . . .
¡Tenedme . . . , apenas respiro . . . ;
sombra . . . , huye, por compasión!
¡Ay de mí! . . .
(*Desmáyase D.ª Inés, y D. Juan la sos-
tiene. La carta de D. Juan queda en el
suelo, abandonada por D.ª Inés al des-
mayarse.*)

BRÍGIDA
      La ha fascinado
vuestra repentina entrada,
y el pavor la ha trastornado.
DON JUAN
Mejor; así nos ha ahorrado
la mitad de la jornada.
¡Ea! No desperdiciemos
el tiempo aquí en contemplarla,
si perdernos no queremos.
En los brazos a tomarla
voy, y cuanto antes, ganemos
ese claustro solitario.
BRÍGIDA
¡Oh! ¿Vais a sacarla así?

DON JUAN

¡Necia! ¿Piensas que rompí
la clausura, temerario,
para dejármela aquí?
Mi gente abajo me espera;
sígueme.

BRÍGIDA

¡Sin alma estoy!
¡Ay! Este hombre es una fiera;
nada le ataja ni altera . . .
Sí, sí; a su sombra me voy.[12]

ESCENA V

LA ABADESA

Jurara que había oído
por estos claustros andar;
hoy a doña Inés velar
algo más la he permitido,
y me temo . . . Mas no están
aquí. ¿Qué pudo ocurrir
a las dos para salir
de la celda? ¿Dónde irán?
¡Hola! Yo las ataré
corto[13] para que no vuelvan
a enredar, y me revuelvan
a las novicias . . . ; sí, a fe.
Mas siento por allá fuera
pasos. ¿Quién es?

ESCENA VI

LA ABADESA y LA TORNERA

TORNERA

Yo, señora.

ABADESA

¡Vos en el claustro a esta hora!
¿Qué es esto, hermana Tornera?

TORNERA

Madre abadesa, os buscaba.

ABADESA

¿Qué hay? Decid.

TORNERA

Un noble anciano
quiere hablaros.

ABADESA

Es en vano.

TORNERA

Dice que es de Calatrava
caballero; que sus fueros
le autorizan a este paso,
y que la urgencia del caso
le obliga al instante a veros.

ABADESA

¿Dijo su nombre?

TORNERA

El Señor
don Gonzalo Ulloa.

ABADESA

¿Qué
puede querer? . . . Ábrale,
hermana; es Comendador
de la Orden, y derecho tiene
en el claustro de entrada.

ESCENA VII

LA ABADESA. DON GONZALO después

ABADESA

¿A una hora tan avanzada
venir así? . . . No sospecho
qué pueda ser . . . ; mas me place,
pues no hallando a su hija aquí,
la reprenderá, y así
mirará otra vez lo que hace.

ESCENA VIII

LA ABADESA y D. GONZALO. LA TORNERA,
a la puerta

DON GONZALO

Perdonad, madre abadesa,
que en hora tal os moleste;
mas para mí, asunto es éste
que honra y vida me interesa.

ABADESA

¡Jesús!

DON GONZALO

Oíd.

12. *a su sombra me voy*, I'll follow him, come
what may.

13. *las ataré corto*, I'll catch them; I'll put a
stop to this.

ABADESA

        Hablad, pues.

DON GONZALO

Yo guardé hasta hoy un tesoro
de más quilates que el oro,
y ese tesoro es mi Inés.

ABADESA

A propósito . . .

DON GONZALO

        Escuchad.
Se me acaba de decir
que han visto a su dueña ir
ha poco por la ciudad,
hablando con el criado
de un don Juan, de tal renombre,
que no hay en la tierra otro hombre
tan audaz y tan malvado.
En tiempo atrás se pensó
con él a mi hija casar,
y hoy, que se la fui a negar,
robármela me juró;
que por el torpe doncel
ganada la dueña está
no puedo dudarlo ya;
debo, pues, guardarme de él.
Y un día, una hora quizás
de imprevisión, le bastara
para que mi honor manchara
ese hijo de Satanás.
He aquí mi inquietud cuál es;
por la dueña, en conclusión,
vengo; vos la profesión
abreviad de doña Inés.

ABADESA

Sois padre, y es vuestro afán
muy justo, Comendador;
mas ved que ofende a mi honor.

DON GONZALO

¡No sabéis quién es don Juan!

ABADESA

Aunque le pintáis tan malo,
yo os puedo decir de mí,
que mientra[14] Inés esté aquí,
segura está, don Gonzalo.

DON GONZALO

Lo creo; mas las razones

5

10

15

20

25

30

35

40

45

abreviemos; entregadme
a esa dueña, y perdonadme
mis mundanas opiniones.
Si vos de vuestra virtud
me respondéis, yo me fundo
en que conozco del mundo
la insensata juventud.

ABADESA

Se hará como lo exigís.
Hermana Tornera: id, pues,
a buscar a doña Inés
y a su dueña.

(*Vase la Tornera.*)

DON GONZALO

        ¿Qué decís,
señora? O traición me ha hecho
mi memoria, o yo sé bien
que ésta es hora de que estén
ambas a dos en su lecho.

ABADESA

Ha un punto sentí a las dos
salir de aquí, no sé a qué.

DON GONZALO

¡Ay! ¿Por qué tiemblo? ¡No sé!
Mas ¿ qué veo? ¡Santo Dios!
¡Un papel! . . . ¡Me lo decía
a voces mi mismo afán!

(*Leyendo.*)

«Doña Inés del alma mía . . .»
¡Y la firma de don Juan!
¡Ved . . . , ved . . . esa prueba escrita!
¡Leed ahí! . . . ¡Oh! ¡Mientras que vos
por ella rogáis a Dios,
viene el diablo y os la quita!

ESCENA IX

LA ABADESA, D. GONZALO y LA TORNERA

TORNERA

Señora . . .

ABADESA

        ¿Qué es?

TORNERA

        ¡Vengo muerta!

14. *mientras*

DON GONZALO
    ¡Concluid!
TORNERA
    ¡No acierto a hablar! . . .
    ¡He visto a un hombre saltar
    por las tapias de la huerta!
DON GONZALO
    ¿Veis? ¡Corramos! ¡Ay de mí!

ABADESA
    ¿Dónde vais, Comendador?
DON GONZALO
    ¡Imbécil! ¡Tras de mi honor,
5   que os roban a vos de aquí!

FIN DEL ACTO 3.°

ACTO CUARTO

El Diablo a Las Puertas del Cielo

Quinta de D. Juan Tenorio, cerca de Sevilla y sobre el Guadalquivir.—
Balcón en el fondo.—Dos puertas a cada lado.

ESCENA PRIMERA

BRÍGIDA y CIUTTI

BRÍGIDA
    Qué noche, ¡válgame Dios!
    A poderlo calcular,
    no me meto yo[1] a servir
    a tan fogoso galán.
    ¡Ay, Ciutti! Molida estoy;
    no me puedo menear.
CIUTTI
    Pues ¿qué os duele?
BRÍGIDA
                Todo el cuerpo,
    y toda el alma además.
CIUTTI
    ¡Ya! No estáis acostumbrada
    al caballo, es natural.
BRÍGIDA
    Mil veces pensé caer.
    ¡Uf! ¡Qué mareo! ¡Qué afán!
    Veía yo unos tras otros
    ante mis ojos pasar
    los árboles como en alas
    llevados de un huracán,
    tan apriesa y produciéndome

10   ilusión tan infernal,
    que perdiera los sentidos
    si tardamos[2] en parar.
CIUTTI
    Pues de estas cosas veréis,
    si en esta casa os quedáis,
15   lo menos seis por semana.
BRÍGIDA
    ¡Jesús!
CIUTTI
                Y esa niña, ¿está
    reposando todavía?
BRÍGIDA
    Y ¿a qué se ha de despertar?
CIUTTI
    Sí; es mejor que abra los ojos
25   en los brazos de don Juan.
BRÍGIDA
    Preciso es que tu amo tenga
    algún diablo familiar.
CIUTTI
30   Yo creo que sea él mismo
    un diablo en carne mortal,
    porque a lo que él, solamente
    se arrojara Satanás.
BRÍGIDA
35   ¡Oh! ¡El lance ha sido extremado!

1. *A poderlo . . . meto = Si lo hubiese calcu-*
   lado, no me habría metido

2. *tardamos = tardásemos*

CIUTTI
Pero al fin logrado está.

BRÍGIDA
¡Salir así, de un convento,
en medio de una ciudad
como Sevilla!

CIUTTI
Es empresa
tan solo para hombre tal;
mas ¡qué diablos! si a su lado
la fortuna siempre va,
y encadenado a sus pies
duerme sumiso el azar.

BRÍGIDA
Sí; decís bien.

CIUTTI
No he visto hombre
de corazón más audaz;
no halla riesgo que le espante,
ni encuentra dificultad
que al empeñarse en vencer,
le haga un punto vacilar.
A todo osado se arroja;
de todo se ve capaz;
ni mira dónde se mete,
ni lo pregunta jamás.
«Allí hay un lance,» le dicen;
y él dice: «Allá va don Juan.»
Mas ya tarda, ¡vive Dios!

BRÍGIDA
Las doce en la catedral
han dado ha tiempo.

CIUTTI
Y de vuelta
debía a las doce estar.

BRÍGIDA
Pero ¿por qué no se vino
con nosotros?

CIUTTI
Tiene allá,
en la ciudad, todavía
cuatro cosas que arreglar.

BRÍGIDA
¿Para el viaje?

CIUTTI
Por supuesto;

aunque muy fácil será
que esta noche a los infiernos
le hagan a él mismo viajar.

BRÍGIDA
5   ¡Jesús, qué ideas!

CIUTTI
Pues ¡digo!
¿Son obras de caridad
en las que nos empleamos,
10   para mejor esperar?
Aunque seguros estamos
como vuelva por acá.

BRÍGIDA
¿De veras, Ciutti?

15 CIUTTI
Venid
a este balcón, y mirad;
¿qué veis?

BRÍGIDA
20   Veo un bergantín,
que anclado en el río está.

CIUTTI
Pues su patrón sólo aguarda
las órdenes de don Juan,
25   y salvos, en todo caso,
a Italia nos llevará.

BRÍGIDA
¿Cierto?

CIUTTI
30   Y nada receléis
por nuestra seguridad,
que es el barco más velero
que boga sobre la mar.

BRÍGIDA
35   ¡Chist! Ya siento a doña Inés . . .

CIUTTI
Pues yo me voy, que don Juan
encargó que sola vos
debíais con ella hablar.

40 BRÍGIDA
Y encargó bien, que yo entiendo
de esto.

CIUTTI
Adiós, pues.

45 BRÍGIDA
Vete en paz.

ESCENA II

DOÑA INÉS y BRÍGIDA

DOÑA INÉS

¡Dios mío, cuánto he soñado!
¡Loca estoy! ¿Qué hora será?
Pero ¿qué es esto? ¡ay de mí!
No recuerdo que jamás
haya visto este aposento.
¿Quién me trajo aquí?

BRÍGIDA

Don Juan.

DOÑA INÉS

Siempre don Juan . . .
¿Aquí tú también estás,
Brígida?

BRÍGIDA

Sí, doña Inés.

DOÑA INÉS

Pero dime, en caridad,
¿dónde estamos? Este cuarto,
¿es del convento?

BRÍGIDA

No tal;
aquello era un cuchitril
en donde no había más
que miseria.

DOÑA INÉS

Pero, en fin,
¿en dónde estamos?

BRÍGIDA

Mirad,
mirad por este balcón,
y alcanzaréis lo que va
desde un convento de monjas
a una quinta de don Juan.

DOÑA INÉS

¿Es de don Juan esta quinta?

BRÍGIDA

Y creo que vuestra ya.

DOÑA INÉS

Pero no comprendo, Brígida,
lo que dices.

BRÍGIDA

Escuchad.

Estabais en el convento
leyendo con mucho afán
una carta de don Juan,
cuando estalló en un momento
5 un incendio formidable.

DOÑA INÉS

¡Jesús!

BRÍGIDA

Espantoso, inmenso;
10 el humo era ya tan denso,
que el aire se hizo palpable.

DOÑA INÉS

Pues no recuerdo . . .

BRÍGIDA

Las dos.
15 con la carta entretenidas,
olvidamos nuestras vidas;
yo oyendo, y leyendo vos.
Y estaba, en verdad, tan tierna,
20 que entrambas a su lectura
achacamos la tortura
que sentíamos interna.
Apenas ya respirar
podíamos, y las llamas
25 prendían en nuestras camas;
nos íbamos a asfixiar,
cuando don Juan, que os adora,
y que rondaba el convento,
al ver crecer con el viento
30 la llama devastadora,
con inaudito valor,
viendo que ibais a abrasaros,
se metió para salvaros
por donde pudo mejor.
35 Vos, al verle así asaltar
la celda tan de improviso,
os desmayasteis . . . ; preciso,
la cosa era de esperar.
Y él, cuando os vio caer así,
40 en sus brazos os tomó
y echó a huir; yo le seguí,
y del fuego nos sacó.
¿Dónde íbamos a esta hora?
Vos seguíais desmayada,
45 yo estaba ya casi ahogada.
Dijo, pues: «Hasta la aurora

en mi casa las tendré.»
Y henos, doña Inés, aquí.

DOÑA INÉS

¿Conque ésta es su casa?

BRÍGIDA

Sí.

DOÑA INÉS

Pues nada recuerdo, a fe.
Pero . . . ¡en su casa! . . . ¡Oh, al punto
salgamos de ella! . . . Yo tengo
la de mi padre.

BRÍGIDA

Convengo
con vos; pero es el asunto . . .

DOÑA INÉS

¿Qué?

BRÍGIDA

Que no podemos ir.

DOÑA INÉS

Oír tal me maravilla.

BRÍGIDA

Nos aparta de Sevilla . . .

DOÑA INÉS

¿Quién?

BRÍGIDA

Vedlo, el Guadalquivir.

DOÑA INÉS

¿No estamos en la ciudad?

BRÍGIDA

A una legua nos hallamos
de sus murallas.

DOÑA INÉS

¡Oh! ¡Estamos
perdidas!

BRÍGIDA

¡No sé, en verdad,
por qué!

DOÑA INÉS

Me estás confundiendo,
Brígida . . . Y no sé qué redes
son las que entre estas paredes
temo que me estás tendiendo.
Nunca el claustro abandoné,
ni sé del mundo exterior
los usos, mas tengo honor;
noble soy, Brígida, y sé

que la casa de don Juan
no es buen sitio para mí;
me lo está diciendo aquí
no sé qué escondido afán.
Ven, huyamos.

BRÍGIDA

Doña Inés,
la existencia os ha salvado.

DOÑA INÉS

Sí, pero me ha envenenado
el corazón.

BRÍGIDA

¿Le amáis, pues?

DOÑA INÉS

No sé . . . Mas, por compasión,
huyamos pronto de ese hombre,
tras de cuyo solo nombre
se me escapa el corazón.
¡Ah! Tú me diste un papel
de manos de ese hombre escrito,
y algún encanto maldito
me diste encerrado en él.
Una sola vez le vi
por entre unas celosías,
y que estaba, me decías,
en aquel sitio por mí.
Tú, Brígida, a todas horas
me venías de él a hablar,
haciéndome recordar
sus gracias fascinadoras.
Tú me dijiste que estaba
para mío destinado
por mi padre, y me has jurado
en su nombre que me amaba.
¿Que le amo dices? . . . Pues bien;
si esto es amar, sí, le amo;
pero yo sé que me infamo
con esa pasión también.
Y si el débil corazón
se me va tras de don Juan,
tirándome de él están
mi honor y mi obligación.
Vamos, pues; vamos de aquí
primero que ese hombre venga,
pues fuerza acaso no tenga
si le veo junto a mí.

Vamos, Brígida.
BRÍGIDA
                    Esperad.
¿No oís?
DOÑA INÉS
                    ¿Qué?
BRÍGIDA
                    Ruido de remos.
DOÑA INÉS
Sí, dices bien; volveremos
en un bote a la ciudad.
BRÍGIDA
Mirad, mirad, doña Inés.
DOÑA INÉS
Acaba . . . Por Dios; partamos.
BRÍGIDA
Ya, imposible que salgamos.
DOÑA INÉS
¿Por qué razón?
BRÍGIDA
                    Porque él es
quien en ese barquichuelo[3]
se adelanta por el río.
DOÑA INÉS
¡Ay! ¡Dadme fuerzas, Dios mío!
BRÍGIDA
Ya llegó; ya está en el suelo.
Sus gentes nos volverán
a casa; mas antes de irnos,
es preciso despedirnos
a lo menos de don Juan.
DOÑA INÉS
Sea,[4] y vamos al instante.
No quiero volverle a ver.
BRÍGIDA (Aparte.)
Los ojos te hará volver
al encontrarle delante.
(Alto.)
Vamos.
DOÑA INÉS
                    Vamos.
CIUTTI (Dentro.)
                    Aquí están.

DON JUAN (Idem.)
Alumbra.[5]
BRÍGIDA
                    ¡Nos busca!
5   DOÑA INÉS
                    Él es.

10   ESCENA III

DICHAS y D. JUAN

DON JUAN
                    ¿Adónde vais, doña Inés?
15   DOÑA INÉS
Déjadme salir, don Juan.
DON JUAN
¿Que os deje salir?[6]
BRÍGIDA
20   Señor,
sabiendo ya el accidente
del fuego, estará impaciente
por su hija el Comendador.
DON JUAN
25   ¡El fuego! ¡Ah! No os dé cuidado
por don Gonzalo, que ya
dormir tranquilo le hará
el mensaje que le he enviado.
DOÑA INÉS
30   ¿Le habéis dicho . . . ?
DON JUAN
                    Que os hallabais
bajo mi amparo segura,
y el aura del campo pura
35   libre por fin respirabais.
(Vase Brígida.)
Cálmate, pues, vida mía;[7]
reposa aquí, y un momento
olvida de tu convento
40   la triste cárcel sombría.
¡Ah! ¿No es cierto, ángel de amor,
que en esta apartada orilla
más pura la luna brilla

3. small boat
4. So be it
5. Give me some light.

6. ¿Que os deje salir?, Let you go?
7. vida mía, my love

y se respira mejor?
Esta aura que vaga llena[8]
de los sencillos olores
de las campesinas flores
que brota esa orilla amena;   5
esa agua limpia y serena,
que atraviesa sin temor
la barca del pescador
que espera cantando el día,
¿no es cierto, paloma mía,   10
que están respirando amor?
Esa armonía que el viento
recoge entre esos millares
de floridos olivares,
que agita con manso aliento;   15
ese dulcísimo acento
con que trina el ruiseñor
de sus copas morador,
llamando al cercano día,
¿no es verdad, gacela mía,   20
que están respirando amor?
Y estas palabras que están
filtrando insensiblemente
tu corazón, ya pendiente
de los labios de don Juan,   25
y cuyas ideas van
inflamando en su interior
un fuego germinador
no encendido todavía,
¿no es verdad, estrella mía,   30
que están respirando amor?
Y esas dos líquidas perlas
que se desprenden tranquilas
de tus radiantes pupilas
convidándome a beberlas,   35
evaporarse a no verlas
de sí mismas al calor,[9]
y ese encendido color
que en tu semblante no había,
¿no es verdad, hermosa mía,   40
que están respirando amor?
¡Oh! Sí, bellísima Inés,
espejo y luz de mis ojos;

escucharme sin enojos
como lo haces, amor es;
mira aquí a tus plantas, pues,
todo el altivo rigor
de este corazón traidor
que rendirse no creía,
adorando, vida mía,
la esclavitud de tu amor.

DOÑA INÉS

Callad, por Dios, ¡oh! don Juan,
que no podré resistir
mucho tiempo sin morir
tan nunca sentido afán.
¡Ah! Callad, por compasión,
que oyéndoos, me parece
que mi cerebro enloquece
y se arde mi corazón.
¡Ah! Me habéis dado a beber
un filtro infernal sin duda,
que a rendiros os ayuda
la virtud de la mujer.
Tal vez poseéis, don Juan,
un misterioso amuleto,
que a vos me atrae en secreto
como irresistible imán.
Tal vez Satán puso en vos
su vista fascinadora,
su palabra seductora
y el amor que negó a Dios.
Y ¿qué he de hacer, ¡ay de mí!
sino caer en vuestros brazos,
si el corazón en pedazos
me vais robando de aquí?
No, don Juan, en poder mío
resistirte no está ya;
yo voy a ti, como va
sorbido al mar ese río.
Tu presencia me enajena,
tus palabras me alucinan,
y tus ojos me fascinan,
y tu aliento me envenena.
¡Don Juan, don Juan! Yo lo imploro
de tu hidalga compasión:

---

8. Don Juan's words from this verse to line 2192 constitute a good example of pathetic fallacy often found in romantic drama. Nature is attuned to his feelings of love.

9. Word order: *a no verlas (si no se ven) evaporarse al calor de sí mismas*

o arráncame el corazón,
o ámame, porque te adoro.
DON JUAN
¡Alma mía! Esa palabra
cambia de modo mi ser,
que alcanzo que puede hacer   5
hasta que el Edén se me abra.
No es, doña Inés, Satanás
quien pone este amor en mí;
es Dios, que quiere por ti
ganarme para Él quizás.   10
No; el amor que hoy se atesora
en mi corazón mortal,
no es un amor terrenal
como el que sentí hasta ahora;[10]
no es esa chispa fugaz   15
que cualquier ráfaga apaga;
es incendio que se traga
cuanto ve, inmenso, voraz.
Desecha, pues, tu inquietud,
bellísima doña Inés,   20
porque me siento a tus pies
capaz aun de la virtud.
Sí; iré mi orgullo a postrar
ante el buen Comendador,
y, o habrá de darme tu amor,   25
o me tendrá que matar.
DOÑA INÉS
¡Don Juan de mi corazón!
DON JUAN
¡Silencio! ¿Habéis escuchado?
DOÑA INÉS
¿Qué?
DON JUAN
         Sí; una barca ha atracado
debajo de ese balcón.
Un hombre embozado, de ella
salta . . . Brígida, al momento
(Entra Brígida.)
pasad a esotro aposento,
y perdonad, Inés bella,
si solo me importa estar.

DOÑA INÉS
¿Tardarás?
DON JUAN
         Poco ha de ser.
DOÑA INÉS   5
A mi padre hemos de ver.
DON JUAN
Sí; en cuanto empiece a clarear.
Adiós.   10

ESCENA IV

DON JUAN y CIUTTI   15

CIUTTI
         Señor . . .
DON JUAN
         ¿Qué sucede,   20
Ciutti?
CIUTTI
         Ahí está un embozado.
en veros muy empeñado.
DON JUAN   25
¿Quién es?
CIUTTI
         Dice que no puede
descubrirse más que a vos,
y que es cosa de tal priesa,   30
que en ella se os interesa
la vida a entrambos a dos.
DON JUAN
¿Y en él no has reconocido
marca ni señal alguna   35
que nos oriente?
CIUTTI
         Ninguna;
mas a veros decidido
viene.   40
DON JUAN
         ¿Trae gente?

---

10. The love of the classical Don Juan, e.g., the creation of Tirso de Molina, was based on the physical possession of a woman. After each conquest, he promptly leaves his victim and hurries off in search of new conquests. The romantic Don Juan of Zorrilla claims that his love transcends mere physical pos- session. Formerly he loved all women and now ostensibly he has decided to concentrate his love on one woman. It appears that he has finally attained emotional maturity and gone is his adolescent concept of love.

CIUTTI

No más
que los remeros del bote.

DON JUAN

Que entre.   5

ESCENA V

DON JUAN. *Luego* CIUTTI *y* D. LUIS,   10
embozado

DON JUAN

¡Jugamos a escote
la vida!11 . . . Mas, si es quizás
un traidor que hasta mi quinta   15
me viene siguiendo el paso . . . ,
hálleme, pues, por si acaso,
con las armas en la cinta.

(*Se ciñe la espada y suspende al cinto un
par de pistolas que habrá colocado sobre* 20
la mesa a su salida en la escena tercera.
Al momento sale Ciutti, conduciendo a
D. Luis, que, embozado hasta los ojos,
espera a que se queden solos. D. Juan
hace a Ciutti una seña para que se retire. 25
Lo hace.)

ESCENA VI

DON JUAN *y* D. LUIS   30

DON JUAN (*Aparte.*)
(¡Buen talente!)12 Bien venido,
caballero.

DON LUIS

Bien hallado,13   35
señor mío.

DON JUAN

Sin cuidado
hablad.

DON LUIS

Jamás lo he tenido.   40

DON JUAN
Decid, pues: ¿a qué venís
a esta hora y con tal afán?

DON LUIS
Vengo a mataros, don Juan.

DON JUAN
Según eso, ¿sois don Luis?

DON LUIS
No os engañó el corazón,
y el tiempo no malgastemos,
don Juan; los dos no cabemos
ya en la tierra.

DON JUAN
En conclusión,
señor Mejía: es decir
que, porque os gané la apuesta,
¿queréis que acabe la fiesta
con salirnos a batir?

DON LUIS
Estáis puesto en la razón;
la vida apostado habemos,14
y es fuerza que nos paguemos.

DON JUAN
Soy de la misma opinión.
Mas ved que os debo advertir
que sois vos quien la ha perdido.

DON LUIS
Pues por eso os la he traído;15
mas no creo que morir
deba nunca un caballero
que lleva en el cinto espada,
como una res destinada
por su dueño al matadero.

DON JUAN
Ni yo creo que resquicio
habréis jamás encontrado
por donde me hayáis tomado
por un cortador de oficio.16

DON LUIS
De ningún modo; y ya veis
que, pues os vengo a buscar,
mucho en vos debo fiar.

11. *¡Jugamos a escote la vida!,* Our lives are
at stake!
12. *¡Buen talente!,* What a fine appearance he
makes!
13. *Bien hallado,* I'm happy to see you also.
14. *habemos = hemos*

15. *Pues . . . traído,* Well, that's what has
brought me here; *la = vida*
16. *Ni yo . . . oficio,* And I don't believe you've
ever found the slightest hint in my conduct
to consider me a butcher by trade.

DON JUAN
No más de lo que podéis.
Y por mostraros mejor
mi generosa hidalguía,
decid si aun puedo, Mejía,   5
satisfacer vuestro honor.
Leal[17] la apuesta os gané;
mas si tanto os ha escocido,
mirad si halláis conocido
remedio, y le aplicaré.   10

DON LUIS
No hay más que el que os he propuesto,
don Juan. Me habéis maniatado,
y habéis la casa asaltado
usurpándome mi puesto;
y pues el mío tomasteis   15
para triunfar de doña Ana,
no sois vos, don Juan, quien gana,
porque por otro jugasteis.[18]

DON JUAN
Ardides del juego son.   20

DON LUIS
Pues no os los quiero pasar,
y por ellos a jugar
vamos ahora el corazón.[19]   25

DON JUAN
¿Le arriesgáis, pues, en revancha
de[20] doña Ana de Pantoja?

DON LUIS
Sí; y lo que tardo me enoja   30
en lavar tan fea mancha.
Don Juan, yo la amaba, sí;
mas con lo que habéis osado,
imposible la hais[21] dejado
para vos y para mí.   35

DON JUAN
¿Por qué la apostasteis, pues?

DON LUIS
Porque no pude pensar
que la pudierais lograr.
Y . . . vamos ¡por San Andrés!   40
a reñir, que me impaciento.

DON JUAN
Bajemos a la ribera.

DON LUIS
Aquí mismo.

DON JUAN
Necio fuera;
¿no veis que en este aposento   5
prendieran al vencedor?
Vos traéis una barquilla.

DON LUIS
Sí.

DON JUAN
Pues que lleve a Sevilla   10
al que quede.

DON LUIS
Eso es mejor;
salgamos, pues.   15

DON JUAN
Esperad.

DON LUIS
¿Qué sucede?

DON JUAN
Ruido siento.   20

DON LUIS
Pues no perdamos momento.   25

ESCENA VII

DON JUAN, D. LUIS y CIUTTI

CIUTTI
Señor, la vida salvad.

DON JUAN
¿Qué hay, pues?

CIUTTI
El Comendador,
que llega con gente armada.

DON JUAN
Déjale franca la entrada,
pero a él solo.   40

CIUTTI
Mas señor . . .

DON JUAN
Obedéceme.
(Vase Ciutti.)

---

17. fairly
18. *porque por otro jugasteis,* because you took the role of another man

19. *Pues . . . corazón,* Well, I won't accept them (*ardides*), so now let's stake our lives.
20. *en revancha de,* to avenge
21. *hais = habéis*

ESCENA VIII

DON JUAN y D. LUIS

DON JUAN
         Don Luis,
pues de mí os habéis fiado
cuanto dejáis demostrado
cuando a mi casa venís,
no dudaré en suplicaros,
pues mi valor conocéis,
que un instante me aguardéis.
DON LUIS
Yo nunca puse reparos
en valor que es tan notorio,
mas no me fío de vos.
DON JUAN
Ved que las partes son dos
de la apuesta con Tenorio,
y que ganadas están.
DON LUIS
¡Lograsteis a un tiempo . . . !
DON JUAN
         Sí;
la del convento está aquí;
y pues viene de don Juan
a reclamarla quien puede,
cuando me podéis matar,
no debo asunto dejar
tras mí que pendiente quede.
DON LUIS
Pero mirad que meter
quien puede el lance impedir
entre los dos, puede ser . . .[22]
DON JUAN
¿Qué?
DON LUIS
        Excusaros de reñir.[23]
DON JUAN
¡Miserable! . . . De don Juan
podéis dudar sólo vos;
mas aquí entrad, ¡vive Dios!
y no tengáis tanto afán
por vengaros, que este asunto
arreglado con ese hombre,

don Luis, yo os juro a mi nombre
que nos batimos al punto.
DON LUIS
Pero . . .
DON JUAN
        ¡Con una legión
de diablos! entrad aquí,
que harta nobleza es en mí
aun daros satisfacción.
Desde ahí ved y escuchad;
franca tenéis esa puerta;
si veis mi conducta incierta,
como os acomode obrad.
DON LUIS
Me avengo, si muy reacio
no andáis.[24]
DON JUAN
        Calculadlo vos
a placer; mas ¡vive Dios,
que para todo hay espacio!
(*Entra D. Luis en el cuarto que D. Juan
le señala.*)
Ya suben.
(*D. Juan escucha.*)
DON GONZALO (*Dentro.*)
        ¿Dónde está?
DON JUAN
        Él es.

ESCENA IX

DON JUAN y D. GONZALO

DON GONZALO
        ¿Adónde está ese traidor?
DON JUAN
Aquí está, Comendador.
DON GONZALO
¿De rodillas?
DON JUAN
        Y a tus pies.
DON GONZALO
Vil eres hasta en tus crímenes.

22. *Pero . . . ser,* But observe that bringing between the two of us a person who may prevent the duel, can be construed as a . . .

23. *Excusaros de reñir,* An excuse for you to avoid fighting me.

24. *si muy reacio no andáis,* if you take too long

DON JUAN

    Anciano, la lengua ten,
y escúchame un solo instante.

DON GONZALO

    ¿Qué puede en tu lengua haber
que borre lo que tu mano
escribió en este papel?
¡Ir a sorprender, infame,
la cándida sencillez
de quien no pudo el veneno
de esas letras precaver!
¡Derramar en su alma virgen
traidoramente la hiel
en que rebosa la tuya,
seca de virtud y fe!
¡Proponerse así enlodar
de mis timbres[25] la alta prez,
como si fuera un harapo
que desecha un mercader!
¿Ése es el valor, Tenorio,
de que blasonas? ¿Esa es
la proverbial osadía
que te da al vulgo a temer?
¿Con viejos y con doncellas
la muestras? . . . Y ¿para qué?
¡Vive Dios! Para venir
sus plantas así a lamer,
mostrándote a un tiempo ajeno
de valor y de honradez.

DON JUAN

    ¡Comendador!

DON GONZALO

            ¡Miserable!
Tú has robado a mi hija Inés
de su convento, y yo vengo
por tu vida o por mi bien.

DON JUAN

    Jamás delante de un hombre
mi alta cerviz incliné,
ni he suplicado jamás,
ni a mi padre, ni a mi rey.
Y pues conservo a tus plantas
la postura en que me ves,
considera, don Gonzalo,
que razón debo tener.

DON GONZALO

    Lo que tienes es pavor
de mi justicia.

DON JUAN

5   ¡Pardiez!
Óyeme, Comendador,
o tenerme no sabré,
y seré quien siempre he sido,
no queriéndolo ahora ser.

10 DON GONZALO

    ¡Vive Dios!

DON JUAN

            Comendador,
yo idolatro a doña Inés,
15 persuadido de que el cielo
me la quiso conceder
para enderezar mis pasos
por el sendero del bien.
No amé la hermosura en ella,
20 ni sus gracias adoré;
lo que adoro es la virtud,
don Gonzalo, en doña Inés.
Lo que justicias ni obispos
no pudieron de mí hacer
25 con cárceles y sermones,
lo pudo su candidez.
Su amor me torna en otro hombre,
regenerando mi ser,
y ella puede hacer un ángel
30 de quien un demonio fue.
Escucha, pues, don Gonzalo,
lo que te puede ofrecer
el audaz don Juan Tenorio
de rodillas a tus pies.
35 Yo seré esclavo de tu hija,
en tu casa viviré,
tú gobernarás mi hacienda
diciéndome: *Esto ha de ser.*
El tiempo que señalares,
40 en reclusión estaré;
cuantas pruebas exigieres
de mi audacia o mi altivez,
del modo que me ordenares,
con sumisión te daré.
45 Y cuando estime tu juicio

---

25. insignia on coat of arms

que la pueda merecer,
yo la daré un buen esposo,
y ella me dará el Edén.

DON GONZALO

Basta, don Juan: no sé cómo
me he podido contener,
oyendo tan torpes pruebas
de tu infame avilantez.[26]
Don Juan, tú eres un cobarde
cuando en la ocasión te ves,
y no hay bajeza a que no oses
como te saque con bien.[27]

DON JUAN

¡Don Gonzalo!

DON GONZALO

Y me avergüenzo
de mirarte así a mis pies,
lo que apostabas por fuerza
suplicando por merced.[28]

DON JUAN

Todo así se satisface,
don Gonzalo, de una vez.[29]

DON GONZALO

¡Nunca! ¡Nunca! ¿Tú su esposo?
Primero la mataré.
¡Ea, entregádmela al punto,
o, sin poderme valer,
en esa postura vil
el pecho te cruzaré!

DON JUAN

Míralo bien, don Gonzalo,
que vas a hacerme perder
con ella hasta la esperanza
de mi salvación tal vez.

DON GONZALO

Y ¿qué tengo yo, don Juan,
con tu salvación que ver?

DON JUAN

¡Comendador, que me pierdes![30]

DON GONZALO

¡Mi hija!

DON JUAN

Considera bien
que por cuantos medios pude
te quise satisfacer;
y que con armas al cinto
tus denuestos toleré,
proponiéndote la paz
de rodillas a tus pies.

ESCENA X

DICHOS. DON LUIS, soltando uno carcajada de burla

DON LUIS

Muy bien, don Juan.

DON JUAN

¡Vive Dios!

DON GONZALO

¿Quién es ese hombre?

DON LUIS

Un testigo
de su miedo, y un amigo,
Comendador, para vos.

DON JUAN

¡Don Luis!

DON LUIS

Ya he visto bastante,
don Juan, para conocer
cuál uso puedes hacer
de tu valor arrogante;
y quien hiere por detrás
y se humilla en la ocasión,
es tan vil como el ladrón
que roba y huye.

DON JUAN

¿Esto más?[31]

DON LUIS

Y pues la ira soberana
de Dios junta, como ves,
al padre de doña Inés

---

26. vileness
27. *con que te saque con bien*, provided it gets you safely out. It is natural for Don Gonzalo not to believe Don Juan's protestation of sincere love for Doña Inés in view of his many amatory adventures in the past.
28. *lo que . . . merced*, begging at my feet for what you had sworn to take by force
29. *de una vez*, once and for all
30. *que me pierdes*, you are damning me
31. *¿Esto más?* So you're going to add more (to what the Comendador said?)

y al vengador de doña Ana,
mira el fin que aquí te espera
cuando a igual tiempo te alcanza
aquí dentro su venganza
y la justicia allá fuera.

DON GONZALO
¡Oh! Ahora comprendo . . . ¿Sois vos
el que . . . ?

DON LUIS
   Soy don Luis Mejía,
a quien a tiempo os envía
por vuestra venganza Dios.

DON JUAN
¡Basta, pues, de tal suplicio!
Si con hacienda y honor
ni os muestro ni doy valor
a mi franco sacrificio,
y la leal solicitud
con que ofrezco cuanto puedo
tomáis ¡vive Dios! por miedo
y os mofáis de mi virtud,
os acepto el que me dais,
plazo breve y perentorio,
para mostrarme el Tenorio
de cuyo valor dudáis.

DON LUIS
Sea, y cae a nuestros pies
digno al menos de esa fama
que tan por bravo te aclama . . .

DON JUAN
Y venza el infierno, pues.
¡Ulloa, pues mi alma así
vuelves a hundir en el vicio,
cuando Dios me llame a juicio,
tú responderás por mí!

(*Le da un pistoletazo.*)[32]

DON GONZALO (*Cayendo.*)
¡Asesino!

DON JUAN
   Y tú, insensato,
que me llamas vil ladrón,
di en prueba de tu razón
que cara a cara te mato.

(*Riñen, y le da una estocada.*)

DON LUIS (*Cayendo.*)
¡Jesús!

DON JUAN
   Tarde tu fe ciega
acude al cielo, Mejía,
y no fue por culpa mía;
pero la justicia llega,
y a fe que ha de ver quién soy.

CIUTTI (*Dentro.*)
¡Don Juan!

DON JUAN (*Asomando al balcón.*)
   ¿Quién es?

CIUTTI (*Dentro.*)
   Por aquí;
salvaos.

DON JUAN
   ¿Hay paso?[33]

CIUTTI
   Sí;
arrojaos.

DON JUAN
   Allá voy.
Llamé al cielo, y no me oyó,
y pues sus puertas me cierra,
de mis pasos en la tierra
responda el cielo y no yo.

(*Se arroja por el balcón, y se le oye caer
en el agua del río, al mismo tiempo que
el ruido de los remos muestran la rapidez
del barco en que parte; se oyen golpes en
las puertas de la habitación; poco después
entra la justicia, soldados, etc.*)

ESCENA XI

ALGUACILES. SOLDADOS. *Luego* D.ª INÉS *y*
BRÍGIDA

ALGUACIL 1.º
El tiro ha sonado aquí.

ALGUACIL 2.º
Aun hay humo.

ALGUACIL 1.º
   ¡Santo Dios!
Aquí hay un cadáver.

ALGUACIL 2.º
   Dos.

---

32. *Le da un pistoletazo*, He shoots him.

33. *¿Hay paso?*, Is there a way out of here?

ALGUACIL 1.°
  ¿Y el matador?
ALGUACIL 2.°
      Por allí.
(Abren el cuarto en que están D.ª Inés y   5
Brígida, y las sacan a la escena: D.ª Inés
reconoce el cadáver de su padre.)
ALGUACIL 1.°
  ¡Dos mujeres!
DOÑA INÉS
      ¡Ah! ¡Qué horror!   10
  ¡Padre mío!
ALGUACIL 1.°
      ¡Es su hija!
BRÍGIDA
      Sí.   15
DOÑA INÉS
  ¡Ay! ¿Dó estás, don Juan, que aquí
  me olvidas en tal dolor?

ALGUACIL 1.°
  Él le asesinó.
DOÑA INÉS
      ¡Dios mío!
  ¿Me guardabas esto más?[34]
ALGUACIL 2.°
  Por aquí ese Satanás
  se arrojó, sin duda, al río.
ALGUACIL 1.°
  ¡Miradlos! . . . A bordo están
  del bergantín calabrés.[35]
TODOS
  ¡Justicia por doña Inés!
DOÑA INÉS
  ¡Pero no contra don Juan![36]

FIN DEL ACTO 4.°

34. *¿Me guardabas esto más?,* Is this something
    else you had in store for me?

35. Calabrian, of southeastern Italy
36. Doña Inés thus reveals her deep love for
    Don Juan.

SEGUNDA PARTE

ACTO PRIMERO

La Sombra de Doña Inés

Panteón de la familia Tenorio.[1]—El teatro representa un magnífico cementerio, hermoseado a manera de jardín. En primer término,[2] aislados y de bulto, los sepulcros de D. Gonzalo de Ulloa, de D.ª Inés y de D. Luis Mejía, sobre los cuales se ven sus estatuas de piedra. El sepulcro de D. Gonzalo a la derecha, y su estatua de rodillas; el de don Luis a la izquierda, y su estatua también de rodillas; el de D.ª Inés en el centro, y su estatua de pie. En segundo término otros dos sepulcros en la forma que convenga; y en tercer término, y en puesto elevado, el sepulcro y estatua del fundador, D. Diego Tenorio, en cuya figura remata la perspectiva de los sepulcros. Una pared llena de nichos y lápidas circuye el cuadro hasta el horizonte. Dos llorones a cada lado de la tumba de D.ª Inés, dispuestos a servir de la manera que a su tiempo exige el juego escénico.[3] Cipreses y flores de todas clases embellecen la decoración, que no debe tener nada de horrible. La acción se supone en una tranquila noche de verano, y alumbrada por una clarísima luna.

1. A moon-lit cemetery, with the sepulchers and stone statues of three major characters who appeared in Part One of the play, provides a good romantic setting. It is interesting to note that Zorrilla saw fit to require the placing of weeping willows (*llorones*) on either side of the tomb of Doña Inés.

2. *primer término,* foreground; *segundo término,* mid-stage; *último término,* background
3. *juego escénico,* action

ESCENA PRIMERA

EL ESCULTOR, *disponiéndose a marchar*

 Pues señor, es cosa hecha:
el alma del buen don Diego
puede, a mi ver, con sosiego
reposar muy satisfecha.
La obra está rematada
con cuanta suntuosidad
su postrera voluntad
dejó al mundo encomendada.
Y ya quisieran ¡pardiez!
todos los ricos que mueren,
que su voluntad cumplieren
los vivos, como esta vez.
Mas ya de marcharme es hora:
todo corriente lo dejo,
y de Sevilla me alejo
al despuntar de la aurora.
¡Ah! Mármoles que mis manos
pulieron con tanto afán,
mañana os contemplarán
los absortos sevillanos,
y al mirar de este panteón
las gigantes proporciones,
tendrán las generaciones
la nuestra en veneración.
Mas yendo y viniendo días,
se hundirán unas tras otras,
mientra[4] en pie estaréis vosotras,
póstumas memorias mías.
¡Oh! Frutos de mis desvelos,
peñas a quien yo animé,
y por quienes arrostré
la intemperie de los cielos;
el que forma y ser os dio,
va ya a perderos de vista:
velad mi gloria de artista,
pues viviréis más que yo.
Mas ¿quién llega?

ESCENA II

EL ESCULTOR y D. JUAN, *que entra
embozado*

ESCULTOR
   Caballero . . .
DON JUAN
 Dios le guarde.
5 ESCULTOR
   Perdonad,
mas ya es tarde, y . . .
DON JUAN
   Aguardad
un instante, porque quiero
10 que me expliquéis . . .
ESCULTOR
   Por acaso,
¿sois forastero?
15 DON JUAN
   Años ha
que falto de España ya,[5]
y me chocó el ver al paso,
cuando a esas rejas llegué,
20 que encontraba este recinto
enteramente distinto
de cuando yo le dejé.
ESCULTOR
Ya lo creo; como que esto
25 era entonces un palacio,
y hoy es panteón el espacio
donde aquél estuvo puesto.
DON JUAN
¡El palacio hecho panteón!
30 ESCULTOR
Tal fue de su antiguo dueño
la voluntad, y fue empeño
que dio al mundo admiración.
DON JUAN
35 Y ¡por Dios, que es de admirar!
ESCULTOR
Es una famosa historia,
a la cual debo mi gloria.
DON JUAN
40 ¿Me la podéis relatar?
ESCULTOR
Sí, aunque muy sucintamente,
pues me aguardan.
DON JUAN
45   Sea.

4. *mientras*

5. *Años . . . ya,* I have been away from Spain
for years

ESCULTOR
                    Oíd
la verdad pura.
DON JUAN
                    Decid,
que me tenéis impaciente.
ESCULTOR
Pues habitó esta ciudad
y este palacio, heredado,
un varón muy estimado
por su noble calidad.
DON JUAN
Don Diego Tenorio.
ESCULTOR
                    El mismo.
Tuvo un hijo este don Diego,
peor mil veces que el fuego,
un aborto del abismo;
un mozo sangriento y cruel,
que con tierra y cielo en guerra,
dicen que nada en la tierra
fue respetado por él.
Quimerista,⁶ seductor
y jugador con ventura,
no hubo para él segura
vida, ni hacienda, ni honor.
Así le pinta la historia,
y si tal era, por cierto
que obró cuerdamente el muerto
para ganarse la gloria.
DON JUAN
Pues ¿cómo obró?
ESCULTOR
                    Dejó entera
su hacienda al que la empleara
en un panteón que asombrara
a la gente venidera;
mas con condición, que dijo
que se enterraran en él
los que a la mano cruel
sucumbieron de su hijo.
Y mirad en derredor
los sepulcros de los más
de ellos.

5

10

15

20

25

30

35

40

DON JUAN
                    Y vos, ¿sois quizás
el conserje?
ESCULTOR
                    El escultor
de estas obras encargado.
DON JUAN
¡Ah! Y ¿las habéis concluído?
ESCULTOR
Ha un mes; mas me he detenido
hasta ver ese enverjado
colocado en su lugar,
pues he querido impedir
que pueda el vulgo venir
este sitio a profanar.
DON JUAN (*Mirando.*)
      ¡Bien empleó sus riquezas
el difunto!
ESCULTOR
                    ¡Ya lo creo!
Miradle allí.
DON JUAN
                    Ya le veo
ESCULTOR
¿Le conocisteis?
DON JUAN
                    Sí.
ESCULTOR
                    Piezas
son todas muy parecidas
y a conciencia trabajadas.⁷
DON JUAN
      ¡Cierto que son extremadas!⁸
ESCULTOR
¿Os han sido conocidas
las personas?
DON JUAN
                    Todas ellas.
ESCULTOR
Y ¿os parecen bien?
DON JUAN
                    Sin duda,
según lo que a ver me ayuda
el fulgor de las estrellas.

6. quarrelsome person
7. *Piezas . . . trabajadas,* All these figures are
true to life and a lot of work went into
their making.

8. superlative

ESCULTOR

    ¡Oh! Se ven como de día
con esta luna tan clara.
Ésta es mármol de Carrara.[9]
    (Señalando a la de D. Luis.)

DON JUAN

    ¡Buen busto es el de Mejía!
¡Hola! Aquí el Comendador
se representa muy bien.

ESCULTOR

    Yo quise poner también
la estatua del matador
entre sus víctimas, pero
no pude a manos haber
su retrato. Un Lucifer
dicen que era el caballero
don Juan Tenorio.

DON JUAN

            ¡Muy malo!
Mas, como pudiera hablar,
le había algo de abonar
la estatua de don Gonzalo.[10]

ESCULTOR

    ¿También habéis conocido
a don Juan?

DON JUAN

            Mucho.

ESCULTOR

            Don Diego
le abandonó desde luego,
desheredándole.

DON JUAN

            Ha sido
para don Juan poco daño
ése, porque la fortuna
va tras él desde la cuna.

ESCULTOR

    Dicen que ha muerto.

DON JUAN

            Es engaño;
vive.

ESCULTOR

          Y ¿dónde?

DON JUAN

          Aquí, en Sevilla.

ESCULTOR

    Y ¿no teme que el furor
popular . . .?

DON JUAN

          En su valor
no ha echado el miedo semilla.[11]

ESCULTOR

    Mas cuando vea el lugar
en que está ya convertido
el solar que suyo ha sido,
no osará en Sevilla estar.

DON JUAN

    Antes ver tendrá a fortuna[12]
en su casa reunidas
personas de él conocidas,
puesto que no odia a ninguna.

ESCULTOR

    ¿Creéis que ose aquí venir?

DON JUAN

    ¿Por qué no? Pienso, a mi ver,
que donde vino a nacer
justo es que venga a morir.
Y pues le quitan su herencia
para enterrar a éstos bien,
a él es muy justo también
que le entierren con decencia.

ESCULTOR

    Sólo a él le está prohibida
en este panteón la entrada.

DON JUAN

    Trae don Juan muy buena espada,
y no sé quién se lo impida.

ESCULTOR

    ¡Jesús! ¡Tal profanación!

DON JUAN

    Hombre es don Juan que, a querer,
volverá el palacio a hacer
encima del panteón.

ESCULTOR

    ¿Tan audaz ese hombre es,
que aun a los muertos se atreve?

9. a city in northern Italy, known for its white marble
10. *Mas . . . Gonzalo,* But if it could speak, the statue of Don Gonzalo would have something to say in his behalf.
11. *En su . . . semilla,* His bravery has never allowed a seed of fear.
12. *Antes ver tendrá a fortuna,* He will rather consider it good fortune to see

DON JUAN
¿Qué respetos gastar debe
con los que tendió a sus pies?
ESCULTOR
Pero ¿no tiene conciencia
ni alma ese hombre?
DON JUAN
                    Tal vez no
que al cielo una vez llamó
con voces de penitencia,   10
y el cielo en trance tan fuerte
allí mismo le metió,
que a dos inocentes dio,
para salvarse, la muerte.
ESCULTOR
¡Qué monstruo, supremo Dios!
DON JUAN
Podéis estar convencido
de que Dios no le ha querido.
ESCULTOR
Tal será.¹³   20
DON JUAN
                    Mejor que vos.¹⁴
ESCULTOR (*Aparte.*)
(Y ¿quién será el que a don Juan   25
abona con tanto brío?)
Caballero, a pesar mío,
como aguardándome están . . .
DON JUAN
Idos, pues, enhorabuena.
ESCULTOR
He de cerrar.   30
DON JUAN
                    No cerréis,
y marchaos.
ESCULTOR
                    Mas ¿no veis . . . ?   35
DON JUAN
Veo una noche serena,
y un lugar que me acomoda
para gozar su frescura,
y aquí he de estar a mi holgura,   40
si pesa a Sevilla toda.

ESCULTOR (*Aparte.*)
¿Si acaso padecerá
de locura desvaríos?¹⁵
DON JUAN (*Dirigiéndose a las estatuas.*)
¡Ya estoy aquí, amigos míos!   5
ESCULTOR
¿No lo dije? Loco está.
DON JUAN
Mas ¡cielos! ¿Qué es lo que veo?
¡O es ilusión de mi vista,   10
o a doña Inés el artista
aquí representa creo!
ESCULTOR
Sin duda.   15
DON JUAN
                    ¿También murió?
ESCULTOR
Dicen que¹⁶ de sentimiento
cuando de nuevo al convento
abandonada volvió   20
por don Juan.¹⁷
DON JUAN
                    Y ¿yace aquí?
ESCULTOR
Sí.   25
DON JUAN
                    ¿La visteis muerta vos?
ESCULTOR
Sí.
DON JUAN   30
                    ¿Cómo estaba?
ESCULTOR
                              ¡Por Dios,
que dormida la creí!
La muerte fue tan piadosa   35
con su cándida hermosura,
que la envió con la frescura
y las tintas de la rosa.
DON JUAN
¡Ah! ¡Mal la muerte podría   40
deshacer con torpe mano
el semblante soberano
que un ángel envidiaría!

13. *Tal será,* He must be that way.
14. *Mejor que vos,* He (Don Juan) is better than
you.
15. *¿Si acaso . . . desvaríos,* I wonder if he's
mad.

16. Supply *murió* after *dicen que.*
17. Word order: *cuando, abandonada por Don
Juan, volvió de nuevo al convento*

¡Cuán bella y cuán parecida[18]
su efigie en el mármol es!
¡Quién pudiera,[19] doña Inés,
volver a darte la vida!
¿Es obra del cincel vuestro?

ESCULTOR
Como todas las demás.

DON JUAN
Pues bien merece algo más
un retrato tan maestro.
Tomad.

ESCULTOR
     ¿Qué me dais aquí?

DON JUAN
¿No lo veis?

ESCULTOR
     Mas . . . caballero . . . ,
¿por qué razón? . . .

DON JUAN
     Porque quiero
yo que os acordéis de mí.

ESCULTOR
Mirad que están bien pagadas.

DON JUAN
Así lo estarán mejor.

ESCULTOR
Mas vamos de aquí, señor,
que aun las llaves entregadas
no están, y al salir la aurora
tengo que partir de aquí.

DON JUAN
Entregádmelas a mí,
y marchaos desde ahora.

ESCULTOR
¿A vos?

DON JUAN
     A mí: ¿qué dudáis?[20]

ESCULTOR
Como no tengo el honor . . .

DON JUAN
Ea, acabad, escultor.

ESCULTOR
Si el nombre al menos que usáis
supiera . . .

DON JUAN
     ¡Viven los cielos!
Dejad a don Juan Tenorio
velar el lecho mortuorio[21]
en que duermen sus abuelos.

ESCULTOR
¡Don Juan Tenorio!

DON JUAN
     Yo soy
Y si no me satisfaces,
compañía juro que haces
a tus estatuas desde hoy.

ESCULTOR (*Alargándole las llaves.*)
Tomad.

     (*Aparte.*)
No quiero la piel
dejar aquí entre sus manos.
Ahora, que los sevillanos
se las compongan con él.
     (*Vase.*)

ESCENA III

DON JUAN

     Mi buen padre empleó en esto
entera la hacienda mía;
hizo bien; yo al otro día
la hubiera a una carta puesto.[22]
     (*Pausa.*)
No os podréis quejar de mí
vosotros a quien maté;
si buena vida os quité,
buena sepultura os di.
¡Magnífica es, en verdad,
la idea del tal panteón!
Y . . . siento que el corazón
me halaga esta soledad.
¡Hermosa noche! . . . ¡Ay de mí!
¡Cuántas como ésta tan puras,
en infames aventuras
desatinado perdí!
¡Cuántas, al mismo fulgor
de esa luna transparente,

---

18. true to life
19. *¡Quién pudiera!*, If I could only . . . !
20. *¿qué dudáis?*, why do you hesitate?
21. *lecho mortuorio*, death bed
22. *la hubiera a una carta puesto*, I would have bet it all on a single card

arranqué a algún inocente
la existencia o el honor!
Sí; después de tantos años,
cuyos recuerdos espantan,
siento que aquí se levantan
  (*Señalando la frente.*)
pensamientos en mí extraños.
¡Oh! ¡Acaso me los inspira
desde el cielo, en donde mora
esa sombra protectora
que por mi mal no respira![23]
(*Se dirige a la estatua de D.ª Inés,*
  hablándole con respeto.)
Mármol en quien doña Inés
en cuerpo sin alma existe,
deja que el alma de un triste
llore un momento a tus pies.
De azares mil a través[24]
conservé tu imagen pura,
y pues la mala ventura
te asesinó de don Juan,[25]
contempla con cuánto afán
vendrá hoy a tu sepultura.
En ti nada más pensó[26]
desde que se fue de ti;
y desde que huyó de aquí,
sólo en volver meditó.
Don Juan tan sólo esperó
de doña Inés su ventura,
y hoy que en pos de su hermosura
vuelve el infeliz don Juan,
mira cuál será su afán
al dar con tu sepultura.
Inocente doña Inés,
cuya hermosa juventud
encerró en el ataúd
quien llorando está a tus pies;
si de esa piedra a través[27]
puedes mirar la amargura
del alma que tu hermosura
adoró con tanto afán,
prepara un lado a don Juan
en tu misma sepultura.

Dios te crió por mi bien;
por ti pensé en la virtud;
adoré su excelsitud,[28]
y anhelé su santo Edén.
Sí; aun hoy mismo en ti también
mi esperanza se asegura,
y oigo una voz que murmura
en derredor de don Juan
palabras con que su afán
se calma en tu sepultura.
¡Oh, doña Inés de mi vida!
Si esa voz con quien deliro
es el postrimer suspiro
de tu eterna despedida;
si es que de ti desprendida
llega esa voz a la altura,
y hay un Dios tras de esa anchura[29]
por donde los astros van,
dile que mire a don Juan
llorando en tu sepultura.
(*Se apoya en el sepulcro, ocultando el ros-*
tro; y mientras se conserva en esta
postura, un vapor que se levanta del
sepulcro oculta la estatua de D.ª Inés.
Cuando el vapor se desvanece, la estatua
ha desaparecido. Don Juan sale de su
enajenamiento.)[30]
Este mármol sepulcral
adormece mi vigor,
y sentir creo en redor
un ser sobrenatural.
Mas . . . ¡cielos! ¡El pedestal
no mantiene su escultura!
¿Qué es esto? Aquella figura,
¿fue creación de mi afán?

ESCENA IV

DON JUAN. LA SOMBRA DE D.ª INÉS. (*El*
llorón y las flores de la izquierda del
sepulcro de D.ª Inés se cambian en una
apariencia,[31] *dejando ver dentro de ella,*

---

23. *que por mi mal no respira,* which, because
of my wickedness, breathes no longer
24. Word order: *A través de mil azares*
25. Word order: *y pues la mala ventura de*
Don Juan te asesinó
26. *En ti nada más pensó,* He only thought of
you

27. Word order: *si a través de esa piedra*
28. loftiness
29. vastness
30. trance
31. *se cambian en una apariencia,* are made to
disappear by means of a stage device

y en medio de resplandores, la sombra de
D.ª Inés.)

SOMBRA

No; mi espíritu, don Juan
te aguardó en mi sepultura.

DON JUAN (*De rodillas.*)

¡Doña Inés! ¡Sombra querida,
alma de mi corazón,
no me quites la razón
si me has de dejar la vida!
Si eres imagen fingida,
sólo hija de mi locura,
no aumentes mi desventura
burlando mi loco afán.

SOMBRA

Yo soy doña Inés, don Juan,
que te oyó en su sepultura.

DON JUAN

¿Conque vives?

SOMBRA

Para ti;
mas tengo mi purgatorio
en ese mármol mortuorio³²
que labraron para mí.
Yo a Dios mi alma ofrecí
en precio de³³ tu alma impura
y Dios, al ver la ternura
con que te amaba mi afán,
me dijo: «Espera a don Juan
en tu misma sepultura.
Y pues quieres ser tan fiel
a un amor de Satanás,
con don Juan te salvarás,
o te perderás con él.
Por él vela; mas si cruel
te desprecia tu ternura,
y en su torpeza y locura
sigue con bárbaro afán,
llévese tu alma don Juan
de tu misma sepultura.»

DON JUAN (*Fascinado.*)

¡Yo estoy soñando quizás
con las sombras de un Edén!

SOMBRA

No; y ve que si piensas bien,
a tu lado me tendrás;
mas si obras mal, causarás   5
nuestra eterna desventura.
Y medita con cordura
que es esta noche, don Juan,
el espacio que nos dan
para buscar sepultura.
Adiós, pues; y en la ardua lucha   10
en que va a entrar tu existencia,
de tu dormida conciencia
la voz que va a alzarse escucha,
porque es de importancia mucha
meditar con sumo tiento   15
la elección de aquel momento
que, sin poder evadirnos,
al mal o al bien ha de abrirnos
la losa del monumento.

(*Ciérrase la apariencia,³⁴ desaparece D.ª*   20
Inés, y todo queda como al principio del
acto, menos la estatua de D.ª Inés, que no
vuelve a su lugar. Don Juan queda
atónito.)

25

ESCENA V

DON JUAN

¡Cielos! ¿Qué es lo que escuché?
¡Hasta los muertos así   30
dejan sus tumbas por mí!
Mas . . . sombra, delirio fue.
Yo en mi mente lo forjé;
la imaginación le dio
la forma en que se mostró,   35
y ciego, vine a creer
en la realidad de un ser
que mi mente fabricó.
Mas nunca de modo tal
fanatizó mi razón
mi loca imaginación³⁵
con su poder ideal.
Sí; algo sobrenatural

---

32. *mármol mortuorio,* marble tomb
33. *en precio de,* in payment for
34. *Ciérrase la apariencia,* The stage device is closed

35. *fanatizó . . . imaginación,* did my wild imagination play tricks on my reason

vi en aquella doña Inés
tan vaporosa, a través
aun de esa enramada espesa;
mas . . . ¡bah! circunstancia es ésa
que propia de sombra es.   5
¿Qué más diáfano y sutil
que las quimeras de un sueño?
¿Dónde hay nada más risueño,
más flexible y más gentil?
Y ¿no pasa veces mil   10
que, en febril exaltación,
ve nuestra imaginación
como ser y realidad
la vacía vanidad
de una anhelada ilusión?   15
Sí, ¡por Dios! ¡Delirio fue!
Mas su estatua estaba aquí.
Sí; yo la vi y la toqué,
y aun en albricias le di
al escultor no sé qué.   20
¡Y ahora sólo el pedestal
veo en la urna funeral!
¡Cielos! ¿La mente me falta,
o de improviso me asalta
algún vértigo infernal?   25
¿Qué dijo aquella visión?
¡Oh! Yo la oí claramente,
y su voz triste y doliente
resonó en mi corazón.
¡Ah! ¡Y breves las horas son   30
del plazo que nos augura!
No, no; ¡de mi calentura
delirio insensato es!
Mi fiebre fue a doña Inés
quien abrió la sepultura.   35
¡Pasad, y desvaneceos;
pasad, siniestros vapores
de mis perdidos amores
y mis fallidos³⁶ deseos!
¡Pasad, vanos devaneos   40
de un amor muerto al nacer;
no me volváis a traer
entre vuestro torbellino,
ese fantasma divino
que recuerda a una mujer!   45

¡Ah! ¡Estos sueños me aniquilan;
mi cerebro se enloquece . . .
y esos mármoles parece
que estremecidos vacilan!³⁷
(*Las estatuas se mueven lentamente, y
vuelven la cabeza hacia él.*)
Sí, sí; ¡sus bustos oscilan,
su vago contorno medra!³⁸
Pero don Juan no se arredra:
¡alzaos, fantasmas vanos,
y os volveré con mis manos
a vuestros lechos de piedra!
No; no me causan pavor
vuestros semblantes esquivos;
jamás, ni muertos ni vivos,
humillaréis mi valor.
Yo soy vuestro matador,
como al mundo es bien notorio;
si en vuestro alcázar mortuorio³⁹
me aprestáis venganza fiera,
daos prisa, que aquí os espera
otra vez don Juan Tenorio.

ESCENA VI

DON JUAN, EL CAPITÁN CENTELLAS y
AVELLANEDA

CENTELLAS (*Dentro.*)
        ¿Don Juan Tenorio?
DON JUAN (*Volviendo en sí.*)
                    ¿Qué es eso?
        ¿Quién me repite mi nombre?
AVELLANEDA (*Saliendo.*)
        ¿Veis a alguien?
(*A Centellas.*)
CENTELLAS (*Idem.*)
                Sí; allí hay un hombre.
DON JUAN
        ¿Quién va?
AVELLANEDA
                        Él es.
CENTELLAS (*Yéndose a D. Juan.*)
                Yo pierdo el seso
        con la alegría. ¡Don Juan!

36. frustrated
37. *estremecidos vacilan*, they are shaking

38. *su vago contorno medra*, their indistinct
    outline is growing more distinct
39. *alcázar mortuorio*, castle of the dead

AVELLANEDA
¡Señor Tenorio!
DON JUAN
            ¡Apartaos,
vanas sombras!
CENTELLAS
            Reportaos,
señor don Juan . . . Los que están
en vuestra presencia ahora,
no son sombras, hombres son,
y hombres cuyo corazón
vuestra amistad atesora.
A la luz de las estrellas
os hemos reconocido,
y un abrazo hemos venido
a daros.
DON JUAN
            Gracias, Centellas.
CENTELLAS
Mas ¿qué tenéis? ¡Por mi vida,
que os tiembla el brazo, y está
vuestra faz descolorida!
DON JUAN (*Recobrando su aplomo.*)
La luna tal vez lo hará.
AVELLANEDA
Mas, don Juan, ¿qué hacéis aquí?
¿Este sitio conocéis?
DON JUAN
¿No es un panteón?
CENTELLAS
            Y ¿sabéis
a quién pertenece?
DON JUAN
            A mí;
mirad a mi alrededor,
y no veréis más que amigos
de mi niñez, o testigos
de mi audacia y mi valor.
CENTELLAS
Pero os oímos hablar:
¿con quién estabais?
DON JUAN
            Con ellos.

CENTELLAS
¿Venís aún a escarnecellos?[40]
DON JUAN
No; los vengo a visitar.
Mas un vértigo insensato
que la mente me asaltó,
un momento me turbó;
y a fe que me dio un mal rato.
Esos fantasmas de piedra
me amenazaban tan fieros,
que a mí acercado no haberos[41]
pronto . . .
CENTELLAS
            ¡Ja, ja, ja! ¿Os arredra,
don Juan, como a los villanos,
el temor de los difuntos?
DON JUAN
No a fe; contra todos juntos
tengo aliento y tengo manos.
Si volvieran a salir
de las tumbas en que están,
a las manos de don Juan
volverían a morir.
Y desde aquí en adelante
sabed, señor Capitán;
que yo soy siempre don Juan,
y no hay cosa que me espante.
Un vapor calenturiento[42]
un punto me fascinó,
Centellas, mas ya pasó;
cualquiera duda un momento.[43]
AVELLANEDA y CENTELLAS
Es verdad.
DON JUAN
            Vamos de aquí.
CENTELLAS
Vamos, y nos contaréis
cómo a Sevilla volvéis
tercera vez.
DON JUAN
            Lo haré así.
Si mi historia os interesa,
a fe que oírse merece,

5

10

15

20

25

30

35

40

---

40. *escarnecerlos*
41. *a mí acercado no haberos,* if you hadn't
approached me

42. *Un vapor . . . fascinó,* a feverish **dizziness**
took hold of me for a moment
43. *cualquiera duda un momento,* we all have
our moments

aunque mejor me parece
que la oigáis de sobremesa.
¿No opináis . . . ?
AVELLANEDA y CENTELLAS
    Como gustéis.
DON JUAN
Pues bien; cenaréis conmigo,
y en mi casa.
CENTELLAS
    Pero digo:
¿es cosa de que dejéis
algún huésped por nosotros?
¿No tenéis gato encerrado?[44]
DON JUAN
¡Bah! Si apenas he llegado;
no habrá allí más que vosotros
esta noche.
CENTELLAS
    Y ¿no hay tapada
a quien algún plantón demos?[45]
DON JUAN
Los tres solos cenaremos.
Digo, si de esta jornada
no quiere igualmente ser
alguno de éstos.
(Señalando a las estatuas de los sepulcros.)
CENTELLAS
    Don Juan,
dejad tranquilos yacer
a los que con Dios están.
DON JUAN
¡Hola! ¿Parece que vos
sois ahora el que teméis,
y mala cara ponéis
a los muertos? Mas ¡por Dios!
que ya que de mí os burlasteis

cuando me visteis así,
en lo que penda de mí
os mostraré cuánto errasteis.
Por mí, pues, no ha de quedar;[46]
y, a poder ser, estad ciertos
que cenaréis con los muertos,
y os los voy a convidar.
AVELLANEDA
Dejaos de esas quimeras.
DON JUAN
¿Duda en mi valor ponerme,
cuando hombre soy para hacerme
platos de sus calaveras?[47]
Yo a nada tengo pavor:
(Dirigiéndose a la estatua de D. Gonzalo,
que es la que tiene más cerca.)
tú eres el más ofendido;
mas, si quieres, te convido
a cenar, Comendador.
Que no lo puedas hacer
creo, y es lo que me pesa;
mas, por mi parte, en la mesa
te haré un cubierto poner.[48]
Y a fe que favor me harás,
pues podré saber de ti
si hay más mundo que el de aquí
y otra vida en que jamás
a decir verdad, creí.[49]
CENTELLAS
Don Juan, eso no es valor;
locura, delirio es.
DON JUAN
Como lo juzguéis mejor;
yo cumplo así. Vamos, pues.
Lo dicho,[50] Comendador.

FIN DEL ACTO 1.°

---

44. *gato encerrado*, hidden reason. Centellas naturally wonders whether Don Juan has a mistress at home. If this is the case, the visit of Avellaneda and Centellas might cause the paramour to hide in another part of the house.
45. *¿No hay . . . demos?*, Isn't there a veiled lady whom we would keep waiting?
46. *Por mí . . . quedar*, Well, it won't be my fault
47. *hombre . . . calaveras*, I'm man enough to eat out of their skulls as if they were dishes

48. *te haré un cubierto poner*, I'll have a place set for you.
49. Don Juan's declaration of his atheism contradicts his words uttered five years before (verses 2263–66 and 2493–98). It appears that the Comendador correctly viewed Don Juan's protestations of divinely inspired love for Doña Inés as an infamous trick solely motivated by his zeal to win her over. However, the fact remains that Doña Inés represented his first and only true love. His problem was not being able to alter his established patterns of behavior.
50. *Lo dicho*, What I have said stands

ACTO SEGUNDO

La Estatua de Don Gonzalo

Aposento de D. Juan Tenorio.—Dos puertas en el fondo a derecha e izquierda, preparadas para el juego escénico¹ del acto. Otra puerta en el bastidor que cierra la decoración por la izquierda. Ventana en el de la derecha.—Al alzarse el telón sentados a la mesa, D. Juan, Centellas y Avellaneda. La mesa ricamente servida; el mantel cogido con guirnaldas de flores, etc. Enfrente del espectador, D. Juan, y a su izquierda Avellaneda; en el lado izquierdo de la mesa, Centellas, y en el de enfrente de éste, una silla y un cubierto desocupados.

ESCENA PRIMERA

DON JUAN, EL CAPITÁN CENTELLAS, AVELLANEDA, CIUTTI y UN PAJE

DON JUAN
    Tal es mi historia señores;   5
pagado de mi valor,
quiso el mismo Emperador
dispensarme sus favores.
Y aunque oyó mi historia entera,   10
dijo: «Hombre de tanto brío
merece el amparo mío;
vuelva a España cuando quiera»;
y heme aquí en Sevilla ya.
CENTELLAS
    Y ¡con qué lujo y riqueza!   15
DON JUAN
    Siempre vive con grandeza
quien hecho a grandeza está.
CENTELLAS
    A vuestra vuelta.²   20
DON JUAN
          Bebamos.
CENTELLAS
    Lo que no acierto a creer
es cómo, llegando ayer,   25
ya establecido os hallamos.
DON JUAN
    Fue el adquirirme, señores,

tal casa con tal boato,³
porque se vendió a barato
para pago de acreedores;⁴
y como al llegar aquí
desheredado me hallé,
tal como está la compré.
CENTELLAS
    ¿Amueblada y todo?
DON JUAN
               Sí;
un necio, que se arruinó
por una mujer, vendióla.
CENTELLAS
    Y ¿vendió la hacienda sola?
DON JUAN
    Y el alma al diablo.
CENTELLAS
            ¿Murió?
DON JUAN
    De repente; y la justicia,
que iba a hacer de cualquier modo
pronto despacho de todo,
viendo que yo su codicia
saciaba, pues los dineros
ofrecía dar al punto,
cedióme el caudal por junto
y estafó a los usureros.⁵
CENTELLAS
    Y la mujer, ¿qué fue de ella?

1. *juego escénico,* action
2. *A vuestra vuelta,* Here's to your return!
3. ostentation

4. *se vendió . . . acreedores,* it was sold below its market value to pay off the creditors
5. *cedióme . . . usureros,* granted me the entire estate and swindled the money lenders

DON JUAN
  Un escribano la pista
  la siguió, pero fue lista
  y escapó.
CENTELLAS
             ¿Moza?
DON JUAN
             Y muy bella.
CENTELLAS
  Entrar hubiera debido
  en los muebles de la casa.[6]
DON JUAN
  Don Juan Tenorio no pasa
  moneda que se ha perdido.[7]
  Casa y bodega he comprado;
  dos cosas que, no os asombre,
  pueden bien hacer a un hombre
  vivir siempre acompañado;[8]
  como lo puede mostrar
  vuestra agradable presencia,
  que espero que con frecuencia
  me hagáis ambos disfrutar.
CENTELLAS
  Y nos haréis honra inmensa.
DON JUAN
  Y a mí vos. Ciutti . . .
CIUTTI
             Señor . . .
DON JUAN
  Pon vino al Comendador.
  (Señalando al vaso del puesto vacío.)
CENTELLAS
  Don Juan, ¿aun en eso piensa
  vuestra locura?
DON JUAN
           Sí, ¡a fe!
  Que si él no puede venir,
  de mí, no podréis decir
  que en ausencia no le honré.
CENTELLAS
  ¡Ja, ja, ja! Señor Tenorio,
  creo que vuestra cabeza
  va menguando en fortaleza.

DON JUAN
  Fuera en mí contradictorio
  y ajeno de mi hidalguía
  a un amigo convidar,
5 y no guardar el lugar
  mientras que llegar podría.
  Tal ha sido mi costumbre
  siempre, y siempre ha de ser ésa;
  y al mirar sin él la mesa,
10 me da, en verdad, pesadumbre,
  porque si el Comendador
  es difunto tan tenaz
  como vivo, es muy capaz
  de seguirnos el humor.[9]
15 CENTELLAS
  Brindemos a su memoria,
  y más en él no pensemos.
DON JUAN
  Sea.
20 CENTELLAS
           Brindemos.
AVELLANEDA y D. JUAN
           Brindemos.
CENTELLAS
25 A que Dios le dé su gloria.
DON JUAN
  Mas yo, que no creo que haya
  más gloria que ésta mortal,
  no hago mucho en brindis tal;
30 mas por complaceros, ¡vaya!
  Y brindo a que Dios te dé
  la gloria, Comendador.
  (Mientras beben, se oye lejos un alda-
  bonazo,[10] que se supone dado en la puer-
35 ta de la calle.)
  Mas ¿llamaron?
CIUTTI
           Sí, señor.
DON JUAN
40 Ve quién.
CIUTTI (Asomando por la ventana.)
          A nadie se ve.
  ¿Quién va allá? Nadie responde.

---

6. i.e., she should have been included in the deal
7. no pasa . . . perdido, doesn't take lost money, i.e., second-hand goods
8. with companions
9. seguirnos el humor, to humor us
10. sound of knocking

CENTELLAS
Algún chusco.

AVELLANEDA
      Algún menguado
que al pasar habrá llamado,
sin mirar siquiera dónde.

DON JUAN (*A Ciutti.*)
Pues cierra y sirve licor.

(*Llamando otra vez más recio.*)
Mas llamaron otra vez.

CIUTTI
Sí.

DON JUAN
      Vuelve a mirar.

CIUTTI
     ¡Pardiez!
A nadie veo, señor.

DON JUAN
Pues ¡por Dios, que del bromazo,[11]
quien es, no se ha de alabar!
Ciutti, si vuelve a llamar,
suéltale un pistoletazo.[12]

(*Llaman otra vez y se oye un poco más
cerca.*)
¿Otra vez?

CIUTTI
     ¡Cielos!

AVELLANEDA *y* CENTELLAS
     ¿Qué pasa?

CIUTTI
Que esa aldabada[13] postrera
ha sonado en la escalera,
no en la puerta de la casa.

AVELLANEDA *y* CENTELLAS (*Levantándose
asombrados.*)
¿Qué dices?

CIUTTI
     Digo lo cierto,
nada más; dentro han llamado
de la casa.

DON JUAN
     ¿Qué os ha dado?
¿Pensáis que sea el muerto?

5 Mis armas cargué con bala;
Ciutti, sal a ver quién es.

(*Vuelven a llamar más cerca.*)

AVELLANEDA
¿Oísteis?

CIUTTI
     ¡Por San Ginés,
que eso ha sido en la antesala!

10 DON JUAN
¡Ah! Ya lo entiendo; me habéis
vosotros mismos dispuesto
esta comedia, supuesto
que lo del muerto sabéis.

15 AVELLANEDA
Yo os juro, don Juan . . .

CENTELLAS
     Y yo.

DON JUAN
¡Bah! Diera en ello el más topo;[14]
20 y apuesto a que ese galopo[15]
los medios para ello os dio.

AVELLANEDA
Señor don Juan, escondido
algún misterio hay aquí.

25 (*Vuelven a llamar más cerca.*)

CENTELLAS
¡Llamaron otra vez!

CIUTTI
     Sí,
30 y ya en el salón ha sido.

DON JUAN
¡Ya! Mis llaves en manojo
habréis dado a la fantasma,
y que entre así no me pasma;
35 mas no saldrá a vuestro antojo,
ni me han de impedir cenar
vuestras farsas desdichadas.

(*Se levanta, y corre los cerrojos de la
puerta del fondo, volviendo a su lugar.*)
40 Ya están las puertas cerradas;
ahora el coco,[16] para entrar,
tendrá que echarlas al suelo,
y en el punto que lo intente,

---

11. silly joke
12. *suéltale un pistoletazo*, shoot him with a
    pistol
13. knock

14. *Diera en ello el más galopo*, Even a bungling
    idiot could see through that trick
15. rascal, referring to Ciutti
16. spook

que con los muertos se cuente,
y apele después al cielo.
CENTELLAS
¡Qué diablos, tenéis razón!
DON JUAN
Pues ¿no temblabais?
CENTELLAS
Confieso
que, en tanto que no di en eso,
tuve un poco de aprensión.
DON JUAN
¿Declaráis, pues, vuestro enredo?
AVELLANEDA
Por mi parte, nada sé.
CENTELLAS
Ni yo.
DON JUAN
Pues yo volveré
contra el inventor el miedo.
Mas sigamos con la cena;
vuelva cada uno a su puesto,
que luego sabremos de esto.
AVELLANEDA
Tenéis razón.
DON JUAN (Sirviendo a Centellas.)
Cariñena;[17]
sé que os gusta, Capitán.
CENTELLAS
Como que somos paisanos.
DON JUAN (A Avellaneda, sirviéndole de
otra botella.)
Jerez[18] a los sevillanos,
don Rafael.
AVELLANEDA
Hais, don Juan,
dado a entrambos por el gusto;[19]
mas ¿con cuál brindaréis vos?
DON JUAN
Yo haré justicia a los dos.
CENTELLAS
Vos siempre estáis en lo justo.
DON JUAN
Sí a fe; bebamos.

AVELLANEDA y CENTELLAS
Bebamos.
(Llaman a la misma puerta de la escena
fondo derecha.)
5 DON JUAN
Pesada me es ya la broma,
mas veremos quién asoma
mientras en la mesa estàmos.
(A Ciutti, que se manifiesta asombrado.)
Y ¿qué haces tú ahí, bergante?[20]
¡Listo! Trae otro manjar;
(Vase Ciutti.)
Mas me ocurre en este instante
que nos podemos mofar
de los de afuera, invitándoles
a probar su sutileza,
entrándose hasta esta pieza
y sus puertas no franqueándoles.[21]
AVELLANEDA
20 Bien dicho.
CENTELLAS
Idea brillante.
(Llaman fuerte, fondo derecha.)
DON JUAN
Señores, ¿a qué llamar?
Los muertos se han de filtrar
por la pared; adelante.
(La estatua de D. Gonzalo pasa por la
puerta sin abrirla y sin hacer ruido.)

ESCENA II

DON JUAN, CENTELLAS, AVELLANEDA y LA
ESTATUA DE D. GONZALO

CENTELLAS
¡Jesús!
AVELLANEDA
¡Dios mío!
40 DON JUAN
¡Qué es esto!
AVELLANEDA
Yo desfallezco.

17. wine from the district of Cariñena, near
   Saragossa
18. sherry, from the town of Jerez de la Frontera, near Cádiz
19. *Hais . . . gusto*, Don Juan, you've satisfied
   the taste of both of us; *hais = habéis*
20. rascal
21. He dares them to enter the room through
   closed doors.

(*Cae desvanecido.*)

CENTELLAS

Yo expiro.

(*Cae lo mismo.*)

DON JUAN

¡Es realidad, o deliro!   5
E̲s su figura . . . , su gesto.

ESTATUA

¿Por qué te causa pavor
quien convidado a tu mesa
viene por ti?   10

DON JUAN

¡Dios! ¿No es esa
la voz del Comendador?

ESTATUA

Siempre supuse que aquí
no me habías de esperar.   15

DON JUAN

Mientes, porque hice arrimar
esa silla para ti.
Llega, pues, para que veas
que, aunque dudé en un extremo   20
de sorpresa, no te temo,
aunque el mismo Ulloa seas.

ESTATUA

¿Aun lo dudas?   25

DON JUAN

No lo sé.

ESTATUA

Pon, si quieres, hombre impío,
tu mano en el mármol frío   30
de mi estatua.

DON JUAN

¿Para qué?
Me basta oírlo de ti;
cenemos, pues, mas te advierto . . .

ESTATUA

¿Qué?

DON JUAN

Que si no eres el muerto,   40
lo²² vas a salir de aquí.

(*A Centellas y a Avellaneda.*)
¡Eh! Alzad.

ESTATUA

No pienses, no,   45

que se levanten, don Juan,
porque en sí no volverán
hasta que me ausente yo;
que la divina clemencia
del Señor para contigo,
no requiere más testigo
que tu juicio y tu conciencia.
Al sacrílego convite
que me has hecho en el panteón,
para alumbrar tu razón,
Dios asistir me permite.
Y heme que vengo en su nombre
a enseñarte la verdad,
y es: que hay una eternidad
tras de la vida del hombre.
Que numerados están
los días que has de vivir,
y que tienes que morir
mañana mismo, don Juan.
Mas como esto que a tus ojos
está pasando, supones
ser del alma aberraciones
y de la aprensión antojos,
Dios, en su santa clemencia,
te concede todavía
un plazo hasta el nuevo día
para ordenar tu conciencia.
Y su justicia infinita,
porque conozcas mejor,
espero de tu valor
que me pagues la visita.
¿Irá, don Juan?

DON JUAN

Iré, sí;
mas me quiero convencer
de lo vago de tu ser
antes que salgas de aquí.

(*Coge una pistola.*)

ESTATUA

Tu necio orgullo delira,
don Juan; los hierros más gruesos
y los muros más espesos
se abren a mi paso; mira.

(*Desaparece la estatua sumiéndose por la
pared.*)

---

22. *lo* refers to *muerto*

ESCENA III

DON JUAN, CENTELLAS y AVELLANEDA

DON JUAN

    ¡Cielos! ¡Su escencia se trueca,
el muro hasta penetrar,
cual mancha de agua que seca
el ardor canicular![23]
¿No me dijo: «El mármol toca
de mi estatua»? ¿Cómo, pues,
se desvanece una roca?
¡Imposible! Ilusión es.
Acaso su antiguo dueño
mis cubas[24] envenenó,
y el licor tan vano ensueño
en mi mente levantó.
Mas si éstas que sombras creo
espíritus reales son
que por celestial empleo
llaman a mi corazón,
entonces, para que iguale
su penitencia don Juan
con sus delitos, ¿qué vale
el plazo ruin que le dan . . . ?
¡Dios me da tan sólo un día . . . !
Si fuese Dios en verdad,
a más distancia pondría
su aviso a mi eternidad.
«Piensa bien, que al lado tuyo
me tendrás . . . ,» dijo de Inés
la sombra; y si bien arguyo,
pues no la veo, sueño es.
(*Transparéntase*[25] *en la pared la sombra
de D.ª Inés.*)

ESCENA IV

DON JUAN, LA SOMBRA DE D.ª INÉS; CEN-
TELLAS y AVELLANEDA, *dormidos*

SOMBRA

    Aquí estoy.

DON JUAN

                ¡Cielos!

SOMBRA

                Medita
lo que al buen Comendador
has oído, y ten valor
para acudir a su cita.
Un punto se necesita
para morir con ventura;
elígele con cordura,
porque mañana, don Juan,
nuestros cuerpos dormirán
en la misma sepultura.
    (*Desaparece la sombra.*)

ESCENA V

DON JUAN, CENTELLAS y AVELLANEDA

DON JUAN

    Tente, doña Inés, espera,
y si me amas en verdad,
hazme al fin la realidad
distinguir de la quimera.
Alguna más duradera
señal dame, que, segura,
me pruebe que no es locura
lo que imagina mi afán,
para que baje don Juan
tranquilo a la sepultura.
Mas ya me irrita ¡por Dios!
el verme siempre burlado,
corriendo desatentado[26]
de varias sombras en pos.
¡Oh! Tal vez todo esto ha sido
por estos dos preparado,
y mientras se ha ejecutado,
su privación[27] han fingido.
Mas ¡por Dios, que si es así,
se han de acordar de don Juan!
¡Eh! Don Rafael, Capitán,
ya basta; alzaos de ahí.
(*Don Juan mueve a Centellas y a Avella-*

---

23. *ardor canicular,* heat of the summer's sun
24. wine vats
25. is revealed

26. aimlessly, blindly
27. *su privación,* their unconsciousness

neda, que se levantan como quien vuelve
de un profundo sueño.)

CENTELLAS
  ¿Quién va?

DON JUAN
          Levantad.

AVELLANEDA
         ¿Qué pasa?
¡Hola! ¿Sois vos?

CENTELLAS
       ¿Dónde estamos?

DON JUAN
Caballeros, claros vamos.[28]
Yo os he traído a mi casa,
y temo que a ella al venir,
con artificio apostado,[29]
habéis, sin duda, pensado
a costa mía reir;
mas basta ya de ficción,
y concluid de una vez.[30]

CENTELLAS
Yo no os entiendo.

AVELLANEDA
        ¡Pardiez!
Tampoco yo.

DON JUAN
      En conclusión:
¿nada habéis visto ni oído?

AVELLANEDA y CENTELLAS
  ¿De qué?

DON JUAN
     No finjáis ya más.

CENTELLAS
Yo no he fingido jamás,
señor don Juan.

DON JUAN
       ¡Habrá sido
realidad! ¿Contra Tenorio
las piedras se han animado,
y su vida han acotado
con plazo tan perentorio?
Hablad, pues, por compasión.

CENTELLAS
¡Voto va a Dios! ¡Ya comprendo
lo que pretendéis!

DON JUAN
       Pretendo
que me deis una razón
de lo que ha pasado aquí,
señores, o juro a Dios
que os haré ver a los dos
que no hay quien me burle a mí.

CENTELLAS
Pues ya que os formalizáis,[31]
don Juan, sabed que sospecho
que vos la burla habéis hecho
de nosotros.

DON JUAN
     ¡Me insultáis!

CENTELLAS
No ¡por Dios! mas si cerrado
seguís en que aquí han venido
fantasmas, lo sucedido
oíd cómo me he explicado.
Yo he perdido aquí del todo
los sentidos, sin exceso
de ninguna especie, y eso
lo entiendo yo de este modo.

DON JUAN
A ver, decídmelo, pues.

CENTELLAS
Vos habéis compuesto el vino,
semejante desatino
para encajarnos después.[32]

DON JUAN
¡Centellas!

CENTELLAS
      Vuestro valor
al extremo por mostrar,
convidasteis a cenar
con vos al Comendador.
Y para poder decir
que a vuestro convite exótico
asistió, con un narcótico

---

28. *claros vamos,* let's set matters straight
29. *con artificio apostado,* having made a bet to play a trick on me
30. *de una vez,* once and for all
31. *os formalizáis,* you're becoming so serious about this
32. *Vos habéis . . . después,* You have drugged the wine, a foolish act designed to put one over on us.

nos habéis hecho dormir.
Si es broma, puede pasar;
mas a ese extremo llevada,
ni puede probarnos nada,
5   ni os la hemos de tolerar.
AVELLANEDA
Soy de la misma opinión.
DON JUAN
¡Mentís!
CENTELLAS
10   Vos.
DON JUAN
          Vos, Capitán.
CENTELLAS
Esa palabra, don Juan . . .
DON JUAN
La he dicho de corazón.³³
Mentís: no son a mis bríos
menester falsos portentos,
porque tienen mis alientos
20   su mejor prueba en ser míos.
AVELLANEDA y CENTELLAS
Veamos.
    (*Ponen mano a la espada.*)

33. *La he dicho de corazón*, I meant it!

DON JUAN
          Poned a tasa³⁴
vuestra furia, y vamos fuera;
no piense después cualquiera
que os asesiné en mi casa.
AVELLANEDA
Decís bien . . . Mas somos dos.
CENTELLAS
Reñiremos, si os fiáis,
el uno del otro en pos.
DON JUAN
O los dos, como queráis.
CENTELLAS
¡Villano fuera,³⁵ por Dios!
15   Elegid uno, don Juan,
por primero.
DON JUAN
                Sedlo vos.
CENTELLAS
Vamos.
DON JUAN
            Vamos, capitán.

          FIN DEL ACTO 2.°

34. *Poned a tasa*, Restrain
35. *Villano fuera*, It would be a low thing to do

ACTO TERCERO

Misericordia de Dios y Apoteosis¹ del Amor

Panteón de la familia Tenorio.—Como estaba en el acto primero de la
segunda parte, menos las estatuas de D.ª Inés y de D. Gonzalo, que no
están en su lugar.

ESCENA PRIMERA

DON JUAN (*Embozado y distraído, entra
en la escena lentamente*)

DON JUAN
Culpa mía no fue; delirio insano
30   me enajenó la mente acalorada.

1. apotheosis, deification
2. to sacrifice

25   Necesitaba víctimas mi mano
que inmolar² a mi fe desesperada,
y al verlos en mitad de mi camino,
presa les hice allí de mi locura.
No fui yo, ¡vive Dios! ¡Fue su destino!³
Sabían mi destreza y mi ventura.
¡Oh! Arrebatado el corazón me siento

3. After having killed his friends, Don Juan
tries to absolve himself of guilt by ascribing
their demise to the workings of fate.

por vértigo infernal . . . Mi alma perdida
va cruzando el desierto de la vida,
cual hoja seca que arrebata el viento.
Dudo . . . , temo . . . , vacilo . . . En   5
mi cabeza
siento arder un volcán . . . Muevo la
planta
sin voluntad, y humilla mi grandeza
un no sé qué de grande que me   10
espanta.
(*Un momento de pausa.*)
  ¡Jamás mi orgullo concibió que
hubiere
nada más que el valor! . . . Que se   15
aniquila
el alma con el cuerpo cuando muere
creí . . . ,mas hoy mi corazón vacila.
¡Jamás creí en fantasmas! . . .
    ¡Desvaríos!   20
Mas del fantasma aquel, pese a mi
aliento,
los pies de piedra caminando siento,
por doquiera que voy, tras de los míos.
¡Oh! Y me trae a este sitio irresistible,   25
misterioso poder . . .
(*Levanta la cabeza y ve que no está en su
pedestal la estatua de D. Gonzalo.*)
      Pero ¡qué veo!
¡Falta de allí su estatua! . . . Sueño   30
horrible,
déjame de una vez . . . ¡No, no te creo!
Sal; huye de mi mente fascinada,
fatídica ilusión . . . Estás en vano
con pueriles asombros empeñada   35
en agotar mi aliento sobrehumano.
Si todo es ilusión, mentido sueño,
nadie me ha de aterrar con trampanto-
jos;[4]
si es realidad, querer es necio empeño   40
aplacar de los cielos los enojos.
No; sueño o realidad, del todo anhelo

vencerle o que me venza; y si piadoso
busca tal vez mi corazón el cielo,
que le busque más franco y generoso.
La efigie de esa tumba me ha invitado
a venir a buscar prueba más cierta
de la verdad en que dudé obstinado . . .
Heme aquí, pues; Comendador, despierta.
(*Llama al sepulcro del Comendador.—
Este sepulcro se cambia en una mesa que
parodia horriblemente la mesa en que
comieron en el acto anterior D. Juan,
Centellas y Avellaneda.—En vez de las
guirnaldas que cogían en pabellones sus
manteles, de sus flores y lujoso servicio,[5]
culebras, huesos y fuego, etc. (a gusto del
pintor). Encima de esta mesa aparece un
plato de ceniza, una copa de fuego y un
reloj de arena.[6]—Al cambiarse este sepulcro, todos los demás se abren y dejan
paso a las osamentas[7] de las personas que
se suponen enterradas en ellos, envueltas
en sus sudarios.—Sombras, espectros y
espíritus pueblan el fondo de la escena.—
La tumba de D.ª Inés permanece.*)

ESCENA II

DON JUAN, LA ESTATUA DE D. GONZALO
y LAS SOMBRAS

ESTATUA
  Aquí me tienes, don Juan,
y he aquí que vienen conmigo
los que tu eterno castigo
de Dios reclamando están.
DON JUAN
  ¡Jesús!
ESTATUA
    Y ¿de qué te alteras
si nada hay que a ti te asombre,
y para hacerte eres hombre
platos con sus calaveras?[8]

---

4. tricks
5. *En vez de . . . ser vicio,* Instead of the
garlands which gathered the table cloth into
flounces, instead of the flowers and elegant
silverware, (there are)

6. *reloj de arena,* hour glass
7. bones
8. *y para . . . calaveras,* **and** you're **man
enough to use their skulls as dishes**

DON JUAN
¡Ay de mí!
ESTATUA
         ¿Qué? ¿El corazón
te desmaya?
DON JUAN
         No lo sé;
concibo que me engañé;
no son sueños . . . , ¡ellos son!
         (Mirando a los espectros.)
Pavor jamás conocido
el alma fiera me asalta,
y aunque el valor no me falta,
me va faltando el sentido.
ESTATUA
Eso es, don Juan, que se va
concluyendo tu existencia,
y el plazo de tu sentencia
fatal ha llegado ya.
DON JUAN
¡Qué dices!
ESTATUA
         Lo que hace poco
que doña Inés te avisó,
lo que te he avisado yo,
y lo que olvidaste loco.
Mas el festín que me has dado
debo volverte, y así,
llega, don Juan, que yo aquí
cubierto te he preparado.
DON JUAN
Y ¿qué es lo que ahí me das?
ESTATUA
Aquí fuego, allí ceniza.
DON JUAN
El cabello se me eriza.⁹
ESTATUA
Te doy lo que tú serás.
DON JUAN
¡Fuego y ceniza he de ser!
ESTATUA
Cual los que ves en redor;
en eso para el valor,
la juventud y el poder.
DON JUAN
Ceniza, bien; pero ¡fuego! . . .

ESTATUA
El de la ira omnipotente,
do arderás eternamente
por tu desenfreno¹⁰ ciego.
5 DON JUAN
¿Conque hay otra vida más
y otro mundo que el de aquí?
¿Conque es verdad ¡ay de mí!
lo que no creí jamás?
10 ¡Fatal verdad que me hiela
la sangre en el corazón!
¡Verdad que mi perdición
solamente me revela!
¿Y ese reloj?
15 ESTATUA
         Es la medida
de tu tiempo.
DON JUAN
         ¿Expira ya?
20 ESTATUA
Sí; en cada grano se va
un instante de tu vida.
DON JUAN
¿Y ésos me quedan no más?
25 ESTATUA
Sí.
DON JUAN
         ¡Injusto Dios! Tu poder
me haces ahora conocer,
30 cuando tiempo no me das
de arrepentirme
ESTATUA
         Don Juan,
un punto de contrición
35 da a un alma la salvación,
y ese punto aun te lo dan.
DON JUAN
¡Imposible! ¡En un momento
borrar treinta años malditos
40 de crímenes y delitos!
ESTATUA
Aprovéchale con tiento,
(Tocan a muerto.)¹¹
porque el plazo va a expirar,
45 y las campanas doblando
por ti están, y están cavando

---

9. El cabello se me eriza, My hair is standing
on end.

10. unbridled passion
11. Tocan a muerto, The bells toll for the dead.

la fosa en que te han de echar.
(*Se oye a lo lejos el oficio de difuntos.*)
DON JUAN
¿Conque por mí doblan?
ESTATUA
                    Sí.
DON JUAN
              ¿Y esos cantos funerales?
ESTATUA
Los salmos penitenciales   10
que están cantando por ti.
(*Se ve pasar por la izquierda luz de ha-
chones, y rezan dentro.*)
DON JUAN
¿Y aquel entierro que pasa?
ESTATUA
Es el tuyo.
DON JUAN
              ¡Muerto yo!
ESTATUA
El Capitán te mató
a la puerta de tu casa.
DON JUAN
Tarde la luz de la fe
penetra en mi corazón,
pues crímenes mi razón   25
a su luz tan sólo ve.
Los ve . . . y con horrible afán,
porque al ver su multitud,
ve a Dios en su plenitud   30
de su ira contra don Juan.
¡Ah! Por doquiera que fui,
la razón atropellé,
la virtud escarnecí
y a la justicia burlé;   35
y emponzoñé cuanto vi,
y a las cabañas bajé,
y a los palacios subí,
y los claustros escalé;
y pues tal mi vida fue,   40
no, no hay perdón para mi.
(*A los fantasmas.*)
Mas ¡ahí estáis todavía
con quietud tan pertinaz!

Dejadme morir en paz
a solas con mi agonía.
Mas con esa horrenda calma,
¿qué me auguráis, sombras fieras?
¿Qué esperáis de mí?   5
ESTATUA
                    Que mueras
para llevarse tu alma.
Y adiós, don Juan; ya tu vida
toca a su fin, y pues vano
todo fue, dame la mano
en señal de despedida.
DON JUAN
¿Muéstrasme ahora amistad?
ESTATUA   15
Sí; que injusto fui contigo,
y Dios me manda tu amigo
volver a la eternidad.
DON JUAN
Toma, pues.   20
ESTATUA
              Ahora, don Juan,
pues desperdicias también
el momento que te dan,
conmigo al infierno ven.   25
DON JUAN
¡Aparta, piedra fingida![12]
Suelta, suéltame esa mano,
que aun queda el último grano
en el reloj de mi vida.   30
Suéltala, que si es verdad
que un punto de contrición
da a un alma la salvación
de toda una eternidad,
yo, santo Dios, creo en ti;   35
si es mi maldad inaudita,
tu piedad es infinita . . .
¡Señor, ten piedad de mí![13]
ESTATUA
Ya es tarde.   40
(*Don Juan se hinca de rodillas, tendiendo
al cielo la mano que le deja libre la
estatua. Las sombras, esqueletos, etc., van
a abalanzarse sobre él, en cuyo momento*

12. false
13. Don Juan was informed of his own death in
verses 3715–18 and it is incredible for the
playwright to have his libertine now struggle for salvation. The words *ya es tarde,*

spoken by the statue in the next line, affirm
that Don Juan's damnation should already
have been accomplished, assuming, of course,
that it was Zorrilla's intention to observe
some shred of verisimilitude.

se abre la tumba de D.ª Inés y aparece
ésta. Doña Inés toma la mano que D.
Juan tiende al cielo.)

ESCENA III

DON JUAN, LA ESTATUA DE D. GONZALO,
D.ª INÉS, SOMBRAS, ETC.

DOÑA INÉS

      No; heme ya aquí,
don Juan; mi mano asegura
esta mano que a la altura
tendió tu contrito afán,
y Dios perdona a don Juan
al pie de mi sepultura.

DON JUAN

¡Dios clemente! ¡Doña Inés!

DOÑA INÉS

Fantasmas, desvaneceos;
su fe nos salva . . . ; volveos
a vuestros sepulcros, pues.
La voluntad de Dios es;
de mi alma con la amargura
purifiqué su alma impura,
y Dios concedió a mi afán
la salvación de don Juan
al pie de la sepultura.[14]

DON JUAN

¡Inés de mi corazón!

DOÑA INÉS

Yo mi alma he dado por ti,
y Dios te otorga por mí
tu dudosa salvación.
Misterio es que en comprensión
no cabe de crïatura,
y sólo en vida más pura
los justos comprenderán
que el amor salvó a don Juan
al pie de la sepultura.
Cesad, cantos funerales;
(*Cesa la música y salmodia.*)[15]
callad, mortuorias campanas;[16]

(*Dejan de tocar a muerto.*)
ocupad, sombras livianas,
vuestras urnas sepulcrales;
(*Vuelven los esqueletos a sus tumbas, que*
5 *se cierran.*)
volved a los pedestales,
animadas esculturas;
(*Vuelven las estatuas a sus lugares.*)
y las celestes venturas,
10 en que los justos están,
empiecen para don Juan
en las mismas sepulturas.
(*Las flores se abren y dan paso a varios*
angelitos, que rodean a D.ª Inés y a D.
15 *Juan, derramando sobre ellos flores y per-*
fumes, y al son de una música dulce y
lejana, se ilumina el teatro con luz de
aurora. Doña Inés cae sobre un lecho de
flores, que quedará a la vista, en lugar de
20 *su tumba, que desaparece.*)

ESCENA ÚLTIMA

DOÑA INÉS, D. JUAN y LOS ÁNGELES

25 DON JUAN

¡Clemente Dios, gloria a ti!
Mañana a los sevillanos
aterrará el creer que a manos
de mis víctimas caí.
30 Mas es justo; quede aquí
al universo notorio
que pues me abre el purgatorio
un punto de penitencia,
es el Dios de la clemencia
35 el Dios de DON JUAN TENORIO.
(*Cae D. Juan a los pies de D.ª Inés, y*
mueren ambos. De sus bocas salen sus
almas representadas en dos brillantes
llamas, que se pierden en el espacio al son
40 *de la música.*[17] *Cae el telón.*)

FIN DEL DRAMA

14. The purifying love of Doña Inés induces
    God to save Don Juan's soul after death.
    This romantic drama contrasts sharply with
    Tirso de Molina's *El burlador de Sevilla.*
    Tirso's Don Juan is denied the salvation
    he begs for prior to his death and then is
    rushed to hell, burning as he goes.

15. chanting of psalms
16. *mortuorias campanas,* bells that chime for
    the dead
17. The final stage directions provide a fitting
    conclusion to the romantic exaggeration
    which informs this play, and especially the
    last act.

Ramón de Mesonero Romanos

Mesonero Romanos (1803–82) opens his memoirs of his boyhood with a picture of family prayers, showing his well-to-do, stern, old-fashioned father leading the family and the servants in their evening devotions. Here we have the whole background of this author—money, solid respectability, middle-class comfort. When he was sixteen years old, he was suddenly given the responsibilities of the head of a family by the death of his father. He ran extensive business interests for thirteen years, then, content with his fortune, sold out his holdings to devote his long life to literature, philanthropy, and municipal reforms.

Above all a bourgeois, Mesonero stands for what is both good and bad in the character of the middle class. In a period of violent passions in politics and literature, he is an outstanding and exceptional moderate, refusing to take part in partisan quarrels in either sphere. Sometimes he even showed himself timid through his desire not to hurt anyone or to avoid violence at all costs. But, on the positive side, this moderation manifested itself in a constant friendliness, affability, and good humor. Why should he not be good-humored? He was well satisfied with himself, with his status in life, and with his environment. His intense love for his native city led him to write its first guide book, which he later expanded into a history of Madrid under the title *El antiguo Madrid*. But he also showed the lack of creative imagination which we associate with the moneyed middle classes, and was content to write simply short sketches or essays on the things he saw about him. These pictorial essays, similar in form to those of Larra, were also known as *cuadros de costumbres* and may consist of a short description of a part of Madrid (*La calle de Toledo*), of a custom (*La empleomanía*—the mania of the Spaniards for having a government job), or a criticism of something which the author believes should be reformed (*Tengo lo que me basta*—criticizing the Spaniards' little fondness for work). A note of satire runs through some of these little scenes, although Mesonero is careful not to paint individual persons but to apply his criticism to whole classes of people. Furthermore he is always benign and gentle in his desire to correct. While he seeks reforms in Madrid, they are always little, practical reforms, such as paving of streets, street lighting, sanitation, et cetera. Never do we find in him the cutting, sweeping satire of the passionate Larra. Through his excellent, straightforward style, his animated dialogues, and constant good humor, Mesonero raises his essays to the rank of great literature, comparable to the works of Addison and Steele, his English counterparts.

El romanticismo y los románticos

«Señales son del juicio
Ver que todos lo perdemos,
Unos por carta de más
Y otros por carta de menos.»[1]
LOPE DE VEGA

Si fuera posible reducir a un solo eco las voces todas de la actual generación europea, apenas cabe ponerse en duda que la palabra *romanticismo* parecería ser la dominante desde el Tajo al Danubio, desde el mar del Norte al estrecho de Gibraltar.

Y sin embargo (¡cosa singular!), esta palabra, tan favorita, tan cómoda, que así aplicamos a las personas como a las cosas, a las verdades de la ciencia como a las ilusiones de la fantasía; esta palabra, que todas las plumas adoptan, que todas las lenguas repiten, todavía carece de una definición exacta, que fije distintamente su verdadero sentido.[2]

. . .

El escritor osado, que acusa a la sociedad de[3] corrompida, al mismo tiempo que contribuye a corromperla más con la inmoralidad de sus escritos; el político, que exagera todos los sistemas, todos los desfigura y contradice, y pretende reunir en su doctrina el feudalismo y la república; el historiador, que poetiza la Historia; el poeta, que finge una sociedad fantástica, y se queja de ella porque no reconoce su retrato; el artista, que pretende pintar a la naturaleza aún más hermosa que en su original; todas estas manías, que en cualesquiera épocas han debido existir, y sin duda en siglos anteriores habrán podido pasar por extravíos de la razón o debilidades de la

1. *Señales . . . menos,* It is characteristic of good sense to see that we all lose it, some by going too far and some by not going far enough.

2. A concise definition of romanticism has never been and can never be given.
3. Supply, being

humana especie, el siglo actual, más adelantado y perspicuo, las ha calificado de *romanticismo puro.*

«La necedad se pega»[4]—ha dicho un autor célebre. No es esto afirmar que lo que hoy se entiende por romanticismo sea necedad,[5] sino que todas las cosas exageradas suelen degenerar en necias; y bajo este aspecto, la romántico-manía se pega también. Y no sólo se pega, sino que, al revés de otras enfermedades contagiosas, que a medida que[6] se transmiten pierden en grado de intensidad, ésta, por el contrario, adquiere en la inoculación[7] tal desarrollo, que lo que en su origen pudo ser sublime, pasa después a ser ridículo; lo que en unos fue un destello del genio, en otros viene a ser un ramo de locura.

Y he[8] aquí por qué un muchacho que por los años de 1810 vivía en nuestra corte y su calle de la Reina, y era hijo del general francés *Hugo* y se llamaba *Víctor,* encontró el romanticismo donde menos podía esperarse, esto es, en el Seminario de Nobles;[9]—y el picaruelo conoció[10] lo que nosotros no habíamos sabido apreciar, y teníamos enterrado hace dos siglos con Calderón;[11]—y luego regresó a París, extrayendo de entre nosotros esta primera materia,[12] y la confeccionó a la francesa, y provisto, como de costumbre, con su patente de invención,[13] abrió su almacén,

y dijo que él era el Mesías de la literatura, que venía a redimirla de la esclavitud de las reglas;—y acudieron ansiosos los noveleros; y la manada de imitadores (*imitatores servum pecus,*[14] que dijo Horacio) se esforzaron en sobrepujarle y dejar atrás su exageración; y los poetas transmitieron el nuevo humor a los novelistas; éstos a los historiadores; éstos a los políticos; éstos a todos los demás hombres; éstos a todas las mujeres,—y luego salió de Francia aquel virus ya bastardeado,[15] y corrió toda la Europa, y vino, en fin, a España; y llegó a Madrid (de donde había salido puro), y de una en otra pluma, de una en otra cabeza, vino a dar en la cabeza y en la pluma de mi sobrino, de aquel sobrino de que ya en otro tiempo creo haber hablado a mis lectores; y tal llegó a sus manos, que ni el mismo Víctor Hugo le conocería, ni el Seminario de Nobles tampoco.

La primera aplicación que mi sobrino creyó deber hacer de adquisición tan importante, fue a su propia física personal, esmerándose en poetizarla por medio del romanticismo aplicado al tocador.

Porque (decía él) la fachada de un romántico debe ser gótica, ojiva,[16] piramidal y emblemática.

Para ello comenzó a revolver cuadros y libros viejos, y a estudiar los trajes del

---

4. *pegarse,* to be contagious
5. Mesonero is careful not to offend the romanticists too much. As a matter of fact, he read this essay to the *Liceo,* a literary group containing both romanticists and classicists. After some hesitation on their part about how to take the essay, Mesonero's good humor and tact carried the day and all laughed with him.
6. *a medida que,* in proportion as
7. transmission
8. behold. Translate, this is why
9. Victor Hugo attended this school as a small boy, but Mesonero's statement that he learned romanticism there is of course pure whimsy. Hugo's first works were in the classical vein, so he did not learn romanticism until after his return to France and

his début as an author. However, some of the Spanish romanticists did attend the *Seminario de Nobles,* but after Hugo had left it. The chief influence of Spain on Hugo was in the Spanish setting of some of his plays.
10. to recognize
11. The last exponent of the drama of the Golden Age, which in many ways resembled romanticism.
12. raw material
13. *patente de invención,* patent
14. Latin, the servile band of imitators
15. degenerated
16. ogive, pointed arch as in Gothic cathedrals and castles, of which romantic authors often spoke

tiempo de las Cruzadas; y cuando en un códice roñoso y amarillento acertaba a encontrar un monigote formando alguna letra inicial de capítulo, o rasguñado al margen por infantil e inexperta mano, daba por[17] bien empleado su desvelo, y luego poníase a formular en su persona aquel trasunto de la Edad Media.

Por resultado de estos experimentos llegó muy luego[18] a ser considerado como la estampa más *romántica* de todo Madrid, y a servir de modelo a todos los jóvenes aspirantes a esta nueva, no sé si diga[19] ciencia o arte. —Sea dicho en verdad; pero si yo hubiese mirado el negocio sólo por el lado económico, poco o nada podía pesarme de ello; porque mi sobrino, procediendo a simplificar su traje, llegó a alcanzar tal rigor ascético, que un ermitaño daría más que hacer a los *Utrillas y Rougets*.[20]

Por de pronto eliminó el frac, por considerarle del tiempo de la decadencia; y aunque no del todo conforme con la levita, hubo de transigir con ella, como más análoga a la sensibilidad de la expresión. Luego suprimió el chaleco, por redundante; luego el cuello de la camisa, por inconexo; luego las cadenas y relojes, los botones y alfileres, por minuciosos y mecánicos; después los guantes, por embarazosos; luego las aguas de olor, los cepillos, el barniz de las botas, y las navajas de afeitar, y otros mil adminículos que los que no alcanzamos la perfección romántica creemos indispensables y de todo rigor.[21]

Quedó, pues, reducido todo el atavío de su persona a un estrecho pantalón, que designaba la musculatura pronunciada de aquellas piernas; una levitilla de menguada faldamenta y abrochada tenazmente hasta la nuez de la garganta;[22] un pañuelo negro descuidadamente anudado en torno de ésta, y un sombrero de misteriosa forma, fuertemente introducido[23] hasta la ceja izquierda. Por bajo de él descolgábanse de entrambos lados de la cabeza dos guedejas de pelo negro y barnizado, que formando un doble bucle convexo, se introducían por bajo de las orejas, haciendo desaparecer éstas de la vista del espectador; las patillas, la barba y el bigote, formando una continuación de aquella espesura, daban con dificultad permiso para blanquear[24] a dos mejillas lívidas, dos labios mortecinos, una afilada nariz, dos ojos grandes, negros y de mirar sombrío, una frente triangular y *fatídica*.[25] —Tal era la *vera efigies*[26] de mi sobrino; y no hay que decir que tan uniforme tristura ofrecía no sé qué[27] de siniestro e inanimado; de suerte que no pocas veces, cuando, cruzado de brazos y la barba sumida en el pecho, se hallaba abismado en sus tétricas reflexiones, llegaba yo a dudar si era él mismo o sólo su traje colgado de una percha, y acontecióme más de una ocasión el ir a hablarle por la espalda, creyendo verle de frente, o darle una palmada en el pecho, juzgando dársela en el lomo.

Ya que vio romantizada su persona, toda su atención se convirtió a romantizar igualmente sus ideas, su carácter y sus estudios. —Por de pronto, me declaró rotundamente su resolución contraria a seguir ninguna de las carreras que le propuse, asegurándome que encontraba en su corazón algo de volcánico y sublime, incompatible con la exactitud

---

17. *dar por,* to consider
18. soon, immediately
19. whether I should say
20. Fashionable tailors of the day
21. *de todo rigor,* indispensable, necessary
22. Adam's apple

23. to pull down
24. to show their paleness
25. fateful. The word *fate* is forever appearing in romantic works.
26. Latin, true image
27. *no sé qué,* something or other

matemática[28] o con las fórmulas del foro; y después de largas disertaciones, vine a sacar en consecuencia que la carrera que le parecía más análoga a sus circunstancias era la carrera de poeta, que, según él, es la que guía derechita[29] al templo de la inmortalidad.

En busca de sublimes inspiraciones, y con el objeto sin duda de formar su carácter tétrico y sepulcral, recorrió día y noche los cementerios y escuelas anatómicas; trabó amistosa relación con los enterradores y fisiólogos; aprendió el lenguaje de los buhos y de las lechuzas; encaramóse a las peñas escarpadas, y se perdió en la espesura de los bosques; interrogó a las ruinas de los monasterios y de las ventas (que él tomaba por góticos castillos); examinó la ponzoñosa virtud de las plantas, e hizo experiencia en algunos animales del filo de su cuchilla y de los convulsos movimientos de la muerte.[30]—Trocó los libros que yo le recomendaba, los Cervantes, los Solís, los Quevedos, los Saavedras, los Moretos, Meléndez y Moratines, por los Hugos y Dumas, los Balzacs, los Sands y Souliés;[31] rebutió su mollera de todas las encantadoras fantasías de lord Byron y de los tétricos cuadros de d'Arlincourt; no se le escapó uno solo de los abortos teatrales de Ducange, ni de los fantásticos ensueños de Hoffman; y en los ratos en que menos propenso estaba a la melancolía, entreteníase en estudiar la *Craneoscopia* del doctor Gall, o las *Meditaciones* de Volney.[32]

Fuertemente pertrechado con toda esta diabólica erudición, se creyó ya en estado de dejar correr su pluma, y rasguñó unas cuantas docenas de *fragmentos* en prosa poética, y concluyó algunos *cuentos* en verso prosaico; y todos empezaban con puntos suspensivos,[33] y concluían en *¡maldición!;* y unos y otros estaban atestados de *figuras de capuz,* y de *siniestros bultos;* y de *hombres gigantes,* y de *sonrisa infernal;* y de *almenas altísimas,* y de *profundos fosos;* y de *buitres carnívoros,* y de *copas*[34] *fatales;* y de *ensueños fatídicos,* y de *velos transparentes;* y de *aceradas mallas,* y de *briosos corceles,* y de *flores amarillas,* y de *fúnebre cruz.*— Generalmente todas estas composiciones *fugitivas* solían llevar sus títulos tan incomprensibles y vagos como ellas mismas; v. gr.: *¡¡¡Qué será!!!—¡¡¡ . . . No . . . !!!—¡Más allá . . . !—Puede ser.— ¿Cuando?—¡Acaso . . . !—¡Oremus!*[35]

Esto en cuanto a la forma de sus composiciones; en cuanto al fondo de sus pensamientos, no sé qué decir, sino que unas veces me parecía mi sobrino un gran poeta, y otras un loco de atar;[36]— en algunas ocasiones me estremecía al oírle cantar el suicidio, o discurrir dudosamente sobre la inmortalidad del alma; y otras teníale por un santo, pintando la celestial sonrisa de los ángeles o haciendo tiernos apóstrofes a la Madre de Dios.— Yo no sé a punto fijo[37] qué pensaba él sobre todo esto; pero creo que lo más seguro es que no pensaba nada, ni él mismo entendía lo que quería decir.

---

28. Supply, of engineering
29. right straight
30. Mesonero is poking fun at the romanticists' melancholy, their feeling of the futility of life, and their interest in death.
31. He exchanged time-tested Spanish authors for recent romantic French ones. The Saavedra that Mesonero includes as one of the reputable Spanish authors is probably Diego Saavedra Fajardo, 1584–1648, for Ángel de Saavedra, the Duque de Rivas, was best known for two romantic works.

32. Gall, a German physiologist (d. 1828) who studied the nervous system and the brain. Count de Volney (d. 1820), a free-thinker, interested in Oriental languages and civilization, who wrote *Les ruines, ou méditations sur les révolutions des empires.*
33. dots to indicate suspended thought
34. goblet; figuratively, drink, potion
35. Latin, let us pray
36. *loco de atar,* stark mad
37. *a punto fijo,* precisely

Sin embargo, el muchacho con estos *raptos* consiguió al fin verse admirado por una turba de aprendices del delirio, que le escuchaban enternecidos cuando él con voz monótona y sepulcral les recitaba cualquiera de sus composiciones; y siempre le aplaudían en aquellos rasgos más extravagantes y oscuros, y sacaban copias nada escrupulosas, y las aprendían de memoria, y luego esforzábanse a imitarlas, y sólo acertaban a imitar los defectos, y de ningún modo las bellezas originales que podían recomendarlas.

Todos estos encomios y adulaciones de amistad lisonjeaban muy poco el altivo deseo de mi sobrino, que era nada menos que atraer hacia sí la atencion y el entusiasmo de todo el país.—Y convencido de que para llegar al templo de la inmortalidad (partiendo de Madrid) es cosa indispensable el pasarse por la calle del Príncipe,[38] quiero decir, el componer una obra para el teatro, he aquí la razón por qué reunió todas sus fuerzas intelectuales; llamó a concurso su fatídica estrella, sus recuerdos, sus lecturas; evocó las sombras de los muertos para preguntarles sobre diferentes puntos; martirizó las historias y tragó el polvo de los archivos; interpeló a su calenturienta musa, colocándose con ella en la región aérea donde se forman las románticas tormentas; y mirando desde aquella altura esta sociedad terrena, reducida por la distancia a una pequeñez microscópica, aplicado al ojo izquierdo el catalejo romántico, que todo lo abulta, que todo lo descompone, inflamóse al fin su fosfórica fantasía y compuso un drama.

¡Válgame Dios! ¡Con qué placer haría yo a mis lectores el mayor de los regalos posibles dándoles *in integrum*[39] esta composición sublime, práctica explicación del sistema romántico, en que, según la medicina homeopática, que consiste en curar las enfermedades con sus semejantes, se intenta, a fuerza de crímenes, corregir el crimen mismo! Mas ni la suerte ni mi sobrino me han hecho poseedor de aquel tesoro, y únicamente la memoria, depositaria infiel de secretos, ha conservado en mi imaginación el título y personajes del drama. Helos aquí:

¡¡ELLA . . . !!! Y ¡¡ÉL . . . !!!

Drama Romántico Natural,

Emblemático-Sublime, Anónimo, Sinónimo, Tétrico y Espasmódico;

Original, en diferentes prosas[40]
y versos, en seis actos y
catorce cuadros.

Por . . .

Aquí había una nota que decía: (*Cuando el público pida el nombre del autor*),
y seguía más abajo:

Siglos IV y V.—La escena pasa en toda Europa y dura unos cien años.[41]

INTERLOCUTORES.

38. The principal theater of Madrid was the *Teatro del Príncipe,* located in the street of the same name.
39. Latin, in full
40. The classicists wrote their plays all in *one* verse form; the romanticists prided themselves on using both prose and various verse

meters, so Mesonero goes them one better and has his nephew write in several kinds of prose!
41. Notice how thoroughly he breaks the unities of place and time. Not infrequently the romanticists seem to go almost out of their way in order to break classic rules.

La mujer (*todas las mujeres, toda la mujer*).
El marido (*todos los maridos*).
Un hombre salvaje (*el amante*).
El Dux de Venecia.
El tirano de Siracusa.
El doncel.
La Archiduquesa de Austria.
Un espía.
Un favorito.
Un verdugo.
Un boticario.
La Cuádruple Alianza
El sereno del barrio.
Coro de monjas carmelitas.
Coro de padres agonizantes.[42]
Un hombre del pueblo.
Un pueblo de hombres.
Un espectro que habla.
Otro ídem que agarra.
Un demandadero de la Paz y Caridad.
Un judío.
Cuatro enterradores.
Músicos y danzantes.
Comparsas de tropa, brujas, gitanos, fraires y gente ordinaria.

—Los títulos de las jornadas (porque cada una llevaba el suyo, a manera de código) eran, si mal no me acuerdo, los siguientes:—1.ª *Un crimen.*—2.ª *El veneno.*—3.ª *Ya es tarde.*—4.ª *El panteón.* —5.ª *¡Ella!*—6.ª *¡Él!*—y las decoraciones eran las seis obligadas en todos los dramas románticos, a saber: *Salón de baile; Bosque; La capilla; Un subterráneo; La alcoba* y *El cementerio.*

Con tan buenos elementos confeccionó mi sobrino su admirable composición, en términos, que si yo recordase una sola escena para estamparla aquí, peligraba[43] el sistema nervioso de mis lectores; con que, así no hay sino dejarlo en tal punto y aguardar a que llegue día en que la fama nos las[44] transmita en toda su integridad; día que él retardaba, aguardando a que *las masas* (las masas somos nosotros) se hallen (o nos hallemos) en el caso de digerir esta comida, que él modestamente llamaba un *poco fuerte.*

De esta manera mi sobrino caminaba a la inmortalidad por la senda de la muerte; quiero decir, que con tales fatigas cumplía lo que él llamaba *su misión sobre la tierra.*[45] Empero la continuación de las vigilias y el obstinado combate de sentimientos tan hiperbólicos habíanle reducido a una situación tan lastimosa de cerebro, que cada día me temía encontrarle consumido a impulsos de su fuego celestial.

Y aconteció que, para acabar de rematar lo poco que en él quedaba de seso, hubo de ver una tarde por entre los mal labrados hierros de su balcón a cierta Melisendra[46] de diez y ocho abriles, más pálida que una noche de luna, y más mortecina que lámpara sepulcral; con sus luengos cabellos trenzados a la veneciana, y sus mangas a la María Tudor, y su blanquísimo vestido aéreo a la Straniera, y su cinturón a la Esmeralda, y su cruz de oro al cuello a la huérfana de Underlach.[47]

Hallábase a la sazón meditabunda, los ojos elevados al cielo, la mano derecha en la apagada mejilla, y en la izquierda sosteniendo débilmente un libro abierto . . . libro que, según el forro[48] amarillo,

42. Priests who devote themselves to caring for dying persons
43. Imperfect tense used for a conditional for greater emphasis
44. Antecedent, *escenas*
45. Romantic poets often spoke of their "mission" to lead mankind toward a better life.
46. A name common in the Spanish ballads for a young heroine
47. *María Tudor,* a play by Victor Hugo (1833); *La Straniera,* an opera by Bellini (1829); *Esmeralda,* the heroine of Hugo's *Notre Dame de Paris* (1831); *la huérfana de Underlach,* the heroine of d'Arlincourt's *Solitaire* (1821).
48. cover

su tamaño y demás proporciones, no podía ser otro, a mi entender, que el *Han de Islandia* o el *Bug-Jargal*.[49]

No fue menester más para que la chispa eléctrico-romántica atravesase instantáneamente la calle, y pasase desde el balcón de la doncella sentimental al otro frontero donde se hallaba mi sobrino, viniendo a inflamar súbitamente su corazón. Miráronse pues, y creyeron adivinarse;[50] luego se hablaron, y concluyeron por no entenderse; esto es, por entregarse a aquel sentimiento vago, ideal, fantástico, frenético, que no sé bien cómo designar aquí, si no es ya que me valga de la consabida calificación de . . . *romanticismo puro.*

Pero al cabo, el sujeto[51] en cuestión era mi sobrino, y el bello objeto de sus arrobamientos, una señorita, hija de un honrado vecino mío, procurador del número[52] y clásico por todas sus coyunturas.[53] A mí no me desagradó la idea de que el muchacho se inclinase a la muchacha (siempre llevando por delante la más sana intención), y con el deseo también de distraerle de sus melancólicas tareas, no sólo le introduje en la casa, sino que favorecí (Dios me lo perdone) todo lo posible el desarrollo de su inclinación.

Lisonjeábame, pues, con la idea de un desenlace natural y espontáneo, sabiendo que toda la familia de la niña participaba de mis sentimientos, cuando una noche me hallé sorprendido con la vuelta repentina de mi sobrino, que en el estado más descompuesto y atroz corrió a encerrarse en su cuarto gritando desaforadamente:—«¡Asesino! . . . ¡Asesino! . . . ¡Fatalidad! ¡Maldición! . . .»

—¿Qué demonios es esto?—Corro al cuarto del muchacho, pero había cerrado por dentro y no me responde; vuelo a casa del vecino por si[54] alcanzo a averiguar la causa de aquel desorden, y me encuentro en otro no menos terrible a toda la familia: la chica accidentada y convulsa, la madre llorando, el padre fuera de sí . . .[55]

—¿Qué es esto, señores? ¿qué es lo que hay?

—¿Qué ha de ser?[56] (me contestó el buen hombre), ¿qué ha de ser? sino que el demonio en persona se ha introducido en mi casa con su sobrino de usted . . . Lea usted, lea usted qué proyectos son los suyos; qué ideas de amor y de religión . . .—Y me entregó unos papeles, que por lo visto había sorprendido[57] a los amantes.

Recorrílos rápidamente, y me encontré diversas composiciones de éstas de tumba y hachero, que yo estaba tan acostumbrado a escuchar a mi sobrino. —En todas ellas venía a decir a su amante, con la mayor ternura, que era preciso que se muriesen para ser felices; que se matara ella, y luego él iría a derramar flores sobre su sepulcro, y luego se moriría también y los enterrarían bajo una misma losa . . . Otras veces la proponía que para huir de la tiranía del hombre—«este *hombre* soy yo», decía el pobre procurador,—se escurriese con él a los bosques o a los mares, y que se irían a una caverna a vivir con las fieras, o se harían piratas o bandoleros; en unas ocasiones la suponía ya difunta y la cantaba el responso en bellísimas quintillas y coplas de pie quebrado;[58] en otras llenábala de maldiciones por haberle hecho probar la ponzoña del amor.

—Y a todo esto (añadía el padre), nada

---

49. Two novels by Victor Hugo
50. to comprehend each other instinctively
51. individual
52. *procurador del número,* a lawyer of the guild
53. joint. Translate, a dyed-in-the-wool classicist
54. Translate, to see if
55. *fuera de sí,* beside himself
56. What can it be?; what do you suppose it is? *Haber de* stands for a future of probability.
57. to take by surprise
58. Kinds of verse usually employed for light or even jocular compositions

de boda, ni nada de solicitar un empleo para mantenerla . . . Vea usted, vea usted: por ahí ha de estar . . .; oiga usted cómo se explica en este punto . . .; ahí, en esas coplas o seguidillas,[59] o lo que sean, en que la dice lo que tiene que esperar de él . . .

Y en tan fiera esclavitud,
Sólo puede darte mi alma
Un suspiro . . . y una palma . . .
Una tumba . . . y una cruz . . .

—Pues cierto que son buenos adminículos para llenar una carta de dote[60] . . .; no, sino échelos[61] usted en el puchero y verá qué caldo sale . . . Y no es esto lo peor (continuaba el buen hombre), sino que la muchacha se ha vuelto tan loca como él, y ya habla de féretros y letanías, y dice que está deshojada y que es un tronco carcomido, con otras mil barbaridades, que no sé cómo no la mato . . . y a lo mejor nos asusta por las noches, despertando despavorida y corriendo por toda la casa, diciendo que la persigue la sombra de no sé qué Astolfo[62] o Ingolfo *el exterminador;* y nos llama tiranos a su madre y a mí; y dice que tiene guardado un veneno, no sé bien si para ella o para nosotros; y entre tanto las camisas no se cosen, y la casa no se barre, y los libros malditos me consumen todo el caudal.

—Sosiéguese usted, señor don Cleto, sosiéguese usted.

Y llamándole aparte, le hice una explicación del carácter de mi sobrino, componiéndolo de suerte que, si no lo convencí de que podía casar a su hija con un tigre, por menos le determiné a casarla con un loco.

Satisfecho con tan buenas nuevas,

regresé a mi casa para tranquilizar el espíritu del joven amante; . . . Me pareció conveniente poner un término a tan grotesca escena, entrando a recoger a mi moribundo sobrino y encerrarle bajo de llave en su cuarto; y al reconocer[63] cuidadosamente y separar todos los objetos con que pudiera ofenderse,[64] hallé sobre la mesa una carta sin fecha, dirigida a mí, y copiada de la *Galería fúnebre,*[65] la cual estaba concebida en términos tan alarmantes, que me hizo empezar a temer de veras sus proyectos y el estado infeliz de su cabeza. Conocí, pues, que no había más que un medio que adoptar, y era el arrancarle con mano fuerte a sus lecturas, a sus amores y a sus reflexiones, haciéndole emprender una carrera activa, peligrosa y varia; ninguna me pareció mejor que la militar, a la que él también mostraba alguna inclinación; hícele poner una charretera[66] al hombro izquierdo y le vi partir con alegría a reunirse a sus banderas.[67]

Un año ha trascurrido desde entonces, y hasta hace pocos días no le había vuelto a ver; y pueden considerar mis lectores el placer que me causaría al contemplarle robusto y alegre, la charretera a la derecha[68] y una cruz[69] en el lado izquierdo, cantando perpetuamente zorcicos y rondeñas, y por toda biblioteca en la maleta la *Ordenanza militar* y la *Guía del oficial en campaña.*

Luego que ya le vi en estado que no peligraba, le entregué la llave de su escritorio; y era cosa de ver el oirle repetir a carcajadas sus fúnebres composiciones; deseoso, sin duda, de probarme su nuevo humor, quiso entregarlas al fuego; pero yo, celoso de su

---

59. Popular dance tunes and poems
60. *carta de dote,* a dowry contract, marriage contract
61. Translate, just try throwing them
62. Astolfo, a character of Ariosto's *Orlando furioso,* had a magic trumpet whose sound alone was enough to conquer his enemies.
63. to reconnoitre

64. to harm oneself
65. A book in twelve volumes, published in 1831, dealing with ghosts and supernatural apparitions.
66. epaulet. Only one is worn on the left shoulder by the lowest commissioned officers.
67. Here, his regiment
68. Signifying a rise in rank

fama póstuma, me opuse fuertemente a
esta resolución; únicamente consentí en
hacer un escrupuloso escrutinio, divi-
diéndolas, no en clásicas y románticas,[70]
sino en tontas y no tontas, sacrificando
aquéllas, y poniendo éstas sobre las
niñas[71] de mis ojos.—En cuanto al
drama, no fue posible encontrarle, por
haberle prestado mi sobrino a otro poeta
novel, el cual le comunicó a varios aprendices del oficio, y éstos le adoptaron por
tipo, y repartieron entre sí las bellezas de
que abundaba, usurpando de este modo,
ora los aplausos, ora los silbidos que a mi
sobrino correspondían, y dando al público en mutilados trozos el esqueleto de
tan gigantesca composición.

La lectura, en fin, de sus versos, trajo a
memoria del joven militar un recuerdo
de su vaporosa deidad; preguntóme por

ella con interés, y aun llegué a sospechar
que estaba persuadido de que se habría
evaporado de puro amor; pero yo procuré tranquilizarle con la verdad del
caso; y era que la abandonada Ariadna[72]
se había conformado con su suerte: ítem
más, se había pasado al género clásico,
entregando su mano, y aun no sé si su
corazón, a un honrado mercader de la
calle de Postas . . . ¡Ingratitud notable
de· mujeres! . . . bien es la verdad que
él por su parte no la había hecho, según
me confesó, sino unas catorce o quince
infidelidades en el año transcurrido. De
este modo concluyeron unos amores que,
si hubieran seguido su curso natural
habrían podido dar a los venideros
Shakespeares materia sublime para otro
nuevo *Romeo.*

69. medal
70. Once again Mesonero shows himself to be a
partisan of moderation. This attitude was
to become more and more important in
Spain. It is often called *eclecticism,* that is,
a selection of elements from all preceding
literary schools.
71. apple (of eye)
72. Ariadne, the abandoned lover of Theseus

Gustavo Adolfo Bécquer

A dreamy young man, who suffered from poverty and delicate health, who never found satisfaction for his yearnings for love and glory, and who died of a mysterious illness at the age of thirty-four, is now regarded as Spain's greatest poet of the nineteenth century.

Gustavo Adolfo Bécquer (1836–70) was left an orphan at the age of nine. He went to Madrid from his native Sevilla when he was eighteen, but achieved no literary recognition until about 1860, his twenty-fourth year. With his beloved brother Valeriano, he struggled to make a living by writing and by painting. All of his work was accomplished in just ten years. Because of his poor health, he retired with his brother to live for a year in a ruined monastery on the slopes of the Moncayo, a mountain about fifty miles west of Zaragoza. Later the brothers spent several months in Toledo, where they hoped to establish permanent residence. Bécquer had married impetuously after being disdained in another love affair, but found no happiness in this union, although he loved his two children tenderly. Valeriano's death, just three months before Gustavo's, robbed the latter of his most sympathetic and understanding comrade.

This poet's total production consists of seventy-nine *rimas* and a handful of legends in poetic prose. The *rimas* are all very short, some no longer than four lines, and almost all deal with various aspects of one central theme, love, shown in all its multifold aspects—sometimes as a yearning after the ideal woman, sometimes as disillusionment, sometimes as bitter, death-seeking despair. Love is the sun around which Bécquer's soul revolves, and the poems are merely an exposition of the states of his soul as it basks in light or plunges into darkness.

Not that all these poems relate to real love affairs. Bécquer himself tells that *"Me cuesta trabajo saber qué cosas he soñado y cuáles me han sucedido. Mis afectos se reparten entre fantasmas de la imaginación y personajes reales. Mi memoria clasifica, revueltos, nombres y fechas de mujeres y días que han muerto o han pasado, con los días y mujeres que no han existido sino en mi mente."* The intensity of Bécquer's imaginative life was such that he created beings for his delight out of his own mind. To such an extent were his thoughts centered on love that he felt it to be a mysterious force animating all nature and pervading the whole world.

What we have told of Bécquer's life is sufficient to indicate that we are dealing with a romantic poet. His works, too, lead us to the same conclusion, but a great change took place between the romantic period and the decade (1860–70) during which Bécquer composed his works. While we find the melancholy, the yearnings, and the passion of the romantic poet, a new and equally important element lies in the deliberate vagueness which permeates his poems and which, in turn, depends upon a new concept of poetry. Bécquer believes that poetry, like love, pervades everything, lies all about us, and that the poet merely suggests it to his reader. He does not deal with concrete forms, persons, and sentiments, except as symbols of the states of his soul. In trying to convey to us the delicate nuances of his feelings he often has to express himself indirectly by a series of metaphors. There are no precise words for the things which Bécquer wishes to name; he can merely say that they are like this or like that. Or again his words, chosen for their indistinct emotional connotations, are such as to *suggest* to the reader emotions which he shares with the poet and which cannot be named directly. As one critic has said: "Bécquer's poems begin when the verse ends."

Another feature tending also towards the same end is the almost constant use of assonance instead of consonantal rhyme. Less obtrusive than the latter, assonance does not mark out the verse structure so sharply and gives the poem a hazy outline. Bécquer's harmonies are as subtle as his thoughts and both share the same self-imposed vagueness.

In his legends Bécquer loves to take us into a fantastic world of the Middle Ages. He constantly uses supernatural beings, and his heroes are almost always poetic, romantic young men. He excels especially in lyrical descriptions of nature.

Bécquer stands between the romantic school and the new poetry of suggestion which dominated the literatures of the world during the last fifty years of the nineteenth century and the first third of the twentieth. He is one of the earliest to conceive this new idea of poetry. But even more than for this originality, Bécquer deserves our admiration and our sympathy for his tragic life and his melodious, heartfelt verses.

Another poet whose work has some of the qualities of Bécquer's is Rosalía de Castro. A native of Galicia, she loved and was inspired by the natural beauty of her homeland. Much of her poetry is written in Galician dialect. A second theme of her verse is her profound melancholy, a feeling which she owed partly to her illegitimate birth and partly to the misfortunes of her life—the death of loved ones and her impossible love affairs. These feelings she expresses in tenderly lyrical, haunting verses.

GUSTAVO ADOLFO BÉCQUER

Los ojos verdes

Hace mucho tiempo que tenía ganas de escribir cualquier cosa con este título.

Hoy, que se me ha presentado ocasión, lo he puesto con letras grandes en la primera cuartilla de papel, y luego he dejado a capricho volar la pluma.

Yo creo que he visto unos ojos como los que he pintado en esta leyenda. No sé si en sueños, pero yo los he visto.[1] De seguro no los podré describir tales cuales[2] ellos eran: luminosos, transparentes como las gotas de la lluvia que se resbalan sobre las hojas de los árboles después de una tempestad de verano. De todos modos, cuento con la imaginación de mis lectores[3] para hacerme comprender en este que pudiéramos llamar boceto de un cuadro que pintaré algún día.

I

—Herido va el ciervo . . . herido va; no hay duda. Se ve el rastro de la sangre entre las zarzas del monte, y al saltar uno de esos lentiscos[4] han flaqueado sus piernas . . . Nuestro joven señor comienza por donde otros acaban . . . en cuarenta años de montero no he visto mejor golpe . . . Pero, ¡por San Saturio, patrón de Soria,[5] cortadle el paso por esas carrascas,[6] azuzad los perros, soplad en esas trompas hasta echar los hígados,[7] y hundidle a los corceles una cuarta de hierro[8] en los ijares. ¿No veis que se dirige hacia la fuente de los álamos,[9] y si la salva antes de morir podemos darle por perdido?

Las cuencas del Moncayo[10] repitieron de eco en eco el bramido de las trompas, el latir de la jauría desencadenada, y las

1. Here we see how intense an imagination Bécquer possessed, as he cannot divide his real and imaginative lives.
2. *tales cuales,* just as
3. This bears out what we have said about Bécquer's *suggesting* his mood to the reader, who must use his imagination and help in the creation of the artistic work.
4. mastic tree

5. An old city in eastern Castilla, near Bécquer's monastery retreat
6. swamp oak
7. *hasta echar los hígados;* translate, until you burst
8. *una . . . hierro,* literally, a span of iron; here, spurs
9. poplar tree
10. A mountain near Soria

voces de los pajes resonaron con nueva furia, y el confuso tropel de hombres, caballos y perros se dirigió al punto que Íñigo, el montero mayor[11] de los marqueses de Almenar, señalara[12] como el más a propósito para cortarle el paso a la res.

Pero todo fue inútil. Cuando el más ágil de los lebreles llegó a las carrascas jadeante y cubiertas las fauces de espuma, ya el ciervo, rápido como una saeta, las había salvado de un solo brinco, perdiéndose entre los matorrales de una trocha que conducía a la fuente.

—¡Alto! . . . ¡Alto todo el mundo!— gritó Íñigo entonces—; estaba de Dios que había de marcharse.[13]

Y la cabalgata se detuvo, y enmudecieron las trompas, y los lebreles dejaron refunfuñando la pista a la voz de los cazadores.

En aquel momento se reunía a la comitiva el héroe de la fiesta, Fernando de Argensola, el primogénito de Almenar.

—¿Qué haces?—exclamó dirigiéndose a su montero, y en tanto, ya se pintaba el asombro en sus facciones, ya ardía la cólera en sus ojos—. ¿Qué haces, imbécil? ¡Ves que la pieza[14] está herida, que es la primera que cae por mi mano, y abandonas el rastro y la dejas perder para que vaya a morir en el fondo del bosque! ¿Crees acaso que he venido a matar ciervos para festines de lobos?

—Señor—murmuró Íñigo entre dientes—, es imposible pasar de este punto.

—¡Imposible! ¿y por qué?

—Porque esa trocha—prosiguió el montero—conduce a la fuente de los álamos; la fuente de los álamos, en cuyas aguas habita un espíritu del mal. El que osa enturbiar su corriente,[15] paga caro su atrevimiento. Ya la res habrá salvado sus márgenes; ¿cómo la salvaréis vos[16] sin atraer sobre vuestra cabeza alguna calamidad horrible? Los cazadores somos reyes del Moncayo, pero reyes que pagan un tributo. Pieza que se refugia en esa fuente misteriosa, pieza perdida.

—¡Pieza perdida! Primero perderé yo el señorío de mis padres, y primero perderé el ánima en manos de Satanás, que permitir que se me escape ese ciervo, el único que ha herido mi venablo, la primicia de mis excursiones de cazador . . . ¿Lo ves? ¿lo ves? . . . Aún se distingue a intervalos desde aquí . . . las piernas le faltan, su carrera se acorta;[17] déjame . . . déjame . . . suelta esa brida o te revuelco en el polvo . . . ¿Quién sabe si no le daré lugar[18] para que llegue a la fuente? Y si llegase, al diablo ella, su limpidez y sus habitadores. ¡Sus!, ¡Relámpago!, ¡sus, caballo mío!, si lo alcanzas, mando engarzar los diamantes de mi joyel en tu serreta de oro.

Caballo y jinete partieron como un huracán.

Íñigo los siguió con la vista hasta que se perdieron en la maleza; después volvió los ojos en derredor suyo; todos, como él, permanecían inmóviles y consternados.

El montero exclamó al fin:

—Señores, vosotros lo habéis visto; me he expuesto a morir entre los pies de su caballo por detenerle. Yo he cumplido con mi deber. Con el diablo no sirven valentías. Hasta aquí llega el montero

11. chief, head
12. Imperfect subjunctive used for pluperfect indicative
13. Here, to get away
14. Here, game
15. The *fuente* is not only the *spring*, but the *stream* which flows from it.

16. Old Spanish for *vosotros* (used to give an archaic flavor to the text)
17. Translate, it is slowing down
18. *dar lugar,* to give [him] time
19. sprinkler for holy water (which would drive away evil spirits)

con su ballesta; de aquí adelante, que pruebe a pasar el capellán con su hisopo.[19]

II

—Tenéis la color quebrada;[20] andáis mustio y sombrío; ¿qué os sucede? Desde el día, que yo siempre tendré por funesto, en que llegasteis a la fuente de los álamos en pos de[21] la res herida, diríase que una mala bruja os ha encanijado con sus hechizos.

Ya no vais a los montes precedido de la ruidosa jauría, ni el clamor de vuestras trompas despierta sus ecos. Solo con esas cavilaciones que os persiguen, todas las mañanas tomáis la ballesta para enderezaros a la espesura y permanecer en ella hasta que el sol se esconde. Y cuando la noche obscurece y volvéis pálido y fatigado al castillo, en balde[22] busco en la bandolera los despojos de la caza. ¿Qué os ocupa tan largas horas lejos de los que más os quieren?

Mientras Íñigo hablaba, Fernando, absorto en sus ideas, sacaba maquinalmente astillas de su escaño de ébano con el cuchillo de monte.

Después de un largo silencio, que sólo interrumpía el chirrido de la hoja[23] al resbalarse sobre la pulimentada madera, el joven exclamó dirigiéndose a su servidor, como si no hubiera escuchado una sola de sus palabras:

—Íñigo, tú que eres viejo, tú que conoces todas las guaridas del Moncayo, que has vivido en sus faldas[24] persiguiendo a las fieras, y en tus errantes excursiones de cazador subiste más de una vez a su cumbre, dime: ¿has encontrado por acaso una mujer que vive entre sus rocas?

—¡Una mujer!—exclamó el montero con asombro y mirándole de hito en hito.[25]

—Sí—dijo el joven—; es una cosa extraña lo que me sucede, muy extraña ... Creí poder guardar ese secreto eternamente, pero no es ya posible; rebosa en mi corazón y asoma a mi semblante. Voy, pues, a revelártelo ... Tú me ayudarás a desvanecer el misterio que envuelve a esa criatura, que al parecer sólo para mí existe, pues nadie la conoce, ni la ha visto, ni puede darme razón[26] de ella.

El montero, sin despegar los labios, arrastró su banquillo hasta colocarlo junto al escaño de su señor, del que no apartaba un punto los espantados ojos. Éste, después de coordinar sus ideas, prosiguió así.

Desde el día en que a pesar de tus funestas predicciones llegué a la fuente de los álamos, y atravesando sus aguas recobré el ciervo que vuestra superstición hubiera dejado huir, se llenó mi alma del deseo de la soledad.

Tú no conoces aquel sitio. Mira, la fuente brota escondida en el seno de una peña, y cae resbalándose gota a gota por entre las verdes y flotantes hojas de las plantas que crecen al borde de su cuna. Aquellas gotas que al desprenderse brillan como puntos de oro y suenan como las notas de un instrumento, se reúnen entre los céspedes, y susurrando, susurrando, con un ruido semejante al de las abejas que zumban en torno de las flores, se alejan por entre las arenas, y forman un cauce, y luchan con los obstáculos que se oponen a su camino, y se repliegan sobre sí mismas, y saltan, y huyen, y corren, unas veces con risa, otras con suspiros, hasta caer en un lago. En el lago caen con un rumor indescriptible. Lamentos, palabras, nombres, cantares, yo

20. altered
21. *en pos de,* after
22. *en balde,* in vain
23. blade

24. slopes
25. *de hito en hito,* fixedly
26. Here, an account

no sé lo que he oído en aquel rumor cuando me he sentado solo y febril sobre el peñasco, a cuyos pies saltan las aguas de la fuente misteriosa para estancarse en una balsa profunda, cuya inmóvil superficie apenas riza el viento de la tarde.

Todo es allí grande. La soledad, con sus mil rumores desconocidos, vive en aquellos lugares y embriaga el espíritu en su inefable melancolía. En las plateadas hojas de los álamos, en los huecos de las peñas, en las ondas del agua, parece que nos hablan los invisibles espíritus de la Naturaleza, que reconocen un hermano en el inmortal espíritu del hombre.

Cuando al despuntar la mañana me veías tomar la ballesta y dirigirme al monte, no fue nunca para perderme entre sus matorrales en pos de la caza, no; iba a sentarme al borde de la fuente, a buscar en sus ondas . . . no sé qué, ¡una locura! El día en que salté sobre ella con mi Relámpago, creí haber visto brillar en su fondo una cosa extraña . . . muy extraña . . . los ojos de una mujer.

Tal vez sería un rayo de sol que serpeó fugitivo entre su espuma; tal vez una de esas flores que flotan entre las algas de su seno, y cuyos cálices parecen esmeraldas . . . no sé; yo creí ver una mirada que se clavó en la mía; una mirada que encendió en mi pecho un deseo absurdo, irrealizable: el de encontrar una persona con unos ojos como aquéllos.

En su busca fui un día y otro[27] a aquel sitio.

Por último, una tarde . . . yo me creí juguete de un sueño . . . ; pero no, es verdad: la he hablado ya muchas veces, como te hablo a ti ahora . . . ; una tarde encontré sentada en mi puesto, y vestida con unas ropas que llegaban hasta las aguas y flotaban sobre su haz, una mujer hermosa sobre toda ponderación. Sus cabellos eran como el oro;

sus pestañas brillaban como hilos de luz, y entre las pestañas volteaban[28] inquietas unas pupilas que yo había visto . . . sí; porque los ojos de aquella mujer eran los ojos que yo tenía clavados en la mente; unos ojos de un color imposible; unos ojos . . .

—¡Verdes!—exclamó Íñigo con un acento de profundo terror e incorporándose de un salto en su asiento.

Fernando le miró a su vez[29] como asombrado de que concluyese lo que iba a decir, y le preguntó con una mezcla de ansiedad y de alegría:

—¿La conoces?

—¡Oh, no!—dijo el montero—. ¡Líbreme Dios de conocerla! Pero mis padres, al prohibirme llegar hasta esos lugares, me dijeron mil veces que el espíritu, trasgo, demonio o mujer que habita en sus aguas, tiene los ojos de ese color. Yo os conjuro, por los que más améis en la tierra, a no volver a la fuente de los álamos. Un día u otro os alcanzará su venganza, y expiaréis muriendo el delito de haber encenagado sus ondas.

—¡Por los que más amo! . . .—murmuró el joven con una triste sonrisa.

—Sí—prosiguió el anciano—; por vuestros padres, por vuestros deudos, por las lágrimas de la que el cielo destina para vuestra esposa, por las de un servidor que os ha visto nacer . . .

—¿Sabes tú lo que más amo en este mundo? ¿Sabes tú por qué[30] daría yo el amor de mi padre, los besos de la que me dio la vida, y todo el cariño que pueden atesorar todas las mujeres de la tierra? Por una mirada, por una sola mirada de esos ojos . . . ¡Cómo podré yo dejar de buscarlos!

Dijo Fernando estas palabras con tal acento, que la lágrima que temblaba en los párpados de Íñigo se resbaló silenciosa por su mejilla, mientras exclamó

---

27. *un día y otro,* day after day
28. Here, to rove

29. *a su vez,* in his turn
30. for what

con acento sombrío: ¡Cúmplase la voluntad del cielo!

III

—¿Quién eres tú? ¿Cuál es tu patria? ¿En dónde habitas? Yo vengo un día y otro en tu busca, y ni veo el corcel que te trae a estos lugares, ni a los servidores que conducen tu litera. Rompe de una vez el misterioso velo en que te envuelves como en una noche profunda. Yo te amo, y, noble o villana, seré tuyo, tuyo siempre . . .

El sol había traspuesto la cumbre del monte; las sombras bajaban a grandes pasos por su falda; la brisa gemía entre los álamos de la fuente, y la niebla,[31] elevándose poco a poco de la superficie del lago, comenzaba a envolver las rocas de su margen.

Sobre una de estas rocas, sobre una que parecía próxima a desplomarse en el fondo de las aguas, en cuya superficie se retrataba temblando, el primogénito de Almenar, de rodillas a los pies de su misteriosa amante, procuraba en vano arrancarle el secreto de su existencia.

Ella era hermosa, hermosa y pálida, como una estatua de alabastro. Uno de sus rizos caía sobre sus hombros, deslizándose entre los pliegues del velo, como un rayo de sol que atraviesa las nubes, y en el cerco[32] de sus pestañas rubias brillaban sus pupilas, como dos esmeraldas sujetas en una joya de oro.

Cuando el joven acabó de hablarle, sus labios se removieron como para pronunciar algunas palabras; pero sólo exhalaron un suspiro, un suspiro débil, doliente, como el de la ligera onda que empuja una brisa al morir entre los juncos.

—¡No me respondes!—exclamó Fernando al ver burlada su esperanza—; ¿querrás dé crédito a lo que de ti me han dicho? ¡Oh, no! . . . Háblame; yo quiero saber si me amas; yo quiero saber si puedo amarte, si eres una mujer . . .

—O un demonio . . . ¿Y si lo fuese?

El joven vaciló un instante; un sudor frío corrió por sus miembros; sus pupilas se dilataron al fijarse con más intensidad en las de aquella mujer, y fascinado por su brillo fosfórico, demente casi, exclamó en un arrebato de amor:

—Si lo fueses . . . te amaría . . . te amaría, como te amo ahora, como es mi destino amarte, hasta más allá de esta vida, si hay algo más allá de ella.

—Fernando—dijo la hermosa entonces con una voz semejante a una música—; yo te amo más aún que tú me amas; yo que desciendo hasta un mortal, siendo un espíritu puro. No soy una mujer como las que existen en la tierra; soy una mujer digna de ti, que eres superior a los demás hombres. Yo vivo en el fondo de estas aguas; incorpórea como ellas, fugaz y transparente, hablo con sus rumores y ondulo con sus pliegues. Yo no castigo al que osa turbar la fuente donde moro;[33] antes le premio con mi amor, como a un mortal superior a las supersticiones del vulgo, como a un amante capaz de comprender mi cariño extraño y misterioso.

Mientras ella hablaba así, el joven, absorto en la contemplación de su fantástica hermosura, atraído como por una fuerza desconocida, se aproximaba más y más al borde de la roca. La mujer de los ojos verdes prosiguió así:

¿Ves, ves el límpido fondo de ese lago, ves esas plantas de largas y verdes hojas que se agitan en su fondo? . . . Ellas nos darán un lecho de esmeraldas y corales . . . y yo . . . yo te daré una felicidad sin nombre, esa felicidad que has soñado en tus horas de delirio, y que no puede

31. mist
32. hedge; here, border

33. *morar,* to dwell

ofrecerte nadie . . . Ven, la niebla del lago flota sobre nuestras frentes como un pabellón de lino . . . las ondas nos llaman con sus voces incomprensibles, el viento empieza entre los álamos sus himnos de amor; ven . . . ven . . .

La noche comenzaba a extender sus sombras, la luna rielaba en la superficie del lago, la niebla se arremolinaba al soplo del aire, y los ojos verdes brillaban en la obscuridad como los fuegos fatuos[34] que corren sobre el haz de las aguas infectas . . . Ven . . . ven . . . Estas palabras zumbaban en los oídos de Fernando como un conjuro. Ven . . . y la

mujer misteriosa le llamaba al borde del abismo donde estaba suspendida, y parecía ofrecerle un beso . . . un beso . . .

Fernando dió un paso hacia ella . . . otro . . . y sintió unos brazos delgados y flexibles que se liaban a su cuello, y una sensación fría en sus labios ardorosos, un beso de nieve[35] . . . y vaciló . . . y perdió pie, y cayó al agua con un rumor sordo y lúgubre.

Las aguas saltaron en chispas de luz, y se cerraron sobre su cuerpo, y sus círculos de plata fueron ensanchándose, ensanchándose hasta expirar en las orillas.

34. *fuego fatuo,* will-o'-the-wisp

35. an icy kiss

Rimas

IV

No digáis que agotado su tesoro,
De asuntos falta,[1] enmudeció la lira.[2]
Podrá no haber poetas; pero siempre
Habrá poesía.[3]

Mientras las ondas de la luz al beso[4]   5
Palpiten encendidas;
Mientras el sol las desgarradas nubes
De fuego y oro vista;

Mientras el aire en su regazo lleve
Perfumes y armonías;   10
Mientras haya en el mundo primavera,
¡Habrá poesía!

Mientras la ciencia a descubrir no alcance
Las fuentes de la vida,
Y en el mar o en el cielo haya un abismo   15
Que al cálculo resista;

1. *falta de,* lacking
2. lyre; i.e., poetry
3. Bécquer believes that poetry is everywhere, even if there are no poets to catch it and transmit it to less sensitive souls. He is going to tell us the particular places where

poetry most commonly resides: in Nature, the mysteries of life, the emotions (especially love)—all things which man can never completely fathom.
4. Read, *al beso de la luz*

Mientras la humanidad siempre avanzando
   No sepa a dó⁵ camina;
Mientras haya un misterio para el hombre,
   ¡Habrá poesía!

Mientras sintamos que se alegra el alma,   20
   Sin que los labios rían;
Mientras se llore, sin que el llanto acuda
   A nublar la pupila;

Mientras el corazón y la cabeza
   Batallando prosigan;   25
Mientras haya esperanzas y recuerdos,
   ¡Habrá poesía!

Mientras haya unos ojos que reflejen
   Los ojos que los miran;
Mientras responda el labio suspirando   30
   Al labio que suspira;

Mientras sentirse puedan en un beso
   Dos almas confundidas;
Mientras exista una mujer hermosa,
   ¡Habrá poesía!   35

XV

Cendal⁶ flotante de leve bruma,
Rizada cinta de blanca espuma,
   Rumor sonoro
   De arpa de oro,
Beso del aura, onda de luz: 5
   Eso eres tú.

   Tú, sombra aérea, que cuantas veces
Voy a tocarte, te desvaneces
Como la llama, como el sonido,
Como la niebla, como el gemido   10
   Del lago azul.

   En mar sin playas onda sonante,
En el vacío cometa errante,
   Largo lamento
   Del ronco viento,
Ansia perpetua de algo mejor: 15
   Eso soy yo.⁷

5. Poetic for *dónde*
6. delicate cloth; translate, scarf
7. Notice how Bécquer uses a series of meta-phors to express his feeling about the two persons of this poem. An example of deliberate vagueness and suggestion.

¡Yo, que a tus ojos en mi agonía
Los ojos vuelvo de noche y día;   20
Yo, que incansable corro y demente
Tras una sombra, tras la hija ardiente
    De una visión!

XXI

¿Qué es poesía dices mientras clavas
    En mi pupila[8] tu pupila azul;
¿Qué es poesía? ¿Y tú me lo preguntas?
    ¡Poesía . . . eres tú!

XXXIII

Es cuestión de palabras, y no obstante,
    Ni tú ni yo jamás,
Depués de lo pasado, convendremos
    En quién la culpa está.

¡Lástima que el amor un diccionario   5
    No tenga donde hallar
Cuando el orgullo es simplemente orgullo,
    Y cuando es dignidad!

XLI

Tú eras el huracán, y yo la alta
Torre que desafía su poder:
¡Tenías que estrellarte o abatirme! . . .
    ¡No pudo ser!

Tú eras el océano, y yo la enhiesta   5
Roca que firme aguarda su vaivén:
¡Tenías que romperte o que arrancarme!
    ¡No pudo ser!

Hermosa tú, yo altivo; acostumbrados
Uno a arrollar, el otro a no ceder: 10
La senda estrecha, inevitable el choque . . .
    ¡No pudo ser!

8. Translate, eyes

XLVII

Yo me he asomado a las profundas simas
  De la tierra y del cielo,
Y les he visto el fin o con los ojos,
  O con el pensamiento.

Mas ¡ay! de un corazón llegué al abismo,   5
  Y me incliné por verlo,
Y mi alma y mis ojos se turbaron:
  ¡Tan hondo era y tan negro!

LI

De lo poco de vida que me resta
Diera con gusto los mejores años,
  Por saber lo que a otros
  De mí has hablado.

Y esta vida mortal . . . y de la eterna   5
Lo que me toque, si me toca algo,
  Por saber lo que a solas
  De mí has pensado.

LIII

Volverán las oscuras golondrinas
En tu balcón sus nidos a colgar,
Y, otra vez, con el ala a sus cristales
  Jugando llamarán;[9]

Pero aquellas que el vuelo refrenaban   5
Tu hermosura y mi dicha a contemplar,
Aquellas que aprendieron nuestros nombres . . .
  Ésas[10] . . . ¡no volverán!

Volverán las tupidas madreselvas
De tu jardín las tapias a escalar,   10
Y otra vez a la tarde, aun más hermosas,
  Sus flores se abrirán;

9. to knock
10. *Ésas* are the same as *aquellas.* By changing to *ésas* the poet implies that they are now a mental image in the lady's mind.

Pero aquéllas cuajadas[11] de rocío,
Cuyas gotas mirábamos temblar
Y caer, como lágrimas del día . . .
        Ésas . . . ¡no volverán!   15

Volverán del amor en tus oídos
Las palabras ardientes a sonar;
Tu corazón de su profundo sueño
        Tal vez despertará;   20

Pero mudo y absorto y de rodillas,
Como se adora a Dios ante su altar,
Como yo te he querido . . . desengáñate,
        ¡Así no te querrán!

ROSALÍA DE CASTRO

Las campanas

Yo las amo, yo las oigo,
cual oigo el rumor del viento,
el murmurar de la fuente
o el balido del cordero.

Como los pájaros, ellas,   5
tan pronto asoma en los cielos
el primer rayo del alba,
le saludan con sus ecos.

Y en sus notas, que van prolongándose
por los llanos y los cerros,   10
hay algo de candoroso,
de apacible y de halagüeño.

Si por siempre enmudecieran,
¡qué tristeza en el aire y el cielo!
¡qué silencio en las iglesias!   15
¡qué extrañeza entre los muertos!

11. Here, drenched

Dicen que no hablan las plantas

Dicen que no hablan las plantas, ni las fuentes, ni los pájaros,
Ni la onda con sus rumores, ni con su brillo los astros,
Lo dicen, pero no es cierto, pues siempre cuando yo paso
De mí murmuran y exclaman:
      —Ahí va la loca, soñando   5
Con la eterna primavera de la vida y de los campos,
Y ya bien pronto, bien pronto, tendrá los cabellos canos,
Y ve temblando, aterida, que cubre la escarcha el prado.

Hay canas en mi cabeza, hay en los prados escarcha,
Mas yo prosigo soñando, pobre, incurable sonámbula,   10
Con la eterna primavera de la vida que se apaga
Y la perenne frescura de los campos y las almas,
Aunque los unos se agostan y aunque las otras se abrasan.

Astros y fuentes y flores, no murmuréis de mis sueños:
Sin ellos, ¿cómo admiraros, ni cómo vivir sin ellos?   15

Realism in the Novel

Throughout Europe the novel was the greatest literary success of the nine-teenth century. Yet in Spain the novel did not attain importance until romanticism had vanished and realism had taken its place. It is true that during the romantic period many romantic novels were written, some by the authors whom we have studied, but none of them are highly regarded today. However, realism had already asserted itself in the *cuadros de costumbres* and out of these very *cuadros* was to be formed the realistic novel of Spain.

A woman, Cecilia Böhl von Faber (1796–1877), writing under the pen name of Fernán Caballero, gave the novel a new start and a direction which it followed throughout the century. In 1849 she produced *La Gaviota, novela de costumbres,* by stringing together on the thread of a plot a number of sketches of contemporary life. She herself says: *"Lo que escribo no son novelas de fantasía sino una reunión de escenas de la vida real, de descrip-ciones, de retratos y reflexiones."* Her declared objective was, then, to give a realistic description of customs in Andalucía, her home province. Since customs differ in the different regions of Spain, her novel necessarily had to deal with some one district. Therefore, we sometimes speak of the type as the "regional novel." These two qualities, realism and regionalism, appeared in most of the subsequent authors. Even Fernán Caballero's fault, excessive moralization—in her case in defense of the traditional way of life—crops out in the propagandistic tendencies of almost all her followers.

Realism as a literary term implies an exact photographic reproduction of a scene or character. The term has taken on in some countries a further meaning, since their realistic authors deliberately sought out the less attrac-tive aspects of life; but the term never had this implication in Spain. And,

128

moreover, realism of this pictorial type is nothing new in Spain but has always been found in every period of Spanish literature.

We shall now briefly note three well-known representatives of the realistic novel; Valera and Galdós will be more fully treated in later headnotes.

José María de Pereda (1833–1906) was born, lived, and died in a small town, Polanco, near Santander. His novels divide into two groups: those set in his native region, in which he expresses his love of the old-fashioned ways; and those, sometimes set in Madrid, revealing his indignation at progressive ideas and materialistic city life. His outstanding successes were of the first type, not of the second. Two novels, both of his native region, are considered Pereda's masterpieces—*Sotileza* (1884), set among the fishermen of Santander, and *Peñas arriba* (1893), which shows how a young man, corrupted by city life, is gradually won over to virtue and usefulness in society by contact with the simple existence of the country. Both these books lay great stress upon nature; the first upon the sea, the second, the mountains; and in both nature is conceived in its epic rather than idyllic aspect. As a stylist, Pereda is usually ranked as the best of the nineteenth-century authors, and it is his sure mastery of a vast vocabulary and his skill in portraying characters or painting grand natural scenery which have given him his high rank in literature.

Pedro de Alarcón (1833–91) vacillated between liberalism and conservatism and between romanticism and realism. He tried writing all kinds of novels but never attained much success except as a realist. In his masterpiece, *El sombrero de tres picos* (1874), he depicts with characteristic humor and inimitable skill in handling an elaborate plot, the life and customs of a small Andalusian city.

Armando Palacio Valdés (1853–1938) attained his first success with a novel of liberal tendencies, *Marta y María* (1883), and continued to produce regional novels up to the 1930's. He describes his native region, Asturias, in his masterpiece, *La aldea perdida* (1903), which shows the bad effects of progress when miners invade and spoil a charming village, and in *José* (1885), a delightful idyll of the life of fisher folk. He also showed an unusual ability for assimilating the local color of other regions, as in *La hermana San Sulpicio* (1889), set in Andalucía, and *La alegría del capitán Ribot* (1899), which takes place in Valencia.

Juan Valera

えんのえん
んの

Juan Valera (1824–1905) belonged to a family of the upper social stratum. His father owned estates in Andalucía and was an officer in the navy, and his mother was of noble blood. After taking his college degree, he devoted most of his life to the diplomatic service, giving over to literature only two short periods (1868–81 and 1895–1905). In his youth he was sent to the consulate at Naples, where he had as his chief the Duque de Rivas and where he became thoroughly imbued with classical art and literature, studying Greek with a charming and witty Rumanian lady. In rapid succession he held posts in Portugal, Brazil, Germany, and Russia. The political upheavals of 1868 left him without a position and he retired to his Andalusian estate. Here he devoted himself to writing, producing his first and most famous novel, *Pepita Jiménez*, in 1874. Between 1881 and 1895 he was Spanish Minister to Lisbon, Washington, Brussels, and Vienna. The last ten years of his life were devoted largely to critical writing.

Valera's character is a very unusual one for a Spaniard. We may call him an elegant pagan, understanding by paganism that worship of life and physical beauty which we associate with the ancient Greeks. Valera never made the distinction between the flesh and the spirit, the one bad and the other good, which so often appears in Christianity, but which never formed an element of Greek thought. For him, as for them, earthly love, material beauty, and refined sensualism were commingled with and undivided from beauty of mind and soul.

In his novels, Valera always seems to be an Olympian figure, urbane, well bred, and aloof from the literary theories and quarrels of his time.

His emotions are always deliberately held in restraint. But we know from his letters—of which several thousand still exist—that he was subject to emotional disturbances—boredom, ambition, love. His work is always well proportioned, and always gives great stress to form. Hence Valera is one of the few Spaniards to catch the true classic spirit, not in the narrow sense of the literary "rules," but in the broader sense of moderation, proportion, and restraint. His studies of Greek and Latin and his travels in Italy prepared him for this point of view.

Valera did not copy anyone in literature, but formed a literary code based on his own preferences. In opposition to almost all the writers of his century, he believed that art should avoid social and political quarrels and should not strive to teach or to propagandize. But, since Valera was a very subtle person we sometimes detect a hidden didactic note in his novels. However, the main purpose of his art was beauty; therefore, Valera's code can be summed up in the phrase, "art for art's sake." He did not insist on an exact copying of nature. Although most of his novels are set in Andalucía, they are not strictly regional and contain little of the *costumbrista* element, which is so typical of most of the novels of the nineteenth century. Valera tends to idealize the scene, and his classical feeling makes it more universal (capable of being anywhere) than specifically Andalusian (regional). However, he believed that the psychological reality of the characters must be faithfully observed, although through personal preference he always chose to write about beautiful persons, never sordid or base ones. In his best novels he delicately analyzes the minds of his characters, showing himself to be a consummate psychologist.

While Valera was never truly popular with the masses, his artistic perfection will always find him readers among the cultivated public.*

Pepita Jiménez (abridged)

Nescit labi virtus.[1]

El señor Deán de la catedral de ***, muerto pocos años ha, dejó entre sus papeles un legajo, que rodando de unas manos en otras, ha venido a dar en las mías, sin que, por extraña fortuna, se haya perdido uno solo de los documentos de que constaba . . .

* List of important books:
  Pepita Jiménez
  Doña Luz
  Las ilusiones del Dr. Faustino
  El comendador Mendoza
  Juanita la larga
  besides many volumes of critical works.
  1. Latin: Virtue cannot be overcome.

Contiene el legajo tres partes. La primera dice: *Cartas de mi sobrino;* la segunda, *Paralipómenos,*[2] y la tercera, *Epílogo.—Cartas de mi hermano* . . .

Las cartas que la primera parte contiene parecen escritas por un joven de pocos años, con algún conocimiento teórico, pero con ninguna práctica de las cosas del mundo, educado al lado del señor Deán, su tío, y en el Seminario, y con gran fervor religioso y empeño decidido de ser sacerdote.

A este joven llamaremos D. Luis de Vargas.

El mencionado *manuscrito,* fielmente trasladado a la estampa, es como sigue:

I. *Cartas de mi Sobrino*
22 *de marzo.*

Querido tío y venerado maestro: Hace cuatro días que llegué con toda felicidad a este lugar de mi nacimiento, donde he hallado bien de salud a mi padre, al señor Vicario y a los amigos y parientes. El contento de verlos y de hablar con ellos, después de tantos años de ausencia, me ha embargado el ánimo y me ha robado el tiempo, de suerte que hasta ahora no he podido escribir a usted.

Usted me lo perdonará.

Como salí de aquí tan niño y he vuelto hecho un hombre, es singular la impresión que me causan todos estos objetos que guardaba en la memoria. Todo me parece más chico, mucho más chico, pero también más bonito que el recuerdo que tenía. La casa de mi padre, que en mi imaginación era inmensa, es sin duda una gran casa de un rico labrador, pero más pequeña que el Seminario. Lo que ahora comprendo y estimo mejor es el campo de por aquí.[3] Las huertas, sobre todo, son deliciosas. ¡Qué sendas tan lindas hay entre ellas! A un lado, y tal vez a ambos, corre el agua cristalina con grato murmullo. Las orillas de las acequias están cubiertas de hierbas olorosas y de flores de mil clases. En un instante puede uno coger un gran ramo de violetas. Dan sombra a estas sendas pomposos y gigantescos nogales, higueras y otros árboles, y forman los vallados la zarzamora, el rosal, el granado y la madreselva.

Es portentosa la multitud de pajarillos que alegran estos campos y alamedas.

Yo estoy encantado con las huertas, y todas las tardes me paseo por ellas un par de horas.

Mi padre quiere llevarme a ver sus olivares, sus viñas, sus cortijos; pero nada de esto hemos visto aún. No he salido del lugar y de las amenas huertas que le circundan.

Es verdad que no me dejan parar con tanta visita.

Hasta cinco mujeres han venido a verme,[4] que todas han sido mis amas y me han abrazado y besado.

Todos me llaman Luisito o el niño de D. Pedro, aunque tengo ya veintidós años cumplidos. Todos preguntan a mi padre por el niño cuando no estoy presente.

Se me figura que son inútiles los libros que he traído para leer, pues ni un instante me dejan solo.

La dignidad de cacique, que yo creía cosa de broma, es cosa harto seria. Mi padre es el cacique del lugar.

Apenas hay aquí quien acierte a comprender lo que llaman mi manía de hacerme clérigo, y esta buena gente me dice, con un candor selvático, que debo ahorcar los hábitos,[5] que el ser clérigo está bien para los pobretones; pero que

---

2. The books of the Chronicles in the Old Testament. Since these books supplement the preceding Books of the Kings, their name indicates "a supplementary account" (from the Greek "left aside").

3. *de por aquí,* around here; or, of this region

4. Supply: *diciendo*

5. Literally, to hang up the robes; figuratively, to give up studying for the priesthood

yo, que soy un rico heredero, debo casarme y consolar la vejez de mi padre, dándole media docena de hermosos y robustos nietos.

Para adularme y adular a mi padre, dicen hombres y mujeres que soy un real mozo, muy salado, que tengo mucho ángel,[6] que mis ojos son muy pícaros y otras sandeces que me afligen, disgustan y avergüenzan, a pesar de que no soy tímido y conozco las miserias y locuras de esta vida, para no escandalizarme ni asustarme de nada.

El único defecto que hallan en mí es el de que estoy muy delgadito a fuerza de estudiar. Para que engorde se proponen no dejarme estudiar ni leer un papel mientras aquí permanezca, y además hacerme comer cuantos primores de cocina y de repostería se confeccionan en el lugar. Está visto: quieren cebarme. No hay familia conocida que no me haya enviado algún obsequio. Ya me envían una torta de bizcocho, ya un cuajado, ya una pirámide de piñonate, ya un tarro de almíbar.

Los obsequios que me hacen no son sólo estos presentes enviados a casa, sino que también me han convidado a comer tres o cuatro personas de las más importantes del lugar.

Mañana como en casa de la famosa Pepita Jiménez, de quien usted habrá oído hablar, sin duda alguna. Nadie ignora aquí que mi padre la pretende.

Mi padre, a pesar de sus cincuenta y cinco años, está tan bien, que puede poner envidia a los más gallardos mozos del lugar. Tiene, además, el atractivo poderoso, irresistible para algunas mujeres, de sus pasadas conquistas, de su celebridad, de haber sido una especie de Don Juan Tenorio.

No conozco aún a Pepita Jiménez.

Todos dicen que es muy linda. Yo sospecho que será una beldad lugareña y algo rústica. Por lo que de ella se cuenta, no acierto a decir si es buena o mala moralmente; pero sí que es de gran despejo natural. Pepita tendrá veinte años; es viuda; sólo tres años estuvo casada. Era hija de doña Francisca Gálvez, viuda, como usted sabe, de un capitán retirado

Que le dejó a su muerte
Sólo su honrosa espada por herencia,

según dice el poeta. Hasta la edad de diez y seis años, vivió Pepita con su madre en la mayor estrechez, casi en la miseria.

Tenía un tío llamado D. Gumersindo, poseedor de un mezquinísimo mayorazgo, de aquellos que en tiempos antiguos una vanidad absurda fundaba. Cualquiera persona regular hubiera vivido con las rentas de este mayorazgo en continuos apuros, llena tal vez de trampas, y sin acertar a darse el lustre y decoro propios de su clase; pero D. Gumersindo era un ser extraordinario; el genio de la economía. No se podía decir que crease riqueza; pero tenía una extraordinaria facultad de absorción con respecto a la de los otros, y en punta a[7] consumirla, será difícil hallar sobre la tierra persona alguna en cuyo mantenimiento, conservación y bienestar hayan tenido menos que afanarse la madre naturaleza y la industria humana. No se sabe cómo vivió; pero el caso es que vivió hasta la edad de ochenta años, ahorrando sus rentas íntegras y haciendo crecer su capital por medio de préstamos muy sobre seguro.[8] Nadie por aquí le critica de usurero, antes bien le califican de caritativo, porque siendo moderado en todo, hasta en la usura lo era, y no solía llevar más de un 10 por 100[9] al año, mientras que en

---

6. *tener mucho ángel,* to have the gift of pleasing
7. *en punto a,* with respect to

8. *muy sobre seguro,* very secure
9. per cent

toda esta comarca llevan un 20 y hasta un 30 por 100, y aun parece poco . . .

Las prendas de su sencillo vestuario estaban algo raídas, pero sin una mancha y saltando de limpias,[10] aunque de tiempo inmemorial se le conocía la misma capa, el mismo chaquetón y los mismos pantalones y chaleco. A veces se interrogaban en balde las gentes unas a otras a ver si alguien le había visto estrenar una prenda.

Con todos estos defectos, que aquí y en otras partes muchos consideran virtudes, aunque virtudes exageradas, D. Gumersindo tenía excelentes cualidades: era afable, servicial, compasivo, y se desvivía por complacer y ser útil a todo el mundo, aunque le costase trabajos, desvelos y fatiga, con tal que no le costase un real. Alegre y amigo de chanzas y de burlas, se hallaba en todas las reuniones y fiestas, cuando no eran a escote,[11] y las regocijaba con la amenidad de su trato y con su discreta, aunque poco ática, conversación. Nunca había tenido inclinación alguna amorosa a una mujer determinada; pero inocentemente, sin malicia, gustaba de todas, y era el viejo más amigo de requebrar a las muchachas y que más las hiciese reir que había en diez leguas a la redonda.

Ya he dicho que era tío de la Pepita. Cuando frisaba en los ochenta años, iba ella a cumplir los diez y seis. Él era poderoso; ella pobre y desvalida.

La madre de ella era una mujer vulgar, de cortas luces y de instintos groseros. Adoraba a su hija, pero continuamente y con honda amargura se lamentaba de los sacrificios que por ella hacía, de las privaciones que sufría y de la desconsolada vejez y triste muerte que iba a tener en medio de tanta pobreza . . .

En tan angustiosa situación empezó D. Gumersindo a frecuentar la casa de Pepita y de su madre y a requebrar a Pepita con más ahinco y persistencia que solía requebrar a otras. Era, con todo, tan inverosímil y tan desatinado el suponer que un hombre que había pasado ochenta años sin querer casarse pensase en tal locura cuando ya tenía pie en el sepulcro, que ni la madre de Pepita, ni Pepita mucho menos, sospecharon jamás los en verdad atrevidos pensamientos de D. Gumersindo. Así es que un día ambas se quedaron atónitas y pasmadas cuando, después de varios requiebros, entre burlas y veras, D. Gumersindo soltó con la mayor formalidad, y a boca de jarro,[12] la siguiente categórica pregunta:

—Muchacha, ¿quieres casarte conmigo?

Pepita, aunque la pregunta venía después de mucha broma y pudiera tomarse por broma, y aunque inexperta de las cosas del mundo, por cierto instinto adivinatorio que hay en las mujeres, y sobre todo en las mozas, por cándidas que sean, conoció que aquello iba por lo serio,[13] se puso colorada como una guinda y no contestó nada. La madre contestó por ella.

—Niña, no seas mal criada;[14] contesta a tu tío lo que debes contestar: Tío, con mucho gusto; cuando usted quiera.

Este *Tío, con mucho gusto; cuando usted quiera*, entonces y varias veces después, dicen que salió casi mecánicamente de entre los trémulos labios de Pepita, cediendo a las amonestaciones, a los discursos, a las quejas y hasta al mandato imperioso de su madre.

Veo que me extiendo demasiado en hablar a usted de esta Pepita Jiménez y de su historia; pero me interesa, y supongo que debe interesarle, pues si es cierto lo que aquí aseguran, va a ser

---

10. *saltar de limpias*, to be spotlessly clean
11. Dutch-treat, each one paying his own scot
12. *a boca de jarro*, point-blank
13. was in earnest
14. *mal criada*, impolite

cuñada de usted y madrastra mía. Procuraré, sin embargo, no detenerme en pormenores, y referir, en resumen, cosas que acaso usted ya sepa, aunque hace tiempo que falta de aquí.

Pepita Jiménez se casó con D. Gumersindo.

La envidia se desencadenó contra ella en los días que precedieron a la boda, y algunos meses después.

En efecto, el valor moral de este matrimonio es harto discutible; mas para la muchacha, si se atiende a los ruegos de su madre, a sus quejas, hasta a su mandato; si se atiende a que ella creía por este medio proporcionar a su madre una vejez descansada . . . fuerza es confesar que merece atenuación la censura. Por otra parte, ¿cómo penetrar en lo íntimo del corazón, en el secreto escondido de la mente juvenil de una doncella, criada tal vez con recogimiento exquisito e ignorante de todo, y saber qué idea podía ella formarse del matrimonio? Tal vez entendió que casarse con aquel viejo era consagrar su vida a cuidarle, a ser su enfermera, a dulcificar los últimos años de su vida, a no dejarle en soledad y abandono, cercado sólo de achaques y asistido por manos mercenarias, y a iluminar y dorar, por último, sus postrimerías con el rayo esplendente y suave de su hermosura y de su juventud, como ángel que toma forma humana. Si algo de esto o todo esto pensó la muchacha, y en su inocencia no penetró en otros misterios, salva queda la bondad de lo que hizo.

Como quiera que sea, dejando a un lado estas investigaciones psicológicas que no tengo derecho a hacer, pues no conozco a Pepita Jiménez, es lo cierto que ella vivió en santa paz con el viejo durante tres años; que el viejo parecía más feliz que nunca; que ella le cuidaba y regalaba con esmero admirable, y que en su última y penosa enfermedad le atendió y veló con infatigable y tierno afecto, hasta que el viejo murió en sus brazos dejándola heredera de una gran fortuna.

Aunque hace más de dos años que perdió a su madre, y más de año y medio que enviudó, Pepita lleva aún el luto de viuda. Su compostura, su vivir retirado y su melancolía son tales, que cualquiera pensaría que llora la muerte del marido como si hubiera sido un hermoso mancebo. Tal vez alguien presume o sospecha que la soberbia de Pepita y el conocimiento cierto que tiene hoy de los poco poéticos medios con que se ha hecho rica, traen su conciencia alterada y más que escrupulosa; y que, avergonzada a sus propios ojos y a los de los hombres, busca en la austeridad y en el retiro consuelo y reparo a la herida de su corazón . . .

Pepita, pues, con dinero y siendo además hermosa, y haciendo, como dicen todos, buen uso de su riqueza, se ve en el día considerada y respetada extraordinariamente. De este pueblo y de todos los de las cercanías han acudido a pretenderla los más brillantes partidos, los mozos mejor acomodados. Pero ella los desdeña a todos con extremada dulzura, procurando no hacerse ningún enemigo, y se supone que tiene llena el alma de la más ardiente devoción, y que su constante pensamiento es consagrar su vida a ejercicios de caridad y de piedad religiosa.

Mi padre no está más adelantado ni ha salido mejor librado, según dicen, que los demás pretendientes; pero Pepita, para cumplir el refrán de que no quita lo cortés a lo valiente,[15] se esmera en mostrarle la amistad más franca, afectuosa y desinteresada. Se deshace con él

---

15. *no quita lo cortés a lo valiente*, being brave does not keep one from being courteous

en obsequios y atenciones; y siempre que mi padre trata de hablarle de amor, le pone a raya[16] echándole un sermón dulcísimo, trayéndole a la memoria sus pasadas culpas, y tratando de desengañarle del mundo y de sus pompas vanas.

Confieso a usted que empiezo a tener curiosidad de conocer a esta mujer; tanto oigo hablar de ella. No creo que mi curiosidad carezca de fundamento, tenga nada de vano ni de pecaminoso; yo mismo siento lo que dice Pepita:[17] yo mismo deseo que mi padre, en su edad provecta, venga a mejor vida, olvide y no renueve las agitaciones y pasiones de su mocedad, y llegue a una vejez tranquila, dichosa y honrada. Sólo difiero del sentir de Pepita en una cosa: en creer que mi padre, mejor que quedándose soltero, conseguiría esto casándose con una mujer digna, buena y que le quisiese. Por esto mismo deseo conocer a Pepita y ver si ella puede ser esta mujer, pesándome[18] ya algo, y tal vez entre en esto cierto orgullo de familia, que si es malo quisiera desechar, los desdenes, aunque melifluos y afectuosos, de la mencionada joven viuda.

Si tuviera yo otra condición, preferiría que mi padre se quedase soltero. Hijo único entonces, heredaría todas sus riquezas, y como si dijéramos[19] nada menos que el cacicato de este lugar; pero usted sabe bien lo firme de mi resolución.

Aunque indigno y humilde, me siento llamado al sacerdocio, y los bienes de la tierra hacen poca mella[20] en mi ánimo. Si hay algo en mí del ardor de la juventud y de la vehemencia de las pasiones propias de dicha edad, todo habrá de emplearse en dar pábulo a una caridad activa y fecunda. Hasta los muchos libros que usted me ha dado a leer, y mi conocimiento de la historia de las antiguas civilizaciones de los pueblos del Asia, unen en mí la curiosidad científica al deseo de propagar la fe, y me convidan y excitan a irme de misionero al remoto Oriente.[21] Yo creo que no bien salga de este lugar, donde usted mismo me envía a pasar algún tiempo con mi padre, y no bien me vea elevado a la dignidad del sacerdocio, y aunque ignorante y pecador como soy, me sienta revestido por don sobrenatural y gratuito, merced a la soberana bondad del Altísimo, de la facultad de perdonar los pecados y de la misión de enseñar a las gentes, y reciba[22] el perpetuo y milagroso favor de traer a mis manos impuras al mismo Dios humanado, dejaré a España y me iré a tierras distantes a predicar el Evangelio.

. . . usted me ha enseñado a analizar lo que el alma siente, a buscar su origen bueno o malo, a escudriñar los más hondos senos del corazón, a hacer, en suma, un escrupuloso examen de conciencia . . .

Digo todo esto porque quiero hablar a usted de un asunto tan delicado, tan vidrioso, que apenas hallo términos con que expresarle. En resolución, yo me pregunto a veces: este propósito[23] mío, ¿tendrá por fundamento, en parte al menos, el carácter de mis relaciones con mi padre? En el fondo de mi corazón, ¿he sabido perdonarle su conducta con mi pobre madre, víctima de sus liviandades?[24]

Lo examino detenidamente y no hallo

16. *poner a raya*, to check
17. I regret what Pepita says; that is, that she rejects my father's advances
18. *pesándome* has *los desdenes* as its subject
19. *y . . . dijéramos*, and we might say
20. *hacer poca mella*, to make little impression
21. Our first glimpse of the romantic nature of our hero. In his mind being a priest is joined with travels in distant and mysterious lands
22. Depends on *no bien*, seven lines above
23. i.e., his plan of leaving Spain for distant missions
24. The implication here and later is that Luis's father had not married his mother.

un átomo de rencor en mi pecho. Muy al contrario, la gratitud lo llena todo. Mi padre me ha criado con amor; ha procurado honrar en mí la memoria de mi madre, y se diría que al criarme, al cuidarme, al mimarme, al esmerarse conmigo cuando pequeño, trataba de aplacar su irritada sombra, si la sombra, si el espíritu de ella, que era un ángel de bondad y de mansedumbre, hubiera sido capaz de ira. Repito, pues, que estoy lleno de gratitud hacia mi padre; él me ha reconocido, y además, a la edad de diez años me envió con usted, a quien debo cuanto soy.

Si hay en mi corazón algún germen de virtud; si hay en mi mente algún principio de ciencia; si hay en mi voluntad algún honrado y buen propósito, a usted lo debo . . .

Adiós, tío: en adelante escribiré a usted a menudo y tan por extenso como me tiene encargado, si bien no tanto como hoy, para no pecar de prolijo.

28 de marzo.

Me voy cansando de mi residencia en este lugar, y cada día siento más deseo de volverme con usted y de recibir las órdenes; pero mi padre quiere acompañarme, quiere estar presente en esa gran solemnidad y exige de mí que permanezca aquí con él dos meses por lo menos. Está[25] tan afable, tan cariñoso conmigo, que sería imposible no darle gusto en todo. Permaneceré, pues, aquí el tiempo que él quiera. Para complacerle me violento y procuro aparentar que me gustan las diversiones de aquí, las jiras campestres y hasta la caza, a todo lo cual le acompaño. Procuro mostrarme más alegre y bullicioso de lo que naturalmente soy. Como en el pueblo, medio de burla, medio en son de elogio, me llaman

el *santo,* yo por modestia trato de disimular estas apariencias de santidad o de suavizarlas y humanarlas con la virtud de la eutrapelia,[26] ostentando una alegría serena y decente, la cual nunca estuvo reñida ni con la santidad ni con los santos. Confieso, con todo, que las bromas y fiestas de aquí, que los chistes groseros y el regocijo estruendoso, me cansan . . .

Hace tres días tuvimos el convite, de que hablé a usted, en casa de Pepita Jiménez. Como esta mujer vive tan retirada, no la conocí hasta el día del convite; me pareció, en efecto, tan bonita como dice la fama, y advertí que tiene con mi padre una afabilidad tan grande, que le da alguna esperanza, al menos miradas las cosas someramente, de que al cabo ceda y acepte su mano.

Como es posible que sea mi madrastra, la he mirado con detención y me parece una mujer singular, cuyas condiciones morales no atino a determinar con certidumbre. Hay en ella un sosiego, una paz exterior, que puede provenir de frialdad de espíritu y de corazón, de estar muy sobre sí[27] y de calcularlo todo, sintiendo poco o nada, y pudiera provenir también de otras prendas que hubiera en su alma; de la tranquilidad de su conciencia, de la pureza de sus aspiraciones y del pensamiento de cumplir en esta vida con los deberes que la sociedad impone, fijando la mente, como término, en esperanzas más altas. Ello es lo cierto que,[28] o bien porque en esta mujer todo es cálculo, sin elevarse su mente a superiores esferas, o bien porque enlaza la prosa del vivir y la poesía de sus ensueños en una perfecta armonía, no hay en ella nada que desentone del cuadro general en que está colocada, y, sin embargo, posee una distinción natural, que la levanta y separa

---

25. *Está* instead of the usual *es* because the reference is to one particular period, not to his habitual characteristic.

26. moderation
27. *sobre sí,* sure of herself
28. *Ello . . . que,* The fact is that

de cuanto la rodea. No afecta vestir traje aldeano ni se viste tampoco según la moda de las ciudades: mezcla ambos estilos en su vestir, de modo que parece una señora, pero una señora de lugar. Disimula mucho, a lo que yo presumo, el cuidado que tiene de su persona; no se advierten en ella ni cosméticos ni afeites; pero la blancura de sus manos, las uñas tan bien cuidadas y acicaladas, y todo el aseo y pulcritud con que está vestida, denotan que cuida de estas cosas más de lo que pudiera creerse en una persona que vive en un pueblo y que además dicen que desdeña las vanidades del mundo y sólo piensa en las cosas del cielo.

Tiene la casa limpísima y todo en un orden perfecto. Los muebles no son artísticos ni elegantes; pero tampoco se advierte en ellos nada de pretencioso y de mal gusto. Para poetizar su estancia, tanto en el patio como en las salas y galerías, hay multitud de flores y plantas. No tiene, en verdad, ninguna planta rara ni ninguna flor exótica; pero sus plantas y sus flores, de lo más común que hay por aquí, están cuidadas con extraordinario mimo.

Varios canarios en jaulas doradas animan con sus trinos toda la casa. Se conoce que el dueño de ella necesita seres vivos en quien poner algún cariño; y, a más de algunas criadas, que se diría que ha elegido con empeño, pues no puede ser mera casualidad el que[29] sean todas bonitas, tiene, como las viejas solteronas, varios animales que le hacen compañía: un loro, una perrita de lanas muy lavada y dos o tres gatos, tan mansos y sociables, que se le ponen a uno encima.[30]

En un extremo de la sala principal hay algo como oratorio, donde resplandece un Niño Jesús de talla, blanco y rubio,[31] con ojos azules y bastante guapo. Su vestido[32] es de raso blanco, con manto azul lleno de estrellitas de oro, y todo él está cubierto de dijes y de joyas. El altarito en que está el Niño Jesús se ve adornado de flores, y alrededor macetas de brusco y lauréola, y en el altar mismo, que tiene gradas o escaloncitos, mucha cera ardiendo.

Al ver todo esto, no sé qué pensar; pero más a menudo me inclino a creer que la viuda se ama a sí misma sobre todo, y que para recreo y para efusión de este amor tiene los gatos, los canarios, las flores y al propio Niño Jesús, que en el fondo de su alma tal vez no esté muy por encima de los canarios y de los gatos . . .

Asistieron al convite el médico, el escribano y el señor Vicario, grande amigo de la casa y padre espiritual de Pepita.

El señor Vicario debe de tener un alto concepto de ella, porque varias veces me habló aparte de su caridad, de las muchas limosnas que hacía, de lo compasiva[33] y buena que era para todo el mundo; en suma, me dijo que era una santa.

Oído el señor Vicario, y fiándome en su juicio, yo no puedo menos de desear que mi padre se case con la[34] Pepita. Como mi padre no es a propósito para hacer vida penitente, éste sería el único modo de que cambiase su vida, tan agitada y tempestuosa hasta aquí, y de que viniese a parar a un término, si no ejemplar, ordenado y pacífico.

Cuando nos retiramos de casa de Pepita Jiménez y volvimos a la nuestra, mi

---

29. the fact that
30. se . . . encima, they climb all over one
31. de talla, blanco y rubio, of carved wood, painted white and gold
32. In Spain it is customary to dress holy images in clothes.

33. de lo compasiva, of how compassionate
34. The article before a woman's name indicates familiarity and often, as here, a little scorn.

padre me habló resueltamente de su proyecto: me dijo que él había sido un gran calavera, que había llevado una vida muy mala y que no veía medio de enmendarse, a pesar de sus años, si aquella mujer, que era su salvación, no le quería y se casaba con él. Dando ya por supuesto[35] que iba a quererle y a casarse, mi padre me habló de intereses: me dijo que era muy rico y que me dejaría mejorado, aunque tuviese varios hijos más.

Yo le respondí que para los planes y fines de mi vida necesitaba harto poco dinero, y que mi mayor contento sería verle dichoso con mujer e hijos, olvidado de sus antiguos devaneos. Me habló luego mi padre de sus esperanzas amorosas, con un candor y con una vivacidad tales, que se diría que yo era el padre y el viejo, y él un chico de mi edad o más joven. Para ponderarme el mérito de la novia y la dificultad del triunfo, me refirió las condiciones y excelencias de los quince o veinte novios que Pepita había tenido, y que todos habían llevado calabazas.[36] En cuanto a él, según me explicó, hasta cierto punto las había también llevado; pero se lisonjeaba de que no fuesen definitivas, porque Pepita le distinguía tanto y le mostraba tan grande afecto, que, si aquello no era amor, pudiera fácilmente convertirse en amor con el largo trato y con la persistente adoración que él le consagraba . . .

Tales son, querido tío, las preocupaciones y ocupaciones de mi padre en este pueblo, y las cosas tan extrañas para mí y tan ajenas a mis propósitos y pensamientos de que me habla con frecuencia, y sobre las cuales quiere que dé mi voto.

No parece sino que la excesiva indulgencia de usted para conmigo ha hecho cundir aquí mi fama de hombre de consejo; paso por un pozo de ciencia; todos me refieren sus cuitas y me piden

que les muestre el camino que deben seguir. Hasta el bueno del señor Vicario, aun exponiéndose a revelar algo como secretos de confesión, ha venido ya a consultarme sobre varios casos de conciencia que se le han presentado en el confesionario.

Mucho me ha llamado la atención uno de estos casos, que me ha sido referido por el Vicario, como todos, con profundo misterio y sin decirme el nombre de la persona interesada. Cuenta el señor Vicario que una hija suya de confesión tiene grandes escrúpulos porque se siente llevada, con irresistible impulso, hacia la vida solitaria y contemplativa; pero teme, a veces, que este fervor de devoción no venga acompañado de una verdadera humildad, sino que en parte le promueva y excite el mismo demonio del orgullo . . .

Sobre este caso de conciencia, harto alambicado y sutil para que así preocupe a una lugareña, ha venido a consultarme el padre Vicario. Yo he querido excusarme de decir nada, fundándome en mi inexperiencia y pocos años; pero el señor Vicario se ha obstinado de tal suerte, que no he podido menos de discurrir sobre el caso. He dicho, y mucho me alegraría de que usted aprobase mi parecer, que lo que importa a esta hija de confesión atribulada es mirar con mayor benevolencia a los hombres que la rodean, y en vez de analizar y desentrañar sus[37] faltas con el escalpelo de la crítica, tratar de cubrirlas con el manto de la caridad, haciendo resaltar todas las buenas cualidades de ellos y ponderándolas mucho, a fin de amarlos y estimarlos; que debe esforzarse por ver en cada ser humano un objeto digno de amor, un verdadero prójimo, un igual suyo, un alma en cuyo fondo hay un tesoro de excelentes prendas y virtudes, un ser hecho, en suma, a imagen y semejanza de Dios . . .

---

35. *Dando . . . supuesto,* Assuming
36. *llevar calabazas,* to be rejected

37. their

Si, como sospecho, es Pepita Jiménez la que ha consultado al señor Vicario sobre estas dudas y tribulaciones, me parece que mi padre no puede lisonjearse todavía de ser muy querido; pero si el Vicario acierta a darla mi consejo, y ella le acepta y pone en práctica, o vendrá a hacerse una María de Ágreda[38] o cosa por el estilo, o, lo que es más probable, dejará a un lado misticismos y desvíos, y se conformará y contentará con aceptar la mano y el corazón de mi padre, que en nada es inferior a ella.

4 de abril.

La monotonía de mi vida en este lugar empieza a fastidiarme bastante, y no porque la vida mía en otras partes haya sido activa físicamente; antes al contrario, aquí me paseo mucho a pie y a caballo, voy al campo, y por complacer a mi padre concurro a casinos[39] y reuniones; en fin, vivo como fuera de mi centro y de mi modo de ser; pero mi vida intelectual es nula: no leo un libro ni apenas me dejan un momento para pensar y meditar sosegadamente; y como el encanto de mi vida estribaba en estos pensamientos y meditaciones, me parece monótona la que hago ahora. Gracias a la paciencia que usted me ha recomendado para todas las ocasiones, puedo sufrirla.

Otra causa de que mi espíritu no esté completamente tranquilo es el anhelo, que cada día siento más vivo, de tomar el estado a que resueltamente me inclino desde hace años. Me parece que en estos momentos, cuando se halla tan cercana la realización del constante sueño de mi vida, es como una profanación distraer la mente hacia otros objetos. Tanto me atormenta esta idea y tanto cavilo sobre ella, que mi admiración por la belleza de las cosas creadas, por el cielo tan lleno de estrellas en estas serenas noches de primavera y en esta región de Andalucía; por estos alegres campos, cubiertos ahora de verdes sembrados, y por estas frescas y amenas huertas con tan lindas y sombrías alamedas, con tantos mansos arroyos y acequias, con tanto lugar[40] apartado y esquivo, con tanto pájaro que le da música, y con tantas flores y hierbas olorosas: esta admiración y entusiasmo mío, repito, que en otro tiempo me parecían avenirse por completo con el sentimiento religioso que llenaba mi alma, excitándole y sublimándole en vez de debilitarle, hoy casi me parecen pecaminosa distracción e imperdonable olvido de lo eterno por lo temporal, de lo increado y suprasensible por lo sensible y creado . . . Harto sé que no peco amando las cosas por el amor de Dios, lo cual es amarlas por ellas con rectitud; porque, ¿qué son ellas más que la manifestación, la obra del amor de Dios? Y, sin embargo, no sé qué extraño temor, qué singular escrúpulo, qué apenas perceptible e indeterminado remordimiento me atormenta ahora, cuando tengo, como antes, como en otros días de mi juventud, como en la misma niñez, alguna efusión de ternura, algún rapto de entusiasmo, al penetrar en una enramada frondosa, al oir el canto del ruiseñor en el silencio de la noche, al escuchar el pío de las golondrinas, al sentir el arrullo enamorado de la tórtola, al ver las flores o al mirar las estrellas. Se me figura a veces que hay en todo esto algo de delectación sensual, algo que me hace olvidar, por un momento al menos, más altas aspiracio-

---

38. A Franciscan nun of the seventeenth century, noted for her mystic visions, often consulted on matters of policy by Felipe IV.

39. The *casino* of a Spanish town is a club open to all men of the same social standing.

40. Translate by the plural.

nes[41] . . . Porque yo me digo: si amo la hermosura de las cosas terrenales tales como ellas son, y si la amo con exceso, es idolatría: debo amarla como signo, como representación de una hermosura oculta y divina, que vale mil veces más, que es incomparablemente superior en todo.

Hace pocos días cumplí veintidós años. Tal ha sido hasta ahora mi fervor religioso, que no he sentido más amor que el inmaculado amor de Dios mismo y de su santa religión, que quisiera difundir y ver triunfante en todas las regiones de la tierra. Confieso que algún sentimiento profano se ha mezclado con esta pureza de afecto. Usted lo sabe, se lo he dicho mil veces; y usted, mirándome con su acostumbrada indulgencia, me ha contestado que el hombre no es un ángel, y que sólo pretender tanta perfección es orgullo; que debo moderar esos sentimientos y no empeñarme en ahogarlos del todo. El amor a la ciencia, el amor a la propia gloria, adquirida por la ciencia misma, hasta el formar uno de sí propio no desventajoso concepto; todo ello, sentido con moderación, velado y mitigado por la humildad cristiana y encaminado a buen fin, tiene, sin duda, algo de egoísta; pero puede servir de estímulo y apoyo a las más firmes y nobles resoluciones. No es, pues, el escrúpulo que me asalta hoy el de mi orgullo, el de tener sobrada confianza en mí mismo, el de ansiar gloria mundana, o el de ser sobrado curioso de ciencia: no es nada de esto; nada que tenga relación con el egoísmo, sino en cierto modo lo contrario. Siento una dejadez, un quebranto, un abandono de la voluntad, una facilidad tan grande para las lágrimas; lloro tan fácilmente de ternura al ver una florecilla bonita, al contemplar el rayo misterioso, tenue y ligerísimo de una remota estrella, que casi tengo miedo.[42]

Dígame usted qué piensa de estas cosas; si hay algo de enfermizo en esta disposición de mi ánimo.

8 de abril.

Siguen las diversiones campestres, en que tengo que intervenir muy a pesar mío.

He acompañado a mi padre a ver casi todas sus fincas, y mi padre y sus amigos se pasman de que yo no sea completamente ignorante de las cosas del campo. No parece sino que para ellos el estudio de la teología, a que me he dedicado, es contrario del todo al conocimiento de las casas naturales. ¡Cuánto han admirado mi erudición al verme distinguir en las viñas, donde apenas empiezan a brotar los pámpanos, la cepa Pedro-Jiménez[43] de la baladí y de la de Don Bueno![43] ¡Cuánto han admirado también que en los verdes sembrados sepa yo distinguir la cebada del trigo y el anís de las habas; que conozca muchos árboles frutales y de sombra, y que, aun de las hierbas que nacen espontáneamente en el campo, acierte yo con varios nombres y refiera bastantes condiciones y virtudes!

Pepita Jiménez, que ha sabido por mi padre lo mucho que me gustan las huertas de por aquí, nos ha convidado a ver una que posee a corta distancia del lugar, y a comer las fresas tempranas que en ella se crían. Este antojo de Pepita de obsequiar tanto a mi padre, quien la pretende y a quien desdeña, me parece a menudo que tiene su poco de coquetería, digna de reprobación; pero cuando veo

---

41. Valera makes skillful use of Nature throughout this book. Luis's growing admiration for it parallels his increasing concern with Pepita Jiménez, in which Nature is also playing its role.

42. Valera delicately reveals to us the psychological state of one who without realizing it is on the brink of falling in love. His condition is that of one who is "in love with love," not with any specific person.

43. Names of kinds of grapevines

a Pepita después, y la hallo tan natural, tan franca y tan sencilla, se me pasa el mal pensamiento e imagino que todo lo hace candorosamente y que no la lleva otro fin que el de conservar la buena amistad que con mi familia la liga.

Sea como sea, anteayer tarde fuimos a la huerta de Pepita. Es hermoso sitio, de lo más ameno y pintoresco que pueda imaginarse. El riachuelo que riega casi todas estas huertas, sangrado por mil acequias, pasa al lado de la que visitamos; se forma allí una presa, y cuando se suelta el agua sobrante del riego, cae en un hondo barranco poblado en ambas márgenes de álamos blancos y negros, mimbrones, adelfas floridas y otros árboles frondosos. La cascada, de agua limpia y transparente, se derrama en el fondo, formando espuma, y luego sigue su curso tortuoso por un cauce que la naturaleza misma ha abierto, esmaltando sus orillas de mil hierbas y flores, y cubriéndolas ahora de multitud de violetas. Las laderas que hay en un extremo de la huerta están llenas de nogales, higueras, avellanos y otros árboles de fruta. Y en la parte llana hay cuadros de hortalizas, de fresas, de tomates, patatas, judías y pimientos, y su poco de jardín,[44] con grande abundancia de flores, de las que por aquí más comúnmente se crían. Los rosales, sobre todo, abundan, y los hay de mil diferentes especies. La casilla del hortelano es más bonita y limpia de lo que en esta tierra se suele ver, y al lado de la casilla hay otro pequeño edificio reservado para el dueño de la finca, y donde nos agasajó Pepita con una espléndida merienda, a la cual dio pretexto el comer las fresas, que era el principal objeto que allí nos llevaba. La cantidad de fresas fue asombrosa para lo temprano de la estación, y nos fueron servidas con leche de algunas cabras que Pepita también posee.

Asistimos a esta jira el médico, el escribano, mi tía doña Casilda, mi padre y yo; sin faltar el indispensable señor Vicario, padre espiritual, y más que padre espiritual, admirador y encomiador perpetuo de Pepita.

Por un refinamiento algo sibarítico, no fue el hortelano, ni su mujer, ni el chiquillo del hortelano, ni ningún otro campesino quien nos sirvió la merienda, sino dos lindas muchachas, criadas y como confidentas de Pepita, vestidas a lo rústico, si bien con suma pulcritud y elegancia. Llevaban trajes de percal de vistosos colores, cortos y ceñidos al cuerpo, pañuelo de seda cubriendo las espaldas, y descubierta la cabeza, donde lucían abundantes y lustrosos cabellos negros, trenzados y atados luego, formando un moño en figura de martillo, y por delante rizos sujetos con sendas horquillas, por acá llamados *caracoles*. Sobre el moño o castaña ostentaba cada una de estas doncellas un ramo de frescas rosas.

Salvo la superior riqueza de la tela y su color negro, no era más cortesano el traje de Pepita. Su vestido de merino tenía la misma forma que el de las criadas, y, sin ser muy corto, no arrastraba ni recogía suciamente el polvo del camino. Un modesto pañolito de seda negra cubría también, al uso del lugar, su espalda y su pecho, y en la cabeza no ostentaba tocado, ni flor, ni joya, ni más adorno que el de sus propios cabellos rubios. En la única cosa que noté por parte de Pepita cierto esmero, en que se apartaba de los usos aldeanos, era en llevar guantes. Se conoce que cuida mucho sus manos y que tal vez pone alguna vanidad en tenerlas muy blancas y bonitas, con unas uñas lustrosas y sonrosadas; pero si tiene esta vanidad, es disculpable en la flaqueza humana, y al fin, si yo no estoy trascordado, creo que Santa Teresa[45] tuvo la misma vanidad

---

44. flower garden
45. Santa Teresa de Ávila, the great Spanish

Saint and mystic author of the sixteenth century.

cuando era joven, lo cual no le impidió ser una santa tan grande.

En efecto, yo me explico, aunque no disculpo, esta pícara vanidad. ¡Es tan distinguido, tan aristocrático, tener una linda mano! Hasta se me figura, a veces, que tiene algo de simbólico. La mano es el instrumento de nuestras obras, el signo de nuestra nobleza, el medio por donde la inteligencia reviste de forma sus pensamientos artísticos, y da ser a las creaciones de la voluntad, y ejerce el imperio que Dios concedió al hombre sobre todas las criaturas . . . Imposible parece que el que tiene manos como Pepita tenga pensamiento impuro, ni idea grosera, ni proyecto ruin que esté en discordancia con las limpias manos que deben ejecutarle.

No hay que decir que mi padre se mostró tan embelesado como siempre de Pepita, y ella tan fina y cariñosa con él, si bien con un cariño más filial de lo que mi padre quisiera . . . Apenas si se atreve decir a Pepita «buenos ojos tienes;»[46] y en verdad que si lo dijese no mentiría, porque los tiene grandes, verdes como los de Circe,[47] hermosos y rasgados; y lo que más mérito y valor les da es que no parece sino que ella no lo sabe, pues no se descubre en ella la menor intención de agradar a nadie ni de atraer a nadie con lo dulce de sus miradas. Se diría que cree que los ojos sirven para ver y nada más que para ver. Lo contrario de lo que yo, según he oído decir, presumo que creen la mayor parte de las mujeres jóvenes y bonitas, que hacen de los ojos un arma de combate y como un aparato eléctrico y fulmíneo para rendir corazones y cautivarlos. No son así, por cierto, los ojos de Pepita, donde hay una serenidad y una paz como del cielo. Ni

por eso se puede decir que miren con fría indiferencia. Sus ojos están llenos de caridad y de dulzura. Se posan con afecto en un rayo de luz, en una flor, hasta en cualquier objeto inanimado; pero con más afecto aún, con muestras de sentir más blando, humano y benigno, se posan en el prójimo, sin que el prójimo, por joven, gallardo y presumido que sea, se atreva a suponer nada más que caridad y amor al prójimo, y cuando más,[48] predilección amistosa en aquella serena y tranquila mirada . . .

Ello es que la fiesta en la huerta fue apaciblemente divertida; se habló de flores, de frutos, de injertos, de plantaciones y de otras mil cosas relativas a la labranza, luciendo Pepita sus conocimientos agrónomos en competencia con mi padre, conmigo y con el señor Vicario, que se queda con la boca abierta cada vez que habla Pepita, y jura que en los setenta y pico de años que tiene de edad, y en sus largas peregrinaciones, que le han hecho recorrer casi toda la Andalucía, no ha conocido mujer más discreta ni más atinada en cuanto piensa y dice.

Cuando volvemos a casa, de cualquiera de estas expediciones, vuelvo a insistir con mi padre en mi ida con usted, a fin de que llegue el suspirado momento de que yo me vea elevado al sacerdocio; pero mi padre está tan contento de tenerme a su lado y se siente tan a gusto en el lugar, cuidando de sus fincas, ejerciendo mero y mixto[49] imperio como cacique, y adorando a Pepita y consultándoselo todo como a su ninfa Egeria,[50] que halla siempre y hallará aún, tal vez durante algunos meses, fundado pretexto para retenerme aquí. Ya tiene que clarificar el vino de yo no sé cuántas pipas de la candiotera; ya tiene que trasegar otro; ya

46. i.e., a single word, the simplest compliment
47. Circe, the mythological woman with whom Ulysses fell in love while returning home from Troy.

48. *cuando más*, at the most
49. *mero* refers to *natural* law, *mixto* to law which is both *natural* and *civil*; translate all-embracing power.
50. A mythological goddess endowed with prophetic foresight

es menester binar los majuelos; ya es preciso arar los olivares y cavar los pies a los olivos: en suma, me retiene aquí contra mi gusto; aunque no debiera yo decir «contra mi gusto,» porque le tengo muy grande en vivir con un padre que es para mí tan bueno.

Lo malo es que con esta vida temo materializarme demasiado: me parece sentir alguna sequedad de espíritu durante la oración; mi fervor religioso disminuye; la vida vulgar va penetrando y se va infiltrando en mi naturaleza. Cuando rezo padezco distracciones; no pongo en lo que digo a mis solas,[51] cuando el alma debe elevarse a Dios, aquella atención profunda que antes ponía. En cambio, la ternura de mi corazón, que no se fija en un objeto condigno, que no se emplea y consume en lo que debiera, brota y como que rebosa en ocasiones por objetos y circunstancias que tienen mucho de pueriles, que me parecen ridículos, y de los cuales me avergüenzo. Si me despierto en el silencio de la alta noche y oigo que algún campesino enamorado canta, al son de su guitarra mal rasgueada, una copla de fandango o de rondeñas, ni muy discreta, ni muy poética, ni muy delicada, suelo enternecerme como si oyera la más celestial melodía. Una compasión loca, insana, me aqueja a veces. El otro día cogieron los hijos del aperador de mi padre un nido de gorriones, y al ver yo los pajarillos sin plumas aún y violentamente separados de la madre cariñosa, sentí suma angustia, y, lo confieso, se me saltaron las lágrimas. Pocos días antes trajo del campo un rústico una ternerita que se había perniquebrado; iba a llevarla al matadero y venía a decir[52] a mi padre qué quería de ella para su mesa: mi padre pidió unas cuantas libras de carne, la cabeza y las patas; yo me conmoví al ver a la ternerita, y estuve a

punto, aunque la vergüenza lo impidió, de comprársela al hombre, a ver si la curaba y conservaba viva. En fin, querido tío, menester es tener la gran confianza que tengo yo con usted para contarle estas muestras de sentimiento extraviado y vago, y hacerle ver con ellas que necesito volver a mi antigua vida, a mis estudios, a mis altas especulaciones, y acabar por ser sacerdote para dar al fuego que devora mi alma el alimento sano y bueno que debe tener.

14 de abril.

Sigo haciendo la misma vida de siempre y detenido aquí a ruegos de mi padre.

El mayor placer de que disfruto, después del de vivir con él, es el trato y conversación del señor Vicario, con quien suelo dar a solas largos paseos. Imposible parece que un hombre de su edad, que debe tener muy cerca de ochenta años, sea tan fuerte, ágil y andador. Antes me canso yo que él, y no queda vericueto ni lugar agreste, ni cima de cerro escarpado en estas cercanías, adonde no lleguemos.

El señor Vicario me va reconciliando mucho con el clero español, a quien algunas veces he tildado yo, hablando con usted, de poco ilustrado. ¡Cuánto más vale, me digo a menudo, este hombre, lleno de candor y de buen deseo, tan afectuoso e inocente, que cualquiera que haya leído muchos libros y en cuya alma no arda con tal viveza como en la suya el fuego de la caridad unido a la fe más sincera y más pura! No crea usted que es vulgar el entendimiento del señor Vicario: es un espíritu inculto, pero despejado y claro. A veces imagino que pueda provenir la buena opinión que de él tengo, de la atención con que me escucha; pero si no es así, me parece que todo lo entiende con notable perspicacia y que sabe unir al amor entrañable de

---

51. *a mis solas,* by myself

52. Here, to ask

nuestra santa religión el aprecio de todas las cosas buenas que la civilización moderna nos ha traído.[53] Me encantan, sobre todo, la sencillez, la sobriedad en hiperbólicas manifestaciones de sentimentalismo, la naturalidad, en suma, con que el señor Vicario ejerce las más penosas obras de caridad. No hay desgracia que no remedie, ni infortunio que no consuele, ni humillación que no procure restaurar, ni pobreza a que no acuda solícito con un socorro.

Para todo esto, fuerza es confesarlo, tiene un poderoso auxiliar en Pepita Jiménez, cuya devoción y natural compasivo siempre está él poniendo por las nubes.

El carácter de esta especie de culto que el Vicario rinde a Pepita va sellado, casi se confunde con el ejercicio de mil buenas obras: con las limosnas, el rezo, el culto público y el cuidado de los menesterosos. Pepita no da sólo para los pobres, sino también para novenas, sermones y otras fiestas de iglesia. Si los altares de la parroquia brillan a veces adornados de bellísimas flores, estas flores se deben a la munificencia de Pepita, que las ha hecho traer de su huerta. Si en lugar del antiguo manto, viejo y raído, que tenía la Virgen de los Dolores, luce hoy un flamante y magnífico manto de terciopelo negro bordado de plata, Pepita es quien le ha costeado. Estos y otros tales beneficios, el Vicario está siempre decantándolos y ensalzándolos. Así es que cuando no hablo yo de mis miras, de mi vocación, de mis estudios, lo cual embelesa en extremo al señor Vicario, y le trae suspenso de mis labios; cuando es él quien habla y yo quien escucho, la conversación, después de mil vueltas y rodeos, viene a parar siempre en hablar de Pepita Jiménez. Y al cabo ¿de quién me ha de hablar el señor Vicario? Su trato con el médico, con el boticario, con los ricos labradores de aquí, apenas da motivo para tres palabras de conversación. Como el señor Vicario posee la rarísima cualidad en un lugareño de no ser amigo de contar vidas ajenas ni lances escandalosos, de nadie tiene que hablar sino de la mencionada mujer, a quien visita con frecuencia, y con quien, según se desprende de lo que dice, tiene los más íntimos coloquios . . .

Por lo que relata el padre Vicario, entreveo que en el alma de Pepita Jiménez, en medio de la serenidad y calma que aparenta, hay clavado un agudo dardo de dolor; hay un amor de pureza contrariado por su vida pasada. Pepita amó a don Gumersindo como a su compañero, como a su bienhechor, como al hombre a quien todo se lo debía; pero la atormenta, la avergüenza el recuerdo de que don Gumersindo fue su marido.

En su devoción a la Virgen se descubre un sentimiento de humillación dolorosa, un torcedor, una melancolía que influye en su mente el recuerdo de su matrimonio indigno y estéril.

Hasta en su adoración al Niño Dios, representado en la preciosa imagen de talla que tiene en su casa, interviene el amor maternal que busca ese objeto en un ser no nacido de pecado y de impureza.

El padre Vicario dice que Pepita adora al Niño Jesús como a su Dios, pero que le ama con las entrañas maternales con que amaría a un hijo, si le tuviese, y si en su concepción no hubiera habido cosa de que tuviera ella que avergonzarse. El padre Vicario nota que Pepita sueña con

---

53. The vicar shows the moderation characteristic of Valera himself. In the great social quarrel of the nineteenth century, in which religion and progress were generally opposed, he reconciles the two extremes and succeeds in uniting the best of each side. This is one of the few allusions Valera makes to contemporary problems.

la madre ideal y con el hijo ideal, inmaculados ambos, al rezar a la Virgen Santísima, y al cuidar a su lindo Niño Jesús de talla . . .

Veo que distraídamente voy cayendo en el mismo defecto que en el padre Vicario censuro, y que no hablo a usted sino de Pepita Jiménez. Pero esto es natural. Aquí no se habla de otra cosa. Se diría que todo el lugar está lleno del espíritu, del pensamiento, de la imagen de esta singular mujer, que yo no acierto aún a determinar si es un ángel o una refinada coqueta llena de *astucia instintiva*, aunque los términos parezcan contradictorios. Porque lo que es[54] con plena conciencia estoy convencido de que esta mujer no es coqueta ni sueña en ganarse voluntades para satisfacer su vanagloria.

Hay sinceridad y candor en Pepita Jiménez. No hay más que verla para creerlo así. Su andar airoso y reposado, su esbelta estatura, lo terso y despejado de su frente, la suave y pura luz de sus miradas, todo se concierta en un ritmo adecuado, todo se une en perfecta armonía, donde no se descubre nota que disuene.

¡Cuánto me pesa de haber venido por aquí y de permanecer aquí tan largo tiempo! Había pasado la vida en su casa de usted y en el Seminario; no había visto ni tratado más que a mis compañeros y maestros; nada conocía del mundo sino por especulación y teoría;[55] y de pronto, aunque sea en un lugar, me veo lanzado en medio del mundo, y distraído de mis estudios, meditaciones y oraciones por mil objetos profanos.

20 de abril.

Las últimas cartas de usted, queridísimo tío, han sido de grata consolación, para mi alma. Benévolo como siempre, me amonesta usted y me ilumina con advertencias útiles y discretas . . .

Hay mucha soberbia en mí, y yo he de procurar humillarme a mis propios ojos, a fin de que el espíritu del mal no me humille, permitiéndolo Dios, en castigo de mi presunción y de mi orgullo.

No creo, a pesar de todo, como usted me advierte, que es tan fácil para mí una fea y no pensada caída. No confío en mí: confío en la misericordia de Dios y en su gracia, y espero que no sea.

Con todo, razón tiene usted que le sobra en aconsejarme que no me ligue mucho en amistad con Pepita Jiménez; pero yo disto bastante de estar ligado con ella . . .

Lleno de un provechoso temor de Dios, y con debida desconfianza de mi flaqueza, no olvidaré los consejos y prudentes amonestaciones de usted, rezando con fervor mis oraciones y meditando en las cosas divinas para aborrecer las mundanas en lo que tienen de aborrecibles; pero aseguro a usted que hasta ahora, por más que ahondo en mi conciencia y registro con suspicacia sus más escondidos senos, nada descubro que me haga temer lo que usted teme.

Si de mis cartas anteriores resultan encomios para el alma de Pepita Jiménez, culpa es de mi padre y del señor Vicario y no mía, porque al principio, lejos de ser favorable a esta mujer, estaba yo prevenido contra ella con prevención injusta.

En cuanto a la belleza y donaire corporal de Pepita, crea usted que lo he considerado todo con entera limpieza de pensamiento. Y aunque me sea costoso el decirlo, y aunque a usted le duela un poco, le confesaré que si alguna leve mancha ha venido a empañar el sereno

---

54. the fact is
55. It is interesting to see that Luis is now aware of his lack of worldly knowledge, while in his first letters he considered himself thoroughly sophisticated.

y pulido espejo de mi alma en que Pepita se reflejaba, ha sido la ruda sospecha de usted, que casi me ha llevado por un instante a que yo mismo sospeche.

Pero no: ¿qué he pensado yo, qué he mirado, qué he celebrado en Pepita, por donde nadie pueda colegir que propendo a sentir por ella algo que no sea amistad y aquella inocente y limpia admiración que inspira una obra de arte, y más si la obra es del Artífice soberano y nada menos que su templo? . . .

No lo dude usted: yo veo en Pepita Jiménez una hermosa criatura de Dios, y por Dios la amo como a hermana. Si alguna predilección siento por ella, es por las alabanzas que de ella oigo a mi padre, al señor Vicario y a casi todos los de este lugar.

Por amor a mi padre desearía yo que Pepita desistiese de sus ideas y planes de vida retirada y se casase con él; pero prescindiendo de esto, y si yo viese que mi padre sólo tenía un capricho y no una verdadera pasión, me alegraría de que Pepita permaneciese firme en su casta viudez, y cuando yo estuviese muy lejos de aquí, allá en la India o en el Japón, o en algunas misiones más peligrosas, tendría un consuelo en escribirle algo sobre mis peregrinaciones y trabajos. Cuando, ya viejo, volviese yo por este lugar también gozaría mucho en intimar con ella, que estaría ya vieja, y en tener con ella coloquios espirituales y pláticas por el estilo de las que tiene ahora el padre Vicario.[56] Hoy, sin embargo, como soy mozo, me acerco poco a Pepita; apenas la hablo. Prefiero pasar por encogido, por tonto, por mal criado y arisco, a dar la menor ocasión, no ya a la realidad de sentir por ella lo que no debo, pero ni a la sospecha ni a la maledicencia.

En cuanto a Pepita, ni remotamente convengo en lo que usted deja entrever como vago recelo. ¿Qué plan ha de formar respecto a un hombre que va a ser clérigo dentro de dos o tres meses? Ella, que ha desairado a tantos, ¿por qué había de prendarse de mí? Harto me conozco y sé que no puedo, por fortuna, inspirar pasiones. Dicen que no soy feo, pero soy desmañado, torpe, corto de genio, poco ameno; tengo trazas de lo que soy: de un estudiante humilde. ¿Qué valgo yo al lado de los gallardos mozos, aunque algo rústicos, que han pretendido a Pepita: ágiles jinetes, discretos y regocijados en la conversación, cazadores como Nembrot,[57] diestros en todos los ejercicios de cuerpo, cantadores finos y celebrados en todas las ferias de Andalucía, y bailarines apuestos, elegantes y primorosos? Si Pepita ha desairado todo esto, ¿cómo ha de fijarse ahora en mí y ha de concebir el diabólico deseo y más diabólico proyecto de turbar la paz de mi alma, de hacerme abandonar mi vocación, tal vez de perderme? No, no es posible. Yo creo buena a Pepita, y a mí, lo digo sin mentida modestia, me creo insignificante. Ya se entiende que me creo insignificante para enamorarla, no para ser su amigo; no para que ella me estime y llegue a tener un día cierta predilección por mí, cuando yo acierte a hacerme digno de esta predilección con una santa y laboriosa vida.

Perdóneme usted si me defiendo con sobrado calor de ciertas reticencias de la carta de usted, que suenan a acusaciones y a fatídicos pronósticos.

Yo no me quejo de esas reticencias; usted me da avisos prudentes, gran parte de los cuales acepto y pienso seguir. Si va usted más allá de lo justo en el recelar, consiste sin duda en el interés que por

---

56. Pepita now has a part in Luis's dreams of his future life, despite his recent denials of anything but simple friendship toward her.

57. Nimrod, "a mighty hunter before Jehovah," according to the Bible (Genesis 10. 9).

mí se toma y que yo de todo corazón le agradezco.

4 de mayo.

Extraño es que en tantos días yo no haya tenido tiempo para escribir a usted; pero tal es la verdad. Mi padre no me deja parar y las visitas me asedian . . .

La vida de aquí tiene cierto encanto.[58] Para quien no sueña con la gloria, para quien nada ambiciona, comprendo que sea muy descansada y dulce vida. Hasta la soledad puede lograrse aquí haciendo un esfuerzo. Como yo estoy aquí por una temporada, no puedo ni debo hacerlo; pero si yo estuviese de asiento,[59] no hallaría dificultad, sin ofender a nadie, en encerrarme y retraerme durante muchas horas o durante todo el día, a fin de entregarme a mis estudios y meditaciones.

Su nueva y más reciente carta de usted me ha afligido un poco. Veo que insiste usted en sus sospechas, y no sé qué contestar para justificarme sino lo que ya he contestado.

Dice usted que la gran victoria en cierto género de batallas consiste en la fuga; que huir es vencer. ¿Cómo he de negar yo lo que el Apóstol y tantos santos Padres y Doctores han dicho? Con todo, de sobra sabe usted que el huir no depende de mi voluntad. Mi padre no quiere que me vaya; mi padre me retiene a pesar mío; tengo que obedecerle.[60] Necesito, pues, vencer por otros medios, y no por el de la fuga.

Para que usted se tranquilice, repetiré que la lucha apenas está empeñada; que usted ve las cosas más adelantadas de lo que están.[61]

No hay el menor indicio de que Pepita Jiménez me quiera. Y aunque me quisiese, sería de otro modo que como querían las mujeres que usted cita para mi ejemplar escarmiento. Una señora bien educada y honesta, en nuestros días, no es tan inflamable y desaforada como esas matronas de que están llenas las historias antiguas . . .

En estos últimos días he tenido ocasión de ejercitar mi paciencia en grande y de mortificar mi amor propio del modo más cruel.

Mi padre quiso pagar a Pepita el obsequio de la huerta, y la convidó a visitar su quinta del Pozo de la Solana. La expedición fué el 22 de abril. No se me olvidará esta fecha.

El Pozo de la Solana dista más de dos leguas de este lugar, y no hay hasta allí sino camino de herradura.[62] Tuvimos todos que ir a caballo. Yo, como jamás he aprendido a montar, he acompañado a mi padre en todas las anteriores excursiones en una mulita de paso,[63] muy mansa, y que, según la expresión de Dientes, el mulero, es más noble que el oro y más serena que un coche. En el viaje al Pozo de la Solana fui en la misma cabalgadura.

Mi padre, el escribano, el boticario y mi primo Currito iban en buenos caballos. Mi tía doña Casilda, que pesa más de diez arrobas, en una enorme y poderosa burra con sus jamugas. El señor Vicario, en una mula mansa y serena como la mía.

En cuanto a Pepita Jiménez, que imaginaba yo que vendría también en burra con jamugas, pues ignoraba que montase, me sorprendió, apareciendo en un caballo tordo muy vivo y fogoso, vestida de amazona, y manejando el caballo con destreza y primor notables.

---

58. Contrast this statement with the repeated expressions of boredom in the early letters.
59. *de asiento,* permanently
60. Luis rationalizes, throwing the blame for his stay on his father. Another bit of penetrating psychology.
61. Here Luis admits indirectly that he loves Pepita. Valera shows his skill as a narrator by this subtle revelation, so unobtrusive that the reader scarcely notices it.
62. *camino de herradura,* bridle-path
63. a slow mule

Me alegré de ver a Pepita tan gallarda a caballo; pero, desde luego, presentí y empezó a mortificarme el desairado papel que me tocaba hacer al lado de la robusta tía doña Casilda y del padre Vicario, yendo nosotros a retaguardia, pacíficos, y *serenos* como en coche, mientras que la lucida cabalgata caracolearía, correría, trotaría y haría mil evoluciones y escarceos.

Al punto se me antojó que Pepita me miraba compasiva, al ver la facha lastimosa que sobre la mula debía yo de tener. Mi primo Currito me miró con sonrisa burlona, y empezó en seguida a embromarme y atormentarme.

Aplauda usted mi resignación y mi valerosa paciencia. A todo me sometí de buen talante, y pronto hasta las bromas de Currito acabaron al notar cuán invulnerable yo era. Pero ¡cuánto sufrí por dentro! Ellos corrieron, galoparon, se nos adelantaron a la ida y a la vuelta. El Vicario y yo permanecimos siempre *serenos,* como las mulas, sin salir del paso y llevando a doña Casilda en medio.

Ni siquiera tuve el consuelo de hablar con el padre Vicario, cuya conversación me es tan grata, ni de encerrarme dentro de mí mismo y fantasear y soñar, ni de admirar a mis solas la belleza del terreno que recorríamos. Doña Casilda es de una locuacidad abominable, y tuvimos que oírla. Nos dijo cuanto hay que saber de chismes del pueblo, y nos habló de todas sus habilidades, y nos explicó el modo de hacer salchichas, morcillas de sesos, hojaldres y otros mil guisos y regalos. Nadie la vence en negocios de cocina y de matanza de cerdos, según ella, sino Antoñona, la nodriza de Pepita Jiménez, y hoy su ama de llaves y directora de su casa. Yo conozco ya a la tal Antoñona, pues va y viene a casa con recados, y, en efecto, es muy lista: tan parlanchina como la tía Casilda, pero cien mil veces más discreta.

El camino hasta el Pozo de la Solana es delicioso; pero yo iba tan contrariado que no acerté a gozar de él. Cuando llegamos a la casería y nos apeamos, se me quitó de encima un gran peso, como si fuese yo quien hubiese llevado a la mula y no la mula a mí.

Ya a pie, recorrimos la posesión, que es magnífica, variada y extensa. Hay allí más de ciento veinte fanegas de viña añeja y majuelo, todo bajo una linde: otro tanto o más de olivar, y, por último, un bosque de encinas de las más corpulentas que aun quedan en pie en toda Andalucía. El agua del Pozo de la Solana forma un arroyo claro y abundante, donde vienen a beber todos los pajarillos de las cercanías, y donde se cazan a centenares por medio de espartos con liga, o con red, en cuyo centro se colocan el cimbel y el reclamo. Allí recordé mis diversiones de la niñez y cuántas veces había ido yo a cazar pajarillos de la manera expresada.

Siguiendo el curso del arroyo, y sobre todo en las hondonadas, hay muchos álamos y otros árboles altos que, con las matas y hierbas, crean un intrincado laberinto y una sombría espesura. Mil plantas silvestres y olorosas crecen allí de un modo espontáneo, y por cierto que es difícil imaginar nada más esquivo, agreste y verdaderamente solitario, apacible y silencioso que aquellos lugares. Se concibe allí en el fervor del mediodía, cuando el sol vierte a torrentes la luz desde un cielo sin nubes, en las calurosas y reposadas siestas, el mismo terror misterioso de las horas nocturnas. Se concibe allí la vida de los antiguos patriarcas y de los primitivos héroes y pastores, y las apariciones y visiones que tenían de ninfas, de deidades y de ángeles, en medio de la claridad meridiana.

Andando por aquella espesura, hubo un momento en el cual, no acierto a decir cómo, Pepita y yo nos encontramos solos:

yo al lado de ella. Los demás se habían quedado atrás.

Entonces sentí por todo mi cuerpo un estremecimiento. Era la primera vez que me veía a solas con aquella mujer y en sitio tan apartado, y cuando yo pensaba en las apariciones meridianas, ya siniestras, ya dulces y siempre sobrenaturales, de los hombres de las edades remotas.

Pepita había dejado en la casería la larga falda de montar, y caminaba con un vestido corto que no estorbaba la graciosa ligereza de sus movimientos. Sobre la cabeza llevaba un sombrerillo andaluz, colocado con gracia. En la mano, el látigo, que se me antojó como varita de virtudes,[64] con que pudiera hechizarme aquella maga.

No temo repetir aquí los elogios de su belleza. En aquellos sitios agrestes se me pareció más hermosa. La cautela, que recomiendan los ascetas, de pensar en ella afeada por los años y por las enfermedades, de figurármela muerta, llena de hedor y podredumbre y cubierta de gusanos, vino, a pesar mío, a mi imaginación; y digo *a pesar mío* porque no entiendo que[65] tan terrible cautela fuese indispensable. Ninguna idea mala en lo material, ninguna sugestión del espíritu maligno turbó entonces mi razón ni logró inficionar mi voluntad y mis sentidos.

Lo que sí se me ocurrió fue un argumento para invalidar, al menos en mí, la virtud de esa cautela. La hermosura, obra de un arte soberano y divino, puede ser caduca, efímera, desaparecer en el instante; pero su idea es eterna, y en la mente del hombre vive vida inmortal, una vez percibida. La belleza de esta mujer, tal como hoy se manifiesta, desaparecerá dentro de breves años: ese cuerpo elegante, esas formas esbeltas, esa noble cabeza, tan gentilmente erguida sobre los hombros, todo será pasto de gusanos inmundos; pero si la materia

ha de transformarse, la forma, el pensamiento artístico, la hermosura misma, ¿quién la destruirá? ¿No está en la mente divina? Percibida y conocida por mí, ¿no vivirá en mi alma, vencedora de la vejez y aun de la muerte?

Así meditaba yo, cuando Pepita y yo nos acercamos. Así serenaba yo mi espíritu y mitigaba los recelos que usted ha sabido infundirme. Yo deseaba y no deseaba a la vez que llegasen los otros. Me complacía y me afligía al mismo tiempo de estar solo con aquella mujer.

La voz argentina de Pepita rompió el silencio, y, sacándome de mis meditaciones, dijo:

—¡Qué callado y qué triste está usted, señor don Luis! Me apesadumbra el pensar que tal vez por culpa mía, en parte al menos, da a usted hoy un mal rato su padre trayéndole a estas soledades, y sacándole de otras más apartadas, donde no tendrá usted nada que le distraiga de sus oraciones y piadosas lecturas.

Yo no sé lo que contesté a esto. Hube de contestar alguna sandez porque estaba turbado; y ni quería hacer un cumplimiento a Pepita diciendo galanterías profanas, ni quería tampoco contestar de un modo grosero.

Ella prosiguió:

—Usted me ha de perdonar si soy maliciosa; pero se me figura que, además del disgusto de verse usted separado hoy de sus ocupaciones favoritas, hay algo más que contribuye poderosamente a su mal humor.

—¿Qué es ese algo más—dije yo—, pues usted lo descubre todo o cree descubrirlo?

—Ese algo más—replicó Pepita—no es sentimiento propio de quien va a ser sacerdote tan pronto, pero sí lo es de un joven de veintidós años.

Al oir esto, sentí que la sangre me

---

64. *varita de virtudes,* magic wand   65. why

subía al rostro y que el rostro me ardía. Imaginé mil extravagancias, me creí presa de una obsesión. Me juzgué provocado por Pepita, que iba a darme a entender que conocía que yo gustaba de ella.[66] Entonces mi timidez se trocó en atrevida soberbia, y la miré de hito en hito. Algo de ridículo hubo de haber en mi mirada, pero, o Pepita no lo advirtió, o lo disimuló con benévola prudencia, exclamando del modo más sencillo:

—No se ofenda usted porque yo le descubra alguna falta. Esta que he notado me parece leve. Usted está lastimado de las bromas de Currito y de hacer (hablando profanamente) un papel poco airoso montado en una mula mansa, como el señor Vicario, con sus ochenta años, y no en un brioso caballo, como debiera un joven de su edad y circunstancias. La culpa es del señor Deán, que no ha pensado en que usted aprenda a montar. La equitación no se opone a la vida que usted piensa seguir, y yo creo que su padre de usted, ya que está usted aquí, debiera en pocos días enseñarle. Si usted va a Persia o a China, allí no hay ferrocarriles aún, y hará usted una triste figura cabalgando mal. Tal vez se desacredite el misionero entre aquellos bárbaros, merced a esta torpeza, y luego sea más difícil de lograr el fruto de las predicaciones.

Estos y otros razonamientos más adujo Pepita para que yo aprendiese a montar a caballo, y quedé tan convencido de lo útil que es la equitación para un misionero, que le prometí aprender en seguida, tomando a mi padre por maestro.

—En la primera nueva expedición que hagamos—le dije—, he de ir en el caballo más fogoso de mi padre, y no en la mulita de paso en que voy ahora.

tros, no por otra cosa, sino por temor de no acertar a sostener la conversación, y

—Mucho me alegraré—replicó Pepita con una sonrisa de indecible suavidad.

En esto llegaron todos al sitio en que estábamos, y yo me alegré en mis adentes de salir con doscientas mil simplicidades por mi poca o ninguna práctica de hablar con mujeres.

Después del paseo, sobre la fresca hierba y en el más lindo sitio junto al arroyo, nos sirvieron los criados de mi padre una rústica y abundante merienda. La conversación fue muy animada, y Pepita mostró mucho ingenio y discreción. Mi primo Currito volvió a embromarme sobre mi manera de cabalgar y sobre la mansedumbre de mi mula: me llamó *teólogo* y me dijo que sobre aquella mula parecía que iba yo repartiendo bendiciones. Esta vez, ya con el firme propósito de hacerme jinete, contesté a las bromas con desenfado picante. Me callé, con todo,[67] el compromiso contraído de aprender la equitación. Pepita, aunque en nada habíamos convenido, pensó sin duda, como yo, que importaba el sigilo para sorprender luego cabalgando bien, y nada dijo de nuestra conversación. De aquí provino, natural y sencillamente, que existiera un secreto entre ambos; lo cual produjo en mi ánimo extraño efecto.

Nada más ocurrió aquel día que merezca contarse.

Por la tarde volvimos al lugar como habíamos venido. Yo, sin embargo, en mi mula mansa y al lado de la tía Casilda, no me aburrí ni entristecí a la vuelta como a la ida. Durante todo el viaje oí a la tía sin cansancio referir sus historias, y por momentos me distraje en vagas imaginaciones.[68]

Nada de lo que en mi alma pasa debe ser un misterio para usted. Declaro que

66. that I *liked* her
67. withal, nevertheless
68. One of the distinctive traits of Luis's romantic young nature is his propensity to day-dreaming. He has already mentioned it on p. 149.

la figura de Pepita era como el centro, o mejor dicho, como el núcleo y el foco de estas imaginaciones vagas . . .

Aquella noche dije a mi padre mi deseo de aprender a montar. No quise ocultarle que Pepita me había excitado a ello. Mi padre tuvo una alegría extraordinaria.[69] Me abrazó, me besó y me dijo que ya no era usted solo mi maestro, que él también iba a tener el gusto de enseñarme algo. Me aseguró, por último, que en dos o tres semanas haría de mí el mejor caballista de toda Andalucía; capaz de ir a Gibraltar por contrabando y de volver de allí, burlando al resguardo, con una coracha de tabaco y con un buen alijo de algodones; apto, en suma, para pasmar a todos los jinetes que se lucen en las ferias de Sevilla y de Mairena,[70] y para oprimir los lomos de Babieca,[71] de Bucéfalo[72] y aun de los propios caballos del Sol, si por acaso bajaban a la tierra y podía yo asirlos de la brida.

Ignoro qué pensará usted de este arte de la equitación que estoy aprendiendo; pero presumo que no le tendrá por malo.

¡Si viera usted qué gozoso está mi padre y cómo se deleita enseñándome! Desde el día siguiente al de la expedición que he referido, doy[73] dos lecciones diarias. Día hay[74] durante el cual la lección es perpetua, porque nos lo pasamos a caballo. La primera semana fueron las lecciones en el corralón de casa, que está desempedrado y sirvió de picadero.

Ya salimos al campo, pero procurando que nadie nos vea. Mi padre no quiere que me muestre en público hasta que pasme por lo bien plantado, según él dice. Si su vanidad de padre no le en-

gaña, esto será muy pronto, porque tengo una disposición maravillosa para ser buen jinete.

—¡Bien se ve que eres mi hijo!—exclama mi padre con júbilo al contemplar mis adelantos . . .

Ayer fue día de la Cruz y estuvo el lugar muy animado. En cada calle hubo seis o siete cruces de mayo llenas de flores, si bien ninguna tan bella como la que puso Pepita en la puerta de su casa. Era un mar de flores el que engalanaba la cruz.[75]

Por la noche tuvimos fiesta en casa de Pepita. La cruz, que había estado en la calle, se colocó en una gran sala baja, donde hay piano, y nos dio Pepita un espectáculo sencillo y poético que yo había visto cuando niño, aunque no le recordaba.

De la cabeza de la cruz pendían siete listones o cintas anchas, dos blancas, dos verdes y tres encarnadas, que son los colores simbólicos de las virtudes teologales. Ocho niños de cinco o seis años, representando los siete Sacramentos, asidos de las siete cintas que pendían de la cruz, bailaron a modo de una contradanza muy bien ensayada. El Bautismo era un niño vestido de catecúmeno con su túnica blanca; el Orden, otro niño de sacerdote; la Confirmación, un obispito; la Extremaunción, un peregrino con bordón y esclavina llena de conchas; el Matrimonio, un novio y una novia, y un Nazareno con cruz y corona de espinas, la Penitencia.[76]

El baile, más que baile, fue una serie de reverencias, pasos, evoluciones y genuflexiones al compás de una música no

---

69. Does the father's remarkable demonstration of joy come only from his desire to teach his son to ride? Does he suspect the truth of the situation?
70. Town near Sevilla
71. The Cid's horse
72. Alexander the Great's horse
73. I take

74. There are days
75. On the third of May the Spaniards set up crosses covered with flowers. The children dance around the cross holding ribbons in their hands, just as our children do around the Maypole.
76. Luis omits the sacrament of communion in his description.

mala, de algo como marcha, que el organista tocó en el piano con bastante destreza.

Los niños, hijos de criados y familiares de la casa de Pepita, después de hacer su papel, se fueron a dormir muy regalados y agasajados.

La tertulia continuó hasta las doce, y hubo refresco, esto es, tacillas de almíbar, y, por último, chocolate con torta de bizcocho y agua con azucarillos.

El retiro y la soledad de Pepita van olvidándose desde que volvió la primavera, de lo cual mi padre está muy contento. De aquí en adelante Pepita recibirá todas las noches, y mi padre quiere que yo sea de la tertulia.

Pepita ha dejado el luto, y está ahora más galana y vistosa con trajes ligeros y casi de verano, aunque siempre muy modestos.

Tengo la esperanza de que lo más que mi padre me retendrá ya por aquí será todo este mes. En junio nos iremos juntos a esa ciudad, y ya usted verá cómo, libre de Pepita, que no piensa en mí ni se acordará de mí para malo ni para bueno, tendré el gusto de abrazar a usted y de lograr la dicha de ser sacerdote.

7 de mayo.

Todas las noches, de nueve a doce, tenemos, como ya indiqué a usted, tertulia en casa de Pepita. Van cuatro o cinco señoras y otras tantas señoritas del lugar, contando con la tía Casilda, y van también seis o siete caballeritos, que suelen jugar a juegos de prendas con las niñas. Como es natural, hay tres o cuatro noviazgos.

La gente formal de la tertulia es la de siempre. Se compone, como si dijéramos, de los altos funcionarios: de mi padre, que es el cacique; del boticario, del médico, del escribano y del señor Vicario.

Pepita juega al tresillo con mi padre, con el señor Vicario y con algún otro. Yo no sé de qué lado ponerme. Si me voy con la gente joven, estorbo con mi gravedad en sus juegos y enamoramientos. Si me voy con el estado mayor, tengo que hacer el papel de mirón en una cosa que no entiendo. Yo no sé más juego de naipes que el burro ciego, el burro con vista y un poco de tute o brisca cruzada.

Lo mejor sería que yo no fuese a la tertulia, pero mi padre se empeña en que vaya. Con no ir, según él, me pondría en ridículo.

Muchos extremos de admiración hace mi padre al notar mi ignorancia de ciertas cosas. Esto de que yo no sepa jugar al tresillo, siquiera al tresillo, le tiene maravillado.

—Tu tío te ha criado—me dice—debajo de un fanal,[77] haciéndote tragar teología y más teología, y dejándote a obscuras de lo demás que hay que saber. Por lo mismo que vas a ser clérigo y que no podrás bailar ni enamorar en las reuniones, necesitas jugar al tresillo. Si no, ¿qué vas a hacer, desdichado?

A estos y otros discursos por el estilo he tenido que rendirme, y mi padre me está enseñando en casa a jugar al tresillo, para que, no bien le sepa, le juegue en la tertulia de Pepita. También . . . ha querido enseñarme la esgrima, y después, a fumar y a tirar a la pistola y la barra; pero en nada de esto he consentido yo.

—¡Qué diferencia—exclama mi padre—entre tu mocedad y la mía!

Y luego añade riéndose:

—En substancia, todo es lo mismo. Yo también tenía mis horas canónicas en el cuartel de Guardias de Corps;[78] el cigarro era el incensario, la baraja el

---

77. under a glass bell (as certain special melons are raised); very protected

78. Royal Body Guard

libro de coro, y nunca me faltaban otras devociones y ejercicios más o menos espirituales . . .

Sigue mi padre contentísimo de mí como discípulo de equitación. Dentro de cuatro o cinco días asegura que podré ya montar y montaré en Lucero, caballo negro, hijo de un caballo árabe y de una yegua de la casta de Guadalcázar, saltador, corredor, lleno de fuego y adiestrado en todo linaje de corvetas.

—Quien eche a Lucero los calzones encima—dice mi padre—, ya puede apostarse a montar con los propios centauros; y tú le echarás los calzones encima dentro de poco.

Aunque me paso todo el día en el campo a caballo, en el casino y en la tertulia, robo algunas horas al sueño, ya voluntariamente, ya porque me desvelo, y medito en mi posición y hago examen de conciencia. La imagen de Pepita está siempre presente en mi alma. ¿Será esto amor?, me pregunto . . .

Toda otra consideración, toda otra forma, no destruye la imagen de esta mujer. Entre el Crucifijo y yo se interpone, entre la imagen devotísima de la Virgen y yo se interpone, sobre la página del libro espiritual que leo viene también a interponerse.

No creo, sin embargo, que estoy herido de lo que llaman amor en el siglo.[79] Y aunque lo estuviera, yo lucharía y vencería.

La vista diaria de esa mujer y el oir cantar sus alabanzas de continuo, hasta al padre Vicario, me tienen preocupado; divierten mi espíritu hacia lo profano y le alejan de su debido recogimiento; pero no, yo no amo a Pepita todavía. Me iré y la olvidaré.

Mientras aquí permanezca, combatiré con valor. Combatiré con Dios, para vencerle por el amor y el rendimiento. Mis clamores llegarán a Él como inflamadas saetas, y derribarán el escudo con que se defiende y oculta a los ojos de mi alma. Yo pelearé como Israel, en el silencio de la noche, y Dios me llagará en el muslo y me quebrantará en ese combate, para que yo sea vencedor siendo vencido.[80]

12 de mayo.

Antes de lo que yo pensaba, querido tío, me decidió mi padre a que montase en Lucero. Ayer, a las seis de la mañana, cabalgaba en esta hermosa fiera como le llama mi padre, y me fui con mi padre al campo. Mi padre iba caballero en una jaca alazana.

Lo hice tan bien, fui tan seguro y apuesto en aquel soberbio animal, que mi padre no pudo resistir a la tentación de lucir a su discípulo, y después de reposar en un cortijo que tiene a media legua de aquí, y a eso de las once, me hizo volver al lugar y entrar por lo más concurrido y céntrico, metiendo mucha bulla y desempedrando[81] las calles. No hay que afirmar que pasamos por la de Pepita, quien de algún tiempo a esta parte[82] se va haciendo algo ventanera y estaba a la reja, en una ventana baja, detrás de la verde celosía.

No bien sintió Pepita el ruido y alzó los ojos y nos vio, se levantó, dejó la costura que traía entre manos y se puso a mirarnos. Lucero, que, según he sabido después, tiene ya la costumbre de hacer piernas cuando pasa por delante de la casa de Pepita, empezó a retozar y a levantarse un poco de manos. Yo quise

---

79. *siglo,* the secular world
80. Jacob wrestled all night with an angel, being wounded in the thigh during the struggle. In the morning the angel bestowed on him a new name, Israel. See Genesis 32.
81. Literally, unpaving the streets, tearing up the pavement (due to the pawing and cavorting of the horse)
82. *de algún tiempo a esta parte,* for some time

calmarle, pero como extrañase[83] las mías y también extrañase al jinete, despreciándole tal vez, se alborotó más y más y empezó a dar resoplidos, a hacer corvetas y aun a dar algunos botes; yo me tuve firme y sereno, mostrándole que era su amo, castigándole con la espuela, tocándole con el látigo en el pecho y reteniéndole por la brida. Lucero, que casi se había puesto de pies sobre los cuartos traseros, se humilló entonces hasta doblar mansamente las rodillas haciendo una reverencia.

La turba de curiosos, que se había agrupado alrededor, rompió en estrepitosos aplausos. Mi padre dijo:

—¡Bien por los mozos crudos y de arrestos![84]

Y notando después que Currito, que no tiene otro oficio que el de paseante, se hallaba entre el concurso, se dirigió a él con estas palabras:

—Mira, arrastrado; mira al *teólogo* ahora, y, en vez de burlarte, quédate patitieso de asombro.

En efecto, Currito estaba con la boca abierta, inmóvil, verdaderamente asombrado.

Mi triunfo fue grande y solemne, aunque impropio de mi carácter. La inconveniencia de este triunfo me infundió vergüenza. El rubor coloró mis mejillas. Debí ponerme encendido como la grana, y más aun cuando advertí que Pepita me aplaudía y me saludaba cariñosa, sonriendo y agitando sus lindas manos.

En fin, he ganado la patente de hombre recio y de jinete de primera calidad.

Mi padre no puede estar más satisfecho y orondo; asegura que está completando mi educación; que usted le ha enviado en mí un libro muy sabio, pero en borrador y desencuadernado, y que él está poniéndome en limpio y encuadernándome.

El tresillo, si es parte de la encuadernación y de la limpieza, también está ya aprendido.

Dos noches he jugado con Pepita.

La noche que siguió a mi hazaña ecuestre, Pepita me recibió entusiasmada, e hizo lo que nunca había querido ni se había atrevido a hacer conmigo: me alargó la mano.

No crea usted que no recordé lo que recomiendan tantos y tantos moralistas y ascetas; pero, allá en mi mente, pensé que exageraban el peligro. Aquello del Espíritu Santo[85] de que el que echa mano a una mujer se expone como si cogiera un escorpión, me pareció dicho en otro sentido. Sin duda que en los libros devotos, con la más sana intención, se interpretan harto duramente ciertas frases y sentencias de la Escritura. ¿Cómo entender, si no, que la hermosura de la mujer, obra tan perfecta de Dios, es causa de perdición siempre? ¿Cómo entender, en sentido general y constante, que la mujer es más amarga que la muerte? ¿Cómo entender que el que toca a una mujer, en toda ocasión y con cualquier pensamiento que sea, no saldrá sin mancha?

En fin, respondí rápidamente dentro de mi alma a éstos y a otros avisos, y tomé la mano que Pepita cariñosamente me alargaba y la estreché en la mía. La suavidad de aquella mano me hizo comprender mejor su delicadeza y primor, que hasta entonces no conocía sino por los ojos.

Según los usos del siglo, dada ya la mano una vez, la debe uno dar siempre, cuando llega y cuando se despide. Espero

---

83. he was not used to
84. *Bien . . . arrestos,* Hurray for rough and daring lads!
85. Eight well-known Spanish monks, most of them writers on theological subjects, took this name in religion. Probably the one here referred to is Tomás del Espíritu Santo, who died a martyr in Japan in 1622.

que en esta ceremonia, en esta prueba de amistad, en esta manifestación de afecto, si se procede con pureza y sin el menor átomo de liviandad, no verá usted nada malo ni peligroso.

Como mi padre tiene que estar muchas noches con el aperador y con otra gente de campo, y hasta las diez y media o las once suele no verse libre, yo le sustituyo en la mesa del tresillo al lado de Pepita. El señor Vicario y el escribano son casi siempre los otros tercios. Jugamos a décimo de real, de modo que un duro o dos es lo más que se atraviesa en la partida.

Mediando, como media, tan poco interés en el juego, le interrumpimos continuamente con agradables conversaciones y hasta con discusiones sobre puntos extraños al mismo juego, en todo lo cual demuestra siempre Pepita una lucidez de entendimiento, una viveza de imaginación y una tan extraordinaria gracia en el decir, que no pueden menos de maravillarme.

No hallo motivo suficiente para variar de opinión respecto a lo que ya he dicho a usted, contestando a sus recelos de que Pepita pueda sentir cierta inclinación hacia mí. Me trata con el afecto natural que debe tener al hijo de su pretendiente, don Pedro de Vargas, y con la timidez y encogimiento que inspira un hombre en mis circunstancias, que no es sacerdote aun, pero que pronto va a serlo.

Quiero y debo, no obstante, decir a usted, ya que le escribo siempre como si estuviese de rodillas delante de usted a los pies del confesionario, una rápida impresión que he sentido dos o tres veces; algo que tal vez sea una alucinación o un delirio, pero que he notado.

Ya he dicho a usted en otras cartas que los ojos de Pepita, verdes como los de Circe, tienen un mirar tranquilo y honestísimo. Se diría que ella ignora el poder de sus ojos, y no sabe que sirven más que para ver. Cuando fija en alguien la vista, es tan clara, franca y pura la dulce luz de su mirada, que, en vez de hacer nacer ninguna mala idea, parece que crea pensamientos limpios; que deja en reposo grato a las almas inocentes y castas, y mata y destruye todo incentivo en las almas que no lo son. Nada de pasión ardiente, nada de fuego hay en los ojos de Pepita. Como la tibia luz de la luna, es el rayo de su mirada.

Pues bien, a pesar de esto, yo he creído notar dos o tres veces un resplandor instantáneo, un relámpago, una llama fugaz y devoradora en aquellos ojos que se posaban en mí. ¿Será vanidad ridícula sugerida por el mismo demonio?

Me parece que sí; quiero creer y creo que sí.

Lo rápido, lo fugitivo de la impresión, me induce a conjeturar que no ha tenido nunca realidad extrínseca; que ha sido un ensueño mío.

La calma del cielo, el frío de la indiferencia amorosa,[86] si bien templado por la dulzura de la amistad y de la caridad, es lo que descubro siempre en los ojos de Pepita.

Me atormenta, no obstante, este ensueño, esta alucinación de la mirada extraña y ardiente.

Mi padre dice que no son los hombres sino las mujeres las que toman la iniciativa, y que la toman sin responsabilidad, y pudiendo negar y volverse atrás cuando quieren. Según mi padre, la mujer es quien se declara por medio de miradas fugaces, que ella misma niega más tarde a su propia conciencia, si es menester, y de las cuales, más que leer, logra el hombre a quien van dirigidas adivinar el significado. De esta suerte, casi por medio de una conmoción eléctrica, casi por medio de una sutilísima e inexplicable intuición, se percata el que es

---

86. indifference in respect to love

amado de que es amado, y luego, cuando se resuelve a hablar, va ya sobre seguro y con plena confianza de la correspondencia.

¿Quién sabe si estas teorías de mi padre, oídas por mí, porque no puedo menos de oírlas, son las que me han calentado la cabeza y me han hecho imaginar lo que no hay?[87]

De todos modos, me digo a veces, ¿sería tan absurdo, tan imposible que lo hubiera? Y si lo hubiera, si yo agradase a Pepita de otro modo que como amigo, si la mujer a quien mi padre pretende se prendase de mí, ¿no sería espantosa mi situación?

Desechemos estos temores fraguados, sin duda, por la vanidad. No hagamos de Pepita una Fedra y de mí un Hipólito.[88]

Lo que sí empieza a sorprenderme es el descuido y plena seguridad de mi padre. Perdone usted, pídale a Dios que perdone mi orgullo; de vez en cuando me pica y enoja la tal seguridad. Pues qué, me digo, ¿soy tan adefesio para que mi padre no tema que, a pesar de mi supuesta santidad, o por mi misma supuesta santidad, no pueda yo enamorar, sin querer, a Pepita? . . .

Sería una falta de respeto, pecaría yo de presumido e insolente si advirtiese a mi padre del peligro que no ve. No hay medio de que yo le diga nada. Además, ¿qué había yo de decirle? ¿Que se me figura que una o dos veces Pepita me ha mirado de otra manera que como suele mirar? ¿No puede ser esto ilusión mía? No, no tengo la menor prueba de que Pepita desee siquiera coquetear conmigo.

¿Qué es, pues, lo que entonces podría yo decir a mi padre? ¿Había de decirle que yo soy quien está enamorado de Pepita, que yo codicio el tesoro que ya él tiene por suyo? Esto no es verdad; y sobre todo, ¿cómo declarar esto a mi padre, aunque fuera verdad por mi desgracia y por mi culpa?

Lo mejor es callarme; combatir en silencio, si la tentación llega a asaltarme de veras, y tratar de abandonar cuanto antes este pueblo y de volverme con usted.

19 de mayo.

Gracias a Dios y a usted por las nuevas cartas y nuevos consejos que me envía. Hoy los necesito más que nunca . . .

Es cierto; ya no puedo negárselo a usted. Yo no debí poner los ojos con tanta complacencia en esta mujer peligrosísima.

No me juzgo perdido, pero me siento conturbado.

Como el corzo sediento desea y busca el manantial de las aguas, así mi alma busca a Dios todavía.[89] A Dios se vuelve para que le dé reposo, y anhela beber en el torrente de sus delicias, cuyo ímpetu alegra el Paraíso, y cuyas ondas claras ponen más blanco que la nieve; pero un abismo llama a otro abismo, y mis pies se han clavado en el cieno que está en el fondo.

Sin embargo, aun me quedan voz y aliento para clamar con el Salmista: ¡Levántate, gloria mía![90] Si te pones de mi lado, ¿quién prevalecerá contra mí? . . .

Las mortificaciones, el ayuno, la oración y la penitencia serán las armas de

---

87. Here, to exist
88. Phaedra fell in love with her stepson, Hippolytus. When he refused her advances, she told her husband Theseus that his son was making love to her. Theseus gave Hippolytus up to the mercy of Neptune, who brought about his death. In remorse, Phaedra hanged herself.
89. See Psalms 42. I:
"As the hart panteth after the water brooks,/So panteth my soul after thee. O God." The wording of this entire paragraph is full of Biblical reminiscences.
90. Psalms 57.8.

que me revista para combatir y vencer con el auxilio divino.

No era sueño, no era locura; era realidad. Ella me mira a veces con la ardiente mirada de que ya he hablado a usted. Sus ojos están dotados de una atracción magnética inexplicable. Me atrae, me seduce, y se fijan en ella los míos. Mis ojos deben arder entonces, como los suyos, con una llama funesta; como los de Amón[91] cuando se fijaban en Tamar; como los del príncipe de Siquén[92] cuando se fijaban en Dina.

Al mirarnos así, hasta de Dios me olvido. La imagen de ella se levanta en el fondo de mi espíritu, vencedora de todo. Su hermosura resplandece sobre toda hermosura; los deleites del cielo me parecen inferiores a su cariño; una eternidad de penas creo que no paga la bienaventuranza infinita que vierte sobre mí en un momento con una de estas miradas, que pasan cual relámpago.

Cuando vuelvo a casa, cuando me quedo solo en mi cuarto, en el silencio de la noche, reconozco todo el horror de mi situación y formo buenos propósitos, que luego se quebrantan.

Me prometo a mí mismo fingirme enfermo, buscar cualquier otro pretexto para no ir a la noche siguiente a casa de Pepita, y sin embargo voy.

Mi padre, confiado hasta lo sumo, sin sospechar lo que pasa en mi alma, me dice cuando llega la hora:

—Vete a la tertulia. Yo iré más tarde, luego que despache al aperador.

Yo no atino con la excusa, no hallo el pretexto y en vez de contestar: —No puedo ir—, tomo el sombrero y voy a la tertulia.

Al entrar, Pepita y yo nos damos la mano, y al dárnosla me hechiza. Todo mi ser se muda. Penetra hasta mi corazón un fuego devorante, y ya no pienso más que en ella. Tal vez soy yo mismo quien provoca las miradas si tardan en llegar. La miro con insano ahinco, por un estímulo irresistible, y a cada instante creo descubrir en ella nuevas perfecciones. Ya los hoyuelos de sus mejillas cuando sonríe, ya la blancura sonrosada de la tez, ya la forma recta de la nariz, ya la pequeñez de la oreja, ya la suavidad de contornos y admirable modelado de la garganta.

Entro en su casa, a pesar mío, como evocado por un conjuro; y, no bien entro en su casa, caigo bajo el poder de su encanto; veo claramente que estoy dominado por una maga cuya fascinación es ineluctable.

No es ella grata a mis ojos solamente, sino que sus palabras suenan en mis oídos como la música de las esferas, revelándome toda la armonía del universo, y hasta imagino percibir una sutilísima fragancia que su limpio cuerpo despide, y que supera al olor de los mastranzos que crecen a orillas de los arroyos y al aroma silvestre del tomillo que en los montes se cría.

Excitado de esta suerte, no sé cómo juego al tresillo, ni hablo, ni discurro con juicio, porque estoy todo en ella.

Cada vez que se encuentran nuestras miradas se lanzan en ellas nuestras almas, y en los rayos que se cruzan se me figura que se unen y compenetran. Allí se descubren mil inefables misterios de amor, allí se comunican sentimientos que por otro medio no llegarían a saberse, y se citan poesías que no caben en lengua humana, y se cantan canciones que no hay voz que exprese ni acordada cítara que module.

Desde el día en que vi a Pepita en el Pozo de la Solana, no he vuelto a verla a solas. Nada le he dicho ni me ha dicho, y, sin embargo, nos lo hemos dicho todo.

91. Amnon, who fell in love with his sister, Tamar (II Samuel, 13.1).

92. Prince Shechem forced his attentions on Dinah (Genesis 34).

Cuando me sustraigo a la fascinación, cuando estoy solo por la noche en mi aposento, quiero mirar con frialdad el estado en que me hallo, y veo abierto a mis pies el precipicio en que voy a sumirme, y siento que me resbalo y que me hundo.

Me recomienda usted que piense en la muerte; no en la de esta mujer, sino en la mía. Me recomienda usted que piense en lo instable, en lo inseguro de nuestra existencia y en lo que hay más allá. Pero esta consideración y esta meditación ni me atemorizan ni me arredran. ¿Cómo he de temer la muerte cuando deseo morir? El amor y la muerte son hermanos. Un sentimiento de abnegación se alza de las profundidades de mi ser, y me llama a sí, y me dice que todo mi ser debe darse y perderse por el objeto amado. Ansío confundirme en una de sus miradas; diluir y evaporar toda mi esencia en el rayo de luz que sale de sus ojos, quedarme muerto mirándola, aunque me condene.

Lo que es aún eficaz en mí contra el amor, no es el temor, sino el amor mismo. Sobre este amor determinado, que ya veo con evidencia que Pepita me inspira, se levanta en mi espíritu el amor divino en consurrección poderosa. Entonces todo se cambia en mí, y aun me prometo la victoria. El objeto de mi amor superior se ofrece a los ojos de mi mente como el sol que todo lo enciende y alumbra, llenando de luz los espacios; y el objeto de mi amor, más bajo, como átomo de polvo que vaga en el ambiente y que el sol dora. Toda su beldad, todo su resplandor y todo su atractivo no es más que el reflejo de ese sol increado, no es más que la chispa brillante, transitoria, inconsistente de aquella infinita y perenne hoguera.

Mi alma, abrasada de amor, pugna por criar alas, y tender el vuelo, y subir a esa hoguera, y consumir allí cuanto hay en ella de impuro.

Mi vida, desde hace algunos días, es una lucha constante. No sé cómo el mal que padezco no me sale a la cara. Apenas me alimento; apenas duermo. Si el sueño cierra mis párpados, suelo despertar azorado, como si me hallase peleando en una batalla de ángeles rebeldes y de ángeles buenos. En esta batalla de la luz contra las tinieblas, yo combato por la luz; pero tal vez imagino que me paso al enemigo, que soy un desertor infame; y oigo la voz del águila de Patmos[93] que dice: «Y los hombres prefirieron las tinieblas a la luz;» y entonces me lleno de terror y me juzgo perdido.

No me queda más recurso que huir. Si en lo que falta para terminar el mes mi padre no me da su venia y no viene conmigo, me escapo como un ladrón; me fugo sin decir nada.

23 de mayo.

Soy un vil gusano, y no un hombre; soy el oprobio y la abyección de la humanidad; soy un hipócrita.

Me han circundado dolores de muerte, y torrentes de iniquidad me han conturbado.

Vergüenza tengo de escribir a usted, y no obstante le escribo. Quiero confesárselo todo.

No logro enmendarme. Lejos de dejar de ir a casa de Pepita, voy más temprano todas las noches. Se diría que los demonios me agarran de los pies y me llevan allá sin que yo quiera.

Por dicha, no hallo sola nunca a Pepita. No quisiera hallarla sola. Casi siempre se me adelanta el excelente padre Vicario, que atribuye nuestra amistad a la semejanza de gustos piadosos, y la funda en la devoción, como

---

93. Saint John, the author of the Apocalypse or the book of Revelation, lived on the island of Patmos, near the west coast of Asia Minor (Revelation 1.9).

la amistad inocentísima que él le profesa.

El progreso de mi mal es rápido. Como piedra que se desprende de lo alto del templo y va aumentando su velocidad en la caída, así mi espíritu ahora.

Cuando Pepita y yo nos damos la mano, no es ya como al principio. Ambos hacemos un esfuerzo de voluntad y nos transmitimos, por nuestras diestras enlazadas, todas las palpitaciones del corazón. Se diría que, por arte diabólico, obramos una transfusión y mezcla de lo más sutil de nuestra sangre. Ella debe de sentir circular mi vida por sus venas, como yo siento en las mías la suya . . .

Todas las noches salgo de su casa diciendo: «Ésta será la última noche que vuelvo aquí,» y vuelvo a la noche siguiente.

Cuando habla, y estoy a su lado, mi alma queda como colgada de su boca; cuando sonríe, se me antoja que un rayo de luz inmaterial se me entra en el corazón y le alegra.

A veces, jugando al tresillo, se han tocado por acaso nuestras rodillas, y he sentido un indescriptible sacudimiento.

Sáqueme usted de aquí. Escriba usted a mi padre que me dé licencia para irme. Si es menester, dígaselo todo. ¡Socórrame usted! ¡Sea usted mi amparo!

30 de mayo.

Dios me ha dado fuerzas para resistir y he resistido.

Hace días que no pongo los pies en casa de Pepita, que no la veo.

Casi no tengo que pretextar una enfermedad, porque realmente estoy enfermo. Estoy pálido y ojeroso; y mi padre lleno de afectuoso cuidado, me pregunta qué padezco y me muestra el interés más vivo.

El reino de los cielos cede a la violencia, y yo quiero conquistarle. Con violencia llamo a sus puertas para que se me abran.

Con ajenjo me alimenta Dios para probarme, y en balde le pido que aparte de mí ese cáliz de amargura; pero he pasado y paso en vela muchas noches entregado a la oración, y ha venido a endulzar lo amargo del cáliz una inspiración amorosa del espíritu consolador y soberano.

He visto con los ojos del alma la nueva patria,[94] y en lo más íntimo de mi corazón ha resonado el cántico nuevo de la Jerusalén celeste.

Si al cabo logro vencer, será gloriosa la victoria; pero se la deberé a la Reina de los Ángeles, a quien me encomiendo. Ella es mi refugio y mi defensa; torre y alcázar de David, de que penden mil escudos y armaduras de valerosos campeones; cedro del Líbano, que pone en fuga a las serpientes.[95]

En cambio, a la mujer que me enamora de un modo mundanal procuro menospreciarla y abatirla en mi pensamiento, recordando las palabras del Sabio[96] y aplicándoselas.

Eres lazo de cazadores, la digo; tu corazón es red engañosa, y tus manos redes que atan: quien ama a Dios huirá de ti, y el pecador será por ti aprisionado.

Meditando sobre el amor, hallo mil motivos para amar a Dios y no amarla.

Siento en el fondo de mi corazón una inefable energía que me convence de que yo lo despreciaría todo por el amor de Dios: la fama, la honra, el poder y el imperio. Me hallo capaz de imitar a Cristo; y si el enemigo tentador me llevase a la cumbre de la montaña y me ofreciese todos los reinos de la tierra porque doblase ante él la rodilla,[97] yo no la doblaría; pero cuando me ofrece a

94. Luis has seen Heaven in a mystic vision.
95. A series of epithets given the Virgin Mary in mystic prayers.

96. Solomon
97. Christ underwent this form of temptation (Matthew 4).

esta mujer, vacilo aún y no le rechazo. ¿Vale más esta mujer a mis ojos que todos los reinos de la tierra; más que la fama, la honra, el poder y el imperio? . . .

6 de junio.

La nodriza de Pepita, hoy su ama de llaves, es, como dice mi padre, una buena pieza de arrugadillo;[98] picotera, alegre y hábil como pocas . . .

Antoñona, que así se llama, tiene o se toma la mayor confianza con todo el señorío. En todas las casas entra y sale como en la suya. A todos los señoritos y señoritas de la edad de Pepita, o de cuatro o cinco años más, los tutea, los llama niños y niñas, y los trata como si los hubiera criado a sus pechos.

A mí me habla de mira,[99] como a los otros. Viene a verme, entra en mi cuarto, y ya me ha dicho varias veces que soy un ingrato, y que hago mal en no ir a ver a su señora.

Mi padre, sin advertir nada, me acusa de extravagante; me llama buho, y se empeña también en que vuelva a la tertulia. Anoche no pude ya resistirme a sus repetidas instancias, y fui muy temprano, cuando mi padre iba a hacer las cuentas con el aperador.

¡Ojalá no hubiera ido!

Pepita estaba sola. Al vernos, al saludarnos, nos pusimos los dos colorados. Nos dimos la mano con timidez, sin decirnos palabra.

Yo no estreché la suya; ella no estrechó la mía, pero las conservamos unidas un breve rato.

En la mirada que Pepita me dirigió, nada había de amor, sino de amistad, de simpatía, de honda tristeza.

Había adivinado toda mi lucha interior; presumía que el amor divino había triunfado en mi alma; que mi resolución de no amarla era firme e invencible.

No se atrevía a quejarse de mí; conocía que la razón estaba de mi parte. Un suspiro, apenas perceptible, que se escapó de sus frescos labios entreabiertos, manifestó cuánto lo deploraba.

Nuestras manos seguían unidas aún. Ambos mudos. ¿Cómo decirle que yo no era para ella ni ella para mí; que importaba separarnos para siempre?

Sin embargo, aunque no se lo dije con palabras, se lo dije con los ojos. Mi severa mirada confirmó sus temores; la persuadió de la irrevocable sentencia.

De pronto se nublaron sus ojos; todo su rostro hermoso, pálido ya de una palidez traslúcida, se contrajo con una bellísima expresión de melancolía. Parecía la madre de los dolores.[100] Dos lágrimas brotaron lentamente de sus ojos y empezaron a deslizarse por sus mejillas.

No sé lo que pasó en mí. ¿Ni cómo describirlo aunque lo supiera?

Acerqué mis labios a su cara para enjugar el llanto, y se unieron nuestras bocas en un beso.

Inefable embriaguez, desmayo fecundo en peligros invadió todo mi ser y el ser de ella. Su cuerpo desfallecía y lo sostuve entre mis brazos.

Quiso el cielo que oyésemos los pasos y la tos del padre Vicario que llegaba, y nos separamos al punto.

Volviendo en mí, y reconcentrando todas las fuerzas de mi voluntad, pude entonces llenar con estas palabras, que pronuncié en voz baja e intensa, aquella terrible escena silenciosa:

¡El primero y el último!

Yo aludía al beso profano; mas, como si hubieran sido mis palabras una evoca-

---

98. *pieza de arrugadillo,* a smart one
99. with great familiarity. *Mira,* "see here" or "listen," is a common way of beginning a familiar conversation.

100. The statue of the Virgin representing her as weeping for her Son's suffering with her heart transfixed with seven daggers, symbolical of her seven sorrows.

ción, se ofreció en mi mente la visión apocalíptica en toda su terrible majestad. Vi al que es por cierto el primero y el último, y con la espada de dos filos que salía de su boca me hería en el alma, llena de maldades, de vicios y de pecados.[101]

Toda aquella noche la pasé en un frenesí, en un delirio interior, que no sé cómo disimulaba.

Me retiré de casa de Pepita muy temprano.

En la soledad fue mayor mi amargura.

Al recordarme de aquel beso y de aquellas palabras de despedida, me comparaba yo con el traidor Judas, que vendía besando; y con el sanguinario y alevoso asesino Joab,[102] cuando al besar a Amasá, le hundió el hierro agudo en las entrañas.

Había incurrido en dos traiciones y en dos falsías.

Había faltado a Dios y a ella.

Soy un ser abominable.

11 de junio.

Aun es tiempo de remediarlo todo. Pepita sanará de su amor y olvidará la flaqueza que ambos tuvimos.

Desde aquella noche no he vuelto a su casa.

Antoñona no parece por la mía.

A fuerza de súplicas he logrado de mi padre la promesa formal de que partiremos de aquí el 25, pasado el día de San Juan, que aquí se celebra con fiestas lucidas, y en cuya víspera hay una famosa velada.[103]

Lejos de Pepita me voy serenando y creyendo que tal vez ha sido una prueba este comienzo de amores . . .

Sí, la imagen profana de esa mujer saldrá definitivamente y para siempre de mi alma. Yo haré un azote durísimo de mis oraciones y penitencias, y con él la arrojaré de allí como Cristo arrojó del templo a los condenados mercaderes.

18 de junio.

Ésta será la última carta que yo escriba a usted.

El 25 saldré de aquí sin falta. Pronto tendré el gusto de dar a usted un abrazo.

Cerca de usted estaré mejor. Usted me infundirá ánimo y me prestará la energía de que carezco.

Una tempestad de encontradas afecciones combate ahora en mi corazón.

El desorden de mis ideas se conocerá en el desorden de lo que estoy escribiendo.

Dos veces he vuelto a casa de Pepita. He estado frío, severo, como debía estar; pero ¡cuánto me ha costado!

Ayer me dijo mi padre que Pepita está indispuesta y que no recibe.

En seguida me asaltó el pensamiento de que su amor mal pagado podría ser la causa de la enfermedad.

¿Por qué la he mirado con las mismas miradas de fuego con que ella me miraba? ¿Por qué la he engañado vilmente? ¿Por qué la[104] he hecho creer que la quería? ¿Por qué mi boca infame buscó la suya y se abrasó y la abrasó con las llamas del infierno?

Pero, no: mi pecado no ha de traer como indefectible consecuencia otro pecado.

Lo que ya fue no puede dejar de haber sido, pero puede y debe remediarse.

El 25, repito, partiré sin falta.

La desenvuelta Antoñona acaba de entrar a verme.

---

101. In Revelation 2. 16–17, John saw the figure of the Son of God (who is of course first and last, Alpha and Omega) with a sword protruding from his mouth, smiting the sinful.

102. II Samuel 20. 10 tells how Joab murdered Amasa while giving him a kiss of greeting.

103. Saint John's Day (June 24) is a Christian holiday which retains traces of the pagan mid-summer's festival of fertility. On its eve many bonfires are lit, and there is much courting and merrymaking. We shall soon learn of other customs of the day.

104. *La* for *le*, as often in spoken Spanish.

Escondí esta carta, como si fuera una maldad escribir a usted.

Sólo un minuto ha estado aquí Antoñona.

Yo me levanté de la silla para hablar con ella de pie y que la visita fuera corta.

En tan corta visita, me ha dicho mil locuras que me afligen profundamente.

Por último, ha exclamado al despedirse, en su jerga medio gitana:

—¡Anda, fullero de amor, *indinote*, maldecido seas; *malos chuqueles te tagelen el drupo*,[105] que has puesto enferma a la niña y con tus retrecherías la estás matando!

Dicho esto, la endiablada mujer me aplicó, de una manera indecorosa y plebeya, por bajo de las espaldas, seis o siete feroces pellizcos, como si quisiera sacarme a túrdigas el pellejo. Después se largó echando chispas.[106]

No me quejo, merezco esta broma brutal, dado que sea broma. Merezco que me atenacen los demonios con tenazas hechas ascuas.[107]

¡Dios mío, haz que Pepita me olvide; haz, si es menester, que ame a otro y sea con él dichosa!

¿Puedo pedirte más, Dios mío?

Mi padre no sabe nada, no sospecha nada. Más vale así.

Adiós. Hasta dentro de pocos días, que nos veremos y abrazaremos.

¡Qué mudado va usted a encontrarme! ¡Qué lleno de amargura mi corazón! ¡Cuán perdida la inocencia! ¡Qué herida y qué lastimada mi alma!

II. *Paralipómenos*[108]

No hay más cartas de don Luis de Vargas que las que hemos transcrito. Nos quedaríamos, pues, sin averiguar el término que tuvieron estos amores, y esta sencilla y apasionada historia no acabaría, si un sujeto, perfectamente enterado de todo, no hubiese compuesto la relación que sigue . . .

A los cinco días de la fecha de la última carta que hemos leído, empieza nuestra narración.

Eran las once de la mañana. Pepita estaba en una sala alta al lado de su alcoba y de su tocador, donde nadie, salvo Antoñona, entraba jamás sin que llamase ella.

Los muebles de aquella sala eran de poco valor, pero cómodos y aseados. Las cortinas y el forro de los sillones, sofás y butacas eran de tela de algodón pintada de flores; sobre una mesita de caoba había recado de escribir y papeles; y en un armario, de caoba también, bastantes libros de devoción y de historia. Las paredes se veían adornadas con cuadros, que eran estampas de asuntos religiosos; pero con el buen gusto, inaudito, raro, casi inverosímil en un lugar de Andalucía, de que dichas estampas no fuesen malas litografías francesas, sino grabados de nuestra Calcografía,[109] como el *Pasmo de Sicilia*, de Rafael; el *San Ildefonso y la Virgen*, la *Concepción*, el *San Bernardo* y los dos medios puntos, de Murillo.[110]

---

105. *Anda . . . drupo*, Go on, you love cheat, you awful wicked person, curses on you; may bad dogs gnaw your bones . . . (*indinote*, popular for *indigno* plus augmentative; *chuqueles*, dogs; *drupo*, body; *tagelar*, to eat. All Andalusian slang)
106. *echando chispas*, with eyes flashing; very angry
107. red hot; literally, made into glowing coals
108. See n. 2.
109. Government engraving office
110. *Pasmo de Sicilia . . . Murillo*; el *Pasmo de Sicilia* is a picture originally painted for a monastery in Palermo, Sicily, and is now in the Museo del Prado, Madrid. It represents an episode of the "Via Crucis," when Christ, bearing his cross to Calvary, stumbles and falls. *San Ildefonso y la Virgen* is a picture in the Prado which shows the saint receiving a vestment from the hands of the Virgin. Murillo painted several versions of the Immaculate Conception, always representing the Virgin standing on clouds and the crescent moon, surrounded by cherubim. *La visión de San Bernardo* depicts the occasion on which the Virgin appeared before the saint. The *medios puntos* are semi-circular paintings, one in Madrid and the other in Cádiz.

Sobre una antigua mesa de roble, sostenida por columnas salomónicas,[111] se veía un contadorcillo o papelera con embutidos de concha, nácar, marfil y bronce, y muchos cajoncitos donde guardaba Pepita cuentas y otros documentos. Sobre la misma mesa había dos vasos de porcelana con muchas flores. Colgadas en la pared había, por último, algunas macetas de loza de la Cartuja[112] sevillana con geranio-hiedra y otras plantas, y tres jaulas doradas con canarios y jilgueros.

Aquella sala era el retiro de Pepita, donde no entraban de día sino el médico y el padre Vicario, y donde a prima noche entraba sólo el aperador a dar sus cuentas. Aquella sala era y se llamaba el despacho.

Pepita estaba sentada, casi recostada en un sofá, delante del cual había un velador pequeño con varios libros.

Se acababa de levantar, y vestía una ligera bata de verano. Su cabello rubio mal peinado aún, parecía más hermoso en su mismo desorden. Su cara, algo pálida y con ojeras, si bien llena de juventud, lozanía y frescura, parecía más bella con el mal que le robaba colores.

Pepita mostraba impaciencia; aguardaba a alguien.

Al fin llegó, y entró sin anunciarse la persona que aguardaba, que era el padre Vicario.

Después de los saludos de costumbre, y arrellanado el padre Vicario en una butaca al lado de Pepita, se entabló la conversación.

—Me alegro, hija mía, de que me hayas llamado; pero sin que te hubieras molestado en llamarme, ya iba yo a venir a verte. ¡Qué pálida estás! ¿Qué padeces? ¿Tienes algo importante que decirme?

A esta serie de preguntas cariñosas empezó a contestar Pepita con un hondo suspiro. Después dijo:

—¿No adivina usted mi enfermedad? ¿No descubre usted la causa de mi padecimiento?

El Vicario se encogió de hombros, y miró a Pepita con cierto susto porque nada sabía, y le llamaba la atención la vehemencia con que ella se expresaba.

Pepita prosiguió:

—Padre mío, yo no debí llamar a usted, sino ir a la iglesia y hablar con usted en el confesionario, y allí confesar mis pecados. Por desgracia, no estoy arrepentida; mi corazón se ha endurecido en la maldad, y no he tenido valor ni me he hallado dispuesta para hablar con el confesor, sino con el amigo.

—¿Qué dices de pecados ni de dureza de corazón? ¿Estás loca? ¿Qué pecados han de ser los tuyos, si eres tan buena?

—No, padre, yo soy mala. He estado engañando a usted, engañándome a mí misma, queriendo engañar a Dios.

—Vamos, cálmate, serénate; habla con orden y con juicio para no decir disparates.

—¿Y cómo no decirlos cuando el espíritu del mal me posee?

—¡Ave María Purísima! Muchacha, no desatines. Mira, hija mía: tres son los demonios más temibles que se apoderan de las almas, y ninguno de ellos, estoy seguro, se puede haber atrevido a llegar hasta la tuya. El uno es Leviatán, o el espíritu de soberbia; el otro Mamon, o el espíritu de la avaricia; el otro Asmodeo, o el espíritu de los amores impuros.[113]

111. twisted columns
112. A monastery of the Carthusian Order. This order, which in France distilled the famous Chartreuse liqueur, apparently manufactured pottery in Sevilla.
113. Leviathan is the spirit of pride (Job 41. 1–34): "Canst thou draw out leviathan with a fish-hook. . . . He is king over all the sons of pride." Mammon is avarice (Matthew 6. 24). "Ye cannot serve God and mammon." Asmodaeus is the demon of lust, originally the evil demon of the Persians.

—Pues de los tres soy víctima; los tres me dominan.

—¡Qué horror! . . . Repito que te calmes. De lo que tú eres víctima es de un delirio.

—¡Pluguiese[114] a Dios que así fuera! Es, por mi culpa, lo contrario. Soy avarienta, porque poseo cuantiosos bienes y no hago las obras de caridad que debiera hacer; soy soberbia, porque he despreciado a muchos hombres, no por virtud, no por honestidad, sino porque no los hallaba acreedores[115] a mi cariño. Dios me ha castigado; Dios ha permitido que este tercer enemigo, de que usted habla, se apodere de mí.

—¿Cómo es eso, muchacha? ¿Qué diablura se te ocurre? ¿Estás enamorada quizás? Y si lo estás, ¿qué mal hay en ello? ¿No eres libre? Cásate, pues, y déjate de tonterías. Seguro estoy de que mi amigo don Pedro de Vargas ha hecho el milagro. ¡El demonio es el tal don Pedro! Te declaro que me asombra. No juzgaba yo el asunto tan mollar ·y tan maduro como estaba.

—¡Pero si[116] no es de don Pedro de Vargas de quien estoy enamorada!

—¿Pues de quién entonces?

Pepita se levantó de su asiento; fue hacia la puerta; la abrió; miró para ver si alguien escuchaba desde fuera; la volvió a cerrar; se acercó luego al padre Vicario, y toda acongojada, con voz trémula, con lágrimas en los ojos, dijo casi al oído del buen anciano:

—Estoy perdidamente enamorada de su hijo.

—¿De qué hijo?—interrumpió el padre Vicario, que aun no quería creerlo.

—¿De qué hijo ha de ser? Estoy perdida, frenéticamente enamorada de don Luis.

La consternación, la sorpresa más dolorosa se pintó en el rostro del cándido y afectuoso sacerdote.

Hubo un momento de pausa. Después dijo el Vicario:

—Pero ése es un amor sin esperanza, un amor imposible. Don Luis no te querrá.

Por entre las lágrimas que nublaban los hermosos ojos de Pepita brilló un alegre rayo de luz; su linda y fresca boca, contraída por la tristeza, se abrió con suavidad, dejando ver las perlas de sus dientes y formando una sonrisa.

—Me quiere—dijo Pepita con un ligero y mal disimulado acento de satisfacción y de triunfo, que se alzaba por cima de su dolor y de sus escrúpulos.

Aquí subieron de punto[117] la consternación y el asombro del padre Vicario. Si el santo de su mayor devoción hubiera sido arrojado del altar y hubiera caído a sus pies, y se hubiera hecho cien mil pedazos, no se hubiera el Vicario consternado tanto. Todavía miró a Pepita con incredulidad como dudando de que aquello fuese cierto, y no una alucinación de la vanidad mujeril. Tan de firme creía en la santidad de don Luis y en su misticismo.

—¡Me quiere!—dijo otra vez Pepita, contestando a aquella incrédula mirada.

—¡Las mujeres son peores que pateta![118]—dijo el Vicario—. Echáis la zancadilla[119] al mismísimo mengue.[120]

—¿No se lo decía yo a usted? ¡Yo soy muy mala!

—¡Sea todo por Dios! Vamos, sosiégate. La misericordia de Dios es infinita. Cuéntame lo que ha pasado.

—¿Qué ha de haber pasado? Que le quiero, que le amo, que le adoro; que él me quiere también, aunque lucha por

---

114. Imperfect subjunctive of *placer*
115. Here, worthy
116. Here, indeed
117. *subir de punto,* to increase

118. "the dickens"
119. *echar la zancadilla,* to trip up
120. Familiar for the devil, "old Nick"

sofocar su amor y tal vez lo consiga; y que usted, sin saberlo, tiene mucha culpa de todo.

—¡Pues no faltaba más! ¿Cómo es eso de que tengo yo mucha culpa?

—Con la extremada bondad que le es propia, no ha hecho usted más que alabarme a don Luis, y tengo por cierto que a don Luis le habrá usted hecho de mí mayores elogios aun, si bien harto menos merecidos. ¿Qué había de suceder? ¿Soy yo de bronce? ¿Tengo yo más de veinte años?[121]

—Tienes razón que te sobra. Soy un mentecato. He contribuído poderosamente a esta obra de Lucifer.

El padre Vicario era tan bueno y tan humilde, que al decir las anteriores frases estaba confuso y contrito, como si él fuese el reo y Pepita el juez.

Conoció Pepita el egoísmo rudo con que había hecho cómplice y punto menos que[122] autor principal de su falta al padre Vicario, y le habló de esta suerte:

—No se aflija usted, padre mío; no se aflija usted, por amor de Dios. ¡Mire usted si soy perversa! ¡Cometo pecados gravísimos y quiero hacer responsable de ellos al mejor y más virtuoso de los hombres! No han sido las alabanzas que usted me ha hecho de don Luis, sino mis ojos y mi poco recato los que me han perdido. Aunque usted no me hubiera hablado jamás de las prendas de don Luis, de su saber, de su talento y de su entusiasta corazón, yo lo hubiera descubierto todo oyéndole hablar, pues al cabo no soy tan tonta ni tan rústica. Me he fijado además en la gallardía de su persona, en la natural distinción y no aprendida elegancia de sus modales, en sus ojos llenos de fuego y de inteligencia, en todo él, en suma, que me parece amable y

deseable. Los elogios de usted han venido sólo a lisonjear mi gusto, pero no a despertarle. Me han encantado porque coincidían con mi parecer y eran como el eco adulador, harto amortiguado y debilísimo, de lo que yo pensaba. El más elocuente encomio que me ha hecho usted de don Luis no ha llegado, ni con mucho,[123] al encomio que sin palabras me hacía yo de él a cada minuto, a cada segundo, dentro del alma.

—¡No te exaltes, hija mía!—interrumpió el padre Vicario.

Pepita continuó con mayor exaltación:

—Pero, ¡qué diferencia entre los encomios de usted y mis pensamientos! Usted veía y trazaba en don Luis el modelo ejemplar del sacerdote, del misionero, del varón apostólico; ya predicando el Evangelio en apartadas regiones y convirtiendo infieles, ya trabajando en España para realzar la cristiandad, tan perdida hoy por la impiedad de los unos y la carencia de virtud, de caridad y de ciencia de los otros. Yo, en cambio, me le representaba galán, enamorado, olvidando a Dios por mí, consagrándome su vida, dándome su alma, siendo mi apoyo, mi sostén, mi dulce compañero. Yo anhelaba cometer un robo sacrílego. Soñaba con robársele a Dios y a su templo, como el ladrón, enemigo del cielo, que roba la joya más rica de la venerada Custodia. Para cometer este robo he desechado los lutos de la viudez y de la orfandad y me he vestido galas profanas; he abandonado mi retiro y he buscado y llamado a mí a las gentes; he procurado estar hermosa; he cuidado con infernal esmero de todo este cuerpo miserable, que ha de hundirse en la sepultura y ha de convertirse en polvo vil, y he mirado, por último, a don Luis con miradas provocantes, y, al

---

121. Pepita excuses herself by throwing the blame on the innocent vicar, a very natural psychological process. Compare with n. 60.

122. *punto menos que,* almost
123. *no ha llegado, ni con mucho,* hasn't reached or come anywhere near

estrechar su mano, he querido transmitir de mis venas a las suyas este fuego inextinguible en que me abraso.

¡Ay, niña, niña! ¡Qué pena me da lo que te oigo! ¡Quién lo hubiera podido imaginar siquiera!

—Pues hay más todavía—añadió Pepita—. Logré que don Luis me amase. Me lo declaraba con los ojos. Sí; su amor era tan profundo, tan ardiente como el mío. Su virtud, su aspiración a los bienes eternos, su esfuerzo varonil trataban de vencer esta pasión insana. Yo he procurado impedirlo. Una vez, después de muchos días que faltaba de esta casa, vino a verme y me halló sola. Al darle la mano lloré; sin hablar me inspiró el infierno una maldita elocuencia muda, le di a entender mi dolor porque me desdeñaba, porque no me quería, porque prefería a mi amor otro amor sin mancilla.[124] Entonces no supo él resistir a la tentación y acercó su boca a mi rostro para secar mis lágrimas. Nuestras bocas se unieron. Si Dios no hubiera dispuesto que llegase usted en aquel instante, ¿qué hubiera sido de mí?

¡Qué vergüenza, hija mía! ¡Qué vergüenza!—dijo el padre Vicario.

Pepita se cubrió el rostro con entrambas manos y empezó a sollozar como una Magdalena. Las menas eran, en efecto, tan bellas, más bellas que lo que don Luis había dicho en sus cartas. Su blancura, su transparencia nítida, lo afilado de los dedos, lo sonrosado, pulido y brillante de las uñas de nácar, todo era para volver loco a cualquier hombre.

El virtuoso Vicario comprendió, a pesar de sus ochenta años, la caída o tropiezo de don Luis.

—¡Muchacha—exclamó—no seas extremosa! ¡No me partas el corazón! Tranquilízate. Don Luis se ha arrepentido, sin duda, de su pecado. Arrepién-

tete tú también, y se acabó. Dios os perdonará y os hará unos santos. Cuando don Luis se va pasado mañana, clara señal es de que la virtud ha triunfado en él, y huye de ti, como debe, para hacer penitencia de su pecado, cumplir su promesa y acudir a su vocación.

—Bueno está eso—replicó Pepita—; cumplir su promesa . . . acudir a su vocación . . . ¡y matarme a mí antes! ¿Por qué me ha querido, por qué me ha engreído, por qué me ha engañado? Su beso fue marca, fue hierro candente con que me señaló y selló como a su esclava. Ahora, que estoy marcada y esclavizada, me abandona, y me vende, y me asesina. ¡Feliz principio quiere dar a sus misiones, predicaciones y triunfos evangélicos! ¡No será! ¡Vive Dios[125] que no será!

Este aranque de ira y de amoroso despecho aturdió al padre Vicario.

Pepita se había puesto de pie. Su ademán, su gesto tenían una animación trágica. Fulguraban sus ojos como dos puñales; relucían como dos soles. El Vicario callaba y la miraba casi con terror. Ella recorrió la sala a grandes pasos. No parecía ya tímida gacela, sino iracunda leona.

—Pues qué—dijo, encarándose de nuevo con el padre Vicario—, ¿no hay más que burlarse de mí, destrozarme el corazón, humillármele, pisoteármele después de habérmele robado por engaño? ¡Se acordará de mí! ¡Me la pagará! Si es tan santo, si es tan virtuoso, ¿por qué me miró prometiéndomelo todo con su mirada? Si ama tanto a Dios, ¿por qué hace mal a una pobre criatura de Dios? ¿Es esto caridad? ¿Es religión esto? No; es egoísmo sin entrañas.

La cólera de Pepita no podía durar mucho. Dichas las últimas palabras, se trocó en desfallecimiento. Pepita se dejó caer en una butaca llorando más que antes, con una verdadera congoja.

---

124. i.e., the love of God

125. By heavens!

El Vicario sintió la más tierna compasión; pero recobró su brío al ver que el enemigo se rendía.

—Pepita, niña—dijo—, vuelve en ti; no te atormentes de ese modo. Considera que él habrá luchado mucho para vencerse; que no te ha engañado; que te quiere con toda el alma, pero que Dios y su obligación están antes. Esta vida es muy breve y pronto se pasa. En el cielo os reuniréis y os amaréis como se aman los ángeles. Dios aceptará vuestro sacrificio y os premiará y recompensará con usura. Hasta tu amor propio debe estar satisfecho. ¡Qué no valdrás tú cuando has hecho vacilar y aun pecar a un hombre como don Luis! ¡Cuán honda herida no habrás logrado hacer en su corazón! Bástete con esto. ¡Sé generosa, sé valiente! Compite con él en firmeza. Déjale partir; lanza de tu pecho el fuego del amor impuro; ámale como a tu prójimo, por el amor de Dios. Guarda su imagen en tu mente, pero como la de criatura predilecta, reservando al Creador la más noble parte del alma. No sé lo que te digo, hija mía, porque estoy muy turbado; pero tú tienes mucho talento y mucha discreción, y me comprendes por medias palabras. Hay, además, motivos mundanos poderosos que se opondrían a estos absurdos amores, aunque la vocación y promesa de don Luis no se opusieran. Su padre te pretende: aspira a tu mano, por más que[126] tú no le ames. ¿Estará bien visto que salgamos ahora con que el hijo es rival del padre? ¿No se enojará el padre contra el hijo por amor tuyo? Mira cuán horrible es todo esto, y domínate por Jesús Crucificado y por su bendita madre María Santísima.

—¡Qué fácil es dar consejos!—contestó Pepita sosegándose un poco—. ¡Qué difícil me es seguirlos, cuando hay como una fiera y desencadenada tempestad en mi cabeza! ¡Si[127] me da miedo de volverme loca!

—Los consejos que te doy son por tu bien. Deja que don Luis se vaya. La ausencia es gran remedio para el mal de amores. Él sanará de su pasión entregándose a sus estudios y consagrándose al altar. Tú, así que esté lejos don Luis, irás poco a poco serenándote, y conservarás de él un grato y melancólico recuerdo, que no te hará daño. Será como una hermosa poesía que dorará con su luz tu existencia . . .

—¡Padre mío! ¡Padre mío! ¡Qué bueno es usted! Sus santas palabras me prestan valor. Yo me dominaré; yo me venceré. Sería bochornoso, ¿no es verdad que sería bochornoso que don Luis supiera dominarse y vencerse, y yo fuera liviana y no me venciera? Que se vaya. Se va pasado mañana. Vaya bendito de Dios. Mire usted su tarjeta. Ayer estuvo a despedirse con su padre y no le he recibido. Ya no le veré más. No quiero conservar ni el recuerdo poético de que usted habla. Estos amores han sido una pesadilla. Yo la arrojaré lejos de mí.

—¡Bien, muy bien! Así te quiero yo, enérgica, valiente.

—¡Ay, padre mío! Dios ha derribado mi soberbia con este golpe; mi engreimiento era insolentísimo y han sido indispensables los desdenes de ese hombre para que sea yo todo lo humilde que debo. ¿Puedo estar más postrada ni más resignada? Tiene razón don Luis: yo no le merezco. ¿Cómo, por más esfuerzos que hiciera, habría yo de elevarme hasta él, y comprenderle, y poner en perfecta comunicación mi espíritu con el suyo? Yo soy zafia aldeana, inculta, necia; él no hay ciencia que no comprenda, ni arcano que ignore, ni esfera encumbrada del mundo intelectual adonde no suba. Allá se remonta en alas de su genio, y a mí,

---

126. *por más que,* however much that, despite the fact that

127. indeed, why

pobre y vulgar mujer, me deja por acá, en este bajo suelo, incapaz de seguirle ni siquiera con una levísima esperanza y con mis desconsolados suspiros.

—Pero, Pepita, por los clavos de Cristo, no digas eso ni lo pienses. ¡Si don Luis no te desdeña por zafia, ni porque es muy sabio y tú no le entiendes, ni por esas majaderías que ahí estás ensartando! Él se va porque tiene que cumplir con Dios; y tú debes alegrarte de que se vaya porque sanarás del amor, y Dios te dará el premio de tan grande sacrificio.

Pepita, que ya no lloraba y que se había enjugado las lágrimas con el pañuelo, contestó tranquila:

—Está bien, padre; yo me alegraré; casi me alegro ya de que se vaya. Deseando estoy que pase el día de mañana, y que pasado venga Antoñona y decirme cuando yo despierte: «Ya se fue don Luis.» Usted verá cómo renacen entonces la calma y la serenidad antigua en mi corazón.

—Así sea—dijo el padre Vicario; y convencido de que había hecho un prodigio y de que había curado casi el mal de Pepita, se despidió de ella y se fue a su casa, sin poder resistir ciertos estímulos de vanidad al considerar la influencia que ejercía sobre el noble espíritu de aquella preciosa muchacha.

Pepita, que se había levantado para despedir al padre Vicario, no bien volvió a cerrar la puerta y quedó sola, de pie, en medio de la estancia, permaneció un rato inmóvil, con la mirada fija, aunque sin fijarla en ningún objeto, y con los ojos sin lágrimas. Hubiera recordado a un poeta o a un artista la figura de Ariadna,[128] como la describe Catulo, cuando Teseo la abandonó en la isla de Naxos. De repente, como si lograse desatar un nudo que le apretaba la garganta, como si quebrase un cordel que la ahogaba, rompió Pepita en lastimeros gemidos, vertió un raudal de llanto, y dió con su cuerpo[129] tan lindo y delicado, sobre las losas frías del pavimento. Allí, cubierta la cara con las manos, desatada la trenza de sus cabellos y en desorden la vestidura, continuó en sus sollozos y en sus gemidos.

Así hubiera seguido largo tiempo, si no llega[130] Antoñona. Antoñona la oyó gemir, antes de entrar y verla, y se precipitó en la sala. Cuando la vió tendida en el suelo, hizo Antoñona mil extremos de furor.

—¡Vea usted—dijo—, ese zángano, pelgar, vejete, tonto, qué maña se da para consolar a sus amigas! Habrá largado alguna barbaridad, algún buen par de coces a esta criaturita de mi alma, y me la ha dejado aquí medio muerta, y él se ha vuelto a la iglesia, a preparar lo conveniente para cantarle el gorigori,[131] y rociarla con el hisopo y enterrármela sin más ni más[132] . . .

Aunque Pepita no fuese una paja, Antoñona la alzó del suelo en sus brazos, como si lo[133] fuera, y la puso con mucho tiento sobre el sofá, como quien coloca la alhaja más frágil y primorosa para que no se quiebre.

—¿Qué soponico es éste?—preguntó Antoñona—. Apuesto cualquier cosa a que ese zanguango de Vicario te ha

128. Ariadne, daughter of Minos, helped Theseus out of the labyrinth by giving him the thread to follow. Later Theseus abandoned her on the Island of Naxos, while she was asleep. Catullus, Latin poet of the first century B.C., describes her dismay on awakening and seeing Theseus' ship already far from shore. (See his *Epithalamium for Peleus and Thetis*, 1. 52 ff.)

129. *dio . . . cuerpo,* let herself fall
130. Present tense for conditional perfect to give great vividness
131. An onomatopoetic imitation of a Latin chant
132. *sin más ni más*, without more ado
133. *lo* refers to the idea "light as a straw," not to the definite word *paja*

echado un sermón de acíbar y te ha destrozado el alma a pesadumbres.

Pepita seguía llorando y sollozando, sin contestar.

—¡Ea! Déjate de llanto y dime lo que tienes. ¿Qué te ha dicho el Vicario?

—Nada me ha dicho que pueda ofenderme—contestó al fin Pepita.

Viendo luego que Antoñona aguardaba con interés a que ella hablase, y deseando desahogarse con quien simpatizaba mejor con ella y más *humanamente* la comprendía, Pepita habló de esta manera:

—El padre Vicario me amonesta con dulzura para que me arrepienta de mis pecados; para que deje partir en paz a don Luis; para que me alegre de su partida; para que le olvide. Yo he dicho que sí a todo. He prometido alegrarme de que don Luis se vaya. He querido olvidarle y hasta aborrecerle. Pero mira, Antoñona, no puedo; es un empeño superior a mis fuerzas. Cuando el Vicario estaba aquí, juzgué que tenía yo bríos para todo, y no bien se fue, como si Dios me dejara de su mano, perdí los bríos y me caí en el suelo desolada. Yo había soñado una vida venturosa al lado de este hombre que me enamora; yo me veía ya elevada hasta él por obra milagrosa del amor; mi pobre inteligencia en comunión perfectísima con su inteligencia sublime; mi voluntad siendo una con la suya; con el mismo pensamiento ambos; latiendo nuestros corazones acordes. ¡Dios me le quita y se le lleva, y yo me quedo sola, sin esperanza ni consuelo! ¿No es verdad que es espantoso? Las razones del padre Vicario son justas, discretas . . . Al pronto me convencieron. Pero se fue, y todo el valor de aquellas razones me parece nulo; vano juego de palabras; mentiras, enredos y argucias. Yo amo a don Luis, y esta razón es más poderosa que todas las razones. Y si él me ama, ¿por qué no lo deja todo y me busca, y se viene a mí y quebranta promesas y anula compromisos? No sabía yo lo que era amor. Ahora lo sé: no hay nada más fuerte en la tierra y en el cielo. ¿Qué no haría yo por don Luis? Y él por mí nada hace. Acaso no me ama. No. Don Luis no me ama. Yo me engañé: la vanidad me cegó. Si don Luis me amase, me sacrificaría sus propósitos, sus votos, su fama, sus aspiraciones a ser un santo y a ser una lumbrera de la Iglesia; todo me lo sacrificaría. Dios me lo perdone . . . es horrible lo que voy a decir, pero lo siento aquí en el centro del pecho; me arde aquí, en la frente calenturienta: yo por él daría hasta la salvación de mi alma.

—¡Jesús, María y José!—interrumpió Antoñona.

—¡Es cierto; Virgen Santa de los Dolores, perdonadme, perdonadme . . . , estoy loca . . . , no sé lo que digo y blasfemo!

—Sí, hija mía, ¡estás algo empecatada! ¡Válgame Dios y cómo te ha trastornado el juicio ese teólogo pisaverde! Pues si yo fuera que[134] tú, no la tomaría contra[135] el cielo, que no tiene la culpa, sino contra el mequetrefe del colegial, y me las pagaría o me borraría el nombre que tengo. Ganas me dan de ir a buscarle y traértele aquí de una oreja, y obligarle a que te pida perdón y a que te bese los pies de rodillas.

—No, Antoñona. Veo que mi locura es contagiosa y que tú deliras también. En resolución, no hay más recurso que hacer lo que me aconseja el padre Vicario. Lo haré aunque me cueste la vida. Si muero por él, él me amará, él guardará mi imagen en su memoria, mi amor en su corazón; y Dios, que es tan bueno, hará que yo vuelva a verle en el cielo; con los

134. Omit in translating

135. *tomar contra*, to bear a grudge against, to complain against

ojos del alma, y que allí nuestros espíritus se amen y se confundan.

Antoñona, aunque era recia de veras y nada sentimental, sintió al oir esto, que se le saltaban las lágrimas.

—Caramba, niña—dijo Antoñona—, vas a conseguir que suelte yo el trapo a llorar[136]. y que berree como una vaca. Cálmate, y no pienses en morirte, ni de chanza. Veo que tienes muy excitados los nervios. ¿Quieres que traiga una taza de tila?

—No, gracias. Déjame . . . , ya ves cómo estoy sosegada.

—Te cerraré las ventanas, a ver si duermes. Si no duermes hace días, ¿cómo has de estar? ¡Mal haya el tal don Luis y su manía de meterse cura! ¡Buenos supiripandos[137] te cuesta!

Pepita había cerrado los ojos; estaba en calma y en silencio, harta ya del coloquio con Antoñona.

Ésta, creyéndola dormida, o deseando que durmiera, se inclinó hacia Pepita, puso con lentitud y suavidad un beso sobre su blanca frente, le arregló y plegó el vestido sobre el cuerpo, entornó las ventanas para dejar el cuarto a media luz, y se salió de puntillas, cerrando la puerta sin hacer el menor ruido.

Mientras que ocurrían estas cosas en casa de Pepita, no estaba más alegre y sosegado en la suya el señor don Luis de Vargas.

Su padre, que no dejaba casi ningún día de salir al campo a caballo, había querido llevarle en su compañía; pero don Luis se había excusado con que le dolía la cabeza, y don Pedro se fue sin él. Don Luis había pasado solo toda la mañana, entregado a sus melancólicos pensamientos, y más firme que roca en su resolución de borrar de su alma la imagen de Pepita, y de consagrarse a Dios por completo.

No se crea, con todo, que no amaba a la joven viuda. Ya hemos visto por las cartas la vehemencia de su pasión; pero él seguía enfrenándola con los mismos afectos piadosos y consideraciones elevadas de que en las cartas da larga muestra, y que podemos omitir aquí para no pecar de prolijos.

Tal vez, si profundizamos con severidad en este negocio, notaremos que contra el amor de Pepita no luchaban sólo en el alma de don Luis el voto hecho ya en su interior, aunque no confirmado, el amor de Dios, el respeto a su padre, de quien no quería ser rival, y la vocación, en suma, que sentía por el sacerdocio. Había otros motivos de menos depurados quilates y de más baja ley.

Don Luis era pertinaz, era terco: tenía aquella condición que, bien dirigida, constituye lo que se llama firmeza de carácter, y nada había que le rebajase más a sus propios ojos que el variar de opinión y de conducta. El propósito de toda su vida, lo que había sostenido y declarado ante cuantas personas le trataban, su figura moral, en una palabra, que era ya la de un aspirante a santo, la de un hombre consagrado a Dios, la de un sujeto imbuído en las más sublimes filosofías religiosas, todo esto no podía caer por tierra sin gran mengua de don Luis, como caería, si se dejase llevar del amor de Pepita Jiménez. Aunque el precio era sin comparación mucho más subido, a don Luis se le figuraba que si cedía iba a remedar a Esaú, y a vender su primogenitura[138] y a deslustrar su gloria . . .

Cuando don Luis reflexionaba sobre todo esto, se elevaba su espíritu, se encumbraba por encima de las nubes en la región empírea, y la pobre Pepita Jimé

---

136. *soltar el trapo a llorar,* to burst into tears
137. Popular for *suspiros*

138. Esau sold his birthright for a mess of pottage.

nez quedaba allá muy lejos, y apenas si
él la veía.

Pero pronto se abatía el vuelo de su
imaginación, y el alma de don Luis tocaba a la tierra y volvía a ver a Pepita,
tan graciosa, tan joven, tan candorosa y
tan enamorada, y Pepita combatía dentro
de su corazón contra sus más fuertes y
arraigados propósitos, y don Luis temía
que diese al traste con[139] ellos.

Así se atormentaba don Luis con en-
contrados[140] pensamientos, que se daban
guerra, cuando entró Currito en su
cuarto sin decir oxte ni moxte.[141]

Currito, que no estimaba gran cosa
a su primo mientras no fué más que
teólogo, le veneraba, le admiraba y formaba de él un concepto sobrehumano
desde que le había visto montar tan bien
en Lucero . . .

—Vengo a buscarte—le dijo—para que
me acompañes al casino, que está animadísimo hoy y lleno de gente. ¿Qué haces
aquí solo, tonteando y hecho un papamoscas?[142]

Don Luis, casi sin replicar y como si
fuera mandato, tomó su sombrero y su
bastón, y diciendo: «Vámonos donde
quieras,» siguió a Currito, que se adelantaba, tan satisfecho de aquel dominio
que ejercía.

El casino, en efecto, estaba de bote en
bote,[143] gracias a la solemnidad del día
siguiente, que era el día de San Juan. A
más de[144] los señores del lugar había
muchos forasteros, que habían venido de
los lugares inmediatos para concurrir a
la feria y velada de aquella noche . . .

Currito llevó a don Luis, y don Luis

se dejó llevar, a la sala donde estaba la
flor y nata[145] de los elegantes, *dandies* y
cocodés[146] del lugar y de toda la comarca.
Entre ellos descollaba el Conde de Genazahar, de la vecina ciudad de ***Era un
personaje ilustre y respetado. Había pasado en Madrid y en Sevilla largas temporadas, y se vestía con los mejores sastres,
así de majo[147] como de señorito. Había
sido diputado dos veces, y había hecho
una interpelación al Gobierno sobre un
atropello de un alcalde-corregidor.

Tendría el Conde de Genazahar treinta
y tantos años; era buen mozo y lo sabía, y
se jactaba además de tremendo en paz y
en lides, en desafíos y en amores. El
Conde, no obstante, y a pesar de haber
sido uno de los más obstinados pretendientes de Pepita, había recibido las con-
fitadas calabazas[148] que ella solía propinar
a quienes la requebraban y aspiraban a
su mano.

La herida que aquel duro y amargo
confite había abierto en su endiosado
corazón, no estaba cicatrizada todavía.
El amor se había vuelto odio, y el conde
se desahogaba a menudo poniendo a
Pepita como chupa de dómine.[149]

En este ameno ejercicio se hallaba el
Conde cuando quiso la mala ventura que
don Luis y Currito llegasen y se metiesen
en el corro, que se abrió para recibirlos,
de los que oían el extraño sermón de
honras. Don Luis, como si el mismo
diablo lo hubiera dispuesto, se encontró
cara a cara con el Conde, que decía de
este modo:

—No es mala pécora la tal Pepita
Jiménez.[150] Con más fantasía y más
humos que la infanta Micomicona,[151]

139. *dar al traste con,* to upset, spoil
140. conflicting, opposite
141. *sin decir oxte ni moxte,* without saying a
    word
142. *hecho un papamoscas,* like an idiot
143. *de bote en bote,* packed
144. *A más de,* besides
145. the flower and cream; the elite group
146. French, *cocodès;* dandy, fop

147. *de majo,* in the regional dress, contrasted
    with *de señorito,* in city styles
148. *las . . . calabazas,* the sweet refusal
149. *poner como chupa de dómine,* to slander,
    speak ill of
150. *No . . . Jiménez,* Pepita Jiménez is a sly
    one.
151. An imaginary character of high lineage in
    the *Quijote.*

quiere hacernos olvidar que nació y vivió en la miseria hasta que se casó con aquel pelele, con aquel vejestorio, con aquel maldito usurero, y le cogió los ochavos. La única cosa buena que ha hecho en su vida la tal viuda es concertarse con Satanás para enviar pronto al infierno a su galopín de marido, y librar la tierra de tanta infección y de tanta peste. Ahora le ha dado a Pepita por[152] la virtud y por la castidad. ¡Bueno estará todo ello! Sabe Dios si estará enredada de ocultis[153] con algún gañán, y burlándose del mundo como si fuese la reina Artemisa[154] . . .

Don Luis . . . se quedó herido como por un rayo, cuando vio al insolente Conde arrastrar por el suelo, mancillar y cubrir de inmundo lodo la honra de la mujer que amaba.

¿Cómo defenderla, no obstante? No se le ocultaba que, si bien no era marido, ni hermano, ni pariente de Pepita, podía sacar la cara[155] por ella como caballero; pero veía el escándalo que esto causaría cuando no había allí ningún profano que defendiese a Pepita; antes bien, todos reían al Conde la gracia.[156] Él, casi ministro ya de un Dios de paz, no podía dar un mentís y exponerse a una riña con aquel desvergonzado.

Don Luis estuvo por enmudecer e irse; pero no lo consintió su corazón, y pugnando por revestirse de una autoridad que ni sus años juveniles, ni su rostro, donde había más bozo que barbas, ni su presencia en aquel lugar consentían, se puso a hablar con verdadera elocuencia contra los maldicientes y a echar en rostro al Conde, con libertad cristiana y con acento severo, la fealdad de su ruin acción.

Fue predicar en desierto, o peor que predicar en desierto. El Conde contestó con pullas y burletas a la homilía; la gente, entre la que había no pocos forasteros, se puso del lado del burlón, a pesar de ser don Luis el hijo del cacique; el propio Currito, que no valía para nada y era un blandengue, aunque no se rio, no defendió a su amigo, y éste tuvo que retirarse, vejado y humillado bajo el peso de la chacota.

—¡Esta flor le faltaba al ramo![157]— murmuró entre dientes el pobre don Luis cuando llegó a su casa, y volvió a meterse en su cuarto, mohino y maltratado por la rechifla, que él se exageraba y figuraba insufrible. Se echó de golpe en un sillón, abatido y descorazonado, y mil ideas contrarias asaltaron su mente.

La sangre de su padre, que hervía en sus venas, le despertaba la cólera y le excitaba a ahorcar los hábitos, como al principio le aconsejaban en el lugar, y dar luego su merecido al señor Conde; pero todo el porvenir que se había creado se deshacía al punto, y veía al Deán que renegaba de él; y hasta el Papa, que había enviado ya la dispensa pontificia para que se ordenase antes de la edad, y el prelado diocesano, que había apoyado la solicitud de la dispensa en su probada virtud, ciencia sólida y firmeza de vocación, se le aparecían para reconvenirle . . .

En estas y otras meditaciones por el estilo transcurrieron las horas hasta que dieron las tres, y don Pedro, que acababa de volver del campo, entró en el cuarto de su hijo para llamarle a comer. La alegre cordialidad del padre, sus chistes, sus muestras de afecto, no pudieron sacar

152. *le . . . por,* Pepita has gone in for
153. on the sly
154. A queen who raised a great funeral monument to her husband Mausolos (hence the word "mausoleum") and who is regarded as a model of wives, faithful to her husband even after his death.

155. *sacar la cara,* come out (in her defense)
156. *reían . . . gracia,* laughed at the wit of the Count
157. *¡Esta . . . ramo!,* This is the last straw!

a don Luis de la melancolía ni abrirle el apetito. Apenas comió; apenas habló en la mesa.

Si bien disgustadísimo con la silenciosa tristeza de su hijo, cuya salud, aunque robusta, pudiera resentirse, como don Pedro era hombre que se levantaba al amanecer y bregaba mucho durante el día, luego que acabó de fumar un buen cigarro habano de sobremesa, acompañándole con su taza de café y su copita de aguardiente de anís doble, se sintió fatigado, y según costumbre, se fue a dormir sus dos o tres horas de siesta.

Don Luis tuvo muy buen cuidado de no poner en noticia de su padre, la ofensa que le había hecho el Conde de Genazahar. Su padre, que no iba a cantar misa y que tenía una índole poco sufrida, se hubiera lanzado al instante a tomar la venganza que él no tomó.

Solo ya don Luis, dejó el comedor para no ver a nadie, y volvió al retiro de su estancia para abismarse más profundamente en sus ideas.

Abismado en ellas estaba hacía largo rato, sentado junto al bufete, los codos sobre él y en la derecha mano apoyada la mejilla, cuando sintió cerca ruido. Alzó los ojos y vio a su lado a la entrometida Antoñona, que había penetrado como una sombra, aunque tan maciza, y que le miraba con atención y con cierta mezcla de piedad y de rabia.

Antoñona se había deslizado hasta allí sin que nadie lo advirtiese, aprovechando la hora en que comían los criados y don Pedro dormía, y había abierto la puerta del cuarto y la había vuelto a cerrar tras sí con tal suavidad, que don Luis, aunque no hubiera estado tan absorto, no hubiera podido sentirla.

Antoñona venía resuelta a tener una conferencia muy seria con don Luis; pero no sabía a punto fijo lo que iba a decirle.

Sin embargo, había pedido, no se sabe si al cielo o al infierno, que desatase su lengua y que le diese habla,[158] y habla no chabacana y grotesca, como la que usaba por lo común, sino culta, elegante e idónea para las nobles reflexiones y bellas cosas que ella imaginaba que le convenía expresar.

Cuando don Luis vio a Antoñona arrugó el entrecejo, mostró bien en el gesto lo que le contrariaba aquella visita, y dijo con tono brusco:

—¿A qué vienes aquí? Vete.

—Vengo a pedirte cuenta de mi niña —contestó Antoñona sin turbarse—, y no me he de ir hasta que me la des.

En seguida acercó una silla a la mesa, y se sentó enfrente de don Luis con aplomo y descaro.

Viendo don Luis que no había remedio, mitigó el enojo, se armó de paciencia y, ya con acento menos cruel, exclamó:

—Di lo que tengas que decir.

—Tengo que decir—prosiguió Antoñona—que lo que estás maquinando contra mi niña es una maldad. Te estás portando como un tuno. La has hechizado; la has dado un bebedizo maligno. Aquel angelito se va a morir. No come, ni duerme, ni sosiega por culpa tuya. Hoy ha tenido dos o tres soponcios sólo de pensar en que te vas. Buena hacienda[159] dejas hecha antes de ser clérigo. Dime, condenado, ¿por qué viniste por aquí y no te quedaste por allá con tu tío? Ella, tan libre, tan señora de su voluntad, avasallando la de todos y no dejándose cautivar de ninguno, ha venido a caer en tus traidoras redes . . .

—Antoñona—contestó don Luis—, déjame en paz. Por Dios, no me atormentes. Yo soy un malvado, lo confieso. No debí mirar a tu ama. No debí darle a entender que la amaba; pero yo la

158. A noun; speech, the gift of speech

159. deeds

amaba y la amo aún con todo mi corazón, y no le he dado bebedizo, ni filtro, sino el mismo amor que la tengo. Es menester, sin embargo, desechar, olvidar este amor . . .

Yo no puedo remediar el mal de tu dueña. ¿Qué he de hacer?

—¿Qué has de hacer?—interrumpió Antoñona, ya más blanda y afectuosa y con voz insinuante—. Yo te diré lo que has de hacer. Si no remediares el mal de mi niña, le aliviarás al menos. ¿No eres tan santo? Pues los santos son compasivos, y, además, valerosos. No huyas como un cobardón grosero, sin despedirte. Ven a ver a mi niña, que está enferma. Haz esta obra de misericordia.

—¿Y qué conseguiré con esa visita? Agravar el mal en vez de sanarle.

—No será así; no estás en el busilis.[160] Tú irás allí, y con esa cháchara que gastas y esa labia que Dios te ha dado, le infundirás en los cascos la resignación y la dejarás consolada; y si le dices que la quieres y que por Dios sólo la dejas, al menos su vanidad de mujer no quedará ajada.

—Lo que me propones es tentar a Dios, es peligroso para mí y para ella.

—¿Y por qué ha de ser tentar a Dios? Pues si Dios ve la rectitud y la pureza de tus intenciones, ¿no te dará su favor y su gracia para que no te pierdas en esta ocasión en que te pongo con sobrado motivo? ¿No debes volar a librar a mi niña de la desesperación y a traerla al buen camino? Si se muriera de pena por verse así desdeñada, o si rabiosa agarrase un cordel y se colgase de una viga, créeme, tus remordimientos serían peores que las llamas de pez y azufre de las calderas de Lucifer.

¡Qué horror! No quiero que se desespere. Me revestiré de todo mi valor; iré a verla.

—¡Bendito seas! ¡Si[161] me lo decía el corazón! ¡Si eres bueno!

—¿Cuándo quieres que vaya?

—Esta noche a las diez en punto. Yo estaré en la puerta de la calle aguardándote y te llevaré donde está.

—¿Sabe ella que has venido a verme?

—No lo sabe. Ha sido todo ocurrencia mía; pero yo la prepararé con buen arte, a fin de que tu visita, la sorpresa, el inesperado gozo, no la hagan caer en un desmayo. ¿Me prometes que irás?

—Iré.

—Adiós. No faltes. A las diez de la noche en punto. Estaré a la puerta.

Y Antoñona echó a correr, bajó la escalera de dos en dos escalones y se plantó en la calle . . .

Volvió, pues, Antoñona a casa de su dueña, muy satisfecha de sí misma y muy resuelta a disponer las cosas con tino para que el remedio que había buscado no fuese inútil, o no agravase el mal de Pepita en vez de sanarle.

A Pepita no pensó ni determinó prevenirla sino a lo último, diciéndole que don Luis espontáneamente le había pedido hora para hacerle una visita de despedida, y que ella había señalado las diez.

A fin de que no se originasen habladurías, si en la casa veían entrar a don Luis, pensó en que no le viesen entrar, y para ello era también muy propicia la hora y la disposición de la casa. A las diez estaría llena de gente la calle con la velada, y por lo mismo repararían menos en don Luis cuando pasase por ella. Penetrar en el zaguán sería obra de un segundo; y ella, que estaría allí aguardando, llevaría a don Luis hasta el despacho sin que nadie le viese.

Todas o la mayor parte de las casas de los ricachos lugareños de Andalucía

---

160. *no estás en el busilis,* you don't see the point

161. See n. 127.

son como dos casas en vez de una, y así era la casa de Pepita. Cada casa tiene su puerta. Por la principal se pasa al patio enlosado y con columnas, a las salas y demás habitaciones señoriles; por la otra, a los corrales, caballeriza y cochera, cocinas, molino, lagar, graneros, trojes donde se conserva la aceituna hasta que se muele; bodegas donde se guarda el aceite, el mosto, el vino de quema, el aguardiente y el vinagre en grandes tinajas; y candioteras o bodegas donde está en pipas y toneles el vino bueno y ya hecho o rancio. Esta segunda casa o parte de casa, aunque esté en el centro de una población de veinte o veinticinco mil almas, se llama casa de campo. El aperador, los capataces, el mulero, los trabajadores principales y más constantes en el servicio del amo se juntan allí por la noche; en invierno, en torno de una enorme chimenea de una gran cocina, y en verano, al aire libre o en algún cuarto muy ventilado y fresco, y están holgando y de tertulia hasta que los señores se recogen.[162]

Antoñona imaginó que el coloquio y la explicación que ella deseaba que tuviesen su niña y don Luis, requerían sosiego y que no viniesen a interrumpirlos, y así determinó que aquella noche, por ser la velada de San Juan, las chicas que servían a Pepita vacasen en todos sus quehaceres y oficios, y se fuesen a solazar a la casa de campo, armando con los rústicos trabajadores un *jaleo probe*,[163] de fandango, lindas coplas, repiqueteo de castañuelas, brincos y mudanzas.

De esta suerte, la casa señoril quedaría casi desierta y silenciosa, sin más habitantes que ella y Pepita, y muy a propósito para la solemnidad, trascendencia y no turbado sosiego que eran necesarios

en la entrevista que ella tenía preparada, y de la que dependía quizás, o de seguro, el destino de dos personas de tanto valer . . .

Don Luis confortó su espíritu con la esperanza de que iba a tener mucha serenidad y de que Dios iba a poner en sus labios un raudal de elocuencia, por donde persuadiría a Pepita, que era tan buena, de que ella misma le impulsase a cumplir con su vocación, sacrificando el amor mundanal y haciéndose semejante a las santas mujeres que ha habido, las cuales, no ya han desistido de unirse con un novio o con un amante, sino hasta de unirse con el esposo, viviendo con él como con un hermano, según se refiere, por ejemplo, en la vida de San Eduardo, rey de Inglaterra.[164] Y después de pensar en esto, se sentía don Luis más consolado y animado, y ya se figuraba que él iba a ser como San Eduardo, y que Pepita era como la reina Edita, su mujer; y bajo la forma y condición de la tal reina, virgen a par de[165] esposa, le parecía Pepita, si cabe, mucho más gentil, elegante y poética.

No estaba, sin embargo, don Luis todo lo seguro y tranquilo que debiera estar después de haberse resuelto a imitar a San Eduardo. Hallaba aún cierto no sé qué de criminal en aquella visita que iba a hacer sin que su padre lo supiese, y estaba por ir a despertarle de su siesta y descubrírselo todo. Dos o tres veces se levantó de su silla y empezó a andar en busca de su padre; pero luego se detenía y creía aquella revelación indigna, la creía una vergonzosa chiquillada. Él podía revelar sus secretos; pero revelar los de Pepita para ponerse bien con su padre, era bastante feo. La fealdad y lo

---

162. We have here a bit of *costumbrista* material, which, as we have noted, is not nearly so common in Valera's works as in those of his contemporaries.

163. a servants' party (*probe* is an Andalusianism for *pobre*)

164. Edward the Confessor, king of England, 1042–66.

165. *a par de*, at the same time as

cómico y miserable de la acción se aumentaban, notando que el temor de no ser bastante fuerte para resistir era lo que a hacerla le movía. Don Luis se calló, pues, y no reveló nada a su padre . . .

Por último, si bien tenía abierto el balcón por ser verano, le parecía que iba a ahogarse allí por falta de aire, y que el techo le pesaba sobre la cabeza, y que para respirar necesitaba de toda la atmósfera, y para andar de todo el espacio sin límites, y para alzar la frente y exhalar sus suspiros y encumbrar sus pensamientos, de no tener sobre sí, sino la inmensa bóveda del cielo.

Aguijoneado de esta necesidad, tomó su sombrero y su bastón y se fue a la calle. Ya en la calle, huyendo de toda persona conocida y buscando la soledad, se salió al campo y se internó por lo más frondoso y esquivo de las alamedas, huertas y sendas que rodean la población y hacen un paraíso de sus alrededores en un radio de más de media legua.

Poco hemos dicho hasta ahora de la figura de don Luis. Sépase, pues, que era un buen mozo en toda la extensión de la palabra: alto, ligero, bien formado, cabello negro, ojos negros también y llenos de fuego y de dulzura. La color trigueña, la dentadura blanca, los labios finos, aunque relevados, lo cual le daba un aspecto desdeñoso; y algo de atrevido y varonil en todo el ademán, a pesar del recogimiento y de la mansedumbre clericales. Había, por último, en el porte y continente de don Luis aquel indescriptible sello de distinción y de hidalguía que parece, aunque no lo sea siempre, privativa calidad y exclusivo privilegio de las familias aristocráticas.

Al ver a don Luis, era menester confesar que Pepita Jiménez sabía de estética por instinto.

Corría, que no[166] andaba, don Luis por aquellas sendas, saltando arroyos y fijándose apenas en los objetos, casi como toro picado del tábano. Los rústicos con quienes se encontró, los hortelanos que le vieron pasar, tal vez le tuvieron por loco.

Cansado ya de caminar sin propósito, se sentó al pie de una cruz de piedra, junto a las ruinas de un antiguo convento de San Francisco de Paula, que dista más de tres kilómetros del lugar, y allí se hundió en nuevas meditaciones, pero tan confusas, que ni él mismo se daba cuenta de lo que pensaba . . .

El sol acababa de ocultarse detrás de los picos gigantescos de las sierras cercanas, haciendo que las pirámides, agujas y rotos obeliscos de la cumbre se destacasen sobre un fondo de púrpura y topacio, que tal parecía el cielo, dorado por el sol poniente. Las sombras empezaban a extenderse sobre la vega, y en los montes opuestos a los montes por donde el sol se ocultaba, relucían las peñas más erguidas, como si fueran de oro o de cristal hecho ascua . . .

Una poesía melancólica inspiraba a la naturaleza, y con la música callada que sólo el espíritu acierta a oir, se diría que todo entonaba un himno al Creador. El lento son de las campanas, amortiguado y semiperdido por la distancia, apenas turbaba el reposo de la tierra, y convidaba a la oración sin distraer los sentidos con rumores. Don Luis se quitó su sombrero, se hincó de rodillas al pie de la cruz, cuyo pedestal le había servido de asiento, y rezó con profunda devoción el *Angelus Domini.*

Las sombras nocturnas fueron pronto ganando terreno . . . La luna plateaba las copas de los árboles y se reflejaba en la corriente de los arroyos . . . Entre la espesura de la arboleda cantaban los

166. *que no,* rather than

ruiseñores. Las hierbas y flores vertían más generoso perfume. Por las orillas de las acequias, entre la hierba menuda y las flores silvestres, relucían como diamantes o carbunclos los gusanillos de luz en multitud innumerable . . . Muchos árboles frutales, en flor todavía; muchas acacias y rosales sin cuento embalsamaban el ambiente, impregnándole de suave fragancia.

Don Luis se sintió dominado, seducido, vencido por aquella voluptuosa naturaleza, y dudó de sí.[167] Era menester, no obstante, cumplir la palabra dada y acudir a la cita.

Aunque dando un largo rodeo, aunque recorriendo otras sendas, aunque vacilando a veces, . . . don Luis, a paso lento y pausado, se dirigió hacia la población.

. . . aun se hallaba a alguna distancia del pueblo, cuando sonaron las diez, hora de la cita, en el reloj de la parroquia. Las diez campanadas fueron como diez golpes que le hirieron el corazón. Allí le dolieron materialmente, si bien con un dolor y con un sobresalto mixtos de traidora inquietud y de regalada dulzura.

Don Luis apresuró el paso a fin de no llegar muy tarde, y pronto se encontró en la población.

El lugar estaba animadísimo. Las mozas solteras venían a la fuente del ejido a lavarse la cara, para que fuese fiel el novio a la que le tenía, y para que a la que no le tenía le saltase novio. Mujeres y chiquillos, por acá y por allá, volvían de coger verbena, ramos de romero u otras plantas, para hacer sahumerios mágicos. Las guitarras sonaban por varias partes. Los coloquios de amor y las parejas dichosas y apasionadas se oían y se veían a cada momento. La noche y

la mañanita de San Juan, aunque fiesta católica, conservan no sé qué resabios del paganismo y naturalismo antiguos.[168] Tal vez sea por la coincidencia aproximada de esta fiesta con el solsticio de verano. Ello es que todo era profano, y no religioso. Todo era amor y galanteo. En nuestros viejos romances y leyendas siempre roba el moro a la linda infantina cristiana y siempre el caballero cristiano logra su anhelo con la princesa mora, en la noche o en la mañanita de San Juan, y en el pueblo se diría que conservaban la tradición de los viejos romances.

Las calles estaban llenas de gente. Todo el pueblo estaba en la calles, y además los forasteros. Hacían asimismo muy difícil el tránsito la multitud de mesillas de turrón, arropía y tostones, los puestos de fruta, las tiendas de muñecos y juguetes, y las buñolerías, donde gitanas jóvenes y viejas, ya freían la masa, infestando el aire con el olor del aceite, ya pesaban y servían los buñuelos, ya respondían con donaire a los piropos de los galanes que pasaban, y decían la buena ventura.

Don Luis procuraba no encontrar a los amigos y, si los veía de lejos, echaba por otro lado. Así fué llegando poco a poco, sin que le hablasen ni detuviesen, hasta cerca del zaguán de casa de Pepita. El corazón empezó a latirle con violencia, y se paró un instante para serenarse. Miró el reloj: eran cerca de las diez y media.

¡Válgame Dios!—dijo—, hará cerca de media hora que me estará aguardando.

Entonces se precipitó y penetró en el zaguán. El farol que le alumbraba de diario,[169] daba poquísima luz aquella noche.

No bien entró don Luis en el zaguán,

---

167. Nature has now reached its point of greatest beauty and fertility. Valera has cleverly timed his plot so that Luis's love reaches its climax at just this time.

168. See n. 103. *Naturalismo* here means worship of Nature.

169. *de diario,* ordinarily

una mano, mejor diremos, una garra, le asió por el brazo derecho. Era Antoñona, que dijo en voz baja:

—¡Diantre de colegial, ingrato, desaborido, mostrenco! Ya imaginaba yo que no venías. ¿Dónde has estado *peal?* ¿Cómo te atreves a tardar, haciéndote de pencas,[170] cuando toda la sal de la tierra se está derritiendo por ti, y el sol de la hermosura te aguarda?

Mientras Antoñona expresaba estas quejas, no estaba parada, sino que iba andando y llevando en pos de sí, asido siempre del brazo, al colegial atortolado y silencioso. Salvaron la cancela, y Antoñona la cerró con tiento y sin ruido; atravesaron el patio, subieron por la escalera, pasaron luego por unos corredores y por dos salas, y llegaron a la puerta del despacho, que estaba cerrada.

En toda la casa reinaba maravilloso silencio. El despacho estaba en lo interior y no llegaban a él los rumores de la calle. Sólo llegaban, aunque confusos y vagos, el resonar de las castañuelas y el son de la guitarra, y un leve murmullo, causado todo por los criados de Pepita, que tenían su *jaleo probe* en la casa de campo.

Antoñona abrió la puerta del despacho, empujó a don Luis para que entrase, y al mismo tiempo le anunció diciendo:

—Niña, aquí tienes al señor don Luis, que viene a despedirse de ti.

Hecho el anuncio con la formalidad debida, la discreta Antoñona se retiró de la sala, dejando a sus anchas al visitante y a la niña, y volviendo a cerrar la puerta . . .

Mucho queremos nosotros a Pepita; pero la verdad es antes que todo, y la hemos de decir, aunque perjudique a nuestra heroína. A las ocho le dijo Antoñona que don Luis iba a venir, y Pepita que hablaba de morirse, que tenía los ojos encendidos y los párpados un poquito inflamados de llorar, y que estaba bastante despeinada, no pensó desde entonces sino en componerse y arreglarse para recibir a don Luis. Se lavó la cara con agua tibia para que el estrago del llanto desapareciese hasta el punto preciso de no afear, mas no para que no quedasen huellas de que había llorado; se compuso el pelo de suerte que no denunciaba estudio cuidadoso, sino que demostraba cierto artístico y gentil descuido, sin rayar en desorden, lo cual hubiera sido poco decoroso; se pulió las uñas, y como no era propio recibir de bata a don Luis, se vistió un traje sencillo de casa. En suma, miró instintivamente a que todos los pormenores de tocador concurriesen a hacerla parecer más bonita y aseada, sin que se trasluciera el menor indicio del arte, del trabajo y del tiempo gastado en aquellos perfiles,[171] sino que todo ello resplandeciera como obra natural y don gratuito; como algo que persistía en ella, a pesar del olvido de sí misma causado por la vehemencia de los afectos.

Según hemos llegado a averiguar, Pepita empleó más de una hora en estas faenas de tocador, que habían de sentirse sólo por los efectos. Después se dio el postrer retoque y vistazo al espejo con satisfacción mal disimulada. Y por último, a eso de las nueve y media, tomando una palmatoria, bajó a la sala donde estaba el Niño Jesús. Encendió primero las velas del altarito, que estaban apagadas; vio con cierta pena que las flores yacían marchitas; pidió perdón a la devota imagen por haberla tenido desatendida mucho tiempo; y, postrándose de hinojos, y a solas, oró con todo su corazón y con aquella confianza y franqueza que

---

170. *hacerse de pencas,* to consent reluctantly to do something; to come so reluctantly

171. Here, adornments

inspira quien está de huésped en casa desde hace muchos años . . . Pepita le pidió que le dejase a don Luis; que no se le llevase; porque él, tan rico y tan abastado de todo, podía sin gran sacrificio desprenderse de aquel servidor y concedérsele a ella.

Terminados estos preparativos, que nos será lícito clasificar y dividir en cosméticos, indumentarios y religiosos, Pepita se instaló en el despacho, aguardando la venida de don Luis con febril impaciencia.

Atinada anduvo Antoñona en no decir que iba a venir sino hasta poco antes de la hora. Aun así, gracias a la tardanza del galán, la pobre Pepita estuvo deshaciéndose, llena de ansiedad y de angustia, desde que terminó sus oraciones y súplicas con el Niño Jesús hasta que vio dentro del despacho al otro niño.

La visita empezó del modo más grave y ceremonioso. Los saludos de fórmula se pronunciaron maquinalmente de una parte y de otra; y don Luis, invitado a ello, tomó asiento en una butaca, sin dejar el sombrero ni el bastón, y a no corta distancia de Pepita. Pepita estaba sentada en el sofá. El velador se veía al lado de ella con libros y con la palmatoria, cuya luz iluminaba su rostro. Una lámpara ardía además sobre el bufete. Ambas luces, con todo, siendo grande el cuarto, como lo era, dejaban la mayor parte de él en la penumbra. Una gran ventana que daba a un jardincillo interior, estaba abierta por el calor, y si bien sus hierros[172] eran como la trama de un tejido de rosas-enredaderas y jazmines, todavía por entre la verdura y las flores se abrían camino los claros rayos de la luna, penetraban en la estancia y querían luchar con la luz de la lámpara y de la palmatoria. Penetraban, además, por la ventana-verjel el lejano y confuso rumor del jaleo de la casa de campo, que estaba al otro extremo, el murmullo monótono de una fuente que había en el jardincillo, y el aroma de los jazmines y de las rosas que tapizaban la ventana, mezclado con el de los dompedros, albahacas y otras plantas que adornaban los arriates al pie de ella.[173]

Hubo una larga pausa, un silencio tan difícil de sostener como de romper . . .

—Al fin se dignó usted venir a despedirse de mí antes de su partida—dijo Pepita—. Yo había perdido ya la esperanza . . .

—Su queja de usted es injusta . . . He estado aquí a despedirme de usted con mi padre, y como no tuvimos el gusto de que usted nos recibiese, dejamos tarjetas. Nos dijeron que estaba usted algo delicada de salud, y todos los días hemos enviado recado para saber de usted. Grande ha sido nuestra satisfacción al saber que estaba usted aliviada. ¿Y ahora se encuentra usted mejor?

—Casi estoy por decir a usted que no me encuentro mejor—replicó Pepita—; pero como veo que viene usted de embajador de su padre, y no quiero afligir a un amigo tan excelente, justo será que diga a usted, y que usted repita a su padre, que siento bastante alivio. Singular es que haya venido usted solo. Mucho tendrá que hacer don Pedro cuando no le ha acompañado.

—Mi padre no me ha acompañado, señora, porque no sabe que he venido a ver a usted. Yo he venido solo, porque mi despedida ha de ser solemne, grave, para siempre quizá, y la suya es de índole harto diversa. Mi padre volverá por aquí dentro de unas semanas; yo es posible

172. bars (of grating)
173. Notice how our author emphasizes the appeals to the senses of sight, hearing, and smell.

que[174] no vuelva nunca, y si vuelvo, volveré muy otro del que soy ahora.

Pepita no pudo contenerse. El porvenir de felicidad con que había soñado se desvanecía como una sombra. Su resolución inquebrantable de vencer a toda costa a aquel hombre, único que había amado en la vida, único que se sentía capaz de amar, era una resolución inútil. Don Luis se iba. La juventud, la gracia, la belleza, el amor de Pepita no valían para nada. Estaba condenada, con veinte años de edad y tanta hermosura, a la viudez perpetua, a la soledad, a amar a quien no la amaba. Todo otro amor era imposible para ella. El carácter de Pepita, en quien los obstáculos recrudecían y avivaban más los anhelos; en quien una determinación, una vez tomada, lo arrollaba todo hasta verse cumplida, se mostró entonces con notable violencia y rompiendo todo freno. Era menester morir o vencer en la demanda . . . Su alma, con cuanto había en ella de apasionado, tomó forma sensible en sus palabras, y sus palabras no sirvieron para envolver su pensar y su sentir, sino para darle cuerpo. No habló como hubiera hablado una dama de nuestros salones, con ciertas pleguerías[175] y atenuaciones en la expresión, sino con la desnudez idílica con que Cloe hablaba a Dafnis[176] y con la humildad y el abandono completo con que se ofreció a Booz la nuera de Noemí.[177]

Pepita dijo:

—¿Persiste usted, pues, en su propósito? ¿Está usted seguro de su vocación? ¿No teme usted ser un mal clérigo? . . . Aquí hay hechos que se pueden comentar de dos modos. Con ambos comentarios queda usted mal. Expondré mi pensamiento. Si la mujer[178] que con sus coqueterías, no por cierto muy desenvueltas, casi sin hablar a usted palabra, a los pocos días de verle y tratarle, ha conseguido provocar a usted, moverle a que la mire con miradas que auguraban amor profano, y hasta ha logrado que le dé usted una muestra de cariño, que es una falta, un pecado en cualquiera, y más en un sacerdote; si esta mujer es, como lo es en realidad, una lugareña ordinaria, sin instrucción, sin talento y sin elegancia, ¿qué no se debe temer de usted cuando trate y vea y visite en las grandes ciudades a otras mujeres mil veces más peligrosas? . . . Si usted ha cedido a una zafia aldeana, hallándose en vísperas de la ordenación, con todo el entusiasmo que debe suponerse, y, si ha cedido impulsado por capricho fugaz,[179] ¿no tengo razón en prever que va usted a ser un clérigo detestable, impuro, mundanal y funesto, y que cederá a cada paso? En esta suposición,[180] créame usted, señor don Luis, y no se me ofenda, ni siquiera vale usted para marido de una mujer honrada. Si usted ha estrechado las manos con el ahinco y la ternura del más frenético amante; si usted ha mirado con miradas que prometían un cielo, una eternidad de amor, y si usted ha . . . besado a una mujer que nada le inspiraba sino algo que para mí no tiene nombre, vaya usted con Dios, y no se case usted con esa mujer. Si ella es buena, no le querrá a usted para marido, ni siquiera para amante; pero, por amor de Dios, no sea usted clérigo tampoco. La Iglesia ha menester de otros hombres más serios y más capaces de virtud para

---

174. Word order: *es posible que yo*
175. twist, roundabout phrase
176. Daphnis and Chloe, not the mythological characters, but the hero and heroine of a Greek pastoral novel by Longus, written in the fourth century A.D. Their love affair formed a charming idyll.

177. Ruth, the daughter-in-law of Naomi, offered herself ingenuously to her protector, Boaz (Ruth 3. 9).
178. Pepita is referring to herself.
179. If, in other words, Luis doesn't really love Pepita and has just been flirting.
180. in this case

ministros del Altísimo. Por el contrario, si usted ha sentido una gran pasión por esta mujer de que hablamos, aunque ella sea poco digna, ¿por qué abandonarla y engañarla con tanta crueldad? Por indigna que sea, si es que ha inspirado esa gran pasión, ¿no cree usted que la compartirá y que será víctima de ella? . . . ¿Y cómo no temer por ella si usted la abandona? ¿Tiene ella la energía varonil, la constancia que infunde la sabiduría que los libros encierran, el aliciente de la gloria, la multitud de grandiosos proyectos, y todo aquello que hay en su cultivado y sublime espíritu de usted para distraerle y apartarle, sin desgarradora violencia, de todo otro terrenal afecto? ¿No comprende usted que ella morirá de dolor, y que usted, destinado a hacer incruentos sacrificios, empezará por sacrificar despiadadamente a quien más le ama? . . .

—Voy a contestar a los extremos del cruel dilema que ha forjado usted en mi daño. Aunque me he criado al lado de mi tío y en el Seminario, donde no he visto mujeres, no me crea usted tan ignorante ni tan pobre de imaginación que no acertase a representármelas en la mente todo lo bellas,[181] todo lo seductoras que pueden ser. Mi imaginación, por el contrario, sobrepujaba a la realidad en todo eso. Excitada por la lectura de los cantores bíblicos y de los poetas profanos, se fingía mujeres más elegantes, más graciosas, más discretas que las que por lo común se hallan en el mundo real. Yo conocía, pues, el precio del sacrificio que hacía, y hasta le exageraba, cuando renuncié al amor de esas mujeres, pensando elevarme a la dignidad del sacerdocio . . . Todo esto me lo figuraba yo con tal viveza y lo veía con tal hermosura, que, no lo dude usted, si yo llego a ver

y a tratar a esas mujeres de que usted me habla, lejos de caer en la adoración y en la locura que usted predice, tal vez sea un desengaño lo que reciba, al ver cuánta distancia media de lo soñado a lo real y de lo vivo a lo pintado.[182]

—¡Éstos de usted sí que son sofismas! —interrumpió Pepita—. ¿Cómo negar a usted que lo que usted se pinta en la imaginación es más hermoso que lo que existe realmente? Pero, ¿cómo negar tampoco que lo real tiene más eficacia seductora que lo imaginado y soñado? Lo vago y aéreo de un fantasma, por bello que sea, no compite con lo que mueve materialmente los sentidos. Contra los ensueños mundanos comprendo que venciesen en su alma de usted las imágenes devotas; pero temo que las imágenes devotas no habían de vencer a las mundanas realidades.

—Pues no lo tema usted, señora— replicó don Luis—. Mi fantasía es más eficaz en lo que crea que todo el universo, menos usted, en lo que por los sentidos me transmite.

—¿Y por qué *menos yo?* Esto me hace caer en otro recelo. ¿Será quizás la idea que usted tiene de mí, la idea que ama, creación de esa fantasía tan eficaz, ilusión en nada conforme conmigo?

—No, no lo es; tengo fe de que esta idea es en todo conforme con usted; pero tal vez es ingénita en mi alma; tal vez está en ella desde que fue creada por Dios; tal vez es parte de su esencia; tal vez es lo más puro y rico de su ser, como el perfume en las flores.

—¡Bien me lo temía yo! Usted me lo confiesa ahora. Usted no me ama. Eso que ama usted es la esencia, el aroma, lo más puro de su alma, que ha tomado una forma parecida a la mía.[183]

—No, Pepita; no se divierta usted en

---

181. *todo lo bellas;* just as beautiful
182. *y de . . . pintado,* and between the living being and the imaginary creation
183. A not uncommon idea in poetry and philosophy. Luis may love not Pepita, but what he imagines Pepita to be. Hence what he loves is his own idea, springing from himself, not her.

atormentarme. Esto que yo amo es usted, y usted tal cual es; pero es tan bello, tan limpio, tan delicado esto que yo amo, que no me explico que pase todo por los sentidos de un modo grosero y llegue así hasta mi mente. Supongo, pues, y creo, y tengo por cierto, que estaba antes en mí. Es como la idea de Dios, que estaba en mí, que ha venido a magnificarse y desenvolverse en mí, y que, sin embargo, tiene su objeto real, superior, infinitamente superior a la idea. Como creo que Dios existe, creo que existe usted y que vale usted mil veces más que la idea que de usted tengo formada.

—Aun me queda una duda. ¿No pudiera ser la mujer en general, y no yo singular y exclusivamente, quien ha despertado esa idea?

—No, Pepita: la magia, el hechizo de una mujer, bella de alma y de gentil presencia, habían, antes de ver a usted, penetrado en mi fantasía. No hay duquesa ni marquesa en Madrid, ni emperatriz en el mundo, ni reina ni princesa en todo el orbe, que valgan lo que valen las ideales y fantásticas criaturas con quienes yo he vivido, porque se aparecían en los alcázares y camarines, estupendos de lujo, buen gusto y exquisito ornato, que yo edificaba en mis espacios imaginarios, desde que llegué a la adolescencia . . . Sobre todos los ensueños de mi juvenil imaginación ha venido a sobreponerse y entronizarse la realidad que en usted he visto; sobre todas mis ninfas, reinas y diosas, usted ha descollado; por cima de mis ideales creaciones, derribadas, rotas, deshechas por el amor divino, se levantó en mi alma la imagen fiel, la copia exactísima de la viva hermosura que adorna, que es la esencia de ese cuerpo y de esa alma. Hasta algo de misterioso, de sobrenatural, puede haber intervenido en esto, porque amé a usted desde que la vi, casi antes de que la viera. Mucho antes de tener conciencia de que la amaba a usted, ya la amaba. Se diría que hubo en esto algo de fatídico; que estaba escrito; que era una predestinación.

—Y si es una predestinación, si estaba escrito—interrumpió Pepita—, ¿por qué no someterse, por qué resistirse todavía? Sacrifique usted sus propósitos a nuestro amor. ¿Acaso no he sacrificado yo mucho? Ahora mismo, al rogar, al esforzarme por vencer los desdenes de usted, ¿no sacrifico mi orgullo, mi decoro y mi recato? Yo también creo que amaba a usted antes de verle. Ahora amo a usted con todo mi corazón, y sin usted no hay felicidad para mí. Cierto es que en mi humilde inteligencia no puede usted hallar rivales tan poderosos como yo tengo en la de usted . . . Con alguien, no obstante, más bello, entendido, poético y amoroso que los hombres que me han pretendido hasta ahora; con un amante más distinguido y cabal que todos mis adoradores de este lugar y de los lugares vecinos, soñaba yo para que me amara y para que yo le amase y le rindiese mi albedrío. Ese alguien era usted. Lo presentí cuando me dijeron que usted había llegado al lugar; lo reconocí cuando vi a usted por vez primera. Pero como mi imaginación es tan estéril, el retrato que yo de usted me había trazado no valía, ni con mucho, lo que usted vale. Yo también he leído algunas historias y poesías, pero de todos los elementos que de ellas guardaba mi memoria, no logré nunca componer una pintura que no fuese muy inferior en mérito a lo que veo en usted y comprendo en usted desde que le conozco. Así es que estoy rendida y vencida y aniquilada desde el primer día . . . ¿Es acaso que para avasallar y rendir un alma pequeña, cuitada y débil como la mía, basta un pequeño amor, y para avasallar la de usted, cuando tan altos y fuertes pensamientos la velan y custodian, se necesita de amor más poderoso, que yo no soy digna de inspirar, ni capaz de compartir, ni hábil para comprender siquiera?

—Pepita—contestó don Luis—, no es que su alma de usted sea más pequeña que la mía, sino que está libre de compromisos, y la mía no lo está. El amor que usted me ha inspirado es inmenso; pero luchan contra él mi obligación, mis votos, los propósitos de toda mi vida, próximos a realizarse. ¿Por qué no he de decirlo, sin temor de ofender a usted? Si usted logra en mí su amor, usted no se humilla. Si yo cedo a su amor de usted, me humillo y me rebajo. Dejo al Creador por la criatura, destruyo la obra de mi constante voluntad, rompo la imagen de Cristo, que estaba en mi pecho, y el hombre nuevo, que a tanta costa había yo formado en mí, desaparece para que el hombre antiguo renazca. ¿Por qué, en vez de bajar yo hasta el suelo, hasta el siglo, hasta la impureza del mundo, que antes he menospreciado, no se eleva usted hasta mí por virtud de ese mismo amor que me tiene, limpiándole de toda escoria? ¿Por qué no nos amamos entonces sin vergüenza y sin pecado y sin mancha? Dios, con el fuego purísimo y refulgente de su amor, penetra las almas santas y las llena por tal arte, que así como un metal que sale de la fragua, sin dejar de ser metal reluce y deslumbra, y es todo fuego, así las almas se hinchen de Dios, y en todo son Dios, penetradas por dondequiera[184] de Dios, en gracia del amor divino. Estas almas se aman y se gozan entonces, como si amaran y gozaran a Dios, amándole y gozándole, porque Dios son ellas. Subamos, juntos en espíritu, esta mística y difícil escala; asciendan a la par nuestras almas a esta bienaventuranza, que aun en la vida mortal

es posible; mas para ello es fuerza que nuestros cuerpos se separen; que yo vaya adonde me llama mi deber, mi promesa y la voz del Altísimo, que dispone de su siervo y le destina al culto de sus altares.[185]

—¡Ay, señor don Luis!—replicó Pepita toda desolada y compungida— . . . Soy una pecadora infernal. Mi espíritu grosero e inculto no alcanza esas sutilezas, esas distinciones, esos refinamientos de amor. Mi voluntad rebelde se niega a lo que usted propone. Yo ni siquiera concibo a usted sin usted. Para mí es usted su boca, sus ojos, sus negros cabellos, que deseo acariciar con mis manos; su dulce voz y el regalado acento de sus palabras, que hieren y encantan materialmente mis oídos; toda su forma corporal, en suma, que me enamora y seduce, y al través de la cual, y sólo al través de la cual se me muestra el espíritu invisible, vago y lleno de misterios. Mi alma, reacia e incapaz de esos raptos maravillosos, no acertará a seguir a usted nunca a las regiones donde quiere llevarla. Si usted se eleva hasta ellas, yo me quedaré sola, abandonada, sumida en la mayor aflicción. Prefiero morirme . . . Máteme usted antes para que nos amemos así . . . Pero viva, no puede ser. Yo amo en usted, no ya sólo el alma, sino el cuerpo, y la sombra del cuerpo, y el reflejo del cuerpo en los espejos y en el agua, y el nombre y el apellido, y la sangre, y todo aquello que le determina como tal don Luis de Vargas; el metal de la voz, el gesto, el modo de andar y no sé qué más diga. Repito que es menester matarme. Máteme usted sin compasión. No; yo no soy cristiana, sino idólatra materialista.[186]

Aquí hizo Pepita una larga pausa. Don

---

184. *por dondequiera,* everywhere, throughout
185. Luis is thinking of a mystical, spiritual companionship such as that of Saint Edward and his wife.
186. Let us recall here what we said in our introduction on Valera about his paganism, his inability (or unwillingness) to separate the flesh from the spirit, and his refined sensuousness. Pepita takes after her creator.

Luis no sabía qué decir y callaba. El llanto bañaba las mejillas de Pepita, la cual prosiguió sollozando:

—Lo conozco: usted me desprecia y hace bien en despreciarme. Con ese justo desprecio me matará usted mejor que con un puñal, sin que se manche de sangre ni su mano ni su conciencia. Adiós. Voy a libertar a usted de mi presencia odiosa. Adiós para siempre.

Dicho esto, Pepita se levantó de su asiento, y sin volver la cara inundada de lágrimas, fuera de sí, con precipitados pasos se lanzó hacia la puerta que daba a las habitaciones interiores. Don Luis sintió una invencible ternura, una piedad funesta. Tuvo miedo de que Pepita muriese. La siguió para detenerla, pero no llegó a tiempo. Pepita pasó la puerta. Su figura se perdió en la obscuridad. Arrastrado don Luis como por un poder sobrehumano, impulsado como por una mano invisible, penetró en pos de Pepita en la estancia sombría.

El despacho quedó solo.

El baile de los criados debía de haber concluido, pues no se oía el más leve rumor. Sólo sonaba el agua de la fuente del jardincillo.

Ni un leve soplo de viento interrumpía el sosiego de la noche y la serenidad del ambiente. Penetraban por la ventana el perfume de las flores y el resplandor de la luna.

Al cabo de un largo rato, don Luis apareció de nuevo, saliendo de la obscuridad. En su rostro se veía pintado el terror; algo de la desesperación de Judas.

Se dejó caer en una silla; puso ambos puños cerrados en su cara y en sus rodillas ambos codos, y así permaneció más de media hora, sumido sin duda en un mar de reflexiones amargas.

Cualquiera, si le hubiera visto, hubiera sospechado que acababa de asesinar a Pepita.

Pepita, sin embargo, apareció después. Con paso lento, con actitud de profunda melancolía, con el rostro y la mirada inclinados al suelo, llegó hasta cerca de donde estaba don Luis, y dijo de este modo:

—Ahora, aunque tarde, conozco toda la vileza de mi corazón y toda la iniquidad de mi conducta. Nada tengo que decir en mi abono; mas no quiero que me creas más perversa de lo que soy. Mira, no pienses que ha habido en mí artificio, ni cálculo, ni plan para perderte. Sí, ha sido una maldad atroz, pero instintiva; una maldad inspirada quizá por el espíritu del infierno, que me posee. No te desesperes ni te aflijas, por amor de Dios. De nada eres responsable. Ha sido un delirio: la enajenación mental se apoderó de tu noble alma. No es en ti el pecado sino muy leve. En mí es grave, horrible, vergonzoso. Ahora te merezco menos que nunca. Vete: yo soy ahora quien te pide que te vayas. Vete: haz penitencia. Dios te perdonará. Vete: que un sacerdote te absuelva. Limpio de nuevo de culpa, cumple tu voluntad y sé ministro del Altísimo. Con tu vida trabajosa y santa no sólo borrarás hasta las últimas señales de esta caída, sino que, después de perdonarme el mal que te he hecho, conseguirás del cielo mi perdón. No hay lazo alguno que conmigo te ligue; y si le hay, yo le desato o le rompo. Eres libre. Básteme el haber hecho caer por sorpresa al lucero de la mañana; no quiero, ni debo, ni puedo retenerle cautivo. Lo adivino, lo infiero de tu ademán, lo veo con evidencia; ahora me desprecias más que antes, y tienes razón en despreciarme. No hay honra, ni virtud, ni vergüenza en mí.

Al decir esto, Pepita hincó en tierra ambas rodillas, y se inclinó luego hasta tocar con la frente el suelo del despacho. Don Luis siguió en la misma postura que antes tenía. Así estuvieron los dos algunos minutos en desesperado silencio.

Con voz ahogada, sin levantar la faz de la tierra, prosiguió al cabo Pepita:

—Vete ya, Luis, y no por una piedad afrentosa permanezcas más tiempo al lado de esta mujer miserable. Yo tendré valor para sufrir tu desvío, tu olvido y hasta tu desprecio, que tengo tan merecido. Seré siempre tu esclava, pero lejos de ti, muy lejos de ti, para no traerte a la memoria la infamia de esta noche.

Los gemidos sofocaron la voz de Pepita al terminar estas palabras.

Don Luis no pudo más. Se puso en pie, llegó donde estaba Pepita y la levantó entre sus brazos, estrechándola contra su corazón, apartando blandamente de su cara los rubios rizos que en desorden caían sobre ella, y cubriéndola de apasionados besos.

—Alma mía—dijo por último don Luis—, vida de mi alma, prenda querida de mi corazón, luz de mis ojos, levanta la abatida frente y no te prosternes más delante de mí. El pecador, el flaco de voluntad, el miserable, el sandio y el ridículo soy yo, que[187] no tú. Los ángeles y los demonios deben reírse igualmente de mí y no tomarme por lo serio. He sido un santo postizo, que no he sabido resistir y desengañarte desde el principio, como hubiera sido justo, y ahora no acierto tampoco a ser un caballero, un galán, un amante fino, que sabe agradecer en cuanto valen los favores de su dama. No comprendo qué viste en mí para prendarte de ese modo. Jamás hubo en mí virtud sólida, sino hojarasca y pedantería de colegial, que había leído los libros devotos como quien lee novelas, y con ellos se había forjado su novela necia de misiones y contemplaciones. Si hubiera habido virtud sólida en mí, con tiempo te hubiera desengañado y no hubiéramos pecado ni tú ni yo. La verdadera virtud no cae tan fácilmente.[188] A pesar de toda tu hermosura, a pesar de tu talento, a pesar de tu amor hacia mí, yo no hubiera caído, si en realidad hubiera sido virtuoso, si hubiera tenido una vocación verdadera. Dios, que todo lo puede, me hubiera dado su gracia. Un milagro, sin duda, algo de sobrenatural se requería para resistir a tu amor; pero Dios hubiera hecho el milagro si yo hubiera sido digno objeto y bastante razón para que le hiciera. Haces mal en aconsejarme que sea sacerdote. Reconozco mi indignidad. No era más que orgullo lo que me movía. Era una ambición mundana como otra cualquiera. ¡Qué digo, como otra cualquiera! Era peor: una ambición hipócrita, sacrílega, simoníaca.[189]

—No te juzgues con tal dureza—replicó Pepita ya más serena y sonriendo a través de las lágrimas—. No deseo que te juzgues así, ni para que no me halles tan indigna de ser tu compañera; pero quiero que me elijas por amor, libremente, no para reparar una falta, no porque has caído en un lazo que pérfidamente puedes sospechar que te he tendido. Vete si no me amas, si sospechas de mí, si no me estimas. No exhalarán mis labios una queja si para siempre me abandonas y no vuelves a acordarte de mí.

La contestación de don Luis no cabía ya en el estrecho y mezquino tejido del lenguaje humano. Don Luis rompió el hilo del discurso de Pepita sellando los

---

187. Omit in translating
188. See n. 1.
189. Suddenly Luis realizes that he has been a dreamy adolescent, reading religious books in order to project himself into the place of their heroes. In this respect he recalls Don Quijote or Mme. Bovary. But now that he knows that his ambition was to be a famous man, not a good priest, he sees that he does not have to choose between love of God and love of Pepita. There was really no profound love of God, hence there was really no conflict. Yet, in another sense, there was a conflict between the pagan, natural way of life and the Christian training of both the protagonists.

labios de ella con los suyos y abrazándola de nuevo.

Bastante más tarde, con previas toses y resonar de pies, entró Antoñona en el despacho, diciendo:

—¡Vaya una plática larga! Este sermón que ha predicado el colegial no ha sido el de las siete palabras,[190] sino que ha estado a punto de ser el de las cuarenta horas.[191] Tiempo es ya de que te vayas, don Luis. Son cerca de las dos de la mañana.

—Bien está—dijo Pepita—, se irá al momento.

Antoñona volvió a salir del despacho y aguardó fuera.

Pepita estaba transformada. . . . vencidos los obstáculos que se oponían a su dicha, viendo ya rendido a don Luis, teniendo su promesa espontánea de que la tomaría por mujer legítima, y creyéndose con razón amada, adorada, de aquél a quien amaba y adoraba tanto, brincaba y reía y daba otras muestras de júbilo, que, en medio de todo, tenían mucho de infantil y de inocente.

Era menester que don Luis partiera. Pepita fue por un peine y le alisó con amor los cabellos, besándoselos después. Pepita le hizo mejor el lazo de la corbata.

—Adiós, dueño amado—le dijo—. Adiós, dulce rey de mi alma. Yo se lo diré todo a tu padre si tú no quieres atreverte. Él es bueno y nos perdonará.

Al cabo los dos amantes se separaron.

. . . don Luis bajó hasta el zaguán acompañado por Antoñona.

Antes de despedirse, dijo don Luis sin preparación ni rodeos:

—Antoñona, tú que lo sabes todo, dime quién es el Conde de Genazahar y qué clase de relaciones ha tenido con tu ama.

—Temprano empiezas a mostrarte celoso.

—No son celos; es curiosidad solamente.

—Mejor es así. Nada más fastidioso que los celos. Voy a satisfacer tu curiosidad. Ese Conde está bastante tronado. Es un perdido, jugador y mala cabeza; pero tiene más vanidad que don Rodrigo en la horca.[192] Se empeñó en que mi niña le quisiera y se casase con él, y como la niña le ha dado mil veces calabazas, está que trina.[193] Esto no impide que se guarde por allá más de mil duros, que hace años le prestó don Gumersindo, sin más hipoteca que un papelucho, por culpa y a ruegos de Pepita, que es mejor que el pan. El tonto del Conde creyó, sin duda, que Pepita, que fué tan buena de casada que hizo que le diesen dinero, había de ser de viuda tan rebuena para él, que le había de tomar por marido. Vino después el desengaño con la furia consiguiente.

—Adiós, Antoñona—dijo don Luis, y se salió a la calle, silenciosa ya y sombría.

Las luces de las tiendas y puestos de la feria se habían apagado y la gente se retiraba a dormir, salvo los amos de las tiendas de juguetes y otros pobres buhoneros, que dormían al sereno al lado de sus mercancías.

En algunas rejas seguían aún varios embozados, pertinaces e incansables, pelando la pava[194] con sus novias. La mayoría había desaparecido ya.

En la calle, lejos de la vista de Antoñona, don Luis dio rienda suelta a sus pensamientos. Su resolución estaba to-

---

190. The seven last words of Christ, the subject of sermons during Holy Week.
191. A mission sermon during the time the Sacrament is exposed in the church for forty consecutive hours.
192. Translate, proud as Lucifer. The Don Rodrigo in question was Don Rodrigo Cal-

derón, a proud and haughty man who attained high position during the reign of Felipe III but who was beheaded at the death of this king (1621).
193. *está que trina,* he is furious
194. *pelar la pava,* to flirt, court (through the window grating)

mada, y todo acudía a su mente a confirmar su resolución. La sinceridad y el ardor de la pasión que había inspirado a Pepita; su hermosura; la gracia juvenil de su cuerpo y la lozanía primaveral de su alma, se le presentaban en la imaginación y le hacían dichoso.

Con cierta mortificación de la vanidad reflexionaba, no obstante, don Luis en el cambio que en él se había obrado. ¿Qué pensaría el Deán? ¿Qué espanto no sería el del Obispo? Y, sobre todo, ¿qué motivo tan grave de queja no había dado don Luis a su padre? Su disgusto, su cólera cuando supiese el compromiso que ligaba a Luis con Pepita, se ofrecían al ánimo de don Luis y le inquietaban sobremanera.

En cuanto a lo que él llamaba su caída antes de caer, fuerza es confesar que le parecía poco honda y poco espantosa después de haber caído. Su misticismo, bien estudiado con la nueva luz que acababa de adquirir, se le antojó que no había tenido ser ni consistencia; que había sido un producto artificial y vano de sus lecturas, de su petulancia de muchacho y de sus ternuras sin objeto de colegial inocente . . .

Don Luis apelaba a otro género de humildad cristiana para justificar a sus ojos lo que ya no quería llamar caída, sino cambio. Se confesaba indigno de ser sacerdote, y se allanaba a ser lego, casado, vulgar, un buen lugareño cualquiera,[195] cuidando de las viñas y los olivos, criando a sus hijos, pues ya los deseaba, y siendo modelo de maridos al lado de su Pepita.

Don Luis, cuando iba a ser clérigo, estuvo en su papel no defendiendo a Pepita de los groseros insultos del Conde de Genazahar sino con discursos morales, y no tomando venganza de la mofa y desprecio con que tales discursos fueron oídos. Pero, ahorcados ya los hábitos y teniendo que declarar en seguida que Pepita era su novia y que iba a casarse con ella, don Luis, a pesar de su carácter pacífico, de sus ensueños de humana ternura y de las creencias religiosas que en su alma quedaban íntegras, y que repugnaban todo medio violento, no acertaba a compaginar con su dignidad el abstenerse de romper la crisma al Conde desvergonzado . . .

Decidido, pues, al lance, resolvió llevarle a cabo en seguida. Y pareciéndole feo y ridículo enviar padrinos y hacer que trajesen en boca el honor de Pepita, halló lo más razonable buscar camorra con cualquier otro pretexto.

Supuso además que el Conde, forastero y vicioso jugador, sería muy posible que estuviese[196] aún en el casino hecho un tahur, a pesar de lo avanzado de la noche, y don Luis se fue derecho al casino.

El casino permanecía abierto, pero las luces del patio y de los salones estaban casi todas apagadas. Sólo en un salón había luz. Allí se dirigió don Luis, y desde la puerta vio al Conde de Genazahar, que jugaba al monte, haciendo de banquero. Cinco personas nada más apuntaban: dos eran forasteros como el Conde; las otras tres eran el capitán de caballería encargado de la remonta,[197] Currito y el médico. No podían disponerse las cosas más al intento de don Luis. Sin ser visto, por lo afanados que estaban en el juego, don Luis los vio, y apenas los vio, volvió a salir del casino, y se fue rápidamente a su casa. Abrió un criado la puerta; preguntó don Luis por su padre, y sabiendo que dormía, para que no le sintiera ni se despertara, subió

195. Literally, any at all; here, ordinary
196. Word order: *que sería muy posible que el Conde . . . estuviese.* Compare n. 174.

197. the raising or buying of horses for the military forces

don Luis de puntillas a su cuarto con una luz, cogió unos tres mil reales que tenía de su peculio, en oro, y se los guardó en el bolsillo. Dijo después al criado que le volviese a abrir, y se fue al casino otra vez.

Entonces entró don Luis en el salón donde jugaban, dando taconazos recios, con estruendo y con aire de taco,[198] como suele decirse. Los jugadores se quedaron pasmados al verle.

—¡Tú por aquí a estas horas!—dijo Currito.

—¿De dónde sale usted, curita?—dijo el médico.

—¿Viene usted a echarme otro sermón?—exclamó el Conde.

—Nada de sermones—contestó don Luis con mucha calma—. El mal efecto que surtió el último que prediqué me ha probado con evidencia que Dios no me llama por ese camino, y ya he elegido otro. Usted, señor Conde, ha hecho mi conversión. He ahorcado los hábitos; quiero divertirme, estoy en la flor de la mocedad y quiero gozar de ella.

—Vamos, me alegro—interrumpió el Conde—; pero cuidado, niño, que si la flor es delicada, puede marchitarse y deshojarse temprano.

—Ya de eso cuidaré yo—replicó don Luis—. Veo que se juega. Me siento inspirado. Usted talla. ¿Sabe usted, señor Conde, que tendría chiste que yo le desbancase?

—Tendría chiste, ¿eh? ¡Usted ha cenado fuerte!

—He cenado lo que me ha dado la gana.

—Respondonzuelo se va haciendo el mocito.

—Me hago lo que quiero.

—Voto va . . . —dijo el Conde; y ya sentía venir la tempestad, cuando el capitán se interpuso y la paz se restableció por completo.

—Ea—dijo el Conde, sosegado y afable—; desembaúle usted los dinerillos y pruebe fortuna.

Don Luis se sentó a la mesa y sacó del bolsillo todo su oro. Su vista acabó de serenar al Conde, porque casi excedía aquella suma a la que tenía él de banca, y ya imaginaba que iba a ganársela al novato.

—No hay que calentarse mucho la cabeza[199] en este juego—dijo don Luis—. Ya me parece que le entiendo. Pongo dinero a una carta, y si sale la carta, gano, y si sale la contraria, gana usted.

—Así es, amiguito; tiene usted un entendimiento macho.[200]

—Pues lo mejor es que no tengo sólo macho el entendimiento, sino también la voluntad; y con todo, en el conjunto, disto bastante de ser un macho, como hay tantos por ahí.

—¡Vaya si viene usted parlanchín y si saca alicantinas![201]

Don Luis se calló: jugó unas cuantas veces, y tuvo tan buena fortuna, que ganó casi siempre.

El Conde comenzó a cargarse.

—¿Si me desplumará el niño?[202]— dijo—. Dios protege la inocencia.

Mientras que el Conde se amostazaba, don Luis sintió cansancio y fastidio y quiso acabar de una vez.[203]

—El fin de todo esto—dijo—es ver si yo me llevo esos dineros o si usted se lleva los míos. ¿No es verdad, señor Conde?

—Es verdad.

—Pues ¿para qué hemos de estar aquí en vela toda la noche? Ya va siendo tarde, y siguiendo su consejo de usted debo recogerme para que la flor de mi mocedad no se marchite.

---

198. a swaggering air
199. *calentarse mucho la cabeza*, to use one's brains very much
200. *macho*, masculine, strong; as a noun, mule
201. *Vaya . . . alicantinas*, You certainly are talkative and full of tricks!
202. Suppose the boy should clean me out?
203. *de una vez*, once and for all

—¿Qué es eso? ¿Se quiere usted largar? ¿Quiere usted tomar el olivo?[204]

—Yo no quiero tomar olivo ninguno. Al contrario. Curro, dime tú: aquí, en este montón de dinero, ¿no hay ya más que en la banca?

Currito miró, y contestó:

—Es indudable.

—¿Cómo explicaré—preguntó don Luis—que juego en un golpe cuanto hay en la banca contra otro tanto?

—Eso se explica—respondió Currito—diciendo: ¡copo!

—Pues, copo—dijo don Luis dirigiéndose al Conde—. Va el copo y la red[205] en este rey de espadas, cuyo compañero hará de seguro su epifanía antes que su enemigo el tres.

El Conde, que tenía todo su capital mueble en la banca, se asustó al verle comprometido de aquella suerte; pero no tuvo más que[206] aceptar.

Es sentencia del vulgo que los afortunados en amores son desgraciados al juego; pero más cierta parece la contraria afirmación. Cuando acude la buena dicha, acude para todo, y lo mismo cuando la desdicha acude.

El Conde fue tirando cartas, y no salía ningún tres. Su emoción era grande, por más que[207] lo disimulaba. Por último, descubrió por la pinta el rey de copas y se detuvo.

—Tire usted—dijo el capitán.

—No hay para qué. El rey de copas. ¡Maldito sea! El curita me ha desplumado. Recoja usted el dinero.

El Conde echó con rabia la baraja sobre la mesa.

Don Luis recogió todo el dinero con indiferencia y reposo.

Después de un corto silencio habló el Conde:

—Curita, es menester que me dé usted el desquite.

—No veo la necesidad.

—¡Me parece que entre caballeros! . . .

—Por esa regla el juego no tiene término—observó don Luis—. Por esa regla lo mejor sería ahorrarse el trabajo de jugar.

—Déme usted el desquite—replicó el Conde, sin atender a razones.

—Sea—dijo don Luis—. Quiero ser generoso.

El Conde volvió a tomar la baraja y se dispuso a echar nueva talla.

—Alto así—dijo don Luis—. Entendámonos antes. ¿Dónde está el dinero de la nueva banca de usted?

El Conde se quedó turbado y confuso.

—Aquí no tengo dinero—contestó—; pero me parece que sobra con mi palabra.

Don Luis, entonces, con acento grave y reposado, dijo:

—Señor Conde, yo no tendría inconveniente en fiarme de la palabra de un caballero y en llegar a ser su acreedor, si no temiese perder su amistad, que casi voy ya conquistando; pero desde que vi esta mañana la crueldad con que trató usted a ciertos amigos míos, que son sus acreedores, no quiero hacerme culpado para con usted del mismo delito. No faltaba más sino que yo voluntariamente incurriese en el enojo de usted prestándole dinero, que no me pagaría, como no ha pagado, sino con injurias, el que debe a Pepita Jiménez.

Por lo mismo que el hecho era cierto, la ofensa fue mayor. El Conde se puso lívido de cólera, y ya de pie, pronto a venir a las manos con el colegial, dijo con voz alterada:

—¡Mientes, deslenguado! ¡Voy a des-

---

204. *tomar el olivo,* to go to bed. Cf. the saying *Cada mochuelo a su olivo,* Everyone to his bed

205. a double pun, since as a noun *copo* means a small net and *red* means not only a

net but an abundance. Translate, "the whole works"

206. *no tener más que,* not to be able to help

207. See n. 126.

hacerte entre mis manos, hijo de la grandísima . . . !

Esta última injuria, que recordaba a don Luis la falta de su nacimiento, y caía sobre el honor de la persona cuya memoria le era más querida y respetada, no acabó de formularse, no acabó de llegar a sus oídos.

Don Luis, por encima de la mesa, que estaba entre él y el Conde, con agilidad asombrosa y con tino y fuerza, tendió el brazo derecho, armado de un junco o bastoncillo flexible y cimbreante, y cruzó la cara de su enemigo, levantándole al punto un verdugón amoratado.

No hubo ni grito ni denuesto ni alboroto posterior. Cuando empiezan las manos suelen callar las lenguas. El Conde iba a lanzarse sobre don Luis para destrozarle si podía; pero la opinión había dado una gran vuelta desde aquella mañana, y entonces estaba en favor de don Luis. El capitán, el médico y hasta Currito, ya con más ánimo, contuvieron al Conde, que pugnaba y forcejeaba ferozmente por desasirse.

—Dejadme libre, dejadme que le mate —decía.

—Yo no trato de evitar un duelo—dijo el capitán—. El duelo es inevitable. Trato sólo de que no luchéis aquí como dos ganapanes. Faltaría a mi decoro si presenciase tal lucha.

—Que vengan armas—dijo el Conde—. No quiero retardar el lance ni un minuto . . . En el acto . . . , aquí.

¿Queréis reñir al sable?—dijo el capitán.

—Bien está—respondió don Luis.

—Vengan los sables—dijo el Conde.

Todos hablaban en voz baja para que no se oyese nada en la calle. Los mismos criados del casino, que dormían en sillas, en la cocina y en el patio, no llegaron a despertar.

Don Luis eligió para testigos al capitán y a Currito. El Conde, a los dos forasteros. El médico quedó para hacer su oficio, y enarboló la bandera de la Cruz Roja.[208]

Era todavía de noche. Se convino en hacer campo de batalla de aquel salón, cerrando antes la puerta.

El capitán fue a su casa por los sables, y los trajo al momento debajo de la capa que para ocultarlos se puso.

Ya sabemos que don Luis no había empuñado en su vida un arma. Por fortuna, el Conde no era mucho más diestro en la esgrima, aunque nunca había estudiado teología ni pensado en ser clérigo.

Las condiciones del duelo se redujeron a que, una vez el sable en la mano, cada uno de los dos combatientes hiciera lo que Dios le diera a entender.

Se cerró la puerta de la sala.

Las mesas y las sillas se apartaron en un rincón para despejar el terreno. Las luces se colocaron de un modo conveniente. Don Luis y el Conde se quitaron levitas y chalecos, quedaron en mangas de camisa y tomaron las armas. Se hicieron a un lado[209] los testigos. A una señal del capitán, empezó el combate.

Entre dos personas que no sabían parar ni defenderse, la lucha debía de ser brevísima, y lo fue.

La furia del Conde, retenida por algunos minutos, estalló y le cegó. Era robusto; tenía unos puños de hierro, y sacudía con el sable una lluvia de tajos sin orden ni concierto. Cuatro veces tocó a don Luis, por fortuna siempre de plano. Lastimó sus hombros, pero no le hirió. Menester fue de todo el vigor del joven teólogo para no caer derribado a los tremendos golpes y con el dolor de las contusiones. Todavía tocó el Conde por quinta vez a don Luis, y le dió en el brazo izquierdo. Aquí la herida fue de filo, aunque de soslayo. La sangre de

208. Figuratively speaking, of course

209. Here, to move to one side

don Luis empezó a correr en abundancia. Lejos de contenerse un poco, el Conde arremetió con más ira para herir de nuevo: casi se metió bajo el sable de don Luis. Éste, en vez de prepararse a parar, dejó caer[210] el sable con brío y acertó con una cuchillada en la cabeza del Conde. La sangre salió con ímpetu, y se extendió por la frente y corrió sobre los ojos. Aturdido por el golpe, dio el Conde con su cuerpo en el suelo.

Toda la batalla fue negocio de algunos segundos.

Don Luis había estado sereno . . . pero, no bien miró a su contrario por tierra, bañado en sangre y como muerto, don Luis sintió una angustia grandísima y temió que le diese una congoja. Él, que no se creía capaz de matar un gorrión, acaso acababa de matar a un hombre. Él, que aun estaba resuelto a ser sacerdote, a ser misionero, a ser ministro y nuncio del Evangelio hacía cinco o seis horas, había cometido o se acusaba de haber cometido en nada de tiempo[211] todos los delitos, y de haber infringido todos los mandamientos de la ley de Dios. No había quedado pecado mortal de que no se contaminase.

El estado de don Luis, después de las agitaciones de todo aquel día, era el de un hombre que tiene fiebre cerebral.

Currito y el capitán, cada uno de un lado, le agarraron y le llevaron a su casa.

Don Pedro de Vargas se levantó sobresaltado cuando le dijeron que venía su hijo herido. Acudió a verle; examinó las contusiones y la herida del brazo, y vio que no eran de cuidado; pero puso el grito en el cielo diciendo que iba a tomar venganza de aquella ofensa, y no se tranquilizó hasta que supo el lance, y que don Luis había sabido tomar

venganza por sí, a pesar de su teología.

El médico vino poco después a curar a don Luis, y pronosticó que en tres o cuatro días estaría don Luis para salir a la calle, como si tal cosa.[212] El Conde, en cambio, tenía para meses.[213] Su vida, sin embargo, no corría peligro. Había vuelto de su desmayo, y había pedido que le llevasen a su pueblo, que no dista más que una legua del lugar en que pasaron estos sucesos. Habían buscado un carricoche de alquiler y le habían llevado, yendo en su compañía su criado y los dos forasteros que le sirvieron de testigos.

A los cuatro días del lance se cumplieron, en efecto, los pronósticos del doctor, y don Luis, aunque magullado de los golpes y con la herida abierta aún, estuvo en estado de salir, y prometiendo un restablecimiento completo en plazo muy breve.

El primer deber que don Luis creyó que necesitaba cumplir, no bien le dieron de alta,[214] fue confesar a su padre sus amores con Pepita, y declararle su intención de casarse con ella.

Don Pedro no había ido al campo ni se había empleado sino en cuidar a su hijo durante la enfermedad. Casi siempre estaba a su lado acompañándole y mimándole con singular cariño.

En la mañana del día 27 de junio, después de irse el médico, don Pedro quedó solo con su hijo; y entonces la tan difícil confesión para don Luis tuvo lugar del modo siguiente:

—Padre mío—dijo don Luis—; yo no debo seguir engañando a usted por más tiempo. Hoy voy a confesar a usted mis faltas y a desechar la hipocresía.

—Muchacho, si es confesión lo que vas a hacer mejor será que llames al padre Vicario. Yo tengo muy holgachón

---

210. *dejó caer,* brought down
211. *nada de tiempo,* no time at all
212. *como . . . cosa,* as good as new, as if nothing had happened

213. had [a wound which would incapacitate him] for months
214. *dar de alta,* to declare cured, to release (from hospital)

el criterio, y te absolveré de todo sin que mi absolución te valga para nada. Pero si quieres confiarme algún hondo secreto como a tu mejor amigo, empieza, que te escucho.

—Lo que tengo que confiar a usted es una gravísima falta mía, y me da vergüenza . . .

—Pues no tengas vergüenza con tu padre y di sin rebozo.

Aquí don Luis, poniéndose muy colorado y con visible turbación, dijo:

—Mi secreto es que estoy enamorado de . . . Pepita Jiménez, y que ella . . .

Don Pedro interrumpió a su hijo con una carcajada y continuó la frase:

—Y que ella está enamorada de ti, y que la noche de la velada de San Juan estuviste con ella en dulces coloquios hasta las dos de la mañana, y que por ella buscaste un lance con el Conde de Genazahar, a quien has roto la cabeza. Pues, hijo, bravo secreto me confías. No hay perro ni gato en el lugar que no esté ya al corriente de todo. Lo único que parecía posible ocultar era la duración del coloquio hasta las dos de la mañana, pero unas gitanas buñoleras te vieron salir de la casa, y no pararon hasta contárselo a todo bicho viviente. Pepita, además, no disimula cosa mayor; y hace bien, porque sería el disimulo de Antequera²¹⁵ . . . Desde que estás enfermo viene aquí Pepita dos veces al día, y otras dos o tres veces envía a Antoñona a saber de tu salud; y si no han entrado a verte, es porque yo me he opuesto, para que no te alborotes.

La turbación y el apuro de don Luis subieron de punto cuando oyó contar a su padre toda la historia en lacónico compendio.

—¡Qué sorpresa!—dijo—, ¡qué asombro habrá sido el de usted!

—Nada de sorpresa ni de asombro,

muchacho. En el lugar sólo se saben las cosas hace cuatro días, y la verdad sea dicha, ha pasmado tu transformación . . . Pero a mí no me cogieron las noticias de susto, salvo tu herida. Los viejos sentimos crecer la hierba.²¹⁶ No es fácil que los pollos engañen a los recoveros.

—Es verdad: he querido engañar a usted. ¡He sido hipócrita!

—No seas tonto: no lo digo por motejarte. Lo digo para darme tono de perspicaz. Pero hablemos con franqueza: mi jactancia es inmotivada. Yo sé punto por punto el progreso de tus amores con Pepita, desde hace más de dos meses; pero lo sé porque tu tío el Deán, a quien escribías tus impresiones, me lo ha participado todo. Oye la carta acusadora de tu tío, y oye la contestación que le di, documento importantísimo de que he guardado minuta.

. . . acabó don Pedro de leer su carta, y al volver a mirar a don Luis, vió que don Luis había estado escuchando con los ojos llenos de lágrimas.

El padre y el hijo se dieron un abrazo muy apretado y muy prolongado.

Al mes justo de esta conversación y de esta lectura, se celebraron las bodas de don Luis de Vargas y de Pepita Jiménez.

Temeroso el señor Deán de que su hermano le embromase demasiado con que el misticismo de Luisito había salido huero, y conociendo además que su papel iba a ser poco airoso en el lugar, donde todos dirían que tenía mala mano para sacar santos, dio por pretexto sus ocupaciones y no quiso venir, aunque envió su bendición y unos magníficos zarcillos, como presente para Pepita.

El padre Vicario tuvo, pues, el gusto de casarla con don Luis.

La novia muy bien engalanada, pareció hermosísima a todos y digna de

215. An attempt to conceal facts known to everybody

216. We old people know what's going on.

trocarse por el cilicio y las disciplinas.

Aquella noche dio don Pedro un baile estupendo en el patio de su casa y salones contiguos. Criados y señores, hidalgos y jornaleros, las señoras y señoritas y las mozas del lugar asistieron y se mezclaron en él, como en la soñada primera edad del mundo, que no sé por qué llaman de oro. Cuatro diestros, o si no diestros, infatigables guitarristas, tocaron el fandango. Un gitano y una gitana, famosos cantadores, entonaron las coplas más amorosas y alusivas a las circunstancias. Y el maestro de escuela leyó un epitalamio en verso heroico . . .

Don Pedro estuvo hecho un cadete: bullicioso, bromista y galante . . . Bailó el fandango con Pepita, con sus más graciosas criadas y con otras seis o siete mozuelas. A cada una, al volverla a su asiento, cansada ya, le dió con efusión el correspondiente y prescrito abrazo, y a las menos serias, algunos pellizcos, aunque esto no formaba parte del ceremonial. Don Pedro llevó su galantería hasta el extremo de sacar a bailar a doña Casilda, que no pudo negarse, y que, con sus diez arrobas de humanidad y los calores de julio, vertía un chorro de sudor por cada poro. Por último, don Pedro atracó de tal suerte a Currito, y le hizo brindar tantas veces por la felicidad de los nuevos esposos, que el mulero Dientes tuvo que llevarle a su casa a dormir la mona,[217] terciado en una borrica como un pellejo de vino.

El baile duró hasta las tres de la madrugada; pero los novios se eclipsaron discretamente antes de las once y se fueron a casa de Pepita . . .

Aunque en el lugar es uso y costumbre, jamás interrumpida, dar una terrible cencerrada a todo viudo o viuda que contrae segundas nupcias, no dejándolos tranquilos con el resonar de los cencerros

en la primera noche del consorcio, Pepita era tan simpática y don Pedro tan venerado y don Luis tan querido, que no hubo cencerros ni el menor conato de que resonasen aquella noche: caso raro, que se registra como tal en los anales del pueblo.

III. *Epílogo*

Cartas de mi hermano

La historia de Pepita y Luisito debiera terminar aquí. Este epílogo está de sobra; pero el señor Deán lo tenía en el legajo, y ya que no le publiquemos por completo, publicaremos parte; daremos una muestra siquiera . . .

Todo prospera en casa. Luis y yo tenemos unas candioteras que no las hay mejores en España, si prescindimos de Jerez.[218] La cosecha de aceite ha sido este año soberbia. Podemos permitirnos todo género de lujos, y yo aconsejo a Luis y a Pepita que den un buen paseo por Alemania, Francia e Italia, no bien salga Pepita de su cuidado y se restablezca. Los chicos pueden, sin imprevisión ni locura, derrochar unos cuantos miles de duros en la expedición y traer muchos primores de libros, muebles y objetos de arte para adornar su vivienda.

Hemos aguardado dos semanas para que sea el bautizo el día mismo del primer aniversario de la boda. El niño es un sol de bonito y muy robusto. Yo he sido el padrino, y le hemos dado mi nombre. Yo estoy soñando con que Periquito hable y diga gracias . . .

Mis hijos han vuelto de su viaje bien de salud, y con Periquito muy travieso y precioso.

Luis y Pepita vienen resueltos a no

---

217. *dormir la mona,* to sleep off one's drunkenness.

218. The town in which Jerez wine (called "sherry" in English) is made.

volver a salir del lugar, aunque les dure más la vida que a Filemón y a Baucis.[219] Están enamorados como nunca el uno del otro.

Traen lindos muebles, muchos libros, algunos . cuadros y no sé cuántas otras baratijas elegantes que han comprado por esos mundos y principalmente en París, Roma, Florencia y Viena . . .

Todo lo van mejorando y hermoseando para hacer de este retiro su edén.

No imagines, sin embargo, que la afición de Luis y de Pepita al bienestar material haya entibiado en ellos, en lo más mínimo, el sentimiento religioso. La piedad de ambos es más profunda cada día, y en cada contento o satisfacción de que gozan o que pueden proporcionar a sus semejantes ven un nuevo beneficio del cielo, por el cual se reconocen más obligados a demostrar su gratitud. Es más: esa satisfacción y ese contento no lo serían, no tendrían precio, ni valor, ni sustancia para ellos, si la consideración y la firme creencia en las cosas divinas no se lo prestasen.

Luis no olvida nunca, en medio de su dicha presente, el rebajamiento del ideal con que había soñado. Hay ocasiones en que su vida de ahora le parece vulgar, egoísta y prosaica, comparada con la vida de sacrificio, con la existencia espiritual a que se creyó llamado en los primeros años de su juventud; pero Pepita acude solícita a disipar estas melancolías, y entonces comprende y afirma Luis que el

hombre puede servir a Dios en todos los estados y condiciones, y concierta la viva fe y el amor de Dios, que llenan su alma, con este amor lícito de lo terrenal y caduco. Pero en todo ello pone Luis como un fundamento divino, sin el cual, ni en los astros que pueblan el éter, ni en las flores y frutos que hermosean el campo, ni en los ojos de Pepita, ni en la inocencia y belleza de Periquito, vería nada de amable . . .

En la casa de mis hijos hay, pues, algunas salas que parecen preciosas capillitas católicas o devotos oratorios; pero he de confesar que tienen ambos también su poquito de paganismo, como poesía rústica amoroso-pastoril, la cual ha ido a refugiarse extramuros . . .

El merendero o cenador, donde comimos las fresas aquella tarde, que fué la segunda vez que Pepita y Luis se vieron y se hablaron, se ha transformado en un airoso templete, con pórtico y columnas de mármol blanco. Dentro hay una espaciosa sala con muy cómodos muebles. Dos bellas pinturas la adornan: una representa a Psiquis,[220] descubriendo y contemplando extasiada, a la luz de su lámpara, al Amor dormido en su lecho; otra representa a Cloe[221] cuando la cigarra fugitiva se le mete en el pecho, donde, creyéndose segura, y a tan grata sombra, se pone a cantar, mientras que Dafnis procura sacarla de allí.

Una copia hecha con bastante esmero en mármol de Carrara,[222] de la Venus de

---

219. Philemon and Baucis, a married couple, symbols of conjugal love, entertained Jupiter and Mercury in their home when all their neighbors had refused them shelter. They asked as a reward that they might die at the same time. The gods gave them a long life and then converted them, one into a linden tree, the other into an oak.

220. Psyche was the nymph with whom Cupid fell in love. However, he wished to keep his identity from her and visited her only at night. Since an oracle had predicted

she would marry a monster, one night Psyche took a lamp and looked at her companion while he was sleeping. Artists have frequently represented her surprise and joy on seeing a beautiful young god instead of the expected hideous creature. However, a drop of oil from the lamp fell on Cupid and awakened him; whereupon, in his anger, he abandoned her.

221. See n. 176.
222. The marble from this Italian town is especially prized by sculptors.

Médicis,[223] ocupa el preferente lugar, y como que preside en la sala. En el pedestal tiene grabados, en letras de oro, estos versos de Lucrecio:

Nec sine te quidquam dias in luminis oras

Exoritur, neque fit laetum, neque amabile quidquam.[224]

223. Well-known statue of Venus in Florence, Italy. Its significance here is that it represents the pagan goddess of love, particularly the human, natural love which now fills Luis's life.
224. From the invocation in Lucretius' *De rerum natura* to the goddess Venus: ". . . without thee nothing rises up into the goodly coasts of light, nor anything is joyous made nor lovely . . ." (translated by Thomas Jackson).

Benito Pérez Galdós

The life of Benito Pérez Galdós (1843–1920) is neither dramatic nor exciting. He devoted his mature years almost constantly to methodical work, interrupting his production only with brief periods of travel. But his seventy-seven novels and twenty-six plays are truly exciting and significant. Most critics place Galdós second only to Cervantes as a novelist.

Galdós was born in the Canary Islands and went to Madrid at the age of nineteen to study law. He soon abandoned serious university work and gave himself over to observation of Spanish life and to a wide range of reading. At the same time he wrote some unsuccessful plays and pursued a career as a journalist. Then, after a couple of promising novels of apprenticeship, he devoted himself to his first great plan—a series of historical novels depicting the life and politics of Spain in the early, formative years of the nineteenth century. Galdós felt that Spaniards needed to know the history of this period in order to understand their own times and to choose wisely the pathway of the future. Between 1873 and 1879 he wrote twenty novels under the general title of *Episodios Nacionales,* divided into two series of ten each, which covered Spanish history from 1805 to 1834. In each series Galdós traces the fortunes of a fictitious hero who takes part in many of the important historical events of the epoch. The heroes learn to love their fatherland and to believe in the moderate liberalism which Galdós thought necessary for the orderly progress of the country. We must not forget that he was writing these novels at a time when Spain was undergoing a civil war and other violent political upheavals.

Galdós had no intention of continuing the *Episodios Nacionales* after finishing the first twenty volumes in 1879. But much later, in 1898, he found himself in financial straits and returned to the *Episodios Nacionales,* which had always been best sellers. He wrote twenty-six more novels, carrying the history of Spain down to 1875, covering a period when he himself was a witness to many important events depicted in his work.

Despite their great popularity, none of the *Episodos Nacionales* can be considered a real masterpiece. Galdos's greatest achievements are all in another series of novels, the *Novelas Contemporáneas*. These were begun even while Don Benito was still working on the early series of *Episodios Nacionales,* in the 1870's. Throughout the *Novelas Contemporáneas* we can see Galdós gradually developing and refining his concept of realism. He moves from a somewhat allegorical vision of his characters as social forces (*Doña Perfecta,* 1876) to a naturalistic belief that people can be explained by their heredity and environment (*La desheredada,* 1881), then to a spiritualized naturalism (*Fortunata y Jacinta,* 4 vols., 1886–87) and finally to a period of spirituality, in which he sees the spirit as a motivating force for human conduct equal in power to physical drives (*Misericordia,* 1897). In these novels Galdós usually sets the action in Madrid, which he knew most intimately. His word pictures of numerous city types, his sympathetic humor, and his psychological profundity make many of the *Novelas Contemporáneas* truly outstanding creations.

We cannot talk so enthusiastically about his plays. Galdós did not begin to produce them until relatively late in life, the first, *Realidad,* being presented in 1892. Although Galdós did give a new realistic direction to the drama with this play, he became openly allegorical in his later theatrical works. The obviousness of his message frequently detracts from the dramatic illusion. He never felt really at home in the drama, but did achieve some remarkable successes, often because his play happened to coincide with some political or social crisis which could be related to the theme of the play.

Galdós was always a champion of liberalism—at first he supported a constitutional monarchy, but later, the republican cause. He loved the common people of Spain and felt that they were the great depository of Spanish virtues. He looked forward to a day when Spaniards would achieve a closer contact with reality, instead of living too frequently in a world of dreams, and when Spaniards would learn to love one another and work together to realize their great potential. Because of this vision of a greater Spain, Galdós continues to be one of the most widely read and respected Spanish authors.

Torquemada en la hoguera

I

Voy a contar cómo fue al quemadero el inhumano que tantas vidas infelices consumió en llamas;[1] . . . cómo vino el fiero sayón a ser víctima; cómo los odios que provocó se le volvieron lástima, y las nubes de maldiciones arrojaron sobre él lluvia de piedad. . . .

Mis amigos conocen ya, por lo que de él se me antojó referirles, a don Francisco Torquemada,[2] a quien algunos historiadores inéditos de estos tiempos llaman *Torquemada el Peor.* . . . Es Torquemada el habilitado de aquel infierno en que fenecen desnudos y fritos los deudores; hombres de más necesidades que posibles; empleados con más hijos que sueldo; otros ávidos de la nómina tras larga cesantía; militares trasladados de residencia, con familión y suegra de añadidura; personajes de flaco espíritu, poseedores de un buen destino, pero, con la carcoma de una mujercita que da tés y empeña el verbo para comprar las pastas; viudas lloronas que cobran del Montepío civil o militar y se ven en mil apuros; sujetos diversos que no aciertan a resolver el problema aritmético en que se funda la existencia social, y otros muy perdidos, muy faltones, muy destornillados de cabeza o rasos de moral, tramposos y embusteros.

Pues todos éstos, el bueno y el malo, el desgraciado y el pillo, cada uno por su arte propio, pero siempre con su sangre y sus huesos, le amasaron al sucio de Torquemada una fortunita que ya la quisieran muchos que se dan lustre en Madrid . . .

El año de la Revolución,[3] compró Torquemada una casa de corredor[4] en la calle de San Blas, con vuelta a la de la Leche;[5] finca muy aprovechada, con veinticuatro habitacioncitas, que daban, descontando insolvencias inevitables, reparaciones, contribución, etc., una renta de 1.300 reales al mes, equivalente a un siete o siete y medio por ciento del capital. Todos los domingos se personaba en ella mi don Francisco para hacer la cobranza, los recibos en una mano, en otra el bastón con puño de asta de ciervo; y los pobres inquilinos que tenían la desgracia de no poder ser puntuales, andaban desde el sábado por la tarde con el estómago descompuesto, porque la adusta cara, el carácter férreo del propietario, no concordaban con la idea que tenemos del día de fiesta, del día del Señor, todo descanso y alegría. El año de la Restauración,[6] ya había duplicado Torquemada la pella con que le cogió la *gloriosa,*[7] y el radical cambio político pro-

---

1. The allusion is, of course, to the Grand Inquisitor, Tomás de Torquemada, a Dominican monk who was first the confessor of Isabel la católica, then Inquisitor-General of the Spanish Inquisition. It is estimated that 2,000 persons were executed during his eighteen years as head of the organization. His severity caused him to be hated and brought censure upon him from the Pope.
2. Torquemada had already appeared in several of Galdós's novels, always as a minor character. He was an astute and heartless moneylender.
3. The revolution of 1868, when Isabel II was deposed and the liberals took over the government.
4. *casa de corredor,* tenement house
5. *calle de San Blas, calle de la Leche,* streets near the juncture of the *calle de Atocha* and the *Paseo del Prado;* a shabby district
6. In 1875 the son of Isabel II, Alfonso XII, was restored to the throne of Spain.
7. *la gloriosa,* the revolution of 1868

porcionóle bonitos préstamos y anticipos. Situación nueva, nóminas frescas, pagas saneadas, negocio limpio. Los gobernadores flamantes que tenían que hacerse ropa, los funcionarios diversos que salían de la oscuridad, famélicos, le hicieron un buen Agosto. Toda la época de los conservadores fue regularcita; como que éstos le daban juego con las esplendideces propias de la dominación, y los liberales también con sus ansias y necesidades no satisfechas. Al entrar en el gobierno, en 1881,[8] los que tanto tiempo estuvieron sin catarlo, otra vez Torquemada en alza; préstamos de lo fino, adelantos de lo gordo, y vamos viviendo.[9] Total, que ya le estaba echando el ojo a otra casa, no de corredor, sino de buena vecindad, casi nueva, bien acondicionada para inquilinos modestos, y que si no rentaba más que un tres y medio a todo tirar,[10] en cambio su administración y cobranza no darían las jaquecas de la cansada finca dominguera.

Todo iba como una seda para aquella feroz hormiga, cuando de súbito le afligió el cielo con tremenda desgracia: se murió su mujer. Perdónenme mis lectores si les doy la noticia sin la preparación conveniente, pues sé que apreciaban a doña Silvia, como la apreciábamos todos los que tuvimos el honor de tratarla, y conocíamos sus excelentes prendas y circunstancias. Falleció de cólico miserere,[11] y he de decir, en aplauso de Torquemada, que no se omitió gasto de médico y botica para salvarle la vida a la pobre señora. Esta pérdida fue un golpe cruel para don Francisco, pues habiendo vivido el matrimonio en santa y laboriosa paz durante más de cuatro lustros, los caracteres de ambos cónyuges se habían com-

penetrado de un modo perfecto, llegando a ser ella otro él, y él como cifra y refundición de ambos. Doña Silvia no sólo gobernaba la casa con magistral economía, sino que asesoraba a su pariente en los negocios difíciles, auxiliándole con sus luces y su experiencia para el préstamo. Ella defendiendo el céntimo en casa para que no se fuera a la calle, y él barriendo para adentro a fin de traer todo lo que pasara, formaron un matrimonio sin desperdicio, pareja que podría servir de modelo a cuantas hormigas hay debajo de la tierra y encima de ella.

Estuvo Torquemada el *Peor*, los primeros días de su viudez, sin saber lo que le pasaba, dudando que pudiera sobrevivir a su cara mitad. Púsose más amarillo de lo que comúnmente estaba, y le salieron algunas canas en el pelo y en la perilla. Pero el tiempo cumplió como suele cumplir siempre, endulzando lo amargo, limando con insensible diente las asperezas de la vida, y aunque el recuerdo de su esposa no se extinguió en el alma del usurero, el dolor hubo de calmarse; los días fueron perdiendo lentamente su fúnebre tristeza; despejóse el sol del alma, iluminando de nuevo las variadas combinaciones numéricas que en ella había; los negocios distrajeron al aburrido negociante, y a los dos años Torquemada parecía consolado; pero, entiéndase bien y repítase en honor suyo, sin malditas ganas de volver a casarse.

Dos hijos le quedaron: Rufinita, cuyo nombre no es nuevo para mis amigos;[12] y Valentinito, que ahora sale por primera vez. Entre la edad de uno y otro hallamos diez años de diferencia, pues a mi doña Silvia se le malograron más o menos prematuramente todas las crías interme-

---

8. The liberal party, under the leadership of Sagasta, won power in 1881. They had been out of power for six years.
9. *y vamos viviendo*, freely, and everything is fine and dandy

10. *un tres y medio a todo tirar*, three and a half per cent, stretching it to the utmost
11. *cólico miserere*, severe abdominal pains, caused by a ruptured diaphragm
12. Rufina appeared as a minor character in *Fortunata y Jacinta*.

dias, quedándole sólo la primera y la última. En la época en que cae lo que voy a referir, Rufinita había cumplido los veintidós, y Valentín andaba al ras de los doce. Y para que se vea la buena estrella de aquel animal de don Francisco, sus dos hijos eran, cada cual por su estilo, verdaderas joyas, o como bendiciones de Dios que llovían sobre él para consolarle en su soledad. Rufina había sacado todas las capacidades domésticas de su madre, y gobernaba el hogar casi tan bien como ella. Claro que no tenía el alto tino de los negocios, ni la consumada trastienda, ni el golpe de vista, ni otras aptitudes entre morales y olfativas de aquella insigne matrona; pero en formalidad, en honesta compostura y buen parecer, ninguna chica de su edad le echaba el pie adelante. No era presumida, ni tampoco descuidada en su persona; no se la podía tachar de desenvuelta, ni tampoco de huraña. Coqueterías, jamás en ella se conocieron. .Un solo novio tuvo desde la edad en que apunta el querer hasta los días en que la presento; el cual, después de mucho rondar y suspiretear, mostrando por mil medios la rectitud de sus fines, fue admitido en la casa en los últimos tiempos de doña Silvia, y siguió después, con asentimiento del papá, en la misma honrada y amorosa costumbre. Era un *chico de Medicina*,[13] chico en toda la extensión de la palabra, pues levantaba del suelo lo menos que puede levantar un hombre; estudiosillo, inocente, bonísimo y manchego por más señas. Desde el cuarto año empezaron aquellas castas relaciones; y en los días de este relato, concluída ya la carrera y lanzado Quevedito (que así se llamaba) a la práctica de la facultad, tocaban ya a casarse. Satisfecho el *Peor*

de la elección de la niña, alababa su discreción, su desprecio de las vanas apariencias, para atender sólo a lo sólido y práctico.

Pues digo, si de Rufina volvemos los ojos al tierno vástago de Torquemada, encontraremos mejor explicación de la vanidad que le infundía su prole, porque (lo digo sinceramente) no he conocido criatura más mona que aquel Valentín, ni precocidad tan extraordinaria como la suya. ¡Cosa más rara! No obstante el parecido con su antipático papá, era el chiquillo guapísimo, con tal expresión de inteligencia en aquella cara, que se quedaba uno embobado mirándole; con tales encantos en su persona y carácter, y rasgos de conducta tan superiores a su edad, que verle, hablarle y quererle vivamente, era todo uno. ¡Y qué hechicera gravedad la suya, no incompatible con la inquietud propia de la infancia! ¡Qué gracia mezclada de no sé qué aplomo inexplicable a sus años! ¡Qué rayo divino en sus ojos algunas veces, y otras qué misteriosa y dulce tristeza! Espigadillo de cuerpo, tenía las piernas delgadas, pero de buena forma; la cabeza más grande de lo regular, con alguna deformidad en el cráneo. En cuanto a su aptitud para el estudio, llamémosla verdadero prodigio, asombro de la escuela, y orgullo y gala de los maestros. De esto hablaré más adelante. Sólo he de afirmar ahora que el *Peor* no merecía tal joya, ¡qué había de merecerla! y que si fuese hombre capaz de alabar a Dios por los bienes con que le agraciaba, motivos tenía el muy tuno para estarse, como Moisés, tantísimas horas con los brazos levantados al cielo.[14] No los levantaba, porque sabía que del cielo no había de caerle ninguna breva de las que a él le gustaban.

---

13. *chico de Medicina,* young fellow from the medical school
14. In the battle against Amalek the action went in favor of the children of Israel as long as Moses held up his hands. But his hands became heavy; so Aaron and Hur held them up until the sun set. (Exodus 17. 8–13).

II

Vamos a otra cosa: Torquemada no era de esos usureros que se pasan la vida multiplicando caudales por el gustazo platónico de poseerlos; que viven sórdidamente para no gastarlos, y al morirse, quisieran, o bien llevárselos consigo a la tierra, o esconderlos donde alma viviente no los pueda encontrar. No: don Francisco habría sido así en otra época; pero no pudo eximirse de la influencia de esta segunda mitad del siglo XIX, que casi ha hecho una religión de las materialidades decorosas[1] de la existencia. Aquellos avaros de antiguo cuño, que afanaban riquezas y vivían como mendigos y se morían como perros en un camastro lleno de pulgas y de billetes de Banco metidos entre la paja, eran los místicos o metafísicos de la usura; su egoísmo se sutilizaba en la idea pura del negocio; adoraban la santísima, la inefable cantidad, sacrificando a ella su material existencia, las necesidades del cuerpo y de la vida, como el místico lo pospone todo a la absorbente idea de salvarse. Viviendo el *Peor* en una época que arranca de la desamortización,[2] sufrió, sin comprenderlo, la metamorfosis que ha desnaturalizado la usura metafísica, convirtiéndola en positivista, y si bien es cierto, como lo acredita la historia, que desde el 51 al 68, su verdadera época de aprendizaje, andaba muy mal trajeado y con afectación de pobreza, la cara y las manos sin lavar, rascándose a cada instante en brazos y piernas cual si llevase miseria,[3] el sombrero con grasa, la capa deshilachada; si bien consta también en las crónicas de la vecindad que en su casa se comía de vigilia casi todo el año, y que la señora salía a sus negocios con una toquilla agujereada y unas botas viejas de su marido, no es menos cierto que, alrededor del 70, la casa estaba ya en otro pie . . .

Pues en los últimos años de doña Silvia, la transformación acentuóse más. Por aquella época cató la familia los colchones de muelles; Torquemada empezó a usar chistera de cincuenta reales; disfrutaba dos capas, una muy buena, con embozos colorados; los hijos iban bien apañaditos; Rufina tenía un lavabo de los de mírame y no me toques,[4] con jofaina y jarro de cristal azul, que no se usaba nunca por no estropearlo; doña Silvia se engalanó con un abrigo de pieles que parecían de conejo, y dejaba bizca[5] a toda la calle de Tudescos y callejón del Perro[6] cuando salía con la *visita*[7] guarnecida de abalorio; en fin, que pasito a paso y a codazo limpio,[8] se habían ido metiendo en la clase media, en nuestra bonachona clase media, toda necesidades y pretensiones, y que crece tanto, tanto, ¡ay dolor! que nos estamos quedando sin pueblo.[9]

Pues señor: revienta doña Silvia, y empuñadas por Rufina las riendas del

---

1. *materialidades decorosas,* freely, comforts and luxuries
2. *la desamortización,* the freeing of entailed lands. Many estates in Spain were entailed (that is, they could not be sold) and were inherited by the eldest son (*el mayorazgo*) of the family. Other entailed estates belonged to religious orders and churches, and still other lands were owned in common by villages. Many of these lands lay idle, an obstacle to the economic development of the country. In 1837 the government passed a law permitting their sale, which brought on a wave of speculation in lands.

3. *miseria,* here, lice
4. *de los de mírame y no me toques,* of the kind that is purely ornamental
5. *dejaba bizca,* she had (everyone) staring
6. *calle de Tudescos y callejón del Perro,* streets in the north central section of Madrid, where Torquemada lived. As a young man Galdós lived for a short time in the *calle de Tudescos.* The *callejón del Perro* was destroyed by the opening of the Gran Vía.
7. *visita,* visiting dress
8. *a codazo limpio,* freely, elbowing their way
9. *pueblo,* here, common people

gobierno de la casa, la metamorfosis se marca mucho más. A reinados nuevos, principios nuevos. Comparando lo pequeño con lo grande y lo privado con lo público, diré que aquello se me parecía a la entrada de los liberales, con su poquito de sentido revolucionario en lo que hacen y dicen. Torquemada representaba la idea conservadora; pero transigía, ¡pues no había de transigir! doblegándose a la lógica de los tiempos. Apechugó con la camisa limpia cada media semana; con el abandono de la capa número dos para del día,[10] relegándola al servicio nocturno; con el destierro absoluto del hongo número tres, que no podía ya con más sebo;[11] aceptó, sin viva protesta, la renovación de manteles entre semana[12] . . . y no tuvo nada que decir de las modestas galas de Rufina y de su hermanito, ni de la alfombra del gabinete, ni de otros muchos progresos que se fueron metiendo en la casa a modo de contrabando.[13]

Y vio muy pronto don Francisco que aquellas novedades eran buenas y que su hija tenía mucho talento, porque . . . vamos, parecía cosa del otro jueves[14] . . . echábase mi hombre a la calle y se sentía, con la buena ropa, más persona que antes; hasta le salían mejores negocios, más amigos útiles y explotables. Pisaba más fuerte, tosía más recio, hablaba más alto y atrevíase a levantar el gallo[15] en la tertulia del café, notándose con bríos para sustentar una opinión cualquiera, cuando antes, por efecto sin duda del mal pelaje[16] y de su rutinaria afectación de pobreza, siempre era de la opinión de los demás. Poco a poco llegó a advertir en sí los alientos propios de su capacidad social y financiera; se tocaba,[17] y el sonido le advertía que era propietario y rentista. Pero la vanidad no le cegó nunca. Hombre de composición homogénea, compacta y dura, no podía incurrir en la tontería de estirar el pie más del largo de la sábana.[18] En su carácter había algo de resistente a las mudanzas de forma impuestas por la época; y así como no varió nunca su manera de hablar, tampoco ciertas ideas y prácticas del oficio se modificaron. Prevaleció el amaneramiento de decir siempre que los tiempos eran muy malos, pero muy malos; el lamentarse de la desproporción entre sus míseras ganancias y su mucho trabajar; subsistió aquella melosidad de dicción y aquella costumbre de preguntar por la familia siempre que saludaba a alguien, y el decir que no andaba bien de salud, haciendo un mohín de hastío de la vida. Tenía ya la perilla amarillenta, el bigote más negro que blanco, ambos adornos de la cara tan recortaditos, que antes parecían pegados que nacidos allí. Fuera de la ropa, mejorada en calidad, si no en la manera de llevarla, era el mismo que conocimos en casa de doña Lupe *la de los pavos*;[19] en su cara la propia confusión extraña de lo militar y lo eclesiástico, el color bilioso, los ojos negros y algo soñadores, el gesto y los modales expresando lo mismo afeminación que hipocresía, la calva. más despoblada y más limpia, y todo él craso, resbaladizo y repulsivo, muy pronto siempre, cuando se le saluda, a dar la mano, por cierto bastante sudada.

10. *para de día,* for daytime wear
11. *que no podía ya con más sebo,* which couldn't possibly be more greasy
12. *entre semana,* in the middle of the week
13. *a modo de contrabando,* as if smuggled in
14. *cosa del otro jueves,* an extraordinary thing
15. *levantar el gallo,* to speak up
16. *mal pelaje,* humble clothing

17. *se tocaba,* freely, the bugle called
18. *estirar el pie más del largo de la sábana,* to overreach himself
19. *doña Lupe,* a character in *Fortunata y Jacinta* who was a moneylender, often involved in combinations with Torquemada. She had been a dealer in turkeys, hence the nickname, *la de los pavos.*

De la precoz inteligencia de Valentinito estaba tan orgulloso, que no cabía en su pellejo.[20] A medida que el chico avanzaba en sus estudios, don Francisco sentía crecer el amor paterno, hasta llegar a la ciega pasión. En honor del tacaño, debe decirse que, si se conceptuaba reproducido físicamente en aquel pedazo de su propia naturaleza, sentía la superioridad del hijo, y por esto se congratulaba más de haberle dado el ser. Porque Valentinito era el prodigio de los prodigios, un jirón excelso de la Divinidad caído en la tierra. Y Torquemada, pensando en el porvenir, en lo que su hijo había de ser, si viviera, no se conceptuaba digno de haberle engendrado, y sentía ante él la ingénita cortedad de lo que es materia frente a lo que es espíritu.[21]

En lo que digo de las inauditas dotes intelectuales de aquella criatura, no se crea que hay la más mínima exageración. Afirmo con toda ingenuidad que el chico era de lo más estupendo que se puede ver, y que se presentó en el campo de la enseñanza como esos extraordinarios ingenios que nacen de tarde en tarde destinados a abrir nuevos caminos a la humanidad. A más de la inteligencia, que en edad temprana despuntaba en él como aurora de un día espléndido, poseía todos los encantos de la infancia: dulzura, gracejo y amabilidad. El chiquillo, en suma, enamoraba y no es de extrañar que don Francisco y su hija estuvieran loquitos con él. Pasados los primeros años, no fue preciso castigarle nunca, ni aun siquiera reprenderle. Aprendió a leer por arte milagroso, en pocos días, como si lo trajera sabido ya del claustro[22] materno. A los cinco años, sabía muchas cosas que otros chicos aprenden difícilmente a los doce. Un día me hablaron de él dos profesores amigos míos que tienen colegio de primera y segunda enseñanza,[23] lleváronme a verle, y me quedé asombrado. Jamás vi precocidad semejante ni un apuntar de inteligencia tan maravilloso. Porque si algunas respuestas las endilgó de taravilla,[24] demostrando el vigor y riqueza de su memoria, en el tono con que decía otras se echaba de ver cómo comprendía y apreciaba el sentido.

La Gramática la sabía de carretilla; pero la Geografía la dominaba como un hombre. Fuera del terreno escolar, pasmaba ver la seguridad de sus respuestas y observaciones, sin asomos de arrogancia pueril. Tímido y discreto, no parecía comprender que hubiese mérito en las habilidades que lucía, y se asombraba de que se las ponderasen y aplaudiesen tanto. Contáronme que en su casa daba muy poco que hacer. Estudiaba las lecciones con tal rapidez y facilidad, que le sobraba tiempo para sus juegos, siempre muy sosos e inocentes. No le hablaran a él[25] de bajar a la calle para enredar con los chiquillos de la vecindad. Sus travesuras eran pacíficas, y consistieron, hasta los cinco años, en llenar de monigotes y letras el papel de las habitaciones o arrancarle algún cacho; en echar desde el balcón a la calle una cuerda muy larga

20. *que no cabía en su pellejo,* freely, that he almost burst
21. This sentence expresses the theme of the whole series of Torquemada novels. Besides *Torquemada en la hoguera* Galdós devoted three other novels to the development of the same character and throughout them all Torquemada is the materialist, who achieves great wealth and power, but for whom the realm of the spirit is closed.
22. *claustro,* here, womb
23. *colegio de primera y segunda enseñanza; colegio* is a private school, not a college.
24. *las endilgó de taravilla,* he rattled them off from memory
25. Understand, *No era necesario que le hablaran a él.*

con la tapa de una cafetera, arriándola hasta tocar el sombrero de un transeúnte, y recogiéndola después a toda prisa. A obediente y humilde no le ganaba ningún niño, y por tener todas las perfecciones, hasta maltrataba la ropa lo menos que maltratarse puede.

Pero sus inauditas facultades no se habían mostrado todavía: iniciáronse cuando estudió la Aritmética, y se revelaron más adelante en la segunda enseñanza. Ya desde sus primeros años, al recibir las nociones elementales de la ciencia de la cantidad, sumaba y restaba de memoria decenas altas y aun centenas. Calculaba con tino infalible, y su padre mismo, que era un águila para hacer, en el filo de la imaginación,[26] cuentas por la regla de interés, le consultaba no pocas veces. Comenzar Valentín el estudio de las matemáticas de Instituto[27] y revelar de golpe toda la grandeza de su numen aritmético, fué todo uno. No aprendía las cosas, las sabía ya, y el libro no hacía más que despertarle las ideas, abrírselas, digámoslo así, como si fueran capullos que al calor primaveral se despliegan en flores. Para él no había nada difícil, ni problema que le causara miedo. Un día fue el profesor a su padre y le dijo: «Ese niño es cosa inexplicable, señor Torquemada: o tiene el diablo en el cuerpo, o es el pedazo de Divinidad más hermoso que ha caído en la tierra. Dentro de poco no tendré nada que enseñarle. Es Newton resucitado, señor don Francisco; una organización excepcional para las matemáticas, un genio que sin duda se trae fórmulas nuevas debajo del brazo para ensanchar el campo de la ciencia. Acuérdese usted de lo que digo: cuando este chico sea hombre, asombrará y trastornará el mundo.»

Cómo se quedó Torquemada al oír esto, se comprenderá fácilmente. Abrazó al profesor, y la satisfacción le rebosaba por ojos y boca en forma de lágrimas y babas. Desde aquel día, el hombre no cabía en sí: trataba a su hijo, no ya con amor, sino con cierto respeto supersticioso. Cuidaba de él como de un ser sobrenatural, puesto en sus manos por especial privilegio. Vigilaba sus comidas, asustándose mucho si no mostraba apetito; al verle estudiando, recorría las ventanas para que no entrase aire,[28] se enteraba de la temperatura exterior antes de dejarle salir, para determinar si debía ponerse bufanda, o el *carrik* gordo, o las botas de agua; cuando dormía, andaba de puntillas; le llevaba a paseo los domingos, o al teatro; y si el angelito hubiese mostrado afición a juguetes extraños y costosos, Torquemada, vencida su sordidez, se los hubiera comprado. Pero el fenómeno aquel no mostraba afición sino a los libros: leía rápidamente y como por magia, enterándose de cada página en un abrir y cerrar de ojos. Su papá le compró una obra de viajes con mucha estampa de ciudades europeas y de comarcas salvajes. La seriedad del chico pasmaba a todos los amigos de la casa, y no faltó quien dijera de él que parecía un viejo. En cosas de malicia era de una pureza excepcional: no aprendía ningún dicho ni acto feo de los que saben a su edad los retoños desvergonzados de la presente generación. Su inocencia y celestial donosura casi nos permitían conocer a los ángeles como si los hubiéramos tratado, y su reflexión rayaba en lo maravilloso. Otros niños, cuando les preguntan lo que quieren ser, responden que obispos o generales si despuntan por la vanidad; los que pican por la destreza corporal, dicen que cocheros, atletas o payasos de circo; los inclinados

26. *en el filo de la imaginación,* here, mentally
27. *Instituto,* (public) secondary school

28. *aire,* here, draft

a la imitación, actores, pintores . . . Valentinito, al oir la pregunta, alzaba los hombros y no respondía nada. Cuando más, decía «no sé,» y al decirlo, clavaba en su interlocutor una mirada luminosa y penetrante, vago destello del sinfín de ideas que tenía en aquel cerebrazo,[29] y que en su día habían de iluminar toda la tierra.

Mas el *Peor,* aun reconociendo que no había carrera a la altura de su milagroso niño, pensaba dedicarlo a ingeniero, porque la abogacía es cosa de charlatanes. Ingeniero; pero ¿de qué? ¿civil o militar? Pronto notó que a Valentín no le entusiasmaba la tropa, y que, contra la ley general de las aficiones infantiles, veía con indiferencia los uniformes. Pues ingeniero de caminos.[30] Por dictamen del profesor del colegio, fue puesto Valentín, antes de concluir los años del bachillerato,[31] en manos de un profesor de estudios preparatorios para carreras especiales, el cual, luego que tanteó su colosal inteligencia, quedóse atónito, y un día salió asustado, con las manos en la cabeza, y corriendo en busca de otros maestros de matemáticas superiores, les dijo: «Voy a presentarles a ustedes el monstruo[32] de la edad presente.» Y le presentó, y se maravillaron, pues fue el chico a la pizarra, y como quien garabatea por enredar y gastar tiza, resolvió problemas dificilísimos. Luego hizo de

memoria diferentes cálculos y operaciones, que aun para los más peritos no son coser y cantar.[33] Uno de aquellos maestrazos, queriendo apurarle, le echó el cálculo de radicales numéricos, y como si le hubieran echado almendras. Lo mismo era para él la raíz *enésima*[34] que para otros dar un par de brincos. Los tíos aquéllos tan sabios se miraban absortos, declarando no haber visto caso ni remotamente parecido.

Era en verdad interesante aquel cuadro, y digno de figurar en los anales de la ciencia: cuatro varones de más de cincuenta años, calvos y medio ciegos de tanto estudiar, maestros de maestros, congregábanse delante de aquel mocoso que tenía que hacer sus cálculos en la parte baja del encerado, y la admiración les tenía mudos y perplejos, pues ya le podían echar dificultades al angelito, que se las bebía como agua. Otro de los examinadores puso las *homologías*[35] creyendo que Valentín estaba raso de ellas;[36] y cuando vieron que no, los tales no pudieron contener su entusiasmo: uno le llamó el Anticristo; otro le cogió en brazos y se lo puso a la pela,[37] y todos se disputaban sobre quién se le llevaría, ansiosos de completar la educación del primer matemático del siglo. Valentín les miraba sin orgullo ni cortedad, inocente y dueño de sí, como Cristo niño entre los doctores.[38]

---

29. *cerebrazo,* great brain (augmentative of *cerebro*)
30. *ingeniero de caminos,* civil engineer. The government school of civil engineering is called *Escuela de Ingenieros de Caminos, Canales y Puertos.*
31. *bachillerato,* bachelor's degree given on graduation from the *Instituto.* It represents the equivalent of about two years' work in an American college.
32. *monstruo,* phenomenon, miracle
33. *coser y cantar,* here, like falling off a log
34. *la raíz enésima,* the nth root
35. *homologías,* homologies (corresponding sides of similar triangles)

36. *estaba raso de ellas,* was ignorant of them
37. *se lo puso a la pela,* set him on his shoulders
38. See Luke 2. 41–51. A famous picture, painted by Paolo Veronese, of Jesus amid the learned priests of the Temple is in the Museo del Prado. Galdós may well have had this specific painting in mind as he wrote this passage, for not infrequently he compares his characters or scenes to specific portraits or pictorial compositions. Galdós was himself a good amateur painter and was well acquainted with the artistic productions of past times.

III

Basta de matemáticas, digo yo ahora, pues me urge apuntar que Torquemada vivía en la misma casa de la calle de Tudescos donde le conocimos cuando fue a verle la de Bringas[1] para pedirle no recuerdo qué favor, allá por el 68; y tengo prisa por presentar a cierto sujeto que conozco hace tiempo, y que hasta ahora nunca menté para nada: un don José Bailón, que iba todas las noches a la casa de nuestro don Francisco a jugar con él la partida de damas o de mus, y cuya intervención en mi cuento es necesaria ya para que se desarrolle con lógica. Este señor Bailón es un clérigo que ahorcó los hábitos[2] el 69, en Málaga, echándose a revolucionario y a librecultista con tan furibundo ardor, que ya no pudo volver al rebaño, ni aunque quisiera le habían de admitir.[3] Lo primero que hizo el condenado fue dejarse crecer las barbas,[4] despotricarse[5] en los clubs, escribir tremendas catilinarias contra los de su oficio, y, por fin, operando *verbo et gladio,*[6] se lanzó a las barricadas con un trabuco naranjero[7] que tenía la boca lo mismo que una trompeta. Vencido y dado a los demonios, le catequizaron los protestantes, ajustándole para predicar y

dar lecciones en la capilla, lo que él hacía de malísima gana y sólo por el arrastrado garbanzo.[8] A Madrid vino cuando aquella gentil pareja, don Horacio y doña Malvina,[9] puso establecimiento evangélico en Chamberí.[10] Por un regular estipendio, Bailón les ayudaba en los oficios, echando unos sermones agridulces, estrafalarios y fastidiosos. Pero al año de estos tratos, yo no sé lo que pasó . . . ello fue cosa de algún atrevimiento apostólico de Bailón con las neófitas: lo cierto es que doña Malvina, que era persona muy mirada, le dijo en mal español cuatro frescas; intervino don Horacio, denostando también a su coadjutor, y entonces, Bailón, que era hombre de muchísima sal[11] para tales casos, sacó una navaja tamaña como[12] hoy y mañana, y se dejó decir que si no se quitaban de delante les echaba fuera el mondongo.[13] Fue tal el pánico de los pobres ingleses, que echaron a correr pegando gritos y no pararon hasta el tejado. Resumen: que tuvo que abandonar Bailón aquel acomodo, y después de rodar por ahí dando sablazos,[14] fué a parar a la redacción de un periódico muy atrevidillo; como que[15] su misión era echar chinitas de fuego[16] a toda autoridad: a los curas, a los obispos y al

1. *la de Bringas,* the Bringas woman, the title character of an earlier Galdós novel, who, in financial straits caused by her craving for fine clothes, tries unsuccessfully to borrow money from Torquemada.
2. *ahorcar los hábitos,* to hang up the robes, freely, to give up the priesthood
3. *ni aunque . . . admitir,* not even if he had wanted, would they have admitted him
4. *las barbas,* his beard. Since priests were almost the only clean-shaven group in the nineteenth century, he hastens to set himself apart from them.
5. *despotricarse,* to rave. Political clubs were usually radical and offered a forum for the extreme liberals.
6. *verbo et gladio,* (Latin) by word and sword, freely, by word and deed
7. *un trabuco naranjero,* a great big blunderbuss (big enough to take bullets the size of oranges)

8. *sólo por el arrastrado garbanzo,* just to get his confounded living. *Garbanzos,* chickpeas, are a common ingredient in Spanish cookery, hence, symbolically, *garbanzo* means "food" in general, then "livelihood, living."
9. *don Horacio y doña Malvina,* English protestant missionaries whom Galdós had already described in *Fortunata y Jacinta*
10. *Chamberí,* formerly a suburb, north of Madrid, now a part of the city
11. *sal,* salt, figuratively, wit, cleverness; here the word is used very ironically.
12. *tamaño como,* as big as
13. *mondongo,* guts, tripe
14. *dar sablazos,* to sponge off friends
15. *como que,* because
16. *echar chinitas de fuego,* to attack, literally, to throw red-hot pebbles

mismo Papa. Esto ocurría el 73, y de aquella época datan los opúsculos políticos de actualidad que publicó el clerizonte en el folletín, y de los cuales hizo tiraditas aparte; bobadas escritas en estilo bíblico, y que tuvieron, aunque parezca mentira, sus días de éxito. Como que se vendían bien, y sacaron a su endiablado autor de más de un apuro.

Pero todo aquello pasó, la fiebre revolucionaria, los folletos, y Bailón tuvo que esconderse, afeitándose para disfrazarse y poder huir al extranjero. A los dos años asomó por aquí otra vez, de bigotes larguísimos, aumentados con parte de la barba, como los que gastaba Víctor Manuel;[17] y por si traía o no traía chismes y mensajes de los emigrados, metiéronle mano y le tuvieron en el Saladero[18] tres meses. Al año siguiente, sobreseída la causa,[19] vivía el hombre en Chamberí, y según la cháchara del barrio muy a lo bíblico, amancebado con una viuda rica que tenía rebaño de cabras y además un establecimiento de burras de leche. Cuento todo esto como me lo contaron, reconociendo que en esta parte de la historia patriarcal de Bailón hay gran oscuridad. Lo público y notorio es que la viuda aquélla cascó,[20] que Bailón apareció al poco tiempo con dinero. El establecimiento y las burras y cabras le pertenecían. Arrendólo todo; se fue a vivir al centro de Madrid, dedicándose a inglés,[21] y no necesito decir más para que se comprenda de dónde vinieron su conocimiento y tratos con Torquemada,

porque bien se ve que éste fue su maestro, le inició en los misterios del oficio, y le manejó parte de sus capitales como había manejado los de doña Lupe *la Magnifica,* más conocida por *la de los pavos.*

Era don José Bailón un animalote de gran alzada, atlético, de formas robustas y muy recalcado de facciones, verdadero y vivo estudio anatómico por su riqueza muscular. Últimamente había dado otra vez en afeitarse; pero no tenía cara de cura, ni de fraile, ni de torero. Era más bien un Dante echado a perder.[22] Dice un amigo mío, que por sus pecados[23] ha tenido que vérselas[24] con Bailón, que éste es el vivo retrato de la sibila de Cumas,[25] pintada por Miguel Ángel, con las demás señoras sibilas y los Profetas en el maravilloso techo de la Capilla Sixtina. Parece, en efecto, una vieja de raza titánica que lleva en su ceño todas las iras celestiales. El perfil de Bailón, y el brazo y pierna, como troncos añosos; el forzudo tórax, y las posturas que sabía tomar, alzando una pataza y enarcando el brazo, le asemejaban a esos figurones que andan por los techos de las catedrales, espatarrados sobre una nube. Lástima que no fuera moda que anduviéramos en cueros, para que luciese en toda su gallardía académica este ángel de cornisa.[26] En la época en que lo presento ahora, pasaba de los cincuenta años.

Torquemada lo estimaba mucho, porque en sus relaciones de negocios, Bailón hacía gala de gran formalidad y aun de

---

17. *Victor Emmanuel,* king of Italy, was of liberal tendencies, hence, he was imitated by Bailón and other Spanish liberals.
18. *el Saladero,* the prison of Madrid
19. *sobreseída la causa,* the case having been dismissed
20. *cascó,* she broke; here, kicked the bucket
21. *inglés,* slang for moneylender
22. He looked like a debauched Dante
23. *por sus pecados,* to his misfortune
24. *vérselas,* to have to do
25. the sibyl (prophetess) of Cumae, whose books of prophecies were kept in a temple

of ancient Rome. A painting by Michelangelo in the Sistine Chapel represents her with sunken cheeks and a hooked nose. Galdós had visited Rome three years before writing *Torquemada en la hoguera,* and, as we noted before, he was much interested in painting and sometimes took inspiration in his writing from a work of art.
26. *ángel de cornisa,* an angel, such as would be sculptured on the cornice of a building; hence, a fine physical specimen

delicadeza. Y como el clérigo renegado tenía una historia tan variadita y dramática, y sabía contarla con mucho aquél,[27] adornándola con mentiras, don Francisco se embelesaba oyéndole, y en todas las cuestiones de un orden elevado le tenía por oráculo. Don José era de los que con cuatro ideas y pocas más palabras se las componen para aparentar que saben lo que ignoran y deslumbrar a los ignorantes sin malicia. El más deslumbrado era don Francisco, y además el único mortal que leía los folletos bailónicos[28] a los diez años de publicarse; literatura envejecida casi al nacer, y cuyo fugaz éxito no comprendemos sino recordando que la democracia sentimental, a estilo de Jeremías, tuvo también sus quince.[29]

Escribía Bailón aquellas necedades en parrafitos cortos, y a veces rompía con una cosa muy santa; verbigracia: «Gloria a Dios en las alturas y paz,» etc. . . . para salir luego por este registro:

«Los tiempos se acercan, tiempos de redención en que el hijo del Hombre será dueño de la tierra.

«El Verbo depositó hace dieciocho siglos la semilla divina. En noche tenebrosa fructificó. He aquí las flores.

«¿Cómo se llaman? Los derechos del pueblo.»

Y a lo mejor, cuando el lector estaba más descuidado, le soltaba ésta:

«He ahí al tirano. ¡Maldito sea!

«Aplicad el oído y decidme de dónde viene ese rumor vago, confuso, extraño.

«Posad la mano en la tierra y decidme por qué se ha estremecido.

«Es el hijo del Hombre que avanza, decidido a recobrar su primogenitura.

«¿Por qué palidece la faz del tirano? ¡Ah! el tirano ve que sus horas están contadas . . . »

Otras veces empezaba diciendo aquello de: «Joven soldado, ¿adónde vas?» Y por fin, después de mucho marear, quedábase el lector sin saber adónde iba el soldadito, como no fueran todos, autor y público, a Leganés.[30]

Todo esto le parecía de perlas a don Francisco, hombre de escasa lectura. Algunas tardes se iban a pasear juntos los dos tacaños, charla que te charla;[31] y si en negocios era Torquemada la sibila, en otra clase de conocimientos no había más sibila que el señor de Bailón. En política, sobre todo, el exclérigo se las echaba de muy entendido, principiando por decir que ya no le daba la gana de conspirar; como que tenía la olla asegurada y no quería exponer su pelleja para hacer el caldo gordo a cuatro silbantes.[32] Luego pintaba a todos los políticos, desde el más alto al más oscuro, como un atajo de pilletes, y les sacaba la cuenta, al céntimo, de cuanto habían rapiñado . . . Platicaban mucho también de reformas urbanas, y como Bailón había estado en París y Londres, podía comparar. La higiene pública les preocupaba a entrambos: el clérigo le echaba la culpa de todo a los miasmas, y formulaba unas teorías biológicas que eran lo que había que oir. De astronomía y música también se le alcanzaba algo, no era lego en botánica, ni en veterinaria, ni en el arte de escoger melones. Pero en nada lucía tanto su enciclopédico saber como en cosas de religión. Sus meditaciones y estudios le

27. *aquél*, charm, wit
28. *bailónico*, of Bailón
29. *la democracia sentimental*: Bailón wrote his pamphlets in 1873 when the first Spanish republic existed; hence the allusion to democracy. *Tener sus quince*, to have its moment of triumph. (Fifteen was the winning number in a card game.)

30. *Leganés*, a suburb of Madrid where the insane asylum was located
31. *charla que te charla*, talking and talking
32. *hacer el caldo gordo*, to thicken the broth, figuratively, to favor; *cuatro silbantes*, a few dissatisfied people. (*Silbar*, to hiss, to show dissatisfaction.)

habían permitido sondear el grande y temerario problema de nuestro destino total. «¿Adónde vamos a parar cuando nos morimos? Pues volvemos a nacer: esto es claro como el agua. Yo me acuerdo—decía mirando fijamente a su amigo y turbándole con el tono solemne que daba a sus palabras—, yo me acuerdo de haber vivido antes de ahora. He tenido en mi mocedad un recuerdo vago de aquella vida, y ahora, a fuerza de meditar, puedo verla clara. Yo fui sacerdote en Egipto, ¿se entera usted? allá por los años de qué sé yo cuántos . . . sí, señor, sacerdote en Egipto. Me parece que me estoy viendo con una sotana o vestimenta de color de azafrán, y unas al modo de orejeras que me caían por los lados de la cara. Me quemaron vivo, porque . . . verá usted . . . había en aquella iglesia, digo, templo, una sacerdotisita que me gustaba . . . de lo más barbián,[33] ¿se entera usted? . . . ¡y con unos ojos . . . así, y un golpe de caderas,[34] señor don Francisco . . .! En fin, que aquello se enredó, y la diosa Isis y el buey Apis lo llevaron muy a mal. Alborotóse todo aquel cleriguicio, y nos quemaron vivos a la chavala y a mí . . . Lo que le cuento es verdad, como ése es sol. Fíjese usted bien, amigo; revuelva en su memoria; rebusque bien en el sótano y en los desvanes de su ser, y encontrará la certeza de que también usted ha vivido en tiempos lejanos. Su niño de usted, ese prodigio, debe de haber sido antes el propio Newton, o Galileo, o Euclides. Y por lo que hace a otras cosas, mis ideas son bien claras. Infierno y cielo no existen: papas simbólicas y nada más.

Infierno y cielo están aquí. Aquí pagamos tarde o temprano todas las[35] que hemos hecho; aquí recibimos, si no hoy, mañana, nuestro premio, si lo merecemos, y quien dice mañana, dice el siglo que viene . . . Dios, ¡oh! la idea de Dios tiene mucho busilis . . . y para comprenderla hay que devanarse los sesos, como me los he devanado yo, dale que dale[36] sobre los libros, y meditando luego. Pues Dios . . . (poniendo unos ojazos muy reventones y haciendo con ambas manos el gesto expresivo de abarcar un grande espacio) es la Humanidad,[37] la Humanidad, ¿se entera usted? lo cual no quiere decir que deje de ser personal . . . ¿Qué cosa es personal? Fíjese bien. Personal es lo que es uno. Y el gran Conjunto, amigo don Francisco, el gran Conjunto . . . es uno, porque no hay más, y tiene los atributos de un ser infinitamente infinito. Nosotros, en montón, componemos la humanidad: somos los átomos que forman el gran todo; somos parte mínima de Dios, parte minúscula, y nos renovamos como en nuestro cuerpo se renuevan los átomos de la cochina materia . . . ¿se va usted enterando? . . .»

Torquemada no se iba enterando ni poco ni mucho; pero el otro se metía en un laberinto del cual no salía sino callándose. Lo único que don Francisco sacaba de toda aquella monserga, era que *Dios es la Humanidad,* y que la Humanidad es la que nos hace pagar nuestras picardías o nos premia por nuestras buenas obras. Lo demás no lo entendía así le ahorcaran.[38] El sentimiento católico de Torquemada no había sido nunca muy vivo. Cierto que en tiempos de doña

---

33. *barbián,* free and easy, forward
34. *y un golpe de caderas,* and such hips!
35. *todas las [maldades] que*
36. *dale que dale,* literally, hitting and hitting, figuratively, constantly applying myself
37. "God is Humanity" was the doctrine of some of the philosophical semi-religions of the nineteenth century. Galdós probably

was thinking especially of the philosophy of Auguste Comte, who proclaimed "the religion of humanity." Bailón stands for ideas —such as the transmigration of souls— which had wide currency but which Galdós ridicules as extreme and bizarre.

38. *así le ahorcaran,* even if they were to hang him

Silvia iban los dos a misa, por rutina; pero nada más. Pues después de viudo, las pocas ideas del Catecismo que el *Peor* conservaba en su mente, como papeles o apuntes inútiles, las barajó con todo aquel fárrago de la Humanidad-Dios, haciendo un lío de mil demonios.

A decir verdad, ninguna de estas teologías ocupaba largo tiempo el magín del tacaño, siempre atento a la baja realidad de sus negocios. Pero llegó un día, mejor dicho, una noche en que tales ideas hubieron de posesionarse de su mente con cierta tenacidad, por lo que ahorita mismo voy a referir. Entraba mi hombre en su casa al caer de una tarde del mes de febrero, evacuadas mil diligencias con diverso éxito, discurriendo los pasos que daría al día siguiente, cuando su hija, que le abrió la puerta, le dijo estas palabras: «No te asustes, papá, no es nada . . . Valentín ha venido malo de la escuela.»

Las desazones del *monstruo* ponían a don Francisco en gran sobresalto. La que se le anunciaba podía ser insignificante, como otras. No obstante, en la voz de Rufina había cierto temblor, una veladura, un timbre extraño, que dejaron a Torquemada frío y suspenso.

—Yo creo que no es cosa mayor—prosiguió la señorita—. Parece que le dio un vahído. El maestro fue quien lo trajo . . . en brazos.

El *Peor* seguía clavado en el recibimiento, sin acertar a decir nada ni a dar un paso.

—Le acosté en seguida, y mandé un recado a Quevedo para que viniera a escape.

Don Francisco, saliendo de su estupor como si le hubiesen dado un latigazo, corrió al cuarto del chico, a quien vio en el lecho, con tanto abrigo encima que parecía sofocado. Tenía la cara encendida, los ojos dormilones. Su quietud más era de modorra dolorosa que de sueño tranquilo. El padre aplicó su mano a las sienes del inocente monstruo, que abrasaban.

—Pero ese trasto de Quevedillo . . . Así reventara[39] . . . No sé en qué piensa . . . Mira, mejor será llamar otro médico que sepa más.

Su hija procuraba tranquilizarle; pero él se resistía al consuelo. Aquel hijo no era un hijo cualquiera, y no podía enfermar sin que se alterara el orden del universo. No probó el afligido padre la comida; no hacía más que dar vueltas por la casa, esperando al maldito médico, y sin cesar iba de su cuarto al del niño, y de aquí al comedor, donde se le presentaba ante los ojos, oprimiéndole el corazón, el encerado en que Valentín trazaba con tiza sus problemas matemáticos. Aún subsistía lo pintado[40] por la mañana: garabatos que Torquemada no entendió, pero que casi le hicieron llorar como una música triste: el signo de raíz, letras por arriba y por abajo, y en otra parte una red de líneas, formando como estrella de muchos picos con numeritos en las puntas.

Por fin, alabado sea Dios, llegó el dichoso Quevedito, y don Francisco le echó la correspondiente chillería, pues ya le trataba como a yerno. Visto y examinado el niño, no puso el médico muy buena cara. A Torquemada se le podía ahogar con un cabello, cuando el doctorcillo, arrimándole contra la pared y poniéndole ambas manos en los hombros, le dijo: «No me gusta nada esto; pero hay que esperar a mañana, a ver si brota alguna erupción. La fiebre es bastante alta. Ya le he dicho a usted que tuviera mucho cuidado con este fenómeno del chico. ¡Tanto estudiar, tanto saber, un desarrollo cerebral disparatado! Lo que hay que hacer con Valentín es ponerle

---

39. *Así reventara,* So may he burst, freely, May he come to no good

40. *lo pintado,* here, what had been scribbled

un cencerro al pescuezo, soltarle en el campo en medio de un ganado, y no traerle a Madrid hasta que esté bien bruto.»

Torquemada odiaba el campo y no podía comprender que en él hubiese nada bueno. Pero hizo propósito, si el niño se curaba, de llevarle a una dehesa a que bebiera leche a pasto[41] y respirase aires puros. Los aires puros, bien lo decía Bailón, eran cosa muy buena. ¡Ah! los malditos miasmas tenían la culpa de lo que estaba pasando. Tanta rabia sintió don Francisco, que si coge un miasma en aquel momento lo parte por el eje.[42] Fue la sibila aquella noche a pasar un rato con su amigo, y mira por donde se repitió la matraca[43] de la Humanidad, pareciéndole a Torquemada el clérigo más enigmático y latero[44] que nunca, sus brazos más largos, su cara más dura y temerosa. Al quedarse solo, el usurero no se acostó. Puesto que Rufina y Quevedo se quedaban a velar, él también velaría. Contigua a la alcoba del padre estaba la de los hijos, y en ésta el lecho de Valentín, que pasó la noche inquietísimo, sofocado, echando lumbre de su piel, los ojos atónitos y chispeantes, el habla insegura, las ideas desenhebradas, como cuentas de un rosario cuyo hilo se rompe.

IV

El día siguiente fue todo sobresalto y amargura. Quevedo opinó que la enfermedad era inflamación de las meninges,[1] y que el chico estaba en peligro de muerte. Esto no se lo dijo al padre, sino a Bailón para que le fuese preparando.

Torquemada y él se encerraron, y de la conferencia resultó que por poco se pegan,[2] pues don Francisco, trastornado por el dolor, llamó a su amigo embustero y farsante. El desasosiego, la inquietud nerviosa, el desvarío del tacaño sin ventura, no se pueden describir. Tuvo que salir a varias diligencias de su penoso oficio, y a cada instante tornaba a casa, jadeante, con medio palmo de lengua fuera, el hongo echado hacia atrás. Entraba, daba un vistazo, vuelta a salir.[3] Él mismo traía las medicinas, y en la botica contaba toda la historia . . . «un vahído estando en clase; después calentura horrible . . . ¿para qué sirven los médicos?» Por consejo del mismo Quevedito, mandó venir a uno de los más eminentes, el cual calificó el caso de meningitis aguda.

La noche del segundo día, Torquemada, rendido de cansancio, se embutió en uno de los sillones de la sala, y allí se estuvo como media horita, dando vueltas a una pícara idea, ¡ay! dura y con muchas esquinas, que se le había metido en el cerebro. «He faltado a la Humanidad, y esa muy tal y cual[4] me la cobra ahora con los réditos atrasados . . . No: pues si Dios, o quienquiera que sea, me lleva mi hijo, ¡me voy a volver más malo, más perro . . . ! Ya verán entonces lo que es canela fina.[5] Pues no faltaba otra cosa . . . Conmigo no juegan . . . Pero no, ¡qué disparates digo! No me le quitará, porque yo . . . Eso que dicen de que no he hecho bien a nadie, es mentira. Que me lo prueben . . . porque no basta decirlo. ¿Y los tantísimos a quien he sacado de apuros? . . . ¿pues y eso? Porque si a la Humanidad le han ido con

---

41. a pasto, abundantly
42. si coge . . . lo parte por el eje, if he were to catch . . . he would break it right in two
43. mira por donde se repitió la matraca, freely, and if he didn't repeat that twaddle
44. latero, slang, annoying

1. inflamación de las meninges, meningitis
2. por poco se pegan, they almost came to blows
3. vuelta a salir, and again he went out
4. esa muy tal y cual, that great so-and-so
5. lo que es canela fina, what is fine conduct (said very ironically)

cuentos de mí; que si aprieto, que si no aprieto . . . yo probaré . . . Ea, que ya me voy cargando:[6] si no he hecho ningún bien, ahora lo haré, ahora, pues por algo se ha dicho que nunca para el bien es tarde. Vamos a ver: ¿y si yo me pusiera ahora a rezar, qué dirían allá arriba? Bailón me parece a mí que está equivocado, y la Humanidad no debe de ser Dios, sino la Virgen . . . Claro, es hembra, señora . . . No, no, no . . . no nos fijemos en el materialismo de la palabra. La Humanidad es Dios, la Virgen y todos los santos juntos . . . Tente, hombre, tente, que te vuelves loco . . . Tan sólo saco en limpio que no habiendo buenas obras, todo es, como si dijéramos, basura . . . ¡Ay Dios, qué pena, qué pena . . . ! Si me pones bueno a mi hijo, yo no sé qué cosas haría; ¡pero qué cosas tan magníficas y tan . . . ! ¿Pero quién es el sinvergüenza que dice que no tengo apuntada ninguna buena obra? Es que me quieren perder, me quieren quitar a mi hijo, al que ha nacido para enseñar a todos los sabios y dejarles tamañitos.[7] Y me tienen envidia porque soy su padre, porque de estos huesos y de esta sangre salió aquella gloria del mundo . . . Envidia; pero ¡qué envidiosa es esta puerca Humanidad! Digo, la Humanidad no, porque es Dios . . . los hombres, los prójimos, nosotros, que somos todos muy pillos, y por eso nos pasa lo que nos pasa . . . Bien merecido nos está . . . bien merecido nos está.»

Acordóse entonces de que al día siguiente era domingo y no había extendido los recibos para cobrar los alquileres de su casa. Después de dedicar a esta operación una media hora, descansó algunos ratos, estirándose en el sofá de la sala.

Por la mañana, entre nueve y diez, fue a la cobranza dominguera. Con el no comer y el mal dormir y la acerbísima pena que le destrozaba el alma, estaba el hombre *mismamente*[8] del color de una aceituna. Su andar era vacilante, y sus miradas vagaban inciertas, perdidas, tan pronto barriendo el suelo como disparándose a las alturas. Cuando el remendón,[9] que en el sucio portal tenía su taller, vio entrar al casero y reparó en su cara descompuesta y en aquel andar de beodo, asustóse tanto que se le cayó el martillo con que clavaba las tachuelas. La presencia de Torquemada en el patio, que todos los domingos era una desagradabilísima aparición, produjo aquel día verdadero pánico; y mientras algunas mujeres corrieron a refugiarse en sus respectivos aposentos, otras, que debían de ser malas pagadoras, y que observaron la cara que traía la fiera, se fueron a la calle. La cobranza empezó por los cuartos bajos, y pagaron sin chistar el albañil y las dos pitilleras, deseando que se les quitase de delante la aborrecida estampa de don Francisco. Algo desusado y anormal notaron en él, pues tomaba el dinero maquinalmente y sin examinarlo con roñosa nimiedad, como otras veces, cual si tuviera el pensamiento a cien leguas del acto importantísimo que estaba realizando; no se le oían aquellos refunfuños de perro mordelón, ni inspeccionó las habitaciones buscando el baldosín roto o el pedazo de revoco caído, para echar los tiempos[10] a la inquilina.

Al llegar al cuarto de la Rumalda, planchadora, viuda, con su madre enferma en un camastro y tres niños menores que andaban en el patio enseñando las carnes por los agujeros de

---

6. *me voy cargando*, I'm getting fed up
7. *dejarles tamañitos*, to leave them so big, freely, to leave them far behind
8. *mismamente*, substandard speech for *exactamente*

9. *remendón*, shoe repairer. Shoe repairmen often set up their benches in the wide entrance doors of buildings.
10. *echar los tiempos*, to scold

la ropa, Torquemada soltó el gruñido de ordenanza, y la pobre mujer, con afligida y trémula voz, cual si tuviera que confesar ante el juez un negro delito, soltó la frase de reglamento: «Don Francisco, por hoy no se puede. Otro día cumpliré.» No puedo dar idea del estupor de aquella mujer y de las dos vecinas, que presentes estaban, cuando vieron que el tacaño no escupió por aquella boca ninguna maldición ni herejía, cuando le oyeron decir con la voz más empañada y llorosa del mundo: «No, hija, si no te digo nada . . . si no te apuro . . . si no me ha pasado por la cabeza reñirte . . . ¡Qué le hemos de hacer, si no puedes . . . !»

—Don Francisco, es que . . . —murmuró la otra, creyendo que la fiera se expresaba con sarcasmo, y que tras el sarcasmo vendría la mordida.

—No, hija, si no he chistado[11] . . . ¿Cómo se han de decir las cosas? Es que a ustedes no hay quien las apee de[12] que yo soy un hombre, como quien dice, tirano . . . ¿De dónde sacáis que no hay en mí compasión, ni . . . ni caridad? En vez de agradecerme lo que hago por vosotras, me calumniáis . . . No, no: entendámonos. Tú, Rumalda, estate tranquila: sé que tienes necesidades, que los tiempos están malos . . . Cuando los tiempos están malos, hija, ¿qué hemos de hacer sino ayudarnos los unos a los otros?

Siguió adelante, y en el principal dio con una inquilina muy mal pagadora, pero de muchísimo corazón para afrontar a la fiera, y así que le vio llegar, juzgando por el cariz que venía más enfurruñado que nunca, salió al encuentro de su aspereza con estas arrogantes expresiones:

—Oiga usté,[13] a mí no me venga con apreturas. Ya sabe que no lo hay. *Ése* está sin trabajo. ¿Quiere que salga a un camino? ¿No ve la casa sin muebles, como un hespital prestao? ¿De dónde quiere que lo saque? . . . Maldita sea su alma . . .

—¿Y quién te dice a ti, grandísima tal,[14] deslenguada y bocona, que yo vengo a sofocarte? A ver si hay alguna tarasca de éstas que sostenga que yo no tengo humanidad. Atrévase a decírmelo . . .

Enarboló el garrote, símbolo de su autoridad y de su mal genio, y en el corrillo que se había formado sólo se veían bocas abiertas y miradas de estupefacción.

—Pues a ti y a todas les digo que no me importa un rábano que no me paguéis hoy. ¡Vaya! ¿Cómo lo he de decir para que lo entiendan? . . . ¡Conque estando tu marido sin trabajar te iba yo a poner el dogal al cuello? . . . Yo sé que me pagarás cuando puedas, ¿verdad? Porque lo que es intención de pagar, tú la tienes. Pues entonces, ¿a qué tanto enfurruñarse? . . . ¡Tontas, malas cabezas! (esforzándose en producir una sonrisa); ¡vosotras creyéndome a mí más duro que las peñas, y yo dejándooslo creer, porque me convenía, porque me convenía, claro, pues Dios manda que no echemos facha con[15] nuestra humanidad . . . ! Vaya, que sois todas unos grandísimos peines[16] . . . Abur, tú, no te sofoques. Y no creas que hago esto para que me eches bendiciones. Pero conste que no te ahogo; y para que veas lo bueno que soy . . .

Se detuvo y meditó un momento, llevándose la mano al bolsillo y mirando al suelo.

—Nada, nada . . . Quédate con Dios.

---

11. *no he chistado,* I haven't said a word
12. *no hay quien las apee de,* there's no one who can make you stop thinking
13. In this speech Galdós imitates the language of the common people. *Usté* for *usted; ése* for *mi marido; hespital prestao* for *hospital prestao,* more commonly *hospital robado,*

a poorly furnished dwelling. *¿Quiere que salga a un camino?* Do you want him to become a highway robber?
14. *grandísima tal,* you great big so-and-so
15. *que no echemos facha con,* that we shouldn't make a show of
16. *peine,* sly rascal

Y a otra. Cobró en las tres puertas siguientes sin ninguna dificultad. «Don Francisco, que me ponga usted piedra nueva en la hornilla, que aquí no se puede guisar . . . » En otras circuns- tancias, esta reclamación habría sido el principio de una chillería tremenda, ver- bigracia: «Pon el traspontín en la hor- nilla, sinvergüenza, y arma el fuego encima» «Miren el tío manguitillas, así se le vuelvan veneno los cuartos.»[17] Pero aquel día todo era paz y concordia, y Torquemada concedía cuanto le deman- daban.

—¡Ay, don Francisco! —le dijo otra en el número 11—, tenga los jeringados cin- cuenta reales. Para poderlos juntar, no hemos comido más que dos cuartos de gallineja y otros dos de hígado con pan seco . . . Pero por no verle el carácter de esa cara y no oírle, me mantendría yo con puntas de París.[18]

—Pues mira, eso es un insulto, una injusticia, porque si las he sofocado otras veces no ha sido por el materialismo del dinero, sino porque me gusta ver cumplir a la gente . . . para que no se diga . . . Debe haber dignidad en todos. ¡A fe que tienes buena idea de mí! . . . ¿Iba yo a consentir que tus hijos, estos borregos de Dios, tuviesen hambre? . . . Deja, déjate el dinero . . . O mejor, para que no lo tomes a desaire par- támoslo y quédate con veinticinco reales . . . Ya me los darás otro día . . . ¡Bri- bonazas, cuando debíais confesar que soy para vosotras como un padre, me tacháis de inhumano y de qué sé yo qué! No, yo les aseguro a todas que respeto a la humanidad, que la considero, que la estimo, que ahora y siempre haré todo el bien que pueda y un poquito más . . . ¡Hala!

Asombro, confusión. Tras de él iba el parlero grupo, chismorreando así: «A este condenado le ha pasado algún desvío . . . Don Francisco no está bueno de la cafetera.[19] Mirad qué cara de patíbulo se ha traído. ¡Don Francisco con humani- dad! Ahí tenéis por qué está saliendo todas las noches en el cielo esa estrella con rabo. Es que el mundo se va a acabar.»

En el número 16:

—Pero hija de mi alma, so tunanta,[20] ¿tenías a tu niña mala y no me habías dicho nada? ¿Pues para qué estoy yo en el mundo? Francamente, eso es un agravio que no te perdono, no te lo per- dono. Eres una indecente; y en prueba de que no tienes ni pizca de sentido, ¿apostamos a que no adivinas lo que voy a hacer? ¿Cuánto va a que[21] no lo adivinas? . . . Pues voy a darte para que pongas un puchero . . . ¡ea! Toma, y di ahora que yo no tengo humanidad. Pero sois tan mal agradecidas, que me pondréis como chupa de dómine,[22] y hasta puede que me echéis alguna maldi- ción. Abur.

En el cuarto de la señá Casiana, una vecina se aventuró a decirle: «Don Fran- cisco, a nosotras no nos la da usted[23] . . . A usted le pasa algo. ¿Qué demonios tiene en esa cabeza o en ese corazón de cal y canto?»[24]

Dejóse el afligido casero caer en una silla, y quitándose el hongo se pasó la mano por la amarilla frente y la calva sebosa, diciendo tan sólo entre suspiros: «¡No es de cal y canto, puñales, no es de cal y canto!»

17. *el tío manguitillas, así se le vuelvan veneno los cuartos,* the crafty old fellow, may his money turn to poison for him
18. *puntas de París,* wire nails
19. *cafetera,* coffee pot; slang for head
20. *so tunanta,* you rascal. *So* reinforces an in- sult: *so animal, so bruto.*

21. *¿Cuánto va a que,* how much do you bet?
22. *poner como chupa de dómine,* to say all sorts of bad things about a person; to lay out in lavender
23. *no nos la da usted,* you're not fooling us
24. *corazón de cal y canto,* flinty heart; *cal y canto,* literally, mortar and building stone

Como observasen que sus ojos se humedecían, y que, mirando al suelo, y apoyado con ambas manos en el bastón, cargaba sobre éste todo el peso del cuerpo, meciéndose, le instaron para que se desahogara; pero él no debió creerlas dignas de ser confidentes de su inmensa, desgarradora pena. Tomando el dinero, dijo con voz cavernosa: «Si no lo tuvieras, Casiana, lo mismo sería. Repito que yo no ahogo al pobre . . . como que yo también soy pobre . . . Quien dijese,[25] (levantándose con zozobra y enfado) que soy inhumano, miente más que la *Gaceta*.[26] Yo soy humano; yo compadezco a los desgraciados; yo les ayudo en lo que puedo, porque así nos lo manda la Humanidad; y bien sabéis todas que como faltéis a la Humanidad, lo pagaréis tarde o temprano, y que si sois buenas tendréis vuestra recompensa. Yo os juro por esa imagen de la Virgen de las Angustias con el Hijo muerto en los brazos (señalando una lámina), yo os juro que si no os he parecido caritativo y bueno, no quiere esto decir que no lo sea, ¡puñales! y que si son menester pruebas, pruebas se darán. Dale,[27] que no lo creen . . . pues váyanse todas con doscientos mil pares de demonios, que a mí, con ser bueno me basta . . . No necesito que nadie me dé bombo.[28] Piojosas, para nada quiero vuestras gratitudes . . . Me paso por las narices vuestras bendiciones.»[29]

Dicho esta salió de estampía. Todas le miraban por la escalera abajo, y por el patio adelante, y por el portal afuera, haciendo unos gestos tales que parecía el mismo demonio persignándose.

V

Corrió hacia su casa, y contra su costumbre (pues era hombre que comúnmente prefería despernarse a gastar una peseta), tomó un coche para llegar más pronto. El corazón dio en decirle que encontraría buenas noticias, el enfermo aliviado, la cara de Rufina sonriente al abrir la puerta; y en su impaciencia loca, parecíale que el carruaje no se movía, que el caballo cojeaba y que el cochero no sacudía bastantes palos[1] al pobre animal . . . «Arrea, hombre. ¡Maldito jaco! Leña en él[2]—le gritaba—. Mira que tengo mucha prisa.»

Llegó por fin; y al subir jadeante la escalera de su casa, razonaba sus esperanzas de esta manera: «No salgan ahora diciendo que es por mis maldades, pues de todo hay . . .» ¡Qué desengaño al ver la cara de Rufina tan triste, y al oir aquel *lo mismo, papá*, que sonó en sus oídos como fúnebre campanada! Acercóse de puntillas al enfermo y le examinó. Como el pobre niño se hallara en aquel momento amodorrado, pudo don Francisco observarle con relativa calma, pues cuando deliraba y quería echarse del lecho, revolviendo en torno los espantados ojos, el padre no tenía valor para presenciar tan doloroso espectáculo y huía de la alcoba trémulo y despavorido. Era hombre que carecía de valor para afrontar penas de tal magnitud, sin duda por causa de su deficiencia moral; se sentía medroso, consternado, y como responsable de tanta desventura y dolor tan grande. Seguro de la esmeradísima asistencia de Rufina, ninguna falta hacía

---

25. *Quien dijese*, Whoever says
26. *la Gaceta*, the Gazette, the official government newspaper, often suspected of altering facts to suit its policies
27. *Dale*, Go on
28. *dar bombo*, to build someone up, enhance one's reputation

29. *Me paso por las narices vuestras bendiciones*, I don't give a hang for your blessings.
1. *no sacudía bastantes palos*, didn't whip [the animal] enough
2. *Leña en él*, Give him the stick. Whip him

el afligido padre junto al lecho de Valentín: al contrario, más bien era estorbo, pues si le asistiera, de fijo, en su turbación, equivocaría las medicinas, dándole a beber algo que acelerara su muerte. Lo que hacía era vigilar sin descanso, acercarse a menudo a la puerta de la alcoba, y ver lo que ocurría, oir la voz del niño delirando o quejándose; pero si los ayes eran muy lastimeros y el delirar muy fuerte, lo que sentía Torquemada era un deseo instintivo de echar a correr y ocultarse con su dolor en el último rincón del mundo.

Aquella tarde le acompañaron un rato Bailón, el carnicero de abajo, el sastre del principal y el fotógrafo de arriba, esforzándose todos en consolarle con las frases de reglamento; mas no acertando Torquemada a sostener la conversación sobre tema tan triste les daba las gracias con desatenta sequedad. Todo se le volvía suspirar con bramidos, pasearse a trancos, beber buches de agua y dar algún puñetazo en la pared. ¡Tremendo caso aquél! ¡Cuántas esperanzas desvanecidas . . . ! ¡Aquella flor del mundo segada y marchita! Esto era para volverse loco. Más natural sería el desquiciamiento universal, que la muerte del portentoso niño que había venido a la tierra para iluminarla con el fanal de su talento . . . ¡Bonitas cosas hacía Dios, la Humanidad, o quienquiera que fuese el muy tal y cual que inventó el mundo y nos puso en él! Porque si habían de llevarse a Valentín, ¿para qué le trajeron acá, dándole a él, al buen Torquemada, el privilegio de engendrar tamaño prodigio? ¡Bonito negocio hacía la Providencia, la Humanidad, o el arrastrado Conjunto, como decía Bailón! ¡Llevarse al niño aquel, lumbrera de la ciencia, y dejar acá todos los tontos! ¿Tenía esto sentido común?

¿No había motivo para rebelarse contra los de arriba, ponerles como ropa de pascua y mandarles a paseo . . . ?[3] Si Valentín se moría, ¿qué quedaba en el mundo? Oscuridad, ignorancia. Y para el padre, ¡qué golpe! ¡Porque figurémonos todos lo que sería don Francisco cuando su hijo, ya hombre, empezase a figurar, a confundir a todos los sabios, a volver patas arriba[4] la ciencia toda . . . ! Torquemada sería en tal caso la segunda persona de la Humanidad: y sólo por la gloria de haber engendrado al gran matemático, sería cosa de plantarle en un trono. ¡Vaya un ingeniero que sería Valentín si viviese! Como que había de hacer unos ferrocarriles que irían de aquí a Pekín en cinco minutos, y globos para navegar por los aires, y barcos para andar por debajito del agua, y otras cosas nunca vistas ni siquiera soñadas. ¡Y el planeta se iba a perder estas gangas por una estúpida sentencia de los que dan y quitan la vida . . . ! Nada, nada, envidia, pura envidia. Allá arriba, en las invisibles cavidades de los altos cielos, alguien se había propuesto *fastidiar* a Torquemada. Pero . . . pero . . . ¿y si no fuese envidia, sino castigo? ¿Si se había dispuesto así para anonadar al tacaño cruel, al casero tiránico, al prestamista sin entrañas? ¡Ah! cuando esta idea entraba en turno, Torquemada sentía impulsos de correr hacia la pared más próxima y estrellarse contra ella. Pronto se reaccionaba y volvía sobre sí. No, no podía ser castigo, porque él no era malo, y si lo fue, ya se enmendaría. Era envidia, tirria y malquerencia que le tenían, por ser autor de tan soberana eminencia. Querían truncarle su porvenir y arrebatarle aquella alegría y fortuna inmensa de sus últimos años . . . Porque su hijo, si viviese, había de

---

3. *ponerles como ropa de pascua y mandarles a paseo,* to give them a good bawling out and to tell them to beat it

4. *volver patas arriba,* to turn upside down

ganar muchísimo dinero, pero muchísimo, y de aquí la celestial intriga. Pero él (lo pensaba lealmente) renunciaría a las ganancias pecuniarias del hijo, con tal que le dejaran la gloria, ¡la gloria! pues para negocios, le bastaba con los suyos propios . . . El último paroxismo de su exaltada mente fue renunciar a todo el *materialismo* de la ciencia del niño, con tal que le dejasen la gloria.

Cuando se quedó solo con él, Bailón le dijo que era preciso tuviese filosofía; y como Torquemada no entendiese bien el significado y aplicación de tal palabra, explanó la sibila su idea en esta forma: «Conviene resignarse, considerando nuestra pequeñez ante estas grandes evoluciones de la materia . . . pues, o substancia vital. Somos átomos, amigo don Francisco, nada más que unos tontos de átomos.[5] Respetemos las disposiciones del grandísimo Todo a que pertenecemos, y vengan penas. Para eso está la filosofía, o si se quiere, la religión: para hacer pecho a la adversidad. Pues si no fuera así, no podríamos vivir.» Todo lo aceptaba Torquemada menos resignarse. No tenía en su alma la fuente de donde tal consuelo pudiera salir, y ni siquiera lo comprendía. Como el otro, después de haber comido bien, insistiera en aquellas ideas, a don Francisco se le pasaron ganas de darle un par de trompadas, destruyendo en un punto el perfil más enérgico que dibujara[6] Miguel Ángel. Pero no hizo más que mirarle con ojos terroríficos, y el otro se asustó y puso punto en[7] sus teologías.

A prima noche, Quevedito y el otro médico hablaron a Torquemada en términos desconsoladores. Tenían poca o ninguna esperanza, aunque no se atrevían a decir en absoluto que la habían perdido, y dejaban abierta la puerta a las reparaciones de la naturaleza y a la misericordia de Dios. Noche horrible fue aquélla. El pobre Valentín se abrasaba en invisible fuego. Su cara encendida y seca, sus ojos iluminados por esplendor siniestro, su inquietud ansiosa, sus bruscos saltos en el lecho, cual si quisiera huir de algo que le asustaba, eran espectáculo tristísimo que oprimía el corazón. Cuando don Francisco, transido de dolor, se acercaba a la abertura de las entornadas batientes de la puerta y echaba hacia adentro una mirada tímida, creía escuchar, con la respiración premiosa del niño, algo como el chirrido de su carne tostándose en el fuego de la calentura. Puso atención a las expresiones incoherentes del delirio, y le oyó decir: «*Equis elevado al cuadrado, menos uno, partido por*[8] *dos, más cinco equis menos dos, partido por cuatro, igual equis por*[9] *equis más dos, partido por doce . . . Papá, papá, la característica del logaritmo de un entero tiene tantas unidades menos una como . . .*» Ningún tormento de la Inquisición iguala al que sufría Torquemada oyendo estas cosas. Eran las pavesas del asombroso entendimiento de su hijo, revolando sobre las llamas en que éste se consumía. Huyó de allí por no oír la dulce vocecita, y estuvo más de media hora echado en el sofá de la sala, agarrándose con ambas manos la cabeza como si se le quisiese escapar. De improviso se levantó, sacudido por una idea; fue al escritorio donde tenía el dinero; sacó un cartucho de monedas que debían de ser calderilla, y vaciándoselo en el bolsillo del pantalón, púsose capa y sombrero, cogió el llavín, y a la calle.

Salió como si fuera en persecución de un deudor. Después de mucho andar, parábase en una esquina, miraba con azoramiento a una parte y otra, y vuelta

5. *unos tontos de átomos*, some dumb atoms
6. *dibujara*, had drawn
7. *puso punto en*, brought an end to

8. *partido por*, divided by
9. *por*, times

a correr calle adelante, con paso de inglés tras de su víctima. Al compás de la marcha, sonaba en la pierna derecha el retintín de las monedas . . . Grandes eran su impaciencia y desazón por no encontrar aquella noche lo que otras le salía tan a menudo al paso, molestándole y aburriéndole. Por fin . . . gracias a Dios . . . acercósele un pobre. «Toma hombre, toma: ¿dónde diablos os metéis esta noche? Cuando no hacéis falta, salís como moscas, y cuando se os busca para socorreros, nada . . .» Apareció luego uno de esos mendigos decentes que piden, sombrero en mano, con lacrimosa cortesía. «Señor, un pobre cesante.» — «Tenga, tenga más. Aquí estamos los hombres caritativos para acudir a las miserias . . . Dígame: ¿no me pidió usted noches pasadas? Pues sepa que no le di porque iba muy de prisa. Y la otra noche y la otra, tampoco le di porque no llevaba suelto: lo que es voluntad la tuve, bien que la tuve.» — Claro es que el cesante pordiosero se quedaba viendo visiones, y no sabía cómo expresar · su gratitud. Más allá, salió de un callejón la fantasma. Era una mujer que pide en la parte baja de la calle de la Salud,[10] vestida de negro, con un velo espesísimo que le tapa la cara. «Tome, tome señora . . . Y que me digan ahora que yo jamás he dado una limosna. ¿Le parece a usted qué calumnia?[11] Vaya, que ya habrá usted reunido bastantes cuartos esta noche. Como que hay quien dice que pidiendo así, y con ese velo por la cara, ha reunido usted un capitalito. Retírese ya, que hace mucho frío . . . y ruegue a Dios por mí.» En la calle del Carmen, en la de Preciados y Puerta del Sol, a todos los chiquillos que salían dio su perro por barba.[12] «¡Eh! niño, ¿tú pides o qué haces ahí, como un bobo?» Esto se lo dijo a un chicuelo que estaba arrimado a la pared, con las manos a la espalda, descalzos los pies, el pescuezo envuelto en una bufanda. El muchacho alargó la mano aterida. «Toma . . . Pues qué, ¿no te decía el corazón que yo había de venir a socorrerte? ¿Tienes frío y hambre? Toma más, y lárgate a tu casa, si la tienes. Aquí estoy yo para sacarte de un apuro; digo, para partir contigo un pedazo de pan, porque yo también soy pobre y más desgraciado que tú, ¿sabes? porque el frío, el hambre, se soportan; pero ¡ay! otras cosas . . .» Apretó el paso sin reparar en la cara burlona de su favorecido, siguió dando, dando, hasta que le quedaron pocas piezas en el bolsillo. Corriendo hacia su casa, en retirada, miraba al cielo, cosa en él muy contraria a la costumbre, pues si alguna vez lo miró para enterarse del tiempo, jamás, hasta aquella noche, lo había contemplado. ¡Cuantísima estrella! Y qué claras y resplandecientes, cada una en su sitio, hermosas y graves, millones de millones de miradas que no aciertan a ver nuestra pequeñez. Lo que más suspendía el ánimo del tacaño era la idea de que todo aquel cielo estuviese indiferente a su gran dolor, o más bien ignorante de él. Por lo demás, como bonitas, ¡vaya si eran bonitas[13] las estrellas! Las había chicas, medianas y grandes; algo así como pesetas, medios duros y duros. Al insigne prestamista le pasó por la cabeza lo siguiente: «Como se ponga bueno, me ha de ajustar[14] esta cuenta: si acuñáramos todas las estrellas del cielo,

---

10. *calle de la Salud.* Torquemada is walking toward the center of the city, la Puerta del Sol. Galdós traces his route via streets between his home and the center.

11. *¿Le parece a usted qué calumnia?* Don't you think that's a great slander?

12. *perro por barba,* a penny apiece

13. *como bonitas, vaya si eran bonitas,* as for pretty, they certainly were pretty

14. *me ha de ajustar,* he [Valentín] is going to have to calculate this account for me

¿cuánto producirían al 5 por 100 de interés compuesto en los siglos que van desde que todo eso existe?»

Entró en su casa cerca de la una, sintiendo algún alivio en las congojas de su alma; se adormeció vestido, y a la mañana del día siguiente la fiebre de Valentín había remitido bastante. ¿Habría esperanzas? Los médicos no las daban sino muy vagas, y subordinando su fallo al recargo de la tarde. El usurero, excitadísimo, se abrazó a tan débil esperanza como el náufrago se agarra a la flotante astilla. Viviría, ¡pues no había de vivir!

—Papá—le dijo Rufina llorando—, pídeselo a la Virgen del Carmen, y déjate de Humanidades.

—¿Crees tú . . . ? Por mí no ha de quedar. Pero te advierto que no habiendo buenas obras no hay que fiarse de la Virgen. Y acciones cristianas habrá, cueste lo que cueste:[15] yo te lo aseguro. En las obras de misericordia está todo el intríngulis.[16] Yo vestiré desnudos, visitaré enfermos, consolaré tristes . . . Bien sabe Dios que ésa es mi voluntad, bien lo sabe . . . No salgamos después con la peripecia de que no lo sabía . . . Digo, como saberlo, lo sabe . . . Falta que quiera.

Vino por la noche el recargo, muy fuerte. Los calomelanos y revulsivos[17] no daban resultado alguno. Tenía el pobre niño las piernas abrasadas a sinapismos,[18] y la cabeza hecha una lástima con las embrocaciones[19] para obtener la erupción[20] artificial. Cuando Rufina le cortó el pelito por la tarde, con objeto de despejar el cráneo, Torquemada oía

los tijeretazos como si se los dieran a él en el corazón. Fue preciso comprar más hielo para ponérselo en vejigas[21] en la cabeza, y después hubo que traer el iodoformo; recados que el *Peor* desempeñaba con ardiente actividad, saliendo y entrando cada poco tiempo. De vuelta a casa, ya anochecido, encontró, al doblar la esquina de la calle de Hita,[22] un anciano mendigo y haraposo, con pantalones de soldado, la cabeza al aire, un andrajo de chaqueta por los hombros, y mostrando el pecho desnudo. Cara más venerable no se podía encontrar sino en las estampas del *Año cristiano*.[23] Tenía la barba erizada y la frente llena de arrugas, como San Pedro; el cráneo terso, y dos rizados mechones blancos en las sienes. «Señor, señor —decía con el temblor de un frío intenso—, mire cómo estoy, míreme.» Torquemada pasó de largo, y se detuvo a poca distancia; volvió hacia atrás, estuvo un rato vacilando, y al fin siguió su camino. En el cerebro le fulguró esta idea: «Si conforme traigo la capa nueva, trajera la vieja . . .»[24]

VI

Y al entrar en su casa:

—¡Maldito de mí! No debí dejar escapar aquel acto de cristiandad.

Dejó la medicina que traía, y cambiando de capa, volvió a echarse a la calle. Al poco rato, Rufinita, viéndole entrar en cuerpo, le dijo asustada:

—Pero, papá, ¡cómo tienes la cabeza . . . ! ¿En dónde has dejado la capa?

—Hija de mi alma —contestó el tacaño bajando la voz y poniendo una

---

15. *cueste lo que cueste*, cost what it may
16. *está todo el intríngulis*, is the whole heart of the matter
17. *calomelanos y revulsivos*, calomels and revulsives (medicines)
18. *sinapismo*, poultice
19. *embrocación*, embrocation, lotion
20. *erupción*, eruption, rash
21. *vejiga*, bladder; here, ice bag

22. *calle de Hita*, a short street leading into the *calle de Tudescos*. Torquemada is almost home.
23. *Año cristiano*, an almanac which gives the saints' days and has sentimentally idealized pictures of saints
24. *«Si conforme traigo la capa nueva, trajera la vieja,»* "If, instead of my new cape, I were wearing my old one"

cara muy compungida—, tú no comprendes lo que es un buen rasgo de caridad, de humanidad . . . ¿Preguntas por la capa? Ahí te quiero ver[1] . . . Pues se la he dado a un pobre viejo, casi desnudo y muerto de frío. Yo soy así: no ando con bromas cuando me compadezco del pobre. Podré parecer duro algunas veces; pero como me ablande . . . Veo que te asustas. ¿Qué vale un triste pedazo de paño?

—¿Era la nueva?

—No, la vieja . . . Y ahora, créemelo, me remuerde la conciencia por no haberle dado la nueva . . . y se me alborota también por habértelo dicho. La caridad no se debe pregonar.

No se habló más de aquello, porque de cosas más graves debían ambos ocuparse. Rendida de cansancio, Rufina no podía ya con su cuerpo:[2] cuatro noches hacía que no se acostaba; pero su valeroso espíritu la sostenía siempre en pie, diligente y amorosa como una hermana de la caridad. Gracias a la asistencia que tenían en casa, la señorita podía descansar algunos ratos; y para ayudar a la asistenta en los trabajos de la cocina, quedábase allí por las tardes la trapera de la casa, viejecita que recogía las basuras y los pocos desperdicios de la comida, *ab initio*,[3] o sea desde que Torquemada y doña Silvia se casaron, y lo mismo había hecho en la casa de los padres de doña Silvia. Llamábanla la *tía Roma*, no sé por qué (me inclino a creer que este nombre es corrupción de Jerónima), y era tan vieja, tan vieja y tan fea, que su cara parecía un puñado de telarañas revueltas con ceniza; su nariz de corcho ya no tenía forma; su boca redonda y sin dientes, menguaba o crecía, según la distensión de las arrugas que la formaban. Más arriba, entre aquel revoltijo de piel polvorosa, lucían los ojos de pescado, dentro de un cerco de pimentón húmedo. Lo demás de la persona desaparecía bajo un envoltorio de trapos y dentro de la remendada falda, en la cual había restos de un traje de la madre de doña Silvia, cuando era polla. Esta pobre mujer tenía gran apego a la casa, cuyas barreduras había recogido diariamente durante luengos años; tuvo en gran estimación a doña Silvia, la cual nunca quiso dar a nadie más que a ella los huesos, mendrugos y piltrafas sobrantes, y amaba entrañablemente a los niños, principalmente a Valentín, delante de quien se prosternaba con admiración supersticiosa. Al verle con aquella enfermedad tan mala, que era, según ella una reventazón del talento en la cabeza, la tía Roma no tenía sosiego: iba mañana y tarde a enterarse; penetraba en la alcoba del chico, y permanecía largo rato sentada junto al lecho, mirándole silenciosa, sus ojos como dos fuentes inagotables que inundaban de lágrimas los fláccidos pergaminos de la cara y pescuezo.

Salió la trapera del cuarto para volverse a la cocina, y en el comedor se encontró al amo que, sentado junto a la mesa y de bruces en ella, parecía entregarse a profundas meditaciones. La tía Roma, con el largo trato y su mentimiento en la familia, se tomaba confianzas con él . . . «Rece, rece—le dijo, poniéndose delante y dando vueltas al pañuelo con que pensaba enjugar el llanto caudaloso—, rece, que buena falta le hace . . . ¡Pobre hijo de mis entrañas, qué malito está . . . ! Mire, mire (señalando al encerado) las cosas tan guapas que escribió en ese bastidor negro. Yo no entiendo lo que dice . . . pero a

---

1. *Ahí te quiero ver*, I'd like to see you in my place
2. *no podía ya con su cuerpo*, could hardly move

3. *ab initio*, (Latin) from the beginning
4. *a cuenta que dirá*, apparently he must say

cuenta que dirá[4] que debemos ser buenos
. . . ¡Sabe más ese ángel . . . ! Como que
por eso Dios no nos le quiere dejar . . .»
—¿Qué sabes tú, tía Roma? —dijo
Torquemada poniéndose lívido—. Nos 5
le dejará. ¿Acaso piensas tú que yo soy
tirano y perverso, como creen los tontos
y algunos perdidos, malos pagadores
. . . ? Si uno se descuida, le forman la
reputación más perra del mundo . . . 10
Pero Dios sabe la verdad . . . Si he hecho
o no he hecho caridades en estos días,
eso no es cuenta de nadie: no me gusta
que me averigüen y pongan en carteles
mis buenas acciones . . . Reza tú también, 15
reza mucho hasta que se te seque la boca,
que tú debes de ser allá muy bien mirada,
porque en tu vida[5] has tenido una peseta
. . . Yo me vuelvo loco, y me pregunto
qué culpa tengo yo de haber ganado 20
algunos jeringados reales . . . ¡Ay, tía
Roma, si vieras cómo tengo mi alma!
Pídele a Dios que se nos conserve Valentín, porque si se nos muere, yo no sé lo
que pasará: yo me volveré loco, saldré a 25
la calle y mataré a alguien. Mi hijo es
mío, ¡puñales! y la gloria del mundo.
¡Al que me le quite . . . !
—¡Ay qué pena! —murmuró la vieja
ahogándose—. Pero quién sabe . . . 30
puede que la Virgen haga el milagro . . .
Yo se lo estoy pidiendo con muchísima
devoción. Empuje usted por su lado, y
prometa ser tan siquiera regular.[6]
—Pues por prometido no quedará . . . 35
Tía Roma, déjame . . . déjame solo. No
quiero ver a nadie. Me entiendo mejor
solo con mi afán.
La anciana salió gimiendo, y don
Francisco, puestas las manos sobre la 40
mesa, apoyó en ellas su frente ardorosa.
Así estuvo no sé cuánto tiempo, hasta
que le hizo variar de postura su amigo

Bailón, dándole palmadas en el hombro
y diciéndole. «No hay que amilanarse.
Pongamos cara de baqueta[7] a la desgracia, y no permitamos que nos aco-
quine la muy . . . Déjese para las mujeres
la cobardía. Ante la Naturaleza, ante el
sublime Conjunto, somos unos pedazos
de átomos que no sabemos de la misa la
media.»[8]
—Váyase usted al rábano[9] con sus
Conjuntos y sus papas, —le dijo Torquemada echando lumbre por los ojos.
Bailón no insistió; y juzgando que lo
mejor era distraerle, apartando su pensamiento de aquellas sombrías tristezas, pasado un ratito le habló de cierto negocio
que traía en la mollera.
Como quiera que[10] el arrendatario de
sus ganados asnales y cabríos hubiese
rescindido el contrato, Bailón decidió
explotar aquella industria en gran escala,
poniendo un gran establecimiento de
leches a estilo moderno con servicio
puntual a domicilio, precios arreglados,
local elegante, teléfono, etc. . . . Lo había
estudiado, y . . . «Créame usted, amigo
don Francisco, es un negocio seguro, mayormente si añadimos el ramo de vacas,
porque en Madrid las leches . . .»
—Déjeme usted a mí de leches y de
. . . ¿Qué tengo yo que ver con burras
ni con vacas? —gritó el Peor poniéndose en pie y mirándole con desprecio—.
Me ve cómo estoy, ¡puñales! muerto de
pena, y me viene a hablar de la condenada leche . . . Hábleme de cómo se
consigue que Dios nos haga caso cuando
pedimos lo que necesitamos, hábleme de
lo que . . . no sé cómo explicarlo . . . de
lo que significa ser bueno y ser malo . . .
porque, o yo soy un zote, o ésta es de las
cosas que tienen más busilis[11] . . .
—¡Vaya si lo tienen, vaya si lo tienen,

---

5. *en tu vida,* never in your life
6. *tan siquiera regular,* at least reasonably
   good
7. *cara de baqueta,* a stern face
8. *no sabemos de la misma la media,* we don't
   know the half of it

9. *Váyase usted al rábano,* Go to the dickens
10. *Como quiera que,* As, Since
11. *de las cosas que tienen más busilis,* one of
    the most crucial things (*busilis,* crux, key
    difficulty)

carambita! —dijo la sibila con expresión de suficiencia, moviendo la cabeza y entornando los ojos.

En aquel momento tenía el hombre actitud muy diferente de la de su similar en la Capilla Sixtina: sentado, las manos sobre el puño del bastón, éste entre las piernas, las piernas dobladas con igualdad, el sombrero caído para atrás,[12] el cuerpo atlético desfigurado dentro del gabán de solapas aceitosas, los hombros y cuello plagados de caspa. Y sin embargo de estas prosas, el muy arrastrado se parecía al Dante y ¡había sido sacerdote en Egipto! Cosas de la pícara humanidad . . .

—Vaya si lo tienen—repitió la sibila, preparándose a ilustrar a su amigo con una opinión cardinal—. ¡Lo bueno y lo malo . . . como quien dice, luz y tinieblas!

Bailón hablaba de muy distinta manera de como escribía. Esto es muy común. Pero aquella vez la solemnidad del caso exaltó tanto su magín, que se le vinieron a la boca los conceptos en la forma propia de su escuela literaria. «He aquí que el hombre vacila y se confunde ante el gran problema. ¿Qué es el bien? ¿Qué es el mal? Hijo mío, abre tus oídos a la verdad y tus ojos a la luz. El bien es amar a nuestros semejantes. Amemos y sabremos lo que es el bien, aborrezcamos y sabremos lo que es el mal. Hagamos bien a los que nos aborrecen, y las espinas se nos volverán flores. Esto dijo el Justo, esto digo yo . . . Sabiduría de sabidurías, y ciencia de ciencias.»

—Sabidurías y armas al hombro[13]—gruñó Torquemada con abatimiento—. Eso ya lo sabía yo . . . pues lo de al prójimo contra una esquina[14] siempre me ha parecido una barbaridad. No hablemos más de eso . . . No quiero pensar en cosas tristes. No digo más sino que si se me muere el hijo . . . vamos, no quiero pensarlo . . . si se me muere, lo mismo me da lo blanco que lo negro . . .

En aquel momento oyóse un grito áspero, estridente, lanzado por Valentín, y que a entrambos los dejó suspensos de terror. Era el grito meníngeo, semejante al alarido del pavo real. Este extraño síntoma encefálico se había iniciado aquel día por la mañana, y revelaba el gravísimo y pavoroso curso de la enfermedad del pobre niño matemático. Torquemada se hubiera escondido en el centro de la tierra para no oir tal grito: metióse en su despacho sin hacer caso de las exhortaciones de Bailón, y dando a éste con la puerta en el hocico dantesco. Desde el pasillo le sintieron abriendo el cajón de su mesa, y al poco rato apareció guardando algo en el bolsillo interior de la americana. Cogió el sombrero, y sin decir nada se fue a la calle.

Explicaré lo que esto significa y adónde iba con su cuerpo[15] aquella tarde el desventurado don Francisco. El día mismo en que cayó malo Valentín, recibió su padre carta de un antiguo y sacrificado cliente o deudor suyo, pidiéndole préstamo con garantía de los muebles de la casa. Las relaciones entre la víctima y el inquisidor databan de larga fecha, y las ganancias obtenidas por éste habían sido enormes, porque el otro era débil, muy delicado, y se dejaba desollar, freír y escabechar[16] como si hubiera nacido para eso. Hay personas así. Pero llegaron tiempos penosísimos, y el señor aquel no podía recoger su papel.[17] Cada lunes y cada martes,[18] el Peor le embestía, le

12. caído para atrás, tipped back
13. armas al hombro, literally, shoulder arms! freely, get along with you!
14. lo de al prójimo contra una esquina, that matter of always getting the best of the other fellow
15. iba con su cuerpo, he went, he betook himself

16. desollar, freír y escabechar, literally, skin, fry and pickle; freely, to be skinned, cheated and duped
17. papel, here, promissory notes
18. Cada lunes y cada martes, Frequently, Quite often

mareaba, le ponía la cuerda al cuello y tiraba muy fuerte, sin conseguir sacarle ni los intereses vencidos. Fácilmente se comprenderá la ira del tacaño al recibir la cartita pidiendo un nuevo préstamo. ¡Qué atroz insolencia! Le habría contestado mandándole a paseo, si la enfermedad del niño no le trajera tan afligido y sin ganas de pensar en negocios. Pasaron dos días, y allá te va otra esquela angustiosa, de *in extremis*,[19] como pidiendo la Unción. En aquellas cortas líneas en que la víctima invocaba los *hidalgos sentimientos* de su verdugo, se hablaba de un compromiso de honor, proponíanse las condiciones más espantosas, se pasaba por todo[20] con tal de ablandar el corazón de bronce del usurero, y obtener de él la afirmativa. Pues cogió mi hombre la carta, y hecha pedazos la tiró a la cesta de papeles, no volviendo a acordarse más de semejante cosa. ¡Buena tenía él la cabeza para pensar en los compromisos y apuros de nadie, aunque fueran los del mismísimo verbo![21]

Pero llegó la ocasión aquella antes descripta, el coloquio con la tía Roma y con don José, el grito de Valentín, y he aquí que al judío[22] le da como una corazonada, se le enciende en la mollera fuego de inspiración, trinca el sombrero y se va derecho en busca de su desdichado cliente. El cual era apreciable persona, sólo que de cortos alcances, con un familión sin fin, y una señora a quien le daba el hipo por[23] lo elegante. Había desempeñado el tal buenos destinos[24] en la Península, y en Ultramar, y lo que trajo de allá, no mucho, porque era

hombre de bien,[25] se lo afanó el usurero en menos de un año. Después le cayó la herencia de un tío; pero como la señora tenía unos condenados *jueves*[26] para reunir y agasajar a la mejor sociedad, los cuartos de la herencia se escurrían de lo lindo, y sin' saber cómo ni cuándo, fueron a parar al bolsón de Torquemada. Yo no sé qué demonios tenía el dinero de aquella casa, que era como un acero para correr hacia el imán del maldecido prestamista. Lo peor del caso es que aun después de hallarse la familia con el agua al pescuezo, todavía la tarasca aquella tan *fashionable* encargaba vestidos a París, invitaba a sus amigas para un *five o'clock tea*, o imaginaba cualquier otra majadería por el estilo.

Pues, señor, ahí va don Francisco hacia la casa del señor aquel, que, a juzgar por los términos aflictivos de la carta, debía de estar a punto de caer, con toda su elegancia y sus tés, en los tribunales, y de exponer a la burla y a la deshonra un nombre respetable. Por el camino sintió el tacaño que le tiraban de la capa. Volvióse . . . ¿y quién creéis que era? Pues una mujer que parecía la Magdalena por su cara dolorida y por su hermoso pelo, mal encubierto con pañuelo de cuadros rojos y azules. El palmito[27] era de la mejor ley; pero muy ajado ya por fatigosas campañas. Bien se conocía en ella a la mujer que sabe vestirse, aunque iba en aquella ocasión hecha un pingo, casi indecente, con falda remendada, mantón de ala de mosca y unas botas . . . ¡Dios, qué botas, y cómo desfiguraban aquel pie tan bonito!

—¡Isidora[28] . . . ! —exclamó don Fran-

---

19. *de in extremis,* as from a dying man
20. *se pasaba por todo,* he put up with any conditions
21. *el mismísimo verbo,* the divine word itself
22. *judío,* Jew; but here, moneylender
23. *a quien le daba el hipo por,* who had a yen for
24. *desempeñar buenos destinos,* to occupy good positions

25. *hombre de bien,* an honest man
26. *jueves,* open house every Thursday
27. *palmito,* slang, (woman's) face or figure
28. *Isidora Rufete,* the heroine of Galdós's earlier novel, *La desheredada,* where the author traces the effects of her illusions of nobility on her character and her gradual decline and fall into a life of prostitution

cisco, poniendo cara de regocijo, cosa en él muy desusada—. ¿Adónde va usted con ese ajetreado cuerpo?

—Iba a su casa, señor don Francisco, tenga compasión de nosotros . . . ¿Por qué es usted tan tirano y tan de piedra? ¿No ve cómo estamos? ¿No tiene tan siquiera un poquito de humanidad?

—Hija de mi alma, usted me juzga mal . . . ¿Y si yo le dijera ahora que iba pensando en usted . . . que me acordaba del recado que me mandó ayer por el hijo de la portera . . . y de lo que usted misma me dijo anteayer en la calle?

—¡Vaya, que no hacerse cargo de nuestra situación! —dijo la mujer echándose a llorar—. Martín muriéndose . . . el pobrecito . . . en aquel buhardillón helado . . . Ni cama, ni medicinas, ni con qué poner un triste puchero para darle una taza de caldo . . . ¡Qué dolor! Don Francisco, tenga cristiandad y no nos abandone. Cierto que no tenemos crédito; pero a Martín le quedan media docena de estudios²⁹ muy bonitos . . . Verá usted . . . el de la sierra de Guadarrama, precioso . . . . el de La Granja, con aquellos arbolitos . . . también, y el de . . . qué sé yo qué. Todos muy bonitos. Se los llevaré . . . pero no sea malo y compadézcase del pobre artista . . .

—Eh . . . eh . . . no llore, mujer . . . Mire que yo estoy montado a pelo³⁰ . . . tengo una aflicción tal dentro de mi alma, Isidora, que . . . si sigue usted llorando, también yo soltaré el trapo.³¹ Váyase a su casa, y espéreme allí. Iré dentro de un ratito . . . ¿Qué . . . duda de mi palabra?

—¿Pero de veras que va? No me engañe, por la Virgen Santísima.

—¿Pero la he engañado yo alguna vez? Otra queja podrá tener de mí; pero lo que es ésa . . .

—¿Le espero de verdad . . . ? ¡Qué bueno será usted si va y nos socorre . . . ! ¡Martín se pondrá más contento cuando se lo diga!

—Váyase tranquila . . . Aguárdeme, y mientras llego pídale a Dios por mí con todo el fervor que pueda.

VII

No tardó en llegar a la casa del cliente, la cual era un principal muy bueno, amueblado con mucho lujo y elegancia, con *vistas a San Bernardino*.¹ Mientras aguardaba a ser introducido, el *Peor* contempló el hermoso perchero y los soberbios cortinajes de la sala, que por la entornada puerta se alcanzaban a ver, y tanta magnificencia le sugirió estas reflexiones: «En lo tocante a los muebles, como buenos lo son . . . vaya si lo son.» Recibióle el amigo en su despacho; y apenas Torquemada le preguntó por la familia, dejóse caer en una silla con muestras de gran consternación. —¿Pero qué le pasa?—le dijo el otro.

—No me hable usted, no me hable usted, señor don Juan. Estoy con el alma en un hilo . . . ¡Mi hijo . . . !

—¡Pobrecito! Sé que está muy malo . . . ¿Pero no tiene usted esperanzas?

—No, señor . . . Digo, esperanzas, lo que se llama esperanzas . . . No sé; estoy loco; mi cabeza es un volcán . . .

—¡Sé lo que es eso! —observó el otro con tristeza—. He perdido dos hijos que eran mi encanto: el uno de cuatro años, el otro de once.

—Pero su dolor de usted no puede ser como el mío. Yo padre,² no me parezco

---

29. *estudios*, studies, here, paintings
30. *estoy montado a pelo*, I'm on the ragged edge
31. *yo soltaré el trapo*, I'll start bawling

1. *con vistas a San Bernardino*, literally, with a view toward the poorhouse, freely, with the probability of soon ending in bankruptcy
2. *Yo padre*, As a father

a los demás padres, porque mi hijo no es como los demás hijos: es un milagro de sabiduría . . . ¡Ay, don Juan, don Juan de mi alma, tenga usted compasión de mí! Pues verá usted . . . Al recibir su carta primera, no pude ocuparme . . . La aflicción no me dejaba pensar . . . Pero me acordaba de usted y decía: «Aquel pobre don Juan, ¡qué amarguras estará pasando! . . .» Recibo la segunda esquela y entonces digo: «Ea, pues lo que es[3] yo no le dejo en ese pantano. Debemos ayudarnos los unos a los otros en nuestras desgracias.» Así pensé; sólo que con la batahola que hay en casa, no tuve tiempo de venir ni de contestar . . . Pero hoy, aunque estaba medio muerto de pena, dije: «Voy, voy al momento a sacar del purgatorio a ese buen amigo don Juan . . .» y aquí estoy para decirle que aunque me debe usted setenta y tantos mil reales, que hacen más de noventa con los intereses no percibidos, y aunque he tenido que darle varias prórrogas, y . . . francamente . . . me tema tener que darle alguna más, estoy decidido a hacerle a usted ese préstamo sobre los muebles para que evite la peripecia que se le viene encima.

—Ya está evitada—replicó don Juan, mirando al prestamista con la mayor frialdad—. Ya no necesito el préstamo.

—¡Que no lo necesita! —exclamó el tacaño desconcertado—. Repare usted una cosa don Juan. Se lo hago a usted . . . al doce por ciento.

Y viendo que el otro hacía signos negativos, levantóse, y recogiendo la capa, que se le caía, dió algunos pasos hacia don Juan, le puso la mano en el hombro y le dijo:

—Es que usted no quiere tratar conmigo, por aquello de si soy o no soy agarrado. ¡Me parece a mí que doce![4] ¿Cuándo las habrá visto usted más gordas?[5]

—Me parece muy razonable el interés; pero, lo repito, ya no me hace falta.

¿Se ha sacado usted el premio gordo, por vida de . . . ? —exclamó Torquemada con grosería—. Don Juan, no gaste usted bromas conmigo . . . ¿Es que duda de que le hable con seriedad? Porque eso de que no le hace falta . . . ¡rábano! . . . ¡a usted! que sería capaz de tragarse, no digo yo este pico,[6] sino la Casa de la Moneda enterita[7] . . . Don Juan, don Juan, sepa usted, si no lo sabe, que yo también tengo mi humanidad como cualquier hijo de vecino, que me intereso por el prójimo y hasta que favorezco a los que me aborrecen. Usted me odia, don Juan, usted me detesta, no me lo niegue, porque no me puede pagar: esto es claro. Pues bien: para que vea usted de lo que soy capaz, se lo doy al cinco . . . ¡al cinco!

Y como el otro repitiera con la cabeza los signos negativos, Torquemada se desconcertó más, y alzando los brazos, con lo cual dicho se está que la capa fue a pasar al suelo, soltó esta andanada:

—¡Tampoco al cinco! . . . Pues, hombre, menos que el cinco, ¡caracoles! . . . a no ser que quiera que le dé también la camisa que llevo puesta . . . ¿Cuándo se ha visto usted en otra?[8] . . . Pues no sé qué quiere el ángel de Dios[9] . . . De esta hecha,[10] me vuelvo loco. Para que vea, para que vea hasta dónde llega mi generosidad: se lo doy sin interés.

—Muchas gracias, amigo don Fran-

3. *pues lo que es,* well the fact is
4. *doce,* twelve [per cent]
5. *¿Cuándo las habrá visto usted más gordas?* When have you ever seen a better deal?
6. *pico,* here, bit (of money)
7. *la Casa de la Moneda enterita,* the whole mint
8. *en otra,* in another so favorable deal
9. *el ángel de Dios,* the dear fellow, i.e., don Juan
10. *De esta hecha,* from this moment, beginning now

cisco. No dudo de sus buenas intenciones. Pero ya nos hemos arreglado. Viendo que usted no me contestaba, me fui a dar con un pariente, y tuve ánimos para contarle mi triste situación. ¡Ojalá lo hubiera hecho antes!

—Pues aviado está el pariente ... Ya puede decir que ha hecho un pan como unas hostias[11] ... Con muchos negocios de ésos ... En fin, usted no lo ha querido de mí, usted se lo pierde. Vaya diciendo ahora que no tengo buen corazón. Quien no lo tiene es usted ...

—¿Yo? Esa sí que es salada.[12]

—Sí, usted, usted (con despecho). En fin, me las guillo,[13] que me aguardan en otra parte donde hago muchísima falta, donde me están esperando como agua de Mayo.[14] Aquí estoy de más. Abur ...

Despidióle don Juan en la puerta y Torquemada bajó la escalera refunfuñando: "No se puede tratar con gente mal agradecida. Voy a entenderme con aquellos pobrecitos ... ¡Qué será de ellos sin mí!"

No tardó en llegar a la otra casa, donde le aguardaban con tanta ansiedad. Era en la calle de la Luna,[15] edificio de buena apariencia, que albergaba en el principal a un aristócrata; más arriba familias modestas, y en el techo un enjambre de pobres. Torquemada recorrió el pasillo oscuro buscando una puerta. Los números de éstas eran inútiles, porque no se veían. La suerte fue que Isidora le sintió los pasos y abrió.

—¡Ah, vivan los hombres de palabra![16] Pase, pase.

Hallóse don Francisco dentro de una estancia, cuyo inclinado techo tocaba al piso por la parte contraria a la puerta;

arriba un ventanón con algunos de sus vidrios rotos, tapados con trapos y papeles; el suelo de baldosín, cubierto a trechos de pedazos de alfombra; a un lado un baúl abierto, dos sillas, un anafre con lumbre; a otro una cama, sobre la cual, entre mantas y ropas diversas, medio vestido y medio abrigado, yacía un hombre como de treinta años, guapo, de barba puntiaguda, ojos grandes, frente hermosa, demacrado y con los pómulos ligeramente encendidos, en las sienes una depresión verdosa, y las orejas transparentes como la cera de los exvotos que se cuelgan en los altares. Torquemada le miró sin contestar al saludo, y pensaba así: «El pobre está más tísico que la Traviatta. ¡Lástima de muchacho![17] tan buen pintor y tan mala cabeza[18] ... ¡Habría podido ganar tanto dinero!»

—Ya ve usted, don Francisco, cómo estoy ... con este catarrazo que no me quiere dejar. Siéntese ... ¡Cuánto le agradezco su bondad!

—No hay que agradecer nada ... Pues no faltaba más. ¿No nos manda Dios vestir a los enfermos, dar de beber al triste, visitar al desnudo? ... ¡Ay! todo lo trabuco. ¡Qué cabeza! ... Decía que para aliviar las desgracias estamos los hombres de corazón blando ... sí, señor.

Miró las paredes del buhardillón, cubiertas en gran parte por multitud de estudios de paisajes, algunos con el cielo para abajo, clavados en la pared o arrimados a ella.

—Bonitas cosas hay todavía por aquí.

—En cuanto suelte el constipado, voy a salir al campo—dijo el enfermo, los ojos iluminados por la fiebre—. ¡Tengo una idea, qué idea! ... Creo que me

---

11. *un pan como unas hostias,* a splendid deal (said ironically)
12. That certainly is a clever idea
13. *me las guillo,* I'll beat it
14. *como agua de Mayo,* like rain in May, freely, like a blessing from heaven
15. *calle de la Luna,* a street adjacent to the

calle de Tudescos, hence near Torquemada's home
16. *vivan los hombres de palabra,* hurray for men of their word
17. *¡Lástima de muchacho!,* Poor fellow!
18. *tan mala cabeza,* such a wild one

pondré bueno de ocho a diez días si usted me socorre, don Francisco; y en seguida al campo, al campo...

«Al camposanto es adonde tú vas prontito»—pensó Torquemada; y luego en alta voz:

—Sí, eso es cuestión de ocho o diez días... nada más... Luego, saldrá usted por ahí... en un coche... ¿Sabe usted que la buhardilla es fresquecita? ... ¡Caramba! Déjeme embozar en la capa.

—Pues asómbrese usted—dijo el enfermo incorporándose—. Aquí me he puesto algo mejor. Los últimos días que pasamos en el estudio... que se lo cuente a usted Isidora... estuve malísimo; como que nos asustamos, y...

Le entró tan fuerte golpe de tos, que parecía que se ahogaba. Isidora acudió a incorporarle, levantando las almohadas. Los ojos del infeliz parecía que se saltaban, sus deshechos pulmones agitábanse trabajosamente como fuelles rotos que no pueden expeler ni aspirar el aire; crispaba los dedos, quedando al fin postrado y como sin vida. Isidora le enjugó el sudor de la frente, puso en orden la ropa que por ambos lados del angosto lecho se caía, y le dio a beber un calmante.

—¡Pero qué pasmo tan atroz he cogido!... —exclamó el artista al reponerse del acceso.

—Habla lo menos posible—le aconsejó Isidora. Yo me entenderé con don Francisco: verás cómo nos arreglamos. Este don Francisco es más bueno de lo que parece: es un santo disfrazado de diablo, ¿verdad?

Al reirse mostró su dentadura incomparable, una de las pocas gracias que le quedaban en su decadencia triste. Torquemada, echándoselas de bondadoso, la hizo sentar a su lado y le puso la mano en el hombro, diciéndole:

—Ya lo creo que nos arreglaremos...

Como que con usted se puede entender uno fácilmente; porque usted, Isidorita, no es como esas otras mujeronas que no tienen educación. Usted es una persona decente que ha venido a menos, y tiene todo el aquél de mujer fina, como hija neta de marqueses... Bien lo sé... y que le quitaron la posición que le corresponde esos pillos de la curia...

—¡Ay, Jesús! —exclamó Isidora, exhalando en un suspiro todas las remembranzas tristes y alegres de su novelesco pasado—. No hablemos de eso... Pongámonos en la realidad. Don Francisco, ¿se ha hecho cargo de nuestra situación? A Martín le embargaron el estudio. Las deudas eran tantas, que no pudimos salvar más que lo que usted ve aquí. Después hemos tenido que empeñar toda su ropa y la mía para poder comer... No me queda más que lo puesto... ¡mire usted qué facha! y a él nada, lo que ve usted sobre la cama. Necesitamos desempeñar lo preciso; tomar una habitacioncita más abrigada, la del tercero, que está con papeles; encender lumbre, comprar medicinas, poner siquiera un buen cocido todos los días... Un señor de la beneficencia domiciliaria me trajo ayer dos bonos, y me mandó ir allá, adonde está la oficina; pero tengo vergüenza de presentarme con esta facha... Los que hemos nacido en cierta posición, señor don Francisco, por mucho que caigamos, nunca caemos hasta lo hondo... Pero vamos al caso: para todo eso que le he dicho, y para que Martín se reponga y pueda salir al campo, necesitamos tres mil reales... y no digo cuatro por que no se asuste. Es lo último. Sí, don Francisquito de mi alma, y confiamos en su buen corazón.

—¡Tres mil reales! —dijo el usurero poniendo la cara de duda reflexiva que para los casos de benevolencia tenía; cara que era ya en él como una fórmula dilatoria, de las que se usan en diplomacia—. ¡Tres mil realetes! . . . Hija de mi alma, mire usted.

Y haciendo con los dedos pulgar e índice una perfecta rosquilla, se la presentó a Isidora, y prosiguió así:

—No sé si podré disponer de los tres mil reales en el momento. De todos modos, me parece que podrían ustedes arreglarse con menos. Piénselo bien, y ajuste sus cuentas. Yo estoy decidido a protegerles y ayudarles para que mejoren de suerte . . . llegaré hasta el sacrificio y hasta quitarme el pan de la boca para que ustedes maten el hambre; pero . . . pero reparen que debo mirar también por mis intereses . . .

—Pongamos el interés que quiera, don Francisco—dijo con énfasis el enfermo, que por lo visto deseaba acabar pronto.

—No me refiero al materialismo del rédito del dinero, sino a mis intereses, claro, a mis intereses. Y doy por hecho que ustedes piensan pagarme algún día.

—Pues claro—replicaron a una[19] Martín e Isidora.

Y Torquemada para su coleto: «El día del Juicio por la tarde me pagaréis: ya sé que éste es dinero perdido.»

El enfermo se incorporó en su lecho, y con cierta exaltación dijo al prestamista:

—Amigo, ¿cree usted que mi tía, la que está en Puerto Rico, ha de dejarme en esta situación cuando se entere? Ya estoy viendo la letra de cuatrocientos o quinientos pesos que me ha de mandar. Le escribí por el correo pasado.

«Como no te mande tu tía quinientos puñales»—pensó Torquemada. Y en voz alta:

—Y alguna garantía me han de dar ustedes también . . . digo, me parece que . . .

—¡Toma! los estudios. Escoja los que quiera.

Echando en redondo una mirada pericial, Torquemada explanó su pensamiento en esta forma:

—Bueno, amigos míos: voy a decirles una cosa que les va a dejar turulatos. Me he compadecido de tanta miseria; yo no puedo ver una desgracia semejante sin acudir al instante a remediarla. ¡Ah! ¿qué idea teníais de mí? Porque otra vez me debieron un pico y les apuré y les ahogué, ¿creen que soy de mármol? Tontos, era porque entonces les vi triunfando y gastando, y francamente, el dinero que yo gano con tanto afán no es para tirado en francachelas. No me conocéis, os aseguro que no me conocéis. Comparen la tiranía de esos chupones que les embargaron el estudio y os dejaron en cueros vivos; comparen eso, digo, con mi generosidad, y con este corazón tierno que me ha dado Dios . . . Soy tan bueno, tan bueno, que yo mismo me tengo que alabar y darme las gracias por el bien que hago. Pues verán qué golpe. Miren . . .

Volvió a aparecer la rosquilla acompañada de estas graves palabras:

—Les voy a dar los tres mil reales, y se los voy a dar ahora mismo . . . pero no es eso lo más gordo, sino que se los voy a dar sin intereses . . . Qué tal, ¿es esto rasgo o no es rasgo?

—Don Francisco—exclamó Isidora con efusión,—déjeme que le dé un abrazo.

—Y yo le daré otro si viene acá—gritó el enfermo queriendo echarse fuera de la cama.

—Sí, vengan todos los cariños que queráis—dijo el tacaño, dejándose abrazar por ambos—. Pero no me alaben mucho, porque estas acciones son deber de toda persona que mire por la humanidad, y no tienen gran mérito . . . Abrácenme otra vez, como si fuera vuestro padre, y compadézcanme, que yo también

---

19. *a una,* at the same time

lo necesito . . . En fin, que se me saltan las lágrimas si me descuido, porque soy tan compasivo . . . tan . . .

—Don Francisco de mis entretelas—declaró el tísico arropándose bien otra vez con aquellos andrajos—, es usted la persona más cristiana, más completa y más humanitaria que hay bajo el sol. Isidora, trae el tintero, la pluma y el papel sellado que compraste ayer, que voy a hacer un pagaré.

La otra le llevó lo pedido; y mientras el desgraciado joven escribía, Torquemada, meditabundo y con la frente apoyada en un solo dedo, fijaba en el suelo su mirar reflexivo. Al coger el documento que Isidora le presentaba, miró a sus deudores con expresión paternal, y echó el registro afeminado y dulzón de su voz para decirles:

—Hijos de mi alma, no me conocéis, repito que no me conocéis. Pensáis sin duda que voy a guardarme este pagaré . . . Sois unos bobalicones. Cuando yo hago una obra de caridad, allá te va de veras,[20] con el alma y con la vida. No os presto los tres mil reales, os los regalo, por vuestra linda cara. Mirad lo que hago: ras, ras . . .

Rompió el papel. Isidora y Martín lo creyeron porque lo estaban viendo; que si no, no lo hubieran creído.

—Eso se llama hombre cabal . . . Don Francisco, muchísimas gracias—dijo Isidora conmovida. Y el otro, tapándose la boca con las sábanas para contener el acceso de tos que se iniciaba:

—¡María Santísima, qué hombre tan bueno!

—Lo único que haré—dijo don Francisco levantándose y examinando de cerca los cuadros—, es aceptar un par de estudios, como recuerdo . . . Éste de las montañas nevadas y aquél de los burros

pastando . . . Mire usted, Martín, también me llevaré, si le parece, aquella marinita y este puente con hiedra . . .

A Martín le había entrado el acceso y se asfixiaba. Isidora, acudiendo a auxiliarle, dirigió una mirada furtiva a las tablas y al escrutinio y elección que de ellas hacía el aprovechado prestamista.

—Los acepto como recuerdo—dijo éste apartándolos—; y si les parece bien, también me llevaré este otro . . . Una cosa tengo que advertirles: si temen que con las mudanzas se estropeen estas pinturas, llévenmelas a casa, que allí las guardaré y pueden recogerlas el día que quieran . . . Vaya, ¿va pasando esta condenada tos? La semana que entra ya no toserá usted nada, pero nada. Irá usted al campo . . . allá por el puente de San Isidro[21] . . . Pero ¡qué cabeza la mía . . . ! se me olvidaba lo principal, que es darles los tres mil reales . . . Venga acá, Isidorita, entérese bien . . . Un billete de cien pesetas, otro, otro . . . (Los iba contando y mojaba los dedos con saliva a cada billete, para que no se pegaran.) Setecientas pesetas . . . No tengo billete de cincuenta, hija. Otro día lo daré. Tienen ahí ciento cuarenta duros, o sean dos mil ochocientos reales . . .

VIII

Al ver el dinero, Isidora casi lloraba de gusto, y el enfermo se animó tanto que parecía haber recobrado la salud. ¡Pobrecillos, estaban tan mal, habían pasado tan horribles escaseces y miserias! Dos años antes se conocieron en casa de un prestamista que a entrambos los desollaba vivos. Se confiaron su situación respectiva, se compadecieron y se amaron: aquella misma noche durmió

---

20. *allá te va de veras, freely,* I go the whole way

21. The road to various cemeteries crosses this bridge.

Isidora en el estudio. El desgraciado artista y la mujer perdida hicieron el pacto de fundir sus miserias en una sola, y de ahogar sus penas en el dulce licor de una confianza enteramente conyugal. El amor les hizo llevadera la desgracia. Se casaron en el ara del amancebamiento, y a los dos días de unión se querían de veras y hallábanse dispuestos a morirse juntos y a partir lo poco bueno y lo mucho malo que la vida pudiera traerles. Lucharon contra la pobreza, contra la usura, y sucumbieron sin dejar de quererse: él siempre amante, solícita y cariñosa ella; ejemplo ambos de abnegación, de esas altas virtudes que se esconden avergonzadas para que no las vean la ley y la religión, como el noble haraposo se esconde de sus iguales bien vestidos.[1]

Volvió a abrazarles Torquemada, diciéndoles con melosa voz:

—Hijos míos, sed buenos y que os aproveche el ejemplo que os doy. Favoreced al pobre, amad al prójimo, y así como yo os he compadecido, compadecedme a mí, porque soy muy desgraciado.

—Ya sé—dijo Isidora, desprendiéndose de los brazos del avaro—, que tiene usted al niño malo. ¡Pobrecito! Verá usted como se le pone bueno ahora . . .

—¡Ahora! ¿Por qué ahora? —preguntó Torquemada con ansiedad muy viva.

—Pues . . . qué sé yo . . . Me parece que Dios le ha de favorecer, le ha de premiar sus buenas obras . . .

—¡Oh! si mi hijo se muere—afirmó don Francisco con desesperación—, no sé qué va a ser de mí.

—No hay que hablar de morirse—gritó el enfermo, a quien la posesión de los santos cuartos había despabilado y excitado cual si fuera una toma del estimulante más enérgico—. ¿Qué es eso de morirse? Aquí no se muere nadie. Don Francisco, el niño no se muere. Pues no faltaba más. ¿Qué tiene? ¿Meningitis? Yo tuve una muy fuerte a los diez años; y ya me daban por muerto, cuando entré en reacción, y viví y aquí me tiene usted dispuesto a llegar a viejo, y llegaré, porque lo que es el catarro, ahora lo largo. Vivirá el niño, don Francisco, no tenga duda; vivirá.

—Vivirá—repitió Isidora—. yo se lo voy a pedir a la Virgencita del Carmen.

—Sí, hija, a la Virgen del Carmen —dijo Torquemada llevándose el pañuelo a los ojos—. Me parece muy bien. Cada uno empuje por su lado, a ver si entre todos . . .

El artista, loco de contento, quería comunicárselo al atribulado padre, y medio se echó de la cama para decirle.

—Don Francisco, no llore, que el chico vive . . . Me lo dice el corazón, me lo dice una voz secreta . . . Viviremos todos y seremos felices.

—¡Ay, hijo de mi alma!—exclamó el *Peor;* y abrazándole otra vez—: Dios le oiga a usted. ¡Qué consuelo tan grande me da!

—También usted nos ha consolado a nosotros. Dios se lo tiene que premiar. Viviremos, sí, sí. Mire, mire: el día en que yo pueda salir, nos vamos todos al campo, el niño también, de merienda. Isidora nos hará la comida, y pasaremos un día muy agradable, celebrando nuestro restablecimiento.

—Iremos, iremos—dijo el tacaño con efusión, olvidándose de lo que antes había pensado respecto al *campo* a que iría Martín muy pronto—. Sí, y nos divertiremos mucho, y daremos limosnas a todos los pobres que nos salgan . . . ¡Qué alivio siento en mi interior desde

---

1. This paragraph is like a second more idealistic ending to the story of Isidora, since Galdós left her at the end of *La* *desheredada* in abject vice, untempered by the altruism she shows here.

que he hecho ese beneficio! . . . No, no me lo alaben . . . Pues verán: se me ocurre que aún les puedo hacer otro mucho mayor.

—¿Cuál? . . . A ver, don Francisquito.

—Pues se me ha ocurrido . . . no es idea de ahora, que la tengo hace tiempo . . . Se me ha ocurrido que si la Isidora conserva los papeles de su herencia y sucesión de la casa de Aransis,[2] hemos de intentar sacar eso . . .

Isidora le miró entre aturdida y asombrada.

—¿Otra vez eso? —fue lo único que dijo.

—Sí, sí, tiene razón don Francisco —afirmó el pobre tísico, que estaba de buenas,[3] entregándose con embriaguez a un loco optimismo—. Se intentará . . . Eso no puede quedar así.

—Tengo el recelo—añadió Torquemada—, de que los que intervinieron en la acción la otra vez no anduvieron muy listos, o se vendieron a la Marquesa vieja . . . Lo hemos de ver, lo hemos de ver.

—En cuantito que yo suelte el catarro. Isidora, mi ropa; ve al momento a traer mi ropa, que me quiero levantar . . . ¡Qué bien me siento ahora! . . . Me dan ganas de ponerme a pintar, don Francisco. En cuanto el niño se levante de la cama quiero hacerle el retrato.

—Gracias, gracias . . . sois muy buenos . . . los tres somos muy buenos, ¿verdad? Venga otro abrazo, y pedid a Dios por mí. Tengo que irme, porque estoy con una zozobra que no puedo vivir.

—Nada, nada, que el niño está mejor, que se salva—repitió el artista cada vez

más exaltado—. Si le estoy viendo, si no me puedo equivocar.

Isidora se dispuso a salir, con parte del dinero, camino de la casa de préstamos; pero al pobre artista le acometió la tos y disnea con mayor fuerza y tuvo que quedarse. Don Francisco se despidió con las expresiones más cariñosas que sabía y cogiendo los cuadritos salió con ellos debajo de la capa. Por la escalera iba diciendo: «¡Vaya, que es bueno ser bueno! . . . ¡Siento en mi interior una cosa, un consuelo . . . ! ¡Si tendrá razón Martín! ¡Si se me pondrá bueno aquel pedazo de mi vida! . . . Vamos corriendo allá. No me fío, no me fío. Este botarate tiene las ilusiones de los tísicos en último grado. Pero ¡quién sabe! se engaña de seguro respecto a sí mismo, y acierta en lo demás. Adonde él va pronto es al nicho . . . Pero los moribundos suelen tener doble vista, y puede que haya *visto* la mejoría de Valentín . . . voy corriendo, corriendo. ¡Cuánto me estorban estos malditos cuadros! ¡No dirán ahora que soy tirano y judío, pues rasgos de éstos entran pocos en libra![4] . . . No me dirán que me cobro en pinturas, pues por estos apuntes, en venta, no me darían ni la mitad de lo que yo di. Verdad que si se muere valdrán más, porque aquí, cuando un artista está vivo, nadie le hace maldito caso, y en cuanto se muere de miseria o de cansancio, le ponen en las nubes, le llaman genio y qué sé yo qué . . . Me parece que no llego nunca a mi casa. ¡Qué lejos está, estando tan cerca!»

Subió de tres en tres peldaños la escalera de su casa, y le abrió la puerta la tía Roma, disparándole a boca de jarro estas

---

2. Isidora had been suffering from the delusion that she was an illegitimate child of a girl of the noble Aransis family. Her pretensions to nobility had been her undoing, as she had scorned chances to marry industrious and honest suitors simply because they were not titled.

3. *que estaba de buenas,* who was in a high mood
4. *entran pocos en libra,* freely, are few and far between

palabras: «Señor, el niño parece que está un poquito más tranquilo.» Oirlo don Francisco y soltar los cuadros y abrazar a la vieja, fue todo uno. La trapera lloraba, y el *Peor* le dio tres besos en la frente. Después fue derechito a la alcoba del enfermo y miró desde la puerta. Rufina se abalanzó hacia él para decirle: «Está desde mediodía más sosegado . . . ¿Ves? Parece que duerme el pobre ángel. Quién sabe . . . Puede que se salve. Pero no me atrevo a tener esperanzas, no sea que las perdamos esta tarde.»

Torquemada no cabía en sí de sobresalto y ansiedad. Estaba el hombre con los nervios tirantes, sin poder permanecer quieto ni un momento, tan pronto con ganas de echarse a llorar como de soltar la risa. Iba y venía del comedor a la puerta de la alcoba, de ésta a su despacho, y del despacho al gabinete. En una de estas volteretas, llamó a la tía Roma, y metiéndose con ella en la alcoba la hizo sentar, y le dijo:

—Tía Roma, ¿crees tú que se salva el niño?

—Señor, será lo que Dios quiera, y nada más. Yo se lo he pedido anoche y esta mañana a la Virgen del Carmen, con tanta devoción que más no puede ser, llorando a moco y baba.[5] ¿No me ve cómo tengo los ojos?

—¿Y crees tú . . . ?

—Yo tengo esperanza, señor. Mientras no sea cadáver, esperanzas ha de haber, aunque digan los médicos lo que dijeren.[6] Si la Virgen lo manda, los médicos se van a hacer puñales[7] . . . Otra:[8] anoche me quedé dormida rezando, y me pareció que la Virgen bajaba hasta delantito de mí y que me decía que sí con la cabeza . . . Otra: ¿no ha rezado usted?

—Sí, mujer; ¡qué preguntas haces! Voy a decirte una cosa importante. Verás.

Abrió un bargueño, en cuyos cajoncillos guardaba papeles y alhajas de gran valor que habían ido a sus manos en garantía de préstamos usurarios: algunas no eran todavía suyas; otras sí. Un rato estuvo abriendo estuches, y a la tía Roma, que jamás había visto cosa semejante, se le encandilaban los ojos de pez con los resplandores que de las cajas salían. Eran, según ella, esmeraldas como nueces, diamantes que arrojaban pálidos rayos, rubíes como pepitas de granada, y oro finísimo, oro de la mejor ley, que valía cientos de miles . . . Torquemada, después de abrir y cerrar estuches, encontró lo que buscaba: una perla enorme, del tamaño de una avellana, de hermosísimo oriente; y cogiéndola entre los dedos, la mostró a la vieja.

¿Qué te parece esta perla, tía Roma?

—Bonita de veras. Yo no lo entiendo. Valdrá miles de millones. ¿Verdá usté?[9]

—Pues esta perla—dijo Torquemada en tono triunfal—, es para la señora Virgen del Carmen. Para ella es, si pone bueno a mi hijo. Te la enseño, y pongo en tu conocimiento la intención, para que se lo digas. Si se lo digo yo, de seguro no me lo cree.

—Don Francisco (mirándole con profunda lástima), usted está malo de la jícara.[10] Dígame, por su vida, ¿para qué quiere ese requilorio la Virgen del Carmen?

—Toma, para que se lo pongan el día de su santo, el 16 de julio. ¡Pues no estará poco maja con esto! Fué regalo de

---

5. *llorando a moco y baba,* freely, crying for all I was worth
6. *lo que dijeren,* whatever they may say. *Dijeren* is the future subjunctive.
7. *hacer puñales,* freely, to be disappointed, to be wrong
8. *Otra* for *otra cosa*
9. *¿Verdá usté?* for *¿Verdad usted?, ¿No es verdad?*
10. *jícara,* chocolate cup; slang, noddle, bean, head

boda de la excelentísima señora Marquesa de Tellería.[11] Créelo, como ésta hay pocas.

—Pero, don Francisco, ¡usted piensa que la Virgen le va a conceder . . . ! Paice[12] bobo . . . ¡Por ese piazo[13] de cualquier cosa!

—Mira qué oriente. Se puede hacer un alfiler y ponérselo a ella en el pecho, o al Niño.[14]

—¡Un rayo! ¡Valiente caso hace la Virgen de perlas y pindonguerías! . . . Créame a mí: véndala y déles a los pobres el dinero.

—Mira tú, no es mala idea—dijo el tacaño guardando la joya—. Tú sabes mucho. Seguiré tu consejo, aunque, si he de serte franco, eso de dar a los pobres viene a ser una tontería, porque cuanto les das se lo gastan en aguardiente. Pero ya lo arreglaremos de modo que el dinero de la perla no vaya a parar a las tabernas . . . Y ahora quiero hablarte de otra cosa. Pon muchísima atención: ¿te acuerdas de cuando mi hija, paseando una tarde por las afueras con Quevedo y las de Morejón, fué a dar allá, por donde tú vives, hacia los Tejares del Aragonés,[15] y entró en tu choza y vino contándome, horrorizada, la pobreza y escasez que allí vio? ¿Te acuerdas de eso? Contóme Rufina que tu vivienda es un cubil, una inmundicia hecha con adobes, tablas viejas y planchas de hierro, el techo de paja y tierra; me dijo que ni tú ni tus nietos tenéis cama, y dormís sobre un montón de trapos; que los cerdos y las gallinas que criáis con la basura son allí las personas; y vosotros los animales. Sí:

Rufina me contó esto, y yo debí tenerte lástima y no te la tuve. Debí regalarte una cama, pues nos has servido bien, querías mucho a mi mujer, quieres a mis hijos, y en tantos años que entras aquí jamás nos has robado ni el valor de un triste clavo. Pues bien: si entonces no se me pasó por la cabeza socorrerte, ahora sí.

Diciendo esto, se aproximó al lecho y dio en él un fuerte palmetazo con ambas manos, como el que se suele dar para sacudir los colchones al hacer las camas.

—Tía Roma, ven acá, toca aquí. Mira qué blandura. ¿Ves este colchón de lana encima de un colchón de muelles? Pues es para ti, para ti, para que descanses tus huesos duros y te espatarres a tus anchas.

Esperaba el tacaño una explosión de gratitud por dádiva tan espléndida, y ya le parecía estar oyendo las bendiciones de la tía Roma, cuando ésta salió por un registro muy diferente. Su cara telarañosa se dilató, y de aquellas úlceras con vista que se abrían en el lugar de los ojos, salió un resplandor de azoramiento y susto, mientras volvía la espalda al lecho, dirigiéndose hacia la puerta.

—Quite, quite allá—dijo—: vaya con lo que se le ocurre . . . ¡Darme a mí los colchones, que ni tan siquiera caben por la puerta de mi casa! . . . Y aunque cupieran . . . ¡rayo! A cuenta que he vivido tantísimos años durmiendo en dura como una reina, y en estas blanduras no pegaría los ojos. Dios me libre de tenderme ahí. ¿Sabe lo que le digo? Que quiero morirme en paz. Cuando venga la de la cara fea[16] me encontrará sin una

---

11. *Marquesa de Tellería,* a character who appears in other Galdosian novels, principally in *La familia de León Roch*
12. *Paice* for *parece*
13. *piazo* for *pedazo*
14. Notice how Torquemada thinks he can buy his son's life by a gift to the Virgin, just as he had hoped to buy it by his gifts to "humanity." Tía Roma's simple

but profound belief makes a nice contrast to his attempt to bargain with God. As pointed out before (Chap. II, n. 21), Torquemada is always the materialist, for whom the realm of the spirit is closed.
15. *los Tejares del Aragonés,* a place where tiles (*tejas*) are made on the outskirts of Madrid
16. *la de la cara fea,* i.e. death

mota, pero con la conciencia como los chorros de la plata.[17] No, no quiero los colchones, que dentro de ellos está su idea . . . porque aquí duerme usted, y por la noche, cuando se pone a cavilar, las ideas se meten por la tela adentro y por los muelles, y ahí estarán como las chinches cuando no hay limpieza. ¡Rayo con el hombre, y la que me quería encajar![18] . . .

Accionaba la viejecilla de una manera gráfica, expresando tan bien, con el mover de las manos y de los flexibles dedos, cómo la cama del tacaño se contaminaba de sus ruines pensamientos, que Torquemada la oía con verdadero furor, asombrado de tanta ingratitud; pero ella, firme y arisca, continuó despreciando el regalo: «Pos vaya[19] un premio gordo que me caía, Santo Dios . . . ¡Pa[20] que yo durmiera en eso! Ni que estuviera boba, don Francisco. ¡Pa que a media noche me salga toda la gusanera de las ideas de usted, y se me meta por los oídos y por los ojos, volviéndome loca y dándome una mala muerte . . . ! Porque, bien lo sé yo . . . a mí no me la da usted[21] . . . ahí dentro, ahí dentro, están todos sus pecados, la guerra que le hace al pobre, su tacañería, los réditos que mama, y todos los números que le andan por la sesera para ajuntar dinero . . . Si yo me durmiera ahí, a la hora de la muerte me saldrían por un lado y por otro unos sapos con la boca muy grande, unos culebrones asquerosos que se me enroscarían en el cuerpo, unos diablos muy feos con bigotazos y con orejas de murciélago, y me cogerían entre todos para llevarme a rastras a los infier-

nos. Váyase al rayo,[22] y guárdese sus colchones, que yo tengo un camastro hecho de sacos de trapo, con una manta por encima, que es la gloria divina . . . Ya lo quisiera usted . . . Aquello sí que es rico para dormir a pierna suelta . . .»

—Pues dámelo, dámelo, tía Roma —dijo el avaro con aflicción—. Si mi hijo se salva, me comprometo a dormir en él lo que me queda de vida, y a no comer más que las bazofias que tú comes.

—A buenas horas y con sol.[23] Usted quiere ahora poner un puño en el cielo.[24] ¡Ay, señor, a cada paje su ropaje![25] A usted le sienta eso como a la burra las arracadas.[26] Y todo ello es porque está afligido; pero si se pone bueno el niño, volverá usted a ser más malo que Holofernes. Mire que ya va para viejo; mire que el mejor día se le pone delante la de la cara pelada,[27] y a ésa sí que no le da usted el timo.[28]

—¿Pero de dónde sacas tú, estampa de la basura—replicó Torquemada con ira, agarrándola por el pescuezo y sacudiéndola—, de dónde sacas tú que yo soy malo, ni lo he sido nunca?

—Déjeme, suélteme, no me menee, que no soy ninguna pandereta. Mire que soy más vieja que Jerusalén, y he visto mucho mundo, y le conozco a usted desde que se quiso casar con la Silvia. Y bien le aconsejé a ella que no se casara . . . y bien le anuncié las hambres que había de pasar. Ahora que está rico no se acuerda de cuando empezaba a ganarlo. Yo sí me acuerdo, y me paice que fué ayer cuando le contaba los garbanzos a la cuitada de Silvia y todo lo tenía usted bajo llave, y la pobre estaba descomida, trashijada y

---

17. *como los chorros de la plata,* like a flood of silver, freely, as clear as crystal
18. *Rayo con el hombre, y la que me quería encajar,* Curses on the man; what a deal he wanted to put over on me
19. *Pos* for *Pues; vaya,* what a
20. *Pa* for *para*
21. See Chap. IV, n. 23.
22. *Váyase al rayo,* Go to the dickens

23. *A buenas horas y con sol,* A fine idea
24. *poner un puño en el cielo,* to move heaven
25. *a cada paje, su ropaje* (proverb), each person should stick to his own specialty; to each his own
26. That notion of yours is as becoming to you as earrings to a donkey
27. *la de la cara pelada,* death
28. and you certainly won't cheat it

ladrando de hambre.²⁹ Como que si no es por mí, que le traía algún huevo de ocultis, se hubiera muerto cien veces. ¿Se acuerda de cuando se levantaba usted a media noche para registrar la cocina a ver si descubría algo de condumio, que la Silvia hubiera escondido para comérselo sola? ¿Se acuerda de cuando encontró un pedazo de jamón en dulce y un medio pastel que me dieron a mí en casa de la Marquesa, y que yo le traje a la Silvia para que se lo zampara ella sola, sin darle a usted ni tanto así?³⁰ ¿Recuerda que al otro día estaba usted hecho un león,³¹ y que cuando entré me tiró al suelo y me estuvo pateando? Y yo no me enfadé, y volví, y todos los días le traía algo a la Silvia. Como usted era el que iba a la compra, no le podíamos sisar, y la infeliz no tenía una triste chambra que ponerse. Era una mártira,³² don Francisco, una mártira; ¡y usted guardando el dinero y dándolo a peseta por duro al mes! Y mientre³³ tanto, no comían más que mojama cruda con pan seco y ensalada. Gracias que yo partía con ustedes lo que me daban en las casas ricas, y una noche, ¿se acuerda? traje un hueso de jabalí que lo estuvo usted echando en el puchero seis días seguidos, hasta que se quedó más seco que su alma puñalera.³⁴ Yo no tenía obligación de traer nada: lo hacía por la Silvia, a quien cogí en brazos cuando nació de señá Rufinica, la del callejón del Perro. Y lo que a usted le ponía furioso era que yo le guardase las cosas a ella y no se las diera a usted, ¡un rayo! Como si tuviera yo obligación de llenarle a usted el buche, perro, más que perro . . . Y dígame ahora, ¿me ha dado alguna vez el valor de un real? Ella sí me daba lo que podía, a la chita callando;³⁵ pero usted, el muy capigorrón, ¿qué me ha dado? Clavos torcidos, y las barreduras de la casa. ¡Véngase ahora con jipíos y farsa! . . . Valiente caso le van a hacer.   .

—Mira, vieja de todos los demonios —le dijo Torquemada furioso—, por respeto a tu edad no te reviento de una patada. Eres una embustera, una diabla, con todo el cuerpo lleno de mentiras y enredos. Ahora te da por desacreditarme, después de haber estado más de veinte años comiendo mi pan. ¡Pero si te conozco, zurrón de veneno; si eso que has dicho nadie te lo va a creer: ni arriba ni abajo! El demonio está contigo, y maldita tú eres entre todas las brujas y esperpentos que hay en el cielo . . . digo, en el infierno.

IX

Estaba el hombre fuera de sí, delirante; y sin echar de ver¹ que la vieja se había largado a buen paso de la habitación, siguió hablando como si delante la tuviera. «Espantajo, madre de las telarañas, si te cojo, verás . . . ¡Desacreditarme así!» Iba de una parte a otra en la estrecha alcoba, y de ésta al gabinete, cual si le persiguieran sombras; daba cabezadas contra la pared, algunas tan fuertes que resonaban en toda la casa.

Caía la tarde, y la oscuridad reinaba ya en torno del infeliz tacaño, cuando éste oyó claro y distinto el grito de pavo real que Valentín daba en el paroxismo

29. *descomida, trashijada y ladrando de hambre,* without food, lean, and howling with hunger. (*Trashijada* is more commonly written *trasijada.*)
30. *ni tanto así,* not even so much (said with a gesture indicating a tiny amount)
31. *hecho un león,* like a roaring lion
32. *mártira* for *mártir*

33. *mientre* for *mientras*
34. We remember that Torquemada's favorite oath has been *puñales.* Hence the appropriateness of the expression *su alma puñalera.*
35. *a la chita callando,* on the sly
 1. *echar de ver,* to notice

de su altísima fiebre. «¡Y decían que estaba mejor! . . . Hijo de mi alma . . . Nos han vendido, nos han engañado.»

Rufina entró llorando en la estancia de la fiera, y le dijo:

—¡Ay, papá, qué malito se ha puesto; pero qué malito!

—¡Ese trasto de Quevedo! —gritó Torquemada llevándose un puño a la boca y mordiéndoselo con rabia—. Le voy a sacar las entrañas . . . Él nos le ha matado.

—Papá, por Dios, no seas así . . . No te rebeles contra la voluntad de Dios . . . Si Él lo dispone . . .

—Yo no me rebelo, ¡puñales! yo no me rebelo. Es que no quiero, no quiero dar[2] a mi hijo, porque es mío, sangre de mi sangre y hueso de mis huesos . . .

—Resígnate, resígnate, y tengamos conformidad—exclamó la hija, hecha un mar de lágrimas.

—No puedo, no me da la gana de resignarme. Esto es un robo . . . Envidia, pura envidia. ¿Qué tiene que hacer Valentín en el cielo? Nada, digan lo que dijeran; pero nada . . . Dios, ¡cuánta mentira, cuánto embuste! Que si cielo, que si infierno, que si Dios, que si diablo, que si . . . tres mil rábanos. ¡Y la muerte, esa muy pindonga de la muerte,[3] que no se acuerda de tanto pillo, de tanto farsante, de tanto imbécil, y se le antoja mi niño, por ser lo mejor que hay en el mundo! . . . Todo está mal, y el mundo es un asco, una grandísima porquería.

Rufina se fue y entró Bailón, trayéndose una cara muy compungida. Venía de ver al enfermito, que estaba ya agonizando, rodeado de algunas vecinas y amigos de la casa. Disponíase el clerizonte a confortar al afligido padre en aquel trance doloroso, y empezó por darle un abrazo, diciéndole con empañada voz:

—Valor, amigo mío, valor. En estos casos se conocen las almas fuertes. Acuérdese usted de aquel gran filósofo que expiró en una cruz dejando consagrados los principios de la humanidad.

—¡Qué principios ni qué . . . ! ¿Quiere usted marcharse de aquí, so chinche? . . . Vaya que es de lo más pelmazo y cargante y apestoso que he visto. Siempre que estoy angustiado me sale con esos retruécanos.

—Amigo mío, mucha calma. Ante los designios de la Naturaleza, de la Humanidad, del Gran Todo, ¿qué puede el hombre? ¡El hombre! esa hormiga, menos aún, esa pulga . . . todavía mucho menos.

—Ese coquito . . . menos aún, ese . . . ¡puñales! —agregó Torquemada con sarcasmo horrible, remedando la voz de la sibila y enarbolando después el puño cerrado—. Si no se calla le rompo la cara . . . Lo mismo me da a mí el grandísimo todo que la grandísima nada y el muy piojoso que la inventó. Déjeme, suélteme, por la condenada alma de su madre, o . . .

Entró Rufina otra vez, traída por dos amigas suyas para apartarla del tristísimo espectáculo de la alcoba. La pobre joven no podía sostenerse. Cayó de rodillas exhalando gemidos, y al ver a su padre forcejeando con Bailón, le dijo:

—Papá, por Dios, no te pongas así. Resígnate . . . yo estoy resignada, ¿no me ves? . . . El pobrecito . . . cuando yo entré . . . tuvo un instante ¡ay! en que recobró el conocimiento. Habló con voz clara, y dijo que veía a los ángeles que le estaban llamando.

—¡Hijo de mi alma, hijo de mi vida! —gritó Torquemada con toda la fuerza

---

2. *dar,* here, give up

3. *esa muy pindonga de la muerte,* that good-for-nothing gadabout Death

de sus pulmones, hecho un salvaje, un demente—no vayas, no hagas caso; que ésos son unos pillos que te quieren engañar . . . Quédate con nosotros . . .

Dicho esto, cayó redondo al suelo, estiró una pierna, contrajo la otra y un brazo. Bailón, con toda su fuerza no podía sujetarle, pues desarrollaba un vigor muscular inverosímil. Al propio tiempo soltaba de su fruncida boca un rugido feroz y espumarajos. Las contracciones de las extremidades y el pataleo eran en verdad horrible espectáculo: se clavaba las uñas en el cuello hasta hacerse sangre. Así estuvo largo rato, sujetado por Bailón y el carnicero, mientras Rufina, transida de dolor, pero en sus cinco sentidos, era consolada y atendida por Quevedito y el fotógrafo. Llenóse la casa de vecinos y amigos, que en tales trances suelen acudir compadecidos y serviciales. Por fin tuvo término el patatús de Torquemada, y caído en profundo sopor, que a la misma muerte, por lo quieto, se asemejaba, le cargaron entre cuatro y le arrojaron en su lecho. La tía Roma, por acuerdo de Quevedito, le daba friegas con un cepillo, rasca que te rasca,[4] como si le estuviera sacando lustre.[5]

Valentín había expirado ya. Su hermana, que quieras que no,[6] allá se fue, le dio mil besos, y, ayudada de las amigas, se dispuso a cumplir los últimos deberes con el pobre niño. Era valiente, mucho más valiente que su padre, el cual cuando volvió en sí de aquel tremendo síncope, y pudo enterarse de la completa extinción de sus esperanzas, cayó en profundísimo abatimiento físico y moral. Lloraba en silencio, y daba unos suspiros que se oían en toda la casa. Transcurrido un buen rato, pidió que le llevaran café con media tostada, porque sentía una debilidad horrible. La pérdida absoluta de la esperanza le trajo la sedación nerviosa, y la sedación, estímulos apremiantes de reparar el fatigado organismo. A media noche fue preciso administrarle un substancioso potingue, que fabricaron la hermana del fotógrafo de arriba y la mujer del carnicero de abajo, con huevos, Jerez y caldo de puchero. «No sé qué me pasa—decía el *Peor*—: pero ello es que parece que se me quiere ir la vida.» El suspirar hondo y el llanto comprimido le duraron hasta cerca del día, hora en que fue atacado de un nuevo paroxismo de dolor diciendo que quería ver a su hijo; *resucitarle, costara lo que costase,* e intentaba salirse del lecho, contra los combinados esfuerzos de Bailón, del carnicero y de los demás amigos que contenerle y calmarle querían. Por fin lograron que se estuviera quieto, resultado en que no tuvieron poca parte las filosóficas amonestaciones del clericucho, y las sabias cosas que echó por aquella boca el carnicero, hombre de pocas letras, pero muy buen cristiano. «Tienen razón—dijo don Francisco, agobiado y sin aliento—. ¿Qué remedio queda más que conformarse? ¡Conformarse! Es un viaje para el que no se necesitan alforjas. Vean de qué le vale a uno ser más bueno que el pan, y sacrificarse por los desgraciados, y hacer bien a los que no nos pueden ver ni en pintura . . . Total, que lo que pensaba emplear en favorecer a cuatro pillos . . . ¡mal empleado dinero, que había de ir a parar a las tabernas, a los garitos y a las casas de empeño! . . . digo que esos dinerales los voy a gastar en hacerle a mi hijo del alma, a esa gloria, a ese prodigio que no parecía de este mundo, el entierro más lucido que en Madrid se ha visto. ¡Ah, qué hijo! ¿No es dolor que me le hayan quitado?

---

4. *rasca que te rasca,* scratching and scratching, brushing and brushing
5. *sacar lustre,* to polish

6. *que quieras que no,* willy-nilly (in spite of her friends' advice to the contrary)

Aquello no era hijo: era un diosecito que engendramos a medias el Padre Eterno y yo . . . ¿No creen ustedes que debo hacerle un entierro magnífico? Ea, ya es de día. Que me traigan muestras de carros fúnebres . . . y vengan papeletas negras para convidar a todos los profesores.»

Con estos proyectos de vanidad, excitóse el hombre, y a eso de las nueve de la mañana, levantado y vestido, daba sus disposiciones con aplomo y serenidad. Almorzó bien, recibía a cuantos amigos llegaban a verle, y a todos les endilgaba la consabida historia: «Conformidad . . . ¡Qué le hemos de hacer! . . . Está visto: lo mismo da que usted se vuelva santo, que se vuelva usted Judas, para el caso de que le escuchen y le tengan misericordia . . . ¡Ah, misericordia! . . . Lindo anzuelo sin cebo para que se lo traguen los tontos.»

Y se hizo el lujoso entierro, y acudió a él mucha y lucida gente, lo que fue para Torquemada motivo de satisfacción y orgullo, único bálsamo de su hondísima pena. Aquella lúgubre tarde, después que se llevaron el cadáver del admirable niño, ocurrieron en la casa escenas lastimosas. Rufina, que iba y venía sin consuelo, vio a su padre salir del comedor con todo el bigote blanco, y se espantó creyendo que en un instante se había llenado de canas. Lo ocurrido fue lo siguiente: fuera de sí, y acometido de un espasmo de tribulación, el inconsolable padre fué al comedor y descolgó el encerado en que estaban aún escritos los problemas matemáticos, y tomándolo por retrato, que fielmente le reproducía las facciones del adorado hijo, estuvo larguísimo rato dando besos sobre la fría tela negra, y estrujándose la cara contra ella, con lo que la tiza se le pegó al bigote mojado de lágrimas, y el infeliz usurero parecía haber envejecido súbitamente. Todos los presentes se maravillaron de esto, y hasta se echaron a llorar. Llevóse

don Francisco a su cuarto el encerado, y encargó a un dorador un marco de todo lujo para ponérselo, y colgarlo en el mejor sitio de aquella estancia.

Al día siguiente, el hombre fue acometido, desde que abrió los ojos, de la fiebre de los negocios terrenos. Como la señorita había quedado muy quebrantada por los insomnios y el dolor, no podía atender a las cosas de la casa: la asistenta y la incansable tía Roma la sustituyeron hasta donde sustituirla era posible. Y he aquí que cuando la tía Roma entró a llevarle el chocolate al gran inquisidor, ya estaba éste en planta, sentado a la mesa de su despacho, escribiendo números con mano febril. Y como la bruja aquella tenía tanta confianza con el señor de la casa, permitiéndose tratarle como a igual, se llegó a él, le puso sobre el hombro su descarnada y fría mano, y le dijo: «Nunca aprende . . . Ya está otra vez preparando los trastos de ahorcar. Mala muerte va usted a tener, condenado de Dios, si no se enmienda.» Y Torquemada arrojó sobre ella una mirada que resultaba enteramente amarilla, por ser en él de este color lo que en los demás humanos ojos es blanco, y le respondió de esta manera: «Yo hago lo que me da mi santísima gana, so mamarracho, vieja más vieja que la Biblia. Lucido estaría si consultara con tu necedad lo que debo hacer.» Contemplando un momento el encerado de las matemáticas, exhaló un suspiro y prosiguió así: «Si preparo los trastos, eso no es cuenta tuya ni de nadie, que yo me sé cuanto hay que haber de tejas abajo y aun de tejas arriba, ¡puñales! Ya sé que me vas a salir con el materialismo de la misericordia . . . A eso te respondo que si buenos memoriales eché, buenas gordas calabazas me dieron. La misericordia que yo tenga, ¡. . . puñales! que me la claven en la frente.»

Madrid, Febrero de 1889

Naturalism

A literary movement called Naturalism was started in France by Émile Zola; a few years later (1880) the younger Spanish generation discovered it and welcomed the revolutionary liberties which they saw in it. According to Zola, no subject, no matter how indelicate, was banned; no language, even the crudest, was outlawed. The methods of science were to be applied to literature and the resultant picture of humanity would be the absolute truth, not the imaginary, idealized vision of life of earlier novelists. In order to be scientific, the author would first take copious notes on the scenes and personages he personally observed and then generously utilize this documentation in his novels. For the Naturalist human character was explicable in terms of "natural laws," of which the principal ones were the formative influences of heredity and environment. Fictional characters might *think* themselves free to choose between various possible actions, but the Naturalist assumed that their ultimate choice was determined by inherited traits and the surroundings in which they lived. Since inheritance of abnormal traits is more easily traced than normal ones, the purely Naturalistic novel tends to deal with weak-minded or depraved characters. Its setting is often the slums.

From the beginning the Spanish writers toned down the extremes of Naturalism and ultimately, after the movement had attracted most of the youthful novelists for a period of some ten years, they turned away from its materialistic determinism. They now felt the human spirit to be an integral part of man and that it could stimulate actions quite as much as inherited family traits or environmental circumstances. Their changed point of view was really a return to orthodox Christianity, for without Free Will there can be no logical reward or punishment for human actions.

The first good Spanish Naturalistic novel was *La desheredada* (1881) by Benito Pérez Galdós. It narrates the decline and fall into prostitution of Isidora Rufete, whose delusions of grandeur are inherited from an insane father. Galdós was the only mature writer who accepted Naturalism, and then only in mitigated form. His Naturalistic works never become pornographic.

The younger generation is well represented by Emilia Pardo Bazán (1851–1921) and Leopoldo Alas (1852–1901), usually known by his pseudonym "Clarín." Pardo Bazán was, in personality, an unresolved conflicting mixture of a nineteenth-century society woman and a forerunner of women's liberation. Although she valued highly her aristocratic associations, she fought for women's rights in all fields—in education, job opportunities, even for the right to enter all-male organizations such as the Real Academia Española. To be in the forefront of new causes and to indulge in polemics was her delight. So when Naturalism came to her attention she dashed off a series of twenty articles, first published in a newspaper, and then in book form (*La cuestión palpitante,* 1883). Although this was not the first Spanish critique of Naturalism, and although Pardo Bazán clearly rejects some of its essential elements, such as determinism and indelicate vocabulary, the furor caused by its publication was tremendous. Fundamentally, the outcry was caused by the fact that it was a *woman* who could find something good to say about a movement which was scandalizing the oldsters. Pardo Bazán's most famous novels in the Naturalistic vein are *Los pazos de Ulloa* (1886) and its sequel, *La madre naturaleza* (1887). In both works environmental determinism is paramount. The inhabitants of a run-down, remote Galician manor house are all animalized by the corrupting force of Nature. In the second volume, the illegitimate son and the daughter of the owner of the manor unwittingly commit incest, again following the "laws of nature." Pardo Bazán herself seems to be horrified at this manifestation of determinism.

Clarín gave extravagant praise to Pardo Bazán in the preface he contributed to her *Cuestión palpitante;* later in life he quarreled bitterly with her. He was even more pugnacious and sharp-tongued than she. His small stature, weak physique, and his "mother complex" were overcompensated for in his sarcastic, acidulous attacks on many authors of his time. But he puts his critical spirit to good use in his creative work, especially in the novel *La regenta,* a truly outstanding example of the good qualities of Naturalism. In this novel Clarín dissects the society of his hometown, Oviedo, finding base passions in all—the aristocracy, the clergy, the middle class, and even the servants. Against this background, the heroine, married to an old husband indifferent to her charms, vacillates between the local Don Juan and her confessor. Her fate is determined by her environment: her adultery is inevitable.

Both Pardo Bazán and Clarín were excellent short story writers—a form which had been modernized by Edgar Allan Poe and developed further by Guy de Maupassant—and they were also noted literary critics.

Although Naturalism as a movement was pretty well spent by 1890, one later author, Vicente Blasco Ibáñez, combined picturesque Spanish *costumbrismo* with the Naturalistic feeling of the crushing force of environment. In novels set in the region of his native Valencia, such as *La barraca* (1898) and *Cañas y barro* (1902), he alternates scenes of local color of the lives of peasants and fishermen with the ineluctable tragedy wrought by the imperfect organization of society. His socialism becomes more apparent in novels of national scope, beginning with *La catedral* (1903), in which the immense wealth of the Church is contrasted with the poverty of the workers. In his last novels, international in scope (*Los cuatro jinetes del Apocalipsis,* 1916), Blasco Ibáñez gained wide-spread popularity outside of Spain but lost the esteem of his compatriots who accused him of writing only for money.

Naturalism, in its methods and liberties, is still a vital force, although its narrow concept of predetermined human character has long been discarded. Much of what is being written today would be impossible without the revolution it achieved.

CLARÍN

El Sustituto

Mordiéndose las uñas de la mano izquierda, vicio en él muy viejo e indigno de quien aseguraba al público que tenía un plectro,[1] y acababa de escribir en una hoja de blanquísimo papel:

Quiero cantar, por reprimir el llanto,
tu gloria, oh patria, al verte en la agonía . . .[2]

digo, que mordiéndose las uñas, Eleuterio Miranda, el mejor poeta del partido judicial en que radicaba su musa, 10 meditaba malhumorado y a punto de romper, no la lira, que no la tenía, valga la verdad,[3] sino la pluma de ave con que estaba escribiendo una oda o elegía (según saliera),[4] de encargo.

Era el caso que estaba la patria en un grandísimo apuro, o a lo menos así se lo

---

1. *tenía un plectro,* had the inspiration (of a poet); *plectro* = plectrum (pick for playing the poets' lyre)
2. The poet, instead of weeping, will sing of the glory of his fatherland which is suffering anguish. In the nineteenth cen-

tury, Spain almost constantly suffered from strife at home and in its colonies.
3. *valga la verdad,* to tell the truth
4. *según saliera,* depending on how it turned out. This poem had been commissioned (*de encargo*).

habían hecho creer a los del pueblo de Miranda; y lo más escogido del lugar,[5] con el alcalde a la cabeza, habían venido a suplicar a Eleuterio que, para solemnizar una fiesta patriótica, cuyo producto líquido[6] se aplicaría a los gastos de la guerra,[7] les escribiese unos versos bastante largos, todo lo retumbantes que le fuera posible, y en los cuales se hablara de Otumba, de Pavía[8] . . . y otros generales ilustres, como había dicho el síndico.

Aunque Eleuterio no fuese un Tirteo ni un Píndaro,[9] que no lo era, tampoco era manco en achaques de malicia[10] y de buen sentido, y bien comprendía cuán ridículo resultaba, en el fondo, aquello de contribuir a salvar la patria, dado que en efecto zozobrase, con endecasílabos y heptasílabos[11] más o menos parecidos a los de Quintana.[12]

Si en otros tiempos, cuando él tenía dieciséis años y no había estado en Madrid ni era suscritor del *Fígaro*[13] de París, había sido, en efecto, poeta *épico*, y había *cantado* a la patria y los intereses morales y políticos, ahora ya era muy otro y no creía en la epopeya ni demás clases del género *objetivo;* no creía más que en la poesía íntima . . . y en la prosa de la vida. Por ésta, por la prosa de los garbanzos, se decidía a pulsar la lira pindárica,[14] porque tenía echado el ojo a la secretaría del Ayuntamiento, y le convenía estar bien con los regidores que le pedían que *cantase.* Considerando lo cual, volvió a morderse las uñas y a repasar lo de

Quiero cantar, por reprimir el llanto,
tu gloria, oh patria, al verte en la agonía . . .

Y otra vez se detuvo, no por dificultades técnicas, pues lo que le sobraban a él eran rimas; se detuvo porque de repente le asaltó una idea en forma de recuerdo, que no tardó en convertirse en agudo remordimiento. Ello era que más adelante, al final que ya tenía tramado, pensaba *exclamar,* como remate de la oda, algo por el estilo:

Mas ¡ay! que temerario,
en vano quise levantar el vuelo,
por llegar al santuario
del patrio amor, en la región del cielo.
Mas, si no pudo tanto
mi débil voz, mi pobre fantasía,

---

5. *lo más escogido del lugar,* the finest people in the town
6. *producto líquido,* net proceeds
7. i.e., the war in Spanish Morocco located in North Africa
8. *Otumba,* a plain in Mexico where Cortés won a decisive battle over the Aztecs in 1520; *Pavía,* Italian city where the Spanish army of Charles V defeated the French forces of Francis I in 1525. The *síndico* (syndic, a person chosen to handle the business of a corporation or the like) mistakenly believes that *Otumba* and *Pavía* were generals.
9. *Tirteo,* the Spartan poet Tyrtaeus (seventh century B.C.), known for his martial elegies;

Píndaro, the Greek lyric poet Pindar (*c.* 522-*c.* 443 B.C.), known for his triumphal odes.
10. *tampoco . . . malicia,* and he was not deficient in the matter of shrewdness
11. *endecasílabos, heptasílabos,* hendecasyllables (verses of eleven syllables), heptasyllables (verses of seven syllables)
12. Manuel José Quintana (1772-1857) wrote patriotic odes.
13. *Le Fígaro,* Paris newspaper well known to Spanish intellectuals
14. i.e., he decided to write poetry in the style of Pindar (patriotic odes) to obtain money for food; *garbanzos,* a common food, is equivalent to "daily bread."

corra mi sangre, como corre el llanto,
en holocausto de[15] la patria mía.
    ¡Guerra! no más arguyo[16] . . .
el plectro no me deis, dadme una espada:
si mi vida te doy, no te doy nada,
patria, que no sea tuyo;
porque al darte mi sangre derramada,
el ser que te debí te restituyo.

Y cuando iba a quedarse muy satisfecho, a pesar del asonante,[17] que algo le molestaba, sintió de repente, como un silbido dentro del cerebro, una voz que gritó: ¡Ramón!

Y tuvo Eleuterio que levantarse y empezar a pasearse por su despacho; y al pasar enfrente de un espejo notó que se había puesto muy colorado.

—¡Maldito Ramón! Es decir . . . maldito, no, ¡pobre![18] Al revés, era un bendito.

Un bendito . . . y un valiente. Valiente . . . gallina. Pues *Gallina* le llamaban en el pueblo por su timidez; pero resultaba una gallina valiente; como lo son todas cuando tienen cría y defienden a sus polluelos.

Ramón no tenía polluelos; al contrario, el polluelo era él; pero la que se moría de frío y de hambre era su madre, una pobre vieja que no tenía ya ni luz bastante en los ojos para seguir trabajando y dándoles a sus hijos el pan de cada día.

La madre de Ramón, viuda, llevaba en arrendamiento[19] cierta humilde heredad de que era propietario don Pedro Miranda, padre de Eleuterio. La infeliz no pagaba la renta. ¡Qué había de pagar si no tenía con qué! Años y años se le iban echando encima con una deuda, para ella enorme. Don Pedro se aguantaba; pero al fin, como los tiempos estaban malos para todos, la contribución baldaba a chicos y grandes; un día *se cargó de razón,* como él dijo, y se plantó,[20] y aseguró que ni Cristo había pasado de la cruz ni él pasaba de allí; de otro modo,[21] que María Pendones tenía que pagar las rentas atrasadas o . . . dejar la finca. "O las rentas o el desahucio." A esto lo llamaba *disyuntiva* don Pedro, y María *el acabóse,*[22] el fin del mundo, la muerte suya y de sus hijos, que eran cuatro, Ramón el mayor.

Pero en esto le tocó la suerte a Eleuterio,[23] el hijo único de don Pedro, el mimo de su padre y de toda la familia, porque era un estuche que hasta tenía la gracia de escribir en los periódicos de la corte, privilegio de que no disfrutaba ningún otro menor de edad en el pueblo. Como no mandaban entonces los del partido de Miranda, sino sus enemigos, ni en el Ayuntamiento ni en la Diputación provincial hubo manera de declarar a Eleuterio inútil para el servicio de las armas, pues lo de poeta lírico no era exención suficiente; y el único remedio era pagar un dineral para librar al chico.

15. *en holocausto de,* as a sacrifice to
16. *no más arguyo,* freely, I'm no longer content simply to sing about it
17. Clarín humorously speaks of assonance, which is not present in the verses just quoted.
18. poor fellow
19. *llevaba en arrendamiento,* had been leasing

20. *se plantó,* he took a stand
21. *de otro modo,* in other words
22. *A esto.... "el acabóse,"* Don Pedro called this his ultimatum (*disyuntiva*) and for María it was the last straw
23. *Pero . . . Eleuterio,* But Eleuterio's turn to be drafted came at this time

Pero los tiempos eran malos; dinero contante y sonante, Dios lo diera;[24] mas ¡oh idea feliz!

"El chico de la Pendones, el mayor . . . ¡justo!" Y don Pedro cambió su *disyuntiva* y dijo: o el desahucio o pagarme las rentas atrasadas yendo Ramón a servir al rey en lugar de Eleuterio. Y dicho y hecho.[25] La viuda de Pendones lloró, suplicó de rodillas; al llegar el momento terrible de la despedida prefería el desahucio, quedarse en la calle con sus cuatro hijos, pero con los cuatro a su lado, ni uno menos. Pero Ramón, *la gallina,* el enclenque sietemesino alternando entre las tercianas y el reumatismo, tuvo energía por la primera vez de su vida, y a escondidas de su madre, *se vendió,* liquidó[26] con don Pedro, y el precio de su sacrificio sirvió para pagar las rentas atrasadas y la corriente. Y tan caro supo venderse, que aun pudo sacar algunas pesetas para dejarle a su madre el pan de algunos meses . . . y a su novia, Pepa de Rosalía, un guardapelo que le costó un dineral, porque era nada menos que de plata sobredorada.

¿Para qué quería Pepa el pelo de Ramón, un triste mechón pálido, de hebras delgadísimas, de un rubio de ceniza, que estaban vociferando la miseria fisiológica del sietemesino de la Pendones? Ahí verán ustedes. Misterios del amor. Y no le querría Pepa por el interés. No se sabe por qué le quería. Acaso por fiel, por constante, por sincero, por humilde, por bueno. Ello era que, con escándalo de los buenos mozos del pueblo, la gallarda Pepa de Rosalía y Ramón *la gallina* eran novios. Pero

tuvieron que separarse. Él se fue al servicio; a ella le quedó el guardapelo, y de tarde en tarde fue recibiendo cartas de puño y letra de algún cabo, porque Ramón no sabía escribir; se valía de amanuense, pocas veces gratuito, y firmaba con una cruz.

Éste era el Ramón que se le atravesó entre ceja y ceja[27] al mejor lírico de su pueblo al fraguar el final de su elegía u oda a la patria. Y el remordimiento, en forma de sarcasmo, le sugirió esta idea: "No te apures, hombre; así como D. Quijote concluía las estrofas de cierta poesía a Dulcinea,[28] añadiendo el pie quebrado *del Toboso,* por escrúpulos de veracidad, así tú puedes poner una nota a tus ofrecimientos líricos de *sangre derramada,* diciendo, verbigracia:

Patria, la sangre que ofrecerte quiero,
en lugar de los cantos de mi lira,
no tiene mía más, si bien se mira,
que el haberme costado mi dinero.[29]

¡Oh, cruel sarcasmo! ¡Sí, terrible vergüenza! ¡*Cantar* a la patria mientras el pobre *gallina* se estaba batiendo como el primero,[30] allá abajo, en tierra de moros, en lugar del *señorito!*

Rasgó la oda, o elegía, que era lo más decente que podía hacer en servicio de la patria. Cuando vinieron el alcalde, el síndico y varios regidores a recoger los versos, pusieron el grito en el cielo al ver que Eleuterio los había dejado en blanco. Hubo alusiones embozadas a lo de la secretaría; y tanto pudo el miedo a perder la esperanza del destino, que el chico de Miranda tuvo que obligarse a *sustituir* (terrible vocablo para él) los versos que faltaban con un discurso improvisado de

24. *dinero . . . diera,* ready cash, God alone could furnish it
25. *Y dicho y hecho,* No sooner said than done.
26. he settled accounts
27. *que . . . ceja,* who became fixed in the mind (of)

28. Don Quijote's imaginary sweetheart who came from the village of Toboso
29. *no tiene . . . dinero,* doesn't have (a drop of) mine if it (*la sangre*) is examined carefully for its only cost to me has been money.
30. *como el primero,* like the best of them

los que él sabía *pronunciar* tan ricamente como cualquiera. Le llevaron al teatro, donde se celebraba la fiesta patriótica, y habló en efecto; hizo una paráfrasis en prosa, pero en prosa mejor que los versos rotos de la elegía u oda. Entusiasmó al público; se llegó a entusiasmar él mismo. En el patético epílogo se le volvió a presentar la figura pálida de Ramón . . . mientras ofrecía, entre vivas y aplausos de la muchedumbre, *sellarlo* todo con su sangre, si la patria la necesitaba, y se juraba a sí propio, echar a correr aquella misma noche camino de África, para batirse al lado de Ramón.

Y lo hizo como lo pensó. Pero al llegar a Málaga para embarcar, supo que entre los heridos que habían llegado de África dos días antes estaba un pobre soldado de su pueblo. Tuvo un presentimiento; corrió al hospital, donde vio al pobre Ramón Pendones próximo a la agonía.

Estaba herido, pero levemente. No era eso lo que le mataba, sino lo de siempre: la fiebre. Con la mala vida de campaña, las tercianas se le habían convertido en no sabía qué fuego y qué nieve que le habían consumido hasta dejarle hecho ceniza. Había sido durante un mes largo un *héroe de hospital*. ¡Lo[31] que había sufrido! ¡Lo mal que había comido, bebido, dormido! ¡Cuánto dolor en torno; qué tristeza fría, qué frío intenso, qué angustia, qué *morriña*! Y ¿cómo había sido lo de la herida? Pues nada; que una noche, estando de guardia, en un rayo de luna . . . ¡zas! un morito le había visto, al parecer, y, lo dicho ¡zas! . . . había hecho blanco. Pero en

blando.[32] Pero el frío, la fatiga, los sustos, la tristeza, ¡aquello sí! . . .[33]

Murió Ramón Pendones en brazos del *señorito,* muy agradecido y recomendándole a su madre y a su novia.

Y el señorito, más poeta, más *creador* de lo que él mismo pensaba, pero poeta épico, *objetivo,* salió de Málaga, pasó el charco[34] y se fue derecho al capitán de Ramón, un bravo de buen corazón y fantasía, y le dijo:

—Vengo de Málaga; allí ha muerto en el hospital Ramón Pendones, soldado de esta compañía. He pasado el mar para ocupar el puesto del difunto. Hágase usted cuenta que Pendones ha sanado y que yo soy Pendones. Él era mi *sustituto,* ocupaba mi puesto en las filas y yo quiero ocupar el suyo. Que la madre y la novia de mi pobre sustituto no sepan *todavía* que ha muerto; que no sepan jamás que ha muerto en un hospital, de tristeza y de fiebre . . . .

El capitán comprendió a Miranda.

—Corriente—le dijo—por ahora usted será Pendones; pero después, en acabándose la guerra . . . ya ve usted[35] . . .

—Oh, eso queda de mi cuenta[36]—replicó Eleuterio.

Y desde aquel día Pendones, dado de alta, respondió siempre otra vez a la lista. Los compañeros que notaron el cambio celebraron la idea del *señorito,* y el secreto del sustituto fue el secreto de la compañía.

Antes de morir, Ramón había dicho a Eleuterio cómo se comunicaba con su madre y su novia. El mismo cabo que solía escribirle las cartas, escribía ahora las de Miranda, que también las firmaba

---

31. **How**
32. *y, lo dicho . . . blando,* and, as I said, bang! . . . he had hit the target. But not in a vital spot.
33. *¡aquello sí!,* that did it

34. *pasó el charco,* crossed the sea
35. *ya ve usted,* you'll see; i.e., this will be found out
36. *eso queda de mi cuenta,* that's for me to worry about

con una cruz; pues no quería escribir él
por si reconocían la letra en el pueblo.

—Pero todo eso—preguntaba el cabo
amanuense—¿para qué les sirve a la
madre y a la novia si al fin han de
saber . . . ?
—Deja,[37]deja—respondía Eleuterio ensimismado.—Siempre es un respiro . . .
Después . . . Dios dirá.

La idea de Eleuterio era muy sencilla,
y el modo de ponerla en práctica lo fue
mucho más. Quería pagar a Ramón la
vida que había dado en *su lugar;* quería
ser sustituto del sustituto y dejar a los
seres queridos de Ramón una buena
herencia de fama, de gloria y algo de
provecho.

Y, en efecto, estuvo acechando la
ocasión de portarse como un héroe, pero
como un héroe de veras. Murió matando
una porción de moros, salvando una
bandera, suspendiendo una retirada y
convirtiéndola, con su glorioso ejemplo,
en una victoria esplendorosa.

No en vano era, además de valiente,
poeta, y más poeta épico de lo que él
pensaba: sus recuerdos de la *Ilíada*[38] y
otros poemas épicos, llenaron su fantasía
para inspirarle un *bel morir.*[39] Hasta para
ser héroe, artista, dramático, se necesita
imaginación. Murió, no como hubiera

muerto el pobre Ramón, sino con *distinción,* con elegancia. Su muerte fue
sonada,[40] no pudo ser un héroe anónimo.
Aunque simple soldado, su hazaña y
glorioso fin llamaron la atención y ex-
citaron el entusiasmo de todo el ejército.
El general en jefe le consagró un solemne
elogio; se le ascendió después de muerto;
su nombre figuró en letras grandes en
todos los periódicos, diciendo: "Un
héroe: Ramón Pendones"; y para su
madre hubo el producto de una cruz
póstuma, pensionada, que la ayudó, de
por vida a pagar la renta a don Pedro
Miranda, cuyo único hijo, por cierto,
había muerto también, probablemente en
la guerra, sin que se supiera cómo ni
dónde.

Cuando el capitán, años después, en
secreto siempre, refería a sus íntimos la
historia, solían muchos decir:

"La abnegación de Eleuterio fue
exagerada. No estaba obligado a tanto.
Al fin, el otro era sustituto; pagado estaba y voluntariamente había hecho el
trato."

Era verdad. Eleuterio fue exagerado.
Pero no hay que olvidar que era poeta;
y si la mayor parte de los señoritos que
pagan soldado, un soldado que muera en
la guerro, no hacen lo que Miranda, es
porque poetas hay pocos, y la mayor
parte de los señoritos son prosistas.

37. Don't be concerned
38. Homer's *Iliad,* an epic poem describing the
    siege of Troy

39. *bel morrir,* a beautiful death, an Italian
    phrase occurring in operas
40. was widely acclaimed

The Generation of 1898

The literature of the first twenty-five or thirty years of the twentieth century is dominated in the main by a group of authors that we call the "Generation of '98." Some critics have claimed that these men do not form a true literary group or school; perhaps their relationship is not so much literary as ideological. The date attributed to this group refers to the Spanish-American War, and to the Spaniard that war was a national catastrophe. The young men who grew up and began to write under the influence of this disaster b'amed it on the self-satisfied attitude of the past generation. They regarded the nineteenth century as a total failure in its attempts to reform governmental and social institutions. The desire for a complete break with the nineteenth century was common to all the new generation.

The young men of '98 felt that their first duty was to see Spain clearly, to lay aside the rose-colored glasses of optimism and see all the faults and shortcomings of their fatherland. Even in the description of landscape they avoided the smiling aspects of nature. In choice of characters and settings they also exposed the sores and wounds of the nation. With themselves they were no more indulgent. They pried into the recesses of their own minds and souls with the desire of finding out why they (and all the young people of their generation) were failures. They discovered within themselves an overwhelming lack of will to face the struggles of life. Thus their first principle was to discover the ills of Spain in order to attempt to heal them.

But when it came to positive suggestions for reforms and improvements, the Generation of '98 had no strikingly new solutions to offer. Its social program was largely a continuation of ideas of Larra, Galdós, and other less known nineteenth-century reformers. However, many new ideas were brought

248

in from outside Spain, and the young authors felt enthusiasm for Nietzsche, Ibsen, and many other European thinkers. Spain itself produced philosophers of outstanding caliber and originality for the first time in over two hundred years.

All this with regard to the social, political, and philosophical side of the Generation of '98. From the strictly literary point of view we find two characteristics in most of its members. The emphasis on originality of style is infinitely greater than ever before. All the young authors wished to break with the rhetorical style of the nineteenth century with its long sentences and frequent improvisation. No common style was established, each author being completely independent, but careful workmanship and a nervous, concise manner of writing was the rule. A great interest in the materials of their art—in this case, words—and the variety of new effects possible through new combinations is seen in these writers, just as a similar interest in materials can be observed in the young painters of the time. In the second place, many of this group of authors show a new kind of realism, tortured by pain, which appears in both landscape and characters. Oftentimes the characters of fiction reflect in their mental disturbances the mentality of the generation, introspective, analytical, and thoroughly dissatisfied with itself.

Miguel de Unamuno (1864–1936) was the guiding spirit of the Generation of '98. He was born into a middle-class, staunchly Catholic family from the Basque city of Bilbao, which he left at the age of sixteen to study philosophy and letters in Madrid. In 1891 he obtained the chair of Greek at the University of Salamanca and for a number of years was rector of this university.

This widely read, cultured man cultivated every literary genre: the essay, poetry, the novel, the short story, and even the drama. His complex and dynamic personality permeates all his writings. Like the other members of his generation, he was intensely preoccupied with all aspects of Spanish life and culture. His constant theme is the zealous, anguished quest for immortality which is epitomized in his masterpiece *Del sentimiento trágico de la vida* (1913). Unamuno's unending struggle between Christian faith and logical thought forms the basis of *La agonía del cristianismo* (1925) and Don Manuel, the priest in *San Manuel Bueno, mártir* (1933), Unamuno's last and perhaps best novel, faithfully captures the author's tormented skepticism. Unamuno's passionate, direct and highly stimulating style remarkably reflects the author's personality.

Azorín (real name, José Martínez Ruiz), (1874–1967) is really more of an essayist than a novelist. He gives us a splendid example of the Generation of '98's scrutinizing attitude toward Spain and the problem of personal adjustment to the world. All of his attention centers on two things: the landscape or atmosphere of Spanish life, and himself. His novels are his own spiritual history. He depicts himself as a shy, over-refined young man, too developed intellectually and too analytical to have will for action. In painting atmosphere, Azorín fixes his attention on small, humble things and is fond of minutely describing everything in a landscape, a street, or a room—as, for example, all the utensils and tools in a farm kitchen. He feels that these minute details are suggestive of the feeling of the whole scene. Moreover, while many great and important things pass away with time, the small, humble, everyday objects continue to exist. Azorín likes to give us the sensation of the passage of time through this device of showing how small things continue while men and even civilizations pass away.

Azorín, too, has a very personal style. He seldom uses any but the present tense and is fond of using subject pronouns and of repetition of words. Several of his important works are: *Castilla* (1912) and *Los pueblos* (1905), both collections of essays; and the novels *La voluntad* (1902) and *Doña Inés* (1925).

Pío Baroja (1872–1956) is generally considered to have been Spain's best novelist in the first half of this century. A rough, virile Basque from San Sebastián, he was a rural doctor for less than two years and also managed an aunt's bakery in Madrid for a brief time before he was finally launched on his literary career. In 1934 he was elected to membership in the Spanish Royal Academy. Despite his denials regarding his affiliation with the Generation of '98, his writings have some characteristics in common with these writers: a deep concern for Spain, which is usually conveyed to the reader in pessimistic, cynical, and autobiographical terms.

Baroja naturally turned to action as the remedy for the ills of life. But he felt that the checks and restrictions of society had robbed him of the freedom to act. Consequently a deep hatred for all branches of society runs throughout his work. As if to compensate for his own frustration, he turned to writing of men of action, men in conflict with society and indifferent to its laws. A great many of his heroes are adventurers or vagabonds; but he also has a type of hero, who, like himself, suffers from the inability to act. His narratives relate, in a deliberately rough style, devoid of all literary devices and sham, the rather haphazard adventures of his protagonists.

Paradox, rey (1906), one of Baroja's best novels, forms part of the trilogy *La vida fantástica* in which are also included *Aventuras, inventos y mixtificaciones de Silvestre Paradox* (1901) and the masterful *Camino de perfección* (1902). Although written at the beginning of this century, *Paradox, rey* has much appeal for the reader today. While showing how the imposing of European "civilization" on an African utopian society destroys the latter,

Baroja, with tongue in cheek, also makes known his ideas on politics, war, education, science, and colonization. When he describes curious African customs he is often satirizing conditions in Spain. Other noteworthy novels written by the prolific Baroja—he published ninety-eight books, mostly novels—are *Zalacaín, el aventurero* (1909), in which the protagonist, a likable Basque smuggler, typifies Baroja's men of action, and *El árbol de la ciencia* (1911), which gives a good picture of the Spaniards' attitudes at the time of the Spanish-American War (1898).

Ramón del Valle-Inclán (1866–1936) contrasts sharply with Baroja and with his whole generation in that he escapes from the problems of everyday life into a poetic, unreal world. Externally it resembles his native Galicia, but his imagination peoples it with primitive peasants filled with ancient superstitions and semi-pagan beliefs, and with despotic, cruel noblemen. Like Bécquer, Valle-Inclán never could distinguish what he imagined from what he really saw. He has an aristocratic distaste for the common stuff of life, and the artist's desire to remove himself from humdrum, bourgeois existence.

While seeking violent and weird emotions, Valle-Inclán falls into a decadent enjoyment of sensation for itself. Perhaps his attitude is best expressed by the word "perverse," for he often gives us exactly the contrary emotion to one which we normally expect. He writes in an unusually lyric style, more like poetry than prose. It is no doubt mannered, but it possesses beautiful rhythms and it is expressed in words often chosen not so much for their sense as for their power of suggestion.

Among his best known novels are the four *Sonatas* (1902–5), one for each season of the year, narrating in modernist prose the love life of the Marqués de Bradomín, a sensual and cynical Don Juan of the eighteenth century. Other notable novels are *Flor de santidad* (1904), a delightful legend set in Galicia; *Tirano Banderas* (1926), the satire of a dictator in an imaginary Latin American country; and *El ruedo ibérico* trilogy which caricaturizes Spanish politics of the second half of the nineteenth century. He wrote a number of satirical plays in prose and poetry which have stylistic and thematic kinship with his novels. He characterized the works of his last period (from 1920 on) as *esperpentos*, ironic distortions of reality. Valle-Inclán also wrote poetry and composed numerous short stories.

Jacinto Benavente (1866–1954), winner of the Nobel Prize for literature in 1922, began his career as a playwright with severely realistic pictures of Spanish life, showing a cold, cynical attitude towards the shortcomings of his characters. Benavente was born in Madrid, and in his early works he portrays the upper and middle classes of the capital. His tendency is to see the evil they do much more clearly than the good and to present it without moralization and with a frigid indifference to reform. In this early period he also deliberately tones down the dramatic intensity of his work.

Later in life he modifies all these characteristics. He often sets his plays in imaginary places, thus getting rid of the realism imposed by the Madrid atmosphere; he begins to moralize and to champion Goodness and Kindliness (which he finds only in women); and he often allows himself the most intense dramatic situations and violent action.

Benavente captured the stage from his great predecessor, Echegaray, and broke almost completely with Spanish tradition. He sought his models outside of Spain, in Shakespeare, Molière, Ibsen, and the contemporary French dramatists. The new direction he gave the drama was followed by all the younger group, including Martínez Sierra and Linares Rivas, and to some extent by the Quintero brothers.

Benavente's two most important plays are *Los intereses creados* (1907), a satire of human foibles that takes place in the seventeenth century, and *La malquerida* (1913), an intensely tragic work that has a rural setting and makes generous use of popular speech.

Antonio Machado (1875–1939) is the greatest poet of the Generation of '98. He was born in Sevilla and spent the formative period of his life in Madrid and in the small Castilian city of Soria, where he taught French in a secondary school. According to the poet himself, the five years he spent in Soria exerted a fundamental influence on his literary career: "*Cinco años en la tierra de Soria, hoy para mi sagrada—allí me casé; allí perdí a mi esposa a quien adoraba—, orientaron mis ojos y mi corazón hacia lo esencial castellano.*" And the essence of Castilla is to be found in his principal work, *Campos de Castilla* (1912), which contains descriptions of the arid steppes alternately baked by the sun or frozen by the cold of winter. His output of poetry is small but his simple, clear lyricism, in which he seeks to capture genuine human emotions, has attracted the admiration of younger poets. He was an ardent supporter of the Second Republic and when the Franco forces had all but achieved their victory he took refuge in the south of France, where he died in January 1939.

MIGUEL DE UNAMUNO

Mi religión

Me escribe un amigo desde Chile diciéndome que se ha encontrado allí con algunos que, refiriéndose a mis escritos, le han dicho: «Y bien, en resumidas cuentas, ¿cuál es la religión de este señor Unamuno?» Pregunta análoga se me ha dirigido aquí varias veces. Y voy a ver si consigo, no contestarla, cosa que no pretendo, sino plantear algo mejor el sentido de tal pregunta.

Tanto los individuos como los pueblos de espíritu perezoso—y cabe[1] pereza espiritual con muy fecundas actividades de orden económico y de otros órdenes análogos—propenden al dogmatismo, sépanlo[2] o no lo sepan, quiéranlo o no, proponiéndose o sin proponérselo. La pereza espiritual huye de la posición crítica o escéptica.

Escéptica, digo, pero tomando la voz escepticismo en su sentido etimológico y filosófico, porque escéptico no quiere decir el que duda, sino el que investiga o rebusca, por oposición al que afirma y cree haber hallado. Hay quien escudriña un problema y hay quien nos da una fórmula, acertada o no, como solución de él.

En el orden de la pura especulación filosófica, es una precipitación[3] el pedirle a uno soluciones dadas, siempre que haya hecho adelantar el planteamiento[4] de un problema. Cuando se lleva mal un largo cálculo, el borrar lo hecho y empezar de nuevo significa un no pequeño progreso. Cuando una casa amenaza ruina o se hace completamente inhabitable, lo que procede[5] es derribarla, y no hay que pedir que se edifique otra sobre ella. Cabe, sí, edificar la nueva con materiales de la vieja, pero es derribando antes ésta. Entretanto, puede la gente albergarse en una barraca si no tiene otra casa, o dormir a campo raso.

Y es preciso no perder de vista que para la práctica de nuestra vida rara vez tenemos que esperar a las soluciones científicas definitivas. Los hombres han vivido y viven sobre hipótesis y explicaciones muy deleznables y aun sin ellas. Para castigar al delincuente no se pusieron de acuerdo sobre si éste tenía o no libre albedrío, como para estornudar no reflexiona uno sobre el daño que puede hacerle el pequeño obstáculo en la garganta que le obliga al estornudo.

Los hombres que sostienen que de no creer[6] en el castigo eterno del infierno serían malos, creo, en honor de ellos, que se equivocan. Si dejaran de creer en una sanción de ultratumba, no por eso se harían peores, sino que entonces buscarían otra justificación ideal a su conducta. El que siendo bueno cree en un orden trascendente, no tanto[7] es bueno por creer en él cuanto que[7] creer en él por ser bueno. Proposición ésta que habrá de parecer oscura o enrevesada, estoy de ello cierto, a los preguntones de espíritu perezoso.

«Y bien, se me dirá: ¿cuál es tu religión?» Y yo responderé: «Mi religión es buscar la verdad en la vida y la vida en la verdad, aun a sabiendas de que no he de encontrarla mientras viva; mi religión es luchar con Dios desde el romper del alba hasta el caer de la noche, como dicen que con Él luchó Jacob.[8] No puedo transigir con aquello del Inconocible[9]—o Incognoscible, como escriben los pedantes—, ni con aquello otro de «de aquí no pasarás.» Rechazo el eterno *ignorabimus*.[10] Y en todo caso quiero trepar a lo inaccesible.

«Sed perfectos como vuestro Padre que está en los cielos es perfecto,» nos dijo

---

1. *cabe*, here, is compatible
2. *sépanlo*, whether they know it
3. *precipitación*, a getting ahead of oneself
4. *planteamiento*, formulation, stating
5. *proceder*, here, to come first
6. *de no creer*, if they don't believe
7. *no tanto . . . cuanto que*, not so much . . . as. (This sentence contains one of Unamuno's typical paradoxes.)
8. See Genesis 32. 24–28.
9. In his youth Unamuno was attracted to Herbert Spencer's philosophy, which declared that God was the unknowable. Now he rejects this doctrine.
10. *ignorabimus*, (Latin) we shall not know

el Cristo, y semejante ideal de perfección es, sin duda, inasequible. Pero nos puso lo inasequible como meta y término de nuestros esfuerzos. Y ello ocurrió, dicen los teólogos, con la gracia. Y yo quiero pelear mi pelea, sin cuidarme de la victoria. ¿No hay ejércitos y aun pueblos que van a una derrota segura? ¿No elogiamos a los que se dejaron matar peleando antes que rendirse? Pues ésta es mi religión.

Esos, los que me dirigen esa pregunta, quieren que les dé un dogma, una solución en que pueda descansar el espíritu en su pereza. Y ni esto quieren, sino que buscan poder encasillarme y meterme en uno de los cuadriculados en que colocan a los espíritus, diciendo de mí: «Es luterano, es calvinista, es católico, es ateo, es racionalista, es místico,» o cualquier otro de estos motes, cuyo sentido claro desconocen, pero que les dispensa de pensar más. Y yo no quiero dejarme encasillar, porque yo, Miguel de Unamuno, como cualquier otro hombre que aspire a conciencia plena,[11] soy una especie única. «No hay enfermedades, sino enfermos,» suelen decir algunos médicos, y yo digo que no hay opiniones, sino opinantes.

En el orden religioso apenas hay cosa alguna que tenga racionalmente resuelta, y como no la tengo, no puedo comunicarla lógicamente, porque sólo es lógico y transmisible lo racional. Tengo, sí, con el afecto, con el corazón, con el sentimiento, una fuerte tendencia al cristianismo, sin atenerme a dogmas especiales de esta o de aquella confesión cristiana. Considero cristiano a todo el que invoca con respeto y amor el nombre de Cristo, y me repugnan los ortodoxos, sean católicos o protestantes—éstos suelen ser tan intransigentes como aquéllos—, que nieguen cristianismo a quienes no interpretan el Evangelio como ellos. Cristiano protestante conozco que niega que los unitarios sean cristianos.

Confieso sinceramente que las supuestas pruebas racionales—la ontológica, la cosmológica, la ética, etc., etc.—de la existencia de Dios no me demuestran nada; que cuantas razones se quieren dar de que existe un Dios me parecen razones basadas en paralogismos[12] y peticiones de principio.[13] En esto estoy con Kant. Y siento, al tratar de esto, no poder hablar a los zapateros en términos de zapatería.

Nadie ha logrado convencerme racionalmente de la existencia de Dios, pero tampoco de su no existencia; los razonamientos de los ateos me parecen de una superficialidad y futileza mayores aún que los de sus contradictores. Y si creo en Dios, o, por lo menos, creo creer en El, es, ante todo, porque quiero que Dios exista, y después, porque se me revela, por vía cordial, en el Evangelio y a través de Cristo y de la Historia. Es cosa de corazón.

Lo cual quiere decir que no estoy convencido de ello como lo estoy de que dos y dos hacen cuatro.

Si se tratara de algo en que no me fuera la paz de la conciencia y el consuelo de haber nacido, no me cuidaría acaso del problema; pero como en él me va mi vida toda interior y el resorte de toda mi acción, no puedo aquietarme con decir: ni sé ni puedo saber. No sé, cierto es; tal vez no pueda saber nunca, pero «quiero» saber. Lo quiero, y basta.

Y me pasaré la vida luchando con el misterio y aun sin esperanza de penetrarlo, porque esa lucha es mi alimento y es mi consuelo. Sí, mi consuelo. Me he acostumbrado a sacar esperanza de la desesperación misma. Y no griten: ¡paradojas!, los mentecatos y los superficiales.

---

11. *a conciencia plena,* very conscientiously
12. *paralogismo,* false reasoning

13. *petición de principio,* begging the question

No concibo a un hombre culto sin esta preocupación, y espero muy poca cosa en el orden de la cultura—y cultura no es lo mismo que civilización—de aquéllos que viven desinteresados del problema religioso en su aspecto metafísico y sólo lo estudian en su aspecto social o político. Espero muy poco para el enriquecimiento del tesoro espiritual del género humano de aquellos hombres o de aquellos pueblos que, por pereza mental, por superficialidad, por cientificismo, o por lo que sea, se apartan de las grandes y eternas inquietudes del corazón. No espero nada de los que dicen: «¡No se debe pensar en eso!»; espero menos aún de los que creen en un cielo y un infierno como aquél en que creíamos de niños, y espero todavía menos de los que afirman con la gravedad del necio: «Todo eso no son sino fábulas y mitos; al que se muere lo entierran, y se acabó.» Sólo espero de los que ignoran, pero no se resignan a ignorar; de los que luchan sin descanso por la verdad y ponen su vida en la lucha misma más que en la victoria.

Y lo más de mi labor ha sido siempre inquietar a mis prójimos, removerles el poso del corazón, angustiarlos, si puedo. Lo dije ya en mi *Vida de Don Quijote y Sancho,* que es mi más extensa confesión a este respecto. Que busquen ellos como yo busco, que luchen como lucho yo, y entre todos algún pelo[14] de secreto arrancaremos a Dios, y, por lo menos, esa lucha nos hará más hombres, hombres de más espíritu.

Para esta obra—obra religiosa—me ha sido menester, en pueblos como estos pueblos de lengua castellana, carcomidos de pereza y de superficialidad de espíritu, adormecidos en la rutina del dogmatismo católico o del dogmatismo librepensador o cientista; me ha sido preciso aparecer unas veces impúdico e indecoroso; otras,

duro y agresivo; no pocas, enrevesado y paradójico. En nuestra menguada literatura apenas se le oía a nadie gritar desde el fondo del corazón, descomponerse, clamar. El grito era casi desconocido. Los escritores temían ponerse en ridículo. Les pasaba y les pasa lo que a muchos que soportan en medio de la calle una afrenta por temor al ridículo de verse con el sombrero por el suelo y presos por un polizonte. Yo, no; cuando he sentido ganas de gritar, he gritado. Jamás me ha detenido el decoro. Y ésta es una de las cosas que menos me perdonan estos mis compañeros de pluma,[15] tan comedidos, tan correctos, tan disciplinados hasta cuando predican la incorrección y la indisciplina. Los anarquistas literarios se cuidan, más que de otra cosa, de la estilística y de la sintaxis. Y cuando desentonan, lo hacen entonadamente; sus desacordes tiran a ser[16] armónicos.

Cuando he sentido un dolor he gritado, y he gritado en público. Los salmos que figuran en mi volumen de *Poesías* no son más que gritos del corazón, con los cuales he buscado hacer vibrar las cuerdas dolorosas de los corazones de los demás. Si no tienen esas cuerdas, o si las tienen tan rígidas que no vibran, mi grito no resonará en ellas y declararán que eso no es poesía, poniéndose a examinarlo acústicamente. También se puede estudiar acústicamente el grito que lanza un hombre cuando ve caer muerto de repente a su hijo, y el que no tenga ni corazón ni hijos se queda en eso.

Esos salmos de mis *Poesías,* con otras varias composiciones que allí hay, son mi religión, y mi religión cantada y no expuesta lógica y razonadamente. Y la canto, mejor o peor, con la voz y el oído que Dios me ha dado, porque no la puedo razonar. Y el que vea raciocinio y lógica, y método y exégesis, más que

---

14. *pelo,* here, bit, particle
15. *compañeros de pluma,* fellow writers

16. *tiran a ser,* tend to be

vida, en esos mis versos, porque no hay en ellos faunos, dríadas, . . . y otras garambainas más o menos modernistas, allá se quede con lo suyo, que no voy a tocarle el corazón con arcos de violín ni con martillo.

De lo que huyo, repito, como de la peste, es de que me clasifiquen, y quiero morirme oyendo preguntar de mí a los holgazanes de espíritu que se paren alguna vez a oírme: «Y este señor, ¿qué es?» Los liberales o progresistas tontos me tendrán por reaccionario y acaso por místico, sin saber, por supuesto, lo que esto quiere decir, y los conservadores y reaccionarios tontos me tendrán por una especie de anarquista espiritual, y unos y otros, por un pobre señor afanoso de singularizarse y de pasar por original y cuya cabeza es una olla de grillos.[17] Pero nadie debe cuidarse de lo que piensen de él los tontos, sean progresistas o conservadores, liberales o reaccionarios.

Y como el hombre es terco y no suele querer enterarse, y acostumbra después que se le ha sermoneado cuatro horas a volver a las andadas, los preguntones, si leen esto, volverán a preguntarme: «Bueno: ¿pero qué soluciones traes?» Y yo, para concluir, les diré que si quieren soluciones acudan a la tienda de enfrente, porque en la mía no se vende semejante artículo. Mi empeño ha sido, es y será que los que me lean piensen y mediten en las cosas fundamentales, y no ha sido nunca el de darles pensamientos hechos. Yo he buscado siempre

agitar, y, a lo sumo, sugerir más que instruir. Si yo vendo pan, no es pan, sino levadura o fermento.

Hay amigos, y buenos amigos, que me aconsejan me deje de esta labor y me recoja a hacer lo que llaman una obra objetiva, «algo que sea—dicen—definitivo, algo de construcción, algo duradero.» Quieren decir algo dogmático. Me declaro incapaz de ello y reclamo mi libertad, mi santa libertad, hasta la de contradecirme, si llega el caso. Yo no sé si algo de lo que he hecho o de lo que haga en lo sucesivo habrá de quedar por años o por siglos después que me muera; pero sé que si se da un golpe en el mar sin orillas, las ondas en derredor van sin cesar, aunque debilitándose. Agitar es algo. Si merced a esa agitación viene detrás otro que haga algo duradero, en ello durará mi obra.

Es obra de misericordia suprema despertar al dormido y sacudir al parado, y es obra de suprema piedad religiosa buscar la verdad en todo y descubrir dondequiera el dolo, la necedad y la inepcia.

Ya sabe, pues, mi buen amigo el chileno lo que tiene que contestar a quien le pregunte cuál es mi religión. Ahora bien: si es uno de esos mentecatos que creen que guardo ojeriza a un pueblo o una patria cuando le he cantado las verdades a alguno de sus hijos irreflexivos, lo mejor que puede hacer es no contestarles.

---

17. *olla de grillos,* pandemonium

AZORÍN

Las nubes

Calisto y Melibea se casaron—como sabrá el lector, si ha leído *La Celestina*[1] —a pocos días de ser descubiertas las rebozadas entrevistas que tenían en el jardín. Se enamoró Calisto de la que después había de ser su mujer un día que entró en la huerta de Melibea persiguiendo un halcón. Hace de esto[2] diez y ocho años. Veintitrés tenía entonces Calisto. Viven ahora marido y mujer en la casa solariega[3] de Melibea; una hija les nació que lleva, como su abuela, el nombre de Alisa. Desde la ancha solana[4] que está a la parte trasera de la casa se abarca[5] toda la huerta en que Melibea y Calisto pasaban sus dulces coloquios de amor. La casa es ancha y rica; labrada escalera de piedra arranca de lo hondo[6] del zaguán. Luego, arriba, hay salones vastos, apartadas y silenciosas camarillas, corredores penumbrosos, con una puertecilla de cuarterones en el fondo, que— como en *Las Meninas*,[7] de Velázquez— deja ver un pedazo de luminoso patio. Un tapiz[8] de verdes ramas y piñas gualdas[9] sobre fondo bermejo cubre el piso del salón principal: el salón, donde en cojines de seda, puestos en tierra, se sientan las damas. Acá y allá destacan silloncitos de cadera,[10] guarnecidos de cuero rojo, o sillas de tijera[11] con embutidos[12] mudéjares;[13] un contador[14] con cajonería[15] de pintada y estofada[16] talla,[17] guarda papeles y joyas; en el centro de la estancia, sobre la mesa de nogal, con las patas y las chambranas[18] talladas, con fiadores[19] de forjado hierro, reposa un lindo juego de ajedrez con embutidos de marfil, nácar y plata; en el alinde[20] de un ancho espejo refléjanse las figuras aguileñas, sobre fondo de oro, de una tabla[21] colgada en la pared frontera.

Todo es paz y silencio en la casa. Melibea anda pasito por cámaras y corredores. Lo observa todo; ocurre a todo. Los armarios están repletos de nítida y bien oliente ropa—aromada por gruesos membrillos[22]— . . .[23] Todo lo previene y a todo ocurre la diligente Melibea; en todo pone sus dulces ojos verdes. De tarde en tarde, en el silencio de la casa, se escucha el lánguido y melodioso son de un clavicordio: es Alisa que tañe. Otras veces, por los viales de la huerta,

1. The famous novel written at the end of the fifteenth century by Fernando de Rojas. Its hero and heroine, Calisto and Melibea, are passionate, ill-starred lovers. As we already know (Vol. I), both die in the original version. During a rendezvous he falls from the high garden wall, and she commits suicide by leaping from the tower of the mansion. But Azorín has imagined a different outcome, and slyly makes the reader a party to his changes.
2. *de esto,* from the present time
3. manor house
4. sun gallery
5. to take in (here, visually)
6. *lo hondo,* the back
7. A famous picture in the Museo del Prado, Madrid, showing the princess and her dwarfs,

8. Here, carpet
9. yellow
10. low armchair
11. *silla de tijera,* X-shaped chair
12. inlay work
13. Moorish
14. counting table, desk
15. set of drawers
16. ornamented
17. carved wood
18. frame
19. catch, hook
20. quicksilver (obsolete word)
21. Here, picture
22. quince
23. A description of the rest of the house, rich in the details so dear to Azorín, has been omitted.

se ve escabullirse calladamente la figura
alta y esbelta de una moza: es Alisa que
pasea entre los árboles.

La huerta es amena y frondosa. Crecen
las adelfas a par de[24] los jazmineros; al
pie de los cipreses inmutables ponen los
rosales la ofrenda fugaz—como la vida—
de sus rosas amarillas, blancas y bermejas.
Tres colores llenan los ojos en el jardín:
el azul intenso del cielo, el blanco de las
paredes encaladas y el verde del boscaje.
En el silencio se oye—al igual de un
diamante sobre un cristal—el chiar de
las golondrinas, que cruzan raudas sobre
el añil del firmamento. De la taza de
mármol de una fuente cae deshilachada,
en una franja, el agua. En el aire se
respira un penetrante aroma de jazmines,
rosas y magnolias. «Ven por las paredes
de mi huerto,» le dijo dulcemente Melibea a Calisto hace diez y ocho años.

Calisto está en el solejar, sentado junto
a uno de los balcones. Tiene el codo
puesto en el brazo del sillón, y la mejilla
reclinada en la mano . . . Nada puede
conturbarle ni entristecerle. Y, sin embargo, Calisto, puesta en la mano la
mejilla, mira pasar a lo lejos, sobre el
cielo azul, las nubes.

Las nubes nos dan una sensación de
inestabilidad y de eternidad. Las nubes
son—como el mar—siempre varias y
siempre las mismas. Sentimos, mirán-
dolas, cómo nuestro ser y todas las cosas
corren hacia la nada,[25] en tanto que
ellas—tan fugitivas—permanecen eternas. A estas nubes que ahora miramos,
las miraron hace doscientos, quinientos,
mil, tres mil años, otros hombres con las
mismas pasiones y las mismas ansias que
nosotros. Cuando queremos tener aprisionado el tiempo—en un momento de
ventura—vemos que han pasado ya semanas, meses, años. Las nubes, sin embargo, que son siempre distintas, en todo
momento, todos los días, van caminando

por el cielo. Hay nubes redondas, hen-
chidas, de un blanco brillante, que destacan en las mañanas de primavera sobre
los cielos translúcidos. Las hay como
cendales tenues, que se perfilan en un
fondo lechoso. Las hay grises sobre una
lejanía gris. Las hay de carmín y de oro
en los ocasos inacabables, profundamente
melancólicos, de las llanuras. Las hay
como velloncitos iguales e innumerables,
que dejan ver por entre algún claro un
pedazo de cielo azul. Unas marchan
lentas, pausadas; otras pasan rápidamente. Algunas, de color de ceniza,
cuando cubren todo el firmamento, dejan
caer sobre la tierra una luz opaca, tami-
zada, gris, que presta su encanto a los
paisajes otoñales.

Siglos después de este día en que
Calisto está con la mano en la mejilla,
un gran poeta—Campoamor—habrá de
dedicar a las nubes un canto en uno de
sus poemas titulado *Colón*. «Las nubes—
dice el poeta—nos ofrecen el espectáculo
de la vida» . . . «Vivir . . . es *ver pasar*.»
Sí; vivir es ver pasar: ver pasar, allá en
lo alto, las nubes. Mejor diríamos: vivir
es *ver volver*. Es ver volver todo en un
retorno perdurable, eterno; ver volver
todo—angustias, alegrías, esperanzas—
como esas nubes que son siempre distintas y siempre las mismas, como esas
nubes fugaces e inmutables.

Las nubes son la imagen del Tiempo.
¿Habrá sensación más trágica que aquélla
de quien sienta el Tiempo, la de quien
vea ya en el presente el pasado y en el
pasado lo por venir?

En el jardín, lleno de silencio, se
escucha el chiar de las rápidas golondrinas. El agua de la fuente cae deshilachada por el tazón de mármol. Al pie
de los cipreses se abren las rosas fugaces,
blancas, amarillas, bermejas. Un denso
aroma de jazmines y magnolias embal-
sama el aire. Sobre las paredes de nítida

---

24. *a par de,* along with

25. nothingness

cal resalta el verde de la fronda; por encima del verde y del blanco se extiende el añil del cielo. Alisa se halla en el jardín, sentada, con un libro en la mano. Sus menudos pies asoman por debajo de la falda de fino contray;[26] están calzados con chapines de terciopelo negro, adornados con rapacejos[27] y clavetes[28] de bruñida[29] plata. Los ojos de Alisa son verdes, como los de su madre; el rostro, más bien alargado que redondo. ¿Quién podría contar la nitidez y sedosidad de sus manos? Pues de la dulzura de su habla, ¿cuántos loores no podríamos decir?

En el jardín todo es silencio y paz. En lo alto de la solana, recostado sobre la barandilla, Calisto contempla extático a su hija. De pronto, un halcón aparece revolando rápida y violentamente por entre los árboles. Tras él, persiguiéndole, todo agitado y descompuesto, surge un mancebo. Al llegar frente a Alisa, se detiene absorto, sonríe y comienza a hablarla.

Calisto lo ve desde el carasol y adivina sus palabras. Unas nubes redondas, blancas, pasan lentamente, sobre el cielo azul, en la lejanía.[30]

26. a fine cloth
27. border
28. stud, nail
29. burnished
30. In precisely this same way, chasing his straying falcon, Calisto entered this same garden and saw Melibea for the first time. History is repeating itself. Calisto can guess the young man's words because the emotional situation is identical, and human emotion is the most unchanging element throughout the centuries of man's existence. So Calisto looks at the clouds and sees that they too are evanescent and fleeting, but withal ever returning and eternal.

PIO BAROJA

Paradox, rey

PRIMERA PARTE

II

Explicaciones[1]

Un cuarto pequeño, bajo, pintado de azul. De la ventana, abierta, entra el aire tibio de la noche. La luz de un quinqué, colocado sobre una mesa-consola, que tiene un hule blanco lleno de dibujos hechos con tinta, alumbra la estancia. Hay un armario con cortinillas ya rotas, a través de las cuales

1. In the first chapter of this book, "El proyecto de Paradox," we find Silvestre Paradox and his friend Avelino Diz de la Iglesia in a town near the city of Valencia. Paradox arouses his companion's interest when he proposes that they take a trip to the Gulf of Guinea off the coast of West Africa. Details of Paradox's plan are brought out in this chapter. Silvestre Paradox is a short, stout, and far from handsome bachelor in his mid- to late forties. A mischievous rebel from childhood, he has always pursued an adventurous life. His plans and inventions have generally turned out to be impractical. The relationship between the idealistic Paradox and the stubborn, literal-minded Diz is reminiscent of the association between Don Quijote and Sancho Panza. Diz and Paradox both recall conflicting aspects of Barojas' own character.

aparecen montones de libros desencuadernados, papeles, prensas, tarros de goma, y en medio de este batiburrillo una calavera con rayas y nombres escritos con tinta azul y roja. Arrimados a la pared hay un sofá y varias sillas, todas de distinta clase y forma.

DIZ (*sentándose en el sofá de golpe y hablando con amargura*). Otra vez ha preparado usted algo sin contar para nada conmigo.[2]

PARADOX. ¡Bah! Pensaba comunicarle a usted mi proyecto en el momento de ir a realizarlo.

DIZ. ¿Y por qué no exponerme antes el plan?

PARADOX. Es que es usted tan impaciente . . .

DIZ. ¿Eso quiere decir que soy un fatuo, un mentecato, un botarate?

PARADOX. No inventemos, don Avelino. No dé usted suelta a su imaginación volcánica. Yo no he dicho eso.

DIZ. No, pero es igual; lo ha dado usted a entender.

PARADOX. Si viene usted con esas susceptibilidades de siempre,[3] aplazaremos la explicación para otro día; hoy está usted, sin duda, nervioso.

DIZ. ¿Yo? . . . Estoy tan nervioso como usted; ni más, ni menos.

PARADOX (*sonriendo*). Mi pulso marcará ahora mismo setenta y dos pulsaciones por minuto.

DIZ. El mío no marcará ni setenta. ¿Quiere usted explicar su proyecto, sí o no?

PARADOX. No tengo inconveniente alguno. Usted no se habrá enterado, porque usted tiene el privilegio de no enterarse de nada; usted no se habrá enterado, repito, de que hace unos meses hubo un Congreso de judíos en Basilea.[4]

DIZ (*muy fosco*). Ciertísimo; no me he enterado.

PARADOX. Pues bien; en ese Congreso se discutió el porvenir del pueblo judío . . .

DIZ. Un pueblo de granujas y de usureros.

PARADOX. Conforme; pero usted no debía hablar así, porque tiene usted un tipo semita.[5]

DIZ. Yo me río de mi tipo.

PARADOX. Eso es otra cosa. Pues bien; como decía, se discutió el porvenir del pueblo hebreo en esa reunión y se señalaron dos tendencias: una, la de los tradicionalistas, que querían comprar la Palestina e instaurar en ella la nación judía, con Jerusalén como capital; otra, la de los modernistas, que encontraban más práctico, más económico y más factible el fundar una nueva nación hebrea en África.

DIZ. No sé adónde va usted a parar.

PARADOX. Lo irá usted sabiendo.[6]

DIZ. Es que . . .

PARADOX. Si me interrumpe usted, no sigo.

DIZ. Seré mudo como una tumba.

(*Se extiende en el sofá y apoya los pies en la mesa.*)

PARADOX. Entonces, continuaré. Hará ya

2. *sin contar para nada conmigo,* without taking me into consideration at all
3. *si viene . . . siempre,* if you are in your usual touchy mood
4. *Congreso de judíos en Basilea,* the first World Zionist Congress, was called by Theodor Herzl at Basel (1897). The first issue to split the Zionist movement was whether Palestine was essential to the Jewish state. A majority of the delegates to the seventh Zionist Congress of 1905—probably the year in which *Paradox, rey* was written —felt that it was essential and rejected the British offer of a homeland in Uganda, East Africa.

5. *tiene usted un tipo semita,* you have a Jewish look

6. *Lo irá usted sabiendo,* You will find out in due course.

unos meses, no sé si usted recordará, que traje de Valencia, cubriendo una caja de sobres, un trozo de un periódico inglés. Usted no se fija en estos detalles, y, sin embargo, en esos detalles está muchas veces un descubrimiento tan importante como el de la gravedad. ¿No le parece a usted?

DIZ. He dicho que seré mudo.

PARADOX. Muy bien. Está usted en su derecho. Leí el periódico por curiosidad y lo guardé. Aquí lo tengo; dice así: (*Lee.*) «El acaudalado banquero de Londres, Mr. Abraham Wolf, uno de los príncipes de la banca judía, partidario entusiasta de la fundación de la patria israelita en el África, piensa hacer en breve un viaje por la costa de los Esclavos.[7] Con este objeto, el señor Wolf ha invitado a la excursión a algunos hombres de ciencia, naturalistas y exploradores. Parece ser que el proyecto del señor Wolf es formar un gran sindicato, con el objeto de ir transportando[8] al África a los judíos pobres, dándoles luego tierras y útiles de labranza. El señor Wolf está actualmente en Tánger,[9] desde donde partirá la primera expedición a principios del . . . »

DIZ. ¿Por qué no sigue usted?

PARADOX. Porque no sigue el trozo del periódico que traje. Inmediatamente de leer esto, se me ocurrió la idea de que debía escribir a ese Wolf. ¡Idea luminosa!

DIZ. ¿Y lo hizo usted?

PARADOX. En el acto.

DIZ. ¿Y le ha contestado?

PARADOX. Sí.

DIZ. ¿Y qué dice? ¡Tiene usted una calma verdaderamente inaguantable!

PARADOX (*registrándose los bolsillos*). ¿Dónde está ese demonio de carta? . . . ¡Ah!, aquí la tengo. Verá usted; dice así: «No puedo ofrecerles, por ahora, más que el viaje y la asistencia gratis en mi goleta *Cornucopia*. Si después encuentran ustedes alguna ventaja en quedarse en el Cananí,[10] trataremos del asunto más despacio. Para tomar parte en la expedición, que saldrá el veinte de enero, tienen ustedes que encontrarse aquí antes del día quince.

Si no han hecho sus preparativos para esta fecha, no se molesten en venir.

Si, por el contrario, están dispuestos a llevar a cabo el viaje, pueden tomar el vapor el día ocho. Con la carta que adjunto les envío, para el jefe de las oficinas de la Trasatlántica,[11] les facilitarán pasaje gratis hasta Tánger.

De ustedes, etc., etc.,[12] Abraham Wolf».

DIZ (*levantándose del sofá y poniéndose de pie*). Entonces no hay tiempo que perder.

PARADOX. ¿Qué? . . . ¿Se decide usted?

DIZ. ¿Quién se atreverá a impedirlo? Hay que prepararlo todo inmediatamente. ¿Dónde está el Conill?[13]

PARADOX. Estará durmiendo.

DIZ. Voy a despertarlo; tengo que darle órdenes.

PARADOX. Deje usted a ese apreciable roedor que duerma. Quedan dos días aún para hacer los preparativos.

---

7. *costa de los Esclavos*, Slave Coast, the coast of West Equatorial Africa, which was a center of slavery traffic from the sixteenth to the nineteenth centuries.

8. *ir transportando*, gradually transporting

9. *Tánger*, Tangier, a seaport in north Morocco, formerly the capital of the internationalized Tangier Zone which became part of Morocco in 1956.

10. *Cananí*, a fictitious name for an African place

11. *Transatlántica*, a steamship line

12. *De ustedes, etc., etc.*, the *et ceteras* stand for other words in the ending of a Spanish letter; the whole phrase is equivalent to our "Sincerely yours."

13. *el Conill*, Valencian for *el Conejo*, the Rabbit. Conill is probably a servant.

DIZ. Vamos a ver el mapa. (*Buscando en el armario febrilmente.*) Pero, ¿dónde está el mapa?

PARADOX. Debajo de esos papeles, ahí al lado de la calavera, lo tiene usted.

DIZ. ¡Ah!, es verdad. (*Hojeando el mapa.*) Aquí está . . . Europa . . . , España . . . , Francia . . . , Inglaterra . . . , Asia . . . , América . . . ¿Y África?

PARADOX. Se le ha pasado usted.[14] ¡Va usted con la velocidad de un exprés americano!

DIZ. ¡Ah!, está aquí, ya la encontré. ¡África! ¡Admirable país! ¡Verdadera cuna de la civilización! . . . Es el único lugar donde se puede vivir dignamente.

PARADOX. ¿Cree usted? . . .

DIZ. No lo ponga usted en duda. ¡África! ¡Tierra sublime no perturbada por la civilización! . . . ¿Tocaremos en las Canarias,[15] eh?

PARADOX. Es probable.

DIZ. ¿Luego, en Cabo Verde?[16]

PARADOX. Es casi seguro.

DIZ. Y, después, ya, hacia el golfo de Guinea[17] . . . Derechos al misterio . . . A lo desconocido . . . A la esfinge[18] . . . ¿Y dónde desembarcaremos?

PARADOX. No lo sé todavía.

DIZ. ¿En el Senegal? ¿En el Camerón? . . . ¿Quizá en el Congo?[19]

PARADOX. *Ignoramus, ignorabimus,*[20] como dijo el ilustre fisiólogo Du Boys-

Reimond,[21] en su célebre discurso de Berlín.

DIZ. ¡Qué admirable idea! Voy a realizar el sueño de toda mi vida.

PARADOX. ¿De veras tenía usted el pensamiento de ir a África? No le había oído a usted expresar ese deseo nunca.

DIZ. Es que era un pensamiento oculto; vago, ideal, lejano; tan oculto, que casi yo mismo no me he dado cuenta de él. Amigo Paradox, ¡abracémonos!, un proyecto así es nuestra gloria; es el triunfo decisivo sobre los que nos han calumniado, sobre los que han querido escarnecer nuestro nombre, sobre los que han hecho a nuestro alrededor la conspiración del silencio.

PARADOX. ¿Para qué recordar esas pequeñeces? No vale la pena.

DIZ. Tiene usted razón; olvidemos lo minúsculo. Pensemos en lo grande. ¡Qué magnífica idea ha tenido usted! ¡Exploraremos, Paradox!

PARADOX. Seguramente.

DIZ. Descubriremos.

PARADOX. Es muy probable.

DIZ. Remontaremos ríos inexplorados.

PARADOX. Sin duda alguna.

DIZ. Escalaremos montañas inaccesibles.

PARADOX. Inaccesibles hasta el momento en que las subamos nosotros.

DIZ. Y nuestros nombres, unidos como los de Lavoisier y Laplace[22] . . .

PARADOX. Los de Cailletet y Pictet[23] . . .

14. *Se le ha pasado usted,* You've passed it by.
15. *Canarias,* the Canaries, a group of mountainous islands in the Atlantic near the northwestern coast of Africa, forming two provinces of Spain
16. *Cabo Verde,* Cape Verde Islands, a group of islands in the Atlantic, west of French West Africa, a territory of Portugal
17. *golfo de Guinea,* Gulf of Guinea, the large open bay in the angle of West Africa
18. Diz undoubtedly knows that the Sphinx, *la Esfinge,* is in Egypt far from the Gulf of Guinea. He is most likely using the Sphinx as a figure of speech to denote the inscrutable nature of the African continent.
19. *Senegal . . . Camerón . . . Congo,* Senegal, a republic, formerly a territory in French West Africa; Cameroons, a former German colony of West Africa, divided between

France and England after World War I and now a republic; Congo, territory of Equatorial and West Africa comprising former possessions of Belgium, France, and Portugal, now two separate nations.
20. *Ignoramus, ignorabimus* (Latin), we do not know, and we never shall
21. *Du Boys-Reimond, Émile* (1818–96), famous German physiologist of French origin
22. *Lavoisier y Laplace,* Antoine Laurent Lavoisier (1743–94), French chemist; Pierre Simon, Marquis de Laplace (1749–1827), French mathematician and astronomer
23. *Cailletet y Pictet,* Louis Paul Cailletet (1823–1913), French physicist and metallurgist, who in 1897 succeeded in liquefying oxygen and hydrogen a few days before the Swiss physicist and chemist Raoul Pictet (1842–1909) accomplished the same feat

DIZ. Los de Dulong y Petit[24] . . .

PARADOX. Los de Pelouze y Fremy[25] . . .

DIZ. . . . Y tantos otros, pasarán al panteón de la Historia.

PARADOX. ¿De la historia de la ciencia, por supuesto?

DIZ. Naturalmente, de la historia de la ciencia.

PARADOX (*aparte*). Amigo mío, dijo Dinarzada,[26] ¡qué cuento más maravilloso!

IV

A bordo de la Cornucopia[27]

Está amaneciendo; llovizna y sopla un viento frío. PARADOX, DIZ DE LA IGLESIA, HARDIBRÁS, HACHI OMAR *y otros esperan en el muelle a que venga el bote que ha de conducirles a la «Cornucopia».* PARADOX, *con su gabán amarillo de verano y su sombrerito jovial, está acompañado de su fiel* YOCK;[28] DIZ DE LA IGLESIA *viste una gorra inglesa y un impermeable;* HARDIBRÁS, *derecho sobre su pierna de palo, apoyado en un bastón, espera tranquilo; su brazo izquierdo, que es de madera, termina en un gancho de hierro, y colgando de él lleva todo su equipaje, que consiste en una caja de sobres con unos cuellos postizos y un paquete de tabaco.* HACHI OMAR *anda de un lado a otro con un farol.*

PARADOX. Pero ¡cómo tarda esa gente! A ver[29] si se olvidan de nosotros.

DIZ (*asustado por el mal tiempo, con cierta íntima esperanza de que se olviden de ellos*). No, no se olvidarán.

HARDIBRÁS. Nos fastidian.[30]

PARADOX. No se les ve.

EL MAR. Desecha tu impaciencia, Paradox. Olvida tus proyectos. ¡Retírate! ¡Huye! Pronto, si no,[31] sobre débil bajel, en la ancha mar de los ruidos tempestuosos, te verás estremecido de

24. *Dulong y Petit,* Pierre Louis Dulong (1785–1838), French physician and chemist who collaborated with Alexis Thérèse Petit (1791–1820), a French physicist and chemist, in discovering the "law of Dulong and Petit" (1819) concerning specific heats and atomic weights

25. *Pelouze y Fremy,* the French chemists Théophile Jules Pelouze (1807–67) and Edmond Frémy (1814–94), made important discoveries in industrial chemistry

26. *dijo Dinarzada,* as Dinarzade would say. *The Thousand and One Nights* or *Arabian Nights* comprises a series of Oriental tales in Arabic narrated by Scheherazade, a vizier's daughter, who kept her husband, the sultan Schariar, from killing her by telling him fascinating stories. Finally, after 1001 nights, the sultan decided to spare Scheherazade's life. Dinarzade, Scheherazade's younger sister, would praise the stories every night near dawn and thus stimulate Schariar's curiosity to hear more fascinating adventures of such well-known fictional people as Ali Baba, Sinbad the Sailor, and Aladdin.

27. In Chapter III, Paradox and Diz meet Abraham Wolf in a hotel in Tangier and also several people who will sail in the expedition. They are Hachi Omar, Mr. Wolf's Moorish servant; General Pérez from Venezuela and his daughter Dora; and Hardibrás, the one-eyed veteran of many wars who has a wooden leg and arm

28. Paradox's dog; Baroja's dog was also named Yock.

29. *A ver = Vamos a ver*

30. *Nos fastidian,* They're taking advantage of us

31. *si no,* if you don't

espanto y tu existencia será juguete de las grandes y obscuras olas azotadas por el soplo del Aquilón.

PARADOX. No, nunca volver atrás.

HACHI. Allá está; ahí viene el bote.

(*Se ve acercarse una lancha entre la neblina. Salta uno de los marineros a la escalera del muelle y sujeta el bote. Van bajando todos,*[32] *y a la luz del farol de* HACHI OMAR, *se van colocando en los bancos.* HARDIBRÁS, *trabajosamente, comienza también a bajar.*)

PARADOX. Venga usted, déme usted la mano.

(HARDIBRÁS *pone su gancho de hierro en la mano de* PARADOX, *entra en la lancha y se sienta. Los marineros comienzan a remar y se aleja el bote en medio de la bruma y de la llovizna.*)

PARADOX (*señalando a* HARDIBRÁS). ¡Pobre hombre! La verdad, cuando me ha dado el brazo de madera con su gancho de hierro, creo que le temblaba de emoción.

DIZ. ¿Qué, el gancho?

PARADOX. Sí.

DIZ. ¡Qué farsante es usted! . . . Decían en el hotel que Wolf no iba a venir; ¿será verdad?

PARADOX. Oye, Hachi Omar, ¿no venir[33] el amo con nosotros?

HACHI. No, él tener negocios. Nosotros esperarle a él en las Canarias.

PARADOX. ¿En las antiguas Hespérides o Afortunadas?[34] Muy bien.

DIZ. ¿Y esos otros señores que en la mesa dijeron ayer que vendrían, si se atreverán?[35] . . .

PARADOX. Sí, creo que sí. Aquí tengo la lista de los que vamos. Me la dio Wolf y la apunté anoche en mi diario.

DIZ. Vamos a ver.

PARADOX (*tomando el farol de* HACHI OMAR, *y leyendo*). Lista de la tripulación y pasajeros del yacht inglés *Cornucopia*, de 350 toneladas, de la matrícula de Liverpool:

Enrique Jenkins, capitán.
William Duncan, piloto.
Santiago Stewart, maquinista.
Jaime Rose, primer fogonero.
Juan Drake, segundo fogonero.
Arturo Cooper, contramaestre.
Dick Blanch, carpintero.
Tomás Allen, marinero.
Matías Goodwin, marinero.
Santiago Witfield, marinero.
Thady Bray, grumete.

DIZ. Total: once hombres. Vamos a ver los pasajeros.

PARADOX. Entre los pasajeros hay algunos que forman parte de la expedición y otros que van en calidad de turistas; yo todavía no sé cuáles son los de una clase y los de otra. En la lista los he puesto juntos. (*Leyendo.*)

Dora Pérez.

DIZ. ¿Vendrá su padre con ella?

PARADOX. ¡Ca! Ha dicho que no. (*Sigue leyendo.*)

Mr. Ganereau, y su hija Beatriz.
Arthur Sipsom, fabricante de agujas de Manchester.
Eichthal Thonelgeben, geólogo y naturalista.
Avelino Diz de la Iglesia, inventor.
Hachi Omar, intérprete.
Ignacio Goizueta, técnico.

---

32. *Van bajando todos,* One by one they all get in
33. Paradox uses the infinitive instead of the proper form of the verb to imitate Hachi Omar's broken Spanish.
34. *Hespérides o Afortunadas.* According to Greek mythology, the Hesperides were nymphs who guarded, with the aid of a fierce serpent, a garden in which grew golden apples. The Fortunate Isles, today called the Canary Islands, was the name given to one of the possible locations of this enchanted garden; hence Hesperides is used metaphorically for the islands.
35. *si se atreverán,* do you think they will dare to?

Silvestre Paradox, agrimensor.
John Hardibrás.
A este último no le he puesto la pro-
fesión. Señor Hardibrás, ¿qué pro-
fesión le pongo a usted?
HARDIBRÁS. Ponga usted soldado.

PARADOX. Muy bien.
DIZ. ¿No hay más?
PARADOX. No; por ahora, no.
(*Se acerca el bote a la «Cornucopia», y
van subiendo a bordo los pasajeros.*) . . .

VII

La tempestad[36]

Es el tercer día de navegación, de noche; corre un viento fresco. PARADOX
y MISS PICH[37] *pasean sobre cubierta.* MISS PICH *es flaca, de color de orejón y
pelo azafranado. Tiene un cuello de nuez puntiaguda, con un sistema muscular que parece hecho de cuerdas.*

MISS PICH. ¿Ha leído usted ya el número
de mi *Revista Neosófica,* señor Paradox?
PARADOX. Sí, sí; muy interesante. Hay
artículos verdaderamente atrevidos.
MISS PICH. ¿Se ha fijado usted en el estudio de la señorita Dubois sobre «Las
anomalías nasales de los soldados, en
Inglaterra»?
PARADOX. Sí, tiene un gran interés. ¡Oh!,
un interés extraordinario. Y diga
usted, miss Pich, se me ocurre una
duda: ¿esas observaciones nasales son
todas oculares?[38]
MISS PICH. ¡Oh!, completamente oculares.
PARADOX. También he creído observar
que la revista entera está escrita por
mujeres.
MISS PICH (*sonriendo*). En mi redacción,
no pone la pluma ningún hombre.
PARADOX. ¿Los desprecian ustedes?
MISS PICH. Sí; los desdeñamos.
PARADOX. Vamos, los consideran ustedes
como unos pobres pingüinillos.

MISS PICH. Eso es. Los hombres son seres
inferiores. Para la fecundación y la
procreación de la especie, son indispensables, por ahora al menos; pero para
los trabajos especulativos, filosóficos,
artísticos . . . las mujeres. Ellos, los
pobres, son negados para eso.
PARADOX. Sin embargo, miss Pich, Sócra-
tes, Shakespeare . . .
MISS PICH (*vivamente*). Es que esos eran
mujeres.
PARADOX. ¿De veras?
MISS PICH. Está demostrado.[39] El rey
David tambien era mujer; y en el
texto hebreo de la Biblia, pone *la reina
David.*
PARADOX. ¿Qué me dice usted?
MISS PICH. Lo que usted oye.
PARADOX. ¿Y cómo se explica usted ese
cambio de sexo tan escandaloso?
MISS PICH. Muy sencillamente. Es que
los hombres, con la necia vanidad que
les caracteriza, han querido que la
reina David fuera de su sexo, y han

36. The Cornucopia set out for the Canary
Islands and Paradox became acquainted
with the motley group of passengers on
board.
37. Miss Pich is an Englishwoman who is a
zealous feminist. Her name describes her
appearance which is that of a dried up
peach (*orejón*).
38. i.e., are they visible to the naked eye?
39. *Está demostrado,* It has been proved

falseado la Historia.

PARADOX. ¡Ah! Ahí está el secreto. Creo que ha puesto usted el dedo en la llaga.

GANEREAU. ¡Hola, Paradox!

MISS PICH (*aparte*). Este francés insubstancial viene a interrumpirnos. Ya hablaremos, señor Paradox. ¡Buenas noches!

GANEREAU. ¿Estaba usted oyendo las explicaciones de esa vieja loca?

PARADOX. Sí.

GANEREAU. ¿Qué le parece a usted?

PARADOX. Creo que estamos en presencia de una gallinácea vulgar. Ya sabe usted que estas aves tienen la mandíbula superior abovedada, las ventanas de la nariz cubiertas por una escama cartilaginosa, el esternón óseo y en él dos escotaduras anchas y profundas, las alas pequeñas y el vuelo corto. Son los caracteres de miss Pich.

GANEREAU. ¿Cree usted que miss Pich tiene el vuelo corto?

PARADOX. Estoy convencido de ello.

GANEREAU. Pues yo la consideraba como una harpía.[40]

PARADOX. Error. Error profundo. Es una gallinácea vulgar.

GANEREAU. Y hablando de otra cosa, ¿usted sabe hacia dónde estamos ya? No debe de faltarnos mucho para llegar a las Canarias. Hemos perdido de vista, hace tiempo, la costa de África. ¿En qué dirección se encuentran ahora Las Palmas?[41]

PARADOX. Yo creo que por ahí.

GANEREAU. A mí, me parece todo lo contrario. (*A* SIPSOM, *que pasea sobre cubierta.*) ¿En qué dirección estarán las Canarias, señor Sipsom?

SIPSOM. No sé, no me lo figuro. El capitán lo sabrá a punto fijo.

GANEREAU. No; yo no le quiero decir nada. Ayer, a una pregunta que le hice, me contestó diciéndome que él no tenía necesidad de darme explicaciones.

SIPSOM. Es un imbécil. Consulten ustedes con el ingeniero alemán.

PARADOX. No, hombre, dejadlo. Está muy distraído charlando con la americana. Le explicará geología. Es una ciencia muy interesante. (*A* GOIZUETA, *que está cerca de la borda mirando al mar.*) ¿Qué hay, Goizueta? Usted siempre tan pensativo.

GOIZUETA. Dígales usted a esos señores que se retiren. Vamos a tener mal tiempo.

PARADOX. ¿Cree usted . . . ? caído el primer chubasco.

GOIZUETA. Antes de media hora ha[42]

PARADOX. ¿Y usted no piensa retirarse?

GOIZUETA. Yo, no; a mí me gusta ver de cerca la tempestad.

PARADOX. A mí, también. Le acompañaré a usted.

GOIZUETA. ¡Vaya un capricho de mojarse![43]

PARADOX. Si ha de haber tempestad, prefiero presenciarla sobre cubierta que no[44] padecerla en el camarote. Vuelvo en seguida.

(PARADOX *avisa a* THONELGEBEN *y a* GANEREAU *para que indiquen a* DORA *y a* BEATRIZ *la conveniencia de retirarse.*

Van entrando todos en las cámaras de popa. GOIZUETA *y* PARADOX, *con su perro, quedan sobre cubierta.*

Las nubes comienzan a avanzar y ocultan la luna. Sopla un viento frío, mezclado con llovizna. El tiempo se va cerrando en agua,[45] con truenos y relámpagos; el viento ligero se hace

---

40. In Greek mythology, the Harpy was a ravenous, filthy, monster having a woman's head and bird's body.
41. *Las Palmas,* a seaport in the Canary Islands, on Gran Canaria
42. *ha = habrá*

43. *¡Vaya . . . mojarse!,* You really want to get wet!
44. *que no,* rather than
45. *El tiempo . . . agua,* The storm clouds gather and it begins to rain

más rudo y se convierte luego en un vendaval furioso, acompañado de una lluvia continua.

El mar toma un aspecto imponente. A veces, sale la luna entre las nubes y se ve el agua blanca y espumosa. Olas como montañas entran por las bordas, barren la cubierta y vuelven al mar con un estruendo de catarata. GOIZUETA y PARADOX se agarran a dos anillas del puente, y, calados, contemplan la tempestad.)

GOIZUETA. Este capitán no sabe lo que se hace.[46] Ha perdido la cabeza. (*A un marinero que corre a clavar la escotilla.*) ¿Por qué no tomamos hacia alta mar?[47]

EL MARINERO. No hay modo de enderezar el rumbo.

(*Un monte de agua, reventando sobre popa, sube por el puente y sale por la proa, arrastrando una porción de objetos, que no se distinguen en la obscuridad de la noche. La obra muerta chasquea y cruje; las olas caen de través, una tras otra, como golpes de ariete, sobre la cubierta. El barco se balancea de un modo violento y terrible.)*

GOIZUETA. Pero ese timonel ¿qué hace? ¿En qué está pensando?

(*PARADOX se separa un momento y mira hacia el puente.*)

PARADOX. No hay nadie ahí arriba.

GOIZUETA. ¿No?

PARADOX. No.

THADY BRAY (*que viene corriendo*). Una ola se ha llevado al capitán.

GOIZUETA. Avisadle al teniente.

THADY BRAY. El teniente está borracho.

GOIZUETA. Entonces vamos nosotros al timón.

(GOIZUETA, PARADOX y THADY BRAY, *con*

el agua hasta las rodillas, llegan hasta la escalera del puente y van subiendo con gran trabajo.

Durante horas y horas, siguen los tres en el puente.

Comienza a amanecer; nubarrones rojizos aparecen en el cielo; el viento se calma un tanto; la niebla va tomando un color blanquecino; luego comienza a hacerse transparente y se ve el mar, que sigue encrespado, con grandes olas espumosas.)

GOIZUETA. Aprenda usted, para que pueda substituirme.

PARADOX. Ya veo lo que usted hace.

GOIZUETA. Las olas que vienen de través son las peores; la ola hay que tenerla[48] delante o atrás, nunca a los lados. La mejor manera de pasarlas es cortarlas por derecho. Vea usted cómo vienen.

PARADOX. Ésta es tremenda.

GOIZUETA. Hay que orzar más, ¡más aún!, que[49] no nos coja de lado . . . así.

(*El barco se levanta de proa hasta mirar con el bauprés al cielo, y luego se hunde en el abismo. El agua rebasa por las bordas con un estrépito de torrente.)*

PARADOX. ¿Y hay que conservar la brújula en esa dirección?

GOIZUETA. A poder ser,[50] sí. Casi siempre pasan tres olas fuertes; luego viene un momento de calma y entonces se debe virar. ¿Se atreve usted a quedarse solo?

PARADOX. Sí; venga[51] el timón.

GOIZUETA. Ojo a la brújula y córtalas siempre en derecho. Vamos a ver qué le pasa al teniente y si hay algo que comer por abajo.

PARADOX. De paso, tranquilicen ustedes a las mujeres.

GOIZUETA. Ya lo haremos.

---

46. *lo que se hace,* what he's doing
47. *¿Por qué . . . mar?,* Why don't we head for the open sea?
48. *la ola hay que tenerla,* you have to keep the waves

49. *que = para que*
50. *A poder ser,* If it's possible
51. let's have

(*Bajan* GOIZUETA *y* THADY BRAY *del puente.* PARADOX *queda solo con* YOCK, *que sacude a cada paso sus lanas mojadas. El viento le ha llevado el sombrero a* PARADOX, *y se ata el pañuelo a la cabeza. La lluvia, pulverizada por las ráfagas de aire, le cala la ropa.*)
PARADOX (*agarrado a la rueda del timón*).

¡Quién te había de decir a ti, pobre 10 hombre dedicado a las ciencias naturales y a la especulación filosófica, que habías de luchar tú solo con el mar inmenso, hasta dominarlo y vencerlo, por lo menos, durante un ins- 15 tante!
EL VIENTO. Hu . . . hu . . . hu . . . Yo soy el látigo de estas grandes y obscuras olas que corren sobre el mar. Yo las azoto, las empujo hasta el cielo, las 20 hundo hasta el abismo . . . Hu . . . hu . . . hu . . .
EL MAR. Yo no tengo albedrío; no tengo voluntad; soy masa inerte, soy la fuerza ciega, la fatalidad que salva o condena; 25 que crea o que destruye.
EL VIENTO. Mis cóleras son sus cóleras; mis mandatos, sus furias.
EL MAR. Esta ola que embiste como un toro furioso, que golpea como un 30 ariete, que salta, que rompe, que deshace, no ansía el daño, no busca la destrucción; ayer brillaba en perlas en las flores al amanecer, en el campo. Corrió luego por río,[52] fue nube roja 35 en el crepúsculo esplendoroso de una tarde, y hoy es ola, y mañana volverá a ser lo que fue, rodando por el círculo eterno de la eterna substancia . . .
PARADOX. Sí, todo cambia, todo se trans- 40 forma en los límites del Espacio y del Tiempo, y todo, sin embargo, sigue siendo igual y lo mismo . . . No me asustas, tempestad, por más que brames; no eres más que un aspecto, 45

y un aspecto insignificante del mundo de los fenómenos.
YOCK. No hay otro hombre como mi amo. No le asusta ni el mar tempestuoso ni el terrible huracán; en vez de quejarse contra el destino, discurre sobre la esencia de las cosas. ¡Hombre admirable; eres casi digno de ser perro! . . .
(*Pasan así durante más de una hora,* PARADOX *y* YOCK. *En esto sube* GOIZUETA *al puente.*)
GOIZUETA. Aquí le traigo a usted un poco de galleta y de ron.
PARADOX (*sorprendido*). ¡Ah! ¿Es usted?
GOIZUETA. No hay que olvidarse, mirando a las olas, de que hay que comer y beber. Conviene tener fuerzas.
PARADOX. ¿Y abajo, qué ocurre?
GOIZUETA. Un escándalo. Una cosa repugnante. Los marineros están borrachos; los otros mareados y locos de miedo.
PARADOX. ¿Tan poca filosofía tienen?
GOIZUETA. ¿Y usted cree que la filosofía quita el miedo?
PARADOX. ¡No lo ha de quitar![53] El miedo no es más que un aspecto de la ignorancia. Ignorar es el principio de temer.
GOIZUETA. Es posible.
PARADOX. Es seguro.
(*Comen y beben los dos y se substituyen en la rueda del timón.*)
PARADOX. ¿Y el grumete?
GOIZUETA. Ha ido abajo, a las calderas. Es un chico templado.

(*En esto,*[54] *el palo mayor cruje, se rompe, y queda colgando, torcido, sujeto por el cordaje.*
GOIZUETA *sube por la escala con el cuchillo en la boca, corta las cuerdas rápidamente y el palo cae al mar, donde desaparece. A medida que el*

---

52. *Corrió luego por río,* Then it became part of a running river
53. *¡No lo ha de quitar!,* Naturally!
54. *En esto,* At this moment

día avanza, comienza a subir la bruma
y se va viendo a lo lejos, a intervalos,
entre las masas de niebla que corren a
impulsos del huracán, una costa bravía
de arrecifes sobre la que saltan mon- 5
tañas de espuma.)

PARADOX. ¿Y no se podrá desembarcar
ahí?

GOIZUETA. ¿En dónde? . . . Es imposible.
  (Calma un poco el viento.) 10

PARADOX. Esto parece que se arregla.[55]

GOIZUETA. Creo que no.

PARADOX. Pues ahora el barco no cabecea.

GOIZUETA. Caprichos.[56] Los barcos tienen
sus locuras, como las mujeres . . . Al 15
medio día el tiempo estará peor.

(A pesar de la opinión de GOIZUETA, *el*
mar llega a calmarse algo, y PARADOX
baja del puente y entra en las cámaras de
popa.) 20

PARADOX. Vamos, señores; ya empieza
a pasar el peligro.

DORA. ¡Ay, yo me muero!

BEATRIZ. Yo me encuentro muy mala.

PIPERAZZINI.[57] Estoy malísimo . . . 25

PARADOX. Salgan ustedes un momento a
respirar; esto les hará bien.

(Todos los viajeros aparecen sobre
cubierta y comienzan a andar de un lado
a otro, a pesar de los balanceos del barco.)

DIZ *(con una palidez sepulcral).* ¡Esto ha
sido una traición!

PARADOX. ¿Por qué?

DIZ. Porque sí. Me han tenido aquí encerrado con las mujeres. He intentado
salir y no he podido. Si se hubiese
usted ahogado me alegraría, porque es
usted un imbécil, un farsante, que
viene aquí a echárselas de héroe.

PARADOX. ¡Don Avelino!

DIZ. ¿Qué? . . . He dicho que es usted
un imbécil y lo sostengo; he dicho que
me hubiera alegrado de verle a usted
en el agua, y lo sostengo también.

PARADOX. Pero mientras tanto, usted no
se puede sostener. ¿Qué quiere usted
que hiciera? Cuando le cuente a usted
lo que ha pasado, comprenderá usted
que no le he podido avisar.

(DIZ se calla, iracundo. Los demás
viajeros respiran con delicia el aire del
mar. Al anochecer, vuelve de nuevo a
soplar el viento y a llover de una manera
persistente.)

XI

En tierra[58]

Está amaneciendo. DORA, BEATRIZ *y la* MÔME FROMAGE[59] *calientan agua en*
una gran tetera; los demás hablan alrededor del fuego.

---

55. *Esto parece que se arregla,* The weather
seems to be getting better.
56. It's just being capricious.
57. He is a professional gambler who plans to
set up a gambling house in Africa.
58. Goizueta, the engineer, has been named captain. The worst of the storm passes over,
but the ship having run out of coal, drifts
for days. One night the pilot, Duncan, and
several sailors and passengers—Miss Pich is
one of them—row off to the nearby beach
in the only lifeboat on the Cornucopia.
When the steamer founders on the reefs,
the remaining passengers and crew are able
to reach shore by using the recovered life
boat and they even take along necessary
supplies on a hastily constructed raft.
59. *Môme Fromage,* "cheese kid" in French, a
fat old former dancer of the Moulin Rouge,
a well-known Parisian music hall.

SIPSOM. Creo que es conveniente hacer el resumen de nuestra situación. Estamos en África. ¿En qué latitud? . . . no lo sabemos; pero lo probable es que el punto en donde nos encontramos esté en la costa de Guinea. No quedan víveres más que para unos días.

BEPPO. Hay dos sacos de arroz.

SIPSOM. Todo eso lo consumiremos pronto, y entonces lo más probable es que el hambre nos obligue a internarnos en el continente. Tendremos que sufrir grandes contrariedades; y como la desgracia desune, es posible que cada uno quiera tirar por su lado,⁶⁰ lo cual sería un grave inconveniente para la salvación de todos. Propongo, pues, que se nombre un jefe.

TODOS. Aceptado.

PARADOX. Goizueta ha sido nuestro capitán en el mar; ¿por qué no ha de serlo también en tierra?

SIPSOM. Yo propongo al señor Paradox.

THONELGEBEN. Me parece el mejor.

TODOS. Aceptado, aceptado.

PARADOX. No, yo no.

GOIZUETA. No tiene usted más remedio que aceptar.

PARADOX. Entonces, acepto.

DIZ (por lo bajo). ¡Farsante! ¡No quiere más que darse tono!

PARADOX. Puesto que me asignan ustedes un papel tan importante, trataré de salvar, como mejor pueda, los intereses comunes.

SIPSOM. Usted dispone lo que tengamos que hacer ya desde hoy.⁶¹

PARADOX. Lo primero que vamos a hacer es construir una balsa sólida y sacar todo lo que podamos de la *Cornucopia.*

DIZ. ¿Y no sería mejor . . . ?

PARADOX. No, no sería mejor, don Avelino. Creo que la *Cornucopia* se va a

desbaratar muy pronto; ¿no le parece a usted, Goizueta?

GOIZUETA. Es muy probable que antes de una semana no le quede ni un madero.

PARADOX. Vamos, señores.

BEATRIZ (*sirviendo el té*). Tienen ustedes suerte. Hay tazas para todos; no se pueden ustedes quejar.

(*Van tomando el té.*)

PARADOX. ¿Estamos?⁶²

SIPSOM. Sí.

PARADOX (*a las mujeres*). Ustedes, mientras nosotros hacemos la balsa, se dedican a secar los fusiles y las armas por si les ha atacado la humedad.

DORA. Muy bien, señor Paradox.

PARADOX. Hardibrás y Beppo les harán compañía.

HARDIBRÁS. A la orden, mi capitán.

PARADOX. Puede usted dedicarse a pescar, señor Hardibrás, mientras Beppo hace la comida. Es un entretenimiento muy filosófico.

BEPPO. ¡Hacer la comida! ¿Con qué, señores, si no hay más que arroz y queso . . . ?

PARADOX. ¿Y le parece a usted poco un alimento tan completo que tiene una gran cantidad de nitrógeno?

SIPSOM. Una advertencia a las señoras. Como el desembarcadero no está cerca y, en el caso de que gritaran ustedes, no les oiríamos, la bandera de la *Cornucopia* está aquí, si nos necesitan, la tremolan en el aire. Habrá quien tenga cuidado de mirar⁶³ a cada momento.

DORA. Está muy bien, señor Sipsom. ¡Muchas gracias!

(*Marchan todos y, bajo la dirección de* GOIZUETA, *se ponen a trabajar en la balsa hasta darle la suficiente consistencia. Le*

---

60. *cada uno . . . lado,* each one may wish to go his own way
61. *Usted . . . hoy,* You decide what we have to do from now on.

62. Are we ready?
63. *Habrá . . . mirar,* There will be someone on duty to keep watch

*ponen un palo con un petifoque, y unas
veces a impulsos del viento, y otras a
remolque de la lancha, llegan a la «Cornucopia».*

Arrancan del barco todas las tablas 5
*que pueden, forman otra balsa con
maderas y barriles, y las dos cargadas
vuelven a la isla, a fondear en el desembarcadero.*

Al mediodía van a la tienda de 10
campaña. HARDIBRÁS *ha encontrado
un criadero de ostras.* BEPPO *ha hecho
una sopa de arroz. Comen y, durante
toda la tarde, van descargando las dos
balsas.* 15

*Al día siguiente por la mañana, al
levantarse, miran al mar. Del casco de
la «Cornucopia» no queda más que
el armazón batido por las olas que se
cruzan y llevan flotando entre sus* 20
*espumas trozos de cordajes y de ma-
deras.)*

SIPSOM. Ahora debemos empezar la construcción de la casa. Creo que no nos
podremos quejar. Vamos a estar mejor 25
de lo que queremos.[64]

DORA. ¿De veras?

PARADOX. Hay hasta cristales. Eso me
parece un lujo inútil. Hay agua,
comida . . . Beppo ha encontrado 30
unas bananas que, machacadas, se
comen como pan. ¿Qué más se puede
desear?

BEATRIZ. La verdad es que, dentro de la
desgracia, tenemos suerte.

SIPSOM. Yo prefiero estar aquí que no[65]
en Europa. Es mucho más divertido.

DIZ. Yo también.

PARADOX. Yo casi lo preferiría, si no
pesara sobre mí este cargo que me han
conferido ustedes.

DIZ. ¡Farsante!

*(Mientras hablan, dos negros espían y
escuchan la conversación. Pasa el día.
Los náufragos entran en la tienda de
campaña y, en este momento, dos grandes
canoas que bajan por el río, doblan la
punta de la isla, entran en el canal y van
acercándose con precaución, sin meter
ruido alguno, al embarcadero.*

*Atracan las dos canoas, y de ellas van
saliendo negros y más negros armados
de lanzas, hachas y azagayas. Uno de
los salvajes corta las cuerdas que sostienen la tienda de campaña, que cae
sobre los que duermen, envolviéndolos
en los pliegues de la tela.)*

TODOS. Pero, ¿qué hay? ¿Qué pasa?

LOS NEGROS. ¡Masinké![66] ¡Masinké!

*(Los van prendiendo uno a uno, atán-
doles las manos y llevándolos a sus
canoas.* YOCK *y* DAN, *el perro danés de*
SIPSOM, *les siguen.)*

---

64. *Vamos . . . queremos,* We are going to be
better off than we expect.

65. *que no,* rather than
66. a war cry, invented by Baroja

Segunda Parte

I

El primer ministro

En la ciudad de Bu-Tata, capital del reino de Uganga,[1] que es un conjunto de aduares formado por cabañas y cuevas pobrísimas, a orillas de un ancho río que se despeña en grandes cascadas. En un corral, cercado por una valla, están todos los náufragos.

LOS NEGROS *(alrededor, a coro).* ¡Ron! ... ¡Ron!

GOIZUETA. ¡Granujas! ¡Ya os daría yo ron[2] con una buena estaca! . . .

BEATRIZ. ¿Nos matarán, papá?

GANEREAU. No, hija mía; no.

PARADOX. ¿Qué clase de negros son éstos?

GOIZUETA. Una clase bastante fea.

THONELGEBEN. Son mandingos[3]; una raza poco inteligente y muy cruel. Venden sus mujeres y sus chicos por cualquier cosa.

PARADOX. ¿Qué ángulo facial cree usted que tendrán?

THONELGEBEN. No sé. Es un punto que no me preocupa, señor Paradox.

(Se produce en la masa de negros un movimiento de curiosidad, y se ve aparecer sobre las cabezas, en un palanquín dorado, un negrazo con sombrero de tres picos, levita azul con charreteras y sin zapatos.

El personaje desciende arrogantemente del palanquín y entra en el vallado, en donde están los náufragos prisioneros, seguido de su comitiva.)

EL MINISTRO FUNANGUÉ. ¡Ron! ¡Ron!

GOIZUETA. No hay ron.

(Funangué frunce el ceño. PARADOX, para apaciguarle, le ofrece su reloj.)

FUNANGUÉ. Yo no querer[4] tu animal; morirse en mis manos.

PARADOX. No morirse, no. Todos los días darle vida así. *(Funangué sonríe, dándole cuerda al reloj.)*

FUNANGUÉ. ¿Sois ingleses?

PARADOX. Sí.

FUNANGUÉ. ¿Tenéis huesos?

PARADOX. Sí. Muchos. Sólo en la cabeza tenemos el frontal, los dos parietales, los dos temporales, el occipital . . .[5]

FUNANGUÉ. ¿Y sois blancos por todo el cuerpo?

PARADOX. Por todas partes. Esto depende

1. *Bu-Tata, Uganga,* fictitious places whose names suggest real African places: the towns Bata (Spanish Guinea) and Buta (Belgian Congo), the Ubangi River in equatorial Africa, and the British protectorate of Uganda.

2. *Ya os daría yo ron,* I'd really give you rum (if I could)

3. The Mandingos comprise a number of Negro peoples forming an extensive linguistic group in Western Africa.

4. The broken Spanish of the natives is reflected in their use of infinitives which is the same speech pattern used by Hachi Omar. In his conversation with Funangué, Paradox uses the same speech pattern.

5. *frontal, parietales, temporales, occipital,* the frontal bone (forming the forehead), the parietal bones (on side and top of cranium), the temporal bone (on the sides and base of the skull), and the occipital bone (lower posterior part of the skull). Baroja studied medicine and was a doctor for a brief time.

de que los corpúsculos de Malpighio[6]
. . .

FUNANGUÉ (*indicando el reloj*). ¿Tu animal es para mí?

PARADOX. Sí.

FUNANGUÉ. Gracias; muchas gracias. (*Agarrando a uno de su escolta de la oreja y dirigiéndose a* PARADOX.) Toma este otro animal para ti. Sabe un poco de inglés.

(*El caballero* PIPERAZZINI *saca un terrón de azúcar del bolsillo, y se lo ofrece al primer ministro. El hombre lo prueba; luego lo come y se relame después.*)

FUNANGUÉ. ¿No tenéis ron, de veras?

SIPSOM. No; aquí no. Pero lo sabemos hacer.

FUNANGUÉ. ¿En cuánto tiempo lo podéis hacer?

SIPSOM. En siete u ocho días.

FUNANGUÉ. Yo pensaba mataros, pero esperaré a que hagáis el ron.

SIPSOM. Te advierto que necesitamos instrumentos que se han quedado en el sitio donde estábamos.

FUNANGUÉ. Se irá a buscarlos[7] y os los traerán.

SIPSOM. Nadie los conoce más que nosotros.

FUNANGUÉ. Entonces, pediré permiso al rey para que os deje marchar. Bagú, el gran mago, ha dicho que es necesario mataros para apaciguar a la Luna, pero esperaremos.

SIPSOM. Harás bien. La Luna esperará también sin impacientarse. Te daremos ron; te daremos oro; te daremos telas bonitas; todo será para ti.

FUNANGUÉ ¿Todo para mí?

SIPSOM. Todo.

FUNANGUÉ. Hasta mañana.

(*El primer ministro sale del vallado, sube al palanquín poniendo el pie en la espalda de un negro, y se aleja.*)

GOIZUETA (*contemplando al negro regalado por el ministro*). Y este chato se ha quedado aquí. ¿Qué hacemos con él?

PARADOX (*al negro*). ¿Y tú, no te vas?

UGÚ. Yo no; yo soy vuestro.

PARADOX. ¿Cómo te llamas?

UGÚ. Ugú, que en nuestro idioma quiere decir el bello.

PARADOX. ¡Hombre, es interesante! Ugú . . . , que quiere decir el bello . . . ; voy a apuntarlo.

SIPSOM. ¿Y tú crees que nos matarán?

UGÚ. Sí.

SIPSOM. ¿Y no habrá medio de salvarnos?

UGÚ. Prometedle algo a Bagú el mago.

SIPSOM. ¿Y quién es ese hombre?

UGÚ. Es el mago más sabio de toda Uganga.

SIPSOM. ¿Y qué hace?

UGÚ. Conoce las treinta y tres maneras de aplacar al Fetiche. Tiene además una calabaza llena de cosas excelentes para contentar a la Luna, y unas bolas de estiércol muy eficaces para acertar el porvenir.

PARADOX. ¿Y acierta?

UGÚ. Pocas veces.

PARADOX. Vamos . . . casi nunca.

UGÚ. Es verdad.

PARADOX. ¿Pero se sigue creyendo en él?

UGÚ. Es natural; es mago.

SIPSOM. ¿Y qué vicios tiene ese hombre? ¿Es borracho?

UGÚ. No.

SIPSOM. ¿Es avaro?

UGÚ. Algo.

PARADOX. Sí, es vicio de magos y de hierofantes.

---

6. *corpúsculos de Malpighio,* **Malpighian** corpuscles or certain small round bodies occurring in the cortical substance of the kidney

7. *Se irá a buscarlos,* **Some men will go for** them

SIPSOM. ¿Es fanático?
UGÚ. Mucho.
SIPSOM. ¿Es cruel?
UGÚ. Más.
SIPSOM. ¿Es ambicioso?
UGÚ. Más aún.
SIPSOM. ¿Le gustan las mujeres?

UGÚ. Quiere casarse con la princesa Mahu, la hija del rey.
SIPSOM. ¿Y ella le quiere?
UGÚ. No. Ella quiere a Hi-Ji, que es un
5 esclavo de su padre.
PARADOX. ¿Quién será este otro pingüinillo que viene por ahí?

II

El primer sacerdote

Se oye el sonido de un tantán; *después un estrépito acompasado de cascabeles y de campanillas. Se abre de nuevo la multitud y aparece un negro
pintarrajeado de arriba abajo. Lleva un moño lleno de lazos, plumas y
adornos de latón; un collar de calaveras de pájaros que le cae sobre el pecho;
en la cintura una especie de falda llena de campanillas, y entre los dientes
una pipa.*

BAGÚ. Yo soy el primer sacerdote de
Uganga. Tengo esta calabaza llena de
cosas excelentes para aplacar las iras 10
de la Luna y de los Fetiches.
SIPSOM (*inclinándose*). ¡Señor, eres un
grande hombre!
BAGÚ. Habéis ofendido con vuestra presencia a la Luna; mañana, al amanecer, 15
se os cortará la cabeza a todos.
SIPSOM. Tu sabiduría es grande, señor.
Tienes la fuerza del león . . .
PARADOX. . . . Y la astucia de la serpiente.   20
SIPSOM. Dígnate escucharme un momento
a solas, hombre extraordinario.
BAGÚ. Te escucho. (*A los de la comitiva.*)
Alejaos.
SIPSOM. Entre nosotros, señor, hay tam- 25
bién un mago. Yo no puedo indicar
quién es. El ha dicho hace un momento: El sabio hechicero Bagú conoce
las treinta y tres maneras de aplacar
al Fetiche; tiene las mejores bolas, del 30
mejor estiércol, en la mejor calabaza
de todas las calabazas posibles; sabe
adivinar el porvenir; pero hay una

mujer que no le quiere porque el
sabio Bagú no conoce la flor que abre
los corazones, como yo la conozco.
BAGÚ. ¿Y quién de vosotros es el mago?
SIPSOM. No lo puedo decir, me está pro-
hibido.
BAGÚ. ¿Y no ha dicho más?
SIPSOM. Sí, algo más ha indicado; pero no
sé si atreverme . . .
BAGÚ. Habla, habla sin miedo.
SIPSOM. Ha dicho también que su vida
y la tuya, ¡oh gran mago!, dependen
de la misma estrella. Que el día que
tú mueras, él morirá; que el día que
él muera, tú morirás necesariamente.
BAGÚ. ¿Y quién es . . . , quién es ese
hombre?
SIPSOM. No puedo responderte. No puedo
indicar ni si soy yo, ni si son los demás,
ni si es hombre o mujer.
BAGÚ. ¿Tú crees que me dará esa flor que
abre los corazones?
SIPSOM. Sí; te dará algo más.
BAGÚ. ¿Qué?
SIPSOM. La flor que sirve para hacerse
rey.

BAGÚ (*pensativo*). ¿Qué hay que hacer para obtener esa flor?

SIPSOM. Nosotros hemos dejado, en el sitio donde nos prendieron, un aparato extraño que indica dónde se cría la planta de esa flor. Si permites que vayamos allá, antes de poco te entregaremos esa flor, serás dueño del corazón de una mujer y serás rey.

BAGÚ. Está bien; iréis.

(*Dicho esto, el primer sacerdote de Uganga se aleja de* SIPSOM *y se reúne a su gente. Suena de nuevo el* tantán.)

EL VERDUGO. Mañana a la mañana, gran mago, ¿verdad?

BAGÚ. No; hay que esperar. La Luna lo manda.

PARADOX (*a* SIPSOM). ¡Hurrah! ¡Hurrah por la pérfida Albión![8]

III

No está la felicidad en las alturas

En el palacio real, que es una barraca hecha con adobes, la PRINCESA MAHU *se pasea, completamente desnuda, a lo largo de sus habitaciones. La princesa tiene negros y hermosos ojos. Una gargantilla de corales, unidos con pelo de dromedario, que le da muchas vueltas al cuello.[9] La* PRINCESA MAHU *da al aire[10] sus tristes lamentos.*

LA PRINCESA MAHU. Lejos, lejos de estas vanidades yo quisiera vivir. ¡Ah!, que la suerte es cruel para mí. Mi padre, el gran rey de Uganga, me destina al sabio mago Bagú. Es viejo, es feo, es triste; pero sabe conocer el tiempo y conjurar las enfermedades y los males. En cambio, Hi-Ji todo lo ignora; ¡pero es tan bello!, ¡su color es tan negro!, ¡su nariz es tan chata! . . . ¡Tiene tantas facultades! ¡Qué feliz sería yo, si quisiera robarme y llevarme a su cabaña! Antes, muchas veces soñaba con ser su esposa, soñaba con el placer de guisarle los saltamontes necesarios para la cena, y de amasar para él el pan con las bananas. Ya no hay ilusiones para mí, ya no hay bananas,[11] en este bajo mundo. Lejos, lejos de estas vanidades yo quisiera vivir. Lejos de estos refinamientos; sin taparrabos, sin plumas, sin collares . . .

BAGÚ (*paseando preocupado y melancólico por el jardín del alcázar*). No seas cándido,[12] Bagú; la princesa Mahu te engaña. ¡Un mago, un adivino a quien engaña su prometida! ¿Hay cosa más absurda? Pero ¿qué le ha podido entusiasmar de ese gañán? ¿Tiene la nariz agujereada? No. ¿Sabe, como yo, la manera de aplacar al Fetiche? Tampoco. No tiene ciencia ni poder, no tiene más que juventud . . . ¡pse! . . . ¡qué minucia! ¡Oh corazón femenino!, ¡cuántos enigmas guardas en tu seno! ¿Qué mago los averiguará? Hay que

8. *la pérfida Albión,* perfidious England. Albion is the name given by the Greeks to Great Britain. Napoleon I is said to have been the first to refer to England's perfidy.

9. *que le . . . cuello,* which is wound many times around her neck

10. *da al aire,* utters aloud

11. *ya no hay bananas,* bananas don't mean anything to me any more

12. *No seas cándido,* Don't kid yourself

salvar a esos extranjeros; hay que conservar sus vidas, hasta que me entre-
guen esa planta que es la llave del
amor y de la ambición.

EL REY KIRI (*pensativo*). . . . Y es que, en 5
el fondo, soy un hombre sensible; soy
un sentimental . . .

Mis eunucos me traen las mujeres
más hermosas del reino, mis cortesanos
me ofrecen las suyas; todos me temen, 10
todos tiemblan en mi presencia, todos
me adoran, y yo me aburro . . . Y es
que, en el fondo, soy un hombre sensible; soy un sentimental.

A veces, me entretengo en matar 15
pajarillos con mis flechas; ¡infantil distracción! Cuando esto no me divierte,
hago que le corten la cabeza, delante
de mí, a alguno de mis criados o alguna

de mis mujeres. Y, a pesar de estos
amables esparcimientos, me aburro . . .
Y es que, en el fondo, soy un hombre
sensible; soy un sentimental.

Mi poeta me dice que soy lo más
alto, lo más bello, lo más admirable
que hay en la tierra; me dice que mi
palacio es el mejor de todos los palacios; que mis camellos son los mejores
de todos los camellos; que mis generales son los más expertos de todos
los generales; y, a pesar de mi palacio,
de mis camellos, de mis generales, de
mis nobles y de mis mujeres, mi labio
belfo se alarga de tristeza y toma proporciones considerables, y me aburro,
me aburro soberanamente[13] . . . Y es
que, en el fondo, soy un hombre sensible; soy un sentimental.

IV

La recepción

El REY KIRI, *vestido con casaca y botas de montar, está en su trono, en
medio de la corte. A su alrededor se congregan los magos, los nobles y los
soldados. Las damas de palacio, perfectamente desnudas, con los vientres
arrugados y las ubres que les llegan hasta el ombligo, rodean a la* PRINCESA
MAHU.

EL REY. Que se acerquen esos extranjeros.
(*Se van presentando todos ante el rey.*)
FUNANGUÉ. Gran rey, una palabra antes
de que pronuncies tu sentencia. Estos
insignificantes extranjeros, estos insectos que se atreven a presentarse ante 25
tu trono, son unos insectos sabios e
industriosos; conocen un sin fin de
secretos importantísimos. Han asegurado que, para ti, ¡oh gran rey!, harán
ron; traerán oro y telas bonitas. 30
EL REY. ¿Sí?

FUNANGUÉ. Sí. 20
EL REY. ¿Y si la Luna se incomoda? Bagú
ha dicho que la Luna está ofendida
con la presencia de esos blancos, y que
es necesario que mueran.
BAGÚ (*con gran entereza*). La Luna ha
cambiado de opinión . . . Ahora manda
conservar sus vidas.
SIPSOM. ¡He aquí una luna simpática!
MAHU (*compasivamente*). Entonces, no
hay que matarlos; ¡pobrecillos!
EL REY. ¡Y yo que esperaba divertirme!

13. The king of puns with the word *soberana-
    mente* which means "royally" and also
    "extremely."

¿Con qué me voy a entretener? Que me traigan unos cuantos niños, y pasaré el rato cortándoles la cabeza.

LOS CORTESANOS. ¡Eres admirable! ¡Eres sublime! ¡Eres maravilloso!

EL REY (a FUNANGUÉ). Enséñales a esos débiles insectos sus obligaciones, mientras yo me distraigo un rato con estos pobres niños.

FUNANGUÉ. Voy, gran rey. Miserables extranjeros, viles gusanos, rastreras alimañas, os voy a explicar, en pocas palabras, la admirable constitución de nuestro reino. Oíd y admiraos: en Uganga, todo es del rey; las casas, las tierras, los árboles, los hombres, las mujeres . . . todo.

PARADOX. Muy buena idea.

SIPSOM. Sobre todo, muy original.

FUNANGUÉ. Lo que le sobra al rey, es para su madre; luego, para sus hijos y sus hermanos; después van tomando parte[14] sus primos, sus tíos, sus criados; luego, vengo yo; después de mí, los nobles; luego, los magos, y, por último, los soldados.

GANEREAU. ¿Y el pueblo?

FUNANGUÉ. El pueblo bastante tiene con la honra de trabajar para que vivan el rey y su familia, yo, los magos, los nobles y los soldados. La Constitución del reino de Uganga es la mejor del mundo.

SIPSOM. Sobre todo, para vosotros.

PARADOX ¿Y los nobles, no trabajan?

FUNANGUÉ. No; son criaturas demasiado perfectas para comprometer su honor en viles menesteres. Ellos cazan, montan sobre sus camellos, cobran sus rentas . . .

PARADOX. ¿Y qué méritos tienen para vivir así?

FUNANGUÉ. Que son hijos de sus padres.

PARADOX. ¿Todos?

FUNANGUÉ. Algunos quizá no lo sean.

PARADOX. ¿Los magos no trabajarán tampoco?[15]

FUNANGUÉ. Es natural. Ésos se dedican a leer en el libro del porvenir.

PARADOX. ¿Y lo leen bien?

FUNANGUÉ. No; la mayoría de las veces se equivocan. En muchas ocasiones pronostican que hará buen tiempo, y suele llover; pero eso no es culpa suya.

PARADOX. Es más bien culpa de las nubes. ¿Y los soldados?

FUNANGUÉ. Los soldados, en tiempo de paz, roban lo que pueden.

PARADOX. ¿Y en tiempo de guerra?

FUNANGUÉ. En tiempo de guerra, corren.

PARADOX. Es un buen ejercicio gimnástico.

FUNANGUÉ. La Constitución de Uganga es como ninguna. Ya sabéis, pues, viles gusanos, cuáles son vuestras obligaciones. Trabajaréis para nosotros, para el rey, para su respetable familia, para los magos, para los nobles y para los soldados. Nosotros os daremos lo bastante para que no os muráis de hambre.

PARADOX. Eres magnánimo, gran señor. Te obedeceremos, trabajaremos con gusto por tu rey, por su señora madre, por su familia, por ti y por toda la demás tropa que honra este bello país de Uganga. Ahora, danos permiso para ir cuanto antes a la isla en donde nos prendieron, y traer lo que dejamos allí; si no, no podremos darte el ron, ni el oro, ni las telas bonitas.

FUNANGUÉ. ¿Todos tenéis que ir?

PARADOX. Sí, todos.

FUNANGUÉ. ¿No podríais dejar una de las muchachas que os acompañan?

PARADOX. Es imposible.

FUNANGUÉ. ¿Y por qué tenéis que ir todos? Queréis escaparos.

---

14. *después van tomando parte*, after them, shares are distributed to

15. *no trabajarán tampoco*, probably don't work either, I imagine

PARADOX. No, no lo creas.

FUNANGUÉ. ¿Lo juras por la Luna?

PARADOX. Lo juro por la Luna, por el Sol y por todo el sistema planetario.

FUNANGUÉ. A pesar de tu palabra, os irán vigilando.[16]

PARADOX. Está bien; no nos oponemos.

V

Por el río

Tres grandes canoas bajan por el río. Los remeros cantan el himno de guerra de Uganga, que tantas veces les ha llevado a la victoria y otras tantas a la derrota; y al compás del ruido de los remos y del ritmo de las canciones, las canoas corren como flechas, dejando en la superficie obscura del agua una estela blanca, que va abriendo el remo del timonel. En las tres embarcaciones marcha a proa un hombre con un bichero para apartar los troncos de los árboles con que pueden tropezar en el camino. Las tres canoas van dirigidas por Langa-Rá, el jefe cuyo pecho está adornado con complicados tatuajes.

La parte del río por donde navegan, es de dos millas de ancho, y se extiende por la selva tupida y exuberante. Los prisioneros van en las canoas, vigilados, pero libres en sus movimientos. Todos contemplan el paisaje que se desarrolla ante su vista. El río parece de oro, y a medida que los afluentes desembocan en él, se hace cada vez más turbio. En algunas islas formadas por la maleza, entre las lianas y la hojarasca verdosa, brotan grandes flores de blanca corola y orquídeas de vario color.

Los cocodrilos, inmóviles, duermen en el légamo de las orillas, entre los juncos y los cañaverales; a lo lejos se ven bosques espesos, de grandes árboles, con las ramas y los troncos entrelazados por lianas y plantas parásitas, y de las selvas impenetrables levantan el vuelo pájaros extraños de encendidos colores, que cruzan despacio el cielo resplandeciente.

THADY BRAY (*a* BEATRIZ). ¡Qué tristeza para usted, señorita!

BEATRIZ. ¡Oh!, no; ¡qué alegría! Desde que sé que puedo vivir, la vida me parece más hermosa que nunca.

THADY BRAY. Usted, que estará acostumbrada a tantas comodidades.

BEATRIZ. Crea usted que no las echo de menos.

THADY BRAY. ¿No? . . . ¿De veras?

BEATRIZ. Lo puede usted creer.

THADY BRAY. Es usted muy valiente.

BEATRIZ. ¿Usted cree que querrán hacernos daño estos salvajes?

THADY BRAY. No; los dominaremos. El señor Paradox ha dicho: que nos dejen vivir solamente, y dentro de unos meses seremos los amos.

BEATRIZ. Sí, eso creo yo también; y, entonces, podremos marcharnos.

16. *os irán vigilando,* they will be guarding you

THADY BRAY. ¿Usted quisiera marcharse pronto de aquí?

BEATRIZ. ¡Ya lo creo!

THADY BRAY. Yo me estaría[17] aquí siempre, con tal de que usted . . .

(BEATRIZ *se ruboriza y se calla. Van las embarcaciones impulsadas por la corriente. En la proa, un negro está con un bichero, atento a los grandes troncos que flotan en el agua. En las selvas de ambas orillas, cantan los pájaros. Los antílopes se acercan a beber en el río y pasan por entre los árboles algunas jirafas, con una velocidad vertiginosa.*)

LA MÔME FROMAGE. ¿Qué son esos animalitos, señor Paradox?

PARADOX. Son jirafas. El Camelopardalis jirafa de Linneo.[18]

LA MÔME FROMAGE. Y oiga usted, señor Paradox: ¿qué clase de animales son estas jirafas?

PARADOX. ¿Las jirafas? Son unos rumiantes que tienen el cuello muy largo y unos cuernos cónicos cubiertos por la piel pelosa de su cabeza.

LA MÔME FROMAGE. ¡Ah! ¿tienen cuernos? Yo hubiera creído que eran como los camellos.

PARADOX. No; los camellos no tienen la misma fórmula dentaria.

LA MÔME FROMAGE. ¿Y cree usted que me harían daño esas jirafas?

PARADOX (*mirando a la ex bailarina*). ¿A usted? No. Creo que no.

THONELGEBEN (*a* DORA). La aventura ha sido más larga de lo que nosotros nos figurábamos.

DORA. Sí, ¡ya lo creo! ¡Y lo que puede durar todavía![19]

THONELGEBEN. Sería terrible y cómico que tuviéramos que vivir aquí siempre.

DORA. ¡Uf!, quite usted. Nos escaparemos.

THONELGEBEN. No es tan fácil.

DORA. Pero para hombres de talento, como ustedes, no hay nada difícil.

THONELGEBEN. Y si yo le dijera a usted que no me costaría ningún trabajo vivir aquí, ¿usted qué diría?

DORA. Diría que estaba usted loco.

THONELGEBEN. Y es verdad; estoy loco por usted, y al lado de usted viviría en cualquier parte.

(*Al anochecer, se acercan las tres canoas a la orilla, desembarcan y los mandingos preparan un campamento.*)

GOIZUETA (*a* PARADOX). ¿No les parece a ustedes?[20] Yo creo que cuando lleguemos a la isla donde nos prendieron, lo que debemos hacer es coger nuestros fusiles y, a tiros, acabar con esta maldita raza.

HARDIBRÁS. Eso es; estoy conforme.

PARADOX. No, Goizueta; no, Hardibrás. Déjenme ustedes a mí dirigir este asunto. Creo que a las buenas[21] conseguiremos más.

DIZ (*por lo bajo*). ¡Farsante!, siempre pensando en darse tono.

PARADOX. Seamos amables con estos etíopes de ensortijada cabellera, esforcémonos en ganar sus simpatías, y cuando lleguemos a la isla, hagamos nuestros preparativos lo más lentamente posible, y busquemos la manera de insinuarnos, demostrándoles a cada momento nuestra superioridad.

SIPSOM. Creo, Paradox, que en los tres o

---

17. *Yo me estaría,* I would remain

18. *El Camelopardalis jirafa de Linneo,* the Latin term for giraffe according to the system of binomial nomenclature (by genus and species) first systematically used for zoology by the Swedish naturalist Linnaeus (Karl von Linné, 1707–78) in the tenth edition of his *Systema Naturae* (1758).

19. *¡Y . . . todavía!,* And imagine how much longer it may yet last!

20. *¿No les parece a ustedes?,* Don't you think (what I have to say) is a good plan?

21. *a las buenas,* amicably

cuatro días que vamos a estar en la isla, será muy difícil conseguir el efecto que usted desea.

PARADOX. Pero usted, amigo Sipsom, que es un aventajado discípulo de Maquiavelo,[22] comprenderá que no es difícil lograr que en vez de ser tres o cuatro los días que estemos aquí, sean veinte o treinta.

SIPSOM. ¿Y cómo?

PARADOX. Hay un procedimiento que me parece inocente como una cándida paloma.

SIPSOM. ¿Y es?

PARADOX. Inutilizar una de las canoas, o todas. Por la noche, uno de nosotros las echa convenientemente a pique.

SIPSOM. Si no las vigilan.

PARADOX. No será fácil que las vigilen siempre.

SIPSOM. Además, mandarán otras a nuestro encuentro.

PARADOX. Por lo menos, esperarán una

o dos semanas. De todas maneras, si se piensa un procedimiento mejor estamos a tiempo de emplearlo.[23] . . .

UGÚ. Señor.

PARADOX. ¿Qué hay?

UGÚ. Vosotros queréis escaparos, ¿verdad?

PARADOX. Sí, si pudiéramos; ¡ya lo creo!

UGÚ. Aquí, en esta parte del río, cerca del mar, hay una isla grande, hermosa, donde se puede vivir. ¿Queréis que intentemos huir, cuando lleguemos a ella?

PARADOX. No, nos cogerían en seguida. En tal caso, a la vuelta.[24] Tendremos ya[25] armas y nos podremos defender. Y esa isla, ¿es grande?

UGÚ. Sí, muy grande, y tiene en la parte más alta un sitio adonde es difícil subir. En nuestro lenguaje se le llama la Isla Afortunada.

PARADOX. Entonces, a la vuelta nos refugiaremos en ella. Ahora, vamos a dormir.

VI

Discusiones trascendentales[26]

Han transcurrido dos semanas. Una de las canoas, por la torpeza de UGÚ, *el criado negro regalado por* FUNANGUÉ *a* PARADOX, *ha zozobrado, y para ponerla a flote ha habido que retrasar la vuelta. La carga de las balsas se ha hecho también con gran lentitud. A pesar de las precauciones del jefe, los náufragos se han armado con fusiles y revólveres, y no han querido abandonarlos.*

Todos los días, los blancos se dedican a embrutecer a los negros, dándoles espectáculos extraordinarios y estupefacientes. Tan pronto es SIPSOM, *que echa chispas por los pelos, agarrado a una máquina eléctrica, como*[27] PIPERAZ-

22. Niccolò di Bernardo Machiavelli (1469–1527), the famous Italian statesman and writer whose political doctrines placed expediency above political morality.

23. *si . . . emplearlo,* if we can think of a better method, we still have sufficient time to use it

24. *En . . . vuelta,* Since that is the case, (we must wait) until our return

25. by that time

26. The next day, they arrive at the place where Paradox and the other passengers of the Cornucopia had been captured by the natives.

27. *Tan pronto es Sipsom . . . como Piperazzini,* Not only is it Sipsom . . . but also

ZINI, *que se traga un sable y saca de la boca una porción de cintas encen-didas . . . Además de estos espectáculos mágicos,* GANEREAU, *como republi-cano y como demócrata, idiotiza a los mandingos hablándoles de los derechos del hombre. A pesar de todos los aplazamientos y dilaciones, llega un día en que el jefe no quiere esperar más y se da la orden de marcha. Por la mañana, antes de partir, están reunidos blancos y negros en la desembocadura del río.* GANEREAU *perora.*

GANEREAU. Pero, yo os pregunto: ¿de qué os sirve el rey? ¿Por qué no os gober-náis por vosotros mismos? Nada tan hermoso como una república. ¡Figu-raos vosotros, el placer que sentiríais, si 5 tuvierais diputados y senadores!

PARADOX. Creo que no le entienden a usted, mi querido amigo.

GANEREAU (*insistiendo*). Sí me entienden. Decidme: ¿de qué os sirve el rey? Os 10 quita vuestra libertad, conculca vues-tros derechos, os envilece.

SIPSOM. ¡Este hombre empeñado en figu-rarse que está en un mitin de Mon-trouge o de Belleville!²⁸ 15

THONELGEBEN (*por su parte*). No debéis permitir que el rey os maltrate. ¿Por qué consentís que os robe? ¿Por qué dejáis que venda vuestras mujeres y vuestros hijos? 20

GANEREAU (*elocuentemente*). Mirad alre-dedor vuestro,²⁹ ciudadanos; los pá-jaros no tienen rey; las flores no tienen tampoco rey; y el sol alumbra la tierra para todos. 25

EL JEFE LANGA-RÁ. Sois ignorantes y orgu-llosos. Negáis lo que todos afirman. Si el rey manda en nosotros, es porque Dios le ha conferido ese poder. ¿Quién sois vosotros para negar la armonía de 30 nuestras leyes? Vivimos, por la volun-tad de nuestro rey; estamos en el mundo, porque nuestro rey lo quiere.

PARADOX. Sin embargo, tú confesarás, apreciable salvaje, que nosotros hemos vivido hasta ahora sin necesidad de vuestro rey.

EL JEFE. Pero tendréis otro; el vuestro.

GANEREAU. No, no lo tenemos.

PARADOX. Si³⁰ yo no digo que no tengáis rey; pero ¿por qué no tenéis otro que sea justo, equitativo y bueno?

EL JEFE. Es que³¹ él es el único indicado por Dios.

PARADOX. ¿Y en qué se conoce que es él?

EL JEFE. Primeramente, es hijo de su padre.

PARADOX. Es una razón.

EL JEFE. Además, todos los magos le reconocen como rey.

PARADOX. Pero los magos no aciertan siempre.

EL JEFE. Siempre, no; pero son magos.

PARADOX. Yo creo que los magos que no aciertan no son magos verdaderos.

SIPSOM. Mi querido Paradox, creo que se pierde usted en un laberinto filosófico-político-religioso. Déjeme usted que intente yo arengar a las masas.

PARADOX. Sí, hágalo usted. A ver si tiene usted más fuerza de convencimiento que nosotros.

SIPSOM (*dirigiéndose a los negros*). ¿A vosotros os gustan las habichuelas?

TODOS. ¡Sí, sí!

SIPSOM. ¿Os gusta el buen tocino?

28. *¡Este . . . Belleville,* How ridiculous it is for this man to persist in imagining that he is at a meeting in Montrouge or Belleville! These industrial towns on the outskirts of Paris were known as centers of socialist activities.

29. *alrededor vuestro,* all around you
30. But
31. *Es que,* Because

TODOS. ¡Sí, sí!

SIPSOM. ¿Os gusta el ron?

TODOS. ¡Sí, sí! ¡Ya lo creo!

SIPSOM. ¿Os gustan las chicas guapas, con la nariz bien chata y el pecho colgante? 5

TODOS. ¡Sí, sí! ¡Eso, eso!

SIPSOM. Pues bien: si venís con nosotros, tendréis habichuelas a pasto; tendréis buen tocino; tendréis ron y tendréis chicas guapas, más negras que el betún. 10

TODOS. ¡Iremos con vosotros!

SIPSOM. Pues vamos ahora mismo.

EL JEFE. ¡Yo, no! Yo no obedezco más que a mi rey.

HARDIBRÁS. Entonces quedas preso. Trae las manos. Te ataremos.

(Entre GOIZUETA y él le atan. Entonan los mandingos su himno de guerra y se da la orden de partir. Las tres canoas y el bote de la «Cornucopia» comienzan a remolcar las dos balsas grandes, cargadas con todos los útiles extraídos de la goleta, y remontan el río hasta la Isla Afortunada, indicada por UGÚ).

IX

El ataque[32]

La casa está ya a medio concluir.[33] *En ella hay departamentos para todos. Se está trabajando en un tejar. Es al amanecer.* PARADOX *sale de Fortunate-House, hablando a su perro, que ladra delante de unas matas.*

PARADOX. Pero, vamos a ver, ¿qué pasa, señor Yock?

YOCK. ¡Guau! ¡Guau! Parece mentira que no comprendas que aquí hay algo.

PARADOX. Anda, vamos, no seas estúpido, que tengo prisa.

YOCK. ¡Guau! ¡Guau! No te vayas, 20 hombre; no te vayas.

PARADOX. Bueno, pues quédate ahí.

(PARADOX *se dispone a bajar la cuesta, pero* YOCK *sigue ladrando con furia.*) 25

SIPSOM (*desde la muralla*). ¿Qué le pasa a ese perro? 15

PARADOX. Nada, manías que se le ponen en la cabeza; ¡como es ya viejo![34]

YOCK. Sí, ¡buenas manías! Es que sois tontos.

SIPSOM. Quizá haya por ahí algún bicho. Le voy a soltar a Dan a ver qué hace.

(SIPSOM *suelta al perro danés, que se pone también a ladrar con furia al lado de* YOCK.)

PARADOX. Debe de haber algo ahí.

32. They choose a plateau as their campsite on Isla Afortunada. They protect this place with a trench, a ditch, and a wall on top of which they build a small tower to position the machine gun salvaged from the Cornucopia. The Europeans begin construction of Fortunate-House, a strong, solid building to shelter themselves. The Mandingos build huts, manufacture hooks, needles, and arrowheads and devote themselves to hunting and fishing. The only entrance to the fortified area is a drawbridge which is guarded by a sentinel during the day and raised at night. Each of the castaways is assigned a trade: Thonelgeben is an architect and smelter; Diz, Hachi Omar, and Thady Bray are masons; Hardibrás is a general who commands an army of thirty Mandingos; Sipsom is a blacksmith; Paradox and Ganereau are carpenters; Beatriz and Dora are glass-blowers and cartridge-makers; Piperazzini is a tinsmith; and Beppo is a cook and tailor.

33. *a medio concluir,* half finished

34. *Nada . . . viejo!,* Nothing more than crazy whims that he gets into his head since he is old!

SIPSOM. Indudablemente. Vamos a verlo.

(*Entran los dos por la maleza y van dando garrotazos a*[35] *los arbustos. De pronto, sale un negro por entre unas matas y echa a correr.* DAN *y* YOCK *le siguen. El hombre llega al extremo de la meseta, y, no atreviéndose a tirarse al río, corre a la parte baja de la isla, seguido por los perros. Luego, acosado, se decide y se zambulle en el agua desde una gran altura.*)

SIPSOM. Bajemos al río a cogerle.

PARADOX. ¿Y para qué?

SIPSOM. Porque si no,[36] va a indicar dónde estamos a los de Bu-Tata.

(PARADOX *y* SIPSOM *bajan hasta el desembarcadero de la isla, toman el bote y recorren el río, pero el hombre no parece.*)

SIPSOM. Es una contingencia desagradable. Antes de pocos días tenemos aquí a los de Bu-Tata.

PARADOX. ¿Cree usted . . . ?

SIPSOM. Seguramente. Ése era un espía. Hay que prepararse.

PARADOX. ¿Pero usted supone que nos atacarán?

SIPSOM. Claro que sí.

PARADOX. Con unos cuantos tiros, los ahuyentaremos.

SIPSOM. No se haga usted ilusiones.[37] Saben que somos pocos y apretarán de firme; tenemos que estar prevenidos.

(*Vuelven a Fortunate-House y cuentan lo que ha pasado. Llaman a* UGÚ.)

SIPSOM. Es muy probable que, dentro de unos días, los de Bu-Tata nos ataquen. Adviérteles a tus compañeros y diles que estén tranquilos.

(BEATRIZ *y* DORA, *por indicación de* HARDIBRÁS, *cosen un trapo grande, de distintos colores, que sirve de bandera, y se enarbola sobre la torrecilla de la fortaleza, a los acordes de una marcha que toca* THADY BRAY *en el acordeón.*)

HARDIBRÁS (*a los negros*). Con esta bandera, podéis estar seguros que nuestros enemigos no asaltarán la fortaleza.

(*Los mandingos contemplan el trapo de colores con verdadero respeto, pensando que a lo mejor puede estallar. Después de este acto solemne de izar la bandera, se toman precauciones más prácticas, se revisan las armas, se fabrican cartuchos. Las tres canoas y el bote se guardan en un sitio escondido de la orilla del río. Durante la noche dos centinelas pasean continuamente por la muralla. Una semana despues, un día, al amanecer, se ve una multitud de negros, que han acampado en la isla; luego a cada instante van llegando canoas llenas de gente.*

Ya entrada la mañana,[38] *van subiendo los indígenas la cuesta de la isla, hasta que, al llegar a unos doscientos metros de Fortunate-House, se detienen.*)

PARADOX. No nos atacarán; ya lo verán ustedes.

SIPSOM. No sea usted niño; dentro de un momento se han lanzado[39] sobre nosotros.

PARADOX. Al menos, no disparemos mientras ellos no nos ataquen.

HARDIBRÁS. Déjeme usted a mí. Yo soy el jefe militar. Usted, con sus miramientos, nos puede comprometer a todos.

(HARDIBRÁS *va colocando a cada uno de los tiradores delante de su aspillera.* THONELGEBEN *sube a la torrecilla blindada, en donde han colocado la ametra-*

35. *dando garrotazos a*, beating
36. *si no*, if we don't
37. *No se haga usted ilusiones*, Don't delude yourself.
38. *Ya entrada la mañana*, When it is already morning
39. *se han lanzado = se habrán lanzado*

lladora. *De pronto, uno de los salvajes, un jefe lleno de adornos pintados en el pecho, se adelanta y dispara una flecha; y a esta señal, todos los demás se lanzan corriendo y escalan la primera trinchera.*)

HARDIBRÁS (*levantando el brazo de madera con su gancho correspondiente*). No apresurarse.[40] Esperad. Ahora. ¡Fuego!

(*Se oye una descarga cerrada; caen algunos de los indígenas; los que vienen detrás retroceden un instante, pero vuelven al poco rato, lanzando una nube de flechas.*)

HARDIBRÁS. ¡Apuntad bien! ¡Que no se pierda un tiro! . . . ¡Fuego!
(*Suena una nueva descarga.*)
PARADOX. Es un disparate lo que estamos haciendo.
SIPSOM. ¿Pero no ve usted que, si no, nuestra gente podía[41] sublevarse?
PARADOX. Sin embargo . . .
HARDIBRÁS. Calle usted; soy capaz, si no, de fusilarlo.

(*Vacilan los de Uganga en lanzarse definitivamente al asalto. Los jefes se consultan entre sí. La fortaleza está muda. Luego se deciden, y más de trescientos hombres saltan la trinchera, atraviesan el foso y comienzan a escalar la muralla. Entonces las descargas cerradas se suceden sin intervalo.*)

HARDIBRÁS (*gritando*). ¡Fuego! ¡Fuego!
SIPSOM. ¡Pero esa ametralladora!
THONELGEBEN. Es que no funciona.

(PARADOX *corre por encima de la muralla, en medio de las flechas, entra en la torre blindada, y el ingeniero y él se dedican a limpiar los cañones de la ametralladora y a ponerla en marcha.*
De pronto, cuando más recio es el combate, la ametralladora comienza a disparar por sus cañones una nube de fuego. *La mayoría de los salvajes retrocede; dos han llegado a la parte alta de la muralla.* SIPSOM y HARDIBRÁS *al verlos, se dirigen a ellos. Uno de los mandingos les amenaza levantando su cortacabezas, y el inglés le hunde la bayoneta en el vientre. El otro se rinde y queda prisionero. Al anochecer, todos los asaltantes se retiran al extremo de la isla.*)

HARDIBRÁS. Mañana nos volverán a atacar . . . Afortunadamente, les daremos otra buena lección.
SIPSOM. Yo creo que no. Es muy probable que cuando se haga completamente de noche, se vayan retirando.
PARADOX. Lo podremos ver. Tenemos un reflector eléctrico, y lanzaremos el cono de luz hacia donde han acampado.

(*Efectivamente, poco después, en la obscuridad de la noche,* PARADOX *prepara el reflector en lo alto de la muralla. Tras de muchos ensayos infructuosos consigue hacer funcionar el aparato y el cono de luz va iluminando el río, los árboles de la isla, hasta que se detiene, inundando con la claridad de sus ráfagas el campamento de los mandingos.*
En este mismo instante se oye un gran grito de terror y se ve a todos los salvajes que se lanzan a sus canoas y huyen precipitadamente por el río arriba.)[42]

PARADOX. ¿Qué les habrá pasado?
SIPSOM. Que les ha asustado usted con su reflector. Esto les ha hecho más efecto que la ametralladora. No queda nadie; podemos ya salir.
PARADOX. Recogeremos los heridos.

(*Tienden el puente levadizo y salen todos. Van recogiendo los heridos en parihuelas y llevándolos a Fortunate-House.* BEATRIZ y DORA *los curan.*)

---

40. *No apresurarse*, Don't be hasty.
41. *podía = podría*

42. *por el río arriba*, up the river

PARADOX. Y de los muertos, ¿qué hacemos?

SIPSOM. Los echaremos al río.

PARADOX. ¿No cree usted que olerán?

SIPSOM. No; se los comerán pronto los 5 peces.

DIZ ¡Ésta es la guerra! Esos imbéciles querían dominarnos a nosotros, cuando por estar aquí[43] no les hacíamos ningún daño. 10

SIPSOM. Podríamos estar contentos, si todas las luchas concluyeran dando la razón al que la tiene,[44] como aquí.

PARADOX. ¿Y cree usted que la tenemos?

SIPSOM. Vamos, no diga usted tonterías, 15 mi querido amigo. Además, tengamos o no tengamos razón,[45] yo creo que la guerra es una cosa buena.

PARADOX. Buena para los fabricantes de fusiles, que se arruinarían si no la 20 hubiera.[46]

SIPSOM. Y para nosotros también. La guerra es un tónico para los nervios debilitados de las razas sedentarias. Es el aprendizaje más fuerte para 25 hacerse hombre de voluntad.

PARADOX. No le creía a usted tan militarista.

SIPSOM. No lo soy. Yo odio al militar de oficio y amo la guerra.

(*Entran todos en Fortunate-House. HARDIBRÁS pasea por la muralla. Los demás están sin acostarse,[47] por si se renueva el ataque. Al alba, salen al campo. No hay nadie en la isla. Va amaneciendo. El aire está puro y embalsamado, las hierbas granizadas de flores. El sol comienza a brillar, la pradera ríe . . .*)

PARADOX. Yo no comprendo la maldad, el odio, la guerra, ante un sol como éste.

SIPSOM. Es que es usted un poeta, un pobre hombre, Paradox. Mire usted a nuestro general haciendo ondear la gloriosa bandera.

(*HARDIBRÁS ha izado la bandera en medio de las aclamaciones de todos. Los mandingos ya se consideran invencibles. Al prisionero se le viste[48] con una túnica blanca y se le envía a Bu-Tata.*)

X

El gran proyecto

Ya conjurado el peligro, en Fortunate-House se trabaja con tranquilidad.

Las mujeres de los mandingos han ido a refugiarse dentro de la muralla, y la confianza es tal, que, aun fuera de ella, se van haciendo chozas, habitadas por negros que escapan de Bu-Tata.

Por la noche se dan funciones de linterna mágica[49] en una barraca, y entre DIZ DE LA IGLESIA y PARADOX han publicado el primer número del "Fortunate-House Herald," número interesantísimo, en donde viene un artículo de DIZ

---

43. *por estar aquí,* by our being here
44. *dando . . . tiene,* awarding the victory to the one who is right
45. *Tengamos o no tengamos razón,* Whether we're right or not
46. *si no la hubiera,* if there weren't any (war)
47. *están sin acostarse,* remain awake
48. *Al prisionero se le viste,* The prisoner is dressed
49. *linterna mágica,* lantern-slide projector

acerca de la flora de la isla; otro de THONELGEBEN *sobre el porvenir de la colonia, y una lacónica narración de la guerra, por* J. SIPSOM.

Una mañana, al asomarse a la muralla, ven a tres hombres, que se acercan despacio.

Los tres llevan ramas verdes en la mano y las agitan en el aire. De cuando en cuando, se arrodillan.

PARADOX. ¿Quiénes serán estos hombres?

UGÚ. Vienen a pedirnos protección.

PARADOX. Diles entonces que se acerquen.

(UGÚ *va con el recado, y se presenta delante de la muralla* FUNANGUÉ, *el primer ministro, con dos negros que le acompañan.*)

GOIZUETA. ¿A qué⁵⁰ viene este granuja aquí? ¿Quieres todavía ron?

FUNANGUÉ. Los puhls⁵¹ han saqueado Bu-Tata. Reunidos con algunos moros, han rodeado el pueblo durante la noche, y, de repente, han comenzado a dar gritos, más terribles que los rugidos del león. Luego, han disparado tiros. Todos los hombres han huido, y los moros y los puhls se han llevado mujeres, chicos y rebaños. Por eso, os pedimos protección.

SIPSOM. ¿Cómo vamos a fiarnos de vosotros? Antes, quisisteis matarnos; luego, vinisteis aquí a atacarnos nuestra fortaleza.

FUNANGUÉ. Os pedimos perdón. Venid ahora a Bu-Tata, para enseñarnos a rechazar a los puhls.

SIPSOM. ¿Y si vamos allí y queréis matarnos?

FUNANGUÉ. Os daremos rehenes.

SIPSOM. ¿Qué rehenes vais a dar?

FUNANGUÉ. Os dejaremos nuestras mujeres y nuestros hijos.

SIPSOM. ¿Qué os importan a vosotros vuestras mujeres y vuestros hijos, si los vendéis, como si fueran carneros?

FUNANGUÉ. ¿Qué necesitáis entonces para vuestra seguridad?

SIPSOM. Si vienen el rey y Bagú aquí, iremos a Bu-Tata.

FUNANGUÉ. No vendrán.

SIPSOM. No iremos nosotros tampoco.

FUNANGUÉ. ¿Qué pensáis hacer con ellos?

SIPSOM. Nada. Ellos nos darán la seguridad de que vosotros respetaréis a los que vayan a Bu-Tata.

FUNANGUÉ. ¿No pensáis hacerles ningún daño?

SIPSOM. No; porque vosotros os podríais vengar.

FUNANGUÉ. Entonces esperad un instante. Los dos aguardan en la canoa. Si me dais la seguridad de que no les pasará nada, ellos desembarcarán; mientras tanto, uno de vosotros, el que sepa hacer estas fortalezas, que venga⁵² conmigo al pueblo.

(*Acceden; desembarcan el* REY *y su mago, y, en la misma canoa, entran* THONELGEBEN *y* PARADOX *y van subiendo el río, hasta Bu-Tata.*

Llegan los dos a la ciudad al día siguiente, navegando durante toda la noche; ven el punto por donde han asaltado los puhls y los moros, e inmediatamente se preparan para la vuelta. Durante la travesía hablan.)

---

50. *A qué,* For what purpose
51. *Los puhls,* the Fulah, a warlike African people, probably of mixed Berber and Negro origin, scattered through the Sudan from Senegal eastward

52. *uno de vosotros . . . que venga,* let one of you . . . come

PARADOX. ¿Y qué?[53] ¿Encuentra usted algún procedimiento para defender la ciudad?

THONELGEBEN. No. No se me ocurre nada. Me parece muy difícil fortificarla.

PARADOX. Yo he pensado una cosa, que quizá le parezca a usted absurda.

THONELGEBEN. ¿Cuál es?

PARADOX. Yo, señor Thonelgeben, tengo alguna fama de chiflado,[54] y quizá le hayan dicho . . .

THONELGEBEN. Yo no hago caso de lo que me cuentan.

PARADOX (sacando un papel del bolsillo). Se habrá usted fijado que el río traza una curva, formando una C.

THONELGEBEN. Sí, en un recorrido de unos treinta kilómetros.

PARADOX. Entre los dos brazos de la C se encuentra el pueblo, y de un extremo de ambas ramas de la C hay un valle frondoso, que recorre un riachuelo en su parte más honda. ¿Cómo se ha podido formar este riachuelo?

THONELGEBEN. Yo creo que este riachuelo fue el cauce anterior del río, que iba en línea recta, y que por un levantamiento de terreno, por una acumulación de tierras de aluvión, la corriente de aguas se desvió y fue buscando los sitios más bajos, hasta formar el nuevo cauce y dar la vuelta que ahora da.[55]

PARADOX. Eso mismo he pensado yo. Este valle, comprendido entre las dos ramas de la C, el antiguo cauce del río, según usted supone, es el camino de los moros y de los puhls. Ni unos ni otros,[56] según dice Funangué, se aventuran a pasar los ríos; los moros, porque son poco aficionados a las vías acuáticas, y los puhls, porque su dios les prohibe atravesar el agua.

THONELGEBEN. Todavía no comprendo adónde va usted a parar.

PARADOX. Además, este riachuelo que cruza el valle se inunda en la estación de las lluvias y forma un pantano que, hasta desecarse, es un semillero de fiebres palúdicas, algunas terribles, que en diez o doce horas producen la muerte.

THONELGEBEN. Pero bien; todo eso ¿qué relación tiene[57] con la defensa de Bu-Tata?

PARADOX. Nosotros no podemos contener a los moros ni a los puhls con murallas, porque, probablemente, las asaltarían.

THONELGEBEN. ¡Claro!

PARADOX. Pero podemos contenerlos por el agua.

THONELGEBEN. ¿Y cómo?

PARADOX. Podíamos[58] romper el contrafuerte[59] que impide al río seguir por su antiguo cauce y abrirle un boquete, por el cual caería una catarata que llenaría el valle, transformándolo en un lago. De esta manera, el terreno que ocupa la ciudad quedaría convertido en una isla.

THONELGEBEN. ¡Qué disparate!

PARADOX (con ansiedad). ¿Le parece a usted imposible?

THONELGEBEN. No; imposible quizá no es. Habría que estudiarlo.

PARADOX. ¡Si tuviéramos dinamita![60]

THONELGEBEN. La dinamita se hace.

PARADOX. ¿A usted le parece fácil?

THONELGEBEN. Facilísimo.

PARADOX. ¿Pero la podrá usted hacer aquí?

THONELGEBEN. Sí.

---

53. ¿Y qué?, What's the story?
54. de chiflado = de ser chiflado, of being daffy
55. Y . . . da, and making the bend (curve) it now does; vuelta literally means "turn"
56. ni unos ni otros, neither one nor the other
57. Pero . . . tiene, That's well and good, but what does all of that have to do

58. podíamos = podríamos
59. counterfort or spur, i.e., a dam to divert the current of a river
60. ¡Si tuviéramos dinamita!, If we only had some dynamite!

PARADOX. ¿Tiene usted ácido nítrico?
THONELGEBEN. Lo haré.
PARADOX. ¿Y la glicerina?
THONELGEBEN. Eso se extrae fácilmente.
Se necesita también ácido sulfúrico y
carbonato de sosa. Este último nos lo
da la Naturaleza hecho. Lo hay[61] en
nuestra misma isla.
PARADOX. Entonces no hay más[62] que
lanzar un ¡hurrah! de entusiasmo.
THONELGEBEN. No, todavía no.
PARADOX. Eso está hecho.[63] ¡Hurrah!
¡Hurrah!

(*Grita, con gran admiración de los
salvajes. Al llegar a Fortunate-House,
dos días después de la salida, desembarcan.
El* REY *y* BAGÚ *entran en su canoa
y* PARADOX *y* THONELGEBEN *suben a la
casa.*)

SIPSOM. ¿Y qué van ustedes a hacer?
¿Han encontrado algún procedimiento
para fortificar Bu-Tata?
PARADOX. Vamos a desviar el curso del
río. Vamos a convertir un valle en un
lago.
DIZ. Eso no se puede hacer.
PARADOX. ¿Por qué?
DIZ. Porque no.
PARADOX. Esa no es una razón.
DIZ. Pero es una verdad. . . .
PARADOX. Usted se convencerá cuando
vea formado el lago.
DIZ. Es que no lo veré; tengo la seguridad
de ello.
PARADOX. ¿Lo conceptúa usted imposible?
DIZ. De todo punto.[64]
PARADOX. En mi diccionario, señor Diz,
no existe la palabra «imposible».

XI

El momento solemne

Durante algunos meses, una porción de trabajadores negros, dirigidos por
SIPSOM *y por* PARADOX, *han abierto dos galerías profundas en el lugar que
cierra el antiguo cauce del río. Cerca,* THONELGEBEN *ha construido sus hornos,
para hacer los componentes de la nitroglicerina.*

*Un día en las galerías, ya profundamente socavadas, se ha ido poniendo
grandes tinajas llenas de la líquida substancia explosiva hasta los bordes.*

*En cada tinaja se ha colocado, flotando, una calabaza repleta de pólvora,
con una mecha azufrada larga de varios metros, los bastantes para que tarde
dos horas en quemarse[65] y hacer estallar el explosivo.*

*El día de la prueba la ciudad entera cruza el río, y las seis mil personas del
pueblo huyen en todas direcciones.*

En el momento solemne, PARADOX *y* THONELGEBEN *se internan, cada uno
en su galería, y encienden las mechas. Salen luego precipitadamente.* GOIZUETA
y THADY-BRAY *les esperan en una canoa.*

---

61. *Lo hay,* There is some
62. *Entonces no hay más que,* Then all we
have to do (is)
63. *Eso está hecho,* It's as good as done.

64. *De todo punto,* Absolutely.
65. *los bastantes . . . quemarse,* enough (meters
in length) so that (each fuse) would take
two hours to burn

Entran en ella, y se alejan a impulso de los remos y de la corriente.
THONELGEBEN *mira su reloj con impaciencia.*
Pasa el tiempo. Luego se oye un rumor largo, sordo y continuado . . .

XII

Elogio metafísico de la Destrucción

Un cíclope, atraído por el estruendo, asoma su cabeza gigantesca por encima de las montañas y mira con sorpresa el valle convertido en lago, con el único ojo, terrible y amenazador, que tiene en su frente.

EL CÍCLOPE. Destruir es cambiar; nada más. En la destrucción está la necesidad de la creación. En la destrucción está el pensamiento de lo que anhela llegar a ser.

Destruir es cambiar; destruir es transformar.

En el mundo en que nada se aniquila, en el mundo en que nada se crea, en el mundo físico, en el mundo moral, en el mundo en que la nada no existe . . .

Destruir es cambiar; destruir es transformar.

En el volcán que se levanta en medio del océano, en la isla que se hunde en el mar, en la ola que se evapora, en la nube que se condensa en lluvia . . .

Destruir es cambiar; destruir es transformar.

En la tierra que se rompe con el arado, en el mineral que se funde en el horno, en el cuerpo que se volatiliza, en el prejuicio que desaparece . . .

Destruir es cambiar; destruir es transformar.

Pálidas imágenes del pensar humano, brutales explosiones de la materia inerte: sois igualmente destructoras, sois igualmente creadoras.

Destruir es cambiar. No, algo más. Destruir es crear.

XIV

Los buenos y los malos[66]

BAGÚ. ¿Cómo se atreven esos extranjeros a cambiar las leyes del mundo? ¿Quién les autoriza para trastornar el curso sagrado de los ríos? Cambiar, cambiar, ¡qué horror! Audaces y rebeldes estos blancos, quieren saber más que los magos, que lo sabemos todo por inspiración divina.

Y el pueblo les sigue; el pueblo les cree; en cambio empiezan a dudar los hombres de nuestros amuletos y de nuestras bolas de estiércol. Hay que

66. The lake is named after Thonelgeben and the two islands that have emerged are called Dora and Beatriz.

imponerles la creencia por la fuerza, hay que hacerles creer de nuevo; si no, ¿qué sería de los magos?

LAS SERPIENTES. ¿Qué es esta avalancha que destruye nuestros nidos? ¿Quién ha desencadenado esta terrible inundación? Son esos extranjeros; son ellos los audaces. ¡Sssss! ¡Silbemos! ¡Alarguemos nuestra lengua bífida! ¡Hagamos sonar los cascabeles de nuestras colas! ¡Descarguemos en la carne de los hombres toda la ponzoña de nuestros huecos dientes!

EL PEZ. Antes, en los rápidos del río, tenía que luchar con desesperación contra la corriente; ahora, en esta inmensidad insondable, hallo lugar para correr a mi capricho, para hundirme en los abismos de agua transparente y salir a la superficie a juguetear entre las ondas. Generosos extranjeros, yo os doy las gracias.

EL SAPO. He vivido siempre solo. En el fondo de mi agujero, mis únicos amigos eran los golpes de mi corazón, que hacían tac . . . tac . . . tac . . . continuamente. El agua me ha obligado a salir de mi escondrijo, y he visto, con vergüenza y con espanto, que hay un sol y unas estrellas allá arriba y flores de oro entre las hierbas. Y no quiero ver nada, no quiero saber nada. Yo os maldigo, extranjeros, porque me obligáis a salir de mi cueva; yo os maldigo, porque me obligáis a admirar lo que no quiero admirar, y me hacéis ver a la luz del día mi cuerpo deforme,

sucio y viscoso, como los pensamientos de la envidia.

UNA GOLONDRINA. ¡Hermoso lago para deslizarse sobre él! ¡Qué claro! ¡Qué transparente! En su fondo hay otra golondrina hermana que corre al mismo tiempo que yo.

LA HIENA. ¿Quién ha llenado de agua el valle? ¿Quién ha cerrado mi paso al pueblo? Antes, de noche, iba a desenterrar los cadáveres de los hombres. Cuando no,[67] devastaba los rebaños. Ahora nada puedo. ¡Maldición, maldición para esos extranjeros que así condenan a los infelices al hambre!

EL SEÑOR BUHO (mirando con su lente). Ayer, si no me engaño, había aquí una rama donde estuve descansando. Sí, era aquí. Venía indignado de[68] la estupidez de los demás pájaros, y me detuve un momento a pensar en los beneficios de la soledad. Hoy no hay más que agua. ¿Quiénes han sido los audaces que han hecho esta substitución escandalosa? ¡Hombres! Hombres seguramente . . . Esos seres frívolos, llenos de vanidad y de petulancia.

LA LUNA. Antes, en la noche serena, veía brillar mis rayos en las espumas del río; ahora, más dulce, más amable, veo mi pupila blanca reflejada en el agua argentada de ese lago. En ese espejo yo me miro, dama errante de la noche; en ese espejo me contemplo cuando las brumas azules adornan mi faz risueña. ¡Yo os bendigo, extranjeros; yo os bendigo!

XV

Un indiferente

EL MURCIÉLAGO. ¿Han cambiado el río y han hecho un lago? Pse . . . Nada me importa. Yo vuelo por las calles, no por la campiña. No soy campesino, pero tampoco soy ciudadano; no tengo cédula de vecindad en el aire ni en el

---

67. *Cuando no,* When I didn't do that

68. *Venía indignado de,* I was indignant at

suelo; no soy pájaro ni soy terrestre. Soy voluble por naturaleza. Vuelo constantemente en zigzags, y parece que busco algo, pero no busco nada.

Soy fantástico y alegre, egoísta y jovial. Me divierto, me aturdo, y de todo no me importa nada. ¿Que[69] han hecho un lago donde había un valle? Pse. Me es igual. ¿Que son buenos? ¿Que son malos? Nada me importa. Soy fantástico y alegre, egoísta y jovial. Vuelo constantemente en zigzags, y parece que busco algo, pero no busco nada.

69. *Que, So*

TERCERA PARTE

I

Los conjurados

Varios negros van subiendo hacia la parte alta de la isla, al compás de una música de tambores. En Fortunate-House todos se asoman a la muralla.

PARADOX. ¿Qué será eso? ¿Vendrán a atacarnos de nuevo?

UGÚ. No; seguramente no.

DIZ. ¿Qué llevarán en la punta de eşa lanza?

SIPSOM (*que ha sacado su anteojo y mira por él*). Es una cabeza de hombre.

BEATRIZ. ¡Oh, qué horror!

(*Toda la comitiva se va acercando hasta colocarse a unos cuantos metros de la fortaleza.*)

UGÚ. (*saliendo a la muralla*). ¿Qué es lo que queréis?

UN SUBLEVADO. Queremos hablar con los extranjeros. Nos hemos levantado contra el rey Kiri y le hemos cortado la cabeza. Venimos a ofrecérosla y a pediros que, desde hoy, nos gobernéis vosotros.

(UGÚ *comunica a* PARADOX *y a* SIPSOM *los deseos de sus paisanos, y ambos cruzan el puente levadizo y salen de la fortaleza. Los sublevados se inclinan ante ellos y* les ofrecen el resto sangriento del rey KIRI.)

PARADOX. Echad eso al río y hablemos después. ¿Qué habéis hecho?

EL SUBLEVADO. Hartos de las vejaciones y de los crímenes de este hombre, nos hemos conjurado unos cuantos,[1] y esta madrugada hemos entrado en su palacio y le hemos dado muerte. El pueblo entero, al saberlo, se ha reunido con nosotros, y todos han celebrado que se haya concluido el reinado de este monstruo; pero después . . .

PARADOX. Os habéis arrepentido de lo hecho.

EL SUBLEVADO. No; lo que nos ha sucedido es que nos hemos quedado sin saber qué hacer, a quién nombrar rey, y entonces hemos pensado en vosotros.

SIPSOM. ¿Y qué queréis que hagamos nosotros?

EL SUBLEVADO. Sabéis más y conocéis una porción de cosas de las cuales no tene-

1. *nos hemos conjurado unos cuantos,* a few of us have formed a conspiracy

mos idea. Queremos un rey justo y bueno; os pedimos que nos lo indiquéis.

SIPSOM. Es una tarea difícil la que nos encargáis. Dadnos a lo menos un plazo, para que tengamos tiempo de elegir.

EL SUBLEVADO. Tomaos todo el día. El pueblo no puede esperar mucho tiempo sin rey. Reñirían unos con otros, y estallaría la guerra civil.

PARADOX. Pero comprended que es muy poco tiempo el que nos dais. Podríais después quejaros y protestar contra nuestra decisión.

EL SUBLEVADO. No protestaremos; lo que elijáis vosotros, bien elegido está.[2] Decidid cuanto antes; nosotros esperaremos vuestro fallo. Mirad: el pueblo entero, que conoce ya nuestro proyecto, viene a la isla.

(*Efectivamente: se ven llegar más canoas y una gran masa de negros se va reuniendo en la parte baja de la Isla Afortunada.*)

SIPSOM. Está acordado. Antes de que se haga de noche[3] os diremos quién ha de ser vuestro rey.

II

La Constitución de Uganga

En el gran salón de Fortunate-House se han reunido todos los europeos, más UGÚ, *que ha sido admitido a las deliberaciones.* PARADOX *actúa de presidente.*

GANEREAU. Pido la palabra para una cuestión previa.

PARADOX. Tiene la palabra Ganereau.

GANEREAU. Señores: Yo no comprendo por qué vamos[4] a seguir al pie de la letra lo dicho por los sublevados.

Al pedir éstos un rey, lo que quieren indicar es que necesitan un gobierno; y creo que mejor que un gobierno personal es una república.

GOIZUETA. A mí me parece todo lo contrario.

HARDIBRÁS. A mí también.

SIPSOM. Además, el deseo de ellos es explícito: quieren un rey.

GANEREAU. ¡Un rey! ¿Para qué sirve un rey?

PARADOX. Hombre, sirve poco más o me-

nos para las mismas cosas que un presidente de la república; para cazar conejos, para matar pichones y hasta en algunos casos, según se dice, han servido para gobernar.

GANEREAU. A mí, mi dignidad no me permite obedecer a un rey.

PARADOX. ¡Si[5] no se obedece en ningún país al rey! Se obedece a una serie de leyes. En eso nada tiene que ver la dignidad. En todos los pueblos de Europa tenemos por jefe de Estado una especie de militar vestido de uniforme, con toda una quincallería de cruces y de placas en el pecho, y ustedes[6] tienen una especie de notario de frac y de sombrero de copa con una cinta en el ojal.

2. *lo que . . . está,* whatever decision you make will be well received
3. *Antes . . . noche,* Before nightfall
4. *vamos a = hemos de*
5. But
6. i.e., the French

GANEREAU. No estoy conforme.

PARADOX. Pues es igual.[7]

SIPSOM. Pero todo esto, ¿qué tiene que ver para nuestro caso?

GANEREAU. Yo lo que quiero decir es que no sospechan los naturales de Uganga que el país se pueda gobernar de otra manera.

SIPSOM. ¿Y les vamos a convencer de lo contrario en unas cuantas horas? (*Por lo bajo.*) Ya está pensando este hombre que se encuentra en Montrouge.

PARADOX. A mí me parece que no debemos intentar con los mandingos un gobierno a la europea.

THONELGEBEN. A mí me parece lo mismo.

GANEREAU. Si les damos un rey absoluto, corren el peligro de que el nuevo rey sea un tirano abominable como el antiguo.

PARADOX. Entonces, ¿qué hacemos? ¿Intentamos una Constitución, o simplemente señalamos a uno cualquiera para que sea rey?

GANEREAU. Yo creo que la Constitución tiene grandes ventajas, y que debíamos hacer dos o tres proyectos y discutirlos.

PARADOX. ¿Se acepta la idea de Ganereau?

TODOS. Aceptada. Ensayaremos eso, a ver si da algún resultado.

(GANEREAU *se marcha a un extremo de la mesa y* DIZ *a otro, y se ponen los dos a escribir rápidamente. Al cabo de media hora se levantan los dos con los papeles en la mano.*)

PARADOX. ¿Han terminado ustedes ya?

GANEREAU *y* DIZ. Sí.

PARADOX. Bueno; pues vamos a ver esos proyectos.

GANEREAU. He suprimido todo comentario para que el escrito sea más breve. Los artículos principales de la Constitución son éstos:

Primero. Todos los habitantes de Uganga serán libres.

PARADOX (*por lo bajo, a la* MÔME FROMAGE). Libres de comer, si tienen qué;[8] de rascarse, de espulgarse, de pasear; pero no libres de fastidiar a los demás.

GANEREAU. Segundo. Todos los habitantes de Uganga serán iguales.

PARADOX (*a la* MÔME FROMAGE). Seguirán siendo desiguales en estatura, en nariz y en todos los demás atributos que da la Naturaleza. Creo, por lo tanto, que no se debe permitir cortar la nariz al que la tenga larga para hacerle igual al chato.

GANEREAU. Tercero. Todos los habitantes de Uganga se considerarán como hermanos.

PARAOX. Lo cual no impedirá que al hermano que muerda se le ponga su correspondiente bozal.

GANEREAU. Cuarto. El Gobierno se regirá por un sistema representativo con el voto proporcional.

THONELGEBEN. ¡Alto ahí! Creo que no debemos aceptar el sistema parlamentario tal como se practica en Europa.

DIZ. A mí me parece lo mismo.

PARADOX. Yo soy también contrario al sistema representativo. No creo en la sublimidad de ese procedimiento, que hace que la mayoría tenga siempre la razón.

GANEREAU. Y entonces, ¿cómo se va a regir el país?

PARADOX. Yo encuentro lo más apropiado para Uganga un gobierno paternal.

THONELGEBEN. A mí el procedimiento mejor me parece una dictadura socialista, que puede irse renovando a medida que el dictador se canse o deje de cumplir bien con su deber. Creo que primeramente debemos declarar que la tierra de Bu-Tata será de todos; que habrá un depósito común de las

---

7. *Pues es igual,* Well that doesn't make any difference.

8. *Libres . . . qué,* Free to eat if they have what (to eat)

herramientas de trabajo, y que a cada uno se le dará según sus necesidades.

PARADOX. Creo, amigo, que usted quiere colocar a los mandingos en un nivel más alto del que en realidad están.

THONELGEBEN. No; ¿por qué? El comunismo es lo natural. Además, es económico. Las sociedades europeas son más artificiales porque se han separado de la realidad.

PARADOX. Me parece que eso sería muy largo de discutir, y que, además, la solución en pro o en contra no nos resolvería ningun problema.

THONELGEBEN. ¿No piensan ustedes que aquí lo principal es hacer que el pueblo viva feliz?

PARADOX. Sí; en eso estamos[9] todos. En lo que disentimos es en la manera de darle esta felicidad.

GOIZUETA. ¿Y la religión? Yo supongo que se intentará hacer a estos negros cristianos.

PARADOX. ¿Y por qué? Cada uno tendrá la religión que quiera. Ya ve usted, entre nosotros mismos no hay completa unanimidad; yo soy panteísta.[10]

DIZ. Yo, haekeliano.[11]

THONELGEBEN. Yo también.

GANEREAU. Yo soy deísta, como Voltaire.[12]

PARADOX. ¿Y usted, Sipsom?

SIPSOM. Yo, anglicano. Aunque, la verdad, no practico gran cosa.

PARADOX. ¿Y usted, Thady Bray?

THADY BRAY. Yo, presbiteriano.

DORA. Pues yo soy católica.

BEATRIZ. Y yo.

GOIZUETA. Y yo. Y tenemos la seguridad de creer en la religión verdadera.

HACHI OMAR. La verdad única es, que no hay más que Alá y Mahoma su enviado.

GOIZUETA. Cállate, perro moro. Mahoma es un granuja.

(HACHI OMAR saca un rosario y se pone a rezar por lo bajo.)

PARADOX. Y usted, Piperazzini, ¿qué religión tiene?

PIPERAZZINI. ¡Corpo di Bacc![13] Yo creo, la verdad, que soy pagano.

PARADOX. ¿Y usted, Ugú?

UGÚ. Yo todavía creo en las bolas de estiércol.

PARADOX. ¿Y usted, Beppo?

BEPPO. Yo, señor, no soy más que cocinero.

PARADOX. ¿Y usted, Hardibrás?

HARDIBRÁS. Yo no tengo más religión que la disciplina militar y el honor.

PARADOX. Pues, señor, hay una unanimidad verdaderamente encantadora entre nosotros. Desde Beppo, que no cree más que en los manuales culinarios, hasta los que se elevan a las alturas del Korán[14] y de la Biblia, ¡qué abismo!

(Sigue la discusión de una manera tempestuosa. DORA exige que no se permita a un hombre el que[15] tenga varias mujeres, y BEATRIZ le apoya en su petición; GANEREAU quiere la declaración de los derechos del hombre y una Cámara de Diputados, y DIZ y THONELGEBEN se empeñan en que lo primero que debe hacerse es la repartición de las tierras.

9. Supply *conformes*
10. A pantheist believes that God is the transcendent reality of which the material universe and man are only manifestations.
11. A disciple of Ernst Heinrich Haeckel (1834–1919), German biologist and philosopher, who, applying Charles Darwin's theory of evolution to philosophical and religious matters, negated the immortality of the soul, the freedom of the will, and the existence of a personal God.
12. *deísta, como Voltaire.* A deist believes in the existence of a God on the evidence of reason and nature only, with rejection of supernatural revelation. François Marie Arouet Voltaire (1694–1778) was a French philosopher, historian, and essayist.
13. *¡Corpo di Bacco!*, Italian oath meaning "By the body of Bacchus!"
14. *Korán*, the Koran, the sacred scripture of Islam believed by orthodox Mohammedans to contain revelations made in Arabic by Allah directly to Mohammed.
15. *el que = el hecho de que,* the right to have

Mientras discuten, va pasando la tarde sin que lleguen a un acuerdo. SIPSOM, *que sale con frecuencia, comprueba la agitación que existe entre los negros. Entra en el cuarto en donde están deliberando, y se acerca a* THONELGEBEN.)

SIPSOM. Estamos perdiendo el tiempo de una manera lastimosa. Los negros se impacientan.

THONELGEBEN. ¿Y qué le vamos a hacer?[16]

SIPSOM. Tengo un proyecto.

THONELGEBEN. ¿Cuál es?

SIPSOM. Hacer rey a Paradox. ¿Qué le parece a usted?

THONELGEBEN. Me parece muy bien.

SIPSOM. ¿Usted encuentra algún obstáculo? ¿Cree usted que su elección molestará a alguno?

THONELGEBEN. Me parece que no. A no ser que le moleste a él.

SIPSOM. Entonces, manos a la obra.[17] Ayúdeme usted. Dígale usted a Paradox que le tenemos que enseñar una cosa desde la muralla.

THONELGEBEN. Bueno.

(THONELGEBEN *le habla a* PARADOX *con gran misterio y salen los dos.*)

PARADOX. ¿Qué querrá este hombre? ¿Qué proyecto traerá?

(*Suben* PARADOX *y* THONELGEBEN *a la muralla.* SIPSOM *extendiendo sus brazos y mostrando a las turbas a* PARADOX.)

SIPSOM. ¡Pueblo de Bu-Tata, aquí tienes a tu rey!

(*Todos los negros se acercan a la muralla y comienzan a dar gritos de entusiasmo.*)

PARADOX (*indignado, queriendo bajar de la muralla*). Pero ¿qué han hecho ustedes? ¡Me han engañado! ¡Yo no quiero ser rey!

SIPSOM (*sin dejarle bajar*). El voto popular lo ha decidido. El pueblo quiere que Paradox sea su rey: ¡viva el rey Paradox!

(*Dentro y fuera de Fortunate-House.*) ¡Viva!

PARADOX. Antes de la voluntad del pueblo está, en esta cuestión, la voluntad mía, y yo no quiero ser rey; que lo sea don Avelino.

TODOS. ¡Viva el rey Paradox!

HACHI. ¡Viva Muley[18] Paradox!

TODOS. ¡Viva!

SIPSOM. ¡Viva la dinastía de los Paradoxidas![19]

TODOS. ¡Viva!

THONELGEBEN. ¡Viva Silvestre I!

TODOS. ¡Viva!

PARADOX. ¡Señores, señores! Creo que están ustedes abusando de mi benevolencia real. Concluyamos pronto, porque si no, ahora mismo abdico, y acaban en seguida los Paradoxidas. (PARADOX *baja de la muralla.*)

UN SUBLEVADO (*acercándosele*). ¡Señor! Las vírgenes de Bu-Tata piden permiso para saludarte, ¡gran rey!, en este momento solemne.

PARADOX. Que pasen esas buenas señoras.

(*Entra una cáfila de negras horribles y van haciendo grotescas ceremonias delante del rey. Después viene una comisión de guerreros y de sacerdotes, que invitan al rey* PARADOX *a ir a Bu-Tata a coronarse allí.*)

---

16. ¿Y . . . hacer?, And what are we going to do about it?

17. *manos a la obra*, let's get to work

18. Arabic honorary title used for sultans in Morocco

19. The Paradoxes, the descendants of Paradox

III

Las fiestas de la Coronación

Salen PARADOX *y* DIZ DE LA IGLESIA, *que ha sido nombrado ministro, de la Catedral de Bu-Tata, un granero en donde los magos se han reunido para coronar a* PARADOX. *Suben al palanquín.*

PARADOX. No se va del todo mal encima de estos bárbaros. ¿Verdad, señor ministro?

DIZ. ¡Pse! . . . No.

PARADOX. ¡Y pensar que estos idiotas 5 podrían darnos dos patadas y echarnos de aquí!

DIZ. Pero eso no les conviene a ellos.

PARADOX. ¿Cree usted que no?

DIZ. Claro que no; porque si ahora 10 mismo se vieran sin rey, dentro de un momento empezarían a andar a linternazos.[20]

PARADOX. ¡Y pensar que eso mismo ocurre en Europa! El pueblo es siem- 15 pre imbécil. Necesita llevar algo encima.

DIZ. ¡Es claro! Además, nosotros no pesamos gran cosa.

PARADOX. Es nuestra falta. Si hubiéra- 20 mos aplastado a dos o tres, tendrían de nosotros mucha mejor idea. ¡Ah, idiotas! Diga usted: ¿qué diría el Conill[21] si nos viera, eh? ¡A mí de rey, y a usted de ministro![22] ¿Qué 25 asombro no sería el suyo?

DIZ. ¡Figúrese usted! Cuando le dije que nos íbamos lejos, me preguntó:—¿Van ustedes más allá de Francia?—Más allá del moro,[23] le contesté.—Entonces van 30

ustedes a la China, me dijo él. En la geografía del Conill, el final de la tierra es la China.

PARADOX. Cuando volvamos y le contemos lo que hemos visto, se va a asombrar de veras.

DIZ. ¡Ah! Pero ¿usted piensa volver?

PARADOX. Yo sí. ¿Usted no?

DIZ. ¿Para qué? ¿Qué tiene usted en España que no tenga usted aquí?

PARADOX. ¡Oh, tantas cosas! Aquél es un país ideal, hombre. Va usted por cualquier pueblo y toma usted a la derecha . . . y un convento;[24] y toma usted a la izquierda . . . y otro convento. Luego aquellos frailes tan simpáticos, aquellos curas tan inteligentes y tan limpios, aquellos empleados de las oficinas tan amables, aquellas porteras tan serviciales . . .

DIZ. Yo no niego las bellezas de España, pero esto también tiene sus encantos.

PARADOX. ¡Qué quiere usted que le diga! Estoy harto de ver pieles negras y narices chatas. Antes tenía un gran entusiasmo por la vida salvaje; ahora pienso en aquella guardilla de la calle de Tudescos,[25] como si fuese un lugar de delicias.

DIZ. ¡Es usted una veleta!

20. *andar a linternazos,* to beat each other up; *linternazo* means "blow with a lantern"
21. This refers to the servant previously mentioned in Chapter II of Part I.
22. *¡A mí . . . ministro!,* Me as king and you as minister!
23. *Más allá del moro,* Beyond the land of the Moors

24. *toma . . . convento,* make a right turn and you find a convent. This paragraph is typical of Baroja's anticlerical comments found in many of his works.
25. Paradox and Diz had formerly lived in a garret in *la calle de Tudescos,* a street of low-class establishments located in the center of Madrid.

PARADOX. ¡Qué se le va a hacer, amigo Avelino! Las ilusiones son como las flores, como las mariposas, como todo lo que es muy delicado y muy bonito. Brillan entre las ideas unas, y entre las matas las otras; se las coge entre los dedos, y se marchitan.

DIZ. Siempre descontentadizo.

PARADOX. Es la condición humana. Además, yo soy hombre de ideas, de proyectos, de lucha; lo establecido me cansa. ¿Qué vamos a hacer ya aquí?

(*Bajan* PARADOX *y* DIZ *de su palanquín y se les acerca el general* MA.)

MA. Señor, el ejército quiere saludar a Su Majestad.

PARADOX. Que venga y que me salude.

BAGU. Los magos de Uganga quieren inclinarse ante Su Majestad.

PARADOX. Que se inclinen, pero acabemos pronto. Van a empezar las fiestas.

(THONELGEBEN *ha preparado a orillas del lago fuegos artificiales que se van a quemar de noche. El pueblo entero de Bu-Tata espera con impaciencia que obscurezca para que empiecen los festejos.*

Se queman los fuegos artificiales ante la admiración del público; luego comienzan los bailes. Bailan las mujeres y los hombres a la luz de la luna, al son de los tantán y de las flautas. La alta luna ilumina el lago con su luz de plata, y, a lo lejos, brotan las islas con sus arboledas misteriosas, y escapa de la superficie del agua una neblina azulada.

En la piel negra de las mujeres, alrededor de los cuellos, de las muñecas y de los tobillos, los collares de cuentas de cristal brillan y lanzan destellos. Es una noche de calma y de amor. Los amantes se buscan en las enramadas; algunos van en grupos en las canoas alumbrándose con farolillos hechos con cortezas, y se oye por todas partes el rumor de las panderetas y de los crótalos.

SIPSOM *y* SILVESTRE I *pasean por entre la turba.*)

SIPSOM (*pensativo*). Yo cambiaría toda mi vida de hombre civilizado por una noche como ésta, de amor y de inconsciencia.

PARADOX. ¿De veras?

SIPSOM. ¿No encuentra usted ridículos ante la vida natural todos los refinamientos de la civilización?

PARADOX. Ahora en este momento, no.

SIPSOM. Para mí, ahora y siempre. Todas esas máquinas y artefactos del progreso para correr, para marchar siempre más de prisa, ¡qué necios me parecen!

PARADOX. ¿Y el progreso moral?

SIPSOM. ¡Qué progreso moral! La moralidad no es más que la máscara con que se disfraza la debilidad de los instintos. Hombres y pueblos son inmorales cuando son fuertes.

PARADOX. Sí, es cierto. Las naciones vigorosas atraviesan lagos de sangre para satisfacer sus apetitos.

SIPSOM. Y los hombres hacen igual.

PARADOX. En el fondo, es triste.

SIPSOM. Pero es así. En la vida no hay nada grande más que el amor y el trabajo.

PARADOX. Y la muerte después.

SIPSOM. Y la muerte después . . . Son las únicas verdades de la vida.

IV

El progreso de Bu-Tata

En la sala de sesiones de la Casa del Pueblo de Bu-Tata.

GANEREAU. Yo confieso, señores, que la ciudad ha entrado en un período de progreso; se ha hecho la distribución de las tierras, y nadie tiene más terreno que el que él y su familia pueden labrar. Me parece muy bien. Thonelgeben ha implantado un sistema de bonos de trabajo para la retribución y para el cambio, que da buen resultado. Pero ya, ¿por qué no seguimos más adelante? ¿Por qué no se implanta el sistema representativo?

PARADOX. Pero, ¿para qué?

GANEREAU. Aunque no sea más que por la dignidad del país.

PARADOX. ¿Es que usted considera ofendida su dignidad porque yo soy rey? Pues lo dejaré.[26]

GANEREAU. No, no; pero, la verdad, nada tan bello como el sistema parlamentario funcionando libremente.

PARADOX. ¿Y rigiéndose por la ley de las mayorías? Me parece una cosa absurda e irritante.

SIPSOM. Dejemos esa cuestión. Como juez, tengo que hacer una pregunta: ¿Qué hacemos con ese hombre que ha asesinado a un viejo?

PARADOX. Creo que habíamos proyectado poner a los asesinos al otro lado del lago.

SIPSOM. ¿Para siempre?

PARADOX. Claro que para siempre.

SIPSOM. A los dos ladrones los hemos dejado en una de las islas por tiempo limitado.

UGÚ. A mí me han preguntado cuándo comenzará a echar agua la fuente de la plaza.

THONELGEBEN. Dentro de unos días estará terminado el acueducto.

UGÚ. También me han dicho[27] si se podrá llevar al mismo tiempo, del almacén general, un arado y azadas el mismo día.

PARADOX. Si hay de sobra, sí.

DIZ. Se ha suprimido el cuartel y la cárcel, lo que encuentro muy bien. Beatriz, Dora y la señora francesa enseñan a las jóvenes mandingas a hacer labores; creo que debemos fundar escuelas para hombres.

GANEREAU. Es verdad.

PARADOX. Está bien que fundemos escuelas, pero creo que debemos establecerlas sin maestros.

SIPSOM. Este Paradox es un hombre magnífico. Quiere hacer escuelas sin maestros.

PARADOX. Sí, sin maestros, sin profesores, sin autoridad, si les parece mejor.

DIZ. Pero para una escuela se necesitan profesores.

PARADOX. Yo creo que no; el profesor es una especie de papagayo del género Psittacus,[28] familia de los loros.

DIZ. Todo lo que usted quiera, pero es necesario.

PARADOX. No veo la necesidad de los maestros. El hombre puede aprender sin necesidad de maestro.

DIZ. No estamos conformes.

---

26. *lo dejaré = dejaré de serlo* [rey]
27. *han dicho = han preguntado*

28. *género Psittacus,* a group of parrots and parrot-like birds.

PARADOX. Pero fíjese usted en que casi todos los que han sobresalido en una ciencia o en un arte han aprendido su arte o su ciencia sin maestro. ¿Usted cree que hubo alguien que le enseñó a Darwin[29] a observar, a Claudio Bernard[30] a experimentar, a Shakespeare a escribir dramas, a Napoleón a ganar batallas?

DIZ. Pero ésos eran genios; tenían una aptitud clara, determinada; ¿y el que no la tenga?[31]

PARADOX. Por lo menos no se le violentará. Pondremos unos cuantos talleres, en donde puedan entrar los chicos y los hombres. Que vean lo que se hace; si tienen vocación se quedarán, querrán aprender; si no, se largarán.

DIZ. ¿Y usted cree que habrá alguno que tenga vocación para estudiar matemáticas?

PARADOX. No, seguramente que no; pero, ¿para qué les sirve ahora estudiar matemáticas? Cuando lo necesiten, estudiarán. Hay un grado de civilización material en Bu-Tata que por ahora nos basta y nos sobra. ¿Para qué avanzar violentamente si no sentimos esa necesidad?

GANEREAU. ¿Y el arte?

PARADOX. ¡Ah! ¿Pero ustedes también tienen el fetichismo del arte, ese fetichismo ridículo que obliga a creer que las cosas inútiles son más útiles que las necesarias?

GANEREAU. Pero el arte es una cosa útil.

PARADOX. El arte es una cosa llamada a desaparecer, es un producto de una época bárbara, metafísica y atrasada.

SIPSOM. ¡Magnífico, Paradox! ¡Magnífico!

PARADOX. Y si del arte pasa usted al artista, ¿hay nada más repulsivo, más mezquino, más necio, más francamente abominable que un hombrecillo de esos con los nervios descompuestos que se pasa la vida rimando palabras o tocando el violín?

SIPSOM. ¡Fuerte ahí! ¡Fuerte![32]

DIZ. Diga usted entonces que la ciencia también es inútil.

PARADOX. Si me aprieta usted mucho, diré que es perjudicial.

DIZ. ¿Y por qué?

PARADOX. Porque produce un bárbaro desarrollo del cerebro a expensas de los demás órganos. Y en el cuerpo humano se necesita la armonía, no el predominio.

DIZ. Entonces abajo la ciencia, abajo el arte y vivamos hechos unos[33] bárbaros.

PARADOX. Sí. Vivamos hechos unos bárbaros. Vivamos la vida libre, sin trabas, sin escuelas, sin leyes, sin maestros, sin pedagogos, sin farsantes.

SIPSOM. ¡Bravo! Vivan los hombres silvestres,[34] aunque sean reyes.

PARADOX. Y ¡abajo las universidades, los institutos, los conservatorios, las escuelas especiales, las academias, donde se refugian todas las pedanterías!

SIPSOM. ¡Abajo!

PARADOX. ¡Abajo esos viveros de calabacines que se llaman Ateneos![35]

SIPSOM. ¡Abajo!

PARADOX. ¡Abajo todos los métodos de enseñanza!

SIPSOM. ¡Abajo!

PARADOX. Acabemos con los rectores pedantes, con los pedagogos, con los catedráticos, con los decanos, con los auxiliares, con los bedeles.

29. Charles Darwin (1809–82), British naturalist, famous for his theory of the origin and evolution of new species
30. Claude Bernard (1813–78), French physiologist, the most famous representative of experimental science in the second half of the nineteenth century
31. ¿Y el que no la tenga?, and what about the one who doesn't have it (aptitude)?
32. ¡Fuerte ahí! ¡Fuerte!, Let them have it! Pour it on!
33. hechos unos, like a bunch of
34. wild, rustic; also Paradox's first name
35. literary or scientific clubs

SIPSOM. Acabemos con ellos. ¡Hip! ¡Hip! ¡Hurrah!

DIZ. De todos modos, al último no tendremos más remedio que establecer escuelas.

PARADOX. Pero no les enseñemos *musa musae*[36] a los chicos.

DIZ. Eso por de contado.[37]

PARADOX. Ni historia.

DIZ. Naturalmente que no.

PARADOX. Ni retórica.

DIZ. ¡Claro!

PARADOX. Ni psicología, lógica y ética.

DIZ. ¡Hombre, por Dios!

PARADOX. Entonces acepto la escuela.

Hablando de otra cosa, ¿saben ustedes que Thonelgeben y yo tenemos un gran proyecto?

DIZ. ¿Sí? ¿Cuál?

PARADOX. Vamos a hacer un tiovivo en medio de la plaza. ¿Qué les parece a ustedes?

DIZ. Magnífico.

PARADOX. Ya verán ustedes dentro de una semana los caballos dando vueltas.

DIZ. Pero ¿habrá caballos?

PARADOX. ¡No ha de haber![38] Daremos un curso pedagógico de equitación en caballos de madera.

V

Elogio de los viejos caballos del tiovivo

A mí[39] dadme los viejos, los viejos caballos del tiovivo.

No, no me entusiasman esas ferias elegantes con sus cinematógrafos y sus barracas espléndidas y lujosas. No me encantan esos orquestiones[40] grandes como retablos de iglesia, pintados, dorados, charolados. Son exageradamente científicos. Mirad esas columnas salomónicas[41] que se retuercen como lombrices; mirad esas figuras de señoritas de casaca y calzón corto[42] que llevan el compás dando con un martillito en una campana, mientras mueven la cabeza con coquetería; mirad esas bailarinas que dan vueltas graciosas sobre un pie con una guirnalda entre las manos. Oíd la música, chillona, estrepitosa, complicada de platillos, flautas, bombos, que sale del interior del aparato. Yo no quiero quitarles su mérito, pero . . .

A mí dadme los viejos, los viejos caballos del tiovivo.

No son mis predilectos esos tiovivos modernistas, movidos a vapor, atestados de espejos, de luces, de arcos voltios, que giran arrastrando coches llenos de adornos, elefantes con la trompa erguida, y cerdos blancos y desvergonzados que suben y que bajan con un movimiento cínico y burlesco. No les niego el mérito a esas montañas rusas[43] cuyo vagón pasa

---

36. *no les enseñemos "musa musae,"* let's not teach them [*los chicos*] Latin any more. The Latin words *musa* and *musae*, the nominative and genitive of the first declension Latin word for "muse," represent the memorization of Latin words by school children.

37. *Eso por de contado,* That goes without saying.

38. *¡No ha de haber!,* Naturally!

39. *A mí,* as far as I'm concerned

40. orchestrion, a mechanical musical instrument, resembling a barrel organ but more elaborate, for producing the effect of an orchestra

41. *columnas salomónicas,* twisted columns; it is believed that these columns originated with Solomon's Temple in Jerusalem.

42. *calzón corto,* knee breeches

43. *montañas rusas,* roller coasters

vertiginosamente, con un estrépito de hierro y una algarabía de chillidos de mujer, pero . . .

A mí dadme los viejos, los viejos caballos del tiovivo.

Dadme el tiovivo clásico, el tiovivo con que se sueña en la infancia; aquél que veíamos entre la barraca de la Mujer-Cañón[44] y la de las figuras de cera. Diréis que es feo, que sus caballos azules, encarnados, amarillos, no tienen color de caballo; pero eso, ¿qué importa si la imaginación infantil lo suple todo? Contemplad la actitud de estos buenos, de estos nobles caballos de cartón. Son trípudos, es verdad, pero fieros y gallardos como pocos. Llevan la cabeza levantada, sin falso orgullo; miran con sus ojos vivos y permanecen aguardando a que se les monte en una postura elegantemente incómoda. Diréis que no suben y bajan, que no tienen grandes habilidades, pero . . .

A mí dadme los viejos, los viejos caballos del tiovivo.

¡Oh nobles caballos! ¡Amables y honrados caballos! Os quieren los chicos, las niñeras, los soldados. ¿Quién puede aborreceros si bajo el manto de vuestra fiereza se esconde vuestro buen corazón? Allí donde vais reina la alegría. Cuando aparecéis por los pueblos, formados en círculo, colgando por una barra del chirriante aparato, todo el mundo sonríe, todo el mundo se regocija. Y, sin embargo, vuestro sino es cruel; cruel, porque lo mismo que los hombres corréis, corréis desesperadamente y sin descanso, y lo mismo que los hombres corréis sin objeto y sin fin . . .

A mí dadme los viejos, los viejos caballos del tiovivo.

VI

En el Palacio

DIZ. ¿Sabe usted que Dora se casa con Thonelgeben?

PARADOX. ¡Hombre! Al fin.

DIZ. Sí, y Thady Bray con Beatriz.

PARADOX. ¿Se ha convencido Ganereau? Parece que no le gustaba la boda.

DIZ. Sí, se oponía porque Thady no es más que un grumete y él procede de los Ganereau de Pericard, que es una familia muy noble de Mont de Marsan.[45]

PARADOX. ¡Demonio!

DIZ. Sí; además parece que una abuela de Ganereau fue querida de Napoleón el Grande.

PARADOX. Esos ya[46] son títulos de gloria.

DIZ. La verdad es que estos franceses son un poco farsantes.

PARADOX. Pero ellos no tienen la culpa. Es defecto de nacimiento. ¿Y cómo le ha convencido Thady? ¿Ha tenido él alguna otra abuela ligera de cascos,[47] querida de algún otro hombre ilustre?

DIZ. No sé. Parece que el muchacho ha replicado, diciendo que los Bray proceden de Greenock[48] y que los primeros Bray estuvieron en las Cruzadas con Ricardo Corazón de León.[49] Además, ha añadido que tienen en Escocia una torre que se está cayendo

44. *Mujer-Cañón*, strong woman of the fair who could lift a small bronze canon to her shoulders and then lower it to the ground
45. *Mont de Marsan*, a city in southwest France
46. indeed

47. *ligera de cascos*, featherbrained
48. a seaport in southwest Scotland, on the Firth of Clyde
49. *Ricardo Corazón de León*, Richard the Lionhearted (Richard I of England, 1157–99)

y un baúl lleno de pergaminos, con lo cual Ganereau de Pericard se ha dado por satisfecho.

PARADOX. Y luego, fíese usted de los demócratas.[50]

DIZ. De modo que vamos a tener dos bodas. Sipsom actuará de juez, y usted pronunciará un discurso elocuente.

PARADOX. ¿Pero está instituido el matrimonio en Bu-Tata? Yo creo que no debemos dar un mal ejemplo.

DIZ. No tendremos más remedio que casar a estos novios; luego, podemos abolir el matrimonio e instituir el amor libre. . . .

VII

La justicia de Sipsom

SIPSOM (*juez*). Se abre la sesión.[51] Que vayan entrando los acusadores y los acusados.

(*Los dos ujieres hacen pasar a un mandingo y a su mujer.*)

SIPSOM. ¿Qué os pasa? ¿Qué querella tenéis entre vosotros?

LA MUJER. Señor juez, mi marido es un gandul. Todos los días le estoy diciendo que vaya al almacén general a buscar las herramientas del trabajo; y sale de casa y se tiende al sol, y no hace nada. Y, como no trae los bonos de trabajo, los chicos se quedan sin comer.

SIPSOM. Y tú, hombre, ¿qué dices a esto?

EL HOMBRE. Yo digo que no trabajo porque no tengo gana; y que si tuviera gana, trabajaría.

SIPSOM. Muy bien. Ahora yo a este vago mandaría pegarle una paliza, y mañana trabajaría como lo que es, como un negro; pero desde el rey hasta el último ciudadano de Bu-Tata se incomodarían conmigo.

EL UJIER. ¿Qué manda el señor juez que hagamos con este hombre?

SIPSOM. Que le pongan a aserrar madera, y el jornal que se lo reserven a su mujer.[52]

EL HOMBRE. ¿Y la libertad? ¿Esa es la libertad?

(*Los ujieres echan fuera al negro; tras él sale su mujer. Entran después otros dos mandingos, uno joven y otro viejo.*)

SIPSOM. ¿Qué os pasa a vosotros?

EL VIEJO. Sucede que yo me tomo el trabajo de cuidar mis gallinas. A todas horas las atiendo, y este muchacho, que es vecino mío, entra en mi casa y me las roba.

SIPSOM. ¿Eso es verdad?

EL JOVEN. Sí; yo no tengo paciencia para cuidarlas y me aprovecho de las del vecino.

SIPSOM. Pero no son tuyas.

EL JOVEN. ¿Y eso qué importa? ¿No ha dicho el rey Paradox que a cada uno debe dársele según sus necesidades? Yo necesito esas gallinas.

SIPSOM. Este Paradox es un loco; va a hacer este pueblo ingobernable.

EL JOVEN. En cambio, este viejo que me acusa tiene una costumbre peor que la mía.

SIPSOM. Pues, ¿qué hace?

EL JOVEN. Que guarda los bonos de trabajo, porque quiere ser rico, como se era[53] en tiempo del rey Kiri.

---

50. *Y . . . demócratas,* You can't really trust democrats!

51. *Se abre la sesión,* Court is in session.

52. *el jornal . . . mujer,* as for his wages, let them be saved for his wife

53. *como se era,* as people used to be

SIPSOM. Está bien; desde hoy (*al* VIEJO) tú entregarás los bonos de trabajo que has ido guardando; (*al* JOVEN) y tú cuidarás de las gallinas del viejo. ¡Ale, marchaos!

(*Entran una mujer joven, otra vieja y dos hombres.*)

SIPSOM (*a un* UJIER). Entérate de qué es lo que quiere esta gente.

(*El* UJIER *habla con ellos y vuelve asombrado.*)

EL UJIER. El caso es nuevo y extraordinario, señor juez.

SIPSOM. ¿Pues qué sucede?

EL UJIER. Estos dos hombres que se disputan una suegra.

SIPSOM. Pero eso no es posible.

EL UJIER. El uno dice que ésta es su suegra, porque la hija de esta mujer es su mujer, y el otro dice lo mismo.

SIPSOM. ¿Y la interesada,[54] a quién de los dos señala como marido?

EL UJIER. A ninguno, porque se ha quedado sordomuda de un susto, y no entiende ni habla.

SIPSOM. ¡Demonio! He aquí un caso difícil. Que se acerquen.

(*Se acercan las dos mujeres y los dos hombres. Uno de éstos es grave y triste, el otro, sonriente y de aire malicioso.*)

SIPSOM. Vamos a ver. ¿Quién es el marido de esta mujer?

EL GRAVE. Yo.

EL SONRIENTE. Yo.

SIPSOM. ¿Pero cómo podéis ser los dos maridos de una mujer al mismo tiempo?

EL GRAVE. Es que yo soy el verdadero y único marido.

EL SONRIENTE. El verdadero marido soy yo.

SIPSOM. Usted, mujer, ¿quién es su marido?

LA MUDA. Han, hin, hon.[55]

SIPSOM (*a la* VIEJA). ¿Quién es su yerno?

LA VIEJA (*señalando al* SONRIENTE). Éste. Todos los vecinos podrán decir que es éste el marido de mi hija.

SIPSOM (*al* GRAVE). ¿Y cómo te atreves tú a decir que eres su yerno?

EL GRAVE. Porque es verdad. Vivo con su hija hace un año. Éramos felices cuando vino esta vieja a enredarlo todo y le convenció a mi mujer de que debía separarse de mí e irse a vivir con otro hombre.

EL SONRIENTE. Con quien vive hace un año esta mujer es conmigo. Y mi suegra lo dirá. Ahora, que[56] ha entrado este hombre en mi casa y ha querido suplantarme.

LA VIEJA. Sí. Éste es mi yerno. El otro es un granuja a quien no conozco.

SIPSOM. Esta mujer parece que odia demasiado a este hombre, a quien llama granuja y dice que no conoce. Sintámonos[57] dignos de Salomón. Ujieres, dad a cada uno de estos hombres un cuchillo y que partan la suegra por la mitad, en dos trozos iguales, y que cada uno se lleve su pedazo.

EL SONRIENTE. No, no; yo no quiero hacer eso. ¿Por qué he de matar a esa buena mujer?

EL GRAVE. Venga el cuchillo. Esta vieja es una enredadora y una chismosa.

SIPSOM (*al* GRAVE). Tú, el que la quieres mal,[58] eres el yerno. Llévate a tu mujer y a tu suegra. . . .

---

54. *la interesada,* the woman concerned
55. *Han, hin, hon,* the unintelligible sounds made by the mute woman
56. *Ahora, que,* But, now
57. *Sintámonos dignos de Salomón,* Let's try to apply the wisdom of Solomon. In I Kings, III, 16–28, when two women claim to be the mother of the same baby, Solomon ascertains who the real mother is by ordering the child cut in half. It is the false mother who is willing to accept this. Here, Baroja shows that a true son-in-law must hate his wife's mother.
58. *el que la quieres mal,* the one who hates her

VIII

Un campamento

Frente al río de Bu-Tata, en una colina, sin que nadie se entere, sin que nadie se dé cuenta, se ha establecido un campamento. Diez ametralladoras y otros tantos cañones de tiro rápido apuntan a la ciudad.

A la luz de las hogueras se ven las tiendas de campaña. Los centinelas se pasean con el fusil al brazo. Los soldados, en corrillos, charlan animadamente.

RABOULOT. Yo no sé que demonio de ocurrencia tiene el Gobierno de meterse con estas gentes,[59] que a nosotros no nos hacen ningún daño. ¿Tú comprendes esto, caballero[60] Michel?

MICHEL. Yo no comprendo más sino que esta vida es una porquería.

RABOULOT. ¡Qué quieres![61] Es la vida del soldado.

MICHEL. Una vida sucia como pocas.

RABOULOT. ¡Pse! ... Hay que aguantarse.

MICHEL. Pero, ¿por qué esa cochina república nos obliga a andar a tiros[62] con esta gente?

RABOULOT. Hay que civilizarlos, caballero Michel.

MICHEL. Pero si[63] ellos no lo quieren.

RABOULOT. No importa; la civilización es la civilización.

MICHEL. Sí; la civilización es hacer estallar a los negros metiéndoles un cartucho de dinamita,[64] apalearlos a cada instante, y hacerles tragar sopa de carne de hombre.[65]

RABOULOT. Pero también se les civiliza de veras.

MICHEL. ¿Y para qué quieren ellos esa civilización? ¿Qué han adelantado esos del Dahomey[66] con civilizarse? ¿Me lo quieres decir, caballero Raboulot? Ya tienen pantalones; ya tienen camisa; ya saben que un rifle vale más que un arco y que una flecha: ahora múdales el color de la piel, pónles un poco más de nariz, un poco menos de labios, y llévalos a divertirse a Folies-Bergères.[67]

RABOULOT. ¡Je! ¡Je! Yo creo que este condenado parisiense es anarquista o cosa parecida.

MICHEL. ¡Pensar que uno está aquí y que podría uno andar por Batignolles o por Montmartre![68]

RABOULOT. Yo también estaría más a gusto en mi aldea que no[69] aquí; pero hay que servir a la[70] Francia.

MICHEL. Que la sirvan sólo los aristócratas. Ellos son los únicos que se aprovechan del ejército.

RABOULOT. Sí, es verdad. Luego se arma uno un lío que ya no sabe uno qué hacer. En unos lados se puede robar y

59. *Yo no sé ... gentes,* I don't know what the devil the government's idea is in interfering with these people.
60. probably a poor translation for the French word *monsieur,* Mr.
61. *¡Qué quieres!,* What do you expect?
62. *andar a tiros,* to take up arms against
63. *Pero si,* But suppose
64. *metiéndoles un cartucho de dinamita,* by placing a dynamite charge under them
65. i.e., forcing them to shed the blood of other African people

66. *esos del Dahomey,* those natives of Dahomey. Dahomey, a republic in Northern Guinea, was formerly French territory.
67. *Folies-Bergères,* famous Parisian music hall
68. *Batignolles . . . Montmartre,* the first place is a suburb of Paris where many Spaniards used to live and the second is a famous bohemian section of Paris
69. *que no,* than
70. Baroja is imitating French usage by inserting the definite article before the name of the country.

llevarse todo lo que haya; en otros no se puede tomar ni un alfiler. Te digo que yo no comprendo esto, caballero Michel.

MICHEL. Ni nadie lo comprende. Hay que obedecer sin comprender; esa es la disciplina. ¡Que no le pudiera uno[71] aplastar el cráneo al que ha inventado esta palabra!

RABOULOT. Hablando de otra cosa, ¿has tenido noticias de París?

MICHEL. Hace pocos días leí en el periódico que un amigo mío había debutado en el Casino de Montmartre.

RABOULOT. ¿De qué?[72]

MICHEL. De *chanteur*.[73] Ése es un hombre feliz. No le faltarán mujeres. En cambio, aquí . . .

RABOULOT. ¡Sacredieu![74] ¡Aquí hay negras muy guapas, caballero Michel! No las desacredites.

MICHEL. ¿De esas[75] que les bailan las ubres cuando corren? Yo no puedo con ellas.

RABOULOT. Sí; como dice Prichard,[76] los parisienses sois muy delicados.

MICHEL. ¡Pse! . . . Es cuestión de estómago.

RABOULOT. ¿Y te falta mucho para cumplir?

MICHEL. Tres años todavía. Si pudiera escaparme . . .

RABOULOT. Pues no se está tan mal,[77] caballero Michel. El coronel Barband no es del todo malo.

MICHEL. No; tiene un carácter cochino.

RABOULOT. El capitán Frippier sí es un poco duro con la Ordenanza.

MICHEL. Yo le metería una bala en la cabeza por farsante. Siempre está con los bigotes rizados, mirándole a uno de arriba abajo, por si le falta a uno un botón o lleva uno una mancha. ¡Canalla!

RABOULOT. Anda, parisiense; no te desesperes. Vamos a echar un sueño, y ya veremos cómo amanece mañana.[78]

MICHEL. Mal; ¿cómo va a amanecer?[79]

RABOULOT. Hay días en que uno se divierte.

MICHEL. Hazte ilusiones.[80] (*Echándose a dormir.*) No debía haber ejército, ni naciones, ni nada . . .

IX

Después de la batalla

Está anocheciendo. Bu-Tata entera arde por los cuatro costados. Los cañones franceses han lanzado una lluvia de granadas de melinita, que han incendiado casas, chozas, almacenes, todo. A media tarde, dos batallones de dahomeyanos y uno de tropas disciplinarias se han acercado al pueblo, han colocado las ametralladoras a su entrada y han acabado con lo que quedaba.

Como si hubiera habido un terremoto, Bu-Tata se ha desmoronado; los

---

71. *Que no le pudiera uno,* If one could only
72. *¿De qué?,* As what?
73. singer (French)
74. Good heavens! (French)
75. *¿De esas,* Do you mean those
76. James Cowles Prichard (1786–1848), English ethnologist whose important work was *Natural History of Man* (1843)

77. *no se está tan mal,* things aren't so bad
78. *Vamos . . . mañana,* Let's get some sleep and we'll see what tomorrow will be like.
79. *Mal . . . amanecer,* Bad; how else could it be?
80. *Hazte ilusiones,* Kid yourself all you want to.

tejados se han hundido, las paredes se han ido cayendo, cerrando las callejas con sus escombros. En la escuela, que por una casualidad no se ha venido abajo, está reunido el Estado Mayor francés, y sobre el tejado de este edificio ondea la bandera tricolor.[81]

RABOULOT. A la orden, mi coronel.

EL CORONEL BARBAND. ¿Qué hay?

RABOULOT. Unos europeos que iban huyendo por el río han sido hechos prisioneros.

BARBAND. ¿Dónde están?

RABOULOT. Aquí vienen.

BARBAND. Que pasen. (*Entran todos los de Fortunate-House a presencia del coronel.*) ¿Quiénes son ustedes?

PARADOX. Nosotros somos los que hemos civilizado este pueblo, al cual ustedes, bárbaramente y sin motivo, acaban de incendiar y de pasar a cuchillo,[82] nosotros somos . . .

BARBAND. Nada de comentarios. Al que los haga le mandaré fusilar inmediatamente. Los nombres nada más.

GANEREAU. Aquiles Ganereau, rentista, y mi hija Beatriz con su marido.

BARBAND. ¿Y usted?

SIPSOM. Sipsom Senior, de Manchester.

BARBAND. ¿Y usted?

THONELGEBEN. Eichtal Thonelgeben, de Colonia.

BARBAND (*frunciendo el ceño*). ¿Prusiano?

THONELGEBEN. Sí, señor, gracias a Dios. Esta señora es mi mujer.

BARBAND. ¿Y ustedes?

DIZ. Estos señores son italianos, y nosotros españoles, y éste marroquí.

BARBAND (*a la* MÔME FROMAGE). ¿Y usted?

LA MÔME FROMAGE. Mi coronel, yo soy parisiense.

BARBAND. ¿De veras?

LA MÔME FROMAGE. Ex bailarina de Moulin Rouge.

BARBAND. ¡Sacredieu! ¡Qué encuentro! ¿Estos señores son amigos de usted?

LA MÔME FROMAGE. Sí.

BARBAND. Entonces seré clemente. Quedarán ustedes prisioneros hasta que expliquen su presencia en Bu-Tata. Pueden ustedes retirarse.

(*Quedan solos el coronel y la ex bailarina, y charlan animadamente. Cuando más entretenidos están en su conversación se abre la puerta y entra* BAGÚ *seguido de dos soldados.*)

BAGÚ. ¡Musiú,[83] musiú!

BARBAND. ¿Quién es esta especie de mono?

MICHEL. Parece que es el obispo del pueblo.

BARBAND. ¿Qué quiere?

MICHEL. No se le entiende nada.

BARBAND. Bueno; que lo fusilen.

MICHEL (*llevándose al mago*). Vamos, mon vieux;[84] tienes mala suerte. ¿Quién te manda a ti hacer reclamaciones teniendo la cara negra?

(*Le llevan a un rincón y lo fusilan. Bu-Tata sigue ardiendo. En las callejas del pueblo, cerca de las tapias de las huertas, se ven niños degollados, mujeres despatarradas, hombres abiertos en canal.*[85] *Un olor de humo y de sangre llena la*

---

81. *la bandera tricolor,* the tricolor, the national flag of France
82. *pasar a cuchillo,* put to the sword (literally, the knife)
83. Bagú's version of *monsieur*
84. *mon vieux* (French), pal
85. *abiertos en canal,* cut from top to bottom

ciudad. Los oficiales reunidos beben y charlan animadamente; los soldados saquean las casas.

Se oyen luego los sonidos de las cornetas. Los soldados se retiran al campa- 5 *mento, y en las calles solitarias, entre los escombros de las casas derruidas y los restos carbonizados del incendio, se escuchan los gritos y los lamentos de los heridos y de los moribundos.*)

X

En la Cámara francesa

El Ministro de la Guerra *sube a la tribuna.*

el ministro. Señores: Para convencer a los honorables diputados de la derecha[86] de que el ejército expedicionario francés que opera en el golfo de Guinea no está inactivo por imposicio- 10 nes diplomáticas de determinadas potencias, como se ha supuesto, voy a leer el parte que acabo de recibir. Dice así:

«Cuartel general de Bu-Tata.— Señor Ministro de la Guerra. 15

«Después de cuatro días de marcha, el cuerpo expedicionario que tengo la honra de mandar llegó a las proximidades de la ciudad de Bu-Tata. El enemigo se había atrincherado en el 20 pueblo, en número de diez mil, con armas y municiones. Tras un día de cañoneo, las tropas al mando del comandante Gauguin atacaron la ciudad por el flanco izquierdo, desalojando inmediatamente las posiciones del enemigo. Sus pérdidas han sido quinientos muertos y más de tres mil prisioneros. Entre éstos se encuentran varios europeos, ingleses y alemanes, que habían organizado la defensa de la ciudad.—*El coronel Barband,* comandante en jefe de la columna expedicionaria.»

déroulède[87] (*levantándose*). ¡Viva el Ejército! ¡Viva Francia! (*Aplausos frenéticos y vivas en la derecha.*)

(*Unas horas después todos los marmitones y carniceros de París pasan por los bulevares con una bandera tricolor, dando vivas al Ejército y a* Déroulède.)

XI

Tres años después

En el despacho del médico de guardia del hospital de Bu-Tata.

el doctor. ¿Qué entradas tenemos hoy? 25 el ayudante. Ayer ingresaron diez variolosos.

el doctor. ¿Diez?

el ayudante. Ni uno menos. Entraron, además, cinco sifilíticos; seis de gripe

---

86. *de la derecha,* on the right, the conservative side of the legislative assembly

87. Paul Déroulède (1846–1914), a militaristic French politician

infecciosa; ocho de tuberculosis; dos con delirio alcohólico . . .

EL DOCTOR. ¡Qué barbaridad!

EL AYUDANTE. Y además una mujer cuyo marido le dio una puñalada por celos, que murió a las pocas horas.

EL DOCTOR. Si seguimos así, no va a haber camas[88] en este hospital. ¡Fíese[89] usted de los naturalistas!

EL AYUDANTE. ¿Por qué?

EL DOCTOR. Porque hay un informe de Lanessan[90] diciendo que Uganga es un país muy sano.

EL AYUDANTE. Lo era.[91]

EL DOCTOR. ¿Y cree usted que habrá variado?

EL AYUDANTE. Sí, señor.

EL DOCTOR. ¿Y por qué?

EL AYUDANTE. Por la civilización.

EL DOCTOR. ¿Y qué tiene que ver la civilización con eso?

EL AYUDANTE. Mucho. Antes no había aquí enfermedades, pero las hemos traído nosotros. Les hemos obsequiado a estos buenos negros con la viruela, la tuberculosis, la sífilis y el alcohol. Ellos no están, como nosotros, vacunados para todas estas calamidades, y, claro, revientan.

EL DOCTOR (riendo). Es muy posible que sea verdad lo que usted dice.

EL AYUDANTE. ¡Si es verdad! El año pasado fui yo a un pueblo de al lado; ¿y sabe usted lo que pasó?

EL DOCTOR. ¿Qué?

EL AYUDANTE. Que les inficioné con la viruela, y, sin embargo, yo no la tenía.

EL DOCTOR. Es curioso ese caso; ¿y cómo se lo explica usted?

EL AYUDANTE. Yo me lo explico sencillamente. Entre nosotros, los organismos débiles que no podían resistir las enfermedades, el trabajo abrumador y el alcohol, han muerto. A los que quedamos no nos parte un rayo; llevamos los gérmenes morbosos en nuestro cuerpo como quien lleva un reloj de bolsillo; así sucede que, mientras los blancos estamos aquí magníficamente, los negros se van marchando al otro mundo con una unanimidad asombrosa.

EL DOCTOR. Mientras vayan ellos solos,[92] ¿eh?

EL AYUDANTE. Poco se pierde.

EL DOCTOR. Además, hay pasta abundante.[93] Hasta que se acabe.

EL AYUDANTE. Ya acabaremos con ella.[94] ¿No acabaron los civilizados yanquis con los Pieles Rojas? Nosotros sabremos imitarles.

EL DOCTOR. Bueno, vamos a hacer la visita. ¿Y el otro ayudante?

EL AYUDANTE. Le va usted a tener que dispensar. Creo que no vendrá.

EL DOCTOR. Pues ¿qué le pasa?

EL AYUDANTE. Que ayer le vi en este café-concierto que han puesto hace poco, con una negra, y parecía un tanto intoxicado.

EL DOCTOR. Cosas de muchacho.[95] ¿Y qué es lo que hay en ese café-concierto?

EL AYUDANTE. Hay grandes atracciones. Ayer, precisamente, era el debut de la princesa Mahu, que bailaba desnuda la danza del vientre, a estilo del Moulin Rouge, de París.

EL DOCTOR. Un número sensacional.

EL AYUDANTE. ¡Ya lo creo! Y ejecutado por una princesa.

EL DOCTOR. ¿Auténtica?

EL AYUDANTE. En absoluto.

---

88. i.e., enough beds
89. *Fíese usted de,* Never trust
90. Jean Marie Antoine de Lanessan (1843–1919) was a French statesman and naturalist
91. *Lo era,* It was.
92. *Mientras vayan ellos solos,* As long as only they go

93. *hay pasta abundante,* there's still a lot of them left; *pasta* means dough, batter
94. *Ya acabaremos con ella,* we'll soon finish them off; *ella* refers to *pasta.*
95. *Cosas de muchacho,* Boys will be boys.

EL DOCTOR. Veo que están adelantados en Bu-Tata.

EL AYUDANTE. No se lo puede usted figurar. Aquí ya hay de todo. Esto es Sodoma, Gomorra, Babilonia, Lesbos,[96] todo en una pieza.

EL DOCTOR. ¿Qué me cuenta usted?

EL AYUDANTE. Lo que usted oye.[97] Usted no sale de noche. Si saliera, lo vería. En cada esquina hay sirenas de color que le hacen a usted proposiciones extraordinarias. Por todas partes ve usted negros borrachos.

EL DOCTOR. ¿De veras?

EL AYUDANTE. Sí. Si hacemos un consumo de ajenjo extraordinario.

EL DOCTOR. No lo sabía.

EL AYUDANTE. Sí, señor. Luego, los blancos tratan a puntapiés a los negros, y éstos se vengan, cuando pueden, asesinándolos.

EL DOCTOR. Muy bien.

EL AYUDANTE. Son los beneficios de la civilización.

EL DOCTOR. Bueno; vamos a hacer la visita.

96. *Sodoma, Gomorra, Babilonia, Lesbos,* cities known for their corruption. Sodom and Gomorra were the biblical cities destroyed by fire and brimstone because of their wickedness (see Genesis 13, 18, 19). Babylon, the capital of Babylonia and later of the Chaldean Empire symbolizes any great, rich, and luxurious or wicked city. Lesbos, a Greek island in the Aegean Sea, now called Mytilene, was known for its extreme eroticism.

97. *Lo que usted oye,* The whole truth (just what you hear)

98. *The Echo,* French name of a newspaper

XII

Una noticia

De *L'Écho,*[98] de Bu-Tata:

«Tras de la misa, el abate Viret pronunció una elocuentísima arenga. En ella enalteció al Ejército, que es la escuela de todas las virtudes, el amparador de todos los derechos. Y terminó diciendo:—Demos gracias a Dios, hermanos míos, porque la civilización verdadera, la civilización de paz y de concordia de Cristo, ha entrado definitivamente en el reino de Uganga.»

FIN

RAMÓN DEL VALLE-INCLÁN

El miedo

Ese largo y angustioso escalofrío que parece mensajero de la muerte, el verdadero escalofrío del miedo, sólo lo he sentido una vez. Fue hace muchos años, en aquel hermoso tiempo de los mayorazgos,[1] cuando se hacía información de nobleza para ser militar. Yo acababa de obtener los cordones de Caballero Cadete.[2] Hubiera preferido entrar en la Guardia de la Real Persona,[3] pero mi madre se oponía, y siguiendo la tradición familiar fui granadero en el Regimiento del Rey. No recuerdo con certeza los años que hace, pero entonces apenas me apuntaba el bozo y hoy ando cerca de ser un viejo caduco. Antes de entrar en el Regimiento, mi madre quiso echarme su bendición. La pobre señora vivía retirada en el fondo de una aldea, donde estaba nuestro pazo[4] solariego, y allá fui sumiso y obediente. La misma tarde que llegué mandó en busca del Prior de Brandeso para que viniese a confesarme en la capilla del pazo. Mis hermanas María Isabel y María Fernanda, que eran unas niñas, bajaron a coger rosas al jardín, y mi madre llenó con ellas los floreros del altar. Después me llamó en voz baja para darme su devocionario y decirme que hiciese examen de conciencia:

—Vete a la tribuna,[5] hijo mío. Allí estarás mejor . . .

La tribuna señorial estaba al lado del Evangelio,[6] y comunicaba con la biblioteca. La capilla era húmeda, tenebrosa, resonante. Sobre el retablo campeaba el escudo concedido por ejecutorias de los Reyes Católicos al señor de Bradomín, Pedro Aguiar de Tor, llamado el Chivo y también el Viejo. Aquel caballero estaba enterrado a la derecha del altar: El sepulcro tenía la estatua orante[7] de un guerrero. La lámpara del presbiterio[8] alumbraba día y noche ante el retablo,[9] labrado como joyel de reyes: Los áureos racimos de la vid evangélica[10] parecían ofrecerse cargados de fruto. El santo tutelar era aquel piadoso Rey Mago que ofreció mirra al Niño Dios: Su túnica de seda bordada[11] de oro brillaba con el resplandor devoto de un milagro oriental. La luz de la lámpara, entre las cadenas[12] de plata, tenía tímido aleteo de pájaro prisionero como si se afanase por volar hacia el Santo. Mi madre quiso que fuesen sus manos las que dejasen aquella tarde a los pies del Rey Mago los floreros cargados de rosas, como ofrenda de su alma devota. Después, acompañada de mis hermanas, se arrodilló ante el altar:

1. *mayorazgo*, first-born son of a noble family; the estate which this son inherited, and which could not be sold or donated to anyone else. The law permitting the sale of entailed estates was passed in 1837, hence, this story is set before this date.
2. *cordones de Caballero Cadete*, the shoulder knot (insignia) of a gentleman cadet (in the military forces)
3. *Guardia de la Real Persona*, the king's bodyguard
4. *pazo*, a manor house. (A word used in Galicia, Valle-Inclán's native region.)
5. *tribuna*, gallery
6. *lado del Evangelio*, the left-hand side of the altar area
7. *orante*, praying, kneeling in prayer
8. *presbiterio*, chancel, area before the altar
9. *retablo*, altar screen, reredos
10. *la vid evangélica*, the carved grape vine ornamenting the altar screen, symbolizing the wine of the communion.
11. Images in Spanish churches are frequently dressed in real clothes of costly materials.
12. *cadena*, chain. The lamp is supported by chains from the ceiling.

Yo desde la tribuna solamente oía el murmullo de su voz, que guiaba moribunda las avemarías, pero cuando a las niñas les tocaba responder, oía todas las palabras rituales de la oración. La tarde agonizaba y los rezos resonaban en la silenciosa oscuridad de la capilla, hondos, tristes y augustos, como un eco de la Pasión. Yo me adormecía en la tribuna. Las niñas fueron a sentarse en las gradas del altar: Sus vestidos eran albos como el lino de los paños litúrgicos. Ya sólo distinguí una sombra que rezaba bajo la lámpara del presbiterio: Era mi madre que sostenía entre sus manos un libro abierto y leía con la cabeza inclinada. De tarde en tarde, el viento mecía la cortina de un alto ventanal: Yo entonces veía en el cielo, ya oscuro, la faz de la luna, pálida y sobrenatural como una diosa que tiene su altar en los bosques y en los lagos . . .

Mi madre cerró el libro dando un suspiro y de nuevo llamó a las niñas. Vi pasar sus sombras blancas a través del presbiterio y columbré que se arrodillaban a los lados de mi madre. La luz de la lámpara temblaba con un débil resplandor sobre las manos que volvían a sostener abierto el libro. En silencio la voz leía piadosa y lenta. Las niñas escuchaban, y adiviné sus cabelleras sueltas sobre la albura del ropaje y cayendo a los lados del rostro iguales, tristes, nazarenas. Habíame adormecido, y de pronto me sobresaltaron los gritos de mis hermanas. Miré y las vi en medio del presbiterio abrazadas a mi madre. Gritaban despavoridas. Mi madre las asió de la mano y huyeron las tres. Bajé presuroso. Iba a seguirlas, y quedé sobrecogido de terror. En el sepulcro del guerrero se entrechocaban los huesos del esqueleto. Los cabellos se erizaron en mi frente. La capilla había quedado en el mayor silencio,

y oíase distintamente el hueco y medroso rodar de la calavera sobre su almohada de piedra. Tuve miedo, como no lo he tenido jamás, pero no quise que mi madre y mis hermanas me creyesen cobarde, y permanecí inmóvil en medio del presbiterio, con los ojos fijos en la puerta entreabierta. La luz de la lámpara oscilaba. En lo alto mecíase la cortina de un ventanal, y las nubes pasaban sobre la luna, y las estrellas se encendían y se apagaban como nuestras vidas. De pronto, allá lejos, resonó festivo ladrar de perros y música de cascabeles. Una voz grave y eclesiástica llamaba:

—¡Aquí, Carabel![13] ¡Aquí, Capitán! . . .

Era el Prior de Brandeso que llegaba para confesarme. Después oí la voz de mi madre trémula y asustada, y percibí distintamente la carrera retozona de los perros. La voz grave y eclesiástica se elevaba lentamente, como un canto gregoriano:

—Ahora veremos qué ha sido ello . . . Cosa del otro mundo no lo es, seguramente . . . ¡Aquí, Carabel! ¡Aquí, Capitán! . . .

Y el Prior de Brandeso, precedido de sus lebreles,[14] apareció en la puerta de la capilla:

—¿Qué sucede, señor Granadero del Rey?

Yo repuse con la voz ahogada:

—¡Señor Prior, he oído temblar el esqueleto dentro del sepulcro! . . .

El Prior atravesó lentamente la capilla: Era un hombre arrogante y erguido. En sus años juveniles también había sido Granadero del Rey: Llegó hasta mí, sin recoger el vuelo[15] de sus hábitos blancos, y afirmándome una mano en el hombro y mirándome la faz descolorida, pronunció gravemente:

---

13. *Carabel,* name of one of the dogs
14. *lebrel,* greyhound

15. *vuelo,* flight; here, fullness

—¡Que nunca pueda decir el Prior de Brandeso que ha visto temblar a un Granadero del Rey! . . .

No levantó la mano de mi hombro, y permanecimos inmóviles, contemplándo-nos sin hablar. En aquel silencio oímos rodar la calavera del guerrero. La mano del Prior no tembló. A nuestro lado los perros enderezaban las orejas con el cue-llo espeluznado.[16] De nuevo oímos rodar la calavera sobre su almohada de piedra. El Prior me sacudió:

¡Señor Granadero del Rey, hay que sa-ber si son trasgos[17] o brujas! . . .

Y se acercó al sepulcro y asió las dos anillas de bronce empotradas[18] en una de las losas,[19] aquélla que tenía el epitafio. Me acerqué temblando. El Prior me miró sin desplegar los labios. Yo puse mi mano sobre la suya en una anilla y tiré. Lenta-mente alzamos la piedra. El hueco, negro y frío, quedó ante nosotros. Yo vi que la árida y amarillenta calavera aún se

movía. El Prior alargó un brazo dentro del sepulcro para cogerla: Después, sin una palabra y sin un gesto, me la entregó. La recibí temblando. Yo estaba en medio del presbiterio y la luz de la lámpara caía sobre mis manos. Al fijar los ojos las sa-cudí con horror: Tenía entre ellas un nido de culebras que se desanillaron sil-bando, mientras la calavera rodaba con hueco y liviano son, todas las gradas del presbiterio. El Prior me miró con sus ojos de guerrero que fulguraban bajo la capucha como bajo la visera de un casco:

—Señor Granadero del Rey, no hay absolución . . . ¡Yo no absuelvo a los cobardes!

Y salió de la capilla arrastrando sus hábitos talares.[20] Las palabras del Prior de Brandeso resonaron mucho tiempo en mis oídos: Resuenan aún. ¡Tal vez por ellas he sabido más tarde sonreír a la muerte como a una mujer! . . .

16. *con el cuello espeluznado,* with the hair standing on end
17. *trasgo,* goblin, sprite
18. *empotrado,* embedded
19. *losa,* flagstone
20. *hábitos talares,* full-length robes

JACINTO BENAVENTE

El marido de su viuda

Comedia en un acto estrenada en 1908

PERSONAJES

CAROLINA	FLORENCIO
EUDOSIA	CASALONGA
PAQUITA	ZURITA
VALDIVIESO	

En una capital de provincia.

ACTO ÚNICO

Decoración. Gabinete.

Escena Primera
CAROLINA y ZURITA

ZURITA. (*Entrando.*) ¡Amiga mía!

CAROLINA. Amigo Zurita; muy amable en haber acudido tan pronto. Yo no sé cómo corresponder a sus atenciones.

ZURITA. Encantado siempre de servir a usted en algo, amiga mía.

CAROLINA. Hice que le buscaran a usted por todas partes. Usted perdone si le ha molestado, pero el caso era urgente. Me hallo en una situación dificilísima; todo el tacto es poco para no caer en uno de esos ridículos insostenibles . . ., si usted no me salva con sus consejos.

ZURITA. Cuente usted con ellos, cuente usted conmigo para todo. Pero, ¿usted en ridículo? No puedo creerlo.

CAROLINA. Sí, sí, amigo mío. Usted es el único de quien puedo aconsejarme.[1] Usted es una persona de buen gusto; sus artículos y crónicas de sociedad son el árbitro del buen tono; las decisiones de usted se respetan, se acatan por todo el mundo.

ZURITA. No siempre, no siempre . . . En otro tiempo, existía aquí una sociedad escogida; pero ahora no es lo mismo, usted lo sabe. Las fortunas improvisadas son tantas, y tantas las familias aristocráticas que han venido a menos . . . Nuestra sociedad ha cambiado mucho. Dominan los *parvenus*[2] . . . Y el dinero es insolente. Cree que se basta para improvisarlo todo: educación, buen gusto, maneras distinguidas . . . Y usted lo sabe, amiga mía, nada de eso se improvisa. La distinción es flor de estufa delicada . . . Y nos quedan tan pocas gardenias . . . como usted, amiga mía . . . En cambio, ¡tenemos cada cardo borriquero![3] No lo digo por las de Núñez.[4] ¿Cómo dirá usted que amenizan ahora sus miércoles? Con un gramófono, amiga mía, con un gramófono. Siempre es mejor que cuando cantaba la pequeña, recitaba la mediana y tocaban todas . . . Pero es horrible . . . Yo me sofoco por ellas, créalo usted.

CAROLINA. Ya sabe usted que yo no asisto a sus miércoles. Sólo las visito cuando sé que no están en casa.

ZURITA. Pero vamos al caso, estoy impaciente . . .

CAROLINA. El caso es, como usted sabe, que mañana es el día señalado para la inauguración de la estatua de mi marido . . ., de mi anterior marido . . .

ZURITA. Honor merecidísimo a la memoria de aquel grande hombre,[5] de aquel hombre ilustre, a quien tanto debe esta provincia, España entera. Para todos los que tuvimos el honor de llamarnos amigos suyos, debe ser motivo de satisfacción ver cómo se hace justicia a sus grandes merecimientos, aquí, donde por pasiones políticas, por envidias, se regatea siempre el mérito de los hombres más eminentes. Pero don Patricio Molinete no podía tener enemigos . . . El día de mañana nos consolará de muchas miserias locales.

CAROLINA. Sí, en efecto; debo estar orgullosa y agradecida. Pero comprenda usted lo delicado de mi situación . . . Casada en segundas nupcias, ya no llevo su nombre, pero tampoco puedo desentenderme de haberlo llevado, mucho menos cuando todo el mundo sabe que fuimos un matrimonio modelo . . . Yo habría salvado la situación ausentándome estos días, pretextando una indisposición . . . Pero, ¿cómo se

---

1. *de quien puedo aconsejarme,* from whom I can get advice
2. *parvenu* (French), newly enriched
3. *cada cardo borriquero,* so many rough thistles
4. *No lo digo por,* I'm not referring to (said ironically); *las de Núñez,* the Núñez women
5. *grande hombre.* Apocopation of *grande* to *gran* does not usually occur before a noun beginning with a vowel sound.

habría interpretado? Como un desaire, acaso como una protesta . . .

ZURITA. Seguramente. Si por circunstancias de la vida, muy respetables, ya no lleva usted aquel nombre ilustre, no por eso puede usted dejar de compartir el honor de haberlo llevado dignamente. Para su actual marido no puede haber ofensa.

CAROLINA. No; ¡pobre Florencio! . . . Él fue el primero en indicarme que yo debía participar en todo . . . Mi pobre Florencio fue siempre el primer admirador de mi pobre Patricio . . . Sus ideas políticas eran las mismas, en todo pensaban lo mismo.

ZURITA. Así parece.

CAROLINA. Dígalo usted.[6] Mi pobre Patricio me quería tanto, que él, sin duda, hizo pensar a mi pobre Florencio en que algo había en mí para merecer el cariño de aquel gran corazón y aquella gran inteligencia . . . Del mismo modo, me bastó que Florencio fuera el amigo inseparable de Patricio para estimarle como le he estimado. Cierto que Florencio nunca brillará tanto por sus condiciones de carácter, pero no es porque le falten grandes dotes de inteligencia . . . Pero no tiene ambición; conmigo, con su casita, con este hogar modelo, ve colmadas sus aspiraciones. Y yo estoy muy contenta; yo tampoco soy ambiciosa. Las temporadas que viví en Madrid con mi esposo, para mí fueron un tormento. Los ocho días que fue ministro de Hacienda, yo los pasé en una continua excitación nerviosa . . . Dos veces que estuvo a punto de tener un duelo por cuestiones políticas, creí volverme loca. Y si hubiera llegado a presidente del Consejo,[7] como le pronosticaba un periódico que él dirigía, entonces . . . me hubiera costado una enfermedad.

ZURITA. No es usted como la de Espinosa, nuestra senadora, ni como nuestra actual alcaldesa. Ya verá usted cómo ésas no descansan ni dejan descansar a nadie hasta que no vean a sus maridos en estatua.

CAROLINA. Pero ¿usted cree que ni Espinosa, ni el actual alcalde, tienen méritos para que les levanten estatuas?

ZURITA. Sí; en una plaza pública es difícil, pero en los altares en clase de mártires y esposos, es muy posible . . . Pero olvidamos lo que importa.

CAROLINA. Pues bien, amigo Zurita: como ausentarme hubiera sido muy violento, según usted mismo reconoce, y al permanecer aquí debo asistir a la inauguración del monumento de mi pobre Patricio, a la velada en su honor, debo recibir a las Comisiones de Madrid, de la provincia, de todas partes. ¿Qué actitud debe ser la mía? Si parezco demasiado triste, nadie creerá en la sinceridad de mi sentimiento. Tampoco puedo mostrarme complacida; dirían que había olvidado demasiado pronto . . . Ya lo dicen . . .

ZURITA. ¡Oh, no! Quedó usted viuda muy joven . . . La vida no podía haber terminado para usted.

CAROLINA. Sí, sí; ¡dígales usted eso a mis cuñadas! . . . En fin, considere usted que ni sé cómo debo vestirme en estos días . . . Un traje severo que parezca al luto . . . sería ridículo presentándome al lado de mi marido; un traje de más vestir, tampoco me parece indicado . . . Aconséjeme, amigo Zurita; aconséjeme usted . . . Usted, ¿qué se pondría?

ZURITA. Es difícil, es difícil acertar en el punto . . . Pero yo creo que un elegante vestido negro con alguna nota violeta. La inauguración de un monumento que perpetúa la gloria de un

6. *Dígalo usted,* That's the truth (literally you may say that)

7. *presidente del Consejo,* prime minister

grande hombre, no es motivo para entristecerse. Su marido de usted ha entrado de lleno en la inmortalidad . . . y allí la espere a usted por muchos años.

CAROLINA. Mil gracias.[8]

ZURITA. De nada. Usted le ha llorado bastante . . . Usted ha respetado su memoria; si ha vuelto usted a casarse, ha sido con un caballero dignísimo, que era el mejor amigo de su esposo de usted. Usted no ha hecho lo que otras viudas que todos conocemos, la de Benítez sin ir más lejos, que sin pensar en casarse ni ese es el camino,[9] lleva dos años en relaciones con el mayor enemigo que tenía su marido en la provincia.

CAROLINA. No compare usted.

ZURITA. En fin, amiga mía . . . , todo el mundo apreciará la situación de usted como es debido.[10]

CAROLINA. Mis cuñadas me tienen asustada. Aseguran que mi situación es ridícula y la de mi marido mucho más ridícula . . . Dicen que cómo tenemos valor a presentarnos ante la estatua de su hermano . . .

ZURITA. ¡Señora! Sus cuñadas de usted exageran. Y a usted sólo puede importarle la opinión de su esposo.

CAROLINA. Por ese lado estoy tranquila . . . En este mundo el uno, y el otro desde el otro, sé que los dos han de apreciar la sinceridad de mis sentimientos. Pero los demás, los demás . . .

ZURITA. Los demás somos los buenos amigos de usted y de su segundo esposo, que lo fuimos también del primero y estaremos siempre con ustedes, o los enemigos, los indiferentes, que nada deben importarle a usted.

CAROLINA. Gracias, muchas gracias. Ya sé

que es usted un buen amigo nuestro, que lo fue usted suyo.[11]

ZURITA. De los dos, de los tres; sí, señora, de los tres . . . Aquí tiene usted a su marido.

ESCENA II

DICHOS[12] y DON FLORENCIO

ZURITA. ¡Amigo don Florencio!

FLORENCIO. ¡Queridísimo Zurita! . . . ¡Cuánto me alegro de verle! . . . Deseaba dar a usted las gracias por el precioso artículo que ha publicado usted a la memoria de nuestro inolvidable . . . Muy sentido, muy sentido . . . Era usted un buen amigo suyo . . . Muchas gracias, querido Zurita; muchas gracias. Carolina y yo le agradecemos mucho su precioso artículo. Nos hizo llorar. ¿No es verdad, Carolina?

CAROLINA. Sí, en efecto.

FLORENCIO. Estoy satisfecho, amigo Zurita. Por primera vez en la provincia se han unido los elementos más incompatibles para honrar como se debía al hijo preclaro de esta región desagradecida. ¿Ha visto usted el monumento? Muy artístico. La estatua es de gran parecido. Es él, es él . . ., y los motivos alegóricos, muy artísticos: tanto el desnudo de la Verdad como el del Comercio y de la Industria, son de una ejecución perfecta. No pueden estar más parecidos . . . Ya sabe usted las batallas que hemos reñido para imponer los desnudos. Los elementos reaccionarios no querían desnudos; el escultor se negaba a entregar la obra si se suprimían los desnudos. Al fin conseguimos que triunfaran los sagrados fueros del Arte.

8. She thanks him for wishing her many years of life.
9. *ni ese es el camino,* nor anything of the sort
10. *como es debido,* as one ought to, as is fitting and proper

11. *lo fue usted suyo,* you were a good friend of his
12. *Dichos,* the forementioned (the characters of the preceding scene)

CAROLINA. Pues, mira, yo hubiera preferido que no hubiera desnudos. ¿Qué necesidad había de que nadie se molestara? Ya sé de algunos amigos que no asistirán a la inauguración por ese motivo.

FLORENCIO. Ridiculeces, preocupaciones que nos tienen en lamentable atraso . . . Pero tú no puedes pensar así; la que fue compañera de aquel espíritu tan liberal, tan amplio . . . Recuerdo el viaje que hicimos juntos por Italia. ¿No te acuerdas tú, Carolina? La admiración ante aquellos gloriosos monumentos del arte pagano y del Renacimiento . . . Aquel hombre era un gran artista sobre todo . . . ¡Ah! ¡Qué hombre! ¡Qué grande hombre! Antes que se me olvide, Carolina: para el extraordinario de su periódico, me ha pedido Gutiérrez todos los retratos que tú conserves, y yo quiero también que publiquen aquellos versos que te escribió al principio de vuestras relaciones . . . ¡Verá usted qué versos! Hubiera sido un gran poeta[13] . . . ¡Hubiera sido todo lo que hubiera querido! ¿Y sus cartas? ¿Usted no conoce alguna de sus cartas íntimas? Anda, Carolina, trae alguna de las cartas que te escribió cuando erais novios . . .

CAROLINA. Otro día . . . En estos momentos . . .

FLORENCIO. Es verdad . . . Para nosotros, en medio de la legítima satisfacción, son días muy tristes . . . , unidos por los mismos recuerdos . . . Yo estoy seguro que no podré contener mi emoción en el momento de descubrir[14] la estatua.

CAROLINA. ¡Por Dios, Florencio! ¡No vayamos a dar un espectáculo! Sobreponte.

ZURITA. Sí; es preciso que se sobreponga usted.

FLORENCIO. Si[15] estoy sobrepuesto.

ZURITA. Si ustedes no mandan otra cosa . . .

CAROLINA. Muchas gracias, Zurita . . . No sabe usted cuánto le agradezco . . . Desde que sé cómo he de vestirme, ya no me parece tan difícil mi situación.

ZURITA. Lo creo. Las situaciones más difíciles para una señora, son aquéllas en que no sabe qué ponerse.

CAROLINA. Hasta mañana.

ZURITA. Don Florencio . . .

FLORENCIO. Agradecidísimo por su sentido, sentido artículo. ¡Admirable! ¡Admirable! (Sale Zurita.)

ESCENA III

CAROLINA Y DON FLORENCIO

FLORENCIO. Estás emocionada, ¿verdad? Hondamente emocionada. Como yo; no te esfuerces por ocultarlo.

CAROLINA. Estoy . . . , qué sé yo, violenta;[16] esa es la palabra.

FLORENCIO. No te olvides de buscar esos retratos; sobre todo, aquél en que estamos los tres juntos en la segunda plataforma de la torre Eiffel: es un precioso recuerdo.

CAROLINA. Sí; ya lo buscaré. Pero, oye. Esas indiscreciones referentes a la vida privada, me parecen . . . , qué sé yo, en mi situación, en nuestra situación . . .

FLORENCIO. ¡Ah, la mujer![17] ¡Qué espíritu tan poco amplio![18] Pero tú no debías ser como todas . . . La que fue compañera de aquel espíritu tan superior . . . Nada de cuanto se refiere a la vida de un grande hombre puede

13. Supply, if he had wished
14. descubrir, here, to unveil
15. Si makes the statement more emphatic: But I am under control!

16. violenta, here, profoundly moved
17. la mujer, you women
18. poco amplio, narrow

ser indiferente para la Historia, y los que fuimos testigos, y hasta cierto punto colaboradores, permítaseme la inmodestia, colaboradores en la obra de su vida, debemos toda la verdad a la Historia.

CAROLINA. Pues no te empeñes en que yo ande enseñando las cartas, y los versos menos.[19] Recuerda lo que dicen.

FLORENCIO. ¡Bah! Ya recuerdo.

«Tengo clavado[20] un beso que me diste . . .»

Ya se sabe lo que son versos . . . Nadie toma al pie de la letra lo que se dice en los versos . . . Además, iba a ser tu marido . . . ¿Qué tenía de particular que . . . ?

CAROLINA. ¡Florencio! ¿Qué vas a suponer? No insistas. Estoy temiendo que nos pongamos en ridículo.

FLORENCIO. ¿Por qué hemos de ponernos en ridículo? Nadie más obligado que yo a prestar su concurso en estas circunstancias . . . Por lo mismo que soy tu marido, el marido de su viuda . . . De otro modo, se diría que yo pretendía eclipsarle, que me molestaba su recuerdo, y tú sabes que no; tú sabes cómo yo le admiraba, cómo le quería; y él a mí: verdad es que nadie sabía llevarle su genio como yo . . . , porque tenía su genio, bien lo sabes . . . , sus rarezas, rarezas de grande hombre, pero grandes rarezas . . . Estaba muy poseído de su valer,[21] como todos los grandes hombres; era muy terco, como todos los grandes caracteres . . . Cuando se empeñaba en una cosa, no había quien le apeara de su idea;[22] por respeto no me atrevo a decir de su burro . . . Sólo yo, a fuerza de habili-

dad, de paciencia . . . , bien lo sabes. ¡Cuántas veces no me habrás dicho!: ¡Ay, amigo Florencio! ¡No puedo más! Y yo te hacía reflexiones, y a él también, y cuando teníais algún disgusto, yo siempre al quite.[23]

CAROLINA. Florencio, no continúes en ese tono. Me disgusta oírte . . .

FLORENCIO. Está bien, mujer. Es que estos días, yo comprendo tu situación de espíritu; todo el mundo es a recordar[24] sus méritos, sus virtudes. Y yo quiero que tú recuerdes que aquel grande hombre tuvo también sus pequeñeces.

CAROLINA. ¿Qué vas a decirme?

FLORENCIO. Que si me comparas con él . . .

CAROLINA. ¡Florencio! Sabes que nunca he comparado. Las comparaciones son odiosas.

FLORENCIO. No, Carolina; si ya sé . . . ¿Verdad que no te pesa haber cambiado su nombre ilustre por el mío modestísimo? Aunque a ti te consta que si yo me hubiera propuesto brillar . . . , si yo hubiera tenido aspiraciones . . . Porque yo creo tener algún talento. ¿No lo crees tú?

CAROLINA. Sí, hombre, sí; pero no digas más tonterías.

FLORENCIO. Estás nerviosa . . . No se puede hablar contigo. ¡Uy, tus cuñadas! Esto sí que no. Di que no estoy en casa.

CAROLINA. No te preocupes. Nunca me preguntan por ti.

FLORENCIO. ¡Cuánto me alegro! Te deseo una horita corta, y huyo.

CAROLINA. ¡Pues también estoy de humor para oírlas! (*Sale don Florencio.*)

---

19. *menos,* even less
20. *clavado,* fixed (in my memory)
21. *poseído de su valer,* sure of his worth
22. *quien le apeara de su idea,* anyone who could make him abandon his idea. (The usual phrase is *apearse de su burro,* to dismount from his ass, to give up his stupid notion.)

23. *yo siempre al quite,* I always turned aside the danger. (An expression ordinarily applied to bullfighting, referring to the action of drawing the bull away from a bullfighter who is in danger.)
24. *es a recordar,* is in the midst of recalling, is busy remembering

ESCENA IV

CAROLINA, EUDOSIA y PAQUITA

EUDOSIA. ¿No estorbamos?

CAROLINA. ¡Qué pregunta! Adelante.

EUDOSIA. ¿Conque hoy estás en casa?

CAROLINA. Ya lo veis.

PAQUITA. Como siempre que venimos a verte da la casualidad de que has salido . . .

CAROLINA. Sí que es casualidad.[25]

EUDOSIA. La casualidad es encontrarte. (*Pausa.*) A tu marido acabamos de ver en la calle.

CAROLINA. ¿Estáis seguras?

PAQUITA. Muy bien acompañado por cierto.

CAROLINA. ¿Sí?

EUDOSIA. Paquita es quien le ha visto con la de Somolinos en la confitería de Sánchez.

CAROLINA. Es posible.

PAQUITA. ¿Y te quedas tan fresca? Con la fama que tienen la de Somolinos y la confitería de Sánchez.

CAROLINA. De la confitería no sabía nada.

EUDOSIA. Que ninguna señora decente, o que quiera parecerlo, pone los pies en ella desde que Sánchez se casó con esa francesa.

CAROLINA. Tampoco sabía lo de la francesa.

EUDOSIA. Pues sí, se casó con ella. Decimos casado por no decir una palabrota[26] . . . Se casó, si eso puede llamarse casado, en Bayona, por lo civil, como se casa la gente en esa Francia de perdición . . .

CAROLINA. Cuánto lo siento, porque soy muy golosa, y bombones y *marrons glacés* como los de casa de Sánchez no los hay aquí ni en ninguna parte.

PAQUITA. Pues te aconsejamos que no se los compres; te criticará todo el mundo

. . . Sólo la de Somolinos se atreve a entrar en casa de Sánchez y a tratarse con su mujer, que le ha dado la receta para pintarse el pelo. ¿No te has fijado cómo lo lleva ahora?

CAROLINA. No he reparado.

EUDOSIA. Ya no es color caoba como antes; ahora es un rubio bebé . . . Además, la francesa le arregla las manos dos veces por semana . . . ¿No te has fijado cómo lleva las uñas? No se habla de otra cosa. (*Pausa.*)

PAQUITA. ¿Conque por fin ése se ha salido con la suya?

CAROLINA. ¿Quién es ése?

EUDOSIA. Se me resiste[27] llamarle tu marido. ¡Pobre hermano nuestro!

CAROLINA. ¡Ah! No sé a qué podéis referiros.

EUDOSIA. A que por fin ha colocado en el monumento de nuestro pobre hermano esas figuras desnudas.

PAQUITA. Y de tamaño natural.

CAROLINA. Pero Florencio no tiene la culpa . . . Eso es cosa del escultor, de la Comisión . . . ¿Y qué tiene de particular? En todos los monumentos hay figuras así; son figuras alegóricas.

EUDOSIA. Pase todavía que la estatua de la Verdad no esté vestida; siempre se ha dicho que la Verdad es así. Pero la Industria y el Comercio . . . , ¿no podían llevar una túnica? Sobre todo el Comercio creo está indecente.

PAQUITA. Nosotras ya no iremos a la tribuna de preferencia;[28] es la que está de frente, y desde allí se ve todo.

EUDOSIA. ¿Y tú insistes todavía en presentarte? ¿No ha habido nadie que te haya aconsejado mejor?

CAROLINA. Si he sido invitada, señal de que no parece inconveniente mi presencia.

PAQUITA. La tuya, no . . . si estuvieras

---

25. *Sí que es casualidad,* It is indeed chance
26. *palabrota,* an ugly word
27. *Se me resiste,* I can hardly bring myself to

28. *tribuna de preferencia,* the reserved grandstand

como debías estar; pero al lado de ese hombre . . . , el que fue su mejor amigo . . . A los tres años escasos.

CAROLINA. Largos.[29]

EUDOSIA. ¡Te parecen largos! ¡Tres años! ¡Un día para los que le seguimos llorando!

PAQUITA. Para los que todavía llevamos su apellido, porque ninguno nos parece más digno.

EUDOSIA. Y por no dejar de llevarlo, hemos renunciado a partidos muy ventajosos.

CAROLINA. Pues habéis hecho mal, porque vuestro hermano ya sabéis que tenía gran empeño en veros casadas.

PAQUITA. Él creía que todos los hombres eran como él, dignos de una mujer como nosotras. ¡Pobre hermano! Si alguien le hubiera dicho que iban a olvidarle tan pronto . . . Si te ve desde el cielo, ¡qué disgusto el suyo!

CAROLINA. No creo que en el cielo nadie pueda tener disgustos; no valía la pena de estar en el cielo . . . Vosotras no queréis haceros cargo de mi situación. Una viuda joven, lo menos malo que puede hacer para evitar murmuraciones, es volver a casarse. Y yo era muy joven cuando quedé viuda.

EUDOSIA. Veintinueve años.

CAROLINA. Veintiséis.

EUDOSIA. Admitamos los veintiséis. Ya no eras una niña. Además, una mujer viuda nunca es joven.

CAROLINA. Ni una soltera es nunca vieja. Corriente. Lo que no veo es lo que puede haber de incorrecto en que yo presencie la inauguración de la estatua.

EUDOSIA. Comprende que en todos los discursos han de hablar de su muerte prematura, del sentimiento de todos por la pérdida de hombre tan ilustre. ¿Qué cara vas a poner al oírlo? ¿Quién va a creer que no estás más conforme que todos, viéndote tan compuesta y tan consolada al lado de ese hombre?

PAQUITA. Y cuando todos recuerden su talento . . . , ¿qué cara va a poner tu marido, que no tiene ninguno?

CAROLINA. Bien sabes que no era esa la opinión de vuestro hermano, que estimaba mucho a Florencio.

EUDOSIA. ¡Le estimaba! ¡Pobre hermano mío! ¡Por tener todos los talentos, tenía también el de dejarse engañar!

CAROLINA. Esa suposición me ofende . . . ; nos ofende a todos.

EUDOSIA. ¿Dónde has guardado eso, Paquita?

PAQUITA. Aquí lo traigo. (*Saca un libro.*)

EUDOSIA. Entérate, entérate de ese libro que ha llegado hoy de Madrid y se vende en casa de Valdivieso.

CAROLINA. ¿Qué es esto? (*Leyendo la cubierta del libro.*) «Don Patricio Molinete y su obra. Biografía. Correspondencia. Intimidades.» Os agradezco . . .

PAQUITA. No, no agradezcas nada . . . Ya verás, ya verás lo que escribía nuestro pobre hermano en sus cartas dirigidas al autor de ese libro, íntimo suyo.

CAROLINA. Recaredo Casalonga. ¡Ah, sí, un trapisondista que tuvimos que echarle de casa! . . . Y dices que trae unas cartas . . . Ya estoy alarmada, siendo cosa de ese desahogado de Casalonga.[30]

EUDOSIA. Lee, lee . . . Página doscientas catorce. ¿No es eso, Paquita?

PAQUITA. Empieza en la doscientas catorce; pero lo gordo[31] está en la doscientas quince.

CAROLINA. A ver, a ver . . . ¿Qué es esto? ¿Qué cartas son éstas? ¿Qué dice aquí? . . . Que yo . . . Pero esto no es verdad . . . ; esto no ha podido decirlo mi marido.

29. *Largos*, more than three, going on four
30. *ese desahogado de Casalonga*, that brazen-faced Casalonga
31. *lo gordo*, the important part

EUDOSIA. Cuando se atreven a publicarlo en letras de molde . . .

CAROLINA. Pero esto no puede ser. Este libro es una calumina . . . Esto no es respetar la vida privada. ¡Lo más privado de la vida! Esto no puede quedar así.

EUDOSIA. Pues quedará, quedará; ya verás cómo queda.

PAQUITA. A estas horas se habrán agotado los ejemplares.

CAROLINA. ¡Ah, ya lo veremos! . . . Se verá . . . ¡Florencio! ¡Florencio! Ven en seguida. ¡Florencio!

EUDOSIA. Si aún no habrá vuelto.

PAQUITA. Estaba tan entretenido.

CAROLINA. Si no ha salido de casa . . . ¡Sois unas chismosas!

EUDOSIA. ¡Carolina! Esa palabra la habrás dicho sin reflexionarla.

PAQUITA. No creo haber oído bien. ¿Has dicho chismosas?

CAROLINA. Sí, sí; déjame en paz. No puedo sufriros. Vosotras tenéis la culpa de todo.

EUDOSIA y PAQUITA. ¡Carolina!

CAROLINA. ¡Florencio! ¡Florencio!

ESCENA V

DICHAS y FLORENCIO.

FLORENCIO. ¿Qué te ocurre, mujer? ¿Qué te ocurre? ¡Ah, están ustedes aquí! Tanto gusto . . .

EUDOSIA. Nosotras, sí; nosotras, que ahora mismo salimos para siempre de esta casa . . . , donde se nos insulta.

PAQUITA. Donde se nos llama chismosas.

EUDOSIA. Donde se nos dice que no pueden sufrirnos.

PAQUITA. Y cuando eso se dice . . . , ¡qué será lo que se piensa!

FLORENCIO. Pero Eudosia, Paquita, no comprendo . . . Por mi parte . . .

EUDOSIA. La que es hoy su señora se lo explicará a usted.

PAQUITA. ¡Salir así de esta casa que fue de nuestro hermano!

EUDOSIA. ¡Pobre hermano nuestro!

FLORENCIO. Pero Carolina . . .

CAROLINA. Déjalas, déjalas; son insoportables.

PAQUITA. ¿Has oído, Eudosia? ¡Somos insoportables!

EUDOSIA. Ya lo he oído, Paquita. Creo que no nos queda más que oír en esta casa.

CAROLINA. Sí; insoportables como todas las viejas solteronas.

EUDOSIA. Aun nos quedaba más que oír . . . Vamos, Paquita.

PAQUITA. Vamos, Eudosia. (*Salen.*)

ESCENA VI

CAROLINA y FLORENCIO

FLORENCIO. ¿Pero qué disgusto has tenido con tus cuñadas?

CAROLINA. Con ellas, no; por ellas: es lo mismo. Se complacen en llevar y traer noticias desagradables . . . Todo lo que puede molestar. ¿Tú te acuerdas de Casalonga?

FLORENCIO. ¿Recaredo Casalonga? ¡No he de acordarme! Un tipo delicioso, gran filósofo de la vida, un humorista muy divertido . . .

CAROLINA. Sí, todo eso; pues ese filósofo, ese humorista ha tenido la humorada de publicar este libro.

FLORENCIO. A ver. «Don Patricio Molinete. Su vida y su obra. Biografía. Correspondencia. Intimidades.» ¡Hombre! ¡Qué idea! Sí que fueron muy amigos; pero no creo que el libro pueda ser muy interesante. Este pobre Casalonga, ¿qué novedad puede decirnos?

CAROLINA. A nosotros ninguna . . . Pero lee, lee.

FLORENCIO. ¡Hombre! ¡Cartas de Patricio! ¿Dirigidas a quién?

CAROLINA. Al autor de este libro, según él asegura. Cartas muy íntimas, muy confidenciales. Lee, lee.

FLORENCIO. «Querido amigo: La vida es triste. ¿Quieres saber por qué estoy tan desilusionado? ¿Por qué no tengo fe ninguna en los destinos de nuestra desgraciada patria? . . . Quieres saber . . .» Esta carta está escrita cuando ya estaba enfermo. El pobre, con su padecimiento del hígado, lo veía todo negro . . . ¡Ah, los grandes hombres no debían estar sujetos a estas miserias! ¡La inteligencia esclava del hígado! . . . No somos nada. «Los destinos de nuestra desgraciada patria . . .»

CAROLINA. Bueno; eso no importa nada . . . Más abajo. Lee, lee.

FLORENCIO. «La vida es triste.»

CAROLINA. No vuelvas a empezar.

FLORENCIO. No, si es que lo vuelve a decir. Mira. «Yo no he amado más que una vez, y a una sola mujer, la mía . . .» Tú.

CAROLINA. Sigue, sigue.

FLORENCIO. «Yo no he creído más que en un amigo, mi único amigo, Florencio.» Yo.

CAROLINA. Tú, sí; tú. Sigue, sigue.

FLORENCIO. ¿A qué viene esto? ¡Ah! ¿Qué dice aquí? Que tú, que yo . . .

CAROLINA. Lee, lee.

FLORENCIO. «Pues bien: esa mujer, ese amigo, los dos grandes, los dos únicos, los dos sagrados afectos de mi vida, de mi existencia . . . No me atrevo a decirlo. ¡Si no me atrevo a pensarlo! Se aman, se aman en silencio, acaso sin sospecharlo ellos mismos.»

CAROLINA. ¿Qué te parece?

FLORENCIO. «Ellos mismos . . . Comprendo que luchan por vencer su pasión culpable . . . Pero ¿lucharán siempre? En medio de todo, los compadezco . . . Pero ¿qué debo hacer? ¡Soy muy desgraciado!»

CAROLINA. ¿Qué dices?

FLORENCIO. ¡Pero esto no puede ser! Él no puede haber escrito esto. Y si lo escribió no puede publicarse.

CAROLINA. Pues se ha publicado verdad o mentira, y ahí lo tienes. ¡Ah!, y eso no es nada; en las cartas siguientes sigue comunicando sus observaciones, y, la verdad, hay algunas . . . que sólo él podía haber hecho . . .

FLORENCIO. De modo que tú crees, tú opinas que estas cartas son auténticas . . .

CAROLINA. Pueden serlo. Hay datos, detalles . . .

FLORENCIO. ¡Y nosotros creíamos que él nada sospechaba!

CAROLINA. Poco a poco, Florencio . . . Él nada podía sospechar . . . Tú sabes mejor que nadie cómo supimos respetarle, a pesar de todo . . .

FLORENCIO. ¡Pues ya ves de lo que nos ha servido!

CAROLINA. Él sólo pudo creer . . . la verdad . . . Que nos amábamos en silencio . . .

FLORENCIO. ¡De bastante nos ha servido el silencio! ¡Para que él fuera a contárselo al botarate de Casalonga! Un trapisondista que ahora ha querido sacar partido de estas intimidades. No me negarás que ha sido una ligereza imperdonable; yo nunca hubiera sospechado esto de mi amigo. Si dudaba de mí, de nosotros, ¿por qué no nos dijo algo? Hubiéramos sido más prudentes, le hubiéramos tranquilizado . . . Pero esto de contarle al primero que se presenta . . . Comprende ahora mi situación, nuestra situación en estos momentos . . . Cuando todo el mundo consagra un recuerdo a su memoria, cuando yo me he afanado tanto por la realización de ese monumento, ¿qué dirá todo el mundo después de leer esto?

CAROLINA. Siempre te dije que el monumento nos daría más de un disgusto.

FLORENCIO. ¿Con qué cara me presento[32] yo mañana ante el monumento?

CAROLINA. ¡Van a salirse con la suya mis cuñadas! ¡Estamos en evidencia![33]

FLORENCIO. ¡Ah! . . . Pero esto no puede quedar así . . . Ahora mismo me dirijo a la Prensa, al Juzgado, al gobernador, a las librerías. Y en cuanto a Casalonga . . . ¡Ah! Yo daré con él, y, o rectifica y declara que esas cartas son apócrifas de cabo a rabo[34] . . . , o le mato. Me batiré con él, pero muy seriamente.

CAROLINA. ¡Florencio! ¡No digas disparates! ¡Un duelo! ¡Exponer tu vida!

FLORENCIO. ¿Pero no comprendes que esto no puede consentirse? ¿Dónde iríamos a parar? ¿Es que no va a respetarse la vida privada de nadie?

CAROLINA. ¡Florencio! ¡Por Dios!

FLORENCIO. ¡No me detengas!

CAROLINA. ¡Florencio! Haz lo que quieras; pero un duelo, no.

FLORENCIO. ¡Ah! O rectifica y recoge la edición de este libelo, o de lo contrario . . .

CAROLINA. ¡Zurita!

FLORENCIO. Querido amigo . . . Llega usted a tiempo.

ESCENA VII

DICHOS y ZURITA

ZURITA. Don Florencio . . . Carolina . . . ¡No me digan ustedes nada!

FLORENCIO. ¿Ha visto usted? . . . ¿Ha visto usted? . . . ¿En qué país vivimos?

CAROLINA. ¿También usted ha leído . . . ?

ZURITA. Me enteré en el Casino; allí tenían el libro, lo comentaban . . .

FLORENCIO. ¿En el Casino?

ZURITA. Tranquilícese usted . . . Todo el mundo dice que se trata de un chantage,[35] que esas cartas no pueden ser de don Patricio.

FLORENCIO. ¡Ah! ¿Dicen eso?

ZURITA. Y si no fuera . . . , son asuntos de la vida privada que nadie tiene el derecho de lanzar a la publicidad.

FLORENCIO. Lo que yo digo, la vida privada, lo más respetable . . .

ZURITA. Me faltó tiempo[36] para dirigirme a la librería de Valdivieso, que es donde se vende el libro . . . Le encontré consternado, él no sabía nada; adquirió los ejemplares creyendo que se trataba de un asunto serio, de actualidad[37] en estos momentos . . . Le faltó tiempo para retirar del escaparate los ejemplares y para dirigirse en busca del autor.

FLORENCIO. ¿Del autor? Pero ¿está aquí el autor?

ZURITA. Sí; él mismo le ha vendido en firme[38] los ejemplares; llegó con ellos esta mañana.

FLORENCIO. ¡Ah! ¿Conque está aquí ese pillete de Casalonga? ¿Y usted sabe dónde se encuentra? . . .

ZURITA. En el Hotel de Europa.

CAROLINA. ¡Florencio! No vayas tú. ¡Deténgale usted! Quiere desafiarle.

ZURITA. ¿Qué dice usted? No vale la pena. Usted está por encima de todo eso, y su señora de usted mucho más por encima.

FLORENCIO. Y la gente, amigo Zurita, ¿qué dirá la gente?

ZURITA. La gente lo ha tomado a risa.

FLORENCIO. ¿A risa? Estamos en el ridículo más espantoso.

ZURITA. No quiero decir eso . . . ; quiero decir . . .

32. *¿Con qué cara me presento* . . . , How can I possibly be present

33. *Estamos en evidencia,* We are providing a spectacle

34. *de cabo a rabo,* from beginning to end

35. *chantage* (French), blackmail

36. *Me faltó tiempo,* I couldn't act fast enough; I rushed to . . .

37. *de actualidad,* right up to date, the most recent novelty

38. *en firme,* for cash settlement

FLORENCIO. No, amigo Zurita. Usted es un hombre de honor, usted sabe que yo necesito matar a ese hombre.

CAROLINA. Pero, ¿y si es él que te mata a ti? No, Florencio; un duelo no. ¿Para qué están los Tribunales?

FLORENCIO. No, me batiré . . . , querido Zurita . . . Busque usted a otro amigo . . . Vayan ustedes en representación mía al Hotel de Europa. Vean ustedes a ese hombre, exíjanle ustedes una reparación inmediata . . . , una reparación completa, rotunda. O declara, bajo su firma, que esas cartas son una falsedad indigna, o de lo contrario . . .

CAROLINA. ¡Florencio!

FLORENCIO. No reparen ustedes en las condiciones . . . , las más serias . . . , a pistola, con balas de verdad, avanzando[39] . . .

ZURITA. Pero don Florencio . . .

CAROLINA. No vaya usted, se lo ruego.

FLORENCIO. Es usted mi amigo . . . Vaya usted en el acto.[40]

CAROLINA. No, no irá usted.

ZURITA. Pero don Florencio . . . Una persona seria como usted . . .

FLORENCIO. Cuando a una persona seria se la pone en ridículo, deja de ser seria. Considere usted mi situación mañana ante ese monumento. ¡Yo! Su mejor amigo . . . Ella, mi esposa, su viuda . . . Y la gente comentando esas cartas . . . ¡Suponer que yo . . . , que ella! . . . Corra usted, corra usted . . . No vuelva usted sin esa reparación.

ZURITA. ¡Calle usted! Oigo la voz de Valdivieso.

FLORENCIO. ¿Eh? . . . Y la de Casalonga . . . ¡Pero tiene valor de presentarse en mi casa! . . .

ZURITA. Deje usted . . . ; cuando él viene, acaso se anticipe a rectificar . . . voy a ver . . . (Sale.)

CAROLINA. ¡Florencio! No veas a ese hombre, no le recibas . . .

FLORENCIO. Descuida, estoy en mi casa . . . No me olvido de lo que me debo a mí mismo[41] . . . Veremos qué explicación da, veremos . . . Lo que sí te agradeceré es que nos dejes solos . . . Estos asuntos de honor no son para señoras.

CAROLINA. Está bien; pero me quedo cerca . . . No estoy tranquila. No tienes ningún arma, ¿verdad?

FLORENCIO. Mujer, ¿cuándo he llevado yo armas de ninguna clase?

CAROLINA. Ten prudencia, ten calma, piensa en mí . . .

FLORENCIO. Estoy en mi casa, no tengas cuidado . . .

CAROLINA. Mira que como te oiga hoy muy acalorado no podría contenerme.

FLORENCIO. ¿Qué haces, mujer?

CAROLINA. Me llevo estos cacharros, no te vaya a dar un pronto[42] y se los tires a la cabeza . . . Lo sentiría porque son recuerdo.

FLORENCIO. Anda, mujer.

CAROLINA. Mira que estoy muy nerviosa . . . Ten calma, por Dios; ten prudencia . . . (Sale)

ESCENA VIII

FLORENCIO y ZURITA

ZURITA. ¿Está usted más tranquilo?

FLORENCIO. Descuide usted . . . ¿Está ahí ese hombre?

---

39. *con balas de verdad, avanzando,* with real bullets, moving forward (toward the opponent). (Some duels were arranged so that the contestants ran very little real danger. Florencio is willing to take any risk.)

40. *en el acto,* right away

41. It would be incorrect for a gentleman to do violence to a person enjoying the hospitality of his home. Florencio owes this gentlemanly conduct to himself.

42. *no te vaya a dar un pronto,* lest you have a fit of anger

ZURITA. Sí; le ha traído Valdivieso, que desea sincerarse con usted.

FLORENCIO. Bien . . . Pero el otro, ese Casalonga . . . , ¿qué pretende?

ZURITA. Hablar con usted también. Darle toda clase de explicaciones.

FLORENCIO. No hay más que una explicación posible.

ZURITA. Mire usted. Mi opinión es que le reciba usted. Por lo que he podido oírle, me parece un inconsciente.[43]

FLORENCIO. Diga usted un fresco.[44]

ZURITA. Eso es . . . No me atrevía a decirlo . . . Él no da ninguna importancia al asunto.

FLORENCIO. ¡Claro! Para él, ninguna.

ZURITA. En fin . . . Yo creo que está dispuesto a todo: a rectificar, a desmentir, a retirar el libro de la circulación. Lo mejor es que hable usted con él . . . ¿Me responde usted de su serenidad? ¿Puedo decirles que pasen? . . .

FLORENCIO. Sí . . . , sí, que pasen.

ZURITA. El pobre Valdivieso está muy disgustado . . . ¡Le estima a usted tanto! . . . Es usted una de las tres o cuatro personas que aquí compran libros. ¡Se alegrará tanto si usted le tranquiliza diciéndole que nunca le creyó usted capaz . . . !

FLORENCIO. No. ¡Pobre Valdivieso! Que pase, que pasen . . . (Sale Zurita, y a poco entra con Valdivieso y Casalonga.)

ESCENA IX

DICHOS, CASALONGA y VALDIVIESO

VALDIVIESO. ¡Señor don Florencio! No sé cómo decirle a usted . . . Supongo que usted no dudará de mi buena fe en este asunto . . . Yo ignoraba . . . , yo no podía sospechar . . .

FLORENCIO. Con usted no va nada.[45] Pero este caballero . . .

CASALONGA. ¡Calla, hombre, no me digas nada! Lo que menos podía yo sospechar es que iba a encontrarte aquí . . . y casado con la viuda. ¡Es gracioso!

FLORENCIO. ¿Pero oye usted esto?

ZURITA. Ya le dije a usted que es un inconsciente.

FLORENCIO. ¡Y yo le dije a usted que es un fresco, pero no creía que lo fuese tanto! ¡Señor mío . . . !

CASALONGA. ¡Déjate de tonterías, no me vengas con esa cara! . . .

FLORENCIO. En primer lugar, no recuerdo que nos hayamos tuteado nunca.

CASALONGA. Sí, hombre; sí. Y si no nos tuteamos es lo mismo. Durante una temporada fuimos inseparables. ¡Y en tiempos muy difíciles para los dos! Pero, ¿qué importaba? Cuando el uno no tenía dinero se lo pedía al otro, y tan contentos.[46]

FLORENCIO. Sí, me acuerdo que el otro era siempre yo.

CASALONGA. ¡Ja, ja, ja! Es posible, es posible . . . ¿Conque estás tan incomodado conmigo? ¡Qué tontería! No vale la pena.

FLORENCIO. ¿Pero oyen ustedes?

VALDIVIESO. Crea usted que si yo hubiera sospechado . . . Le compré en firme los ejemplares, aprovechando la actualidad del monumento. Pero ¡si yo hubiera sabido . . . !

CASALONGA. Pues eso, aprovechando la actualidad. Yo ando muy mal, chico. Esta situación conservadora[47] tan prolongada, me tiene en las últimas[48] . . . Ya no sabe uno qué discurrir para sacar dinero.

FLORENCIO. ¡Me gusta el descaro! ¿Y qué hace usted con un hombre así?

ZURITA. Eso digo yo. ¿Qué hace usted?

43. *inconsciente*, ignoramus, moron
44. *fresco*, fresh guy
45. *no va nada*, nothing is involved
46. *y tan contentos*, and everything was O.K.

47. *situación conservadora*, political situation with the conservative element in control
48. *me tiene en las últimas*, has me flat broke

CASALONGA. Figúrate que hasta me puse a escribir cosas para el teatro... Como las de todo el mundo..., un poco mejores, por eso no gustaban... Figúrate que me casé con la última patrona que tuve. ¡De alguna manera tenía que pagarla! ¡Pero, chico, me armaba unos escándalos, que un día, después de tirarnos todos los trastos a la cabeza, acordamos separarnos amistosamente! ¡Después, no quieras saberlo![49]

FLORENCIO. No, si no quiero saber nada..., si...

CASALONGA. Una novela, una verdadera novela... Figúrate que hasta he andado por esos pueblos explicando las vistas de un cine... Ya conoces mi facilidad de palabra... En las cintas dramáticas tenía un éxito... Pero enfermé de la garganta... Ya no me quedaba que tocar ninguna tecla... Yo tengo muy buenas relaciones... Pero los amigos... ¡Ah, los amigos! En cuanto les pides algo ya no hay amigos... En esto me enteré de que aquí inaugurabas un monumento a la memoria de nuestro amigo Patricio. ¡Pobre Patricio! ¡Aquél sí era un amigo! ¡Allí había hombre siempre![50] Se me ocurrió escribir cuatro tonterías de recuerdos personales, publicar unas cuantas cartas que conservaba de él...

FLORENCIO. ¡Feliz ocurrencia!

CASALONGA. ¡El garbanzo,[51] el miserable garbanzo! Pensé que en ninguna parte podía venderse mejor que aquí, en su patria. Llegué esta mañana en tercera,[52] chico, en tercera... Me fui a casa de este hombre, le coloqué dos mil ejemplares, que me pagó con un descuento horroroso... ¡Estos libreros!

VALDIVIESO. ¡Oiga usted! Lo razonable cuando se compra en firme.

CASALONGA. Si no digo nada. La humanidad se divide en primos[53] y pillos...

VALDIVIESO. ¿Pero oyen ustedes esto?

CASALONGA. Usted es de los pillos.

VALDIVIESO. ¡Oiga usted! ¡Pues no hay duda que he hecho un bonito negocio! ¿Usted cree que yo voy a vender un ejemplar más de ese libelo, sabiendo que en él se ofende a mi particular y respetable amigo don Florencio y a su distinguida esposa?

FLORENCIO. ¡Gracias, amigo Valdivieso; muchas gracias!

VALDIVIESO. Quemaré la edición, aunque ya ve usted la pérdida que me supone.

FLORENCIO. De eso no hay que hablar. Eso es cuenta mía.

CASALONGA. ¿Lo ve usted? Florencio paga. Quéjese usted ahora. Pero mal hecho, chico; yo que tú no le daba un cuarto...

VALDIVIESO. ¡Oiga usted! Como usted ha cobrado a tocateja[54]...

CASALONGA. No le llame usted cobrar a eso... con ese descuento... El papel vale más.

FLORENCIO. Lo que vale más es su desahogo[55] de usted, señor mío...

CASALONGA. ¡Ja, ja, ja! Si no me ofendo, si tienes razón. Pero, ¿qué quieres? Cuando ha tocado uno todas las teclas[56]... ¿Vas a matarme?

FLORENCIO. Por mi parte pondré los medios[57]... ¿Usted cree que esto puede quedar así?... Y si se niega usted a batirse lo llevaré a los Tribunales.

CASALONGA. Deja ese tono trágico. ¿Un duelo? ¿Entre nosotros? ¿Y por qué?

49. *no quieras saberlo,* don't even ask about it
50. *¡Allí había hombre siempre!* There was a man you could always count on!
51. *¡El garbanzo!* My living!
52. *tercera,* third-class coach
53. *primo,* slang, sucker
54. *a tocateja,* hard cash
55. *desahogo,* brazen conduct
56. *Cuando... teclas,* When one has tried every recourse
57. *pondré los medios,* I'll do what I can

Porque la mujer de un amigo . . . , que hoy es tu mujer, se la pegaba contigo.[58] ¡Si hubiera sido con otro!

FLORENCIO.   ¡Que no le consiento a usted esas suposiciones!

CASALONGA.   Será el primer hombre que se ofende porque le dicen que ha tenido relaciones con su mujer . . . ¿No comprendes que eso es ridículo? ¿Cómo vas a batirte por eso?

ZURITA.   En el fondo hay algo de verdad.

FLORENCIO.   Patricio nunca pudo escribir esas cartas, y menos a usted.

CASALONGA.   Di lo que quieras; las cartas son auténticas . . . Ahora que Patricio hiciera una tontería en escribirlas . . . , ya es más discutible . . . Yo las publiqué por dar un poco de amenidad al libro; al público le gusta siempre la nota intencionada[59] . . . Por lo demás, ¿qué interés tenía yo en molestarte, criatura?

FLORENCIO.   ¡Y dale con la confianza![60]

ZURITA.   ¿Y qué hace usted con un hombre así?

FLORENCIO.   Eso digo yo. ¿Qué hace usted?

CASALONGA.   Ya sabes que yo siempre te he querido mucho . . . , porque tienes mucho talento.

FLORENCIO.   ¡Gracias!

CASALONGA.   Mucho más talento que el pobre Patricio . . . , que era una excelente persona, pero, entre nosotros que estamos en el secreto, un completo besugo.[61]

FLORENCIO.   ¡Hombre, no tanto![62]

CASALONGA.   De esas reputaciones que se hacen en este país. ¡Si él hubiera tenido tu talento, tu clarísimo talento!

FLORENCIO.   ¡Hay que dejarle hablar![63]

CASALONGA.   Di[64] que tú has sido siempre muy modesto y te has quedado en la sombra para que él luciera y brillara. Pero, ¿quién no sabe que sus mejores discursos pudo pronunciarlos gracias a ti?

FLORENCIO.   ¡No me descubras![65]

CASALONGA.   Sí, señores, sépanlo ustedes . . . Este hombre era el verdadero talento; él es quien merecía la estatua . . . Este amigo admirable, único . . .

FLORENCIO.   ¡Es que no hay modo de reñir con este hombre!

CASALONGA.   Por lo demás, yo ahora mismo envío un comunicado diciendo que esas cartas son apócrifas . . . , lo que tú quieras . . . , como tú quieras . . . ¡No faltaba más! Eso no tiene ninguna importancia . . . Yo estoy por encima de esas miserias . . . Y a este sujeto no le des más que lo justo . . . A dos reales por ejemplar, lo que él me ha dado a mí.

VALDIVIESO.   No le permito a usted que se entrometa en mis asuntos . . . Es usted un trapisondista.

CASALONGA.   ¿Ha dicho usted trapisondista? Le advierto a usted que con usted sí me bato. Usted no es mi amigo. Usted es un explotador de la inteligencia ajena.

VALDIVIESO.   ¡Conmigo se atreverá usted! ¡Con un padre de familia! Después de haberme estafado.

CASALONGA.   ¿Ha dicho usted estafado? Eso me lo dice usted aquí.

VALDIVIESO.   En todas partes.

FLORENCIO.   ¡Señores, señores! ¡Está usted en mi casa, en casa de mi señora!

---

58. *se la pegaba contigo,* made a fool of him
59. *nota intencionada,* insinuation
60. *¡Y dale con la confianza!* Drop that intimate tone!
61. *besugo,* a kind of fish (sea bream); slang, simpleton

62. *¡Hombre, no tanto!* I wouldn't go *that* far!
63. Said with mock resignation: I just can't stop him!
64. *Di,* here, You can say
65. *¡No me descubras!* Don't give away my secret!

ZURITA. ¡Pero Valdivieso! . . .

CASALONGA. (*A Florencio*.) Te nombro mi padrino, y a usted también, mi querido amigo . . . ¿Cómo se llama usted?

VALDIVIESO. ¿Pero van ustedes a hacerle caso? ¿Ustedes creen que yo voy a batirme con el primer desahogado que se presente? . . . ¡Un padre de familia!

CASALONGA. ¡No admito explicaciones! ¡Mis amigos se entenderán con los de usted! Que todo quede arreglado esta misma tarde.

VALDIVIESO. ¿Y le oyen ustedes con esa calma? ¿Y serán ustedes capaces de hacerle caso? Es muy cómodo, cuando es usted el que debía batirse, tomarme a mí por cabeza de turco[66] . . .

FLORENCIO. ¡Amigo Valdivieso! No le tolero a usted apreciaciones sobre mi conducta . . . Después de todo . . . ¡si usted no hubiera tratado de lucrarse de mala manera con ese libro, sabiendo que en él se me ofendía gravemente! . . .

VALDIVIESO. Pero, ¿habla usted en serio?

FLORENCIO. Tan en serio.

CASALONGA. Sí, señor, que hablamos en serio. ¡Usted ha dado lugar a todo! Nadie compra sin enterarse. Pudo usted indicarme la indiscreción que yo había cometido . . . Por mi parte, si quieres batirte con él, te cedo mi puesto como primer ofendido . . . Yo tendré mucho gusto en apadrinarte con este querido amigo . . . ¿Cómo se llama usted?

ZURITA. Zurita.

CASALONGA. Mi querido amigo Zurita.

VALDIVIESO. Pero, ¿quieren ustedes volverme loco? ¡Por lo visto me han preparado ustedes una encerrona![67]

FLORENCIO. ¡Amigo Valdivieso, que no le consiento a usted esas apreciaciones! En mi casa no se preparan encerronas.

ZURITA. ¡Ah, y yo tampoco! Yo no le he traído a usted a ninguna encerrona.

CASALONGA. Ha olvidado usted con quien habla.

VALDIVIESO. ¡Vaya! Queden ustedes con Dios. Esto no puede sufrirse . . . Así se agradecen mis buenos oficios . . . Lo que haré es vender el libro . . . , y si no se vende, lo regalo . . . y que lo lea y lo comente todo el mundo . . . ¡No faltaba otra cosa!

FLORENCIO. Oiga usted, ¿qué está usted diciendo? ¡Pobre de usted[68] si vende un solo ejemplar!

ZURITA. Eso es; pobre de usted. A mí no me deja usted en evidencia.[69]

CASALONGA. Ni a mí tampoco.

VALDIVIESO. ¡No escucho una palabra! Hagan ustedes lo que quieran . . . Yo haré lo que me parezca. ¡No faltaba más . . . , no faltaba más! . . . (*Sale.*)

FLORENCIO. Deténgale usted.

CASALONGA. Descuida. Ahora mismo voy a su casa y recojo los ejemplares. Lo que pensabas pagarle por ellos me lo das a mí, que me hace más falta y soy tu amigo . . . Ese hombre no se ríe de mí . . . ¡Ah!, y esta noche comemos juntos; te espero en el hotel; no me faltes; mira que si no vienes me presento yo aquí y me convido a comer contigo.

FLORENCIO. ¡No! ¿Qué diría mi mujer? ¡Contenta la tienes!

CASALONGA. ¡Bah! Tu mujer ya me conoce y se divertiría mucho . . . Seguirá tan guapa, tan distinguida, tan inteligente . . . Y ahora será dichosa . . . ¡El pobre Patricio tenía tantas rarezas! . . . Y aquella figura . . . y le doblaba la edad . . . Hasta ahora, chico . . . ¡No sabes lo que me he alegrado de verte! ¡Un amigo como tú! ¡Venga un abrazo! Me conmuevo.

---

66. *cabeza de turco*, cat's-paw, scapegoat
67. *encerrona*, trap
68. *Pobre de usted*, Woe upon you

69. *A mí . . . evidencia*, You're not going to leave me playing a ridiculous role

Yo soy así . . . Hasta ahora . . . Si no vuelvo, es que he pegado a ese hombre y estoy en la cárcel. Ponme a los pies de tu señora[70] . . . Servidor de usted, amigo . . . ¡Ah! Zurita . . . ¡Qué cabeza ésta! Beso a usted la mano. (*Sale.*)

ESCENA X

FLORENCIO, ZURITA, *después* CAROLINA

FLORENCIO. ¡Usted no habrá visto nada igual nunca! Yo tampoco . . . Y yo que le conocía de antiguo . . . Pero ha mejorado mucho en este tiempo . . .

ZURITA. ¡Es de una frescura épica!

FLORENCIO. ¿Pero qué hace usted con un hombre que toma las cosas de esa manera? No es cosa de matarle. (*Entra Carolina.*) ¡Ah! ¡Carolina! ¿Has oído, te has enterado? . . .

CAROLINA. Sí . . . , es gracioso en medio de todo.

FLORENCIO. Menos mal que Carolina está más conforme.

ZURITA. Habrá oído los piropos . . . ¡Ese hombre es irresistible!

FLORENCIO. Mira, en resumidas cuentas . . . nadie ha dado importancia al asunto . . . Sólo se habían vendido dos o tres ejemplares.

CAROLINA. Sí . . . , pero uno de ellos a mis cuñadas, que es como si se hubieran vendido cuarenta mil, porque se lo irán contando a todo el mundo.

FLORENCIO. Ya contaban antes lo mismo. No te apures.

CAROLINA. De todos modos, yo no me presento mañana en la inauguración, y tú tampoco debes asistir.

FLORENCIO. ¡Pero mujer!

ZURITA. ¡Ah, la inauguración! No he tenido tiempo de decírselo a ustedes.

CAROLINA. ¿Que?

ZURITA. Que se ha suspendido.

FLORENCIO. ¿Cómo?

ZURITA. Sí; a última hora la Comisión se ha alarmado ante las protestas ocasionadas por los desnudos . . . Muchas señoras han visto las fotografías del monumento y se negaban a asistir. Han convencido al escultor, y por fin consiente en retirar la estatua de la Verdad y en poner una túnica a la Industria y un calzón de baño[71] al Comercio.

CAROLINA. ¡Cuánto me alegro!

ZURITA. Todo esto llevará algunos días. Cuando pasen, la gente se habrá olvidado de todo.

ESCENA XI

DICHOS y CASALONGA, *que entra muy sofocado con los ejemplares, que deja caer de golpe, levantando una nube de polvo.*

CAROLINA. ¡Ay!

CASALONGA. No se asuste usted . . . A los pies de usted . . . Aquí está toda la edición . . . Le he devuelto las mil pesetas que me había dado . . . , ni un céntimo más . . . Ya te lo dije. ¡No faltaba más! Ahora, tú verás . . . Yo nada te pido . . . Soy tu amigo . . . No me queda otra tecla que tocar . . . No te digo nada.

FLORENCIO. Cuenta con dos mil pesetas . . . ¡Pero cuidado con publicar la segunda edición!

CASALONGA. Descuida. Con ese dinero . . . tengo para ser persona decente . . . lo menos . . . lo menos dos meses . . . ¡Señora mía! ¿Usted no recuerda de mí? El mejor amigo de Florencio y el mejor amigo de Patricio; por lo tanto, el mejor amigo de usted.

CAROLINA. Sí, ya recuerdo.

---

70. *Ponme . . . señora,* Give my best to your wife

71. *calzón de baño,* swimming trunks

CASALONGA. He cambiado mucho.

FLORENCIO. No lo creas. No has cambiado nada.

CASALONGA. Usted, en cambio . . . , está lo mismo . . . ¡Mucho mejor! En 5 toda la opulencia de su hermosura espléndida, realzada por la felicidad de un matrimonio venturoso . . . ¿No tienen ustedes hijos?

CAROLINA. No . . . 10

CASALONGA. Los tendrán ustedes.

FLORENCIO. ¡Adulador!

CASALONGA. Quisiera marcharme esta misma noche . . . ¿Qué hago yo aquí? 15

FLORENCIO. No, ya lo has hecho todo. Dentro de un instante te mandaré eso al hotel.

CASALONGA. Si pudieras añadir un piquillo . . . Para los gastos de viaje 20 . . . Por no descabalarlas.[72]

FLORENCIO. Bueno, hombre; bueno.

CASALONGA. No molesto más. ¡Señora mía, siempre suyo! . . . Amigo Zurita . . . , amigo Florencio . . . No qui- 25 siera morirme sin volver a verte.

FLORENCIO. Pues yo sí, yo sí; puedes creerlo.

CASALONGA. Ya sé que no lo sientes. Eres un falso cínico. 30

FLORENCIO. Te llevo esa ventaja.

CASALONGA. ¡Adiós, amigo; adiós! ¡Qué diferente nuestra suerte! Para ti todo . . . , amor, riquezas, satisfacciones . . . ¡No quiero que me veas llorar! (Sale.)

CAROLINA. ¿De modo que te cuesta el dinero?

FLORENCIO. ¿Qué quieres? Por ti, por evitarte un disgusto. Estabas tan nerviosa . . . Yo me hubiera batido, hubiera llevado las cosas al último extremo . . . Zurita lo sabe.

CAROLINA. ¡Siempre dije que el monumento nos costaría caro! . . .

FLORENCIO. Ya lo ves. Dos mil pesetas ahora, veinticinco mil que di para el monumento . . . , el uniforme de jefe de Administración, que pensaba estrenar en la inauguración . . . , los obsequios a las Comisiones . . .

ZURITA. La gloria cuesta siempre más de lo que vale.

FLORENCIO. No puede uno ser célebre ni de segunda mano.

CAROLINA. ¿Te pesa?

FLORENCIO. No, Carolina mía. La gloria de ser tu marido bien vale para mí los inconvenientes de ser el marido de su viuda.

72. por no descabalarlas, so as not to break into them (the two thousand pesetas)

ANTONIO MACHADO

Campos de Soria

[handwritten: ES ABRIL Y YA ESTÁ FRÍO]

I

[handwritten: NO HAY VIDA DURANTE PRACTICAMENTE TODO EL AÑO]

Es la tierra de Soria árida y fría.
Por las colinas y las sierras calvas,
verdes pradillos, cerros cenicientos,
la primavera pasa
dejando entre las hierbas olorosas 5
sus diminutas margaritas blancas.

La tierra no revive, el campo sueña.
Al empezar abril está nevada
la espalda del Moncayo;[1]
el caminante lleva en su bufanda 10
envueltos cuello y boca, y los pastores
pasan cubiertos con sus luengas capas.

1. el Moncayo, a mountain near Soria

[handwritten: describir francamente el paisaje]

[handwritten: EL PAISAJE NO CAMBIA; LA GENTE NO QUIERE ESTAR A FUERA RELACIÓN ENTRE LOS DOS]

[handwritten: IMAGENES DE MUERTE É INVIERNO REFLEGA LA ESPIRITUALIDAD DE ESPAÑA]

V

La nieve. En el mesón al campo
    abierto[2]
se ve el hogar donde la leña humea   15
y la olla al hervir borbollonea.
El cierzo[3] corre por el campo yerto,[4]
alborotando en blancos torbellinos
la nieve silenciosa.
La nieve sobre el campo y los caminos,
cayendo está como sobre una fosa.   20
Un viejo acurrucado tiembla y tose
cerca del fuego; su mechón de lana *[handwritten: ESPERA]*
la vieja hila, y una niña cose *[handwritten: LA LLEGADO DE SU HIJO]*
verde ribete a su estameña grana.[5]
Padres los viejos son de un arriero *[handwritten: ANGUSTIA]*
que caminó sobre la blanca tierra,   25
y una noche perdió ruta y sendero,
y se enterró en las nieves de la sierra.
En torno al fuego hay un lugar vacío,
y en la frente del viejo, de hosco ceño,   30
como un tachón[6] sombrío
—tal el golpe de un hacha sobre un
    leño—.
La vieja mira al campo, cual si oyera
pasos sobre la nieve. Nadie pasa.
Desierta la vecina carretera,   35
desierto el campo en torno de la casa.
La niña piensa que en los verdes prados
ha de correr con otras doncellitas
en los días azules y dorados,
cuando crecen las blancas margaritas.   40

[handwritten: ESTAS]

VI

¡Soria fría, *Soria pura,*
cabeza de Extremadura,[7]
con su castillo guerrero

arruinado, sobre el Duero;
con sus murallas roídas[8]   45
y sus casas denegridas!

¡Muerta ciudad de señores
soldados o cazadores;
de portales con escudos
de cien linajes hidalgos,   50
y de famélicos galgos,
de galgos flacos y agudos,
que pululan
por las sórdidas callejas,
y a la media noche ululan,   55
cuando graznan las cornejas!

¡Soria fría! La campana
de la Audiencia[9] da la una.
Soria, ciudad castellana
¡tan bella! bajo la luna.   60

[handwritten: LA SILOETA ES BELLA (DISTANCIA)]

IX

[handwritten: —ES OPTIMISTA —HABLA DE POTENCIA DE FUTURO]

¡Oh!, sí, conmigo vais, campos de
    Soria,
tardes tranquilas, montes de violeta,
alamedas del río, verde sueño
del suelo gris y de la parda tierra,
agria melancolía   65
de la ciudad decrépita,
me habéis llegado al alma,
¿o acaso estabais en el fondo de ella?
¡Gentes del alto llano numantino[10]
que a Dios guardáis como cristianas
    viejas,   70
que el sol de España os llene
de alegría, de luz y de riqueza!

---

2. *al campo abierto,* amid the open fields; away from the city
3. *cierzo,* north wind
4. *yerto,* stiff; motionless; here, congealed
5. *ribete,* border; *estameña grana,* scarlet serge
6. *tachón,* cleft, furrow
7. *cabeza de Extremadura,* chief city of the frontier. Extremadura is now a province far from Soria, but in the Middle Ages this name was given to all the dangerous territory close to the Moors.
8. *roído,* eaten away, crumbling
9. *Audiencia,* courthouse
10. *llano numantino,* Numancian plain. Numancia, the ancient Iberian city which heroically resisted Roman capture, was located only a few miles from Soria.

Soledades

POEMA LIX[1]

Anoche, cuando dormía,
soñé, ¡bendita ilusión!
que una fontana fluía
dentro de mi corazón.
Di, ¿por qué acequia escondida,   5
agua, vienes hasta mí,
manantial de nueva vida
en donde nunca bebí?

Anoche, cuando dormía,
soñé, ¡bendita ilusión!   10
que una colmena tenía
dentro de mi corazón;
y las doradas abejas
iban fabricando en él,
con las amarguras viejas,   15
blanca cera[2] y dulce miel.

Anoche, cuando dormía,
soñé, ¡bendita ilusión!
que un ardiente sol lucía
dentro de mi corazón.   20
Era ardiente porque daba
calores de rojo hogar,[3]
y era sol porque alumbraba
y porque hacía llorar.

                                                    25
Anoche, cuando dormía,
soñé, ¡bendita ilusión!
que era Dios lo que tenía
dentro de mi corazón.

1. The key words in each of the four stanzas of this poem—*fontana, colmena, sol,* and *Dios*—are reminiscent of Chapter II of the *Moradas primeras,* written by the famous sixteenth-century mystic Santa Teresa (see Volume I of this anthology). In describing the progressive stages on the way to achieving a mystical union of the soul with God, Santa Teresa uses the metaphors of a clear fountain (*fontana*) which represents a soul in grace, and a resplendent sun which is in the deepest recesses of the soul. She recommends that the nuns should strive to find God in themselves with the diligence employed by bees in manufacturing honey for the beehive (*colmena*). Machado's search for God within himself is a vain illusion and differs greatly from the mystical fervor of Santa Teresa. He experienced occasional feelings of faith but generally remained a non-believer.

2. beeswax
3. fireplace

José Ortega y Gasset

Ortega (1883–1955) is the most prominent essayist of twentieth-century Spain and one of the greatest philosophers that country has produced. He was born in Madrid, the son of a well-known novelist and journalist. His early education was in a Jesuit school in Málaga and then he went to the University of Madrid where he received his doctorate in 1904. He studied in several German universities and was especially influenced by the renowned neo-Kantian philosopher Hermann Cohen at Marburg. On returning to Spain, he won the chair of metaphysics at the University of Madrid (1910). When the Civil War broke out in 1936, he left Spain and spent the next nine years lecturing in several European countries and Argentina. After his return to his native land in 1945 he did not resume his university post but he continued to write and gave public lectures at the Instituto de Humanidades (which he founded with his disciple Julián Marías in 1948). In 1923 he had founded the *Revista de Occidente,* one of Spain's most prestigious and influential cultural journals in this century. It ceased publication in 1936 and it was not until 1963 that it entered its second period of existence.

Ortega's prolific meditations encompass many and varied aspects of contemporary culture—literature, art, history, education, politics, and sociology—all informed by a philosophical purpose. The three basic facets of Ortega's life-oriented philosophy began to take shape in his first book, *Meditaciones del Quijote* (1914). His well-known phrase *"yo soy yo y mi circunstancia"* means that man must take into account that what he does is related to the fundamental reality of his situation. Another salient feature of his philosophy is *perspectivismo,* one's individual point of view, the only way by which the truth of the universe can be perceived. Finally, we arrive at his principle of *razón vital* (*vital* is derived from the Latin *vita*, "life") which means that human reality can be intelligible only from the standpoint of life. Ortega's "vital reason" is then identical to living and differs from the mathematical reason of the seventeenth-century rationalists and Kant's "pure reason." He substitutes the maxim *"cogito quia vivo"* ("I think, because I live") for the Cartesian principle *"cogito ergo sum"* ("I think, therefore I am").

His chief work, *La rebelión de las masas,* gained world-wide attention after its publication in 1930. Its essential thesis is that the decline in contemporary European culture stems from the supplantation of the values of the select minority (*minoría selecta*) by those of the common or mass-man (*hombre-masa*). In other words, European countries were formerly guided by select, intellectually endowed leaders who demanded much of themselves and those they governed, but now the undisciplined and amoral masses have gained the upper hand and are imposing their commonplace values on their societies. In *España invertebrada* (1921), Ortega postulated that Spanish decadence can be traced to the absence of select minorities in the Middle Ages and, consequently, the lack of true feudalism such as developed in England. In *El tema de nuestro tiempo* (1923), Ortega amply revealed his thoughts on the philosophy of *razón vital*. Other important books that he wrote are *La deshumanización del arte* (1925), which discusses the elimination of what is real and human from the art of his day; and *Meditaciones del Quijote* (1914) which studies Cervantine realism—he envisions this as the key to Spanish reality—and also analyzes the salient characteristics of the European novel. Ortega's clear, precise, and intimate style, marked by a felicitous utilization of metaphors, enables the reader to capture the shadings of his seminal ideas on matters that are important and current.

El hecho de las aglomeraciones

Hay un hecho que, para bien o para mal, es el más importante en la vida pública europea de la hora presente. Este hecho es el advenimiento de las masas al pleno poderío social. Como las masas, por definición, no deben ni pueden diri-gir su propia existencia, y menos regentar la sociedad, quiere decirse que Europa sufre ahora la más grave crisis que a pueblos, naciones, culturas, cabe padecer.[1] Esta crisis ha sobrevenido más de una vez en la historia. Su fisonomía y sus con-

1. *que a . . . padecer,* that can afflict peoples, nations, and civilizations

secuencias son conocidas. También se
conoce su nombre. Se llama la rebelión
de las masas.

Para la inteligencia del formidable
hecho conviene que se evite dar, desde
luego, a las palabras «rebelión», «masas»,
«poderío social», etc., un significado ex-
clusiva o primariamente político. La
vida pública no es sólo política, sino, a la
par y aun antes,[2] intelectual, moral, económica, religiosa; comprende los usos
todos colectivos e incluye el modo de vestir y el modo de gozar.

Tal vez la manera mejor de acercarse a
este fenómeno histórico consista en re-
ferirnos a una experiencia visual, subra-
yando una facción de nuestra época que
es visible con los ojos de la cara.

Sencillísima de enunciar, aunque no
de analizar, yo la denomino el hecho de
la aglomeración, del «lleno».[3] Las ciudades están llenas de gente. Las casas,
llenas de inquilinos. Los hoteles, llenos
de huéspedes. Los trenes, llenos de viajeros. Los cafés, llenos de consumidores.
Los paseos, llenos de transeúntes. Las salas de los médicos famosos, llenas de enfermos. Los espectáculos, como no sean[4]
muy extemporáneos, llenos de especta-
dores. Las playas, llenas de bañistas. Lo
que antes no solía ser problema, empieza
a serlo casi de continuo: encontrar sitio.

Nada más. ¿Cabe hecho más simple,
más notorio, más constante, en la vida
actual? Vamos ahora a punzar el cuerpo
trivial de esta observación, y nos sorpren-
derá ver cómo de él brota un surtidor inesperado, donde la blanca luz del día, de
este día, del presente, se descompone en
todo su rico cromatismo[5] interior.

¿Qué es lo que vemos y al verlo nos sorprende tanto? Vemos la muchedumbre,
como tal, posesionada de los locales y
utensilios creados por la civilización.
Apenas reflexionamos un poco, nos sor-
prendemos de nuestra sorpresa. Pues qué,
¿no es el ideal? El teatro tiene sus locali-
dades para que se ocupen; por tanto,
para que la sala esté llena. Y lo mismo
los asientos el ferrocarril y sus cuartos el
hotel.[6] Sí; no tiene duda. Pero el hecho
es que antes ninguno de esos establecimientos y vehículos solía estar lleno, y
ahora rebosan, queda fuera gente afanosa
de usufructuarlos. Aunque el hecho sea
lógico, natural, no puede desconocerse
que antes no acontecía y ahora sí; por
tanto, que ha habido un cambio, una in-
novación, la cual justifica, por lo menos
en el primer momento, nuestra sorpresa.

Sorprenderse, extrañarse, es comenzar
a entender. Es el deporte y el lujo especí-
fico del intelectual. Por eso su gesto gremial[7] consiste en mirar el mundo con los
ojos dilatados por la extrañeza. Todo en
el mundo es extraño y es maravilloso
para unas pupilas bien abiertas. Esto,
maravillarse, es la delicia vedada al futbolista y que, en cambio, lleva al intelectual por el mundo en perpetua embriaguez de visionario. Su atributo son los
ojos en pasmo. Por eso los antiguos dieron a Minerva[8] la lechuza, el pájaro con
los ojos siempre deslumbrados.

La aglomeración, el lleno, no era antes
frecuente. ¿Por qué lo es ahora?

Los componentes de esas muchedumbres no han surgido de la nada. Aproxi-
madamente, el mismo número de personas existía hace quince años. Después
de la guerra parecería natural que ese
número fuese menor. Aquí topamos,
sin embargo, con la primera nota importante. Los individuos que integran

---

2. *a la par y aun antes,* at the same time and
   even more importantly
3. *"lleno,"* fullness, i.e., the overcrowding of
   the world
4. *lomo no sean,* unless they are
5. display of color

6. *Y . . . hotel,* And, likewise, the railroad
   has its seats and the hotel its rooms.
7. *su gesto gremial,* the characteristic attitude
   of his group, i.e., the group of intellectuals
8. Minerva was the Roman goddess of learning
   and wisdom whose symbol was the owl.

estas muchedumbres preexistían, pero no como muchedumbre. Repartidos por el mundo en pequeños grupos, o solitarios, llevaban una vida, por lo visto, divergente, disociada, distante. Cada cual—individuo o pequeño grupo—ocupaba un sitio, tal vez el suyo, en el campo, en la aldea, en la villa, en el barrio de la gran ciudad.

Ahora, de pronto, aparecen bajo la especie de aglomeración, y nuestros ojos ven dondequiera muchedumbres. ¿Dondequiera? No, no; precisamente en los lugares mejores, creación relativamente refinada de la cultura humana, reservados antes a grupos menores, en definitiva, a minorías.

La muchedumbre, de pronto, se ha hecho visible, se ha instalado en los lugares preferentes de la sociedad. Antes, si existía, pasaba inadvertida, ocupaba el fondo del escenario social; ahora se ha adelantado a las baterías, es ella el personaje principal. Ya no hay protagonistas: sólo hay coro.

El concepto de muchedumbre es cuantitativo y visual. Traduzcámoslo, sin alterarlo, a la terminología sociológica. Entonces hallamos la idea de masa social. La sociedad es siempre una unidad dinámica de dos factores: minorías y masas. Las minorías son individuos o grupos de individuos especialmente cualificados. La masa es el conjunto de personas no especialmente cualificadas. No se entienda, pues, por masas sólo ni principalmente «las masas obreras». Masa es «el hombre medio». De este modo se convierte lo que era meramente cantidad—la muchedumbre—en una determinación cualitativa: es la cualidad común, es lo mostrenco social,[9] es el hombre en cuanto no se diferencia de otros hombres, sino que repite en sí un tipo genérico. ¿Qué hemos ganado con esta conversión de la cantidad a la cualidad? Muy sencillo: por medio de ésta comprendemos la génesis de aquélla. Es evidente, hasta perogrullesco, que la formación normal de una muchedumbre implica la coincidencia de deseos, de ideas, de modo de ser en los individuos que la integran. Se dirá que es lo que acontece con todo grupo social, por selecto que pretenda ser. En efecto; pero hay una esencial diferencia.

En los grupos que se caracterizan por no ser muchedumbre y masa, la coincidencia efectiva de sus miembros consiste en algún deseo, idea o ideal, que por sí solo excluye el gran número. Para formar una minoría, sea la que sea, es preciso que antes cada cual se separe de la muchedumbre por razones *especiales,* relativamente individuales. Su coincidencia con los otros que forman la minoría es, pues, secundaria, posterior a haberse cada cual singularizado, y es, por tanto, en buena parte una coincidencia en no coincidir. Hay casos en que este carácter singularizador del grupo aparece a la intemperie:[10] los grupos ingleses que se llaman a sí mismos «no conformistas», es decir, la agrupación de los que concuerdan sólo en su disconformidad respecto a la muchedumbre ilimitada. Este ingrediente de juntarse los menos precisamente para separarse de los más[11] va siempre involucrado en la formación de toda minoría. Hablando del reducido público que escuchaba a un músico refinado, dice graciosamente Mallarmé[12] que aquel público subrayaba con la presencia de su escasez la ausencia multitudinaria.[13]

9. *lo mostrenco social,* the common social denominator
10. *aparece a la intemperie,* is evident, is in plain view
11. *los menos . . . los más,* the few . . . the many

12. Stéphane Mallarmé (1842–98), French symbolist poet
13. i.e., the fact that there were few people in the audience made it evident that the concert was not for the masses

En rigor, la masa puede definirse, como hecho psicológico, sin necesidad de esperar a que aparezcan los individuos en aglomeración. Delante de una sola persona podemos saber si es masa o no. Masa es todo aquél que no se valora a sí mismo —en bien o en mal— por razones especiales, sino que se siente «como todo el mundo» y, sin embargo, no se angustia, se siente a sabor[14] al sentirse idéntico a los demás. Imagínese un hombre humilde que al intentar valorarse por razones especiales—al preguntarse si tiene talento para esto o lo otro, si sobresale en algún orden—advierte que no posee ninguna calidad excelente. Este hombre se sentirá mediocre y vulgar, mal dotado; pero no se sentirá «masa».

Cuando se habla de «minorías selectas», la habitual bellaquería suele tergiversar[15] el sentido de esta expresión fingiendo ignorar que el hombre selecto no es el petulante que se cree superior a los demás, sino el que se exige más que los demás, aunque no logre cumplir en su persona esas exigencias superiores. Y es indudable que la división más radical que cabe hacer en la humanidad es ésta, en dos clases de criaturas: las que se exigen mucho y acumulan sobre sí mismas dificultades y deberes y las que no se exigen nada especial, sino que para ellas vivir es ser en cada instante lo que ya son, sin esfuerzo de perfección sobre sí mismas, boyas que van a la deriva.[16]

Esto me recuerda que el budismo ortodoxo se compone de dos religiones distintas: una, más rigorosa y difícil; otra, más laxa y trivial: el Mahayana—«gran vehículo» o «gran carril»—y el Hinayana—[17] «pequeño vehículo», «camino menor»—. Lo decisivo es si ponemos nuestra vida a uno u otro vehículo, a un máximo de exigencias o a un mínimo.

La división de la sociedad en masas y minorías excelentes no es, por tanto, una división en clases sociales, sino en clases de hombres, y no puede coincidir con la jerarquización en clases superiores e inferiores. Claro está que en las superiores, cuando llegan a serlo y mientras lo fueron de verdad, hay más verosimilitud de hallar hombres que adoptan el «gran vehículo», mientras las inferiores están normalmente constituidas por individuos sin calidad. Pero, en rigor, dentro de cada clase social hay masa y minoría auténtica. Como veremos, es característico del tiempo[18] el predominio, aun en los grupos cuya tradición era selectiva, de la masa y el vulgo. Así, en la vida intelectual, que por su misma esencia requiere y supone la cualificación, se advierte el progresivo triunfo de los seudointelectuales incualificados, incalificables y descalificados por su propia contextura.[19] Lo mismo en los grupos supervivientes de la «nobleza» masculina y feminina. En cambio, no es raro encontrar hoy entre los obreros, que antes podían valer como el ejemplo más puro de esto que llamamos «masa», almas egregiamente disciplinadas.

Ahora bien: existen en la sociedad operaciones, actividades, funciones del más diverso orden, que son, por su misma naturaleza, especiales, y consecuentemente no pueden ser bien ejecutadas sin dotes también especiales. Por ejemplo: ciertos placeres de carácter artístico y lujoso, o bien las funciones de gobierno y de juicio político sobre los asuntos públicos. Antes eran ejercidas estas actividades especiales por minorías calificadas —calificadas, por lo menos, en preten-

14. *a sabor*, happy
15. *la habitual . . . tergiversar*, it is usual for the evil-minded to twist
16. *boyas que van a la deriva*, drifting buoys
17. *Mahayana . . . Hinayana*, two forms of Buddhism. (The Mahayana is a later de-velopment and is more elaborate than the simple Hinayana.)
18. *del tiempo*, of our times
19. *los seudointelectuales . . . contextura*, false intellectuals (who are) unqualified, unqualifiable, and disqualified because that is the way they are made

sión.[20] La masa no pretendía intervenir en ellas: se daba cuenta de que si quería intervenir tendría congruentemente[21] que adquirir esas dotes especiales y dejar de ser masas. Conocía su papel en una saludable dinámica social.[22]

Si ahora retrocedemos a los hechos enunciados al principio, nos aparecerán inequívocamente como nuncios de un cambio de actitud en la masa. Todos ellos indican que ésta ha resuelto adelantarse al primer plano social y ocupar los locales y usar los utensilios y gozar de los placeres antes adscritos a los pocos. Es evidente que, por ejemplo, los locales no estaban premeditados para las muchedumbres, puesto que su dimensión es muy reducida y el gentío rebosa constantemente de ellos, demostrando a los ojos y con lenguaje visible el hecho nuevo: la masa, que, sin dejar de serlo, suplanta a las minorías.

Nadie, creo yo, deplorará que las gentes gocen hoy en mayor medida y número que antes, ya que tienen para ello el apetito y los medios. Lo malo es que esta decisión tomada por las masas de asumir las actividades propias de las minorías, no se manifiesta, ni puede manifestarse, sólo en el orden de los placeres, sino que es una manera general del tiempo. Así—anticipando lo que luego veremos—, creo que las innovaciones políticas de los más recientes años no significan otra cosa que el imperio político de las masas. La vieja democracia vivía templada por una abundante dosis de liberalismo y de entusiasmo por la ley. Al servir a estos principios, el individuo se obligaba a sostener en sí mismo una disciplina difícil. Al amparo del principio liberal y de la norma jurídica podían actuar y vivir las minorías. Democracia y ley, convivencia legal, eran sinónimos. Hoy asistimos al triunfo de una hiperdemocracia en que la masa actúa directamente sin ley, por medio de materiales presiones, imponiendo sus aspiraciones y sus gustos. Es falso interpretar las situaciones nuevas como si la masa se hubiese cansado de la política y encargase a personas especiales su ejercicio. Todo lo contrario. Eso era lo que antes acontecía, eso era la democracia liberal. La masa presumía que, al fin y al cabo, con todos sus defectos y lacras, las minorías de los políticos entendían un poco más de los problemas públicos que ella. Ahora, en cambio, cree la masa que tiene derecho a imponer y dar vigor de ley a sus tópicos de café.[23] Yo dudo que haya habido otras épocas de la historia en que la muchedumbre llegase a gobernar tan directamente como en nuestro tiempo. Por eso hablo de hiperdemocracia.

Lo propio[24] acaece en los demás órdenes, muy especialmente en el intelectual. Tal vez padezco un error; pero el escritor, al tomar la pluma para escribir sobre un tema que ha estudiado largamente,[25] debe pensar que el lector medio, que nunca se ha ocupado del asunto, si le lee, no es con el fin de aprender algo de él, sino, al revés, para sentenciar sobre él cuando no coincide con las vulgaridades que este lector tiene en la cabeza. Si los individuos que integran la masa se creyesen especialmente dotados, tendríamos no más que un caso de error personal, pero no una subversión sociológica. *Lo característico del momento es que el alma vulgar, sabiéndose vulgar, tiene el denuedo de afirmar el derecho de la vulgaridad y lo impone dondequiera.* Como se dice en Norteamérica: ser diferente es indecente. La masa arrolla

---

20. *calificadas . . . pretensión,* or at least by those who claimed such qualifications
21. at the same time
22. *una saludable dinámica social,* a healthy, dynamic social system

23. *tópicos de café,* the usual subjects discussed (by the men who meet) in a Spanish café
24. *Lo propio,* The same thing
25. at length

todo lo diferente, egregio, individual, calificado y selecto. Quien no sea como
todo el mundo, quien no piense como
todo el mundo corre riesgo de ser elimi-
nado. Y claro está que ese «todo el
mundo» no es «todo el mundo». «Todo
el mundo» era, normalmente, la unidad
compleja de masa y minorías discre-
pantes, especiales. Ahora todo el mundo
es sólo la masa.

Este es el hecho formidable de nuestro
tiempo, descrito sin ocultar la brutalidad
de su apariencia.

La rebelión de las masas, Cap. I

Modern Poetry

First we must note that during the last half of the nineteenth century, poetry became more restricted, more local in interest, more regional in theme, and more prosaic in diction. The most popular poet of this period was Ramón de Campoamor (1817–1901) whose witty, philosophical poetry was devoid of true lyrical qualities and is all but forgotten today. At the end of the century, a great wave of regeneration called *modernismo,* passed over Spanish poetry, not only in Spain but throughout all the Hispanic lands. The prophet of this new movement was Rubén Darío (1867–1916), undoubtedly one of the greatest poets ever to write in Spanish.

Rubén Darío was born in Nicaragua but, during a life of constant agitation, spent much time in Chile, the Argentine, Spain, and Paris. He was a man of childlike candor and often had difficulty in managing his practical affairs. While his debauches filled him with remorse, he felt that his true self—hidden within his "inner kingdom"—remained unsullied by the world. With a poet's disdain for materialism, he made a precarious living by newspaper writing and diplomatic work.

Modernismo became generally accepted with the publication of *Prosas profanas* (1896). Here Darío shows himself a universal man, thoroughly alive to the currents of literary thought from all nations and all times, although particularly influenced by the French poets Hugo, Leconte de Lisle, and especially Verlaine. He incorporates these elements of most diverse origin into Spanish, thoroughly assimilating all of his borrowings and fusing them in new rhythms and new poetic diction. Despite his borrowings, Darío made *modernismo* a declaration of poetic independence, of the right of the poet to express the hidden recesses of his soul in whatever form and language he pleased. He made Spanish poetry once more universal in scope and brought it abreast of the innovations of other lands. His influence was as great in Spain as in Latin America.

In another book of prime importance, *Cantos de vida y esperanza* (1905), our poet shows a more marked predilection for American themes. He calls upon the republics of Latin America to unite, asks of them a sympathy for the bleeding mother country, Spain, and extols the "Latin race," their great common source. Furthermore these later poems show fewer of the artifices of poetry and a greater profundity of emotion. They are not so much made as felt.[1]

Juan Ramón Jiménez (1881-1958) was an Andalusian, from the region near Huelva. Juan Ramón wrote essentially subjective poetry, the internal music of the soul. Nothing very great or transcendental is discussed in his works, yet the poet's delicately shaded feelings are communicated to the reader. The method is impressionistic. By giving us little indications symbolical of his sensation, Juan Ramón creates in our minds his own feeling. His verse is always musical, and many times no other effect than music is desired. He is generally melancholic, yet at times the rhythms of Andalusian popular dance melodies give their color and vivacity to his verse.

Juan Ramón's early poetry reveals the influence of Darío's decorative *modernista* style, but around 1915 he began to cultivate an original style oriented toward the attainment of absolute beauty. His *Diario de un poeta recién casado* (1917) marked a new and lasting direction in his poetry, characterized by exquisite purity and limpidity. He was also the master of poetic prose, especially in his *Platero y yo* (1914), the delightful, tender story of the life and adventures of a little donkey. In 1956 he was the recipient of a Nobel Prize.

The rich poetry and theater of Federico García Lorca (1898-1936) have achieved extraordinary universal renown. His tragic death at the beginning of the Civil War, at the height of his literary creativity, did much to enhance his fame. The influence of Juan Ramón can be found in Lorca's poetry of the early 1920's, but we perceive the emergence of his popular and folklore elements and the use of new metaphors which were to become Lorca's hallmark. One of his major works is the *Romancero gitano* (1928), which brilliantly captures the local color and magic of his native Granada. Many times he assumes deliberately the naïveté of the nursery rhyme. His intensely dramatic "Llanto por Ignacio Sánchez Mejías" (1935), frequently considered his supreme poetic achievement, falls within the long tradition of Spanish poetry in form and substance but exemplifies his instinctive talent for creating com-

---

1. Darío's famous *Azul* (1888), a collection of verse and prose selections, marks the beginning of *modernismo* in Spanish America.

pelling images. He adopts the surrealist mode in *El poeta en Nueva York* (composed 1929-30), an anguished, moving indictment of American civilization. His dramas, which represent a turning away from the realism of Benavente, emphasize fantasy, poetry, and a combining of music and ballet with the drama. His chief plays are the rural tragedies *Bodas de sangre* (1933), *Yerma* (1934), and *La casa de Bernarda Alba* (1936), whose central theme is the sexual frustration of women.

Jorge Guillén (1893-) left Spain during the Civil War and has been a professor of Spanish literature in Europe and more recently in the United States. His first poetic period is tied to a single book, *Cántico*, which appeared in four editions from 1928 to 1950. He continually polished and corrected his poetry as did Juan Ramón Jiménez, striving ever to achieve what has been termed "pure poetry." His *Cántico* is a deliberate attempt to conceptualize the essence of things as exactly and concisely as possible. This intellectual processs tends to minimize the expression of emotion and produce an abstract poetry which is not easily grasped. *Cántico* reveals the poet's joy in living and enthusiasm for the life around him. In the three parts of his later work, *Clamor* (*Maremágnum*, 1957, *Que van a dar en la mar*, 1960, and *A la altura de las circunstancias*, 1963), Guillén writes about the chaos, the violence, the injustice and other negative aspects of the contemporary world, but he ends the trilogy with the optimistic attitude that characterizes his *Cántico*.

RUBÉN DARÍO

Sonatina

La princesa está triste . . . ¿qué tendrá la princesa?
Los suspiros se escapan de su boca de fresa,
que ha perdido la risa, que ha perdido el color.
La princesa está pálida en su silla de oro,
está mudo el teclado de su clave sonoro;   5
y en un vaso olvidada se desmaya una flor.

El jardín[1] puebla el triunfo de los pavos reales.
Parlanchina, la dueña dice cosas banales,
y vestido de rojo piruetea el bufón.
La princesa no ríe, la princesa no siente;   10
la princesa persigue por el cielo de Oriente
la libélula[2] vaga de una vaga ilusión.

---

1. Object of *puebla* whose subject is *triunfo*, triumphal parade.

2. damsel-fly (a small, brightly colored dragonfly)

¿Piensa acaso en el príncipe de Golconda[3] o de China,
o en el que ha detenido su carroza argentina
para ver de sus ojos la dulzura de luz,   15
o en el rey de las islas de las rosas fragantes,
o en el que es soberano de los claros diamantes,
o en el dueño orgulloso de las perlas de Ormuz?[4]

¡Ay! la pobre princesa de la boca de rosa
quiere ser golondrina, quiere ser mariposa,   20
tener alas ligeras, bajo el cielo volar;
ir al sol por la escala[5] luminosa de un rayo,[6]
saludar a los lirios con los versos de Mayo,
o perderse en el viento sobre el trueno del mar.

Ya no quiere el palacio, ni la rueca de plata,   25
ni el balcón encantado, ni el bufón escarlata,
ni los cisnes unánimes[7] en el lago de azur.
Y están tristes las flores por la flor de la corte;
los jazmines de Oriente, los nelumbos del Norte,
de Occidente las dalias y las rosas del Sur.   30

¡Pobrecita princesa de los ojos azules!
Está presa en sus oros, está presa en sus tules,
en la jaula de mármol del palacio real;
el palacio soberbio que vigilan los guardas,
que custodian cien negros con sus cien alabardas,   35
un lebrel que no duerme y un dragón colosal.

¡Oh, quién fuera[8] hipsipila[9] que dejó la crisálida![10]
(La princesa está triste. La princesa está pálida.)
¡Oh visión adorada de oro, rosa y marfil!
¡Quién volara a la tierra donde un príncipe existe   40
(La princesa está pálida. La princesa está triste.)
más brillante que el alba, más hermoso que Abril!

¡Calla, calla, princesa—dice el hada madrina[11]—
en caballo con alas hacia acá se encamina,
en el cinto la espada y en la mano el azor,   45
el feliz caballero que te adora sin verte,

---

3. A city of India, whose princes possessed fabulous treasures of precious stones
4. An Arabian town on an island in the Persian Gulf, still a center of pearl fishing
5. stairway, ladder
6. ray (of light)
7. of one mind; here probably referring to the habit of swans of swimming all in one direction at the same time, often in single file. Some editions of this poem read *ecuánimes* here.
8. *quién fuera,* would I were
9. butterfly
10. chrysalis
11. *el hada madrina,* the fairy godmother

y que llega de lejos, vencedor de la Muerte,
a encenderte los labios con su beso de amor![12]

(Prosas profanas)

Canción del otoño en primavera

Juventud, divino tesoro,
¡ya te vas para no volver!
Cuando quiero llorar, no lloro . . .
Y a veces lloro sin querer . . .

Plural[13] ha sido la celeste   5
historia de mi corazón.
Era[14] una dulce niña, en este
mundo de duelo y aflicción.

Miraba como el alba pura;
sonreía como una flor.   10
Era su cabellera oscura
hecha de noche y de dolor.

Yo era tímido como un niño.
Ella, naturalmente, fue,
para mi amor hecho de armiño,[15]   15
Herodías y Salomé[16] . . .

Juventud, divino tesoro,
¡ya te vas para no volver! . . .
Cuando quiero llorar, no lloro,
y a veces lloro sin querer . . .   20

La otra[17] fue más sensitiva
y más consoladora y más
halagadora y expresiva,
cual no pensé encontrar jamás,

Pues a su continua ternura   25
una pasión violenta unía.
En un peplo de gasa pura
una bacante[18] se envolvía . . .

En brazos tomó mi ensueño
y lo arrulló como a un bebé . . .   30
Y le mató, triste y pequeño,
falto de luz, falto de fe . . .

Juventud, divino tesoro,
¡te fuiste para no volver!
Cuando quiero llorar, no lloro,   35
y a veces lloro sin querer . . .

¡Y las demás! en tantos climas,
en tantas tierras, siempre son,
si no pretextos de mis rimas,
fantasmas de mi corazón.   40

En vano busqué a la princesa
que estaba triste de esperar.
La vida es dura. Amarga y pesa.[19]
¡Ya no hay princesa que cantar!

Mas a pesar del tiempo terco,   45
mi sed de amor no tiene fin;
con el cabello gris, me acerco
a los rosales del jardín . . .

Juventud, divino tesoro,
ya te vas para no volver . . .   50
Cuando quiero llorar, no lloro,
y a veces lloro sin querer . . .

¡Mas es mía el Alba de oro![20]

(Cantos de vida y esperanza)

---

12. The princess is, of course, in love with love. The awakening of her heart is accompanied by a vague restlessness and unexplained melancholy.
13. multifold
14. Here begins the first of the many adventures of his heart.
15. ermine (which, being pure white, symbolizes purity)
16. Salome asked for the head of John the Baptist, instigated by her mother, Herodias, whom John had denounced as a sinful woman. Symbolically, these women represent killers of innocence.
17. next
18. bacchante, woman who indulges in excesses
19. verbs, not adjectives
20. probably the Golden Dawn of Immortality

JUAN RAMÓN JIMÉNEZ

Convalecencia

Sólo tú me acompañas, sol amigo.
Como un perro de luz lames mi lecho blanco;
y yo pierdo mi mano por tu pelo de oro,
caída de cansancio.

¡Qué de cosas que fueron   5
se van . . . más lejos todavía!
                             Callo
y sonrío, igual que un niño,
dejándome lamer de ti, sol manso.

. . . De pronto, sol, te yergues,[1]   10
fiel guardián de mi fracaso,
y, en una algarabía ardiente y loca,
ladras a los fantasmas vanos
que, mudas sombras, me amenazan
desde el desierto del ocaso.   15
                             (Estío)

Anochecer de otoño

En la hora negra, fría y solitaria,
el muelle, que esta tarde
me pareció llevarme hasta el poniente de oro,
¡es tan pequeño, ¡ay!, tan de juguete!
Y yo, juguete oscuro y triste, voy soñando, niño grande   5
—en este nuevo juego, que, hace una hora,
creía realidad definitiva
de hombre que recuerda riendo sus juguetes
de niño, sus barquitos,—
juguete oscuro y triste, voy soñando   10
en unas cosas altas,
de las que son juguetes
el mar, la tierra, las estrellas . . .
                       (Piedra y cielo)

---

1. *erguir,* to straighten up, rise

Ya están ahí las carretas

Ya están ahí las carretas . . .
—Lo han dicho el pinar y el viento,
lo ha dicho la luna de oro,
lo han dicho el humo y el eco . . .
Son las carretas que pasan   5
estas tardes, al sol puesto,
las carretas que se llevan
del monte los troncos muertos.
    ¡Cómo lloran las carretas,
camino de Pueblo Nuevo!   10
    Los bueyes vienen soñando,
a la luz de los luceros,
en el establo caliente
que sabe a madre² y a heno.
Y detrás de las carretas,   15
caminan los carreteros,
con la aijada sobre el hombro
y los ojos en el cielo.
    ¡Cómo lloran las carretas,
camino de Pueblo Nuevo!   20
    En la paz del campo, van
dejando los troncos muertos
un olor fresco y honrado
a corazón descubierto.
Y cae el ángelus desde   25
la torre del pueblo viejo,
sobre los campos talados,³
que huelen a cementerio.
    ¡Cómo lloran las carretas,
camino de Pueblo Nuevo!   30

(*Pastorales*)

2. *saber a,* to taste like; here, smell of; *madre,*   3. where trees have been felled
   here, home

La Poesía¹

Vino, primero, pura,
vestida de inocencia;
y la amé como un niño.

1. Juan Ramón uses the image of a woman to personify his poetry in its three stages of development. At first, his poetry was pure in style and expression, spontaneous, inspired by his observation of nature and his surroundings. Later, under the influence of Modernism, he "dressed up" his poetry by making its language more difficult and more sonorous. Finally, Juan Ramón reached "naked" or "pure" poetry, i.e., the poetry of the essence of things and feelings rather than of the things and feelings themselves. This later poetry is more abstract and at times even metaphysical.

Luego se fue vistiendo
de no sé qué ropajes;   5
y la fui odiando, sin saberlo.

Llegó a ser una reina,
fastuosa de tesoros . . .[2]
¡Qué iracundia de hiel[3] y sin sentido!
. . . Mas se fue desnudando.   10
Y yo le sonreía.

Se quedó con la túnica
de su inocencia antigua.
Creí de nuevo en ella.

Y se quitó la túnica,   15
y apareció desnuda toda . . .
¡Oh pasión de mi vida, poesía
desnuda, mía para siempre!

(Eternidades)

2. *fastuosa de tesoros*, conceited with her opu-   3. *¡Qué . . . sentido!*, What bitter wrath (I
lence   felt) and how senseless (it was)!

FEDERICO GARCÍA LORCA

Canción de jinete

Córdoba.
Lejana y sola.

Jaca negra, luna grande,
y aceitunas en mi alforja.
Aunque sepa[1] los caminos   5
yo nunca llegaré a Córdoba.

Por el llano, por el viento,
jaca negra, luna roja.

1. Subject, *yo*

La muerte me está mirando
desde las torres de Córdoba.   10

¡Ay, qué camino tan largo!
¡Ay, mi jaca valerosa!
¡Ay, que la muerte me espera
antes de llegar a Córdoba!

Córdoba.   15
Lejana y sola.

Romance de la luna, luna

La luna vino a la fragua
con su polisón de nardos.[1]

El niño la mira, mira.[2]
El niño la está mirando.

1. *polisón de nardos*, bustle of tuberoses. This
metaphor suggests the roundness (bustle) and
whiteness (the color of the tuberoses) which
characterize the full moon.

2. *mira, mira*. This poem is a sort of nursery
rhyme, although a sophisticated one. As children repeat words to savor their sound, so
the poet repeats *luna, luna* and *mira, mira*.

En el aire conmovido
mueve la luna sus brazos
y enseña, lúbrica y pura,
sus senos de duro estaño.
—Huye[3] luna, luna, luna.
Si vinieran los gitanos,
harían con tu corazón
collares y anillos blancos.
—Niño, déjame que baile.
Cuando vengan los gitanos,
te encontrarán sobre el yunque
con los ojillos cerrados.
—Huye luna, luna, luna,
que ya siento sus caballos.
—Niño, déjame, no pises
mi blancor almidonado.[4]

El jinete se acercaba
tocando el tambor del llano.
Dentro de la fragua el niño
tiene los ojos cerrados.
   Por el olivar venían,
bronce y sueño,[5] los gitanos.
Las cabezas levantadas
y los ojos entornados.
   Cómo canta la zumaya,
¡ay, cómo canta en el árbol!
Por el cielo va la luna
con un niño de la mano.
   Dentro de la fragua lloran,
dando gritos, los gitanos.
El aire la vela, vela.
El aire la está velando.

3. The child is speaking.
4. *no pises mi blancor almidonado,* don't step on my starchy white. A common children's game is to avoid stepping on the moonlit ground.

5. *bronce y sueño,* these words suggest the bronzed skin and half-closed eyes of the gypsies.

Llanto por Ignacio Sánchez Mejías [1]

I

La cogida y la muerte

A las cinco de la tarde.
Eran las cinco en punto de la tarde.
Un niño trajo la blanca sábana
a las cinco de la tarde.
Una espuerta de cal[2] ya prevenida
a las cinco de la tarde.
Lo demás era muerte y sólo muerte
a las cinco de la tarde.

El viento se llevó los algodones[3]
a las cinco de la tarde.
Y el óxido sembró cristal y níquel[4]
a las cinco de la tarde.
Ya luchan la paloma y el leopardo[5]
a las cinco de la tarde.
Y un muslo con un asta desolada[6]
a las cinco de la tarde.
Comenzaron los sones de bordón[7]
a las cinco de la tarde.
Las campanas de arsénico y el humo
a las cinco de la tarde.

1. Lorca was a personal friend of the bullfighter Sánchez Mejías, who was killed in the bull ring several months after having begun a successful comeback from his retirement. In the first section of the poem, Lorca describes the fatal goring (*cogida*), the medical attention, the death, and the funeral rites. The repetition of the phrase *a las cinco de la tarde* serves to point up the poet's anguished recollection of that tragic event and also brings to mind the tolling of a funeral bell.
2. *espuerta de cal,* basket of lime (used to disinfect and to cover the spilled blood)

3. pieces of absorbent cotton (to treat wounds)
4. *Y . . . níquel,* And the chloride scattered glass and nickel. Chloride of lime, regarded as calcium oxychloride when dry, is a white powder used in bleaching and disinfecting. The poet associates the color and texture of the lime with glass (which contains lime) and nickel, a hard, silvery-white metallic element used in making alloys.
5. *la paloma y el leopardo,* the dove (bullfighter) and the leopard (bull)
6. *Y . . . desolada,* And a thigh (of the bullfighter) gored by a horn (of the bull)
7. bass-string, which emits deep, solemn sounds

En las esquinas grupos de silencio
a las cinco de la tarde.
¡Y el toro solo corazón arriba![8]
a las cinco de la tarde.
Cuando el sudor de nieve fue llegando   25
a las cinco de la tarde,
cuando la plaza se cubrió de yodo
a las cinco de la tarde,
la muerte puso huevos en la herida[9]
a las cinco de la tarde.   30
A las cinco de la tarde.
A las cinco en punto de la tarde.

Un ataúd con ruedas es la cama
a las cinco de la tarde.
Huesos y flautas suenan en su oído[10]   35
a las cinco de la tarde.
El toro ya mugía por su frente
a las cinco de la tarde.
El cuarto se irisaba de agonía[11]
a las cinco de la tarde.   40
A lo lejos ya viene la gangrena
a las cinco de la tarde.
Trompa de lirio por las verdes ingles[12]
a las cinco de la tarde.
Las heridas quemaban como soles   45
a las cinco de la tarde,
y el gentío rompía las ventanas
a las cinco de la tarde.
A las cinco de la tarde.

¡Ay qué terribles cinco de la tarde!   50
¡Eran las cinco en todos los relojes!
¡Eran las cinco en sombra de la tarde!

II

La sangre derramada[13]

¡Que no quiero verla!

Dile a la luna que venga,
que no quiero ver la sangre
de Ignacio sobre la arena.

¡Que no quiero verla!   5

La luna de par en par.[14]
Caballo de nubes quietas,
y la plaza gris del sueño
con sauces en las barreras.[15]

¡Que no quiero verla!   10

Que mi recuerdo se quema.
¡Avisad a los jazmines
con su blancura pequeña!

¡Que no quiero verla!

La vaca[16] del viejo mundo   15
pasaba su triste lengua
sobre un hocico de sangres
derramadas en la arena,
y los toros de Guisando,[17]
casi muerte y casi piedra,   20
mugieron como dos siglos
hartos de pisar la tierra.
No.

---

8. *¡Y . . . arriba!,* And the bull stands alone with his head (lit., heart) held high!
9. *la . . . herida,* death laid eggs in the wound; i.e., the wound was fatal
10. In this image and the two that follow, Lorca represents the incoherent thoughts and impressions of the dying man.
11. *se irisaba de agonía,* was rainbowed with agony
12. *Trompa . . . ingles,* A lily trumpet through his green loins (*ingles*); i.e., the gangrene is completely destroying that part of the body
13. In this section, the bullfighter's blood stains

all that the poet envisions and he cannot erase from his mind the terrible reality of the death of Sánchez Mejías.
14. *de par en par,* (casting its light) far and wide; the moon and the horse (in the next verse) are symbols of death
15. The bullfight continues in Lorca's dreams. The *sauces* (willows) are associated with lament and the *barreras* (barriers) are protective, wooden fences around the inside of the bull ring.
16. i.e., the bull
17. Reference to prehistoric stone bulls located between the provinces of Madrid and Ávila

¡Que no quiero verla!

Por las gradas sube Ignacio
con toda su muerte a cuestas.[18]   25
Buscaba el amanecer,
y el amanecer no era.
Busca su perfil seguro,
y el sueño lo desorienta.
Buscaba su hermoso cuerpo   30
y encontró su sangre abierta.
¡No me digáis que la vea!
No quiero sentir el chorro[19]
cada vez con menos fuerza;
ese chorro que ilumina   35
los tendidos[20] y se vuelca
sobre la pana y el cuero
de muchedumbre sedienta.
¡Quién me grita que me asome!
¡No me digáis que la vea!   40

No se cerraron sus ojos
cuando vio los cuernos cerca,
pero las madres terribles[21]
levantaron la cabeza.
Y a través de las ganaderías,   45
hubo un aire de voces secretas
que gritaban a toros celestes,
mayorales de pálida niebla.
No hubo príncipe en Sevilla
que comparársele pueda,   50
ni espada como su espada
ni corazón tan de veras.[22]
Como un río de leones
su maravillosa fuerza,
y como un torso de mármol   55
su dibujada prudencia.
Aire de Roma andaluza

le doraba la cabeza
donde su risa era un nardo
de sal y de inteligencia.   60
¡Qué gran torero en la plaza!
¡Qué buen serrano en la sierra!
¡Qué blando con las espigas!
¡Qué duro con las espuelas!
¡Qué tierno con el rocío!   65
¡Qué deslumbrante en la feria!
¡Qué tremendo con las últimas
banderillas[23] de tiniebla!

Pero ya duerme sin fin.
Ya los musgos y la hierba   70
abren con dedos seguros
la flor de su calavera.
Y su sangre ya viene cantando:
cantando por marismas y praderas,
resbalando por cuernos ateridos,   75
vacilando sin alma por la niebla,
tropezando con miles de pezuñas
como una larga, oscura, triste lengua,
para formar un charco de agonía
junto al Guadalquivir de las estrellas.[2]   80
¡Oh blanco muro de España!
¡Oh negro toro de pena!
¡Oh sangre dura de Ignacio!
¡Oh ruiseñor de sus venas!
No.   85
¡Que no quiero verla!
Que no hay cáliz que la contenga,[25]
que no hay golondrinas que se la beban,
no hay escarcha de luz que la enfríe,
no hay canto ni diluvio de azucenas,   90
no hay cristal que la cubra de plata.
No.
¡Yo no quiero verla!

---

18. Ignacio's heaven-bound spirit is seen ascending the tiers of the bull ring.
19. gush (of blood)
20. tiers of seats
21. *las madres terribles,* the terrified mothers (of the bulls); in this and the next five verses, we learn that the herdsmen (*mayorales*) warn the bulls in heaven to beware of Ignacio's valor.

22. *tan de veras,* so true, so stout
23. barbed darts, used to provoke the bull into charging; *tiniebla* "darkness" refers to the ensuing death of the bull.
24. i.e., the starry Guadalquivir (River) of heaven
25. Unlike the everlasting blood that Christ shed for mankind, Ignacio's blood will completely disappear.

III

Cuerpo presente[26]

La piedra[27] es una frente donde los
    sueños gimen
sin tener agua curva[28] ni cipreses helados.
La piedra es una espalda para llevar al
    tiempo
con árboles de lágrimas y cintas y pla-
    netas.[29]

Yo he visto lluvias grises correr hacia
    las olas,   5
levantando sus tiernos brazos acribilla-
    dos,[30]
para no ser cazadas por la piedra tendida
que desata sus miembros sin empapar la
    sangre.[31]

Porque la piedra coge simientes y nu-
    blados,[32]
esqueletos de alondras y lobos de penum-
    bra;   10
pero no da sonidos, ni cristales,[33] ni
    fuego,
sino plazas y plazas y otras plazas sin mu-
    ros.

Ya está sobre la piedra Ignacio el bien
    nacido.
Ya se acabó; ¿qué pasa? Contemplad su
    figura:
la muerte le ha cubierto de pálidos azufres
y le ha puesto cabeza de oscuro mino-
    tauro.

Ya se acabó. La lluvia penetra por su
    boca.
El aire como loco deja su pecho hundido,
y el Amor, empapado con lágrimas de
    nieve,
se calienta en la cumbre de las gana-
    derías.[34]   20

¿Qué dicen? Un silencio con hedores
    reposa.[35]
Estamos con un cuerpo presente que se
    esfuma,
con una forma clara que tuvo ruiseñores
y la vemos llenarse de agujeros sin fondo.

¿Quién arruga el sudario? ¡No es ver-
    dad lo que dice!   25
Aquí no canta nadie, ni llora en el rincón,
ni pica las espuelas, ni espanta la ser-
    piente:
aquí no quiero más que los ojos redondos
para ver ese cuerpo sin posible descanso.

Yo quiero ver aquí los hombres de voz
    dura.   30
Los que doman caballos y dominan los
    ríos:
los hombres que les suena el esqueleto[36] y
    cantan
con una boca llena de sol y pedernales.[37]

Aquí quiero yo verlos. Delante de la
    piedra.
Delante de este cuerpo con las riendas
    quebradas.   35

26. *Cuerpo presente,* the body laid out or lying
    in state. In this third section, Lorca contem-
    plates the inevitability and finality of
    death.
27. *La piedra,* the stone slab
28. *agua curva,* curved water (as of a fountain)
    which represents movement and life in con-
    trast to the inanimate, flat slab of stone
29. *para . . . planetas,* to carry Time, with
    weeping willows (*árboles de lágrimas*), rib-
    bons (of mourning) and planets (i.e., as Atlas
    held the planet Earth on his shoulders).
30. This image depicts the rain riddling the
    surface of the waves.

31. *para . . . sangre,* to avoid being caught by
    the outstretched stone which, although it
    relaxes the limbs (of Ignacio), does not soak
    up his blood
32. *simientes y nublados,* seeds and clouds
33. glimmer
34. *en la cumbre de las ganaderías,* on the
    heights of the ranch lands
35. *Un silencio con hedores reposa,* A stenching
    silence settles (upon us).
36. *los hombres que les suena el esqueleto,* the
    (strong) men whose skeletons resound
37. i.e., hale and hearty men

Yo quiero que me enseñen dónde está la salida
para este capitán atado por la muerte.

Yo quiero que me enseñen un llanto como un río
que tenga dulces nieblas y profundas orillas,
para llevar el cuerpo de Ignacio y que se pierda   40
sin escuchar el doble resuello[38] de los toros.

Que se pierda en la plaza redonda de la luna
que finge cuando niña doliente res inmóvil;[39]
que se pierda en la noche sin canto de los peces
y en la maleza blanca del humo congelado.[40]   45

No quiero que le tapen la cara con pañuelos
para que se acostumbre con la muerte que lleva.
Vete, Ignacio: No sientas el caliente bramido.
Duerme, vuela,[41] reposa: ¡También se muere el mar!

IV

Alma ausente[42]

No te conoce el toro ni la higuera,
ni caballos ni hormigas de tu casa.

No te conoce el niño ni la tarde
porque te has muerto para siempre.

No te conoce el lomo de la piedra,   5
ni el raso negro donde te destrozas.[43]
No te conoce tu recuerdo mudo
porque te has muerto para siempre.

El otoño vendrá con caracolas,[44]
uva de niebla y montes agrupados,[45]   10
pero nadie querrá mirar tus ojos
porque te has muerto para siempre.

Porque te has muerto para siempre,
como todos los muertos de la Tierra,
como todos los muertos que se olvidan   15
en un montón de perros apagados.[46]

No te conoce nadie. No. Pero yo te canto.
Yo canto para luego[47] tu perfil y tu gracia.
La madurez insigne de tu conocimiento.[48]
Tu apetencia de muerte y el gusto de su boca.   20
La tristeza que tuvo tu valiente alegría.

Tardará mucho en nacer, si es que nace,
un andaluz tan claro, tan rico de aventura.
Yo canto su elegancia con palabras que gimen
y recuerdo una brisa triste por los olivos.

---

38. *el doble resuello,* the double snort; i.e., the snort that comes from both nostrils
39. *que . . . inmóvil,* who pretends to be a sad, motionless bull (*res,* animal) when she is a little girl; an allusion to the horns of the new moon
40. *del humo congelado,* of frozen vapor
41. fly away
42. *Alma ausente,* The soul is gone. In this last section the poet resigns himself to his friend's death but affirms that the fame of this illustrious Andalusian will endure in this poem.
43. *donde te destrozas,* in which you crumble
44. shell horns, blown by the Andalusian peasants when they return from the harvest
45. huddled together
46. i.e., dogs whose lives have been snuffed out
47. *para luego,* for posterity
48. understanding

JORGE GUILLÉN

Los intranquilos[1]

Somos los hombres intranquilos
  En sociedad.
Ganamos, gozamos, volamos.
  ¡Qué malestar![2]

El mañana asoma entre nubes   5
  De un cielo turbio[3]
Con alas de arcángeles-átomos[4]
  Como un anuncio.

Estamos siempre a la merced
  De una cruzada.   10
Por nuestras venas corre sangre
  De catarata.[5]

Así vivimos sin saber
  Si el aire es nuestro.
Quizá muramos en la calle,   15
  Quizá en el lecho.

Somos entre tanto felices.
  Seven o'clock.
Todo es bar y delicia oscura.
  ¡Televisión!   20

                                        (Maremágnum)

1. Guillén observes man's inability to comprehend the brevity of his life in his impatience
to speed toward self-destruction (arcángeles-
átomos) and indifference (televisión).
2. ¡Qué malestar!, How disturbing!, How uncomfortable (we are)!
3. murky
4. ardángeles-átomos, archangels split into
atoms. In Clamor, of which Maremágnum is
the first part, Guillén exposes the disharmony
created by man. He cries out against such
evils as discrimination, nuclear destruction,
and materialism. The arcángeles-átomos are
an omen of an apocalyptic event.
5. waterfall

Perfección [1]

Queda curvo el firmamento,
compacto azul, sobre el día.
Es el redondeamiento[2]
del esplendor: mediodía.
Todo es cúpula.[3] Reposa,   5
central sin querer, la rosa,
a un sol en cénit sujeta.[4]
Y tanto se da el presente[5]
que el pie caminante siente
la integridad del planeta.   10

(Cántico)

1. Guillén affirms the harmony and perfection of the Earth at midday.
2. roundness
3. cupola, a domelike structure; this image recalls how the ancients conceived the structure of the world.
4. *Reposa . . . sujeta.* The rose, an involuntary focal point, rests subject to the sun at its zenith. This suggests that the rose, which represents absolute, perfect beauty, symbolically unifies heaven and earth.
5. *y tanto se da el presente,* and the present moment gives of itself so freely

Naturaleza Viva [1]

¡Tablero[2] de la mesa
que, tan exactamente
raso nivel,[3] mantiene
resuelto en una Idea

su plano:[4] puro, sabio,   5
mental para los ojos
mentales! Un aplomo,[5]
mientras, requiere al tacto,

que palpa y reconoce
cómo el plano[6] gravita[7]   10

con pesadumbre[8] rica
de leña, tronco, bosque

de nogal. ¡El nogal
confiado a sus nudos
y vetas,[9] a su mucho   15
tiempo de potestad

reconcentrada en este
vigor inmóvil,[10] hecho
materia de tablero
siempre, siempre silvestre![11]   20

(Cántico)

1. Living nature is here used in opposition to inanimate or still nature. Our organic eyes may see a tabletop as an inanimate object, but our intellect perceives it as a living thing, still *essentially* a part of the walnut tree and the forest that gave birth to it. Guillén shows here his technique of dealing with essential poetry, that "naked" or "pure" poetry of abstracts to which Juan Ramón Jiménez aspired. Guillén's *Cántico* exemplifies the unity and harmony of the universe.
2. tabletop
3. *raso nivel,* smoothly level
4. levelness
5. *Un . . . tacto,* Certainty, meanwhile, relies on touch
6. flat (surface)
7. presses down
8. weight
9. *confiado . . .* confident in its knots and grain
10. *vigor inmóvil,* motionless vigor, i.e., the strong tabletop
11. of the woodland; Guillén will always consider the tabletop as a living tree.

Camilo José Cela

With the publication of Cela's *La familia de Pascual Duarte* in 1942, the Spanish novel experienced a resurgence after a barren period that had begun years before the Spanish Civil War. This war's bloodshed and violence and the hard times that followed in its wake are reflected in many of the novels published since the 1940's. The distressed concern for the social realities that confront the present-day Spaniard also manifests itself in the theater as we shall see in the next section.

Camilo José Cela y Trulock, Spain's best novelist in the post-Civil War period, was born May 11, 1916, in the town of Padrón located in Galicia. He began his education with the Jesuits in his hometown, and when he was nine went to Madrid where he finished secondary school at the age of fourteen. He took university courses in medicine and liberal arts but did not obtain a degree in either of these fields. When the Civil War broke out in 1936 he at first enlisted on the republican side but then changed his allegiance to the nationalist cause headed by Franco. When the war was over he began to study for a law degree which he never obtained. He had several odd jobs to make ends meet until 1942 when his first novel, *Pascual Duarte*, catapulted him to fame. Since then he has been able to devote himself exclusively to his writing and his travels through Spain, South America, and the United States. In 1957 he was elected to membership in the Real Academia Española. His home is in Palma de Mallorca, where he writes and also edits *Papeles de Son Armadans,* one of Spain's most prestigious literary journals, which he founded in 1956.

Cela attained instant success with the publication of his *Pascual Duarte.* Its grim depiction of unsavory aspects of Spanish life caused it to be banned by the censors, and it was not until 1945 that it received the government's authorization to be sold freely. It has gained world recognition and many translations into foreign languages have been made. Some critics have seen this novel as the prototype of a wave of *tremendista* novels which feature pessimism and violent, blood-chilling acts. Cela himself has rejected the idea that the so-called *tremendismo* is new and unique by affirming that it is an imprecise term to designate a phenomenon that has always existed in Spanish literature, a point of view shared by a number of Hispanists. The brutal realism of *Pascual Duarte* is strongly reminiscent of the picaresque novel and the naturalism of the late nineteenth century. Others have pointed out this novel's indebtedness to expressionism, surrealism, and existentialism. The anguished protagonist of *Pascual Duarte* bears some resemblance to Meursault in Camus's existentialist novel *L'Étranger* (1942), but Cela's approach is less philosophical and he stresses more the heinous deeds of his main character.

Pascual Duarte is the "autobiographical" account of a godless, poor, uneducated criminal who knows no other remedy for his fits of mental torment than primitive violence. Yet we feel that Pascual has a gentle side to his nature, which is destroyed by his environment and the superstition it ingrains in him. He hardly knew his father, a smuggler who was condemned to the penitentiary, and his mother constantly rejected him. He begins his series of killings with his dog and horse and then murders a man in a bar and his untrue wife's lover. His blood-letting reaches a powerful climax when he strangles his mother in the last chapter. Pascual Duarte is incapable of understanding his actions—a note of irony is his claim to being a good person at the outset of the novel—for which he finally repents. In an introductory note to this work, Cela, in his role as "editor," states ironically that he has published the memoirs of Pascual Duarte to teach a moral lesson, which recalls Mateo Alemán's avowed reason for writing his *Guzmán de Alfarache* (1599). The tenor of their times probably motivated both Cela and Alemán to express a moral justification for their novels.

Cela's interest in the picaresque novel reappears in his *Nuevas andanzas y desventuras de Lazarillo de Tormes* (1944), which resurrects the original Lazarillo in the twentieth century. One of Cela's finest novels is *La colmena* (1951), in which we witness the sordid existence of some 160 characters in the Madrid of 1943. He relies on minute detail in his realistic, candid-camera depiction of the inhabitants of the "hive" who experience hunger, fear, and despair. *La catira* (1955) is a novel in which Cela attempts to capture the essence of Venezuelan rural life which he knew at first hand after a stay of four months in that country. It is a poetic interpretation of the violent ways of the characters he portrays. The dominant characteristics of this work are its grotesque caricatures, sardonic humor, and frequent use of the speech patterns found in rural Venezuela. He has written many short stories, articles, and a number of travel books. Among the last-mentioned writings, the best is probably his *Viaje a la Alcarria* (1948), which deals with his impressions of the people and places in a district not far from Madrid.

Baroja and Valle-Inclán are the Spanish writers who have most influenced Cela; he also reveals the influence of Hemingway and Dos Passos. The plots in his novels are often secondary to the realistic portrayal of characters. He has created a distinctly personal style in which he makes fullest use of the expressive and aesthetic possibilities of the Spanish language.

La familia de Pascual Duarte

I

Yo, señor, no soy malo, aunque no me faltarían motivos para serlo. Los mismos cueros tenemos todos los mortales al nacer y sin embargo, cuando vamos creciendo, el destino se complace en variarnos como si fuésemos de cera y destinarnos por sendas diferentes al mismo fin: la muerte. Hay hombres a quienes se les ordena marchar por el camino de las flores, y hombres a quienes se les manda tirar por el camino de los cardos y de las chumberas. Aquéllos gozan de un mirar sereno y al aroma de su felicidad sonríen con la cara del inocente; estos otros sufren del sol violento de la llanura y arrugan el ceño como las alimañas por defenderse.[1] Hay mucha diferencia entre adornarse las carnes con arrebol y colonia, y hacerlo con tatuajes que después nadie ha de borrar ya . . .

Nací hace ya muchos años—lo menos cincuenta y cinco—en un pueblo perdido por la provincia de Badajoz;[2] el pueblo estaba a unas dos leguas de Almendralejo, agachado sobre una carretera lisa y larga como un día sin pan,[3] lisa y larga como los días—de una lisura y una largura como usted, para su bien,[4] no puede ni figurarse—de un condenado a muerte . . .

Era un pueblo caliente y soleado, bastante rico en olivos y guarros (con perdón), con las casas pintadas tan blancas, que aún me duele la vista al recordarlas, con una plaza toda de losas, con una hermosa fuente de tres caños en medio de la plaza. Hacía ya varios años, cuando del pueblo salí, que no manaba el agua de las bocas[5] y sin embargo, ¡qué airosa!, ¡qué elegante!, nos parecía a todos la fuente con su remate figurando un niño desnudo, con su bañera toda rizada al borde como las conchas de los romeros.[6] En la plaza estaba el Ayuntamiento, que era grande y cuadrado como un cajón de tabaco, con una torre en medio, y en la torre un reló, blanco como una hostia, parado siempre en las nueve

1. *Arrugan . . . defenderse,* scowl,—like wild animals that defend themselves
2. Spanish province bordering Portugal
3. i.e., like a flattened stomach that has gone without food for a day
4. *para su bien,* luckily for you
5. i.e., the spouts of the fountain
6. *las conchas de los romeros,* the shells of the pilgrims; shells are linked with pilgrimages, for example, to the famous shrine of Santiago in northern Spain

como si el pueblo no necesitase de su servicio, sino sólo de su adorno. En el pueblo, como es natural, había casas buenas y casas malas, que son, como pasa con todo, las que más abundaban; había una, de dos pisos, la de don Jesús, que daba gozo de verla con su recibidor todo lleno de azulejos y macetas. Don Jesús había sido siempre muy partidario de las plantas, y para mí que tenía ordenado al ama vigilase[7] los geranios, y los heliotropos, y las palmas, y la hierbabuena, con el mismo cariño que si fuesen hijos, porque la vieja andaba siempre correteando con un cazo en la mano, regando los tiestos con un mimo que a no dudar agradecían los tallos, tales eran su lozanía y su verdor. La casa de don Jesús estaba también en la plaza y, cosa rara para el capital del dueño que no reparaba en gastar,[8] se diferenciaba de las demás, además de en todo lo bueno que llevo dicho,[9] en una cosa en la que todas le ganaban: en la fachada, que aparecía del color natural de la piedra, que tan ordinario hace,[10] y no enjalbegada como hasta la del más pobre estaba; sus motivos tendría. Sobre el portal había unas piedras de escudo,[11] de mucho valer según dicen, terminadas en unas cabezas de guerreros de la antigüedad, con su cabezal y sus plumas, que miraban, una para el Levante y otra para el Poniente, como si quisieran representar que estaban vigilando lo que de un lado o de otro podríales venir. Detrás de la plaza, y por la parte de la casa de don Jesús, estaba la parroquial con su campanario de piedra y su esquilón que sonaba de

una manera que no podría contar, pero que se me viene a la memoria como si estuviese sonando por estas esquinas . . . La torre del campanario era del mismo alto que la del reló y en verano, cuando venían las cigüeñas, ya sabían en qué torre habían estado el verano anterior; la cigüeña cojita, que aún aguantó dos inviernos, era del nido de la parroquial, de donde hubo de caerse, aún muy tierna, asustada por el gavilán.

Mi casa estaba fuera del pueblo, a unos doscientos pasos largos de las últimas de la piña.[12] Era estrecha y de un solo piso, como correspondía a mi posición, pero como llegué a tomarle cariño, temporadas hubo en que hasta me sentía orgulloso de ella. En realidad lo único de la casa que se podía ver[13] era la cocina, lo primero que se encontraba al entrar, siempre limpia y blanqueada con primor; cierto es que el suelo era de tierra, pero tan bien pisada la tenía, con sus guijarrillos haciendo dibujos, que en nada desmerecía de otras muchas en las que el dueño había echado pórlan por sentirse más moderno. El hogar era amplio y despejado y alrededor de la campana teníamos un bazar con lozas de adorno, con jarras con recuerdos[14] pintados en azul, con platos con dibujos azules o naranja; algunos platos tenían una cara pintada, otros una flor, otros un nombre, otros un pescado. En las paredes teníamos varias cosas: un calendario muy bonito que representaba una joven abanicándose sobre una barca y debajo de la cual se leía en letras que parecían de polvillo de plata[15] "Modesto

---

7. *para . . . vigilase,* it seems to me that he had ordered the housekeeper to look after
8. *cosa . . . gastar* it was unusual that, in view of the fact that its owner was not a penny pincher
9. *llevo dicho = he dicho*
10. *que tan ordinario hace,* which gives it a common look

11. *unas piedras de escudo,* coat of arms carved out of stone
12. *de las últimas de la piña,* beyond the last group of houses
13. *que se podía ver,* that was worth seeing
14. i.e., souvenirs which had the names of places from which they came painted on them
15. *polvillo de plata,* silver dust

Rodríguez. Ultramarinos finos. Mérida[16] (Badajoz)," un retrato del "Espartero"[17] con el traje de luces dado de color[18] y tres o cuatro fotografías—unas pequeñas y otras regular—de no sé quién, porque siempre las vi en el mismo sitio y no se me ocurrió nunca preguntar. Teníamos también un reló despertador colgado de la pared, que no es por nada, pero siempre funcionó como Dios manda, y un acerico de peluche colorado del que estaban clavados unos bonitos alfileres con sus cabecitas de vidrio de color. El mobiliario de la cocina era tan escaso como sencillo: tres sillas—una de ellas muy fina, con su respaldo y sus patas de madera curvada, y su culera de rejilla—[19] y una mesa de pino, con su cajón correspondiente, que resultaba algo baja para las sillas, pero que hacía su avío. En la cocina se estaba bien;[20] era cómoda y en el verano, como no la encendíamos,[21] se estaba fresco sentado sobre la piedra del hogar cuando, a la caída de la tarde, abríamos las puertas de par en par; en el invierno se estaba caliente con las brasas que, a veces, cuidándolas un poco, guardaban el rescoldo toda la noche. ¡Era gracioso mirar las sombras de nosotros por la pared, cuando había unas llamitas! Iban y venían, unas veces lentamente, otras a saltitos como jugando. Me acuerdo que de pequeño, me daban miedo, y aún ahora, de mayor, me corre un estremecimiento cuando traigo memoria de aquellos miedos.

El resto de la casa no merece la pena ni describirlo, tal era su vulgaridad.

Teníamos otras dos habitaciones, si habitaciones hemos de llamarlas por eso de que estaban habitadas, ya que no por otra cosa alguna, y la cuadra, que en muchas ocasiones pienso ahora que no sé por qué la llamábamos así, de vacía y desamparada como la teníamos. En una de las habitaciones dormíamos yo y mi mujer, y en la otra mis padres hasta que Dios, o quién sabe si el diablo quiso llevárselos; después quedó vacía casi siempre, al principio porque no había quien la ocupase, y más tarde, cuando podía haber habido alguien, porque este alguien prefirió siempre la cocina, que además de ser más clara no tenía soplos. Mi hermana, cuando venía, dormía siempre en ella, y los chiquillos, cuando los tuve, también tiraban para allí en cuanto se despegaban de la madre. La verdad es que las habitaciones no estaban muy limpias ni muy construidas,[22] pero en realidad tampoco había para quejarse;[23] se podía vivir, que es lo principal, a resguardo de las nubes de Navidad,[24] y a buen recaudo—para lo que uno se merecía[25]—de las asfixias de la Virgen de agosto.[26] La cuadra era lo peor; era lóbrega y oscura, y en sus paredes estaba empapado el mismo olor a bestia muerta que desprendía el despeñadero cuando allá por el mes de mayo comenzaban los animales a criar la carroña[27] que los cuervos habíanse de comer . . .

Es extraño, pero de mozo, si me privaban de aquel olor me entraban unas angustias como de muerte; me acuerdo

---

16. an important city of the province of Badajoz, noted for its many Roman ruins
17. the popular Sevilian bullfighter Manuel García y Cuesta (1866–94)
18. *de color,* with his bullfighter's suit done in color
19. *culera de rejilla,* cane seat
20. *En . . . bien,* One could really enjoy the kitchen
21. *como no la encendíamos,* since we didn't light a fire in it

22. i.e., they were not well built
23. *había para quejarse,* was there reason to complain
24. i.e., the winter's cold
25. *para lo que uno se merecía,* as much as one could expect
26. i.e., the summer's heat. August 15 is the festival of the Virgin.
27. *comenzaban . . . carroña,* the (dead) animals began to turn into carrion

de aquel viaje que hice a la capital por mor de las quintas;[28] anduve todo el día de Dios[29] desazonado, venteando los aires como un perro de caza. Cuando me fui a acostar, en la posada, olí mi pantalón de pana. La sangre me calentaba todo el cuerpo . . . Quité a un lado la almohada y apoyé la cabeza para dormir sobre mi pantalón, doblado. Dormí como una piedra aquella noche.

En la cuadra teníamos un burrillo matalón y escurrido de carnes que nos ayudaba en la faena y, cuando las cosas venían bien dadas, que dicho sea pensado en la verdad no siempre ocurría, teníamos también un par de guarros (con perdón) o tres. En la parte de atrás de la casa teníamos un corral o saledizo, no muy grande, pero que nos hacía su servicio, y en él un pozo que andando el tiempo hube de cegar porque dejaba manar un agua muy enfermiza.

Por detrás del corral pasaba un regato, a veces medio seco y nunca demasiado lleno, cochino y maloliente como tropa de gitanos, y en el que podían cogerse unas anguilas hermosas, como yo algunas tardes y por matar el tiempo me entretenía en hacer. Mi mujer, que en medio de todo tenía gracia, decía que las anguilas estaban rollizas porque comían lo mismo que don Jesús, sólo que un día más tarde. Cuando me daba por pescar se me pasaban las horas tan sin sentirlas, que cuando tocaba a recoger los bártulos casi siempre era de noche; allá, a lo lejos, como una tortuga baja y gorda, como una culebra enroscada que temiese despegarse del suelo, Almendralejo comenzaba a encender sus luces eléctricas . . . Sus habitantes a buen seguro que ignoraban que yo había estado pescando, que estaba en aquel

momento mismo mirando cómo se encendían las luces de sus casas, imaginando incluso cómo muchos de ellos decían cosas que a mí se me figuraban o hablaban de cosas que a mí se me ocurrían. ¡Los habitantes de las ciudades viven vueltos de espaldas a la verdad y muchas veces ni se dan cuenta siquiera de que a dos leguas, en medio de la llanura, un hombre del campo se distrae pensando en ellos mientras dobla la caña de pescar, mientras recoge del suelo el cestillo de mimbre con seis o siete anguilas dentro! . . .

Sin embargo, la pesca siempre me pareció pasatiempo poco de hombres, y las más de las veces dedicaba mis ocios a la caza; en el pueblo me dieron fama de no hacerlo mal del todo y, modestia aparte, he de decir con sinceridad que no iba descaminado[30] quien me la dio. Tenía una perrilla perdiguera—la *Chispa*—, medio ruin, medio bravía, perro que se entendía muy bien conmigo; con ella me iba muchas mañanas hasta la Charca, a legua y media del pueblo hacia la raya de Portugal, y nunca nos volvíamos de vacío[31] para casa. Al volver, la perra se me adelantaba y me esperaba siempre junto al cruce; había allí una piedra redonda y achatada como una silla baja, de la que guardo tan grato recuerdo como de cualquier persona; mejor, seguramente, que el que guardo de muchas de ellas . . . Era ancha y algo hundida y cuando me sentaba se me escurría un poco el trasero (con perdón) y quedaba tan acomodado que sentía tener que dejarla; me pasaba largos ratos sentado sobre la piedra del cruce, silbando, con la escopeta entre las piernas, mirando lo que había de verse, fumando pitillos. La perrilla se sentaba enfrente de mí, sobre sus dos

28. *por mor de las quintas,* when I was called for military service
29. i.e., the whole day

30. off the track
31. *de vacío,* empty-handed

patas de atrás, y me miraba, con la cabeza ladeada, con sus dos ojillos castaños muy despiertos; yo le hablaba y ella, como si quisiese entenderme mejor, levantaba un poco las orejas; cuando me callaba aprovechaba para dar unas carreras detrás de los saltamontes, o simplemente para cambiar de postura. Cuando me marchaba, siempre, sin saber por qué, había de volver la cabeza hacia la piedra, como para despedirme, y hubo un día que debió parecerme tan triste por mi marcha, que no tuve más suerte que volver mis pasos a sentarme de nuevo . . . La perra volvió a echarse frente a mí y volvió a mirarme; ahora me doy cuenta de que tenía la mirada de los confesores, escrutadora y fría, como dicen que es la de los linces . . . Un temblor recorrió todo mi cuerpo; parecía como una corriente que forzaba por salirme por los brazos. El pitillo se me había apagado; la escopeta, de un solo caño, se dejaba acariciar, lentamente, entre mis piernas. La perra seguía mirándome, fija, como si no me hubiera visto nunca, como si fuese a culparme de algo de un momento a otro, y su mirada me calentaba la sangre de las venas de tal manera que se veía llegar el momento en que tuviese que entregarme; hacía calor, un calor espantoso, y mis ojos se entornaban dominados por el mirar, como un clavo, del animal . . .[32]

Cogí la escopeta y disparé; volví a cargar y volví a disparar. La perra tenía una sangre oscura y pegajosa que se extendía poco a poco por la tierra.

II

De mi niñez no son precisamente buenos recuerdos los que guardo. Mi padre se llamaba Esteban Duarte Diniz, y era portugués, cuarentón cuando yo niño, y alto y gordo como un monte. Tenía la color tostada y un estupendo bigote negro que se echaba para abajo.[1] Según cuentan, cuando joven le tiraban las guías para arriba,[2] pero, desde que estuvo en la cárcel, se le arruinó la prestancia, se le ablandó la fuerza del bigote y ya para abajo hubo de llevarlo hasta el sepulcro. Yo le tenía un gran respeto y no poco miedo, y siempre que podía escurría el bulto y procuraba no tropezármelo; era áspero y brusco y no toleraba que se le contradijese en nada, manía que yo respetaba por la cuenta que me tenía.[3] Cuando se enfurecía, cosa que le ocurría con mayor frecuencia de lo que se necesitaba, nos pegaba a mi madre y a mí las grandes palizas por cualquiera la cosa, palizas que mi madre procuraba devolverle por ver de[4] corregirlo, pero ante las cuales a mí no me quedaba sino resignación dados mis pocos años. ¡Se tienen las carnes muy tiernas a tan corta edad!

No con él ni con mi madre me atreví nunca a preguntar de cuando lo tuvieron encerrado, porque pensé que mayor prudencia sería el no meter los perros en danza,[5] que ya por sí solos danzaban más de lo conveniente; claro es que en realidad no necesitaba preguntar nada porque como nunca faltan almas caritativas, y menos en los pueblos de tan corto personal,[6] gentes hubo a quienes faltó tiempo[7] para venir a contármelo todo. Lo guardaron por contrabandista; por lo visto había sido su oficio durante muchos años, pero como el cántaro que mucho va a la fuente acaba por romperse, y como no hay oficio sin quiebra, ni atajo sin trabajo, un buen día, a lo

---

32. *mis ojos . . . animal,* and my eyes squinted, held fast by the animal's piercing gaze
1. *que se echaba para abajo,* which drooped
2. *le . . . arriba,* he had a handle-bar moustache

3. *por la cuenta que me tenía,* since it was for my benefit
4. *por ver de,* to try to
5. *el no . . . danza,* to let sleeping dogs lie
6. *tan corto personal,* so few people
7. *a quienes faltó tiempo,* who were impatient

mejor cuando menos lo pensaba—que la confianza es lo que pierde a los valientes—, le siguieron los carabineros, le descubrieron el alijo,[8] y lo mandaron a presidio. De todo esto debía hacer ya mucho tiempo, porque yo no me acuerdo de nada; a lo mejor ni había nacido.

Mi madre, al revés que mi padre, no era gruesa, aunque andaba muy bien de estatura;[9] era larga y chupada y no tenía aspecto de buena salud, sino que, por el contrario, tenía la tez cetrina y las mejillas hondas y toda la presencia o de estar tísica o de no andarle muy lejos; era también desabrida y violenta, tenía un humor que se daba a todos los diablos y un lenguaje en la boca que Dios la haya perdonado, porque blasfemaba las peores cosas a cada momento y por los más débiles motivos. Vestía siempre de luto y era poco amiga del agua, tan poco que si he de decir verdad, en todos los años de su vida que yo conocí, no la vi lavarse más que en una ocasión en que mi padre la llamó borracha y ella quiso como demostrarle que no le daba miedo el agua. El vino en cambio ya no le disgustaba tanto y siempre que apañaba algunas perras,[10] o que le rebuscaba el chaleco al marido, me mandaba a la taberna por una frasca que escondía, porque no se la encontrase mi padre, debajo de la cama. Tenía un bigotillo cano por las esquinas de los labios, y una pelambrera enmarañada y zafia que recogía en un moño, no muy grande, encima de la cabeza. Alrededor de la boca se le notaban unas cicatrices o señales, pequeñas y rosadas como perdigonadas, que según creo le habían que-

dado de unas bubas malignas[11] que tuviera de joven; a veces, por el verano, a las señales les volvía la vida, que les subía la color y acababan formando como alfileritos de pus que el otoño se ocupaba de matar y el invierno de barrer.[12]

Se llevaban mal mis padres; a su poca educación se unía su escasez de virtudes y su falta de conformidad con lo que Dios les mandaba—defectos todos ellos que para mi desgracia hube de heredar—y esto hacía que se cuidaran bien poco de pensar los principios y de refrenar los instintos, lo que daba lugar a que cualquier motivo, por pequeño que fuese, bastara para desencadenar la tormenta que se prolongaba después días y días sin que se le viese el fin. Yo, por lo general, no tomaba el partido de ninguno porque si he de decir verdad tanto me daba[13] el que cobrase el uno como el otro; unas veces me alegraba de que zurrase mi padre y otras mi madre, pero nunca hice de esto cuestión de gabinete.[14]

Mi madre no sabía leer ni escribir; mi padre sí, y tan orgulloso estaba de ello que se lo echaba en cara cada lunes y cada martes, y con frecuencia, y aunque no viniera a cuento,[15] solía llamarla ignorante, ofensa gravísima para mi madre, que se ponía como un basilisco.[16] Algunas tardes venía mi padre para casa con un papel en la mano y, quisiéramos que no,[17] nos sentaba a los dos en la cocina y nos leía las noticias; venían después los comentarios y en ese momento yo me echaba a temblar porque estos comentarios eran siempre el principio de alguna bronca. Mi madre, por ofen-

---

8. *le descubrieron el alijo,* they caught him with the contraband
9. *andaba . . . estatura,* was of a good height
10. *siempre . . . perras,* whenever she could lay hands on some money
11. *bubas malignas,* infected sores
12. *formando . . . barrer,* forming something like little festering sores which cleared up in the fall and disappeared in the winter

13. *tanto me daba,* it was all the same to me
14. *pero . . . gabinete,* but I never was that much worried about how it turned out
15. *aunque no viniera a cuento,* although it wasn't called for
16. *que . . . basilisco,* who would fly into a rage
17. *quisiéramos o no,* whether we wanted to or not

derlo, le decía que el papel no ponía nada de lo que leía y que todo lo que decía se lo sacaba mi padre de la cabeza, y a éste, el oírla esa opinión le sacaba de quicio;[18] gritaba como si estuviera loco, la llamaba ignorante y bruja y acababa siempre diciendo a grandes voces que si él supiera decir esas cosas de los papeles a buena hora se le hubiera ocurrido casarse con ella.[19] Ya estaba armada.[20] Ella le llamaba desgraciado y peludo, lo tachaba de hambriento y portugués, y él, como si esperara a oír esa palabra para golpearla, se sacaba el cinturón y la corría todo alrededor de la cocina hasta que se hartaba. Yo, al principio, apañaba algún cintarazo que otro,[21] pero cuando tuve más experiencia y aprendí que la única manera de no mojarse es no estando a la lluvia, lo que hacía, en cuanto veía que las cosas tomaban mal cariz, era dejarlos solos y marcharme. Allá ellos.[22]

La verdad es que la vida en mi familia poco tenía de placentera, pero como no nos es dado escoger, sino que ya—y aún antes de nacer—estamos destinados unos a un lado y otros a otro, procuraba conformarme con lo que me había tocado, que era la única manera de no desesperar. De pequeño, que es cuando más manejable resulta la voluntad de los hombres, me mandaron una corta temporada a la escuela; decía mi padre que la lucha por la vida era muy dura y que había que irse preparando para hacerla frente con las únicas armas con las que podíamos dominarla, con las armas de la inteligencia. Me decía todo esto de tirón y como aprendido y su voz en esos momentos me parecía más velada y adquiría

unos matices insospechados para mí . . . Después, y como arrepentido, se echaba a reír estrepitosamente y acababa siempre por decirme, casi con cariño:

—No hagas caso, muchacho . . . ¡Ya voy para viejo!

Y se quedaba pensativo y repetía en voz baja una y otra vez:

—¡Ya voy para viejo! . . . ¡Ya voy para viejo! . . .

Mi instrucción escolar poco tiempo duró. Mi padre, que, como digo, tenía un carácter violento y autoritario para algunas cosas, era débil y pusilánime para otras: en general tengo observado que el carácter de mi padre sólo lo ejercitaba en asuntillos triviales, porque en las cosas de transcendencia, no sé si por amor o por qué, rara vez hacía hincapié. Mi madre no quería que fuese a la escuela y siempre que tenía ocasión, y aun a veces sin tenerla, solía decirme que para no salir en la vida de pobre[23] no valía la pena aprender nada. Dio en terreno abonado,[24] porque a mí tampoco me seducía la asistencia a las clases, y entre los dos, y con la ayuda del tiempo, acabamos convenciendo a mi padre que optó porque abandonase[25] los estudios. Sabía ya leer y escribir, y sumar y restar, y en realidad para manejarme ya tenía bastante. Cuando dejé la escuela tenía doce años; pero no vayamos tan de prisa, que todas las cosas quieren su orden y no por mucho madrugar amanece más temprano.[26]

Era yo de bien corta edad cuando nació mi hermana Rosario. De aquel tiempo guardo un recuerdo confuso y vago y no sé hasta qué punto relataré fiel-

18. *le sacaba de quicio,* made him furious
19. *a buena hora . . . ella,* he would never have dreamt of marrying her (*a buena hora* used ironically, with negative force).
20. *Ya estaba armada [la bronca],* The fight was really on now.
21. *apañaba . . . otro,* would get a few whacks from his belt
22. *Allá ellos,* The fight was their own affair.

23. *para . . . pobre,* since I was doomed to a life of poverty
24. *Dio en terreno abonado,* She struck fertile ground; i.e., her words were welcome to Pascual's ears.
25. *optó porque abandonase,* favored my leaving
26. *no . . . temprano,* by getting up before dawn one doesn't make the sun rise earlier

mente lo sucedido; voy a intentarlo sin embargo, pensando que si bien mi relato pueda pecar de impreciso, siempre estará más cerca de la realidad que las figuraciones que, de imaginación y a ojo de buen cubero,[27] pudiera usted hacerse. Me acuerdo de que hacía calor la tarde en que nació Rosario; debía ser por julio o por agosto. El campo estaba en calma y agostado y las chicharras, con sus sierras, parecían querer limarle los huesos a la tierra; las gentes y las bestias estaban recogidas y el sol, allá en lo alto, como señor de todo, iluminándolo todo, quemándolo todo . . . Los partos de mi madre fueron siempre muy duros y dolorosos; era medio machorra y algo seca y el dolor era en ella superior a sus fuerzas. Como la pobre nunca fue un modelo de virtudes ni de dignidades y como no sabía sufrir y callar, como yo, lo resolvía todo a gritos. Llevaba ya gritando varias horas cuando nació Rosario, porque—para colmo de desdichas[28]—era de parto lento. Ya lo dice el refrán: mujer de parto lento y con bigote . . . (la segunda parte no la escribo en atención a la muy alta persona a quien estas líneas van dirigidas).[29] Asistía a mi madre una mujer del pueblo, la señora Engracia, la del cerro, especialista en duelos y partera, medio bruja y un tanto misteriosa, que había llevado consigo unas mixturas que aplicaba en el vientre de mi madre por aplacar el dolor, pero como ésta, con ungüento o sin él, seguía dando gritos hasta más no poder, a la señora Engracia no se le ocurrió mejor cosa que tacharla de descreída y mala cristiana y como en aquel momento los gritos de mi madre arreciaban como el vendaval, yo llegué a pensar si no sería cierto que estaba endemoniada. Mi duda poco duró, porque pronto quedó esclarecida que la causa de las desusadas voces había sido mi nueva hermana.

Mi padre llevaba largo rato paseando a grandes zancadas por la cocina. Cuando Rosario nació se arrimó hasta la cama de mi madre y sin consideración ninguna de la circunstancia la empezó a llamar bribona y zorra y a arrearle tan fuertes hebillazos[30] que extrañado estoy todavía de que no la haya molido viva. Después se marchó y tardó dos días enteros en volver; cuando lo hizo venía borracho como una bota; se acercó a la cama de mi madre y la besó; mi madre se dejaba besar . . . Después se fue a dormir a la cuadra.

XVII

Tres años me tuvieron encerrado,[1] tres años lentos, largos como la amargura,

27. *a ojo de buen cubero*, by an educated guess
28. *para colmo de desdichas*, to her great misfortune, to top her misfortune
29. In a note that precedes the novel, Cela informs the reader that he found Pascual Duarte's account of his life in 1939 in a pharmacy in Almendralejo, a city of Badajoz. (Recall Cervantes's claim that he "discovered" the manuscript recounting Don Quijote's life which was supposedly written by the Arabic historian Cide Hamete Benengeli.) The *muy alta persona* to whom Pascual Duarte originally sent his autobiography is Don Joaquín Barrera López of Mérida who died two years before Cela discovered it.
30. *Y . . . hebillazos*, and beat her so hard with the belt buckle

1. Pascual Duarte has just returned to his home town after having served a prison term for killing El Estirao, the lover of his wife, Lola, and later of his sister, Rosario. He is dominated by violent, primitive emotions which can be assuaged only by killing. We have seen in Chapter 1 that he shot his dog to death because he could not stand the way the animal stared at him. On another occasion he killed the mare which threw his wife and caused her to lose her unborn child. He stabbed Zacarías to death in a barroom brawl because this man doubted Pascual's manliness. However, despite his penchant for violent acts, Pascual has also displayed tenderness toward Rosario, toward Mario, his malformed brother, and toward his short-lived baby son.

que si al principio creí que nunca pasarían, después pensé que habían sido un sueño; tres años trabajando, día a día, en el taller de zapatero del Penal; tomando, en los recreos,[2] el sol en el patio, ese sol que tanto agradecía; viendo pasar las horas con el alma anhelante, las horas cuya cuenta—para mi mal—suspendió antes de tiempo[3] mi buen comportamiento . . .

Da pena pensar que las pocas veces que en esta vida se me ocurrió no portarme demasiado mal, esa fatalidad, esa mala estrella que, como ya más atrás le dije, parece como complacerse en acompañarme, torció y dispuso las cosas de forma tal que la bondad no acabó para servir a mi alma para maldita la cosa.[4] Peor aún: no sólo para nada sirvió, sino que a fuerza de desviarse y de degenerar siempre a algún mal peor me hubo de conducir. Si me hubiera portado mal, hubiera estado en Chinchilla[5] los veintiocho años que me salieron; me hubiera podrido vivo como todos los presos, me hubiera aburrido hasta enloquecer, hubiera desesperado, hubiera maldecido de todo lo divino, me hubiera acabado por envenenar del todo, pero allí estaría, purgando lo cometido,[6] libre de nuevos delitos de sangre, preso y cautivo—bien es verdad—, pero con la cabeza tan segura sobre mis hombros como al nacer, libre de toda culpa, si no es el pecado original; si me hubiera portado ni fu ni fa, como todos sobre poco más o menos,[7] los veintiocho años se hubieran convertido en catorce o dieciséis, mi madre se hubiera muerto de muerte natural para cuando yo consiguiese la libertad, mi hermana Rosario habría perdido ya su juventud, con su juventud su belleza, y con su be-

lleza su peligro, y yo—este pobre yo, este desgraciado derrotado que tan poca compasión en usted y en la sociedad es capaz de provocar—hubiera salido manso como una oveja, suave como una manta,[8] y alejado probablemente del peligro de una nueva caída. A estas horas estaría quién sabe si viviendo, tranquilo, en cualquier lugar, dedicado a algún trabajo que me diera para comer, tratando de olvidar lo pasado para no mirar más que para lo por venir;[9] a lo mejor lo habría conseguido ya . . . Pero me porté lo mejor que pude, puse buena cara al mal tiempo,[10] cumplí excediéndome lo que se me ordenaba, logré enternecer a la justicia, conseguí los buenos informes del Director . . . y me soltaron; me abrieron las puertas, me dejaron indefenso ante todo lo malo; me dijeron:

—Has cumplido, Pascual; vuelve a la lucha, vuelve a la vida, vuelve a aguantar a todos, a hablar con todos, a rozarte otra vez con todos . . .

Y creyendo que me hacían un favor me hundieron para siempre.

Estas filosofías no se me habían ocurrido de la primera vez que este capítulo —y los dos que siguen—escribí; pero me los robaron (todavía no me he explicado por qué me los quisieron quitar), aunque a usted le parezca tan extraño que no me lo crea, y entristecido por un lado con esta maldad sin justificación que tanto dolor me causa, y ahogado en la repetición, por la otra banda, que me fuerza el recuerdo y me decanta las ideas, a la pluma me vinieron y, como no considero penitencia el contrariarme las voluntades, que bastantes penitencias para flaqueza de mi espíritu, ya que no para

---

2. recreation periods
3. *cuya . . . tiempo,* Whose number—to my misfortune—was shortened on account of
4. *para maldita la cosa,* for any darned good, in the slightest way
5. i.e., the prison

6. *purgando lo cometido,* paying for the crime I committed
7. *ni fu . . . menos,* in an average way like practically everyone else
8. *suave como una manta,* gentle as a lamb
9. *lo por venir = el porvenir*
10. *puse . . . tiempo,* I smiled at misfortune

mis muchas culpas, tengo con lo que tengo,[11] ahí las dejo, frescas como me salieron, para que usted las considere como le venga en gana.[12]

Cuando salí encontré al campo más triste, mucho más triste, de lo que me había figurado. En los pensamientos que me daban cuando estaba preso, me lo imaginaba—vaya usted a saber por qué[13]—verde y lozano como las praderas, fértil y hermoso como los campos de trigo, con los campesinos dedicados afanosamente a su labor, trabajando alegres de sol a sol,[14] cantando, con la bota de vino a la vera[15] y la cabeza vacía de malas ocurrencias, para encontrarlo a la salida, yermo y agostado como los cementerios, deshabitado y solo como una ermita lugareña al siguiente día de la Patrona[16] . . . Chinchilla es un pueblo ruin, como todos los manchegos, agobiado como por una honda pena, gris y macilento como todos los poblados donde la gente no asoma los hocicos al tiempo,[17] y en ella no estuve sino el tiempo justo que necesité para tomar el tren que me había de devolver al pueblo, a mi casa, a mi familia; al pueblo que volvería a encontrar otra vez en el mismo sitio, a mi casa que resplandecía al sol como una joya, a mi familia que me esperaría para más lejos,[18] que no se imaginaría que pronto habría de estar con ellos, a mi madre que en tres años a lo mejor Dios había querido suavizar, a mi hermana, a mi querida hermana, a mi santa hermana, que saltaría de gozo al verme . . .

El tren tardó en llegar, tardó muchas horas. Extrañado estoy de que un hombre que tenía en el cuerpo tantas horas de espera notase con impaciencia tal un retraso de hora más, hora menos, pero lo cierto es que así ocurría, que me impacientaba, que me descomponía el aguardar como si algún importante negocio me comiese los tiempos.[19] Anduve por la estación, fuí a la cantina, paseé por un campo que había contiguo . . . Nada; el tren no llegaba, el tren no asomaba todavía, lejano como aún andaba por el retraso. Me acordaba del Penal, que se veía allá lejos, por detrás del edificio de la estación; parecía desierto, pero estaba lleno hasta los bordes, guardador de un montón de desgraciados con cuyas vidas se podían llenar tantos cientos de páginas como ellos eran. Me acordaba del Director, de la última vez que le vi; era un viejecito calvo, con un bigote cano, y unos ojos azules como el cielo; se llamaba don Conrado. Yo le quería como a un padre, le estaba agradecido de las muchas palabras de consuelo que—en tantas ocasiones—para mí tuviera. La última vez que le vi fue en su despacho, adonde me mandó llamar.

—¿Da su permiso, don Conrado?

—Pasa, hijo.

Su voz estaba ya cascada por los años y por los achaques, y cuando nos llamaba hijos parecía como si se le enterneciera más todavía, como si le temblara al pasar por los labios. Me mandó sentar al otro lado de la mesa; me alargó la tabaquera, grande, de piel de cabra; sacó un librito de papel de fumar que me ofreció también . . .

—¿Un pitillo?

—Gracias, don Conrado.

Don Conrado se rio.

11. *que bastantes . . . tengo,* for I have suffered as much penance as my weak spirit can stand, even though this penance is less than my sins deserve
12. *Como le venga en gana,* As you see fit
13. *vaya . . . qué,* who knows why
14. *de sol a sol,* from sunrise to sunset
15. *a la vera,* nearby
16. The villagers honor the patron saint by visiting the shrine (*ermita*) usually located on the outskirts of town, in a generally deserted place.
17. *al tiempo,* outdoors
18. *que . . . lejos,* which wouldn't be expecting me for a long time
19. *me comiese los tiempos,* was eating away my moments

—Para hablar contigo lo mejor es mucho humo . . . ¡Así se te ve menos esa cara tan fea que tienes!

Soltó la carcajada, una carcajada que al final se mezcló con un golpe de tos, con un golpe de tos que le duró hasta sofocarlo, hasta dejarlo abotagado y rojo como un tomate. Echó mano de un cajón y sacó dos copas y una botella de coñac. Yo me sobresalté; siempre me había tratado bien—cierto es—, pero nunca como aquel día.

—¿Qué pasa, don Conrado?

—Nada, hijo, nada . . . ¡Anda, bebe . . . por tu libertad!

Volvió a acometerle la tos. Yo iba a preguntar:

—¿Por mi libertad?

Pero él me hacía señas con la mano para que no dijese nada. Esta vez pasó al revés; fue en risa en lo que acabó la tos.

—Sí. ¡Todos los pillos tenéis suerte!

Y se reía, gozoso de poder darme la noticia, contento de poder ponerme de patas en la calle.[20] ¡Pobre don Conrado, qué bueno era! ¡Si él supiera que lo mejor que podría pasarme era no salir de allí! . . . Cuando volví a Chinchilla, a aquella casa, me lo confesó con lágrimas en los ojos, en aquellos ojos que eran sólo un poco más azules que las lágrimas.

—¡Bueno, ahora en serio! Lee . . .

Me puso ante la vista la orden de libertad. Yo no creía lo que estaba viendo.

—¿Lo has leído?

—Sí, señor.

Abrió una carpeta y sacó dos papeles iguales, el licenciamiento.

—Toma, para ti; con eso puedes andar por donde quieras . . . Firma aquí; sin echar borrones . . .

Doblé el papel, lo metí en la cartera . . . ¡Estaba libre! Lo que pasó por mí en aquel momento ni lo sabría explicar . . . Don Conrado se puso grave; me soltó un sermón sobre la honradez y las buenas costumbres, me dio cuatro consejos[21] sobre los impulsos que si hubiera tenido presentes me hubieran ahorrado más de un disgusto gordo,[22] y cuando terminó, y como fin de fiesta, me entregó veinticinco pesetas en nombre de la "Junta de Damas Regeneradoras de los Presos,"[23] institución benéfica que estaba formada en Madrid para acudir en nuestro auxilio.

Tocó un timbre y vino un oficial de prisiones. Don Conrado me alargó la mano.

—Adiós, hijo. ¡Que Dios te guarde!

Yo no cabía en mí de gozo.[24] Se volvió hacia el oficial.

—Muñoz, acompañe a este señor hasta la puerta. Llévelo antes a Administración; va socorrido con ocho días.[25]

A Muñoz no lo volví a ver en los días de mi vida. A don Conrado, sí; tres años y medio más tarde.

El tren acabó por llegar; tarde o temprano todo llega en esta vida, menos el perdón de los ofendidos, que a veces parece como que disfruta en alejarse. Monté en mi departamento y después de andar dando tumbos de un lado para otro durante día y medio, di alcance a la estación del pueblo, que tan conocida me era, y en cuya vista había estado pensando durante todo el viaje. Nadie, absolutamente nadie, si no es Dios[26] que está en las Alturas, sabía que yo llegaba, y sin embargo—no sé por qué rara manía de las ideas—momento llegó a haber[27] en que imaginaba el andén lleno

---

20. *ponerme de patas en la calle,* to throw me out into the street
21. *cuatro consejos,* some advice
22. *que si . . . gordo,* and if I had kept them (consejos) in mind I would have saved myself more than one big difficulty.
23. *"Junta . . . presos,"* "Ladies League for the Rehabilitation of Prisoners"
24. *Yo . . . gozo,* I was bursting with joy.
25. *va socorrido con ocho días,* he has a week's wages coming
26. *si no es Dios,* except for God
27. *momento llegó a haber,* there was a fleeting moment

de gentes jubilosas que me recibían con los brazos al aire, agitando pañuelos, voceando mi nombre a los cuatro puntos . . .[28]

Cuando llegué, un frío agudo como una daga se me clavó en el corazón. En la estación no había nadie . . . Era de noche, el jefe, el señor Gregorio, con su farol de mecha que tenía un lado verde y el otro rojo, y su banderola enfundada en su caperuza de lata, acababa de dar salida al tren . . .[29]

Ahora se volvería hacia mí, me reconocería, me felicitaría . . .

—¡Caramba, Pascual! ¡Y tú por aquí!

—Sí, señor Gregorio. ¡Libre!

—¡Vaya, vaya![30]

Y se dio media vuelta sin hacerme más caso. Se metió en su caseta. Yo quise gritarle:

—¡Libre, señor Gregorio! ¡Estoy libre!

Porque pensé que no se había dado cuenta. Pero me quedé un momento parado y desistí de hacerlo . . . La sangre se me agolpó a los oídos y las lágrimas estuvieron a pique de aparecerme en ambos ojos. Al señor Gregorio no le importaba nada mi libertad.

Salí de la estación con el fardo del equipaje al hombro, torcí por una senda que desde ella llevaba hasta la carretera donde estaba mi casa, sin necesidad de pasar por el pueblo, y empecé a caminar. Iba triste, muy triste; toda mi alegría la matara el señor Gregorio con sus tristes palabras, y un torrente de funestas ideas, de presagios desgraciados, que en vano yo trataba de ahuyentar, me atosigaban la memoria. La noche estaba clara, sin una nube, y la luna, como una hostia, allí estaba clavada, en el medio del cielo. No quería pensar en el frío que me invadía . . .

Un poco más adelante, a la derecha del sendero, hacia la mitad del camino,

estaba el cementerio, en el mismo sitio donde lo dejé, con la misma tapia de adobes negruzcos, con su alto ciprés que en nada había mudado, con su lechuza silbadora entre las ramas . . . El cementerio donde descansaba mi padre de su furia; Mario de su inocencia; mi mujer, su abandono, y *El Estirao,* su mucha chulería . . . El cementerio donde se pudrían los restos de mis dos hijos, del abortado y de Pascualillo, que en los once meses de vida que alcanzó fuera totalmente un sol . . . ¡Me daba resquemor llegar al pueblo, así, solo, de noche, y pasar lo primero por junto al camposanto! ¡Parecía como si la Providencia se complaciera en ponérmelo delante, en hacerlo de propósito para forzarme a caer en la meditación de lo poco que somos! La sombra de mi cuerpo iba siempre delante, larga, muy larga, tan larga como un fantasma, muy pegada al suelo, siguiendo el terreno, ora tirando recta por el camino, ora subiéndose a la tapia del cementerio, como queriendo asomarse. Corrí un poco; la sombra corrió también. Me paré; la sombra también paró. Miré para el firmamento; no había una sola nube en todo su redor. La sombra había de acompañarme, paso a paso, hasta llegar . . . Cogí miedo, un miedo inexplicable; me imaginé a los muertos saliendo en esqueleto a mirarme pasar. No me atrevía a levantar la cabeza; apreté el paso; el cuerpo parecía que no me pesaba; el cajón tampoco . . . En aquel momento parecía como si tuviera más fuerza que nunca . . . Llegó el instante en que llegué a estar al galope como un perro huido; corría, corría como un loco, como desbocado, como un poseído. Cuando llegué a mi casa estaba rendido; no hubiera podido dar un paso más . . .

Puse el bulto en el suelo y me senté

---

28. *a los cuatro puntos,* from every direction
29. *su bandolera . . . tren,* his signal flag inserted in its tin hood, he had just waved the train out

30. *¡Vaya, vaya!,* Well, well!

sobre él. No se oía ningún ruido; Rosario y mi madre estarían, a buen seguro, durmiendo, ajenas del todo a que yo había llegado, a que yo estaba libre, a pocos pasos de ellas. ¡Quién sabe si mi hermana no habría rezado una Salve—la oración que más le gustaba—en el momento de meterse en la cama, porque a mí me soltasen! ¡Quién sabe si a aquellas horas no estaría soñando, entristecida, con mi desgracia, imaginándome tumbado sobre las tablas de la celda, con la memoria puesta en que ella fué el único afecto sincero que en mi vida tuve! Estaría a lo mejor sobresaltada, presa de una pesadilla . . . Y yo estaba allí, estaba ya allí, libre, sano como una manzana, listo para volver a empezar, para consolarla, para mimarla, para recibir su sonrisa . . .

No sabía lo que hacer; pensé llamar . . . Se asustarían; nadie llama a esas horas. A lo mejor ni se atrevían[31] a abrir . . . Pero tampoco podía seguir allí, tampoco era posible esperar al día sobre el cajón . . .

Por la carretera venían dos hombres conversando en voz alta; iban distraídos, como contentos; venían de Almendralejo, quién sabe si de ver a las novias. Pronto los reconocí: eran León, el hermano de Martinete, y el Señorito Sebastián. Yo me escondí; no sé por qué, pero su vista me apresuraba.

Pasaron muy cerca de la casa, muy cerca de mí; su conversación era bien clara.

—Ya ves lo que a Pascual le pasó.

—Y no hizo más que lo que hubiéramos hecho cualquiera.

—Defender a la mujer.

—Claro.

—Y está en Chinchilla, a más de un día de tren, ya va para tres años . . .[32]

Sentía una profunda alegría; me pasó como un rayo por la imaginación la idea de salir, de presentarme ante ellos, de darles un abrazo . . . Pero preferí no hacerlo; en la cárcel me hicieron más calmoso, me quitaron impulsos . . .

Esperé a que se alejaran. Cuando calculé verlos ya suficientemente lejos, salí de la cuneta y fui a la puerta. Allí estaba el cajón; no lo habían visto. Si lo hubieran visto se hubieran acercado, y yo hubiera tenido que salir a explicarles, y se hubieran creído que me ocultaba, que los huía . . .

No quise pensarlo más; me acerqué hasta la puerta y di dos golpes sobre ella. Nadie me respondió; esperé unos minutos. Nada. Volví a golpearla, esta vez con más fuerzas. En el interior se encendió un candil.

—¡Quién!

—¡Soy yo!

—¿Quién?

Era la voz de mi madre. Sentí alegría al oírla, para qué mentir.

—Yo, Pascual.

—¿Pascual?

—Sí, madre. ¡Pascual!

Abrió la puerta; a la luz del candil parecía una bruja.

—¿Qué quieres?

—¿Que qué quiero?

—Sí.

—Entrar. ¿Qué voy a querer?

Estaba extraña. ¿Por qué me trataría así?

—¿Qué le pasa a usted, madre?

—Nada, ¿por qué?

—No, ¡como la veía como parada!

Estoy por asegurar que mi madre hubiera preferido no verme. Los odios de otros tiempos parecían como querer volver a hacer presa en mí. Yo trataba de ahuyentarlos, de echarlos a un lado.

—¿Y la Rosario?

—Se fue.

—¿Se fue?

—Sí.

---

31. *atrevían* = *atreverían*

32. *ya va para tres años*, it's almost three years now

—¿A dónde?

—A Almendralejo.

—¿Otra vez?

—Otra vez.

—¿Liada?

—Sí.

—¿Con quién?

—¿A ti qué más te da?[33]

Parecía como si el mundo quisiera caerme sobre la cabeza. No veía claro; pensé si no estaría soñando. Estuvimos los dos un corto rato callados.

—¿Y por qué se fue?

—¡Ya ves![34]

—¿No quería esperarme?

—No sabía que habías de venir. Estaba siempre hablando de ti . . .

¡Pobre Rosario, qué vida de desgracia llevaba con lo buena que era![35]

—¿Os faltó de comer?

—A veces.

—¿Y se marchó por eso?

—¡Quién sabe!

Volvimos a callar.

—¿La ves?

—Sí; viene con frecuencia . . . ¡Como él está también aquí!

—¿Él?

—Sí.

—¿Quién es?

—El señorito Sebastián.

Creí morir . . . Hubiera dado dinero por haberme visto todavía en el Penal . . .

XVIII

La Rosario fue a verme en cuanto se enteró de mi vuelta.

—Ayer supe que habías vuelto. ¡No sabes lo que me alegré!

¡Cómo me gustaba oir sus palabras! . . .

—Sí; lo sé, Rosario; me lo figuro. ¡Yo también estaba deseando volverte a ver!

Parecía como si estuviéramos de cumplido,[1] como si nos hubiéramos conocido diez minutos atrás. Los dos hacíamos esfuerzos para que la cosa saliera natural. Yo pregunté, por preguntar algo, al cabo de un rato:

—¿Cómo fue de marcharte otra vez?[2]

—Ya ves.[3]

—¿Tan apurada andabas?

—Bastante.

—¿Y no pudiste esperar?

—No quise . . .

Puso bronca la voz.

—No me dio la gana de pasar más calamidades . . .

Me lo explicaba; la pobre bastante había pasado ya . . .

—No hablemos de eso, Pascual.

La Rosario se sonreía con su sonrisa de siempre, esa sonrisa triste y como abatida que tienen todos los desgraciados de buen fondo.

—Pasemos a otra cosa . . . ¿Sabes que te tengo buscada una novia?[4]

—¿A mí?

—Sí.

—¿Una novia?

—Sí, hombre. ¿Por qué? ¿Te extraña?

—No . . . Me parece raro. ¿Quién me ha de querer a mí?

—Pues cualquiera. ¿O es que no te quiero yo?

La confesión de cariño de mi hermana, aunque ya la sabía, me agradaba; su preocupación por buscarme novia, también. ¡Mire usted que es ocurrencia!

—¿Y quién es?

—La sobrina de la señora Engracia.

—¿La Esperanza?

—Sí.

33. *¿A ti que más te da?*, What business is it of yours?
34. *¡Ya ves!*, You know how it is!
35. *con lo buena que era*, and how good she was

1. *Parecía . . . cumplido*, It seemed as if we were rather formal with each other
2. *¿Cómo . . . vez?*, Why did you go away again?
3. *Ya ves*, You know how it is.
4. *te tengo buscada una novia*, I've found a sweetheart for you

—¡Guapa moza!

—Que te quiere desde antes de que te casases.

—¡Bien callado se lo tenía!

—Qué quieres . . . ¡Cada una es como es!

—¿Y tú qué le has dicho?

—Nada; que alguna vez habrías de volver.

—Y he vuelto . . .

—¡Gracias a Dios!

La novia que la Rosario me tenía preparada, en verdad que era una hermosa mujer. No era del tipo de Lola, sino más bien al contrario, algo así como un término medio entre ella y la mujer de Estévez, incluso algo parecida en el tipo—fijándose bien[5]—al de mi hermana. Andaría por entonces por los treinta o treinta y dos años, que poco o nada se la notaban de joven y conservada como aparecía. Era muy religiosa y como dada a[6] la mística, cosa rara por aquellas tierras, y se dejaba llevar de la vida,[7] como los gitanos, sólo con el pensamiento puesto en aquello que siempre decía:

—¿Para qué variar? ¡Está escrito!

Vivía en el cerro con su tía, la señora Engracia, hermanastra de su difunto padre, por haber quedado huérfana de ambas partes aún muy tierna, y como era de natural consentidor[8] y algo tímida, jamás nadie pudiera decir que con nadie la hubiera visto u oído discutir, y mucho menos con su tía, a la que tenía un gran respeto. Era aseada como pocas, tenía la misma color de las manzanas[9] y cuando, al poco tiempo de entonces,[10] llegó a ser mi mujer—mi segunda mujer—, tal orden hubo de implantar en mi casa que en multitud de detalles nadie la hubiera reconocido.

La primera vez, entonces, que me la eché a la cara,[11] la cosa no dejó de ser violenta para los dos; los dos sabíamos lo que nos íbamos a decir, los dos nos mirábamos a hurtadillas como para espiar los movimientos del otro . . . Estábamos solos, pero era igual; solos llevábamos una hora y cada instante que pasaba parecía como si fuera a costar más trabajo el empezar a hablar. Fue ella quien rompió el fuego:[12]

—Vienes más gordo.

—Puede . . .[13]

—Y de semblante más claro.[14]

—Eso dicen . . .

Yo hacía esfuerzos en mi interior por mostrarme amable y decidor, pero no lo conseguía; estaba como entontecido, como aplastado por un peso que me ahogaba, pero del que guardo recuerdo como de una de las impresiones más agradables de mi vida, como de una de las impresiones que más pena me causó el perder.

—¿Cómo es aquel terreno?[15]

—Malo.

Ella estaba como pensativa . . . ¡Quién sabe lo que pensaría!

—¿Te acordabas mucho de la Lola?

—A veces. ¿Por qué mentir? Como estaba todo el día pensando, me acordaba de todos . . . ¡Hasta del *Estirao,* ya ves!

La Esperanza estaba levemente pálida.

—Me alegro mucho de que hayas vuelto.

—Sí, Esperanza, yo también me alegro de que me hayas esperado.

—¿De que te haya esperado?

---

5. *fijándose bien,* if you looked closely
6. *dada a,* was inclined toward
7. *se dejaba llevar de la vida,* she accepted life as it was
8. *de natural consentidor,* submissive by nature
9. i.e., her cheeks were red as an apple
10. *al poco tiempo de entonces,* shortly after that time
11. *me la eché a la cara,* I met her face to face
12. In English we would say "broke the ice."
13. Supply *ser*
14. *Y de semblante más claro,* And you look better.
15. Reference to the penitentiary

—Sí; ¿o es que no me esperabas?

—¿Quién te lo dijo?

—¡Ya ves!16 ¡Todo se sabe!

Le temblaba la voz y su temblor no faltó nada para que me lo contagiase.17

—¿Fue la Rosario?

—Sí. ¿Qué ves de malo?

—Nada . . .

Las lágrimas le asomaron a los ojos.

—¿Qué habrás pensado de mí?

XIX

Llevábamos ya dos meses casados cuando me fue dado el observar que mi madre seguía usando de las mismas mañas y de iguales malas artes que antes de que me tuvieran encerrado. Me quemaba la sangre con su ademán, siempre huraño y como despegado, con su conversación hiriente y siempre intencionada, con el tonillo de voz que usaba para hablarme, en falsete y tan fingido como toda ella. A mi mujer, aunque transigía con ella, ¡qué remedio le quedaba!, no la podía ver ni en pintura,1 y tan poco disimulaba su malquerer que la Esperanza, un día que estaba ya demasiado cargada, me planteó la cuestión en unas formas que pude ver que no otro arreglo sino el poner la tierra por en medio podría llegar a tener.2 La tierra por en medio se dice cuando dos se separan a dos pueblos distantes, pero, bien mirado, también se podría decir cuando entre el terreno en donde uno

pisa y el otro duerme hay veinte pies de altura . . .3

Muchas vueltas me dio en la cabeza la idea de la emigración; pensaba en La Coruña,4 o en Madrid, o bien más cerca, hacia la capital,5 pero el caso es que— ¡quién sabe si por cobardía, por falta de decisión!—la cosa la fui aplazando, aplazando, hasta que cuando me lancé a viajar, con nadie, que no fuese con mis mismas carnes, o con mi mismo recuerdo, hubiera querido poner la tierra por en medio . . .6 La tierra que no fue bastante grande para huir de mi culpa . . . La tierra que no tuvo largura ni anchura suficiente para hacerse la muda ante el clamor de mi propia concienca . . .7 Quería poner tierra entre mi sombra y yo, entre mi nombre y mi recuerdo y yo, entre mis mismos cueros y mí mismo, este mí mismo del que, de quitarle la sombra y el recuerdo, los nombres y los cueros, tan poco quedaría . . .8

Hay ocasiones en las que más vale borrarse como un muerto, desaparecer de repente como tragado por la tierra, deshilarse en el aire como el copo de humo . . . Ocasiones que no se consiguen, pero que de conseguirse nos transformarían en ángeles, evitarían el que siguiéramos enfangados en el crimen y el pecado, nos liberarían de este lastre de carne contaminada del que, se lo aseguro, no volveríamos a acordarnos para nada—tal horror le tomamos—de

16. *¡Ya ves!*, You know!

17. *y su . . . contagiase*, and it wasn't long before I caught the same trembling in my voice

1. *¡qué remedio . . . pintura*, what other choice did she have, she couldn't even stand the sight of her

2. *me planteó . . . tener*, placed the problem before me in such a way that there could be no other solution than to put a piece of land between us; i.e., the physical separation between the married couple and Pascual's mother

3. Allusion to a vertical separation between living people (*en donde uno pisa*) and the dead (*y el otro duerme*)

4. *La Coruña*, seaport in northwestern Spain

5. Badajoz, the capital city of the province

6. *hasta que . . . medio*, until when I did set out on a trip I would have wanted to escape only from myself and my own memory

7. *hacerse la muda ante*, to silence

8. *este mí mismo . . . quedaría*, this self of mine, which would retain so little of itself after taking away its shadow, its memory, its names, and its flesh

no ser que constantemente alguien se encarga de que no nos olvidemos de él, alguien se preocupa de aventar sus escorias[9] para herirnos los olfatos del alma . . . ¡Nada hiede tanto ni tan mal como la lepra que lo malo pasado deja por la conciencia,[10] como el dolor de no salir del mal pudriéndonos ese osario de esperanzas muertas,[11] al poco de nacer, que—¡desde hace tanto tiempo ya!— nuestra triste vida es! . . .

La idea de la muerte llega siempre con paso de lobo, con andares de culebra,[12] como todas las peores imaginaciones. Nunca de repente llegan las ideas que nos trastornan; lo repentino ahoga unos momentos, pero nos deja, al marchar, largos años de vida por delante. Los pensamientos que nos enloquecen con la peor de las locuras, la de la tristeza, siempre llegan poco a poco y como sin sentir, como sin sentir invade la niebla los campos, o la tisis los pechos . . . Avanza, fatal, incansable, pero lenta, despaciosa, regular como el pulso. Hoy no la notamos; a lo mejor mañana tampoco, ni pasado mañana, ni en un mes entero. Pero pasa ese mes y empezamos a sentir amarga la comida, como doloroso el recordar; ya estamos picados.[13] Al correr de los días y las noches nos vamos volviendo huraños, solitarios; en nuestra cabeza se cuecen las ideas, las ideas que han de ocasionar el que nos corten la cabeza donde se cocieron,[14] quién sabe si para que no siga trabajando tan atrozmente. Pasamos a lo mejor hasta semanas enteras sin variar; los que nos rodean se acostumbraron ya a nuestra adustez y ya ni extrañan siquiera nuestro extraño ser.

Pero un día el mal crece, como los árboles, y engorda, y ya no saludamos a la gente; y vuelven a sentirnos como raros y como enamorados. Vamos enflaqueciendo, enflaqueciendo, y nuestra barba hirsuta es cada vez más lacia. Empezamos a sentir el odio que nos mata; ya no aguantamos el mirar; nos duele la conciencia, pero, ¡no importa!, ¡más vale que duela! Nos escuecen los ojos, que se llenan de un agua venenosa cuando miramos fuerte. El enemigo nota nuestro anhelo, pero está confiado; el instinto no miente. La desgracia es alegre, acogedora, y el más tierno sentir gozamos en hacerlo arrastrar sobre la plaza inmensa de vidrios que va siendo ya nuestra alma . . . Cuando huimos como las corzas, cuando el oído sobresalta nuestros sueños, estamos ya minados por el mal; ya no hay solución, ya no hay arreglo posible. Empezamos a caer, vertiginosamente ya, para no volvernos a levantar en vida . . . Quizás para levantarnos un poco a última hora, antes de caer de cabeza hasta el infierno . . . Mala cosa.

Mi madre sentía una insistente satisfacción en tentarme los genios, en los que el mal iba creciendo como las moscas al olor de los muertos. La bilis que tragué me envenenó el corazón, y tan malos pensamientos llegaba por entonces a discurrir que llegué a estar asustado de mi mismo coraje. No quería ni verla; los días pasaban iguales los unos a los otros, con el mismo dolor clavado en las entrañas, con los mismos presagios de tormenta nublándonos la vista . . .

El día que decidí hacer uso del hie-

---

9. *aventar sus escorias,* to keep the wounds open; to stir up the refuse
10. *Nada . . . conciencia,* No stench is so foul or so bad to the conscience as the leprosy of past evil
11. *pudriéndonos . . . muertas,* as that charnel house of dead hopes keeps rotting in us

12. *con andares de culebra,* with snake-like movements
13. *ya estamos picados,* death is now taking hold of us
14. *en nuestra . . . cocieron,* in our head thoughts seethe, thoughts which will cause our head to be lopped off in the place where they originated

rro[15] tan agobiado estaba, tan cierto de que el mal había que sangrarlo,[16] que no sobresaltó ni un ápice mis pulmones[17] la idea de la muerte de mi madre. Era algo fatal que había de venir y que venía, que yo había de causar y que no podía evitar aunque quisiera, porque me parecía imposible cambiar de opinión, volverme atrás, evitar lo que ahora daría una mano porque no hubiera ocurrido, pero que entonces gozaba en provocar con el mismo cálculo y la misma meditación por lo menos con los que un labrador emplearía para pensar en sus trigales . . .

Estaba todo bien preparado; me pasé largas noches enteras pensando en lo mismo para envalentonarme, para tomar fuerzas; afilé el cuchillo de monte, con su larga y ancha hoja que se parecía a las hojas del maíz, con su canalito que la cruzaba, con sus cachas de nácar que le daban un aire retador . . . Sólo faltaba entonces emplazar la fecha; y después no titubear, no volverse atrás, llegar hasta el final costase lo que costase, mantener la calma . . . y luego herir, herir sin pena, rápidamente, y huir, huir muy lejos, a La Coruña, huir donde nadie pudiera saberlo, donde se me permitiera vivir en paz esperando el olvido de las gentes, el olvido que me dejase volver para empezar a vivir de nuevo . . . La conciencia no me remordería; no habría motivo. La conciencia sólo remuerde de las injusticias cometidas: de apalear a un niño, de derribar una golondrina . . . Pero de aquellos actos a los que nos conduce el odio, a los que vamos como adormecidos por

una idea que nos obsesiona, no tenemos que arrepentirnos jamás, jamás nos remuerde la conciencia.

Fue el 12 de febrero de 1922. Cuadró en viernes[18] aquel año, el 12 de febrero. El tiempo estaba claro como es ley que ocurriera por el país;[19] el sol se agradecía y en la plaza me parece como recordar que hubo aquel día más niños que nunca jugando a las canicas o a las tabas.[20] Mucho pensé en aquello, pero procuré vencerme, y lo conseguí; volverme atrás hubiera sido imposible, hubiera sido fatal para mí, me hubiera conducido a la muerte, quién sabe si al suicidio. Me hubiera acabado por encontrar en el fondo del Guadiana,[21] debajo de las ruedas del tren . . . No, no era posible cejar, había que continuar adelante, siempre adelante, hasta el fin. Era ya una cuestión de amor propio.

Mi mujer algo debió de notarme.[22]

—¿Qué vas a hacer?

—Nada, ¿por qué?

—No sé; parece como si te encontrase extraño.

—¡Tonterías!

La besé, por tranquilizarla; fue el último beso que le di. ¡Qué lejos de saberlo estaba yo entonces! Si lo hubiera sabido me hubiera estremecido . . .

—¿Por qué me besas?

Me dejó de una pieza.[23]

—¿Por qué no te voy a besar?

Sus palabras mucho me hicieron pensar. Parecía como si supiera todo lo que iba a ocurrir, como si estuviera ya al cabo de la calle.

El sol se puso por el mismo sitio que todos los días. Vino la noche . . . cena-

15. i.e., a knife
16. *el mal había que sangrarlo,* the evil had to be cured by blood-letting
17. *no sobresaltó . . . pulmones,* didn't change my rate of breathing
18. *Cuadró en viernes,* It fell on a Friday.
19. *como . . . país,* as it usually is (at that time) in this region

20. *jugando . . . tabas,* playing marbles or jacks
21. The principal river of the province of Badajoz, which rises in central Spain and flows into the Gulf of Cádiz.
22. *debió de notarme,* must have noticed something wrong with me
23. *Me dejó de una pieza,* I was dumbfounded.

mos . . . se metieron en la cama . . . Yo me quedé, como siempre, jugando con el rescoldo del hogar. Hacía ya tiempo que no iba a la taberna de Martinete.

Había llegado la ocasión, la ocasión que tanto tiempo había estado esperando. Había que hacer de tripas corazón,[24] acabar pronto, lo más pronto posible. La noche es corta y en la noche tenía que haber pasado ya todo y tenía que sorprenderme la amanecida[25] a muchas leguas del pueblo.

Estuve escuchando un largo rato. No se oía nada. Fui al cuarto de mi mujer; estaba dormida y la dejé que siguiera durmiendo. Mi madre dormitaría también a buen seguro. Volví a la cocina; me descalcé; el suelo estaba frío, y las piedras del suelo se me clavaban en la planta del pie. Desenvainé el cuchillo, que brillaba a la llama[26] como un sol . . .

Allí estaba, echada bajo las sábanas, con su cara muy pegada a la almohada. No tenía más que echarme sobre el cuerpo y acuchillarlo. No se movería, no daría ni un solo grito, no le daría tiempo . . . Estaba ya al alcance del brazo, profundamente dormida, ajena— ¡Dios, qué ajenos están siempre los asesinados a su suerte!—a todo lo que le iba a pasar. Quería decidirme, pero no lo acababa de conseguir; vez hubo ya de tener el brazo levantado, para volver a dejarlo caer otra vez todo a lo largo del cuerpo.[27]

Pensé cerrar los ojos y herir. No podía ser; herir a ciegas es como no herir, es exponerse a herir en el vacío . . . Había que herir con los ojos bien abiertos, con los cinco sentidos puestos en el golpe. Había que conservar la serenidad, que recobrar la serenidad que parecía ya como si estuviera empezando a perder ante la vista del cuerpo de mi madre . . .

El tiempo pasaba y yo seguía allí, parado, inmóvil como una estatua, sin decidirme a acabar. No me atrevía; después de todo era mi madre, la mujer que me había parido, y a quien sólo por eso había que perdonar . . . No; no podía perdonarla porque me hubiera parido. Con echarme al mundo no me hizo ningún favor, absolutamente ninguno . . . No había tiempo que perder. Había que decidirse de una buena vez . . . Momento llegó a haber en que estaba de pie y como dormido, con el cuchillo en la mano, como la imagen del crimen . . . Trataba de vencerme, de recuperar mis fuerzas, de concentrarlas. Ardía en deseos de acabar pronto, rápidamente, y de salir corriendo hasta caer rendido, en cualquier lado. Estaba agotándome; llevaba una hora larga al lado de ella, como guardándola, como velando su sueño. ¡Y había ido a matarla, a eliminarla, a quitarle la vida a puñaladas! . . .

Quizá otra hora llegara ya a pasar. No; definitivamente, no. No podía; era algo superior a mis fuerzas, algo que me revolvía la sangre. Pensé huir. A lo mejor hacía[28] ruido al salir; se despertaría, me reconocería. No, huir tampoco podía; iba indefectiblemente camino de la ruina . . . No había más solución que golpear, golpear sin piedad, rápidamente, para acabar lo más pronto posible. Pero golpear tampoco podía . . . Estaba metido como en un lodazal donde me fuese hundiendo, poco o poco, sin remedio posible, sin salida posible

---

24. *Había que hacer de tripas corazón,* I had to gather up all my courage
25. *en la noche . . . amanecida,* everything had to be done during the night and dawn should find me
26. i.e., the light that came from the embers in the fireplace

27. *Quería . . . cuerpo,* I wanted to get it over with but I couldn't bring myself to do it; I even got to the point of raising my arm only to let it fall back to my side.
28. *hacía = haría*

. . . El barro me llegaba ya hasta el cuello. Iba a morir ahogado como un gato . . . Me era completamente imposible matar; estaba como paralítico . . .

Di la vuelta para marchar. El suelo crujía. Mi madre se revolvió en la cama.

—¿Quién anda por ahí?

Entonces sí que ya no había solución. Me abalancé sobre ella y la sujeté. Forcejeó, se escurrió . . . Momento hubo en que llegó a tenerme cogido por el cuello. Gritaba como una condenada. Luchamos; fue la lucha más tremenda que usted se puede imaginar. Rugíamos como bestias, la baba nos asomaba a la boca . . . En una de las vueltas vi a mi mujer, blanca como una muerta, parada a la puerta sin atreverse a entrar. Traía un candil en la mano, el candil a cuya luz pude ver la cara de mi madre, morada como un hábito de nazareno . . .[29] Seguíamos luchando; llegué a tener las vestiduras rasgadas, el pecho al aire. La condenada tenía más fuerzas que un demonio. Tuve que usar de toda mi hombría para tenerla quieta. Quince veces que la sujetara, quince veces que se me había de escurrir. Me arañaba, me daba patadas y puñetazos, me mordía. Hubo un momento en que con la boca me cazó un pezón—el izquierdo—y me lo arrancó de cuajo.[30] Fue en el momento mismo en que pude clavarle la hoja en la garganta . . .

La sangre salía como desbocada[31] y me golpeó la cara. Estaba caliente como un vientre y sabía[32] lo mismo que la sangre de los corderos . . .

La solté y salí huyendo. Choqué con mi mujer a la salida; se le apagó el candil. Cogí el campo[33] y corrí, corrí sin descanso, durante horas enteras. El campo estaba fresco y una sensación como de alivio me recorrió las venas . . .

Podía respirar . . .

---

29. Allusion to the color of the robes of the penitents (*nazarenos*) in Passion Week processions
30. *y me lo arrancó de cuajo,* and she bit it off
31. *salía como desbocada,* spurted out
32. *como un vientre y sabía,* as a belly (of a living person) and tasted
33. *Cogí el campo,* I fled to the fields

Antonio Buero Vallejo

In the decade that followed the Civil War the Spanish theater produced little that was really new or of noteworthy quality, owing, in part, to the strict governmental censorship. For the most part, the plays that dominated the commercial stage were the elegant, mildly satirical drawing room comedies of Benavente and his followers and the light comedies of manners of the type written by the Álvarez Quintero brothers. Another kind of play that had some vogue falls into the classification of *teatro de evasión*—Alejandro Casona, Jesús López Rubio, and Víctor Ruiz Iriarte are the principal playwrights of this group—which incorporates illusion and fantasy in an attempt to escape the unpleasantness of the real world. The successful première of Buero Vallejo's *Historia de una escalera* (1949) was the beginning of a new and more dignified era for the Spanish theater. In this drama, Buero's characters come to grips with the harsh realities of contemporary Spanish life. Since then Buero has written a number of fine serious plays that have earned him the reputation of Spain's leading dramatist. He has done much to stimulate several younger playwrights, notably Alfonso Sastre, in cultivating the naturalistic social drama.

Antonio Buero Vallejo was born in Guadalajara on September 29, 1916. From his father, a military engineer, he acquired a love for the theater and literature. Early in life he manifested a talent for drawing and painting and after finishing high school he went to study painting at the Escuela de Bellas Artes in Madrid (1934). When the Spanish Civil War broke out in 1936, he enlisted in the Ambulance Corps on the Republican side. At the end of the war he was imprisoned and condemned to death but later the death penalty was commuted to a long jail sentence. After spending six years in prison he was finally released in 1946. He managed to make a living by selling his paintings and writing for newspapers. In 1949 his *Historia de una escalera* won the Premio Lope de Vega, a prestigious prize which, after a lapse of fifteen years, had been reinstated to foster the Spanish theater. Buero has written over twenty plays, and has also published numerous articles on the theater.

Unlike the popular, anodyne, middle-class comedies, *Historia de una escalera* is a serious drama set in an authentic Spanish milieu. Buero achieves a universal dimension in portraying the working-class people who inhabit his stage. The unchanging staircase of a dilapidated tenement in Madrid, which is the only setting in the drama, leads nowhere and symbolizes the lot of three generations of characters who remain trapped in the same miserable situation over a span of thirty years. In *Hoy es fiesta* (1956) he returns to the social setting and types of characters found in *Historia de una escalera*. Other plays by Buero that delve into social problems are *Madrugada* (1953), *Las cartas boca abajo* (1957), and *El tragaluz* (1967).

Buero's characters generally seek self-fulfillment but usually fail because of their own limitations or the overwhelming oppressiveness of their environment. They are anguished rebels who cling to at least some shred of hope in their futile jousts with injustice, deceit, self-interest, ignorance, and hypocrisy. Although Buero's dramas are tragedies, the note of hope on which they end contradicts the usually held concept that tragedies must be pessimistic and negative. According to Buero, tragedy arises from man's unrelenting striving to understand and solve the real problems of his situation. At the very core of tragedy is hope which drives the characters to pursue their goals. Buero believes that tragedy reflects human life in which hope is always present in the constant seesaw struggle between faith and doubt. With the exception of *Madrugada,* in which the heroine's doubts are finally dispelled, Buero's tragedies end on an ambiguous note. Thus, the problems in these tragedies are transferred to the audience and each spectator is free to wrestle with them in his own mind and arrive at his own solution.

Besides the plays mentioned above, Buero has written *En la ardiente oscuridad* (1950) and *El concierto de San Ovidio* (1962) in which the protagonists are tormented blind men who refuse to accept their limitations and implacably search for truth despite the dire consequences that befall them and those around them. The symbolism in these two plays is readily apparent: blindness signifies ignorance, self-deception, and passive acceptance of one's lot whereas vision implies understanding, truth, and personal commitment. Other tragedies of Buero are the historical *Un soñador para un pueblo* (1958) and *Las Meninas* (1960)—the latter deals with the painter

Velázquez—and the mythological *La tejedora de sueños* (1952), which re-interprets the Greek myth of Penelope, wife of Ulysses. In his wide diversity of plays Buero has utilized new techniques. His plots are, for the most part, constructed in a cogent and natural manner. Dialogue is generally simple, concise, and authentic, especially in plays that directly relate to the contemporary scene.

Historia de una escalera

Porque el hijo deshonra
al padre, la hija se levanta
contra la madre, la nuera
contra su suegra: y los
enemigos del hombre son
los de su casa.
(*Miqueas*,[1] cap. VII,
vers. 6.)

Estrenado la noche del 14 de octubre de 1949 en el Teatro Español de Madrid, bajo la dirección de Cayetano Luca de Tena, con el siguiente reparto:

COBRADOR DE LA LUZ

GENEROSA	señora de 55 años
PACA	señora de 50 años aproximadamente, madre de Urbano
ELVIRA	hija de Don Manuel
DOÑA ASUNCIÓN	viuda, madre de Fernando
DON MANUEL	viudo, hombre de negocios, bien situado
TRINI	hija de Paca
CARMINA	hija de Generosa
FERNANDO	hijo de Doña Asunción, soñador impráctico
URBANO	hijo de Paca; hombre de acción, en favor de los sindicatos
ROSA	hija de Paca
PEPE	hijo de Generosa, vive a expensas de los demás
SEÑOR JUAN	esposo de Paca, viejo alto de aspecto quijotesco
SEÑOR BIEN VESTIDO ⎱ JOVEN BIEN VESTIDO ⎰	representan la nueva burocracia
MANOLÍN	hijo de Elvira y Fernando, pillo
CARMINA, HIJA	hija de Urbano y Carmina
FERNANDITO	hijo de Fernando y Elvira

1. Micah, a Hebrew prophet of the eighth century B.C. The sixth book of the Minor Prophets, in the Old Testament, bears his name. *Cap.* is the abbreviation for *capítulo* and *vers.* is the abbreviation for *versículo*, verse (in Bible).

Acto Primero

Un tramo de escalera con dos rellanos, en una casa modesta de vecindad.[2] Los escalones de bajada hacia[3] los pisos inferiores se encuentran en el primer término izquierdo.[4] La barandilla que los bordea es muy pobre, con el pasamanos de hierro, y tuerce para correr a lo largo de la escena limitando el primer rellano. Cerca del lateral derecho arranca un tramo completo de unos diez escalones. La barandilla lo separa a su izquierda del hueco de la escalera, y a su derecha hay una pared que rompe en ángulo[5] junto al primer peldaño, formando en el primer término derecho un entrante con una sucia ventana lateral. Al final del tramo, la barandilla vuelve de nuevo y termina en el lateral izquierdo, limitando el segundo rellano; en el borde de éste, una polvorienta bombilla enrejada pende hacia el hueco de la escalera. En el segundo rellano hay cuatro puertas: dos laterales y dos centrales. Las distinguiremos, de derecha a izquierda, con los números I, II, III y IV.

El espectador asiste, en este acto y en el siguiente, a la galvanización momentánea de tiempos que han pasado. Los vestidos tienen un vago aire retrospectivo.

Nada más levantarse el telón[6] vemos cruzar y subir fatigosamente al Cobrador de la luz, portando su grasienta cartera. Se detiene unos segundos para respirar y llama después con los nudillos en las cuatro puertas. Vuelve al I, donde le espera ya en el quicio la señora Generosa: una pobre mujer de unos cincuenta y cinco años.

COBRADOR. La luz. Dos sesenta.[7] (*Le tiende el recibo. La puerta III se abre y aparece Paca, mujer de unos cincuenta años, gorda y de ademanes desenvueltos. El Cobrador repite, tendiéndole el recibo:*) La luz. Cuatro diez.

GENEROSA. (*Mirando el recibo.*) ¡Dios mío! ¡Cada vez más caro! No sé cómo vamos a poder vivir. (*Se mete.*)

PACA. ¡Ya, ya![8] (*Al Cobrador.*) ¿Es que no saben hacer otra cosa que elevar la tarifa? ¡Menuda ladronera es la Compañía![9] ¡Les debía dar vergüenza

---

2. *una casa modesta de vecindad,* a poor tenement house
3. *Los escalones de bajada hacia,* The stairs that go down to
4. *el primer término izquierdo,* the left foreground. In stage directions, right and left are given from the standpoint of the actors and not that of the audience.
5. *que rompe en ángulo,* whose angle juts out

6. *Nada más levantarse el telón,* As soon as the curtain is raised
7. *La luz. Dos sesenta,* Here's the light bill. Two (*pesetas*), sixty (*céntimos*). The *peseta,* the Spanish monetary unit, has 100 *céntimos.*
8. *¡Ya; ya!,* That's the last straw.
9. *¡Menuda ladronera es la Compañía!,* The Company is a den of common thieves!

chuparnos la sangre de esa manera! (*El Cobrador se encoge de hombros.*) ¡Y todavía se ríe!

COBRADOR. No me río, señora. (*A Elvira, que abrió la puerta II.*) Buenos días. La luz. Seis sesenta y cinco. (*Elvira, una linda muchacha vestida de calle,[10] recoge el recibo y se mete.*)

PACA. Se ríe por dentro. ¡Buenos pájaros son todos ustedes![11] Esto se arreglaría, como dice mi hijo Urbano, tirando a más de cuatro por el hueco de la escalera.[12]

COBRADOR. Mire lo que dice, señora. Y no falte.

PACA. ¡Cochinos!

COBRADOR. Bueno, ¿me paga o no? Tengo prisa.

PACA. ¡Ya va, hombre! Se aprovechan de que una no es nadie, que si no . . .[13] (*Se mete rezongando. Generosa sale y paga al Cobrador. Después cierra la puerta. El Cobrador aporrea otra vez el IV, que es abierto inmediatamente por Doña Asunción, señora de luto, delgada y consumida.*)

COBRADOR. La luz. Tres veinte.

DOÑA ASUNCIÓN. (*Cogiendo el recibo.*) Sí, claro . . . Buenos días. Espere un momento, por favor. Voy adentro . . . (*Se mete. Paca sale refunfuñando mientras cuenta las monedas.*)

PACA. ¡Ahí va![14] (*Se las da de golpe.*)

COBRADOR. (*Después de contarlas.*) Está bien.

PACA. ¡Está muy mal! ¡A ver si hay suerte, hombre, al bajar la escalerita![15] (*Cierra con un portazo. Elvira sale.*)

ELVIRA. Aquí tiene usted. (*Contándole*

la moneda fraccionaria.*)[16] Cuarenta . . . , cincuenta . . . , sesenta . . . y cinco.

COBRADOR. Está bien. (*Se lleva un dedo a la gorra[17] y se dirige al IV.*)

ELVIRA. (*Hacia dentro.*) ¿No sales, papá? (*Espera en el quicio. Doña Asunción vuelve a salir, ensayando sonrisas.*)

DOÑA ASUNCIÓN. ¡Cuánto lo siento! ¡Me va a tener que perdonar! Como me ha cogido después de la compra, y mi hijo no está . . .[18] (*Don Manuel, padre de Elvira, sale vestido de calle. Los trajes de ambos denotan una posición económica más holgada que la de los demás vecinos.*)

DON MANUEL. (*A Doña Asunción.*) Buenos días. (*A su hija.*) Vamos.

DOÑA ASUNCIÓN. ¡Buenos días! ¡Buenos días, Elvirita! ¡No te había visto!

ELVIRA. Buenos días, doña Asunción.

COBRADOR. Perdone, señora, pero tengo prisa.

DOÑA ASUNCIÓN. Sí, sí . . . Le decía que ahora da la casualidad[19] que no puedo . . . ¿No podría volver luego?

COBRADOR. Mire, señora: no es la primera vez que pasa, y . . .

DOÑA ASUNCIÓN. ¿Qué dice?

COBRADOR. Sí. Todos los meses es la misma historia. ¡Todos! Y yo no puedo venir a otra hora ni pagarlo de mi bolsillo. Conque si no me abona tendré que cortarle el flúido.

DOÑA ASUNCIÓN. Pero si[20] es una casualidad. ¡se lo aseguro! Es que mi hijo no está, y . . .

COBRADOR. ¡Basta de monsergas! Esto le pasa por querer gastar como una

---

10. *vestida de calle,* dressed in street clothes
11. *¡Buenos pájaros son todos ustedes!,* Such nice birds all of you are!
12. *Esto se arreglaría . . . tirando . . . escalera,* This could all be fixed . . . by throwing the whole lot of you down the stairwell.
13. *Se aprovechan . . . no,* You're taking advantage of the fact that I'm a nobody, and if this weren't the case . . .
14. *¡Ahí va!,* Here you are!
15. Implied in Paca's statement is the wish that he fall and hurt himself.
16. *La moneda fraccionaria,* Small change
17. This is a half-hearted gesture to bid farewell to Elvira.
18. *mi hijo no está,* my son isn't home
19. *da la casualidad,* it just so happens
20. *Pero si,* But

señora, en vez de abonarse a tanto alzado.[21] Tendré que cortarle.[22] (*Elvira habla en voz baja con su padre.*)

DOÑA ASUNCIÓN. (*Casi perdida la compostura.*) ¡No lo haga, por Dios! Yo le prometo . . .

COBRADOR. Pida a algún vecino . . .

DON MANUEL. (*Después de atender a lo que le susurra su hija.*) Perdone que intervenga, señora. (*Cogiéndole el recibo.*)

DOÑA ASUNCIÓN. No, don Manuel. ¡No faltaba más!

DON MANUEL. ¡Si no tiene importancia! Ya me lo devolverá cuando pueda.

DOÑA ASUNCIÓN. Esta misma tarde; de verdad.

DON MANUEL. Sin prisa, sin prisa. (*Al Cobrador.*) Aquí tiene.

COBRADOR. Está bien. (*Se lleva la mano a la gorra.*) Buenos días. (*Se va.*)

DON MANUEL. (*Al Cobrador.*) Buenos días.

DOÑA ASUNCIÓN. (*Al Cobrador.*) Buenos días. Muchísimas gracias, don Manuel. Esta misma tarde . . .

DON MANUEL. (*Entregándole el recibo.*) ¿Para qué se va a molestar? No merece la pena. Y Fernando, ¿qué se hace?[23] (*Elvira se acerca y le coge del brazo.*)

DOÑA ASUNCIÓN. En su papelería. Pero no está contento. ¡El sueldo es tan pequeño! Y no es porque sea mi hijo, pero él vale mucho y merece otra cosa. ¡Tiene muchos proyectos! Quiere ser delineante, ingeniero, ¡qué sé yo! Y no hace más que leer y pensar. Siempre tumbado en la cama, pensando en sus proyectos. Y escribe cosas también,

y poesías. ¡Más bonitas! Ya le diré que dedique alguna a Elvirita.

ELVIRA. (*Turbada.*) Déjelo, señora . . .

DOÑA ASUNCIÓN. Te lo mereces, hija. (*A Don Manuel.*) No es porque esté delante, pero ¡qué preciosísima se ha puesto Elvirita! Es una clavellina. El hombre que se la lleve . . .[24]

DON MANUEL. Bueno, bueno. No siga, que me la va a malear.[25] Lo dicho,[26] doña Asunción. (*Se quita el sombrero y le da la mano.*) Recuerdos a Fernandito. Buenos días.

ELVIRA. Buenos días. (*Inician la marcha.*)[27]

DOÑA ASUNCIÓN. Buenos días. Y un millón de gracias. Adiós. (*Cierra. Don Manuel y su hija empiezan a bajar. Elvira se para de pronto para besar y abrazar impulsivamente a su padre.*)

DON MANUEL. ¡Déjame, locuela! ¡Me vas a tirar!

ELVIRA. ¡Te quiero tanto, papaíto! ¡Eres tan bueno!

DON MANUEL. Deja los mimos, pícara. Tonto es lo que soy. Siempre te saldrás con la tuya.

ELVIRA. No llames tontería a una buena acción . . . Ya ves, los pobres nunca tienen un cuarto. ¡Me da una lástima doña Asunción![28]

DON MANUEL. (*Levantándole la barbilla.*) El tarambana de Fernandito[29] es el que a ti te preocupa.

ELVIRA. Papá, no es un tarambana . . . Si vieras qué bien habla . . .

DON MANUEL. Un tarambana. Eso sabrá hacer él . . . , hablar.[30] Pero no tiene donde caerse muerto. Hazme caso, hija; tú te mereces otra cosa.

---

21. *en vez . . . alzado,* instead of limiting yourself to a fixed sum
22. Supply *el flúido*
23. *qué se hace,* how's he doing?
24. *que se la lleve,* who wins her
25. *que me la va a malear,* because you're going to spoil her for me
26. *Lo dicho,* Let's leave it as I said. In other

words, he is indicating that she may return the money whenever she can.
27. *Inician la marcha,* They begin to leave
28. *¡Me da una lástima doña Asunción!,* I pity doña Asunción!
29. *El tarambana de Fernandito,* That crackpot Fernandito
30. *Eso sabrá hacer él . . . hablar,* That's all he can do . . . talk.

ELVIRA. (*En el rellano ya, da pueriles pataditas.*)[31] No quiero que hables así de él. Ya verás cómo llega muy lejos. ¡Qué importa que no tenga dinero! ¿Para qué quiere mi papaíto un yerno rico?

DON MANUEL. ¡Hija!

ELVIRA. Escucha: te voy a pedir un favor muy grande.

DON MANUEL. Hija mía, algunas veces no me respetas nada.

ELVIRA. Pero te quiero, que es mucho mejor. ¿Me harás ese favor?

DON MANUEL. Depende . . .

ELVIRA. ¡Nada! Me lo harás.

DON MANUEL. ¿De qué se trata?

ELVIRA. Es muy fácil, papá. Tú lo que necesitas no es un yerno rico, sino un muchacho emprendedor que lleve adelante el negocio. Pues sacas a Fernando de la papelería y le colocas, ¡con un buen sueldo!, en tu agencia. (*Pausa.*) ¿Concedido?

DON MANUEL. Pero, Elvira, ¿y si Fernando no quiere? Además . . .

ELVIRA. ¡Nada! (*Tapándose los oídos.*) ¡Sorda![32]

DON MANUEL. ¡Niña, que soy tu padre!

ELVIRA. ¡Sorda!

DON MANUEL. (*Quitándole las manos de los oídos.*) Ese Fernando os tiene sorbido el seso a todas[33] porque es el chico más guapo de la casa. Pero no me fío de él. Suponte que no te hiciera caso . . .

ELVIRA. Haz tu parte, que de eso me encargo yo . . .

DON MANUEL. ¡Niña! (*Ella rompe a reir. Coge del brazo a su padre y le lleva, entre mimos, al lateral izquierdo. Bajan. Una pausa. Trini—una joven de aspecto simpático—sale del III con una botella en la mano, atendiendo a la voz de Paca.*)

PACA. (*Desde dentro.*) ¡Que lo compres tinto![34] Que ya sabes que a tu padre no le gusta el blanco.

TRINI. Bueno, madre. (*Cierra y se dirige a la escalera. Generosa sale del I, con otra botella.*)

GENEROSA. ¡Hola, Trini!

TRINI. Buenos,[35] señora Generosa. ¿Por el vino? (*Bajan juntas.*)

GENEROSA. Sí. Y a la lechería.

TRINI. ¿Y Carmina?

GENEROSA. Aviando la casa.

TRINI. ¿Ha visto usted la subida de la luz?

GENEROSA. ¡Calla, hija! ¡No me digas! ¡Si no fuera más que la luz! . . . ¿Y la leche? ¿Y las patatas?

TRINI. (*Confidencial.*) ¿Sabe usted que doña Asunción no podía pagar hoy al cobrador?

GENEROSA. ¿De veras?

TRINI. Eso dice mi madre, que estuvo escuchando. Se lo pagó don Manuel. Como la niña está loca por Fernandito . . .

GENEROSA. Ese gandulazo es muy simpático.

TRINI. Y Elvirita una lagartona.

GENEROSA. No. Una niña consentida . . .

TRINI. No. Una lagartona . . . (*Bajan charlando. Pausa. Carmina sale del I. Es una preciosa muchacha de aire sencillo y pobremente vestida. Lleva delantal y una lechera en la mano.*)

CARMINA. (*Mirando por el hueco de la escalera.*) ¡Madre! ¡Que se la olvida la cacharra! ¡Madre! (*Con un gesto de contrariedad se despoja del delantal, lo echa adentro y cierra. Baja por el tramo mientras se abre el IV suavemente y aparece Fernando, que la mira y cierra la puerta sin ruido. Ella baja apresurada sin verle y sale de escena.*)

---

31. *da pueriles pataditas,* she stamps her feet on the floor like a child
32. I'm deaf
33. *os . . . todas,* has charmed all of you girls
34. *¡Que lo compres tinto!,* Buy red [wine] for him!
35. Supply *días*

El se apoya en la barandilla y sigue con la vista la bajada de la muchacha por la escalera. Fernando es, en efecto, un muchacho muy guapo. Viste pantalón de luto y está en mangas de camisa. Pausa. El IV vuelve a abrirse, Doña Asunción espía a su hijo.)

DOÑA ASUNCIÓN. ¿Qué haces?

FERNANDO. (*Desabrido.*) Ya lo ves.

DOÑA ASUNCIÓN. (*Sumisa.*) ¿Estás enfadado?

FERNANDO. No.

DOÑA ASUNCIÓN. ¿Te ha pasado algo en la papelería?

FERNANDO. No.

DOÑA ASUNCIÓN. ¿Por qué no has ido hoy?

FERNANDO. Porque no.[36] (*Pausa.*)

DOÑA ASUNCIÓN. ¿Te he dicho que el padre de Elvirita nos ha pagado el recibo de la luz?

FERNANDO. (*Volviéndose hacia su madre.*) ¡Sí! ¡Ya me lo has dicho! (*Yendo hacia ella.*) ¡Déjame en paz!

DOÑA ASUNCIÓN. ¡Hijo!

FERNANDO. ¡Qué inoportunidad! ¡Pareces disfrutar recordándome nuestra pobreza!

DOÑA ASUNCIÓN. ¡Pero, hijo!

FERNANDO. (*Empujándola y cerrando de golpe.*) ¡Anda, anda para adentro! (*Con un suspiro de disgusto, vuelve a recostarse en el pasamanos. Pausa. Urbano llega al primer rellano. Viste traje azul mahón. Es un muchacho fuerte y moreno, de fisonomía ruda, pero expresiva: un proletario. Fernando lo mira avanzar en silencio. Urbano comienza a subir la escalera y se detiene al verle.*)

URBANO. ¡Hola! ¿Qué haces ahí?

FERNANDO. Hola, Urbano. Nada.

URBANO. Tienes cara de enfado.[37]

FERNANDO. No es nada.

URBANO. Baja al «casinillo.» (*Señalando el hueco de la ventana.*) Te invito a un cigarro. (*Pausa.*) ¡Baja, hombre! (*Fernando empieza a bajar sin prisa.*) Algo te pasa. (*Sacando la petaca.*) ¿No se puede saber?

FERNANDO. (*Que ha llegado.*) Nada, lo de siempre . . . (*Se recuestan en la pared del «casinillo.» Mientras hacen los pitillos:*) ¡Que estoy harto de todo esto!

URBANO. (*Riendo.*) Eso es ya muy viejo. Creí que te ocurría algo.

FERNANDO. Puedes reírte. Pero te aseguro que no sé cómo aguanto. (*Breve pausa.*) En fin, ¡para qué hablar! ¿Qué hay por tu fábrica?

URBANO. ¡Muchas cosas! Desde la última huelga de metalúrgicos, la gente se sindica a toda prisa. A ver cuándo nos imitáis los dependientes.

FERNANDO. No me interesan esas cosas.

URBANO. Porque eres tonto. No sé de qué te sirve tanta lectura.

FERNANDO. ¿Me quieres decir lo que sacáis en limpio de esos líos?

URBANO. Fernando, eres un desgraciado. Y lo peor es que no lo sabes. Los pobres diablos como nosotros nunca lograremos mejorar de vida sin la ayuda mutua. Y eso es el sindicato. ¡Solidaridad! Esa es nuestra palabra. Y sería la tuya si te dieses cuenta de que no eres más que un triste hortera. ¡Pero como te crees un marqués!

FERNANDO. No me creo nada. Sólo quiero subir, ¿comprendes? ¡Subir! Y dejar toda esta sordidez en que vivimos.

URBANO. Y a los demás que los parta un rayo.

FERNANDO. ¿Qué tengo yo que ver con los demás? Nadie hace nada por nadie. Y vosotros os metéis en el sindicato porque no tenéis arranque para subir solos. Pero ése no es camino para mí. Yo sé que puedo subir, y subiré solo.

---

36. *Porque no,* Because I didn't want to

37. *Tienes cara de enfado,* You look mad.

URBANO. ¿Se puede uno reír?

FERNANDO. Haz lo que te dé la gana.

URBANO. (*Sonriendo.*) Escucha, papanatas. Para subir solo, como dices, tendrías que trabajar todos los días diez horas en la papelería; no podrías faltar nunca, como has hecho hoy . . .

FERNANDO. ¿Cómo lo sabes?

URBANO. ¡Porque lo dice tu cara, simple! Y déjame continuar. No podrías tumbarte a hacer versitos ni a pensar en las musarañas;[38] buscarías trabajos particulares para redondear el presupuesto y te acostarías a las tres de la mañana contento de ahorrar sueño y dinero. Porque tendrías que ahorrar, ahorrar como una urraca; quitándolo de[39] la comida, del vestido, del tabaco . . . Y cuando llevases un montón de años haciendo eso, y ensayando negocios y buscando caminos, acabarías por verte solicitando cualquier miserable empleo para no morirte de hambre . . . No tienes tú madera para esa vida.

FERNANDO. Ya lo veremos. Desde mañana mismo . . .[40]

URBANO. (*Riendo.*) Siempre es desde mañana. ¿Por qué no lo has hecho desde ayer, o desde hace un mes? (*Breve pausa.*) Porque no puedes. Porque eres un soñador. ¡Y un gandul! (*Fernando le mira lívido, conteniéndose, y hace un movimiento para marcharse.*) ¡Espera, hombre! No te enfades. Todo esto te lo digo como un amigo. (*Pausa.*)

FERNANDO. (*Más calmado y levemente despreciativo.*) ¿Sabes lo que te digo? Que el tiempo lo dirá todo. Y que te emplazo.[41] (*Urbano le mira.*) Sí, te emplazo para dentro de . . . diez años, por ejemplo. Veremos para entonces quién ha llegado más lejos; si tú con tu sindicato o yo con mis proyectos.

URBANO. Ya sé que no llegaré muy lejos; y tampoco tú llegarás. Si yo llego, llegaremos todos. Pero lo más fácil es que dentro de diez años sigamos subiendo esta escalera[42] y fumando en este «casinillo.»

FERNANDO. Yo, no. (*Pausa.*) Aunque quizá no sean muchos diez años . . .

URBANO. (*Riendo.*) ¡Vamos! Parece que no estás muy seguro. (*Pausa.*)

FERNANDO. No es eso, Urbano. ¡Es que le tengo miedo al tiempo! Es lo que más me hace sufrir. Ver cómo pasan los días, y los años . . . sin que nada cambie. Ayer mismo éramos tú y yo dos críos que veníamos a fumar aquí, a escondidas, los primeros pitillos . . . ¡Y hace ya diez años! Hemos crecido sin darnos cuenta, subiendo y bajando la escalera, rodeados siempre de los padres, que no nos entienden; de vecinos que murmuran de nosotros y de quienes murmuramos . . . Buscando mil recursos y soportando humillaciones para poder pagar la casa, la luz . . . y las patatas. (*Pausa.*) Y mañana, o dentro de diez años que pueden pasar como un día, como han pasado estos últimos . . . , ¡sería terrible seguir así! Subiendo y bajando la escalera, una escalera que no conduce a ningún sitio; haciendo trampas en el contador, aborreciendo el trabajo . . . , perdiendo día tras día . . . (*Pausa.*) Por eso es preciso cortar por lo sano.[43]

URBANO. ¿Y qué vas a hacer?

FERNANDO. No lo sé. Pero ya haré algo.

URBANO. ¿Y quieres hacerlo solo?

---

38. *pensar en las musarañas,* to be absent-minded

39. *quitándolo de,* giving up, subtracting it from

40. *Desde mañana mismo,* From tomorrow on, I'll begin tomorrow

41. *Y que te emplazo,* literally, and I summon you, i.e., Fernando suggests that they get together in the future to see how each has fared.

42. *sigamos subiendo esta escalera,* we'll still be going up this same stairway

43. *cortar por lo sano,* to use desperate remedies

FERNANDO. Solo.

URBANO. ¿Completamente? (*Pausa.*)

FERNANDO. Claro.

URBANO. Pues te voy a dar un consejo. Aunque no lo creas, siempre necesitamos de los demás. No podrás luchar solo sin cansarte.

FERNANDO. ¿Me vas a volver a hablar del sindicato?

URBANO. No. Quiero decirte que, si verdaderamente vas a luchar, para evitar el desaliento necesitarás . . . (*Se detiene.*)

FERNANDO. ¿Qué?

URBANO. Una mujer.

FERNANDO. Ese no es problema. Ya sabes que . . .

URBANO. Ya sé que eres un buen mozo con muchos éxitos. Y eso te perjudica; eres demasiado buen mozo. Lo que te hace falta es dejar todos esos noviazgos y enamorarte de verdad. (*Pausa.*) Hace tiempo que no hablamos de estas cosas . . . Antes, si a ti o a mí nos gustaba Fulanita, nos lo decíamos en seguida. (*Pausa.*) ¿No hay nada serio ahora?

FERNANDO. (*Reservado.*) Pudiera ser . . .⁴⁴

URBANO. No se tratará de mi hermana, ¿verdad?

FERNANDO. ¿De tu hermana? ¿De cuál?

URBANO. De Trini.

FERNANDO. No, no.

URBANO. Pues de Rosita, ni hablar.⁴⁵

FERNANDO. Ni hablar. (*Pausa.*)

URBANO. Porque la hija de la señora Generosa no creo que te haya llamado la atención . . . (*Pausa. Le mira de reojo, con ansiedad*) ¿O es ella? ¿Es Carmina? (*Pausa.*)

FERNANDO. No.

URBANO. (*Ríe y le palmotea la espalda.*)

¡Está bien, hombre! ¡No busco más! Ya me lo dirás cuando quieras. ¿Otro cigarrillo?

FERNANDO. No. (*Pausa breve.*) Alguien sube. (*Miran hacia el hueco.*)

URBANO. Es mi hermana. (*Aparece Rosa, que es una mujer joven, guapa y provocativa. Al pasar junto a ellos los saluda despectivamente, sin detenerse, y comienza a subir el tramo.*)

ROSA. Hola, chicos.

FERNANDO. Hola, Rosita.

URBANO. ¿Ya has pindongueado bastante?

ROSA. (*Parándose.*) ¡Yo no pindongueo! Y, además, no te importa.

URBANO. ¡Un día de éstos⁴⁶ le voy a romper las muelas a alguien!

ROSA. ¡Qué valiente! Cuídate tú la dentadura por si acaso.⁴⁷ (*Sube. Urbano se queda estupefacto por su descaro. Fernando ríe y le llama a su lado. Antes de llamar Rosa en el III, se abre el I, y sale Pepe. El hermano de Carmina ronda ya los treinta años, y es un granuja achulado y presuntuoso. Ella se vuelve y se contemplan, muy satisfechos. El va a hablar, pero ella le hace señas de que se calle,⁴⁸ y le señala al «casinillo,» donde se encuentran los dos muchachos, ocultos para él. Pepe la invita por señas a bailar para después, y ella asiente sin disimular su alegría. En esta expresiva mímica los sorprende Paca, que abre de improviso.*)

PACA. ¡Bonita representación!⁴⁹ (*Furiosa, zarandea a su hija.*) ¡Adentro, condenada! ¡Ya te daré yo diversiones!⁵⁰ (*Fernando y Urbano se asoman.*)

ROSA. ¡No me empuje! ¡Usted no tiene derecho a maltratarme!

PACA. ¿Que no tengo derecho?

---

44. *Pudiera ser,* Maybe
45. *Pues de Rosita, ni hablar,* It's obviously not Rosita.
46. *¡Un día de estos,* One of these days
47. *Cuídate tú la dentadura por si acaso,* Watch out for your teeth just in case.
48. *pero . . . calle,* but she signals him to be quiet
49. *¡Bonita representación!,* A beautiful performance!
50. *¡Ya te daré yo diversiones!,* I'll give you some entertainment!

ROSA. ¡No, señora! ¡Soy mayor de edad!

PACA. ¿Y quién te mantiene? ¡Golfa, más que golfa![51]

ROSA. ¡No insulte!

PACA. (Metiéndola de un empellón.)[52] ¡Anda para adentro! (A Pepe, que optó desde el principio por bajar un par de peldaños.) ¡Y tú, chulo indecente! ¡Si te vuelvo a ver con mi niña, te abro la cabeza de un sartenazo! ¡Como me llamo Paca![53]

PEPE. Ya será menos.[54]

PACA. ¡Aire! ¡Aire! ¡A escupir a la calle![55] (Cierra con ímpetu.[56] Pepe baja sonriendo con suficiencia. Va a pasar de largo pero Urbano le detiene por la manga.)

URBANO. No tengas prisa.

PEPE. (Volviéndose con saña). ¡Muy bien! ¡Dos contra uno!

FERNANDO. (Presuroso). No, no, Pepe. (Con sonrisa servil.) Yo no intervengo; no es asunto mío.

URBANO. No. Es mío.

PEPE. Bueno, suelta.[57] ¿Qué quieres?

URBANO. (Reprimiendo su ira y sin soltarle.) Decirte nada más que si la tonta de mi hermana no te conoce, yo, sí.[58] Que si ella no quiere creer que has estado viviendo de la Luisa y de la Pili, después de lanzarlas a la vida,[59] yo sé que es cierto. ¡Y que como vuelva[60] a verte con Rosa, te juro por tu madre que te tiro por el hueco de la escalera!

(Lo suelta con violencia.) Puedes largarte. (Le vuelve la espalda.)

PEPE. Será si quiero. ¡Estos mocosos! (Alisándose la manga.) ¡Que no levantan dos palmos del suelo y quieren medirse con hombres![61] Si no mirara . . . (Urbano no le hace caso. Fernando interviene, aplacador.)

FERNANDO. Déjalo, Pepe. No te . . . alteres. Mejor será que te marches.

PEPE. Sí. Mejor será. (Inicia la marcha y se vuelve.) El mocoso indecente, que cree que me va a. meter miedo a mí . . .[62] (Baja protestando.) Un día me voy a liar a mamporros[63] y le demostraré lo que es un hombre . . .

FERNANDO. No sé por qué te gusta tanto chillar y amenazar.

URBANO. (Seco.) Eso va en gustos.[64] Tampoco me agrada a mí que te muestres tan amable con un sinvergüenza como ése.

FERNANDO. Prefiero eso a lanzar amenazas que luego no se cumplen.

URBANO. ¿Que no se cumplen?

FERNANDO. ¡Qué van a cumplirse![65] Cualquier día tiras tú a nadie[66] por el hueco de la escalera. ¿Todavía no te has dado cuenta de que eres un ser inofensivo? (Pausa.)

URBANO. ¡No sé cómo nos las arreglamos tú y yo[67] para discutir siempre! Me voy a comer. Abur.

FERNANDO. (Contento por su pequeña

---

51. ¡Golfa, más que golfa!, Tramp, the biggest tramp that ever lived!

52. metiéndola de un empellón, shoving her inside

53. ¡Como me llamo Paca!, As sure as my name is Paca

54. Ya será menos, Your bark is worse than your bite.

55. ¡Aire . . . calle!, Get out, get out! The sight of you makes me sick.

56. Cierra con ímpetu, She slams the door shut.

57. suelta, let go of me

58. Yo sí, I do

59. has . . . vida, you've been living off Luisa and Pili after having started them on a life of prostitution

60. como = cuando

61. ¡Qué . . . hombres!, They're less than two feet tall and want to act as if they were full-grown men. A palmo (span) is about nine inches in length.

62. me . . . a mí, he's going to instill fear in me

63. me . . . mamporros, I'll really beat him up

64. Eso va en gustos, That's a matter of taste

65. ¡Qué van a cumplirse!, How can they be carried out?

66. Cualquier . . . nadie, You'll never throw anybody

67. nos las arreglamos tú y yo, you and I manage

revancha.) ¡Hasta luego, sindicalista! (*Urbano sube y llama en el III. Paca abre.*)

PACA. Hola, hijo. ¿Traes hambre?[68]

URBANO. ¡Más que un lobo! (*Entra y cierra. Fernando se recuesta en la barandilla y mira por el hueco. Con un repentino gesto de desagrado, se retira al «casinillo» y mira por la ventana, fingiendo distracción. Pausa. Don Manuel y Elvira suben. Ella aprieta el brazo de su padre en cuanto ve a Fernando. Se detienen un momento; luego continúan.*)

DON MANUEL. (*Mirando socarronamente a Elvira, que está muy turbada.*) Adiós, Fernandito.

FERNANDO. (*Se vuelve con desgana. Sin mirar a Elvira.*) Buenos días.

DON MANUEL. ¿De vuelta del trabajo?[69]

FERNANDO. (*Vacilante.*) Sí, señor.

DON MANUEL. Está bien, hombre. (*Intenta seguir. Pero Elvira lo retiene tenazmente, indicándole que hable ahora a Fernando. A regañadientes, termina el padre por acceder.*) Un día de éstos tengo que decirle unas cosillas.

FERNANDO. Cuando usted disponga.[70]

DON MANUEL. Bien, bien. No hay prisa; ya le avisaré. Hasta luego. Recuerdos a su madre.

FERNANDO. Muchas gracias. Ustedes sigan bien. (*Suben. Elvira se vuelve con frecuencia para mirarle. Él está de espaldas.[71] Don Manuel abre el II con su llave y entran. Fernando hace un mal gesto y se apoya en el pasamanos. Pausa. Generosa sube. Fernando la saluda muy sonriente.*)

FERNANDO. Buenos días.

GENEROSA. Hola, hijo. ¿Quieres comer?

FERNANDO. Gracias, que aproveche.[72] ¿Y el señor Gregorio?

GENEROSA. Muy disgustado, hijo. Como le retiran por la edad . . . Y es lo que él dice: ¿De qué sirve que un hombre se deje los huesos[73] conduciendo un tranvía durante cincuenta años, si luego le ponen en la calle? Y si le dieran un buen retiro . . . Pero es una miseria, hijo, una miseria. ¡Y a mi Pepe no hay quien lo encarrile! (*Pausa.*) ¡Qué vida! No sé cómo vamos a salir adelante.[74]

FERNANDO. Lleva usted razón. Menos mal que[75] Carmina . . .

GENEROSA. Carmina es nuestra única alegría. Es buena, trabajadora, limpia . . . Si mi Pepe fuese como ella . . .

FERNANDO. No me haga mucho caso, pero creo que Carmina la buscaba antes.

GENEROSA. Sí. Es que se me había olvidado la cacharra de la leche. Ya la he visto. Ahora sube ella. Hasta luego, hijo.

FERNANDO. Hasta luego. (*Generosa sube, abre su puerta y entra. Pausa. Elvira sale sin hacer ruido al descansillo, dejando su puerta entornada. Se apoya en la barandilla. El finge no verla. Ella le llama por encima del hueco.*)

ELVIRA. Fernando . . .

FERNANDO. ¡Hola!

ELVIRA. ¿Podrías acompañarme hoy a comprar un libro? Tengo que hacer un regalo y he pensado que tú me ayudarías muy bien a escoger.

FERNANDO. No sé si podré. (*Pausa.*)

ELVIRA. Procúralo, por favor. Sin ti no sabré hacerlo. Y tengo que darlo mañana.

---

68. *¿Traes hambre?*, Are you hungry?
69. *¿De vuelta del trabajo?*, Back from work?
70. *Cuando usted disponga*, Whenever you're ready.
71. *Él está de espaldas*, He has his back turned.
72. *que aproveche*, enjoy your meal
73. *¿De . . . huesos*, What good does it do for a man to weary his bones
74. *salir adelante*, to carry on
75. *Menos mal que*, It's a good thing that

FERNANDO. A pesar de eso, no puedo prometerte nada. (*Ella hace un gesto de contrariedad.*) Mejor dicho: casi seguro que no podrás contar conmigo. (*Sigue mirando por el hueco.*)

ELVIRA. (*Molesta y sonriente.*) ¡Qué caro te cotizas![76] (*Pausa.*) Mírame un poco, por lo menos. No creo que cueste mucho trabajo mirarme . . . (*Pausa.*) ¿Eh?

FERNANDO (*Levantando la vista.*) ¿Qué?

ELVIRA. Pero ¿no me escuchabas? ¿O es que no quieres enterarte de lo que te digo?

FENANDO. (*Volviéndole la espalda.*) Déjame en paz.

ELVIRA. (*Resentida.*) ¡Ah! ¡Qué poco te cuesta humillar a los demás! ¡Es muy fácil . . . y muy cruel humillar a los demás! Te aprovechas de que te estiman demasiado para devolverte la humillación . . ., pero podría hacerse . . ..

FERNANDO. (*Volviéndose, furioso.*) ¡Explica eso!

ELVIRA. Es muy fácil presumir y despreciar a quien nos quiere, a quien está dispuesto a ayudarnos . . . a quien nos ayuda ya . . . Es muy fácil olvidar esas ayudas . . .

FERNANDO. (*Iracundo.*) ¿Cómo te atreves a echarme en cara tu propia ordinariez?[77] No puedo sufrirte! ¡Vete!

ELVIRA. (*Arrepentida.*) ¡Fernando, perdóname, por Dios! Es que . . .

FERNANDO. ¡Vete! ¡No puedo soportarte! No puedo resistir vuestros favores ni vuestra estupidez. ¡Vete! (*Ella ha ido retrocediendo muy afectada. Se entra, llorosa y sin poder reprimir apenas sus nervios. Fernando, muy alterado tam-*)

bién, saca un cigarrillo. Al tiempo de tirar la cerilla:) ¡Qué vergüenza! (*Se vuelve al «casinillo.» Pausa. Paca sale de su casa y llama en el I. Generosa abre.*)

PACA. A ver si me podía usted dar un poco de sal.

GENEROSA. ¿De mesa o de la gorda?[78]

PACA. De la gorda. Es para el guisado. (*Generosa se mete. Paca, alzando la voz.*) Un puñadito nada más . . . (*Generosa vuelve con un papelillo.*) Gracias, mujer.

GENEROSA. De nada.

PACA. ¿Cuánta luz ha pagado este mes?

GENEROSA. Dos sesenta. ¡Un disparate! Y eso que[79] procuro encender lo menos posible . . . Pero nunca consigo quedarme en las dos pesetas.

PACA. No se queje. Yo he pagado cuatro diez.

GENEROSA. Ustedes tienen una habitación más y son más que nosotros.

PACA. ¡Y qué![80] Mi alcoba no la enciendo nunca. Juan y yo nos acostamos a oscuras. A nuestra edad, para lo que hay que ver . . .[81]

GENEROSA. ¡Jesús!

PACA. ¿He dicho algo malo?

GENEROSA. (*Riendo débilmente.*) No, mujer; pero . . . ¡qué boca, Paca!

PACA. ¿Y para qué sirve la boca, digo yo? Pues para usarla.

GENEROSA. Para usarla bien, mujer.

PACA. No he insultado a nadie.

GENEROSA. Aun así . . .

PACA. Mire, Generosa: usted tiene muy poco arranque. ¡Eso es! No se atreve ni a murmurar.

GENEROSA. ¡El Señor me perdone! Aún murmuro demasiado.

---

76. *¡Qué caro te cotizas!*, You think you're so great!; you're so standoffish!
77. *¿Cómo . . . ordinariez?*, How dare you show off your coarseness in front of me?
78. *¿De mesa o de la gorda?*, Table or coarse salt?
79. *Y eso que*, And that despite the fact that
80. *¡Y qué!*, So what does that mean?
81. *para lo que hay que ver*, what's there to see?

PACA. ¡Si es la sal de la vida![82] (Con misterio.) A propósito: ¿sabe usted que don Manuel le ha pagado la luz a doña Asunción? (Fernando, con creciente expresión de disgusto, no pierde palabra.)

GENEROSA. Ya me lo ha dicho Trini.

PACA. ¡Vaya con Trini![83] ¡Ya podía haberse tragado la lengua![84] (Cambiando el tono.) Y, para mí, que fue Elvirita quien se lo pidió a su padre.

GENEROSA. No es la primera vez que les hacen favores de ésos.

PACA. Pero quien lo provocó, en realidad, fue doña Asunción.

GENEROSA. ¿Ella?

PACA. ¡Pues claro! (Imitando la voz). «Lo siento, cobrador, no puedo ahora. ¡Buenos días, don Manuel! ¡Dios mío, cobrador, si no puedo! ¡Hola, Elvirita, qué guapa estás!» ¡A ver si no lo estaba pidiendo descaradamente!

GENEROSA. Es usted muy mal pensada.

PACA. ¿Mal pensada? ¡Si yo no lo censuro! ¿Qué va a hacer una mujer como ésa, con setenta y cinco pesetas de pensión y un hijo que no da golpe?[85]

GENEROSA. Fernando trabaja.

PACA. ¿Y qué gana? ¡Una miseria! Entre el carbón, la comida y la casa se les va todo.[86] Además, que le descuentan muchos días de sueldo. Y puede que lo echen de la papelería.

GENEROSA. ¡Pobre chico! ¿Por qué?

PACA. Porque no va nunca. Para mí que ése lo que busca es pescar a Elvirita . . . y los cuartos de su padre.

GENEROSA. ¿No será al revés?

PACA. ¡Qué va![87] Es que ese niño sabe mucha táctica, y se hace querer.[88]

¡Cómo es tan guapo! Porque lo es; eso no hay que negárselo.[89]

GENEROSA. (Se asoma al hueco de la escalera y vuelve.) Y Carmina sin venir . . . Oiga, Paca: ¿es verdad que don Manuel tiene dinero?

PACA. Mujer, ya sabe usted que era oficinista. Pero con la agencia esa que ha montado, se está forrando el riñón.[90] Como tiene tantas relaciones y sabe tanta triquiñuela . . .

GENEROSA. ¿Y una agencia, qué es?

PACA. Un sacaperras. Para sacar permisos, certificados . . . ¡Negocios! Bueno, y me voy, que se hace tarde. (Inicia la marcha y se detiene.) ¿Y el señor Gregorio cómo va?

GENEROSA. Muy disgustado, el pobre. Como lo retiran por la edad . . . Y es lo que él dice: «¿De qué sirve que un hombre se deje los huesos durante cincuenta años conduciendo un tranvía, si luego le ponen en la calle?» Y el retiro es una miseria, Paca. Ya lo sabe usted. ¡Qué vida, Dios mío! No sé cómo vamos a salir adelante. Y mi Pepe, que no ayuda nada . . .

PACA. Su Pepe es un granuja. Perdone que se lo diga, pero usted ya lo sabe. Ya le he dicho antes que no quiero volver a verle con mi Rosa.

GENEROSA. (Humillada.) Lleva usted razón. ¡Pobre hijo mío!

PACA. ¿Pobre? Como Rosita. Otra que tal.[91] A mí no me duelen prendas.[92] ¡Pobres de nosotras, Generosa, pobres de nosotras! ¿Qué hemos hecho para este castigo? ¿Lo sabe usted?

GENEROSA. Como no sea[93] sufrir por ellos . . .

---

82. ¡Si es la sal de la vida!, Why that's the spice of life.

83. ¡Vaya con Trini!, Darn Trini

84. ¡Ya podía haberse tragado la lengua!, She should have swallowed her tongue!

85. que no da golpe, who doesn't lift a finger

86. se les va todo, it [the money] is all gone

87. ¡Qué va!, Certainly not

88. se hace querer, he makes everybody like him

89. eso no hay que negárselo, you can't take that away from him

90. se está forrando el riñón, he's lining his pockets; riñón means "kidney."

91. Otra que tal, She's as bad as he is.

92. A mí no me duelen prendas, I won't fool myself and defend her just because she's my daughter.

93. Como no sea, (Nothing) except to

PACA. Eso. Sufrir y nada más. ¡Qué asco de vida![94] Hasta luego, Generosa. Y gracias.

GENEROSA. Hasta luego. (*Ambas se meten y cierran. Fernando, abrumado, llega a recostarse en la barandilla. Pausa. Repentinamente se endereza y espera, de cara al público. Carmina sube con la cacharra. Sus miradas se cruzan. Ella intenta pasar, con los ojos bajos Fernando la detiene por un brazo.*)

FERNANDO. Carmina.

CARMINA. Déjeme . . .

FERNANDO. No, Carmina. Me huyes constantemente, y esta vez tienes que escucharme.

CARMINA. Por favor, Fernando . . . ¡Suélteme!

FERNANDO. Cuando éramos chicos nos tuteábamos . . . ¿Por qué no me tuteas ahora? (*Pausa.*) ¿Ya no te acuerdas de aquel tiempo? Yo era tu novio y tú eras mi novia . . . Mi novia . . . Y nos sentábamos aquí (*Señalando a los peldaños*), en ese escalón, cansados de jugar . . . , a seguir jugando a los novios.

CARMINA. Cállese.

FERNANDO. Entonces me tuteabas y . . . me querías.

CARMINA. Era una niña . . . Ya no me acuerdo.

FERNANDO. Eras una mujercita preciosa. Y sigues siéndolo. Y no puedes haber olvidado. ¡Yo no he olvidado! Carmina, aquel tiempo es el único recuerdo maravilloso que conservo en medio de la sordidez en que vivimos. Y quería decirte . . . que siempre . . . has sido para mí lo que eras antes.

CARMINA. ¡No te burles de mí!

FERNANDO. ¡Te lo juro!

CARMINA. ¿Y todas . . . esas con quien has paseado y . . . que has besado?

FERNANDO. Tienes razón. Comprendo que no me creas. Pero un hombre . . .

Es muy difícil de explicar. A ti, precisamente, no podía hablarte . . . , ni besarte . . . ¡Porque te quería, te quería y te quiero!

CARMINA. No puedo creerte. (*Intenta marcharse.*)

FERNANDO. No, no. Te lo suplico. No te marches. Es preciso que me oigas . . . y que me creas. Ven. (*La lleva al primer peldaño.*) Como entonces. (*Con un ligero forcejeo la obliga a sentarse contra la pared y se sienta a su lado. Le quita la lechera y la deja junto a él. Le coge una mano.*)

CARMINA. ¡Si nos ven!

FERNANDO. ¡Qué nos importa! Carmina, por favor, créeme. No puedo vivir sin ti. Estoy desesperado. Me ahoga la sordidez que nos rodea. Necesito que me quieras y que me consueles. Si no me ayudas, no podré salir adelante.

CARMINA. ¿Por qué no se lo pides a Elvira? (*Pausa. El la mira, excitado y alegre.*)

FERNANDO. ¡Me quieres! ¡Lo sabía! ¡Tenías que quererme! (*Le levanta la cabeza. Ella sonríe involuntariamente.*) ¡Carmina, mi Carmina! (*Va a besarla, pero ella le detiene.*)

CARMINA. ¿Y Elvira?

FERNANDO. ¡La detesto! Quiere cazarme con su dinero. ¡No la puedo ver![95]

CARMINA. (*Con una risita.*) ¡Yo tampoco! (*Ríen, felices.*)

FERNANDO. Ahora tendría que preguntarte yo: ¿Y Urbano?

CARMINA. ¡Es un buen chico! ¡Yo estoy loca por él! (*Fernando se enfurruña.*) ¡Tonto!

FERNANDO. (*Abrazándola por el talle.*) Carmina, desde mañana voy a trabajar de firme por ti. Quiero salir de esta pobreza, de este sucio ambiente. Salir y sacarte a ti. Dejar para siempre los chismorreos, las broncas entre vecinas . . . Acabar con la angustia del dinero

---

94. *¡Qué asco de vida!,* What a disgusting life!

95. *¡No la puedo ver!,* I can't stand the sight of her!

escaso, de los favores que abochornan como una bofetada, de los padres que nos abruman con su torpeza y su cariño servil, irracional.

CARMINA. (*Reprensiva.*) ¡Fernando!

FERNANDO Sí. Acabar con todo esto. ¡Ayúdame tú! Escucha: voy a estudiar mucho, ¿sabes? Mucho. Primero me haré delineante. ¡Eso es fácil! En un año . . . Como para entonces ya ganaré bastante, estudiaré para aparejador. Tres años. ¡Dentro de cuatro años seré un aparejador solicitado por todos los arquitectos! Ganaré mucho dinero. Por entonces[96] tú serás ya mi mujercita, y viviremos en otro barrio, en un pisito limpio y tranquilo. Yo

seguiré estudiando. ¿Quién sabe? Puede que para entonces me haga ingeniero. Y como una cosa no es incompatible con la otra, publicaré un libro de poesías, un libro que tendrá mucho éxito . . .

CARMINA. (*Que le ha escuchado extasiada.*) ¡Qué felices seremos!

FERNANDO. ¡Carmina! (*Se inclina para besarla, y da un golpe con el pie a la lechera, que se derrama estrepitosamente. Temblorosos, se levantan los dos y miran asombrados la gran mancha blanca en el suelo.*)

T E L Ó N

96. *Por entonces,* By that time

ACTO SEGUNDO

Han transcurrido diez años que no se notan en nada: la escalera sigue sucia y pobre, las puertas sin timbre, los cristales de la ventana sin lavar.

Al comenzar el acto, se encuentran en escena GENEROSA, CARMINA, PACA, TRINI *y el* SEÑOR JUAN. *Este es un viejo alto y escuálido, de aire quijotesco,[1] que cultiva unos anacrónicos bigotes lacios. El tiempo transcurrido se advierte en los demás:* PACA *y* GENEROSA *han encanecido mucho.* TRINI *es ya una mujer madura, aunque airosa.* CARMINA *conserva todavía su belleza: una belleza que empieza a marchitarse. Todos siguen pobremente vestidos, aunque con trajes más modernos. Las puertas I y III están abiertas de par en par. Las II y IV, cerradas.*

Todos los presentes se encuentran apoyados en el pasamanos, mirando por el hueco. GENEROSA *y* CARMINA *están llorando; la hija rodea con un brazo la espalda de su madre. A poco,* GENEROSA *baja el tramo y sigue mirando desde el primer rellano.* CARMINA *la sigue después.*

CARMINA. Ande, madre . . . (*Generosa la aparta sin dejar de mirar a través de sus lágrimas.*) Ande . . . (*Ella mira también. Sollozan de nuevo y se*

abrazan a medias sin dejar de mirar.)

GENEROSA. Ya llegan al portal . . . (*Pausa.*) Casi no se le ve . . .[2]

SEÑOR JUAN. (*Arriba, a su mujer.*) ¡Cómo

1. *de aire quijotesco,* quixotic in appearance; Don Quijote was tall, thin, and fiftyish.

2. *Casi no se le ve,* You can hardly see him

sudaban! Se conoce que pesa mucho.[3] *(Paca le hace señas de que calle.)*

GENEROSA. *(Abrazada a su hija.)* Solas, hija mía. ¡Solas! *(Pausa. De pronto se desase y sube lo más aprisa que pueda la escalera. Carmina la sigue. Al tiempo que suben:)* Déjeme mirar por su balcón, Paca. ¡Déjeme mirar!

PACA. Sí, mujer. *(Generosa entra presurosa en el III. Tras ella, Carmina y Paca.)*

TRINI. *(A su padre, que se recuesta en la barandilla, pensativo.)* ¿No entra, padre?

SEÑOR JUAN. No, hija. ¿Para qué? Ya he visto arrancar muchos coches fúnebres en esta vida. *(Pausa.)* ¿Te acuerdas del de doña Asunción? Fue un entierro de primera,[4] con caja de terciopelo . . .

TRINI. Dicen que lo pagó don Manuel.

SEÑOR JUAN. Es muy posible. Aunque el entierro de don Manuel fue menos lujoso.

TRINI. Es que ése lo pagaron los hijos.

SEÑOR JUAN. Claro . . . *(Pausa.)* Y ahora, Gregorio. No sé cómo ha podido durar estos diez años. Desde la jubilación no levantó cabeza.[5] *(Pausa.)* ¡A todos nos llegará la hora!

TRINI. *(Juntándosele.)*[6] ¡Padre, no diga eso!

SEÑOR JUAN. ¡Si es la verdad, hija! Y quizá muy pronto.

TRINI. No piense en esas cosas. Usted está muy bien todavía . . .

SEÑOR JUAN. No lo creas. Eso es por fuera. Por dentro . . . me duelen muchas cosas. *(Se acerca, como al descuido, a la puerta IV. Mira a Trini. Señala tímidamente a la puerta.)* Esto. Esto me matará.

TRINI. *(Acercándose.)* No, padre, Rosita es buena . . .

SEÑOR JUAN. *(Separándose de nuevo y con triste sonrisa.)* ¡Buena! *(Se asoma a su casa. Suspira. Pasa junto al II y escucha un momento.)* Éstos no han chistado.

TRINI. No. *(El padre se detiene después ante la puerta I. Apoya las manos en el marco y mira al interior, vacío.)*

SEÑOR JUAN. ¡Ya no jugaremos más a las cartas, viejo amigo!

TRINI. *(Que se aproxima, entristecida, y tira de él.)* Vamos adentro, padre.

SEÑOR JUAN. Se quedan con el día y la noche . . .[7] Con el día y la noche. *(Mirando al I.)* Con un hijo que es un bandido . . .

TRINI. Padre, deje eso. *(Pausa.)*

SEÑOR JUAN. Ya nos llegará a todos. *(Ella mueve la cabeza, desaprobando. Generosa, rendida, sale del III llevando a los lados a Paca y a Carmina.)*

PACA. ¡Ea! No hay que llorar más. Ahora, a vivir.[8] A salir adelante.

GENEROSA. No tengo fuerzas . . .

PACA. ¡Pues se inventan! No faltaba más.

GENEROSA. ¡Era tan bueno mi Gregorio!

PACA. Todos nos tenemos que morir. Es ley de vida.

GENEROSA. Mi Gregorio . . .

PACA. Hala. Ahora barremos entre las dos la casa. Y mi Trini irá luego por la compra y hará la comida. ¿Me oyes, Trini?

TRINI. Sí, madre.

GENEROSA. Yo me moriré pronto también.

CARMINA. ¡Madre!

PACA. ¿Quién piensa en morir?

GENEROSA. Sólo quisiera dejar a esta hija . . . con un hombre de bien . . . , antes de morirme.

PACA. ¡Mejor sin morirse! . . .

GENEROSA. ¡Para qué! . . .

---

3. *Se conoce que pesa mucho*, it is obvious that he weighs a lot
4. Supply *clase*
5. *no levantó cabeza*, he didn't keep his head up, he couldn't face life

6. *juntándosele*, getting close to him
7. *Se . . . noche*, They [the women] are left alone and unprotected
8. *Ahora a vivir*, Now, let's go on living.

PACA. ¡Para tener nietos, alma mía! ¿No le gustaría tener nietos? (*Pausa.*)

GENEROSA. ¡Mi Gregorio! . . .

PACA. Bueno. Se acabó.[9] Vamos adentro. ¿Pasas,[10] Juan?

SEÑOR JUAN. Luego entraré un ratito. ¡Lo dicho,[11] Generosa! ¡Y a tener ánimo![12] (*La abraza.*)

GENEROSA. Gracias . . . (*El Señor Juan y Trini entran en su casa y cierran. Generosa, Paca y Carmina se dirigen al I.*)

GENEROSA. (*Antes de entrar.*) ¿Qué va a ser de nosotros, Dios mío? ¿Y de esta niña? ¡Ay, Paca! ¿Qué va a ser de mi Carmina?

CARMINA. No se apure, madre.

PACA. Claro que no. Ya saldremos todos adelante. Nunca os faltarán buenos amigos.

GENEROSA. Todos son muy buenos.

PACA. ¡Qué buenos ni qué . . . peinetas! . . .[13] ¡Me dan ganas de darle azotes como a un crío! (*Se meten. La escalera queda sola. Pausa. Se abre el II cautelosamente y aparece Fernando. Los años han dado a su aspecto un tinte vulgar. Espía el descansillo y sale después diciendo hacia adentro:*)

FERNANDO. Puedes salir. No hay nadie. (*Entonces sale Elvira, con un niño de pecho[14] en los brazos. Fernando y Elvira visten con modestia. Ella se mantiene hermosa, pero su cara no guarda nada de la antigua vivacidad.*)

ELVIRA. ¿En qué quedamos?[15] Esto es vergonzoso. ¿Les damos o no les damos el pésame?[16]

FERNANDO. Ahora no. En la calle lo decidiremos.

ELVIRA. ¡Lo decidiremos! Tendré que decidir yo, como siempre. Cuando tú te pones a decidir, nunca hacemos nada. (*Fernando calla, con la expresión hosca. Inician la bajada.*) ¡Decidir! ¿Cuándo vas a decidirte a ganar más dinero? Ya ves que así no podemos vivir. (*Pausa.*) ¡Claro, el señor contaba con el suegro! Pues el suegro se acabó, hijo. Y no se te acaba la mujer,[17] no sé por qué.

FERNANDO. ¡Elvira!

ELVIRA. ¡Sí, enfádate porque te dicen las verdades! Eso sabrás hacer: enfadarte y nada más. Tú ibas a ser aparejador, ingeniero, y hasta diputado. ¡Je! Ese era el cuento que colocabas a todas. ¡Tonta de mí, que también te hice caso! Si hubiera sabido lo que me llevaba . . . Si hubiera sabido que no eras más que un niño mimado . . . La idiota de tu madre no supo hacer otra cosa que eso: mimarte.

FERNANDO. (*Deteniéndose.*) ¡Elvira, no te consiento que hables así de mi madre! ¿Me entiendes?

ELVIRA. (*Con ira.*) ¡Tú me has enseñado! ¡Tú eras el que hablabas mal de ella!

FERNANDO. (*Entre dientes.*) Siempre has sido una niña caprichosa y sin educación.

ELVIRA. ¿Caprichosa? ¡Sólo tuve un capricho! ¡Uno solo! Y . . . (*Fernando la tira del vestido para avisarla de la presencia de Pepe, que sube. El aspecto de Pepe denota que lucha victoriosamente contra los años para mantener su prestancia.*)

PEPE. (*Al pasar.*) Buenos días.

FERNANDO. Buenos días.

ELVIRA. Buenos días. (*Bajan. Pepe mira hacia el hueco con placer. Después sube, monologando.*)

PEPE. Se conserva, se conserva la mo-

---

9. *Se acabó*, It's over.
10. Are you coming in
11. *¡Lo dicho!*, You know you have my deepest sympathy.
12. *¡Y a tener ánimo!*, And keep up your courage!
13. *¡Qué buenos ni qué . . . peinetas!*, Good . . . like hell!
14. *niño de pecho*, young baby
15. *¿En qué quedamos?*, What shall we do?
16. *¿Les . . . pésame?*, Shall we or shall we not extend our condolences?
17. *Y . . . mujer*, And your wife doesn't die

cita.[18] (*Se dirige al IV, pero luego mira al I, su antigua casa, y se acerca. Tras un segundo de vacilación ante la puerta, vuelve decididamente al IV y llama. Le abre Rosa, que ha adelgazado y empalidecido.*)

ROSA. (*Con acritud.*) ¿A qué vienes?

PEPE. A comer, princesa.

ROSA. A comer, ¿eh? Toda la noche emborrachándote con mujeres, y a la hora de comer, a casita,[19] a ver lo que Rosa ha podido apañar por ahí.

PEPE. No te enfades, gatita.

ROSA. ¡Sinvergüenza! ¡Perdido! ¿Y el dinero? ¿Y el dinero para comer? ¿Tú crees que se puede poner el puchero sin tener cuartos?

PEPE. Mira, niña, ya me estás cansando. Ya te he dicho que la obligación de traer dinero a casa es tan tuya como mía.

ROSA. ¿Y te atreves? . . .

PEPE. Déjate de romanticismos.[20] Si me vienes con pegas y con líos, me marcharé. Ya lo sabes. (*Ella se echa a llorar y le cierra la puerta. El se queda, divertidamente perplejo, frente a ésta. Trini sale del III con un capacho. Pepe se vuelve.*) Hola, Trini.

TRINI. (*Sin dejar de andar.*) Hola.

PEPE. Estás cada día más guapa . . . Mejoras con los años, como el vino.

TRINI. (*Volviéndose de pronto.*) Si te has creído que soy tan tonta como Rosa, te equivocas.

PEPE. No te pongas así, pichón.

TRINI. ¿No te da vergüenza haber estado haciendo el golfo mientras tu padre se moría? ¿No te has dado cuenta de que tu madre y tu hermana están ahí (*Señala al I.*), llorando todavía porque hoy le dan tierra?[21] Y ahora ¿qué van a hacer? Matarse a coser,[22] ¿verdad? (*El se encoge de hombros.*) A ti no te importa nada. ¡Puah! Me das asco.

PEPE. Siempre estáis pensando en el dinero. ¡Las mujeres no sabéis más que pedir dinero!

TRINI. Y tú no sabes más que sacárselo a las mujeres. ¡Porque eres un chulo despreciable!

PEPE. (*Sonriendo.*) Bueno, pichón, no te enfades. ¡Cómo te pones por un piropo![23] (*Urbano, que viene con su ropita de paseo,[24] se ha parado al escuchar las últimas palabras y sube rabioso mientras va diciendo:*)

URBANO. ¡Ese piropo y otros muchos te los vas a tragar ahora mismo! (*Llega a él y le agarra por las solapas, zarandeándole.*) ¡No quiero verte molestar a Trini! ¿Me oyes?

PEPE. Urbano, que no es para tanto . . .[25]

URBANO. ¡Canalla! ¿Qué quieres? ¿Perderla a ella también? ¡Granuja! (*Le inclina sobre la barandilla.*) ¡Que no has valido ni[26] para venir a presidir el duelo de tu padre! ¡Un día te tiro! ¡Te tiro! (*Sale Rosa desolada del IV para interponerse. Intenta separarlos y golpea a Urbano para que suelte.*)

ROSA. ¡¡Déjale!! ¡Tú no tienes que pegarle!

TRINI. (*Con mansedumbre.*) Urbano tiene razón . . . Que no se meta conmigo.[27]

ROSA. ¡Cállate tú, mosquita muerta![28]

TRINI. (*Dolida.*) ¡Rosa!

---

18. *Se conserva la mocita,* The young lady still looks good.
19. *a casita,* back to your little nest
20. *Déjate de romanticismos,* Forget your romantic notions
21. *hoy le dan tierra,* they are burying him today
22. *Matarse a coser,* Kill themselves sewing?
23. *¡Cómo te pones por un piropo!,* Look how you get just because of a compliment
24. *ropita de paseo,* dressy clothes
25. *que no es para tanto,* it isn't so serious
26. *No has valido ni,* You haven't even been decent enough
27. *Que no se meta conmigo,* He shouldn't bother me.
28. *mosquita muerta,* hypocrite, spineless creature

ROSA. (*A Urbano.*) ¡Déjale, te digo!

URBANO. (*Sin soltar a Pepe.*) ¡Todavía le defiendes, imbécil!

PEPE. ¡Sin insultar!

URBANO. (*Sin hacerle caso.*) Venir a perderte por un guiñapo como éste . . . Por un golfo . . . Un cobarde.

PEPE. Urbano, esas palabras . . .

URBANO. ¡Cállate!

ROSA. ¿Y a ti qué te importa? ¿Me meto yo en tus asuntos? ¿Me meto en si rondas a Fulanita o te soplan a Menganita?[29] Más vale cargar con[30] Pepe que querer cargar con quien no quiere nadie . . .

URBANO. ¡Rosa! (*Se abre el III y sale el Señor Juan, enloquecido.*)

SEÑOR JUAN. ¡Callad! ¡Callad ya! ¡Me vais a matar! Sí, me moriré. ¡Me moriré como Gregorio!

TRINI. (*Se abalanza a él gritando.*) ¡Padre, no!

SEÑOR JUAN. (*Apartándola.*) ¡Déjame! (*A Pepe.*) ¿Por qué no te la llevaste a otra casa? ¡Teníais que quedaros aquí para acabar de amargarnos la vida!

TRINI. ¡Calle, padre!

SEÑOR JUAN. Sí. Mejor es callar. (*A Urbano.*) Y tú: suelta ese trapo.

URBANO. (*Lanzando a Pepe sobre Rosa.*) Anda. Carga con él.[31] (*Paca sale del I y cierra.*)

PACA. ¿Qué bronca es ésta? ¿No sabéis que ha habido un muerto aquí? ¡Brutos!

URBANO. Madre tiene razón. No tenemos ningún respeto por el duelo de esas pobres.

PACA. ¡Claro que tengo razón! (*A Trini.*) ¿Qué haces aquí todavía? ¡Anda a la compra! (*Trini agacha la cabeza y baja la escalera. Paca interpela a su*

marido.) ¿Y tú qué tienes que ver ni mezclarte con esta basura? (*Por Pepe y Rosa. Esta, al sentirse aludida por su madre, entra en el IV y cierra de golpe.*) ¡Vamos adentro! (*Lleva al Señor Juan a su puerta. Desde allí, a Urbano.*) ¿Se acabó ya el entierro?

URBANO. Sí, madre.

PACA. ¿Pues por qué no vas a decirlo?

URBANO. Ahora mismo. (*Pepe empieza a bajar componiéndose el traje. Paca y el Señor Juan se meten y cierran.*)

PEPE. (*Ya en el primer rellano, mirando a Urbano de reojo.*) ¡Llamarme cobarde a mí, cuando si no me enredo a golpes[32] es por el asco que me dan! ¡Cobarde a mí! (*Pausa.*) ¡Peste de vecinos![33] Ni tienen educación, ni saben tratar a la gente, ni . . . (*Se va murmurando. Pausa. Urbano se encamina hacia el I. Antes de llegar, abre Carmina, que lleva un capacho en la mano. Cierra y se enfrentan. Un silencio.*)

CARMINA. ¿Terminó el . . . ?

URBANO. Sí.

CARMINA. (*Enjugándose una lágrima.*) Muchas gracias, Urbano. Has sido muy bueno con nosotras.

URBANO. (*Balbuciente.*) No tiene importancia. Ya sabes que yo . . . , que nosotros . . . , estamos dispuestos . . .

CARMINA. Gracias. Lo sé. (*Pausa. Baja la escalera con él a su lado.*)

URBANO. ¿Vas . . . , vas a la compra?

CARMINA. Sí.

URBANO. Déjalo. Luego irá Trini. No os molestéis vosotras por nada.

CARMINA. Iba a ir ella, pero se le habrá olvidado.[34] (*Pausa.*) . . . .

URBANO. (*Parándose.*) Carmina . . .

CARMINA. ¿Qué?

---

29. *o te soplan a Menganita,* or (if) they swipe Miss So-and-so from you

30. *cargar con,* to be burdened with

31. *Carga con él.* Take him away with you.

32. *si . . . golpes,* if I don't get involved in fisticuffs

33. *¡Peste de vecinos!,* These neighbors are awful!

34. *pero se le habrá olvidado,* but she must have forgotten

URBANO. ¿Puedo preguntarte . . . qué vais a hacer ahora?

CARMINA. No lo sé . . . Coseremos.

URBANO. ¿Podréis salir adelante?

CARMINA. No lo sé.

URBANO. La pensión de tu padre no era mucho, pero sin ella . . .

CARMINA. Calla, por favor.

URBANO. Dispensa . . . He hecho mal en recordártelo.

CARMINA. No es eso. (*Intenta seguir.*)

URBANO. (*Interponiéndose.*) Carmina, yo . . .

CARMINA. (*Atajándole rápida.*) Tú eres muy bueno. Muy bueno. Has hecho todo lo posible por nosotras. Te lo agradezco mucho.

URBANO. Eso no es nada. Aún quisiera hacer mucho más.

CARMINA. Ya habéis hecho bastante. Gracias de todos modos. (*Se dispone a seguir.*)

URBANO. ¡Espera, por favor! (*Llevándola al «casinillo.»*) Carmina, yo . . . yo te quiero. (*Ella sonríe tristemente.*) Te quiero hace muchos años, tú lo sabes. Perdona que te lo diga hoy; soy un bruto. Es que no quisiera verte pasar privaciones ni un solo día. Ni a ti ni a tu madre. Me harías muy feliz si . . . si me dijeras . . . que puedo esperar. (*Pausa. Ella baja la vista.*) Ya sé que no me quieres. No me extraña, porque yo no valgo nada. Soy muy poco para ti. Pero yo procuraría hacerte dichosa. (*Pausa.*) No me contestas . . .

CARMINA. Yo . . . había pensado permanecer soltera.

URBANO. (*Inclinando la cabeza.*) Quizá continúas queriendo a algún otro . . .

CARMINA. (*Con disgusto.*) ¡No, no!

URBANO. Entonces, es que . . . te desagrada mi persona . . .

CARMINA. ¡Oh, no!

URBANO. Ya sé que no soy más que un obrero. No tengo cultura ni puedo aspirar a ser nada importante . . . Así es mejor. Así no tendré que sufrir ninguna decepción, como otros sufren.

CARMINA. Urbano, te pido que . . .

URBANO. Más vale ser un triste obrero que un señorito inútil . . . Pero si tú me aceptas, yo subiré. ¡Subiré, sí! ¡Porque cuando te tenga a mi lado me sentiré lleno de energías para trabajar! ¡Para trabajar por ti! Y me perfeccionaré en la mecánica y ganaré más. (*Ella asiente tristemente, en silencio, traspasado por el recuerdo de un momento semejante.*) Viviríamos juntos; tu madre, tú y yo. Le daríamos a la vieja un poco de alegría en los años que le quedasen de vida. Y tú me harías feliz. (*Pausa.*) Acéptame, te lo suplico.

CARMINA. ¡Eres muy bueno!

URBANO. Carmina, te lo ruego. Consiente en ser mi novia. Déjame ayudarte con ese título.

CARMINA. (*Llora, refugiándose en sus brazos.*) ¡Gracias, gracias!

URBANO. (*Enajenado.*) Entonces . . . ¿sí? (*Ella asiente.*) ¡Gracias yo a ti! ¡No te merezco! (*Quedan un momento abrazados. Se separan con las manos cogidas. Ella le sonríe entre lágrimas. Paca sale de su casa. Echa una automática ojeada inquisitiva sobre el rellano y le parece ver algo en el «casinillo.» Se acerca al IV para ver mejor, asomándose a la barandilla, y los reconoce.*)

PACA. ¿Qué hacéis ahí?

URBANO. (*Asomándose con Carmina.*) Le estaba explicando a Carmina . . . el entierro.

PACA. Bonita conversación. (*A Carmina.*) ¿Dónde vas tú con el capacho?

CARMINA. A la compra.

PACA. ¿No ha ido Trini por ti?

CARMINA. No . . .

PACA. Se le habrá olvidado con la bronca. Quédate en casa, yo iré en tu lugar. (*A Urbano, mientras empieza a bajar.*) Acompáñalas, anda. (*Se detiene.*

Fuerte:) ¿No subís? (*Ellos se apresuran a hacerlo. Paca baja y se cruza con la pareja en la escalera. A Carmina, cogiéndole el capacho:*) Dame el capacho. (*Sigue bajando. Se vuelve a mirarlos, y ellos la miran también desde la puerta, confusos. Carmina abre con su llave, entran y cierran. Paca, con gesto expresivo:*) ¡Je! (*Cerca de la bajada, interpela por la barandilla a Trini, que sube:*) ¿Por qué no te has llevado el capacho de Generosa?

TRINI. (*Desde dentro.*) Se me pasó. A eso subía.[35] (*Aparece con su capacho vacío.*)

PACA. Trae el capacho. Yo iré. Ve con tu padre, que tú sabes consolarle.

TRINI. ¿Qué le pasa?

PACA. (*Suspirando.*) Nada . . . Lo de Rosa. (*Vuelve a suspirar.*) Dame el dinero. (*Trini le da unas monedas y se dispone a seguir. Paca, confidencial:*) Oye: ¿sabes que . . . ? (*Pausa.*)

TRINI. (*Deteniéndose.*) ¿Qué?

PACA. Nada. Hasta luego. (*Se va. Trini sube. Antes de llegar al segundo rellano sale de su casa el Señor Juan, que la ve cuando va a cerrar la puerta.*)

TRINI. ¿Dónde va usted?

SEÑOR JUAN. A acompañar un poco a esas pobres mujeres. (*Pausa breve.*) ¿No has hecho la compra?

TRINI. (*Llegando a él.*) Bajó madre a hacerla.

SEÑOR JUAN. Ya. (*Se dirige al I, en tanto que ella se dispone a entrar. Luego se para y se vuelve.*) ¿Viste cómo defendía Rosita a ese bandido?

TRINI. Sí, padre. (*Pausa.*)

SEÑOR JUAN. Es indignante . . . Me da vergüenza que sea mi hija.

TRINI. Rosita no es mala, padre.

SEÑOR JUAN. ¡Calla! ¿Qué sabes tú? (*Con ira.*) ¡Ni mentármela siquiera![36] ¡Y no quiero que la visites, ni que hables con ella! Rosita se terminó para nosotros . . .[37] ¡Se terminó! (*Pausa.*) Debe de defenderse muy mal,[38] ¿verdad? (*Pausa.*) Aunque a mí no me importa nada.

TRINI. (*Acercándose.*) Padre . . .

SEÑOR JUAN. ¿Qué?

TRINI. Ayer Rosita me dijo . . . que su mayor pena era el disgusto que usted tenía.

SEÑOR JUAN. ¡Hipócrita!

TRINI. Me lo dijo llorando, padre.

SEÑOR JUAN. Las mujeres siempre tienen las lágrimas a punto. (*Pausa.*) Y . . . ¿qué tal se defiende?

TRINI. Muy mal. El sinvergüenza ese no gana y a ella le repugna . . . ganarlo de otro modo.

SEÑOR JUAN. (*Dolorosamente.*) ¡No lo creo! ¡Esa golfa! . . . ¡Bah! ¡Es una golfa, una golfa!

TRINI. No, no, padre. Rosa es algo ligera, pero no ha llegado a eso. Se juntó con Pepe porque le quería . . . y aún le quiere. Y él siempre le está diciendo que debe ganarlo,[39] y siempre la amenaza con dejarla. Y . . . la pega.

SEÑOR JUAN. ¡Canalla!

TRINI. Y Rosa no quiere que él le deje. Y tampoco quiere echarse a la vida . . .[40] Sufre mucho.

SEÑOR JUAN. ¡Todos sufrimos!

TRINI. Y por eso, con lo poco que él la da alguna vez, le va dando de comer. Y ella apenas come. Y no cena nunca. ¿No se ha fijado usted en lo delgada que se ha quedado? (*Pausa.*)

SEÑOR JUAN. No.

TRINI. ¡Se ve en seguida! Y sufre porque

---

35. *A eso subía,* I was coming up for it.
36. *Ni mentármela siquiera,* Don't even mention her to me.
37. *Rosita se terminó para nosotros,* We're through with Rosita.
38. *Debe de defenderse muy mal,* She's probably managing very poorly
39. *ganarlo = ganar dinero*
40. *echarse a la vida,* to become a prostitute

él dice que está ya fea y . . . no viene casi nunca. (*Pausa.*) ¡La pobre Rosita terminará por echarse a la calle para que él no la abandone!

SEÑOR JUAN. (*Exaltado.*) ¿Pobre? ¡No la llames pobre! Ella se lo ha buscado. (*Pausa. Va a marcharse y se para otra vez.*) Sufres mucho por ella, ¿verdad?

TRINI. Me da mucha pena, padre. (*Pausa.*)

SEÑOR JUAN. (*Con los ojos bajos.*) Mira, no quiero que sufras por ella. Ella no me importa nada, ¿comprendes? Nada. Pero tú, sí. Y no quiero verte con esa preocupación. ¿Me entiendes?

TRINI. Sí, padre.

SEÑOR JUAN. (*Turbado.*) Escucha. Ahí dentro tengo unos durillos . . .[41] Unos durillos ahorrados del café y de las copas . . .

TRINI. ¡Padre!

SEÑOR JUAN. ¡Calla y déjame hablar! Como el café y el vino no son buenos a la vejez . . . , pues los fui guardando. A mí, Rosa no me importa nada. Pero si te sirve de consuelo . . . , puedes dárselos.

TRINI. ¡Sí, sí, padre!

SEÑOR JUAN. De modo que voy a buscarlos.

TRINI. ¡Qué bueno es usted!

SEÑOR JUAN. (*Entrando.*) No, si lo hago por tí . . . (*Muy conmovida, Trini espera ansiosamente la vuelta de su padre mientras lanza expresivas ojeadas al IV. El Señor Juan torna con unos billetes en la mano. Contándolos y sin mirarla se los da.*) Ahí tienes.

TRINI. Sí, padre.

SEÑOR JUAN. (*Yendo hacia el I.*) Se los das, si quieres.

TRINI. Sí, padre.

SEÑOR JUAN. Como cosa tuya,[42] naturalmente.

TRINI. Sí.

SEÑOR JUAN. (*Después de llamar en el I, con falsa autoridad.*) ¡Y que no se entere tu madre de esto!

TRINI. No, padre. (*Urbano abre al Señor Juan.*)

SEÑOR JUAN. ¡Ah! ¿Estás aquí?

URBANO. Sí, padre. (*El Señor Juan entra y cierra. Trini, se vuelve llena de alegría y llama repetidas veces al IV. Después se da cuenta de que su casa ha quedado abierta; la cierra y torna a llamar. Pausa. Rosa abre.*)

TRINI. ¡Rosita!

ROSA. Hola, Trini.

TRINI. ¡Rosita!

ROSA. Te agradezco que vengas. Dispensa si antes te falté . . .

TRINI. ¡Eso no importa!

ROSA. No me guardes rencor.[43] Ya comprendo que hago mal defendiendo así a Pepe, pero . . .

TRINI. ¡Rosita! ¡Padre me ha dado dinero para ti!

ROSA. ¿Eh?

TRINI. ¡Mira! (*Le enseña los billetes.*) ¡Toma! ¡Son para ti! (*Se los pone en la mano.*)

ROSA. (*Casi llorando.*) Trini, no . . . , no puede ser.

TRINI. Sí puede ser . . . Padre te quiere . . .

ROSA. No me engañes, Trini. Este dinero es tuyo.

TRINI. ¿Mío? No sé cómo. ¡Me lo dio él! ¡Ahora mismo me lo ha dado! (*Rosa llora.*) Escucha cómo fue. (*La empuja para adentro.*) El te nombró primero . . . Dijo que . . . (*Entran y cierran. Pausa. Elvira y Fernando suben. Fernando lleva ahora al niño. Discuten.*)

FERNANDO. Ahora entramos un minuto y les damos el pésame.

ELVIRA. Ya te he dicho que no.

FERNANDO. Pues antes querías.

ELVIRA. Y tú no querías.

---

41. *unos durillos,* a few *duros*
42. *Como cosa tuya,* As if it came from you

43. *No me guardes rencor,* Don't be spiteful toward me.

FERNANDO. Sin embargo, es lo mejor. Compréndelo, mujer.

ELVIRA. Prefiero no entrar.

FERNANDO. Entraré yo solo entonces.

ELVIRA. ¡Tampoco! Eso es lo que tú quieres: ver a Carmina y decirle cositas y tonterías . . .

FERNANDO. Elvira, no te alteres. Entre Carmina y yo terminó todo hace mucho tiempo.

ELVIRA. No te molestes en fingir. ¿Crees que no me doy cuenta de las miraditas[44] que le echas encima, y de cómo procuras hacerte el encontradizo con ella?[45]

FERNANDO. Fantasías.

ELVIRA. ¿Fantasías? La querías y la sigues queriendo.

FERNANDO. Elvira, sabes que yo te he . . .

ELVIRA. ¡A mí nunca me has querido! Te casaste por el dinero de papá.

FERNANDO. ¡Elvira!

ELVIRA. Y, sin embargo, valgo mucho más que ella.

FERNANDO. ¡Por favor! ¡Pueden escucharnos los vecinos!

ELVIRA. No me importa. (*Llegan al descansillo.*)

FERNANDO. Te juro que Carmina y yo no . . .

ELVIRA. (*Dando pataditas en el suelo.*)[46] ¡No me lo creo! ¡Y eso se tiene que acabar![47] (*Se dirige a su casa, mas él se queda junto al I.*) ¡Abre!

FERNANDO. Vamos a dar el pésame; no seas terca.

ELVIRA. Que no, te digo. (*Pausa. El se aproxima.*)

FERNANDO. Toma a Fernandito. (*Se lo da y se dispone a abrir.*)

ELVIRA. (*En voz baja y violenta.*) ¡Tú tampoco vas! ¿Me has oído? (*El abre la puerta sin contestar.*) ¿Me has oído?

FERNANDO. ¡Entra!

ELVIRA. ¡Tú antes! (*Se abre el I, y aparecen Carmina y Urbano. Están con las manos enlazadas, en una actitud clara. Ante la sorpresa de Fernando, Elvira vuelve a cerrar la puerta y se dirige a ellos sonriente.*) ¡Qué casualidad, Carmina! Salíamos precisamente para ir a casa de ustedes . . .

CARMINA. Muchas gracias. (*Ha intentado desprenderse, pero Urbano la retiene.*)

ELVIRA. (*Con cara de circunstancias.*)[48] Sí, hija . . . Ha sido muy lamentable . . . , muy sensible.

FERNANDO. (*Reportado.*) Mi mujer y yo les acompañamos sinceramente en el sentimiento.

CARMINA. (*Sin mirarle.*) Gracias. (*La tensión aumenta, inconteniblemente, entre los cuatro.*)

ELVIRA. ¿Su madre está dentro?

CARMINA. Sí; háganme el favor de pasar. Yo entro en seguida. (*Con vivacidad.*) En cuanto me despida de Urbano.

ELVIRA. ¿Vamos, Fernando? (*Ante el silencio de él.*) No te preocupes, hombre. (*A Carmina.*) Está preocupado porque al nene le toca ahora la teta.[49] (*Con una tierna mirada para Fernando.*) Se desvive por su familia. (*A Carmina.*) Le daré el pecho en su casa.[50] No le importa, ¿verdad?

CARMINA. Claro que no.

ELVIRA. Mire qué rico es mi Fernandito. (*Carmina se acerca después de lograr desprenderse de Urbano.*) Dormidito. No tardará en chillar y pedir lo suyo.[51]

CARMINA. Es una monada.

ELVIRA. Tiene toda la cara de su padre.

---

44. sly glances
45. *procuras . . . ella*, you try to meet her apparently by chance
46. *dando pataditas en el suelo*, tapping her foot on the floor
47. *¡Y eso se tiene que acabar!*, And that has to stop!
48. *con cara de circunstancias*, with a formal air
49. *al . . . teta*, it's time now to nurse the baby
50. *Le . . . casa*, I'll nurse him in your house
51. *Dormidito . . . suyo.* He's fast asleep. It won't be long before he starts to scream and ask for what he wants

(*A Fernando.*) Sí, sí; aunque te empeñes en que no.[52] (*A Carmina.*) El asegura que es igual a mí.[53] Le agrada mucho que se parezca a mí. Es a él a quien se parece, ¿no cree?

CARMINA. Pues . . . no sé. ¿Tú qué crees, Urbano?

URBANO. No entiendo mucho de eso. Yo creo que todos los niños pequeños se parecen.[54]

FERNANDO. (*A Urbano.*) Claro que sí. Elvira exagera. Lo mismo puede parecerse a ella, que . . . a Carmina, por ejemplo.

ELVIRA. (*Violenta.*) ¡Ahora dices eso! ¡Pues siempre estás afirmando que es mi vivo retrato!

CARMINA. Por lo menos, tendrá el aire de familia. ¡Decir que se parece a mí! ¡Qué disparate!

URBANO. ¡Completo!

CARMINA. (*Al borde del llanto.*) Me va usted a hacer reír, Fernando, en un día como éste.

URBANO. (*Con ostensible solicitud.*) Carmina, por favor, no te afectes. (*A Fernando.*) ¡Es muy sensible! (*Fernando asiente.*)

5 CARMINA. (*Con falsa ternura.*) Gracias, Urbano.

URBANO. (*Con intención.*) Repórtate. Piensa en cosas más alegres . . . Puedes hacerlo . . .

10 FERNANDO. (*Con la insolencia de un antiguo novio.*) Carmina fue siempre muy sensible.

ELVIRA. (*Que lee en el corazón de la otra.*) Pero hoy tiene motivo para 15 entristecerse. ¿Entramos, Fernando?

FERNANDO. (*Tierno.*) Cuando quieras, nena.

URBANO. Déjalos pasar, nena. (*Y aparta a Carmina, con triunfal solicitud que* 20 *brinda a Fernando, para dejar pasar al matrimonio.*)

T E L Ó N

52. *aunque te empeñes en que no,* even if you insist that he doesn't

53. *es igual a mí,* he's the spitting image of me
54. *se parecen,* resemble each other

ACTO TERCERO

Pasaron velozmente veinte años más. Es ya nuestra época. La escalera sigue siendo una humilde escalera de vecinos. El casero ha pretendido sin éxito disfrazar su pobreza con algunos nuevos detalles concedidos despaciosamente a lo largo del tiempo: la ventana tiene ahora cristales romboidales coloreados, y en la pared del segundo rellano, frente al tramo, puede leerse la palabra «QUINTO»[1] en una placa de metal. Las puertas han sido dotadas de timbre eléctrico, y las paredes, blanqueadas.

Una viejecita consumida y arrugada, de obesidad malsana y cabellos completamente blancos, desemboca, fatigada, en el primer rellano. Es PACA. Camina lentamente, apoyándose en la barandilla, y lleva en la otra mano un capacho lleno de bultos.

1. i.e., fifth floor

PACA. (*Entrecortadamente.*) ¡Qué vieja estoy! (*Acaricia la barandilla.*) ¡Tan vieja como tú! ¡Uf! (*Pausa.*) ¡Y qué sola! Ya no soy nada para mis hijos ni para mi nieta. ¡Un estorbo! (*Pausa.*) ¡Pues no me da la gana de serlo, demontre! (*Pausa. Resollando.*) ¡Hoj! ¡Qué escalerita! Ya podía poner ascensor el ladrón del casero. Hueco no falta.[2] Lo que falta son ganas de rascarse el bolsillo.[3] (*Pausa.*) En cambio, mi Juan la subía de dos en dos . . .[4] hasta el día mismo de morirse. Y yo que no puedo con ella . . . no me muero ni con polvorones.[5] (*Pausa.*) Bueno, y ahora que no me oye nadie. ¿Yo quiero o no quiero morirme? (*Pausa.*) Yo no quiero morirme. (*Pausa.*) Lo que quiero (*Ha llegado al segundo rellano y dedica una ojeada al I.*) es poder charlar con Generosa y con Juan . . . (*Pausa. Se encamina a su puerta.*) ¡Pobre Generosa! ¡Ni los huesos quedarán (*Pausa. Abre con su llave. Al entrar.*) ¡Y que me haga un poco más de caso mi nieta, demontre! (*Cierra. Pausa. Del IV sale un Señor bien vestido. Al pasar frente al I, sale de éste un Joven bien vestido.*)

JOVEN. Buenos días.

SEÑOR. Buenos días. ¿A la oficina?

JOVEN. Sí, señor, ¿Usted también?

SEÑOR. Lo mismo. (*Bajan emparejados.*) ¿Y esos asuntos?

JOVEN. Bastante bien. Saco casi otro sueldo. No me puedo quejar. ¿Y usted?

SEÑOR. Marchando.[6] Sólo necesitaría que alguno de estos vecinos antiguos se mudase, para ocupar un exterior.[7]

Después de desinfectarlo y pintarlo, podría recibir gente.

JOVEN. Sí, señor. Lo mismo queremos nosotros.

SEÑOR. Además, que no hay derecho a pagar tantísimo por un interior mientras ellos tienen los exteriores casi de balde.

JOVEN. Como son vecinos tan antiguos . . .

SEÑOR. Pues no hay derecho. ¿Es que mi dinero vale menos que el de ellos?

JOVEN. Además, que son unos indeseables.

SEÑOR. No me hable. Si no fuera por ellos . . . Porque la casa, aunque muy vieja, no está mal.

JOVEN. No. Los pisos son amplios.

SEÑOR. Unicamente, la falta de ascensor.

JOVEN. Ya lo pondrán. (*Pausa breve.*) ¿Ha visto los nuevos modelos de automóvil?

SEÑOR. Son magníficos.

JOVEN. ¡Magníficos! Se habrá fijado en que la carrocería es completamente . . . (*Se van charlando. Pausa. Salen del III Urbano y Carmina. Son ya casi viejos. Ella se prende familiarmente de su brazo y bajan. Cuando están a la mitad del tramo, suben por la izquierda Elvira y Fernando, también del brazo y con las huellas de la edad. Socialmente, su aspecto no ha cambiado: son dos viejos matrimonios, de obrero uno y el otro de empleado. Al cruzarse, se saludan secamente. Carmina y Urbano bajan. Elvira y Fernando llegan en silencio al II y él llama al timbre.*)

ELVIRA. ¿Por qué no abres con el llavín?

---

2. *Ya . . . falta,* By this time the thief of a landlord should have put in an elevator. There's no lack of space.

3. *rascarse el bolsillo,* to scrape (some money) out of his pocket

4. *la subía de dos en dos,* used to climb up the stairs two by two

5. *Y . . . polvorones,* And I who can't manage it (*la escalera*) . . . don't die even if they pay me. *Polvorones* are cookies made of crumbly dough.

6. Getting along.

7. *un exterior,* an outside apartment; *un interior* (see below) is an inside apartment that faces the patio.

FERNANDO. Manolín nos abrirá. (*La puerta es abierta por Manolín, un chico de unos doce años.*)

MANOLÍN. (*Besando a su padre.*) Hola, papá.

FERNANDO. Hola, hijo.

MANOLÍN. (*Besando a su madre.*) Hola, mamá.

ELVIRA. Hola. (*Manolín se mueve a su alrededor por ver si traen algo.*)

FERNANDO. ¿Qué buscas?

MANOLÍN. ¿No traéis nada?

FERNANDO. Ya ves que no.

MANOLÍN. ¿Los traerán ahora?

ELVIRA. ¿El qué?

MANOLÍN. ¡Los pasteles!

FERNANDO. ¿Pasteles? No, hijo. Están muy caros.

MANOLÍN. ¡Pero, papá! ¡Hoy es mi cumpleaños!

FERNANDO. Sí, hijo. Ya lo sé.

ELVIRA. Y te guardamos una sorpresa.

FERNANDO. Pero pasteles no pueden ser.

MANOLÍN. Pues yo quiero pasteles.

FERNANDO. No puede ser.

MANOLÍN. ¿Cuál es la sorpresa?

ELVIRA. Ya la verás luego. Anda adentro.

MANOLÍN. (*Camino de la escalera.*) No.

FERNANDO. ¿Dónde vas tú?

MANOLÍN. A jugar.

ELVIRA. No tardes.

MANOLÍN. No. Hasta luego. (*Los padres cierran. El baja los peldaños y se detiene en el «casinillo.» Comenta:*) ¡Qué roñosos! (*Se encoge de hombros y, con cara de satisfacción, saca un cigarrillo. Tras una furtiva ojeada hacia arriba, saca una cerilla y la enciende en la pared. Se pone a fumar muy complacido. Pausa. Salen del III Rosa y Trini: una pareja notablemente igualada por las arrugas y la tristeza que* la desilusión y las penas han puesto en sus rostros. Rosa lleva un capacho.)

TRINI. ¿Para qué vienes, mujer? ¡Si es un momento![8]

ROSA. Por respirar un poco el aire de la calle. Me ahogo en casa. (*Levantando el capacho.*) Además, te ayudaré.

TRINI. Ya ves; yo prefiero, en cambio, estarme en casa.

ROSA. Es que . . . no me gusta quedarme sola con madre. No me quiere bien.

TRINI. ¡Qué disparate!

ROSA. Sí, sí . . . Desde aquello.

TRINI. ¿Quién se acuerda ya de eso?

ROSA. ¡Todos! Siempre lo recordamos y nunca hablamos de ello.

TRINI. (*Con un suspiro.*) Déjalo. No te preocupes. (*Manolín, que la ve bajar, se interpone en su camino y la saluda con alegría. Ellas se paran.*)

MANOLÍN. ¡Hola, Trini!

TRINI. (*Cariñosa*). ¡Mala pieza![9] (*El lanza al aire, con orgullo, una bocanada de humo.*) ¡Madre mía! ¿Pues no está fumando? ¡Tira eso en seguida, cochino! (*Intenta tirarle el cigarrillo de un manotazo y él se zafa.*)[10]

MANOLÍN. ¡Es que hoy es mi cumpleaños!

TRINI. ¡Caramba! Y ¿cuántos cumples?[11]

MANOLÍN. Doce. ¡Ya soy un hombre!

TRINI. Si te hago un regalo, ¿me lo aceptarás?

MANOLÍN. ¿Qué me vas a dar?

TRINI. Te daré dinero para que te compres un pastel.

MANOLÍN. Yo no quiero pasteles.

TRINI. ¿No te gustan?

MANOLÍN. No. Prefiero que me regales una cajetilla de tabaco.

TRINI. ¡Ni lo sueñes! Y tira ya eso.[12]

MANOLÍN. No quiero. (*Pero ella consigue tirarle el cigarrillo.*) Oye, Trini . . .

---

8. *¡Si es un momento!*, It'll only take a moment.

9. *¡Mala pieza!*, You little rascal!

10. *Intenta . . . zafa*, She tries to snatch the cigarette away from him but he dodges her.

11. *¿Y cuántos cumples?*, And how old are you now?

12. *¡Ni . . . eso*, Not on your life! And throw that away.

Tú me quieres mucho, ¿verdad?

TRINI. Naturalmente.

MANOLÍN. Oye . . . , quiero preguntarte una cosa. (*Mira de reojo a Rosa y trata de arrastrar a Trini hacia el «casinillo.»*)

TRINI. ¿Dónde me llevas?

MANOLÍN. Ven. No quiero que me oiga Rosa.

ROSA. ¿Por qué? Yo también te quiero mucho. ¿Es que no me quieres tú?

MANOLÍN. No.

ROSA. ¿Por qué?

MANOLÍN. Porque eres vieja y gruñona. (*Rosa se muerde los labios y se separa hacia la barandilla.*)

TRINI. (*Enfadada.*) ¡Manolín!

MANOLÍN. (*Tirando de Trini.*) Ven . . . (*Ella le sigue, sonriente. Él la detiene con mucho misterio.*) ¿Te casarás conmigo cuando sea mayor? (*Trini rompe a reír. Rosa, con cara triste, los mira desde la barandilla.*)

TRINI. (*Risueña, a su hermana.*) ¡Una declaración!

MANOLÍN. (*Colorado.*) No te rías y contéstame.

TRINI. ¡Qué tontería! ¿No ves que ya soy vieja?

MANOLÍN. No.

TRINI. (*Conmovida.*) Sí, hijo, sí. Y cuando tú seas mayor, yo seré una ancianita.

MANOLÍN. No me importa. Yo te quiero mucho.

TRINI. (*Muy emocionada y sonriente, le coge la cara entre las manos y le besa.*) ¡Hijo! ¡Qué tonto eres! ¡Tonto! (*Besándole.*) No digas simplezas. ¡Hijo! (*Besándole.*) ¡Hijo! (*Se separa y va ligera a emparejar con Rosa.*)

MANOLÍN. Oye . . .

TRINI. (*Conduciendo a Rosa, que sigue seria.*) ¡Calla, simple! Y ya veré lo que te regalo; si un pastel . . o una caje-

tilla. (*Se van rápidas. Manolín las ve bajar, y luego, dándose mucha importancia, saca otro cigarrillo y otra cerilla. Se sienta en el suelo del «casinillo» y fuma despacio, perdido en sus imaginaciones de niño. Se abre el III y sale Carmina, hija de Carmina y Urbano. Es una atolondrada chiquilla de unos dieciocho años. Paca la despide desde la puerta.*)

CARMINA, HIJA. Hasta luego, abuela. (*Avanza dando fuertes golpes en la barandilla mientras tararea:*) La, ra, ra . . . , la, ra, ra . . .

PACA. ¡Niña!

CARMINA, HIJA. (*Volviéndose.*) ¿Qué?

PACA. No des así[13] en la barandilla. ¡La vas a romper! ¿No ves que está muy vieja?

CARMINA, HIJA. Que pongan otra.

PACA. Que pongan otra . . . Los jóvenes, en cuanto una cosa está vieja, sólo sabéis tirarla. ¡Pues las cosas viejas hay que conservarlas! ¿Te enteras?

CARMINA, HIJA. A ti, como eres vieja, te gustan las vejeces.

PACA. Lo que quiero es que tengas más respeto para . . . la vejez.

CARMINA, HIJA. (*Que se vuelve rápidamente y la abruma a besos.*) ¡Boba! ¡Vieja guapa!

PACA. (*Ganada, pretende desasirse.*) ¡Quita, quita, hipócrita! ¡Ahora vienes con cariñitos! (*Carmina la empuja y trata de cerrar.*)

CARMINA, HIJA. Anda para adentro.

PACA. ¡Qué falta de vergüenza! ¿Crees que vas a mandar en mí?[14] (*Forcejean.*) ¡Déjame!

CARMINA, HIJA. Entra . . . (*La resistencia de Paca acaba en una débil risilla de anciana.*)

PACA. (*Vencida.*) ¡No te olvides de comprar ajos! (*Carmina cierra la puerta en sus narices. Vuelve a bajar, rápida,*

13. *No des así,* Don't bang that way

14. *¿Crees . . . mí?,* Do you think you can boss me around?

sin dejar sus golpes al pasamanos ni su tarareo. La puerta del II se abre por Fernando, hijo de Fernando y Elvira. Sale en mangas de camisa. Es arrogante y pueril. Tiene veintiún años.)

FERNANDO, HIJO. Carmina. *(Ella en los primeros escalones aún, se inmoviliza y calla, temblorosa, sin volver la cabeza. El baja en seguida a su altura. Manolín se disimula y escucha con infantil picardía.)*

CARMINA, HIJA. ¡Déjame, Fernando! Aquí, no. Nos pueden ver.

FERNANDO, HIJO. ¡Qué nos importa!

CARMINA, HIJA, ¡Déjame! *(Intenta seguir. Él la detiene con brusquedad.)*

FERNANDO, HIJO. ¡Escúchame, te digo! ¡Te estoy hablando!

CARMINA, HIJA. *(Asustada.)* Por favor, Fernando.

FERNANDO, HIJO. No. Tiene que ser ahora. Tienes que decirme en seguida por qué me has esquivado estos días. *(Ella mira angustiada por el hueco de la escalera.)* ¡Vamos, contesta! ¿Por qué? *(Ella mira a la puerta de su casa.)* ¡No mires más! No hay nadie.

CARMINA, HIJA. Fernando, déjame ahora. Esta tarde podremos vernos donde el último día.[15]

FERNANDO, HIJO. De acuerdo. Pero ahora me vas a decir por qué no has venido estos días. *(Ella consigue bajar unos peldaños más. Él la retiene y la sujeta contra la barandilla.)*

CARMINA, HIJA. ¡Fernando!

FERNANDO, HIJO. ¡Dímelo! ¿Es que ya no me quieres? *(Pausa)* No me has querido nunca, ¿verdad? Esa es la razón. ¡Has querido coquetear conmigo, divertirte conmigo!

CARMINA, HIJA. No, no . . .

FERNANDO, HIJO. Sí. Eso es. *(Pausa.)* ¡Pues no te saldrás con la tuya!

CARMINA, HIJA. Fernando, yo te quiero. ¡Pero déjame! ¡Lo nuestro no puede ser![16]

FERNANDO, HIJO. ¿Por qué no puede ser?

CARMINA, HIJA. Mis padres no quieren.

FERNANDO, HIJO. ¿Y qué? Eso es un pretexto. ¡Un mal pretexto!

CARMINA, HIJA. No, no . . . , de verdad . . . Te lo juro.

FERNANDO, HIJO. Si me quisieras de verdad, no te importaría.

CARMINA, HIJA. *(Sollozando.)* Es que . . . me han amenazado y . . . me han pegado . . .

FERNANDO, HIJO. ¡Cómo!

CARMINA, HIJA. Sí. Y hablan mal de ti . . . y de tus padres . . . ¡Déjame. Fernando! *(Se desprende. Él está paralizado.)* Olvida lo nuestro. No puede ser . . . Tengo miedo . . . *(Se va rápidamente, llorosa. Fernando llega hasta el rellano y la mira bajar abstraído. Después se vuelve y ve a Manolín. Su expresión se endurece.)*

FERNANDO, HIJO. ¿Qué haces aquí?

MANOLÍN. *(Muy divertido.)* Nada.

FERNANDO, HIJO. Anda para casa.

MANOLÍN. No quiero.

FERNANDO, HIJO. ¡Arriba,[17] te digo!

MANOLÍN. Es mi cumpleaños y hago lo que quiero. ¡Y tú no tienes derecho a mandarme! *(Pausa.)*

FERNANDO, HIJO. Si no fueras el favorito . . . , ya te daría yo cumpleaños.[18] *(Pausa. Comienza a subir mirando a Manolín con suspicacia. Éste contiene con trabajo la risa.)*

MANOLÍN. *(Envalentonado).* ¡Qué entusiasmado estás con Carmina!

FERNANDO, HIJO. *(Bajando al instante.)*

15. *donde el último día,* where we got together last time
16. *¡Lo nuestro no puede ser!,* What we have between us can't go on.
17. Go up!
18. *Ya te daría yo cumpleaños,* I'd give you a birthday you'd never forget

¡Te voy a cortar la lengua!

MANOLÍN. (*Con regocijo.*) ¡Parecíais dos novios de película! (*En tono cómico.*) «¡No me abandones, Nelly! ¡Te quiero, Bob!» (*Fernando le da una bofetada. A Manolín se le saltan las lágrimas y se esfuerza, rabioso, en patear las espinillas y los pies de su hermano.*) ¡Bruto!

FERNANDO, HIJO. (*Sujetándole.*) ¿Qué hacías en el «casinillo»?

MANOLÍN. ¡No te importa! ¡Bruto! ¡Idiota! . . . ¡¡Romántico!!

FERNANDO, HIJO. Fumando, ¿eh? (*Señala las colillas en el suelo.*) Ya verás cuando se entere papá.

MANOLÍN. ¡Y yo le diré que sigues siendo novio de Carmina!

FERNANDO, HIJO. (*Apretándole un brazo.*) ¡Qué bien trasteas a los padres, marrano, hipócrita! ¡Pero los pitillos te van a costar caros!

MANOLÍN. (*Que se desase y sube presuroso el tramo.*) ¡No te tengo miedo! Y diré lo de Carmina. ¡Lo diré ahora mismo! (*Llama con apremio al timbre de su casa.*)

FERNANDO, HIJO. (*Desde la barandilla del primer rellano.*) ¡Baja, chivato!

MANOLÍN. No. Además, esos pitillos no son míos.

FERNANDO, HIJO. ¡Baja! (*Fernando, el padre, abre la puerta.*)

MANOLÍN. ¡Papá, Fernando estaba besándose con Carmina en la escalera!

FERNANDO, HIJO. ¡Embustero!

MANOLÍN. Sí, papá. Yo no los veía porque estaba en el «casinillo»; pero . . .

FERNANDO. (*A Manolín.*) Pasa para adentro.

MANOLÍN. Papá, te aseguro que es verdad.

FERNANDO. Adentro. (*Con un gesto de burla a su hermano,*[19] *Manolín entra.*) Y tú, sube.

FERNANDO, HIJO. Papá, no es cierto que me estuviera besando con Carmina. (*Empieza a subir.*)

FERNANDO. ¿Estabas con ella?

FERNANDO, HIJO. Sí.

FERNANDO. ¿Recuerdas que te hemos dicho muchas veces que no tontearas con ella?

FERNANDO, HIJO. (*Que ha llegado al rellano.*) Sí.

FERNANDO. Y has desobedecido . . .

FERNANDO, HIJO. Papá . . . Yo . . .

FERNANDO. Entra. (*Pausa.*) ¿Has oído?

FERNANDO, HIJO. (*Rebelándose.*) ¡No quiero! ¡Se acabó!

FERNANDO. ¿Qué dices?

FERNANDO, HIJO. ¡No quiero entrar! ¡Ya estoy harto de vuestras estúpidas prohibiciones!

FERNANDO. (*Conteniéndose.*) Supongo que no querrás escandalizar para los vecinos . . .

FERNANDO, HIJO. ¡No me importa! ¡También estoy harto de esos miedos! (*Elvira, avisada sin duda por Manolín, sale a la puerta.*) ¿Por qué no puedo hablar con Carmina, vamos a ver? ¡Ya soy un hombre!

ELVIRA. (*Que interviene con acritud.*) ¡No para Carmina!

FERNANDO. (*A Elvira.*) ¡Calla! (*A su hijo.*) Y tú, entra. Aquí no podemos dar voces.

FERNANDO, HIJO. ¿Que tengo yo que ver con vuestros rencores y vuestros viejos prejuicios? ¿Por qué no vamos a poder querernos Carmina y yo?

ELVIRA. ¡Nunca!

FERNANDO. No puede ser, hijo.

FERNANDO, HIJO. Pero ¿por qué?

FERNANDO. Tú no lo entiendes. Pero entre esa familia y nosotros no puede haber noviazgos.

FERNANDO, HIJO. Pues os tratáis.[20]

---

19. *Con . . . hermano,* With a mocking gesture directed at his brother

20. *Pues os tratáis,* But you speak to each other.

FERNANDO. Nos saludamos nada más. (*Pausa.*) A mí, realmente, no me importaría demasiado. Es tu madre . . .

ELVIRA. Claro que no. ¡Ni hablar de la cosa![21]

FERNANDO. Los padres de ella tampoco lo consentirían. Puedes estar seguro.

ELVIRA. Y tú debías ser el primero en prohibírselo en vez de halagarle con esas blanduras improcedentes.

FERNANDO. ¡Elvira!

ELVIRA. ¡Improcedentes! (*A su hijo.*) Entra, hijo.

FERNANDO, HIJO. Pero, mamá . . . Papá . . . ¡Cada vez lo entiendo menos! Os empeñáis en no comprender que yo . . . ¡no puedo vivir sin Carmina!

FERNANDO. Eres tú el que no nos comprendes. Yo te lo explicaré todo, hijo.

ELVIRA. ¡No tienes que explicar nada! (*A su hijo.*) Entra.

FERNANDO. Hay que explicarle, mujer . . . (*A su hijo.*) Entra, hijo.

FERNANDO, HIJO. (*Entrando, vencido.*) No os comprendo . . . No os comprendo . . . (*Cierran. Pausa. Trini y Rosa vuelven de la compra.*)

TRINI. ¿Y no le has vuelto a ver?

ROSA. ¡Muchas veces! Al principio no me saludaba, me evitaba. Y yo, como una tonta, le buscaba. Ahora, es al revés . . .

TRINI. ¿Te busca él?

ROSA. Ahora me saluda, y yo a él, no. ¡Canalla! Me ha entretenido durante años para dejarme cuando ya no me mira a la cara nadie.

TRINI. Estará ya viejo . . .

ROSA. ¡Muy viejo! Y muy gastado. Porque sigue bebiendo y trasnochando . . .

TRINI. ¡Qué vida!

ROSA. Casi me alegro de no haber tenido hijos con él. No habrían salido sanos. (*Pausa.*) ¡Pero yo hubiera querido tener un niño, Trini! Y hubiese querido que él no fuese como era . . . y que el niño se le hubiese parecido.

TRINI. Las cosas nunca suceden a nuestro gusto.

ROSA. No. (*Pausa.*) Pero, al menos, ¡un niño! ¡Mi vida se habría llenado con un niño! (*Pausa.*)

TRINI. . . . La mía también.

ROSA. ¿Eh? (*Pausa breve.*) Claro. ¡Pobre Trini! ¡Qué lástima que no te hayas casado!

TRINI. (*Deteniéndose, sonríe con pena.*) ¡Qué iguales somos en el fondo tú y yo!

ROSA. Todas las mujeres somos iguales en el fondo.

TRINI. Sí . . . Tú has sido el escándalo de la familia, y yo, la víctima. Tú quisiste vivir tu vida, y yo me dediqué a la de los demás. Te juntaste con un hombre, y yo sólo conozco el olor de los de la casa . . . Ya ves: al final hemos venido a fracasar de igual manera. (*Rosa la enlaza y aprieta suavemente el talle. Trini la imita. Llegan enlazadas a la puerta.*)

ROSA. (*Suspirando.*) Abre . . .

TRINI. (*Suspirando.*) Sí . . . Ahora mismo . . . (*Abre con el llavín y entran. Pausa. Suben Urbano, Carmina y su hija. El padre viene riñendo[22] a la muchacha, que atiende tristemente sumisa. La madre se muestra jadeante y muy cansada.*)

URBANO. ¡Y no quiero que vuelvas a pensar en Fernando! Es como su padre: un inútil.

CARMINA. ¡Eso!

URBANO. Más de un pitillo nos hemos fumado el padre y yo ahí mismo (*Señala el «casinillo.»*) cuando éramos jóvenes. Me acuerdo muy bien. Tenía muchos pajaritos[23] en la cabeza. Y su

---

21. *¡Ni hablar de la cosa!*, Don't even speak about it.

22. *viene riñendo,* is scolding
23. *muchos pajaritos,* many fancy ideas

hijo es como él: un gandul. Así es que no quiero ni oírte su nombre. ¿Entendido?

CARMINA, HIJA. Sí, padre. (*La madre se apoya, agotada, en el pasamanos.*)

URBANO. ¿Te cansas?

CARMINA. Un poco.

URBANO. Un esfuerzo. Ya no queda nada. (*A la hija, dándole la llave.*) Toma, ve abriendo.[24] (*Mientras la muchacha sube y entra, dejando la puerta entornada.*) ¿Te duele el corazón?

CARMINA. Un poquillo . . .

URBANO. ¡Dichoso corazón!

CARMINA. No es nada. Ahora se pasará.[25] (*Pausa.*)

URBANO. ¿Por qué no quieres que vayamos a otro médico?

CARMINA. (*Seca.*) Porque no.

URBANO. ¡Una testarudez tuya![26] Puede que otro médico consiguiese . . .

CARMINA. Nada. Esto no tiene arreglo; es de la edad . . . y de las desilusiones.

URBANO. ¡Tonterías! Podíamos probar . . .

CARMINA. ¡Que no![27] ¡Y déjame en paz! (*Pausa.*)

URBANO. ¿Cuándo estaremos de acuerdo tú y yo en algo?

CARMINA. (*Con amargura.*) Nunca.

URBANO. Cuando pienso lo que pudiste haber sido para mí . . . ¿Por qué te casaste conmigo, si no me querías?

CARMINA. (*Seca.*) No te engañé. Tú te empeñaste.

URBANO. Sí. Supuse que podría hacerte olvidar otras cosas . . . Y esperaba más correspondencia, más . . .

CARMINA. Más agradecimiento.

URBANO. No es eso. (*Suspira.*) En fin, paciencia.

CARMINA. Paciencia. (*Paca se asoma y los mira. Con voz débil, que contrasta la fuerza de una pregunta igual hecha veinte años antes:*)

PACA. ¿No subís?

URBANO. Sí.

CARMINA. Sí. Ahora mismo. (*Paca se mete.*)

URBANO. ¿Puedes ya?

CARMINA. Sí. (*Urbano le da el brazo. Suben lentamente, silenciosos. De peldaño en peldaño se oye la dificultosa respiración de ella. Llegan finalmente y entran. A punto de cerrar, Urbano ve a Fernando, el padre, que sale del II y emboca la escalera. Vacila un poco y al fin se decide a llamarle cuando ya ha bajado unos peldaños.*)

URBANO. Fernando.

FERNANDO. (*Volviéndose.*) Hola. ¿Qué quieres?

URBANO. Un momento. Haz el favor.

FERNANDO. Tengo prisa.

URBANO. Es sólo un minuto.

FERNANDO. ¿Qué quieres?

URBANO. Quiero hablarte de tu hijo.

FERNANDO. ¿De cuál de los dos?

URBANO. De Fernando.

FERNANDO. ¿Y qué tienes que decir de Fernando?

URBANO. Que harías bien impidiéndole que sonsacase a mi Carmina.

FERNANDO. ¿Acaso crees que me gusta la cosa? Ya le hemos dicho todo lo necesario. No podemos hacer más.

URBANO. ¿Luego lo sabías?

FERNANDO. Claro que lo sé. Haría falta estar ciego . . .

URBANO. Lo sabías y te alegrabas, ¿no?

FERNANDO. ¿Que me alegraba?

URBANO. ¡Sí! Te alegrabas. Te alegrabas de ver a tu hijo tan parecido a ti mismo . . . De encontrarle tan irresistible como lo eras tú hace treinta años. (*Pausa.*)

---

24. *ve abriendo,* go open the door
25. *Ahora se pasará,* It'll be over shortly.

26. *¡Una testarudez tuya!* You're really stubborn!
27. *¡Que no!,* I say no!

FERNANDO. No quiero escucharte. Adiós. (*Va a marcharse.*)

URBANO. ¡Espera! Antes hay que dejar terminada esta cuestión. Tu hijo ...

FERNANDO. (*Sube y se enfrenta con él.*) Mi hijo es una víctima, como lo fui yo. A mi hijo le gusta Carmina porque ella se le ha puesto delante.[28] Ella es quien le saca de sus casillas.[29] Con mucha mayor razón podría yo decirte que la vigilases.

URBANO. ¡Ah, en cuanto a ella, puedes estar seguro! Antes la deslomo que permitir que se entienda con tu Fernandito.[30] Es a él a quien tienes que sujetar y encarrilar ... Porque es como tú eras: un tenorio y un vago.

FERNANDO. ¿Y un vago?

URBANO. Sí. ¿Dónde han ido a parar tus proyectos de trabajo?[31] No has sabido hacer más que mirar por encima del hombro a los demás. ¡Pero no te has emancipado, no te has libertado! (*Pegando en el pasamanos.*) ¡Sigues amarrado a esta escalera, como yo, como todos!

FERNANDO. Sí; como tú. También tú ibas a llegar muy lejos con el sindicato y la solidaridad. (*Irónico.*) Ibais a arreglar las cosas para todos ..., hasta para mí.

URBANO. ¡Sí! ¡Hasta para los zánganos y cobardes como tú! (*Carmina, la madre, sale al descansillo después de escuchar un segundo e interviene. El altercado crece en violencia hasta su final.*)

CARMINA. ¡Eso! ¡Un cobarde! ¡Eso es lo que has sido siempre! Un gandul y un cobarde!

URBANO. ¡Tú, cállate!

CARMINA. ¡No quiero! Tenía que decírselo. (*A Fernando.*) ¡Has sido un cobarde toda tu vida! Lo has sido para las cosas más insignificantes ... y para las más importantes. (*Lacrimosa.*) ¡Te asustaste como una gallina cuando hacía falta ser un gallo con cresta y espolones!

URBANO. (*Furioso.*) ¡Métete para adentro!

CARMINA. ¡No quiero! (*A Fernando.*) Y tu hijo es como tú: un cobarde, un vago y un embustero. Nunca se casará con mi hija, ¿entiendes? (*Se detiene, jadeante.*)

FERNANDO. Ya procuraré que no haga esa tontería.

URBANO. Para vosotros no sería una tontería, porque ella vale mil veces más que él.

FERNANDO. Es tu opinión de padre. Muy respetable. (*Se abre el II y aparece Elvira, que escucha y los contempla.*) Pero Carmina es de la pasta de su familia.[32] Es como Rosita ...

URBANO. (*Que se acerca a él, rojo de rabia.*) Te voy a ... (*Su mujer le sujeta.*)

FERNANDO. ¡Sí! ¡A tirar por el hueco de la escalera! Es tu amenaza favorita. Otra de las cosas que no has sido capaz de hacer con nadie.

ELVIRA. (*Avanzando.*) ¿Por qué te avienes a discutir con semejante gentuza? (*Fernando, hijo, y Manolín ocupan la puerta y presencian la escena con disgustado asombro.*) Vete a lo tuyo.[33]

CARMINA. ¡Una gentuza a la que no tiene usted derecho a hablar!

ELVIRA. Y no la hablo.

CARMINA. ¡Debería darle vergüenza! ¡Porque usted tiene la culpa de todo esto!

ELVIRA. ¿Yo?

---

28. *ella se le ha puesto delante,* she has enticed him
29. *Ella ... casillas,* She's the one who's driving him out of his mind
30. *Antes ... Fernandito,* I'll break her back before I let her reach an understanding with your Fernandito.
31. *¿Dónde ... trabajo?* How have your work plans turned out?
32. *es ... familia,* has her family's traits
33. *Vete a lo tuyo,* Get back to your own business. She is saying that he is wasting his time arguing with the other people

CARMINA. Sí, usted, que ha sido siempre una zalamera y una entrometida . . .

ELVIRA. ¿Y usted qué ha sido? ¡Una mosquita muerta! Pero le salió mal la combinación.

FERNANDO. (*A su mujer.*) Estáis diciendo muchas tonterías . . . (*Carmina, la hija; Paca, Rosa y Trini se agolpan en su puerta.*)

ELVIRA. ¡Tú te callas! (*A Carmina, por Fernando.*) ¿Cree usted que se lo quité? ¡Se lo regalaría de buena gana!

FERNANDO. ¡Elvira, cállate! ¡Es vergonzoso!

URBANO. (*A su mujer.*) ¡Carmina, no discutas eso!

ELVIRA. (*Sin atender a su marido.*) Fue usted, que nunca supo retener a nadie, que no ha sido capaz de conmover a nadie . . . ni de conmoverse.

CARMINA. ¡Usted, en cambio, se conmovió a tiempo! ¡Por eso se lo llevó!

ELVIRA. ¡Cállese! ¡No tiene derecho a hablar! Ni usted ni nadie de su familia puede rozarse con personas decentes. Paca ha sido toda su vida una murmuradora . . . y una consentidora. (*A Urbano.*) ¡Como usted! Consentidores de los caprichos de Rosita . . . ¡Una cualquiera![34]

ROSA. ¡Deslenguada! ¡Víbora! (*Se abalanza y la agarra del pelo. Todos vocean. Carmina pretende pegar a Elvira. Urbano trata de separarlas. Fernando sujeta a su mujer. Entre los dos consiguen separarlas a medias. Fernando, el hijo, con el asco y la amargura pintados en su faz, avanza despacio por detrás del grupo y baja los escalones sin dejar de mirar, tanteando la pared a sus espaldas. Con desesperada actitud, sigue escuchando desde el «casinillo» la disputa de los mayores.*)

FERNANDO. ¡Basta. ¡Basta ya!

URBANO. (*A los suyos.*) ¡Adentro todos!

ROSA. (*A Elvira.*) ¡Si yo me junté con Pepe y me salió mal, usted cazó a Fernando! . . .

ELVIRA. ¡Yo no he cazado a nadie!

ROSA. ¡A Fernando!

CARMINA. ¡Sí! ¡A Fernando!

ROSA. Y le ha durado.[35] Pero es tan chulo como Pepe.

FERNANDO. ¿Cómo?.

URBANO. (*Enfrentándose con él.*) ¡Claro que sí! ¡En eso llevan razón! Has sido un cazador de dotes. En el fondo, igual que Pepe. ¡Peor! ¡Porque tú has sabido nadar y guardar la ropa!

FERNANDO. ¡No te parto la cabeza porque . . . ! (*Las mujeres los sujetan ahora.*)

URBANO. ¡Porque no puedes! ¡Porque no te atreves! ¡Pero a tu niño se la partiré yo como le vea[36] rondar a Carmina!

PACA. ¡Eso! ¡A limpiarse de mi nieta![37]

URBANO. (*Con grandes voces.*) ¡Y se acabó! ¡Adentro todos! (*Los empuja rudamente.*)

ROSA. (*Antes de entrar, a Elvira.*) ¡Pécora!

CARMINA. (*Lo mismo.*) ¡Enredadora!

ELVIRA. ¡Escandalosas! ¡Ordinarias! (*Urbano logra hacer entrar a los suyos y cierra con un tremendo portazo.*)

FERNANDO. (*A Elvira y Manolín.*) ¡Vosotros, para dentro también!

ELVIRA. (*Después de considerarle un momento con desprecio.*) ¡Y tú a lo tuyo, que ni para eso vales![38] (*Su marido la mira violento. Ella mete a Manolín de un empujón y cierra también con un portazo. Fernando baja tembloroso la escalera, con la lentitud de un vencido. Su hijo Fernando le ve cruzar y desaparecer con una mirada de espanto. La*

---

34. *¡Una cualquiera!,* A nobody!
35. *Y le ha durado,* And he's stayed with you.
36. *como le vea,* if I see him

37. *¡Eso . . . nieta!* That's it! He should stay away from my granddaughter!
38. *¡Y . . . vales!,* And you, take care of your own business! You can't even do that!

escalera queda en silencio. Fernando, el hijo, oculta la cabeza entre las manos. Pausa larga. Carmina, la hija, sale con mucho sigilo de su casa y cierra la puerta sin ruido. Su cara no está menos descompuesta que la de Fernando. Mira por el hueco y después fija su vista con ansiedad en la esquina del «casinillo». Baja tímidamente unos peldaños sin dejar de mirar. Fernando la siente y se asoma.)

FERNANDO, HIJO. ¡Carmina! *(Aunque esperaba su presencia, ella no puede reprimir un suspiro de susto. Se miran un momento y en seguida ella baja corriendo y se arroja llorando en sus brazos.)* ¡Carmina . . . !

CARMINA, HIJA. ¡Fernando! Ya ves . . . Ya ves que no puede ser.

FERNANDO, HIJO. ¡Sí puede ser! No te dejes vencer por su sordidez. ¿Qué puede haber de común entre ellos y nosotros? ¡Nada! ¡Ellos son viejos y torpes! No comprenden . . . Yo lucharé para vencer. Lucharé por ti y por mí. Pero tienes que ayudarme, Carmina. Tienes que confiar en mí y en nuestro cariño.

CARMINA, HIJA. ¡No podré!

FERNANDO, HIJO. Podrás. Podrás . . . , porque yo te lo pido. Tenemos que ser más fuertes que nuestros padres. Ellos se han dejado vencer por la vida. Han pasado treinta años subiendo y bajando esta escalera . . . Haciéndose cada día más mezquinos y más vulgares. Pero nosotros no nos dejaremos vencer por este ambiente. ¡No! Porque nos marcharemos de aquí. Nos apoyaremos el uno en el otro. Me ayudarás a subir, a dejar para siempre esta casa miserable, estas broncas constantes, estas estrecheces. Me ayudarás, ¿verdad? Dime que sí, por favor. ¡Dímelo!

CARMINA, HIJA. Te necesito, Fernando. ¡No me dejes!

FERNANDO, HIJO. ¡Pequeña! *(Quedan un momento abrazados. Después, él la lleva al primer escalón y la sienta junto a la pared, sentándose a su lado. Se cogen las manos y se miran, arrobados.)* Carmina, voy a empezar en seguida a trabajar por ti. ¡Tengo muchos proyectos! *(Carmina, la madre, sale de su casa con expresión inquieta y los divisa, entre disgustada y angustiada. Ellos no se dan cuenta.)* Saldré de aquí. Dejaré a mis padres. No los quiero. Y te salvaré a ti. Vendrás conmigo. Abandonaremos este nido de rencores y de brutalidad.

CARMINA, HIJA. ¡Fernando! *(Fernando, el padre, que sube la escalera, se detiene, estupefacto, al entrar en escena.)*

FERNANDO, HIJO. Sí, Carmina. Aquí sólo hay brutalidad e incomprensión para nosotros. Escúchame. Si tu cariño no me falta, emprenderé muchas cosas. Primero me haré aparejador. ¡No es difícil! En unos años me haré un buen aparejador. Ganaré mucho dinero y me solicitarán todas las empresas constructoras. Para entonces ya estaremos casados . . . Tendremos nuestro hogar alegre y limpio . . ., lejos de aquí. Pero no dejaré de estudiar por eso. ¡No, no, Carmina! Entonces me haré ingeniero. Seré el mejor ingeniero del país y tú serás mi adorada mujercita . . .

CARMINA, HIJA. ¡Fernando! ¡Qué felicidad! . . . ¡Qué felicidad!

FERNANDO, HIJO. ¡Carmina! *(Se contemplan extasiados, próximos a besarse. Los padres se miran y vuelven a observarlos. Se miran de nuevo, largamente. Sus miradas, cargadas de una infinita melancolía, se cruzan sobre el hueco de la escalera sin rozar el grupo ilusionado de los hijos.)*

T E L Ó N

Vocabulary

The following abbreviations are used: *arch.*—archaic (indicating words no longer in common use), *adj.*—adjective, *adv.*—adverb, *fig.*—figurative, *n.*—noun, *plu.*—plural, *aug.*—augmentative, *dim.*—diminutive, *super.*—superlative.

This vocabulary does not contain all the words in the book. Omitted are all the common pronouns, conjunctions, prepositions, etc., as well as many of the commonest words (according to Buchanan's count) and a considerable number of words whose form and meaning are closely similar in Spanish and English. However, words that are not exact cognates and all less familiar cognates have been included. The meaning of adverbs ending in *-mente* must usually be sought under the corresponding adjective.

A

abad abbot, priest

abadesa abbess

abajar arch. to lower, bring down to earth; down with

abajo down; downstairs; *por* —— below

abalanzarse to rush, leap; —— *a* (or *sobre*) to leap upon

abalorio bead work

abandonar to abandon, leave, give up

abandono abandonment, abandon, desertion; slovenliness, negligence; giving up, relinquishing

abanicar to fan

abanico fan

abarcar to take in, include

abastar to provide, provision

abasto provisions

abatamiento depression, dejection

abatanar to pound, beat

abate abbé

abatido downcast, dejected

abatir to cast down; to strike down; to dismay; to humble

abdicar to abdicate

abeja bee

aberración aberration

abertura opening

abismar to sink

abismo abyss; *plu.* hell

ablandar to soften, melt

abnegación abnegation, self-denial

abochornar to make one blush

abofetear to strike, slap

abogacía legal profession

abolengo lineage, family tree

abominar to abominate, hate

abonar to guarantee, recommend, speak for; to justify; to pay; ——*se a* to subscribe to, take a season ticket for

abono favor, behalf; support

abordar to accost

aborrecer to hate, abhor

aborrecible abominable, abhorrent

aborrecimiento abhorrence

abortar to abort, miscarry

aborto abortion; hideous offspring

abotagado bloated, swollen

abovedado arched, vaulted

abrasado hot, burning

abrasador burning

abrasar to burn

abrazado embracing

abrazador, -a embracer

abrazar to embrace

abrazo embrace

ábrego southwest wind

abreviadamente in brief, briefly

abreviar to shorten, abbreviate

abrigar to harbor, shelter, protect, cover up

abrigo shelter, protection; (over)coat; bed clothes

abrileño adj. April, of April

abrirse to make way

abrochar to fasten, button

abrojo thistle

abrumador overwhelming

abrumar to depress; to overwhelm; to pester

absolución absolution, forgiveness of sins

absoluto: en —— absolutely

absolver (*ue*) to absolve; to excuse

absorbción absorption

absorber to absorb

absortar arch. to absorb

absorto wrapt, absorbed

abstenerse to abstain

abstinencia abstinence

abstraído absent-minded

abuela grandmother

abuelo grandfather; ancestor

abultar to enlarge

abundancia abundance

abundar to abound; arch. to adorn

abur so long; goodbye

aburrir to bore, tire

abusar de to abuse, impose on

abuso abuse

abyección abjection, abjectness

acá here

acabado finished, perfect

acabar to finish, end; —— *de* to have just; to end by; to cease to; *no* —— *de* to be at a loss to; *se acabó* that's all, it's all over; —— *por* to end up

acacia acacia tree

academia academy; university

académico n. academician; adj. academic; classical

acaecer to happen, occur

acalorado excited, feverish

acaloramiento ardor, excitement; moment of enthusiasm

acallar to quiet

acampar to pitch camp

acariciar to caress

acarrear to transport, bring

acartonado thick, dry

acaso n. chance; adv. perhaps; *por si* —— just in case

acatar to respect

acaudalado rich

acceder to accede, give in

accesible accessible

acceso access; attack (of sickness)

accidentado in a faint

accidente accident; attack (of sickness); swoon; advances

acechar to lie in wait for, ambush

aceite oil

aceitoso greasy

aceituna olive; olives

acelerar to speed, hasten

acémila pack animal

acemilero mule driver

acento accent

acentuar to accentuate

aceña water mill

aceptar to accept

acequia irrigation ditch

acera sidewalk

acerado steely, of steel

acerbo bitter

acercar to bring near, approach; —— *se* to draw near, approach

acerico pincushion

acero steel, fig. sword

acertado right

acertar (*ie*) to hit the mark, be right; to do right; to solve, guess; —— *a* to succeed in; to happen

aciago n. bitterness; adj. fatal, unfortunate, bitter

acíbar bitterness

acicalar to polish

acierto good sense; success

aclarar to explain, make clear, clear up, clarify; to cultivate

acobardar to make cowardly, frighten; —— *se* to be terrified

acogedor welcoming

acoger to receive, to take in; —— *se* to take shelter

acogida reception; asylum; *dar* —— *a* to welcome, receive

acogimiento reception, welcome

acometer to attack; to accost; to undertake

acometimiento encounter

acomodado well-to-do, rich

acomodar to accommodate; to make comfortable; to furnish; to arrange

acomodo job, employment

acompañamiento company

acompañante companion

acompasadamente leisurely, slowly

acompasado rhythmical

acondicionado adapted

acongojar to grieve, afflict

aconsejar to advise

acontecer to happen

acontecimiento event

acoquinar to frighten, intimidate

acordado harmonized, harmonious; well-tuned

acordar (*ue*) to agree; to determine, decide on; to accord; to give; to tune; —— *se de* to remember; —— *sele* (*algo*) to remember (something)

acorde in harmony; well-tuned; n. chord

acorralar to corral, round up

acorrer to succor, aid

acosar to harass; to pursue closely

acostar (*ue*) to put to bed; —— *se* to go to bed; to fall down

acostumbrar to accustom; to be accustomed

acotación citation

acotar to cite

acrecentar (*ie*) to increase

acreditar to authorize; to affirm; to give credence to; —— *se* to prove (oneself), demonstrate

acritud anger, bitterness

acreedor n. creditor; adj. deserving

activo active

acto act; —— *continuo* immediately afterwards

actual present, present-day

actualidad present state, up-to-date condition; timeliness; novelty

actuar (*de*) to act (as)

acuático aquatic (water)

acuciar to stimulate

acuchillar to cut, slash; —— *se* to fight with knives *or* swords

acudir to hasten, come; to help, rescue; to resort

acueducto aqueduct

acuerdo agreement; *de* —— all right; *de* —— *con* in accord with; along with

acullá there

acumular to gather, accumulate

acuñar to coin, make into coins

acurrucar to cuddle; ——*se* to curl up, get comfortable

acusación accusation

acusador accusing

acusar to accuse; to complain of

acústicamente acoustically, from the point of view of sound

achacar to impute

achantado hidden

achaque attack; illness; matter; *en* —— *de* on the pretext of

achatado flat

achicado humble

achicarse to humble oneself

achulado rough, tough

adamar to win (as a bride *or* lover)

adarga shield

adarve top of wall

adecuado adequate, suitable

adefesio ridiculous person

adelantado n. governor of a border province (especially on the Moorish frontier); *adj.* advanced, ahead

adelantar to advance, go ahead; to progress; to further; ——*se* to advance, go ahead; to be early

adelante forward; come in!; *calle* —— along the street; *salir* —— to go on

adelanto progress, improvement, advance

adelfa oleander

adelgazar to become thin

adeliñar arch. to go, direct oneself; ——*se* to direct oneself, go

ademán manner, gesture, look

adentro adv. within; n. plu. insides; *en mis* ——*s* within me, inwardly

aderezar to set straight, set aright, fix

adestrar (*ie*) to guide, lead

adherirse a (*ie*) to join oneself to

adiestrado trained

adiestramiento training, skill

adinerado moneyed, rich

adivinar to guess, divine

adivinatorio prophetic

adivino soothsayer

adminículo a necessary thing, necessity

administración office

administrar to administer, direct, manage

admiración admiration; surprise, amazement

admirador admirer

admirar to admire; to astound, amaze; ——*se de* to be astounded at

admitir to admit; to accept

adobado spiced (wine)

adobe mud brick

adolecer to suffer, grieve

adolescencia adolescence

adoptar to adopt

adorador adorer

adorar to adore

adormecerse to drowse, fall asleep

adormecido numbed

adornar to adorn

adornista painter

adquirir (*ie*) to acquire

adquisición acquisition

adrede on purpose

adscrito applying

aduana customhouse

aduar horde, tribe; *de* ——*es* like an Arab village or gypsy camp

aducir to adduce

adulación adulation, flattery

adular to flatter

adulador adj. flattering; *n.* flatterer

adúltero adulterous, corrupt

adustez gloominess

adusto austere, stern

advenedizo parvenu, adventurer, man of no position, upstart

advenimiento coming

adversario opponent

adverso adverse

advertencia warning; foresight

advertir (*ie*) to inform; to state; to note, notice, be aware, bear in mind

adyacente adjacent

aéreo airy, light

aeronauta aviator

afabilidad affability, pleasantness

afable pleasant, affable

afán anxiety, solicitude, tender care; longing, desire; worry

afanado anxious, eager, keenly interested

afanar to strive for; to win from; ——*se* to toil, strive for; to worry

afanoso eager

afear to make ugly; to speak evil of

afección disease

afectación affectation, assumed appearance

afectado imaginary

afectar to affect; to assume; ——*se* to get excited

afecto affection, love

afectuoso affectionate

afeitar to shave

afeite cosmetic

afeminación effeminacy

aferrado clinging

afición affection, liking, fondness

aficionado n. fan (of sports); *adj.* —— *a* fond of

aficionar to make fond, win

afilado sharp, pointed

afilar to sharpen

afinar to polish; to tune; to make keen

afirmación affirmation

afirmar to state, affirm; to resolve; to be firmly established; —— *la mano* to strike a blow; to place one's hand firmly

afirmativa affirmative answer

afirmativo affirmative

aflictivo grievous, distressing

afligir to afflict, distress

aflojar to loosen; to diminish

afluente tributary

afónico unharmonious

afortunado fortunate, lucky

afrancesado partisan of the French (in 18th and early 19th centuries)

afrenta affront, insult; *arch.* suffering

afrentar to insult; to attack; ——*se* to be insulted

afrentoso insulting

afrontar to face

afuera outside; ¡——! get out!

afufarse to run away

agachar to bend down, stoop, crouch

agalla gill

agarrado stingy, grasping, close-fisted, holding on

agarrar to clutch, seize, to get; ——*se* to clutch

agasajar to entertain, regale, treat

agente agent

ágil agile

agilidad agility

agitación agitation

agitar to agitate, upset; to wave; to move (violently); ——*se* to wave; to stir

aglomeración group, agglomeration, mass

aglomerarse to congregate

agobiar to crush, overwhelm

agolparse to crowd together; to rush

agonía agony; death

agonizante dying, at death's door

agonizar to be in the throes of death; to die

agora *arch.* for *ahora*

agorero prophetic; addicted to augury

agostar to dry up, wither; to exhaust

agosto August; harvest

agotar to exhaust, dry up

agraciar to adorn; to favor

agradar to please

agradecer to be grateful (for), thank (for)

agradecimiento gratitude

agrado agreeableness

agrandar to enlarge; to lengthen

agrario agrarian

agravar to aggravate

agraviar to affront, insult

agravio insult, offense; harm, wrong

agraz: en —— unseasonably

agregar to add; to join

agreste wild

agrícola *n.* farmer; *adj.* agricultural

agridulce bitter-sweet

agrimensor surveyor

agrio bitter

agrónomo agricultural

agrupación grouping together

agruparse to gather, form a group

aguacero shower, down pour

aguador water-seller

aguaducho water-seller's stand

aguamanos water for washing

aguantar to bear, endure; to put up with; ——*se* to make the best of it

aguar to water, dilute; to spoil

aguardar to wait (for)

aguardiente a kind of cheap liquor; —— *de anís* liqueur of anise, anisette

agudeza sharpness; witticism

agudo acute, sharp; keen; clever; lean, thin

agüero augury

aguijar to spur

aguijón spur; goad

aguijonear to spur

águila eagle; *slang* shark

aguileño aquiline

aguilucho eaglet

aguja needle; spire

agujer(e)ado pierced with holes

agujero hole; hiding place

ah ah; ahoy; —— *del coche* hey, you in the coach

ahijado godson

ahinco eagerness; perseverance, persistence

ahito indigestion

ahogar to stifle, suffocate; to drown; to choke; *fig.* to tighten the screws, torture

ahogo suffocation; affliction

ahondar to delve, penetrate

ahora: —— *mismo* right now

ahorcar to hang

ahorita right now

ahorrar to save; to spare; ——*se de* to avoid

ahorro saving

ahuecado loose

ahumado smoky

ahuyentar to put to flight

aijada goad

airado angry, wrathful

aire air; breeze; appearance

airoso airy, windy; graceful; brilliant

aislamiento isolation

ajar to crumple; to wither, fade, dry up; ——*le a uno la vanidad* to wound one's vanity

ajedrez chess

ajenjo wormwood; absinth

ajeno that belonging to another person; another's; —— (*a*) unaware, unsuspecting (of) —— *de* foreign to; free from

ajetreado worn-out

ajetreo agitation, confusion; weariness

ajo garlic

ajuar trousseau; furnishings

ajuntar to gather, get

ajustar to adjust, fit; to hire; —— *una cuenta* to add up an account

al arch. another thing, anything else

ala wing; brim (of hat); —— *de mosca fig.* thin, colorless material

Alá Allah

alabanza praise

alabar to praise

alabarda halberd

alabastro alabaster

alambicado very subtle, over-refined

alameda poplar grove, grove; public walk

álamo poplar tree

alarde display; parade

alargado long

alargar to lengthen, stretch out; to hold out, hand to; to protract, postpone

alarido howl, shriek

alarmante alarming

alazán sorrel

alba dawn

albahaca sweet basil

albañil mason

albarda saddle; packsaddle

albedrío will; free will

albergar to lodge

albergue shelter, dwelling

albo (snow) white

alborada dawn

alborear to dawn

alborotador agitator

alborotar to make noise, disturb; to stir up; ——*se* to become excited

alboroto tumult, hubbub, disturbance

alborozo gaiety, joy

albricias reward (for good news); good news
albura *n.* pure white
alcabala a 10% sales tax
alcahueta procuress, go-between
alcaide jailer
alcalde mayor; warden; judge; *alcalde-corregidor* mayor
alcaldesa mayor's wife
álcali alkali
alcance extent; pursuit, *al —— de* within reach of; *dar —— a* to reach
alcanza *arch.* pursuit
alcanzar to overtake; to reach, arrive at; to get, attain; to succeed in; to ascertain; to comprehend; to obtain
alcarreño from la Alcarria, a region a few miles east of Guadalajara
alcázar castle
alcoba bedroom
alcotán lanner, bird of prey
alcuza flask
aldaba door-knocker; catch, hook
aldabilla *dim.* of *aldaba*
aldea village
aldeano, –a *n.* villager, peasant; *adj.* country, rustic
alderredor same as *alrededor*
¡Ale! come on!, get along!
alegar to allege
alegrarse to be glad
alegría happiness, joy
alejar to separate; to keep away; *——se* to move away
alemán German
alentado brave; dashing
alentar (ie) to breathe
aleta nostril
aleteo fluttering
aleve treacherous
alevoso treacherous
alfamar blanket
alférez lieutenant
alfiler pin
alfombra rug
alfombrado figured
alforja saddle bag (also worn over the shoulder as a knapsack)
alga seaweed, water plant
algarabía Arabic (language); din, clamor
algazara noise

algecireño from Algeciras
algo something; *arch.* wealth, worldly goods; *por —— not* for nothing
algodón cotton; cotton cloth
alguacil constable
alhaja jewel; fine furnishing
alhelí gilliflower
alianza alliance
alicantina deceit, swindle
aliciente incentive
aliento breath, breathing; courage; desire
aligerar to lighten
alijo contraband goods; bundle of smuggled goods
alimaña small destructive animal
alimentación feeding
alimentar to feed; to sustain; *——se* to eat
alimento food
alinear to align; to line up
aliñar to cook
aliño spread, feast
alisar to smooth
aliviar to alleviate, relieve
alivio alleviation, relief, improvement
almacén store; warehouse
almacenista merchant
almagre red ochre
almanaque almanac; calendar of saints
almena battlement
almendra almond
almendro almond tree
almete helmet
almíbar syrup; sweet drink; preserves
almo venerable; revivifying
almohada pillow
almohaza currycomb
almorzar (ue) to lunch
almotacén office of market inspector
almuerzo lunch
alojamiento lodging, billeting
alojar to lodge, take lodgings
alondra lark
alongado away, at a distance
alpargatero maker of *alpargatas* (peasant's sandals); shoemaker
alquilar to rent
alquiler rent, hire
alquimia alchemy
alrededor *adv.* around; *n. plu.*

surroundings; *—— de* around; *a nuestro ——* around us; *a su ——* around them
altanería *plu.* lofty regions
altanero lofty; arrogant, haughty
altar altar
altarito *dim.* of *altar*
alteración irritation, strong emotion
alterar to anger, upset; to alter, change
altercado quarrel
altercar to dispute, bicker; *—— razones* to converse
alternar to alternate; to associate
alternativamente alternately; at regular intervals
alternativo alternate
alteza honor; height
Altísimo God, the Most High
altivez haughtiness, loftiness
altivo haughty, lofty
alto high; deep, profound; *n.* height; *lo ——* the upper part, the top; *dar de alta* to release (from hospital), to declare cured
¡alto! halt; hacer *—— to* halt
altura height; highland; heaven
alucinación hallucination
aludir to allude, refer to
alumbrar to light; to shed light; to enlighten
alusión allusion
alusivo allusive
aluvión alluvium, deposit of sedimentary matter (in a river)
alza: en —— on the rise (of the stock market)
alzada height
alzado raised; *n.* fixed sum; *cejas alzadas* arched eyebrows
alzar to raise; to gather up; to shrug
allá: más —— de beyond
allanarse to acquiesce; to resign oneself
allegar to procure
allende beyond; *—— de* beyond
ama housekeeper; mistress; hostess; nurse; *—— de llaves* housekeeper
amabilidad amiability, kindness

amable amiable, kind
amador lover
amagar to threaten
amancebado living with a concubine
amancebamiento concubinage
amancillar to stain
amanecer to dawn; to arrive *or* be at dawn; to awaken; *al —* at dawn
amaneramiento mannerism
amansar to tame; to pacify, placate
amante lover
amanuense secretary
amargar to embitter
amargo bitter
amargura bitterness
amarillento yellowish
amarrar to moor; to tie
amartelado smitten
amasar to knead
amatar *arch.* to extinguish
amatorio amatory
amazona amazon; woman's riding costume
ámbar ambergris
ambicionar to desire, yearn for
ambiente atmosphere; environment; *— vital* life
ámbito compass, realm
ambos both
ambrosia ambrosia
ambulancia first-aid station; ambulance
amedrentar to frighten
amenaza threat
amenazador *adj.* threatening
amenazante threatening
amenazar to menace, threaten
amenidad pleasantness
ameno pleasant, agreeable
americana (suit) coat, jacket
amigote *aug. of amigo* pal
amilanarse to be terrified; to be cowardly
amistad friendship
amistoso friendly
amo master
amodorrado in a stupor, stupefied
amonestación admonition
amonestar to admonish, warn, advise
amontillado fine Sherry wine
amontonar to pile up
amor love; *plu.* love affair;

words of love; *— propio* vanity; pride
amoratado purple, purplish
amorío love making; love affair
amoroso amorous, loving
amoroso-pastoril on love and nature
amortecer to faint
amortecido in a swoon; at the point of death
amortiguar to deaden; *—se* to die down
amostazar to irk, exasperate; *—se* to become angry
amparador protector
amparar to shelter, protect
amparo shelter; protection
amplio broad, ample
ampo pure white
amueblado furnished
amuleto amulet
anacrónico anacronistic
anafre small oven, stove
anal *plu.* annals
analizar to analyze
análogo analogous, in accord with, similar
anarquista *n.* anarchist; *adj.* anarchical
anatema anathema; prohibition
anatómico of anatomy
anca haunch, crupper; *a las —s* on the back of one's horse
ancianía old age
ancianidad old age
anciano old; *ancianitas* old women's home
anclar to anchor
ancho wide; *a mis anchas* at my ease
anchura breadth
andada track, trail; *volver a las —s* to backslide, go back to one's old ways
andador fond of walking; fast-walking
andadura walk, pace
andaluz Andalusian
andamio stand
andanada broadside
andar *n.* step
andas stretcher, bier
andén station platform
andrajo rag; worn-out garment
andrajoso *n.* ragamuffin; *adj.* ragged

anegar to drown
anemia anemia
ángelus angelus
Angelus Domini prayer to the guardian angel
angosto narrow
angostura narrow place, pass
anguila eel
ángulo angle; corner
angustia anguish
angustiado anguished
angustiar to afflict, fill with anguish
angustioso filled with anxiety; difficult
anhelante longing, yearning, desiring
anhelar to yearn for; to pant (for breath)
anhelo yearning, desire
anheloso yearning, desiring, longing
anidar to nest
anilla ring
ánima soul
animación animation
animadamente in a lively fashion
animal animal; brute
animalote *aug. of animal*
animar to animate, incite, cheer, encourage; *—se* to take *or* show courage
ánimo mind, spirit; courage; intention
animoso courageous, spirited
aniquilar to annihilate, overcome, destroy
anís aniseed, anise
anoche last night
anochecer to grow dark; *n.* nightfall
anochecido after dark
anomalía irregularity
anonadar to annihilate, exterminate; to stupefy
anónimo *adj.* anonymous; *n.* anonymous letter
anotación note
ansí *arch. for así*
ansia yearning; worry, anxiety, anguish
ansiar to long for, desire
ansiedad anxiety
ansioso anxious, eager
antaño last year; previously
ante before, in front of; *— que arch. for antes que*

antecedente antecedent
antecesor predecessor
antecoger to drive before
antena yard-arm, spar
anteojo spyglass
anterior previous, foregoing, former
antes adv. before; rather; —— *de poco* within a short time
antesala waiting room
anticipado in advance
anticipar to take the lead; to anticipate
anticipo advance
anticristo Antichrist, devil
antifaz mask
antigüedad antiquity, age
antiguo old, ancient
antílope antelope
antiparras glasses
antipático disagreeable, unpleasant
antojadizo whimsical, capricious
antojársele a uno to occur to one, seem to one; to have a yearning for
antojo whim
anublar to cloud
anudar to knot
anular to annul
anunciar to announce
anuncio announcement; advertisement
anzuelo fish hook
añadidura: de —— or *por* —— in addition
añadir to add
añejo old
añil indigo blue
añoso aged, old
añudar to entwine
apacible peaceful
apaciguar to appease
apadrinar to act as godfather; to aid, support
apagado wan, faint
apagar to extinguish, put out (light); to pacify
apalabrar to bespeak
apalear to beat
apandar to pilfer, steal
apañado clever; mended; clothed
apañar to prepare
aparato apparatus; equipment; pompous display
aparatoso showy

aparecer to appear
aparejado in pairs; together
aparejador builder; architect's assistant
aparejar to prepare
aparejo preparation, disposition; means; opportunity; *plu.* trappings; saddle
aparentar to pretend, feign
aparición apparition, vision
apariencia appearance; manifestation
apartado distant, remote; retired, solitary
apartamiento solitude; separation
apartar to withdraw, send away, draw away, draw aside, step aside; to remove, set aside, divert; ——*se (de)* to step to one side, move away; to differ (from)
aparte aside; apart, separate
apasionado impassioned, passionate
apearse to dismount
apechugar con to put up with
apedrear to stone
apegado attached, devoted
apego fondness, attachment
apelación appeal; summons (to court)
apelar to appeal, have recourse (to), call (on)
apellidar to appeal to, call on
apellido surname
apenado in pain
aperador overseer, foreman
apercibir to warn, advise; to get ready
apero implement, tool
apesadumbrar to grieve
apestar to stink
apestoso foul-smelling, sickening, offensive
apetecer to wish, hope for, desire
apetecible desirable, enticing
apetito appetite; desire
apiñar to crowd
apisonar to trample
aplacador in a conciliatory manner
aplacar to placate, quiet
aplastar to crush, smash
aplaudir to applaud
aplauso applause; *en* —— *de* in favor of

aplazamiento postponement
aplazar to postpone; to agree upon
aplicación application
aplicar to apply, devote; to impute; to judge
aplomo aplomb, self-possession
apocado meek, humble, pusillanimous
apocalíptico apocalyptical, of the Apocalypse (*or* Revelation)
apócrifo false, apocryphal
apoderarse de to take possession of
aporrear to club; to bang on a door
aposentar to lodge
aposento room
apostar (ue) to bet; to post (a watchman); ——*se* to risk
apostólico apostolic
apostrofar to apostrophize, address
apóstrofe apostrophe, salutation
apostura bearing, disposition
apoyar to lean (on); to base one's assertions (on); to support
apoyo support, aid
apreciable respectable, worthy
apreciación judgment
apreciar to appreciate; to value, esteem; to become aware of
aprecio esteem; appreciation
apremiante pressing
apremio insistence
aprendiz apprentice
aprendizaje apprenticeship
aprestar to prepare
apresurado swift, quick, hasty
apresurar to hasten; ——*se* to hasten; —— *el paso* to quicken one's steps
apretado tight, close
apretar (ie) to tighten; to squeeze; to harass; to press; to oppress, torture; —— *el paso* to hasten one's step; ——*se con* to press against
apretón pressure; —— *de manos* handshake
apretura difficulty; dunning
apriesa swiftly
aprieto strait, trouble
aprisa swiftly, quickly
aprisionar to imprison

aprobación approval; *estar a la* —— to be waiting for approval
aprobar (*ue*) to approve
aprontar to prepare in haste
apropiado fitting
aprovechado proficient; advantageous
aprovechamiento profit, advantage
aprovechar to take advantage of; to profit by; to be useful; ——*se de* to take advantage of
aproximar to bring near; ——*se a* to approach; ——*se de* to approach within
áptero wingless
apto capable, competent
apuesta bet, wager
apuesto graceful; elegant
apuntación note, jotting
apuntar to bet; to jot down; to point; to show up; to show faintly; to dawn; to start; to augur; to aim at
apunte note, jotting; sketch, study (of painting)
apurado needy; worried
apurar to drain, exhaust; to scrutinize; to harass; ——*se* to worry
apuro worry, trouble, difficulty
aquejar to grieve, afflict
aquese, -a *arch.* for *ese, esa*
aqueste, -a *arch.* for *este, esta*
aquesto *arch.* for *esto*
aquietar to calm, quiet
aquilón north wind
ara altar
arábigo Arabic
arado plow
arador plowboy
araña spider
arañar to scratch
arar to plow
arbitrio will; means, expedient; discretion, judgment
árbitro arbiter, judge
arboleda grove
arborescente arborescent, treelike
arbusto bush
arca chest, money box, coffer, ark
arcabucear to shoot
arcabuzazo gun shot
arcángel archangel
arcano secret

arciprestazgo position of archpriest
arcipreste archpriest
arco arch; bow; —— *voltaico* arc light
archiduquesa archduchess
archipiélago archipelago
archipobre very poor
archivo archive, record; file
arder to burn
ardid trick, wile
ardiente ardent, hot, burning
ardor heat; ardor; courage
ardoroso fiery, ardorous
arena sand
arenga speech
arengar to harangue
Argel Algiers
argentado silvery
argentino silvery
argolla ring
argucia subtlety
argüir to argue; to show, reveal
argumento argument; summary
árido arid; dry
ariete battering ram
arisco surly, fierce
arista chaff
aristócrata aristocrat
Aristóteles Aristotle
aritmética arithmetic
arma arm, weapon; coat of arms
armada armada, fleet; expedition
armadura armor
armar to arm; to set up, establish, prepare; to begin; to wage
armario cupboard, wardrobe
armazón framework
armero arms' rack
armiño *n.* ermine; *adj.* of ermine
armonía harmony
armónico harmonious
armonioso harmonious
aroma perfume, scent, aroma
aromado perfumed
arpa harp
arqueología archaeology
arqueólogo archaeologist
arquero archer
arquilla money box
arquitectónico architectural
arrabal suburb, quarter
arraigado deep-rooted

arraigar to root, take root; ——*se* to take root
arramblar to sweep over, sweep away
arrancar to tear from, tear out, tear away; to pull out; to start
arranque sudden start; outburst, burst; courage, nerve
arras wedding gift; gift
arrasar to tear down, demolish
arrastrado *n.* rascal, good-for-nothing; *adj.* wretched
arrastrar to drag
arrayán myrtle
arre get up!; go away!
arrear to urge on, whip up (a horse)
arrebañadura last bit
arrebatado sudden, impetuous
arrebatar to snatch away; ——*se a* to act hastily in
arrebato transport, fit
arrebol dawn; rouge
arreciar to become stronger; ——*se* to gather one's strength
arrecife rocky reef
arredrar to terrify
arreglado moderate; at a moderate price
arreglar to arrange; to fix; ——*se* to get along, make out, manage; to fix oneself up
arreglo arrangement; order, good management
arrellanar to settle comfortably, lean back
arremangado with sleeves rolled up
arremeter to attack; to launch forth
arremolinar to swirl; ——*se* to churn about
arrendar (*ie*) to rent (out)
arrendatario renter
arreo dress, decoration; *plu.* trappings
arrepentimiento repentance
arrepentirse (*ie*) to repent
arriar to lower
arriate border (in gardens)
arriba up, above; upstairs; *de* ——*abajo* from head to foot; *por* —— above
arribar to arrive
arriero muleteer
arriesgar to risk

arrimado close; —— *a* leaning on

arrimar to approach, draw near, bring near; to stow; to put aside; —— *contra* to back (someone) up against; ——*se* to approach; ——*se a* to lean against, press against, support oneself on

arrimo shelter; prop

arroba weight of 25 pounds

arrobado entranced

arrobamiento ecstasy

arrodillado kneeling

arrodillamiento kneeling

arrodillarse to kneel

arrogancia bravery; arrogance

arrogante arrogant

arrojado bold

arrojar to cast, throw (away), send forth, hurl; to drive away; to emit; ——*se* to dash, rush

arrojo impulsiveness, dash, boldness

arrollar to roll over, crush; to roll up

arroparse to bundle up

arropía taffy

arrostrar to face

arroyo brook; gutter

arroyuelo *dim.* of *arroyo*

arroz rice; rice dish

arruga wrinkle

arrugar to wrinkle, crumple

arruinar to ruin

arrullador *n.* luller, comforter; *adj.* lulling, soothing

arrullar to lull

arrullo cooing

arsénico arsenic

arte art; sort, kind; trick; *con buen* —— cleverly; *por tal* —— in such a way; *de poco* —— of low degree; *por el* —— *de* of the style of, like

artefacto manufacture

artero crafty, cunning

articular to join

artículo article

artífice craftsman

artificio craft; artifice, trick

arzobispal of the archbishop

arzobispo archbishop

arzón saddle-tree

as ace

asa handle

asador spit

asadura *plu.* insides, guts

asalariado employee, wage earner

asaltante assailant

asaltar to assault

asalto assault, attack

asar to roast

asaz sufficient(ly), quite

ascender (ie) to ascend; to reach, amount (to)

ascendiente ancestor; influence

ascensión climb, ascent

ascensor elevator

asceta hermit

ascético ascetic

asco nausea, repugnance; *dar* or *poner* —— to cause nausea or repugnance; *tener* —— to be sickened, be repelled by

ascua glowing coal, ember; *estar en* ——*s* to be on pins and needles; *hecho* —— glowing

aseado neat

asechanza snare, stratagem

asediar to besiege

asegurar to assure, state

asemejar to make like, cause to resemble

asenderado persecuted

asentar (ie) to seat; to fix, establish, set; to settle, calm; to take service

asentimiento consent

asentir (ie) to assent

aseo neatness

asequible attainable

aserrar (ie) to saw

asesinar to murder, assassinate

asesinato murder, assassination

asesino assassin

asesorar to advise

asestar to aim; to shoot

asfixia suffocation

asfixiante asphyxiating

así: —— ... *como* in the same way ... as; as much ... as

asiduo assiduous

asiento seat; resting place; position; *hacer* —— to settle

asignación share; assignment

asignar to assign

asilo asylum

asimismo likewise

asir to seize; to cling (together)

asistencia aid, care; service, work as a servant; board

asistenta servant, cleaning woman

asistente assistant, helper

asistir to attend, be present (at); to take care of; to assist; to witness

asmático asthmatic, wheezy

asnal of a donkey, asinine

asno ass

asociar to associate; ——*se a* to join in

asolar to raze

asomar to appear; to show; to look out of; to look; ——*se* to peek out, look out

asombrar to startle, astonish; to take by surprise

asombro astonishment

asombroso amazing

asomo sign, indication, trace, bit

asonante assonance

aspaviento fuss, emotional demonstration

aspereza roughness; asperity; *plu.* rough terrain

áspero rough; sharp

aspillera embrasure, loophole

aspiración aspiration, desire, objective

aspirante *n.* aspirant, candidate; *adj.* aspiring

aspirar to aspire; to breathe, breathe in; to blow

asta shaft (of lance); (flag) pole; horn (of bull)

astil shaft (of lance)

astillero rack

astilla splinter; kindling

astro star; *fig.* destiny

astrología astrology

astucia astuteness, cunning

astur Asturian, from Asturias

asturiano Asturian

astuto astute, cunning

asunto subject; affair

asurar to burn

asustar to startle, frighten

atacar to attack

atadijo bundle

atajar to stop; to cut off, interrupt

atajo short cut

atapar *arch.* to cover

atar to tie, fasten, bind; *loco de* —— stark mad

atarazado mangled; torn; wounded

ataúd coffin

ataviado decked out

atavío gear, finery, adornment

atemorizar to frighten

atenacear to tear off the flesh with pincers

atenazar same as *atenacear*

atención attention; *plu.* affairs, obligations

atender (ie) to pay attention; to take care of; to expect; ——*se a* to take account of, take into consideration

atenerse a to abide by, adhere to; to depend on

atentado attack

atento attentive, heedful

atenuación attenuation; moderation

atenuar to attenuate, diminish

ateo atheist

aterido numb, stiff (with cold), frozen

aterrador terrifying

aterrar (ie) to cast down; to terrify; to amaze

atesorar to treasure up, hold

atestado crowded, full of; stuffed

atestar (ie) to stuff, fill up

atestiguar to bear witness to, testify

ático classic; high-toned

atinado sensible

atinar to succeed in; to guess (correctly), divine; —— *con* to hit on

atizar to poke, stir; —— *friegas* to massage vigorously

atolondrado reckless, scatterbrained

atolondramiento recklessness, forwardness

átomo atom

atónito astonished

atontado stupefied

atormentador tormenter, torturer

atormentar to torment

atortolado intimidated

atosigar to poison

atracar to bring near, approach; to stuff; to land

atractivo *n.* attraction

atraer to attract

atrancar to bar, bolt

atrapar to catch, get

atrasado behind the times; overdue

atraso backwardness; *plu.* arrears

atravesar (ie) to cross; to pierce; to go through; ——*se* to change hands

atreverse to dare

atrevido bold, daring; insolent

atrevimiento daring

atribuir to attribute

atribular to grieve, afflict; ——*se* to become despondent

atrincherar to intrench

atrocidad atrocity; unjust act

atronar (ue) to thunder, rumble

atropellar to crush; to trample; to push (through)

atropello outrage

atroz atrocious, frightful

atufar to anger

aturdido upset, befuddled, stunned

aturdimiento befuddlement, perturbation

aturdir to upset, confuse, stun

aturrullar to bewilder, daze

atusar to smooth

audacia audacity

audaz audacious

audiencia audience, court (of law); *dar* —— to receive (official visitors)

auditorio audience

augurar to augur, betoken

augurio augury

augusto august, majestic

aullido howl

aumentar to augment

aumento increase; *ir en* —— to increase

aun, aún still, yet; even, still more

aura breeze

áureo golden, gold colored

aurora dawn

ausencia absence

ausentarse to leave

ausente absent

austeridad austerity, puritanical living

austero austere

austro south wind

auténtico authentic

auto act; document (of lawsuit)

autoridad authority

autorizar to authorize; to justify

auxiliar to aid; *n.* helper; substitute or assistant professor *adj.* auxiliary

auxilio aid

avalancha avalanche

avance advance

avanzar to advance

avariento avaricious, greedy

avaro miserly; *n.* miser

avasallar to subject, dominate

ave bird

avecinado settled

avecinarse to draw near

avellana hazelnut

avellanado withered, wrinkled

avellano hazelnut tree

avemaría Hail Mary

avenir to reconcile; ——*se* to agree; to put up with

aventajado superior, great, superb; gifted, charming

aventajarse to excel; to have the advantage

aventura adventure; *por* —— peradventure, perchance

aventurar to risk, venture

aventurero *n.* adventurer; knight errant; *adj.* adventuresome

avergonzar (üe) to shame; ——*se de* to be ashamed of

avería damage

averiguación inquiry

averiguado well-known

averiguar to find out, look into

avestruz ostrich

avezado accustomed

aviado well provided for

aviar to clean

ávido avid, eager

avinagrado sour

avío preparation; care; *plu.* utensils, things necessary; *al* —— let's get started; *hacer su avío* to serve its purpose

avisar to give notice, inform, advise; to take counsel

aviso notice, warning; information; advice; care, watchfulness

avivar to sharpen; to enliven, quicken; to inflame; ——*se* to rally one's forces

ay oh!, ah!; —— *de mí* woe is me!

aya governess

ayuda aid, help; *para* —— *de* to help toward; ——*de cámara* valet

ayudante aide, assistant
ayudar to help, aid
ayunar to fast; to do without
ayuno fast, fasting
ayuntamiento city council; city or town hall
azacán water-carrier; *fig.* one who works very hard, slave
azada adze
azafrán saffron
azafranado saffron-colored
azagalla see *azagaya*
azagaya javelin
azar hazard, chance; unfortunate moment *or* event
azaroso hazardous
azófar brass
azor falcon, hawk
azorado confused, nervous
azoramiento bewilderment; alarm, anxiety; trouble
azotar to whip, lash
azote whip, scourge; blow; *plu.* whipping
azotea flat roof
azúcar sugar
azucarillo stick of honeycombed sugar for sweetening drinks
azucena lily
azufrado sulphurous
azufre sulphur
azulado bluish
azulejo tile
azumbre liquid measure, about two quarts
azur azure
azuzar to urge on

B

baba drivel, drooling, slobbering
babilonia disorder, confusion
bacalao codfish
bacanal drinking bout, bacchanal
bacía basin
báculo cane
bachiller bachelor (of arts, etc.); chatterbox
bachillerato undergraduate work
bagaje military baggage
bailar to dance
bailarín dancer
baile dance

bajada descent; landing; going down
bajar to descend, go down, walk down
bajel vessel (poetic word)
bajeza baseness; disgrace
bajo *adj.* low; *por lo* —— in a low tone; *sala baja* downstairs room; *n. plu.* petticoat
bajón lessening; fall; backward step
bajura lowland
bala bullet
baladí ordinary, common
balancearse to roll, rock
balar to bleat
balazo bullet wound
balbuciente stammering
balbucir to stammer
balcón balcony; window
baldado lame
baldar to cripple
balde: en —— in vain, fruitlessly; *de* —— free, gratis
baldonar to insult
baldosín tile
balido bleating
balsa pool; raft
bálsamo balsam, ointment, salve
baluarte bulwark
ballena whale
ballesta crossbow
bambolearse to sway, wobble
banal banal
banca bank, banking
banco bench
banda scarf; bandage; side; *por* —— on each side; *por la otra* —— on the other hand
bandeja tray
bandera flag, banner
bandido bandit
bando proclamation
bandolera game bag
bandolero highwayman
banquero banker
banquillo dim. of *banco*
bañar to bathe
bañera basin
bañista bather
baraja pack of cards
barajar to shuffle (cards)
barandilla railing
baratija trifle
barato *n.* fee, tip; *adj.* cheap
baratura cheapness, low cost
barba beard; chin; *hacer la* —— to shave

barbado bearded
barbaridad barbarity; nonsense; *que* —— how atrocious!
bárbaro *n.* barbarian; *adj.* barbarous
barbero barber
barbudo bearded
barca small boat
barco ship, boat
bardal thicket of brambles
bargueño chest (of drawers)
barniz polish
barnizado glossy
barón baron
baroncita dim. of *barona* baroness
barquilla basket (of balloon)
barra bar; weight; —— *de nariz* bridge of nose; *sin daño de* ——*s* without injury or danger
Barrabás thief who was saved from crucifixion instead of Christ
barraca hut, cabin, booth
barranco ravine
barredura sweeping
barrer to sweep
barrera barrier, wall; fortification
barricada barricade
barriga belly
barril barrel, water cask
barrio quarter (of town)
barrizal mire; mudhole
barro clay; mud
barrote heavy bar
barrunto conjecture
barullo commotion, confusion
basquiña skirt
bastante enough, sufficient; quite a lot
bastar to be enough, be sufficient
bastardo illegitimate
bastidor wing (of stage setting); framed needle work
bastón cane; staff
basura refuse; garbage
bata robe, dressing gown, negligée
batahola hubbub
batalla battle
batallar to battle, struggle
batallón battalion
batanear to bat
batería footlights
batiburrillo hodge podge

batiente leaf (of door)
batir to beat; to clap (hands); —— *se* to fight
batueco fool
baúl trunk
bauprés bowsprit
bautismo baptism
bautizo baptism
bayeta woolen cloth
bayoneta bayonet
bazofia refuse, slops
beata woman who frequents the churches; hypocrite
bebé baby
bebedizo potion, philter
bebida drink
becerro calf
bedel beadle, university monitor
Belcebú Beelzebub, the devil
beldad beauty
belfo thick underlip, *labio* —— blubber lip
bélico of war, warlike
belicoso warlike
bellaco rogue
belleza beauty
bello beautiful, handsome
bellota acorn
bendecir to bless
bendición blessing, benediction
bendito blessed; *n.* blessed person; *agua bendita* holy water
beneficencia charity; —— *domiciliaria* social service
beneficio benefit, blessing; profit
benéfico beneficent, generous
benemérito worthy, meritorious
beneplácito approval, consent
benevolencia benevolence, kindness
benévolo benevolent
bengala staff; symbol of command
benigno benign
benino *poetic for benigno*
benjuí benzoin
beodo *n.* drunkard; *adj.* drunk
berenjena eggplant
bergantín *n.* brigantine; *adj.* brigantine-rigged
bermejo reddish
bermellón vermilion
berrear to bellow
berrendo spotted
berrido bellow, shout
berruga for *verruga* wart

berza cabbage
besar to kiss
bestia animal
betún pitch
bíblico Biblical
bicentario two hundred years old
bicicleta bicycle
bichero boathook
bicho bug; creature
bieldo winnowing rake
bien *n.* good; happiness; dowry; darling; *plu.* wealth, treasure, blessings; *con* —— safely; *hombre de* —— worthy man; *Sumo Bien* supreme good, God; *adv.* quite, very; indeed; *no* —— hardly, scarcely, as soon as; *o* —— or else
bienaventurado *n.* fortunate person; *adj.* fortunate, blessed
bienaventuranza blessedness, glory
bien-compuesto orderly
bienestar well-being
bienhacer charity, good deeds
bienhechor benefactor
bienquisto loved, well liked
bifido forked
bigardón loafer
bigotazo *aug. of bigote*
bigote mustache
bilioso bilious
bilis bile
billete ticket, banknote, bill; note
binar to cultivate for the second time
bisabuelo great-grandfather
bisoño tenderfoot
bizarría splendor; generosity
bizarro gallant; generous; splendid
bizcar to squint
bizco squinting; cross-eyed
bizcocho lady finger; sponge cake
blanca a copper coin, farthing
blanco *adj.* white; *n.* target, mark; *poner los ojos en* —— to show the whites of one's eyes
blancura whiteness
blandengue wishy-washy person
blando soft; gentle
blandura softness; blandish-

ment; *tiempo de* —— weather too warm to keep fish
blanquear to be white, snow white; to whitewash
blanquecino whitish
blasfemar to blaspheme
blasfemia blasphemy
blasón coat of arms; device (of heraldry)
blasonar to boast
blindado shielded
bobada silly notion, foolishness
bobalicón dunce, fool
bobo fool, simpleton
boca mouth; *a* —— *de jarro* point-blank
bocado mouthful; bite; delicacy
bocanada puff
boceto sketch
bocona *n.* loudmouth
bochornoso humiliating
boda or *bodas* marriage
bodega cellar; wine cellar
bodegón wine cellar
bofetada blow, slap
bogar to sail
bola ball
boleta card, ticket
boliche bowling
bolichera woman in charge of bowling
bolita *dim. of bola*
bolsa stock exchange; purse
bolsilla purse
bolsillo pocket; purse
bolsón large purse, pocketbook
bomba pump; fire-engine; bomb
bombilla electric bulb
bombo bass drum
bombonera candy box
bonachón good-natured; simple-minded
bonanza calm
bondad goodness, kindness
bondadoso kindly
bonete hat
bonitamente neatly
bonito pretty
bono coupon (for food); —— *de trabajo* work certificate
boquete opening, hole
borbollón: a ——*es* in gushes
borda rail, gunwale
bordado embroidery
bordadura embroidery
bordar to embroider

borde edge, border, brim; *al* —— *de* at the edge of; on the verge of
bordear to skirt; go along
bordo: a ——*(de)* on board
bordón staff (of pilgrim)
borla tassel
borracho drunk; *n.* drunkard
borrador rough draft
borrar to erase
borrasca squall
borrascoso squally, stormy
borrego (young) sheep, lamb
borrico, -a donkey
borrón blot, stain
boscaje grove
bosque woods, forest
bostezar to yawn
bota shoe, boot; wineskin; —— *de agua* overshoe; —— *de montar* riding boot
botarate blustering fellow, thoughtless person
bote bound; bucking; jar; boat
botecillo dim. of *bote*
botella bottle
botica drugstore
boticario apothecary, druggist
botín boot
botina dim. of *bota*
botón button
bóveda dome
bozal muzzle
bozo down, fine hair
bramar to bellow
bramido bellow, roar
brasas coals
brasero brazier, heater
bravío wild
bravo *n.* bully; *adj.* wild; fine; brave
bravura bravery
braza fathom
brazal arm band
brazalete bracelet
brazo arm; *arch.* sword arm
brea pitch
bregar to work hard, struggle
breva bargain, good deal
breve brief, short; small; *en* —— shortly
brevedad brevity; speed
breviario breviary, prayer book
brial *arch.* silk skirt
bribona hog; cheat
bribonaza imposter; great cheat
brida bridle

bridón charger
brillante diamond
brillar to shine
brillo brilliance, lustre; renown
brincar to jump, jump up and down (for joy); to bounce
brinco jump; hopping
brindar to toast, drink a toast; to offer; to invite; —— *con* to treat with; to offer
brindis toast; dedication
brío spirit, dash; animation, life
brioso spirited; courageous
brisa breeze
brisca a card game; —— *cruzada* a card game
brizna sprig, blade; bit
brocado brocade
brocal curb (of well)
broche brooch
broma joke; *en* —— as a joke, jokingly; *andar con* ——*s* to fool around
bromista joking
bromuro bromide
bronca squabble
bronce bronze
bronceado bronzed
bronco harsh
broquel small shield
brotar to spring forth, come forth, bud
bruces: de —— face downward
bruja witch
brujo wizard
brújula compass
bruma mist
bruñir to polish, give luster to
brusco *n.* knee holly; *adj.* brusque
brusquedad roughness
bruto *n.* animal, brute; *adj.* rough; sturdy
buba pustule
bucle curl
buche mouthful (of liquid); craw (of bird)
budismo Buddhism
buenaventura fortune
buey ox
bufanda muffler
bufete desk
bufón court fool
bufonesco comical, clownish
buhardillón garret, attic
buho owl
buhonero peddler

buitre vulture
bula bull, indulgence
bulevar boulevard
bulto bundle; form, bulk
bulla noise, bustle; *meter* —— to make a lot of noise
bullicio noise, stir, hubbub, bustle
bullicioso noisy; spirited, animated
bullir or ——*se* to stir, move
buñolería doughnut stand
buñolero selling doughnuts; maker of doughnuts
buñuelo doughnut
buque boat
burla joke, trick, mockery; *de* ——*s* jokingly
burlador trickster, libertine
burlar to mock, deceive; to evade; ——*se* to joke, mock, make light of
burleta joke
burlón *n.* banterer, mocker; *adj.* mocking, bantering
burra ass, donkey
burro ass, donkey; —— *ciego* a card game; —— *con vista* a card game
busca search
buscón cheat
busilis crux, knotty point
busto bust
butaca armchair; orchestra seat (in theater)

C

ca *arch.* for; certainly
cabal perfect, precise(ly); *estar en sus* ——*es* to be in one's right mind
cabalgadura mount
cabalgar to ride (horseback); to mount
cabalgata cavalcade
caballeresco chivalrous; equestrian
caballería cavalry; cavalcade; chivalry; mount
caballeriza stable
caballero gentleman; knight; —— *en* mounted on
caballista horseman, expert on horses
caballo horse; queen (in cards)
caballote aug. of *caballo*
cabaña cabin, hut

cabe next to
cabecear to pitch
cabecera head of bed; pillow
cabellera hair; wig
cabello hair
caber to be contained in; to fit; to be possible; to be natural; to fall to one's lot; to belong; *no —— en sí* to be bursting; to be beside oneself
cabestro halter
cabeza head; head of cattle; *mala ——* uncontrolled person, 'bad actor'
cabezada blow with head
cabezal helmet
cabezo hilltop
cabezudo big-headed; stubborn
cabida acceptance; influence
cabildo (cathedral) chapter; town council; guild
cabizbajo downcast
cable cable
cabo n. end; envoy; corporal (in army); *a —— de* at the end of; at the edge of; *al —— finally; in short; *dar —— to bring to an end; *llevar a —— to carry out
cabra goat
cabrerizo goatherd
cabrilla kid
cabrío of goats
cabrón goat
cacería hunting party
cacerola pan, casserole
cacicato position of political boss
cacique political boss
cacharra pot, pitcher
cacharro pot; vase
cachas handle (of a knife)
cachivache worthless utensil, junk
cacho strip, piece, slice
cadalso scaffold, gallows
cadáver corpse
cadavérico death-like
cadena chain
cadete youngster
caduco perishable; frail; old, worn-out
caer to fall; to be located; *dejar —— to drop; to bring down; *ya caigo* I see, I catch on
café: ——concierto music hall, cabaret
cafetera coffee pot

cáfila multitude
caída fall
caja box; drum
cajetilla package
cajón drawer, money drawer, large box
cajoncito dim. of *cajón*
cal whitewash
calabacín dolt
calabaza gourd, pumpkin; dolt; *dar ——s* to refuse; *llevar ——s* to be refused
calabazada knock (with the head against something)
calabozo dungeon, prison cell
calamar squid, ink fish; *——es en su tinta* squid prepared in a sauce made of the black fluid they contain
calamidad calamity, misfortune
calamitoso calamitous
calandria lark
calar to pierce, run through; to cock (a gun); to pull down (a hat); to drench
calavera n. skull; wild fellow; *adj.* wanton, loose-living
calcular to calculate; to be scheming in
calculista calculating
cálculo calculation; scheming plan
caldera caldron, kettle; boiler
calderilla small change
caldero kettle
caldo broth
calendario calendar
calentar (ie) to heat, warm; to animate; *—— la cabeza* to excite
calentura fever
calenturiento feverish
caletre mind
calidad nature; rank; quality; *en —— de* as
calificación qualification
calificar to qualify, classify; *—— de* to classify as
cáliz chalice, cup
calmante sedative
calmar to calm; *——se* to calm oneself
calomelano calomel (medicine)
calumnia slander
calumniador slanderer
calumniar to slander
caluroso hot

calva bald spot
calvo bald, hairless
calzado shoe; footwear
calzar to shoe; to wear (shoes); to put on (shoes *or* gloves)
calzas breeches
calzones breeches, trousers
callado silent
callar to be silent; to become silent; *tan callando* so silently
calle street
calleja narrow street
callejero street
callejón narrow street
callejuela narrow street
cama bed; *—— imperial* expensive coffin
cámara chamber; bedchamber; cabin (of ship)
camarada comrade
camarero valet, steward
camareta dim. of *cámara*
camarilla bedchamber
camarín boudoir
camarote stateroom
camastro cot; poor bed
cambiar to change; to exchange
cambio change; exchange; *a —— de* in exchange for; *en —— on the other hand
camilla stretcher; cot
caminante traveler; traveling
caminar to walk; to go; to travel
caminata traveling; hike, (long) walk
camino road, path; *—— real* highway; *de —— in passing; in traveling costume; ready for traveling; going walking toward
camión truck
camisa shirt; chemise
camisola fancy shirt
camorra quarrel
campal in the country
campamento camp
campana bell
campanada stroke of a bell
campanario bell tower
campanilla dim. of *campana*
campanillazo ringing (of bell)
campanudo bell-like; pompous
campaña campaign; experience
campeador arch. surpassing in bravery, champion

campear to dominate; to excel
campeón champion
campesino, -a country man *or* woman; *adj.* rural, country, of the fields
campestre country, rural
campiña countryside
campo country; field; countryside; —— *santo* cemetery
can dog
cana white hair
canal channel, grove
canalla rabble; cur, vile person
cananea (Sancho's mistake for *hacanea*) Canaanite
canario canary (bird)
canasta basket, hamper
cancela iron grating at entrance of patio
cancillería chancellery
cancionero book of poetry, anthology
candado padlock
candela light; candle
candelero candelabrum, candlestick
candente incandescent
cándido candid, pure; simple; guileless; snow-white
candil lamp
candilón *aug.* of *candil*
candiotera wine cellar
candor candor
candoroso filled with candor, simple, unaffected
canela cinnamon
cangilón pitcher, jar
canícula midsummer heat, dog days
cano white-haired, gray-haired
canónico canonical; canon
canónigo canon, priest attached to a cathedral
cansado tired; tiresome
cansancio weariness; boredom
cansar to tire
cantábrico Cantabrian; *Mar* —— Bay of Biscay
cantador singer
cantaleta serenade
cantar *n.* lay, song
cántaro jug, pitcher
cante hondo see *cante jondo*
cante jondo Gypsy music
cántico song, chant
cantidad quantity; sum
cantiga song, lay

cantina railroad station restaurant
canto singing; song; canto; chant
cantor *n.* singer; *adj.* singing
canuto tubular case
caña pointer; cane; wicker; pole; *jugar* ——*s* to joust
cañada ravine
cañaveral field of reeds
cañizo wicker frame
caño spout; barrel (of gun)
cañón cannon; bristle; barrel (of gun)
cañonazo cannon shot
cañoneo shelling
caoba mahogany
caos chaos
capa cape
capacete helmet
capacidad capacity; ability
capacho basket
capataz foreman
capaz capable
capelo (cardinal's) hat
capellán chaplain
capigorrón slovenly fellow
capilla chapel; hood
capital *n. masc.* capital (funds); *n. fem.* capital city; large city
capitán captain
capitanear to captain
capítulo chapter
capón capon
capote large cape
capricho caprice; whim; bizarre notion; *a* —— capriciously
caprichoso capricious
caprichudo capricious, given to whims, crotchety
capucha hood
capullo (rose)bud; cocoon
capuz cloak
cara: de —— *a* facing
carabinero border guard
caracol snail; curl (of hair); *plu.* the dickens!
caracolear to cavort
caracterizar to characterize
caramba the dickens!
caramelo (piece of) candy
carasol solarium, sun porch
carbón coal; charcoal
carbonato carbonate
carbonizar to burn up
carbunclo precious stone; ruby
carcajada burst of laughter
cárcel prison, jail

carcomido worm-eaten, rotten
cardenal cardinal; bruise, welt
cardíaco cardiac, person suffering from heart disease
cardinal cardinal, most important
cardo thistle
carecer de to lack
carencia lack
carestía lack
carga burden, load; cargo
cargado loaded, laden, overcast; *estar* —— *de* to have one's fill of, be sick of
cargante boring
cargar to load; to carry; to charge; to run off with; ——*se* to become peeved; —— *sobre* to be resting on
cargo charge; job, task; *hacer* —— *a* to blame, incriminate; *hacerse* —— *de* to take into consideration; *llevar (a)* —— to have in charge; *tener a* —— to be in charge
caricia caress
caridad charity
Cariñena a kind of wine
cariñitos affectionate gestures
cariño affection
cariñoso affectionate
carirredondo round-faced
caritativo charitable
cariz aspect (of weather *or* sky); *fig.* appearance
carmelita Carmelite
carmín carmine
carminoso reddish
carnal blood (relation)
carnalidad physique
carnaval carnival, Mardi Gras
carnero sheep; mutton
carnicería butcher shop
carnicero butcher
carnívoro carnivorous
carnoso fleshy
caro dear, expensive
carpeta folder
carpintero carpenter
carrasca swamp oak
carrera run, dash; career; course; profession; way, road; *seguir* or *estudiar* —— *to* study for a profession
carreta wagon, cart
carretada cartload
carretera highway
carretero cart driver

carretilla wheelbarrow; *de ——* by heart, by rote

carricoche carriage; wagon

carrik reefer, jacket

carril track, path

carrillo cheek

carro cart; chariot; *—— fúnebre* hearse

carrocería body (of a car)

carroza carriage

carruaje carriage

carta letter; playing card

cartel chart, placard; poster; *poner en ——es* to publicize

cartelón *aug.* of *cartel*

cartera card case, billfold; briefcase

cartilaginoso of cartilage

cartón cardboard, pasteboard

cartuchera cartridge box

cartucho roll (of coins); cartridge

casa home

casaca dress coat; tight fitting uniform coat with swallow tails

casada married woman

casado married man

casamiento marriage

casar to marry (off); *——se con* to marry

cascabel bell (on harness); rattle (of snake)

cascada waterfall

cascar to crack, break; *(slang)* to die

casco hull; helmet; *plu.* brains, mind

casería farmhouse

caserío farmhouse, farm buildings; group of houses

casero *n.* landlord; *adj.* domestic

caserón *aug.* of *casa*

caseta hut, cabin

casilla keeper's lodge

casinillo *dim.* of *casino*

casino casino, club; dance hall

caso case; situation; condition; event; *hacer ——* to pay attention

casorio marriage

caspa dandruff

casquivano muddle-headed

casta race, breed

castaña bun (of hair); chestnut

castañeta castanet

castañetear to chatter

castaño *n.* chestnut tree; *adj.* chestnut-colored

castañuela castanet

casticismo the quality of being purely Spanish, without foreign influences or modern innovations

castidad chastity

castigar to punish; to instruct, teach

castigo punishment

castillo castle

castizo pure, without foreign influence

casto chaste

casual casual; accidental

casualidad chance, coincidence

casuco hut; den, dive

cataclismo upheaval

catalejo spy-glass

catalinaria violent speech, savage attack

catar to look at, see; to try out, have for the first time

catarata cataract, waterfall

catarrazo bad cold

catástrofe catastrophe

catecismo catechism

catecúmeno catechumen, neophyte

cátedra professors' chair; lecture hall

catedral cathedral

catedrático professor

categoría class, category

categórico categorical, precise

catequizar to convert

caterva swarm

catre cot

cauce channel, watercourse, bed (of stream)

caudal *n.* wealth, funds, fortune; *adj.* having much water, great (of rivers)

caudaloso copious

caudillo leader

causa cause; lawsuit, case

causador, -a causer

cautela caution; precaution; stratagem

cauteloso cautious

cautivar to captivate, capture

cautivo, -a *n.* and *adj.* captive; *arch.* wretched

cavar to dig

caverna cave, cavern

cavernario of the cave

cavernoso hollow, deep

cavidad cavity, empty space

cavilación thought; worry

cavilar to ponder, think over carefully

cayado staff

caza hunt

cazador hunter

cazar to hunt; to catch

cazo dipper, ladle

cazuelo pot

cebada barley

cebar to stuff

cebo bait

cebón pig

cebra zebra

cecina dried beef

ceder to give in to, yield

cedro cedar

cédula document, certificate; *—— con recargo* document with surcharge; *—— de vecindad* identification card

céfiro zephyr

cegado blinded; deafened

cegar (ie) to blind; to become blind

ceguedad blindness

ceguera blindness

ceja eyebrow

cejar to retreat

celada helmet; ambush; trick; *—— de encaje* helmet with neck-piece

celaje skyscape, cloud effect; bright cloud

celar to be jealous

celda cell

celebérrimo *super.* of *célebre*

celebrado famous

celebral *arch. adj.* brain

celebrar to celebrate; to honor, praise, applaud

célebre famous

celebridad fame

celemín peck; basket *or* measure containing a peck

celeste celestial, heavenly

celestial celestial

celillos *dim.* of *celos*

celo zeal; jealousy; *plu.* jealousy

celosía Venetian blind, shutter; lattice

celoso jealous; zealous

celtibero *n.* Celtiberian; *adj.* of the Celtiberians

cementerio cemetery

cena supper

cenador outdoor dining room

cenagoso muddy

cenar to sup, have supper; —— *fuerte* to dine and wine well

cencerrada tin-pan serenade

cencerreo noise of cowbell

cencerro mule bell, cowbell

cendal gauze

ceniciento dusty

ceniza ash, ashes

censura censure, blame

censurar to censure

centauro centaur

centella spark; lightning bolt; flash of light

centellear to sparkle

centén an old Spanish coin worth about 25 pesetas

centena three-figure number

centenar one hundred

centeno rye

céntimo one hundredth of a peseta

centinela sentinel

céntrico central

centro center; *fuera de mi* —— outside my orbit

centuplicado a hundred-fold

ceñido tight-fitting; *fig.* bedecked

ceñidor belt

ceñir (i) to gird on; to encircle

ceño frown

ceñudo frowning; angry

cepa stump; strain, species

cepillo brush

cepo plu. stocks (for prisoners)

cera wax; candles

cerca n. hedge, fence; city wall

cercanía plu. nearby regions

cercano near

cercar to surround; to besiege

cercenar to cut through, cut off

cerco hedge; siege; ring

cerda bristle; coarse hair

cerdear to refuse to do something

cerdo pig, hog

cerebro brain, mind

ceremonioso ceremonious

cereza cherry (crop)

cerilla match

cero zero

cerrado thick, close, heavy

cerradura lock

cerrar (ie) to close, close up; to seal

cerro hill

cerrojo bolt

certero sure

certeza certainty

certidumbre certitude

certificado certificate

certificar to certify; to assure

certísimo super. of *cierto*

cerveza beer

cerviz neck

cesante unemployed person (especially a government employee out of work because his party is out of power)

cesantía period of unemployment

cesar to cease

césped sod

cesta basket; —— *de papeles* waste paper basket

cesto basket

cetrino yellowish, lemon-colored; sallow

cetro scepter

cicatriz scar

cicatrizar to heal

ciclista bicyclist

ciclón cyclone

cíclope Cyclops

ciego blind; *a ciegas* gropingly, blindly

cielo sky; heaven

ciencia science, knowledge

cieno mud

cientificismo scientism

científico scientific

cientifista scientific

cierto certain, true; *de* —— certainly; for sure; *por* —— indeed

ciervo deer, stag

cierzo north wind

cifra figure; symbol; abbreviation

cifrado in résumé, summed up

cigarra locust; cicada fly

cigarro cigarette

cigüeña stork

cilicio hair shirt

cima peak, top; *dar* —— *to* bring to a happy conclusion; *por* —— *de* above

cimbel decoy

cimbreante vibrating

cimera plumes (on helmet), crest

cimiento foundation

cincel chisel

cincha cinch

cinchar to cinch up

cine movie

cinematógrafo moving picture show

cínico cynic

cinismo cynicism

cinta ribbon; belt; film

cinto belt

cintura waist

cinturón belt

ciprés cypress

circo circus

circuir to surround

circular to circulate

círculo circle; club

circundante surrounding

circundar to surround

cirio taper, candle

cirujano surgeon

cisma schism

cisne swan

cita rendezvous, appointment, meeting

citar to cite, mention, mention by name; to quote; to subpoena, call (to a meeting)

citara zither

ciudadano n. citizen, townsman; *adj.* of the city

clamar to cry, exclaim

clamor noise

clarear to grow light

claridad clarity; brilliance, (strong) light, brightness

clarificar to clarify; to purify

claro n. opening; *adj.* clear, bright; light-colored; famous; *adv.* of course; *de* —— *en* —— from dusk to dawn

clásico classic; classicist, partisan of the classic point of view

clasificar to classify

claustro cloister

cláusula clause

clausura cloister

clavar to nail, fix, fix firmly (to a spot), stick (to *or* into)

clave clavichord

clavellina carnation

clavicordio clavichord

clavija peg

clavo nail

clemencia clemency, mercy

clemente merciful

clerical priestly

clérigo clergyman; theological student; student
clerigucho clergyman
cleriguicio clergy
clerizonte clergyman
clero clergy
cliente client; patron; patient
clima climate; region
clínica clinic
club club; political gathering
coadjutor coadjutor, assistant
cobarde coward
cobardía cowardice
cobardón aug. of *cobarde*
cobertura cover
cobrador collector; bank messenger; —— *de la luz* collector for the electric light company
cobranza collection
cobrar to collect; to acquire; to recover; to rescue; to win
cobrir arch. for *cubrir*
cobro shelter, safe place
cocer (ue) to boil, cook
cocido stew
cocina kitchen; cooking; —— *económica* stove
cocinera cook
coco bogeyman
cocodrilo crocodile
coche carriage, coach, chariot
cochera carriage shed
cochero coachman
cochino n. pig; adj. vile, wretched
códice manuscript
codicia avarice, greed
codiciar to covet, desire
codicioso greedy; eager
código code of laws, law book
codo elbow
codorniz quail
cofre coffer
coger to catch, seize, grasp; to gather; to strike
cogida wound (by horns of bull); attack (of bull); —— *de coche* accident caused by a carriage
cogote back of the neck
cohecho bribery
cohete skyrocket; —— *tronador* explosive skyrocket
cojear to limp
cojín cushion
cojo lame
col cabbage

cola tail
colada wash
colar (ue) to flow (through); to drink
colcha bedspread
colchón mattress, pad
colectivista community-centered
colegial student
colegio secondary school; private school
colegir (i) to deduce; to select
cólera wrath
colérico angry, wrathful, irascible
coleto jacket; *decir para su* —— to say to oneself
colgadura tapestry, hanging
colgajo hanging article, pendant
colgante hanging
colgar (ue) to hang
colilla butt
colina hill
colmar to heap, fill to overflowing; to come to a climax; to overwhelm; to satisfy fully
colmena beehive
colocación position, job
colocar to place; to tell
colodrillo nape of neck
colonia cologne
coloquio colloquy, conversation
color color; appearance; plu. blush; *de* —— colored
colorado red
colorar to color
coloreado reddish
coloso colossus
columbrar to make out
columna column, pillar
columpio swing; swaying motion
coluna arch. for *columna*
collada (mountain) pass
collado hill
collar collar; necklace
comandante commander
comarca region, district
comarcano neighboring
combate fight, duel, struggle
combatido battered
combatiente combatant, adversary
combatir to combat, fight
combinación scheme
combo curved
comedido polite, courteous

comedimiento civility, politeness; polite expression
comedirse (i) to be kind enough, be obliging
comendador knight commander
comentar to comment on
comentariar to comment on
comentario commentary
comerciante merchant, storekeeper
comerciar en to deal in
comercio store; business
comestible plu. food, things to eat
cometa comet
cometer to commit; to attempt
cómico comical, ridiculous
comido fed
comienzo beginning
comisario agent; quartermaster
comisión commission, order; committee
comistrajo mess, hodgepodge
comitiva company; committee; retinue
¡cómo! What?
cómoda commode, bureau
comodidad comfort; opportunity
cómodo comfortable; suitable; convenient
como que as if
como quiera que as
como quier que arch. although
compadecer to pity
compadecido de pitying, filled with compassion for
compadre crony
compaginar to bring into harmony; to unite
compaña company
compañerismo companionship; spirit of solidarity
compañero, -a companion; pal
compañía company; *hacer* —— to keep company; to do the same as
comparación comparison
comparsa group
compartir to share, divide
compás rhythm, time; compass; *a* —— in rhythm, rhythmically; *a* —— *de* in harmony with
compasar to measure equally
compasión compassion, pity
compasivo compassionate
compatriota fellow citizen

compendio summary, compendium

compenetrarse to mingle

compensar to compensate

competencia competition

competente adequate

competir (i) to compete

complacencia complacency; pleasure

complacer to please; ——*se en* to get pleasure by, enjoy oneself in

complejo complex

complemento complement

completo: por —— completely

complexión build, stature

complicado complicated

cómplice accomplice, one who shares guilt

componer to compose; to arrange, settle; to mend, fix; to prepare; to strengthen; ——*se* to fix oneself up; to get one's hopes up; ——*selas* to arrange things

comportamiento behavior

comportarse to bear oneself

compostura modesty; composure, sedateness; structure

compra purchase; shopping; *ir a (por) la* —— to go shopping

comprador buyer, shopper

comprimido restrained, held back

comprobar to witness, verify

comprometer to compromise; to jeopardize; ——*se* to be obligated

comprometido agreed upon

compromiso compromise; promise; engagement; predicament

compuesto well-arranged; composed; *interés* —— compound interest

compunción compunction

compungido afflicted

comulgar to receive communion

común common; *por lo* —— commonly

comunero member of party which upheld civil liberties against Charles V

comunicar to communicate; to instill in

comunidad community

con: —— *que* so that

conato attempt

concatenación concatenation, linking

concebir (i) to conceive

conceder to concede, grant

concejil public; *prado* —— common

concejo council, board of aldermen; —— *de guerra* court martial, military council

concepción conception

concepto concept; conceit, cleverly phrased thought

conceptual intellectual, rational

conceptuar to consider

concertador arranger

concertar (ie) to arrange; to agree; to bring into harmony; ——*se* to be joined; to harmonize; to make an agreement

conceto arch. for *concepto*

conciencia conscience; consciousness

concierto concert; plan; concord, agreement; harmony

conciliábulo consultation, deliberation

conciliar to reconcile; —— *el sueño* to get to sleep

concluir to conclude, finish; ——*se* to come to an end

concordar (ue) to agree

concorde concordant, harmonious

concordia agreement, harmony

conculcar to violate

concurrencia group, gathering

concurrido crowded

concurrir to attend, frequent; to come together; to be in conjunction

concurso company, crowd; contest; aid, help

concha shell

conde count

condenación punishment; condemnation

condenado wicked, shameless, damned, doomed

condenar to condemn; to damn

condición condition, quality, nature, character; rank, state, station

condigno worthy

condolecerse to condole

condoler (ue) to commiserate

conducción transportation; leading

conducir to lead; to carry

conducta conduct

conducto conduit; *por* —— *de* through

condumio fare; food

conejo rabbit

confección confection, concoction

confeccionar to cook up, prepare

conferencia lecture; conference

conferir (ie) to confer (upon); to confide

confesar (ie) to confess; to hear one's confession

confesión confession

confesionario confessional

confesor confessor

confianza confidence, intimacy, trust

confiar to trust; to entrust, confide

confidente, -a confident

confín end, limit

confirmación confirmation

confirmar to confirm

confite preserves

confitería candy shop

conflicto conflict

conformación conformation, shape, figure

conformar to conform; ——*se con* to resign oneself to; to conform oneself with

conforme corresponding, accordant, in conformity; resigned; agreed; —— *con* in agreement with; in favor of

conformidad conformity; resignation

confortar to comfort

confundir to confound; to abash; to mingle

confuso confused, puzzled; jumbled

congeniar to be congenial

congestionar to congest; ——*se* to become flushed

congoja anguish; fainting spell

congojado afflicted, anguished

congojarse to be afflicted; to complain

congregar to gather, congregate

congrio conger eel

cónico conical

conjetura conjecture

conjeturar to conjecture

conjugar to join (with); to conjugate

conjunto whole, ensemble
conjurado conspirator
conjurar to conjure, entreat, implore; to conspire; to ward off
conjuro entreaty; incantation; charm
conmoción trembling; mental disturbance; shock
conmover (*ue*) to move, stir; ——*se* to become excited; to be moved
cono cone, beam (of light)
conocer to know; to recognize
conocido acquaintance
conocimiento knowledge, consciousness, senses; understanding; acquaintance
conque so that
conquista conquest
conquistar to conquer, win
consabido aforementioned
consagrar to consecrate; to devote
consecuencia consequence
consecuente consistent
conseguir (*i*) to obtain, attain; to succeed in
conseja tale, yarn
consejar *arch.* for *aconsejar*
consejero adviser, counsellor
consejo council; advice, counsel; consultation; opinion; —— *de guerra* court martial
consentido spoiled
consentidor pamperer
consentimiento consent
consentir (*ie*) to consent, permit
conserje janitor
conservación preservation, upkeep
conservador conservative
conservar to keep, preserve
consideración consideration; thought, meditation; deduction; *tener* —— *con* to show consideration for
considerado esteemed, respected
considerar to consider; to think; to esteem; to notice
consignar to consign; to state in writing
consiguiente obvious; *por* —— consequently
consistencia substance; stability
consistir to consist; —— *en* to consist of

consolador consoling; *n.* consoler
consolar (*ue*) to console
consolatorio consoling
consonancia harmony
consorcio union
consorte spouse, husband, consort
constancia constancy, steadiness
constante constant
constar to be a fact, be evident; **to consist; to be stated**
consternación consternation
consternado overcome with consternation, horrified
consternarse to be consternated
constipado (head) cold
constituir to constitute, establish
constitutivo constitutional
constructor building
consuelo consolation
consulta consultation
consumar to consummate
consumidor consumer
consumir to consume, burn out, use up, wear out, exhaust
consumo consumption
consurrección revival, revivification
contabilidad bookkeeping
contado counted, limited in number, rare; *ser para* —— to be fit to be told; *al* —— cash; *de* —— in full
contador money cabinet; accountant; meter (for electricity)
contadorcillo *dim.* of *contador*
contagiado de infected with
contagio contagion
contagioso contagious
contaminar to contaminate, infect
contar (*ue*) to count; to tell, relate; —— *con* to count on
contemplar to contemplate
contemplativo contemplative
contender (*ie*) to contend, dispute
contener (*ie*) to contain; to restrain; ——*se* to restrain oneself
contenido contents
contentamiento contentment
contentar to content

contento *n.* happiness, joy, contentment; *adj.* happy
contienda quarrel, dispute
contiguo adjoining
continente *n.* mien, bearing; continent; *adj.* abstemious
contingencia possibility, risk
continuación constant succession
continuar to continue, prolong
continuo continuous; *de* —— constantly
contorno region; contour, outline, figure
contorsión contortion
contra: de —— on the contrary; *en* —— *mia* against me
contrabandista smuggler
contrabando contraband, smuggled goods
contradanza quadrille
contradecir to contradict
contradicción contradiction; obstacle, difficulty
contradictorio contradictory
contraer to contract
contrahecho disfigured
contramaestre boatswain
contraminar to countermine; to get the better of
contrariado vexed
contrariar to contradict; to thwart; to offend
contrariedad vexation; inconvenience
contrario *n.* opponent, adversary; *arch.* adverse fortune, harm; *adj.* contrary, opposite; adverse; opposed; *al* —— on the other hand, on the contrary, quite the contrary
contrastar to oppose
contraste contrast; officer *or* office of fair weights and measures
contratiempo mishap
contrato contract
contravenir to go against
contribución tax
contribuir to contribute
contrición contrition
contrito contrite
conturbar to disturb
contusión bruise, contusion
convaleciente convalescent
convencer to convince; ——*se* to be persuaded

convención convention; *de* —— conventional
convenible fitting
conveniente fitting
convenio agreement
convenir to agree; to suit, be appropriate; ——*se en a* to agree on
convento monastery; convent
conversar to converse
conversión conversion, change
convertir (ie) to change, convert, turn
convexo convex
convidar to invite
convite invitation; party
convivencia living together, community life
convocar to call, convoke
convulso convulsed, convulsive
conyugal conjugal, of marriage
coordinar to coordinate
copa goblet, glass; drink; treetop; *plu.* clubs (in cards)
copar to bet a sum equal to what there is in the bank (in gambling games)
copete forelock; vanity
copia copy
copiar to copy
copioso copious
copla stanza; verse; song
copo tuft; puff
coqueta coquette
coquetear to flirt
coquetería coquetry, flirtation
coquito *dim.* of *coco*
coracha leather bag
coraje anger
coral coral; coral bead
coraza breastplate, armor
corazón heart; courage
corazonada intuition, hunch
corbata necktie
corcel steed
corcovado hunchback
corcovo caper
corchete policeman
corcho cork
cordage rigging
cordel cord, string
cordelejo: dar —— to jest
cordelería shop where rope is made or sold
cordero lamb
cordial of the heart; cordial
cordillera mountain range

cordobés Cordovan, from Córdoba
cordón cord, ribbon, narrow sash
cordonera rope maker's wife
cordura good sense, sanity
corear to form a chorus; to chime in with
cornada blow, wound (with horn)
corneja raven, crow
corneta bugle
cornisa cornice, ledge
coro chorus, choir; group; *de* —— by heart
corola corolla (petals of flower collectively)
corona crown; *fig.* the best
coronar to crown; ——*se* to be crowned
coronel colonel
coronela wife of colonel
corporal corporal, bodily
corpulento thick, large
corral corral, barnyard, yard
corralera a type of folksong
corralón *aug.* of *corral*
correa belt
corredor *n.* corridor; solicitor; *adj.* fast-running
corregir (i) to correct
correo mail; courier
correonazo blow with leather strap
correr to run; to spread; to be in course; to chase
correría excursion
correrse to become ashamed; to spread oneself
correspondencia reciprocation; agreement
corresponder to correspond; to pertain (to), belong (to); to love in return; —— *a* to pay back
correspondiente corresponding; fitting
corretear to run around
corrida run; —— *de toros* bullfight
corridica *dim.* of *corrida*
corrido ashamed
corriente *n.* and *adj.* current; *adj.* running; agreed, admitted; completed
corrillo group (of gossips); clique
corro group

corroído crumbled, weatherbeaten
corromper to corrupt
corrompido corrupt, imperfect
corrupto decayed
corsario corsair, pirate
corsé corset
cortacabezas head chopper
cortado confused, abashed; fashioned
cortar to cut, cut off
corte court, capital; *plu.* parliament
cortecilla little slice
cortedad shyness, timidity; diffidence
cortejo cortège, suite
cortés courteous, polite
cortesana *n.* courtesan
cortesanía courtesy
cortesano *adj.* courtly, courteous; citified, stylish; *n.* courtier
cortesía courtesy
corteza bark; covering
cortijo farm
cortina curtain
cortinaje curtain, hanging
cortinilla short curtain, screen
corto short, brusque; small; *pecar de* —— to sin through omission
corveta caper, bound
corvo curved
corzo deer
cosa: gran —— very much; —— *de que* possible that
cosaria hang-out
coscorrón bump (on the head)
cosecha harvest
coselete corselet, breast plate
coser to sew
cosilla: unas ——*s* a few things
cosmético cosmetic
cosquillas tickling; teasing, joking; misgivings
costa cost; coast; *a toda* —— at all costs
costado side
costal sack
costanilla steep street
costar (ue) to cost; to cause
costear to pay for, stand the expense of
costilla rib
costoso costly
costumbre custom; *de* —— usual

costumbrista pertaining to local customs

costura sewing; seam

costurón scab

cotejar to compare

cotizarse to have a value

cotorra magpie; kind of parrot

coyuntura joint; opportune moment

coz kick

cráneo skull, cranium

craso greasy; crass

creador n. creator; adj. creative

crear to create

crecer to grow, grow up

creces: con —— abundantly

crecido lofty; full; growing

crédito credit, credence

credo credo; moment

credulidad belief

creencia belief

creer to believe, think; ¡ya lo creo! of course

crepúsculo dim light, twilight

cresta crest

cretense Cretan

cría offspring; colt

criadero bed

criado, -a servant; arch. masc. ward

criar to bring up, raise, rear; to cause to grow; ——se to grow

criatura creature; child, baby

cribar to sieve

cribo sieve

crimen crime

crinado like a mane, long (of hair)

crío kid

crisma pate, crown

crispar to make tense or rigid; ——se to twitch

cristal window pane; glass; crystal

cristalino crystalline, clear

cristianismo Christianity

criterio criterion, judgment

crítica criticism

criticar to criticize

crónica chronicle

crónico chronic

crótalo castanet

cruce crossroads

crucificar to crucify; to torment

crucifijo crucifix

crudo raw, uncooked; crude, rough

crujir to creak, squeak; to clash

cruz cross; burden, trial

cruzada crusade

cruzar to cross; to fold; to pierce; to traverse; ——se to cross from one side to the other; to cross each other's path; —— la cara a uno to strike one in the face

cuadra stable; ward

cuadrado square; elevado al —— squared (math.)

cuadrante point of compass

cuadrar to suit

cuadriculado square (on graph paper)

cuadrilla band

cuadro square; picture; bed (of garden); —— de costumbres descriptive essay on everyday life

cuádruple quadruple

cuajado n. meat pie; adj. congealed, coagulated

cual prep. like

cualidad quality

cualificado qualified

cuán adv. how, how much

cuando when; arch. even if; —— más at the most

cuantioso large, vast, copious

cuantitativo quantitative

cuanto: —— antes as soon as possible; en —— as soon as; insofar as; en —— a, —— a as to, concerning

cuarentena about forty (of anything); forty days; quarantine

cuarentón forty-year-old

cuaresma Lent

cuartel barracks; quarter (of escutcheon); square; —— general general headquarters

cuarterón panel

cuartilla sheet (of paper)

cuarto room; apartment; a small coin (less than a cent); quarter; plu. money; ——s traseros hind quarters

cuartucho wretched room or apartment

cuasi almost

cubierta cover; envelope; deck

cubierto table silver; place at table

cubil lair (of beasts)

cuchara spoon

cucharón aug. of cuchara

cuchicheo whispering

cuchilla knife; sword

cuchillada blow (with knife or sword)

cuchillo knife; —— de monte hunting knife

cuchitril pig sty

cuchufleta jest

cudicia arch. for codicia

cuello neck; collar; —— postizo collar

cuenca valley, hollow

cuenta account, reckoning; bead; a buena —— on account; caer en la —— to realize; darse —— de to realize; hacer —— to make believe; take for granted; más de la —— more than proper; tener —— to keep account; vamos a ——s let's get down to brass tacks; en resumidas ——s in short, when all is said and done

cuento tale, short story; sin —— innumerable

cuerda string, cord, rope; match; dar —— to wind (a watch)

cuerdo wise, sane, discreet

cuerno horn

cuero skin; leather; en ——s naked; en ——s vivos stark naked

cuerpo body, form; person; —— de guardia guardhouse, headquarters; en —— in indoor clothing, without overcoat or cape; no poder con su —— to be scarcely able to move; —— de tal My God!

cuervo crow

cuesta hill; a ——s on one's back; burdened

cuestión question, matter; argument

cueva cave; —— de ladrones nest of thieves

cuévano large, deep basket

cuidado care, worry; delicate health; love affair, love; de —— serious; perder —— not to worry

cuidadoso careful

cuidar to care for, take care of; to think; to be on the alert

cuita care, trouble

cuitado wretched, unfortunate; *n.* coward

culebra snake

culebrear to wind

culinario culinary, pertaining to cooking

culpa fault, blame

culpable guilty, blameworthy

culpado blamed, guilty

culpar to blame

cultivar to grow

culto *n.* cult; *adj.* cultured

cumbre mountain top, peak

cumpleaños birthday

cumplido fulfilled, passed; full, complete; large

cumplimiento compliment

cumplir to fulfill, carry out, do one's duty, pay up, attain; to be fitting, necessary *or* important; —— *(veinte) años* to reach the age of (twenty); —— *con* to carry out

cúmulo mass, lot, series

cuna cradle; source

cundir to spread; to grow

cuneta ditch

cuña wedge

cuñada sister-in-law

cuñado brother-in-law

cuño stamp; *fig.* sort

Cupido Cupid

cupiera third person singular imperfect subjunctive of *caber*

cupo third person singular preterit of *caber*

cura cure; convalescence; priest

curango priest

curar to take care of; to cure; ——*se* to get well; to care; —— *de* to care about; to take care of

curia (law) court

curiosidad curiosity

curita *dim.* of *cura*

cursar to take a course in, study

curso course

curtido experienced

curtir to tan (hides)

curva curve

cúspide point, peak

custodia custody; monstrance

custodiar to care for, look after

CH

chabacano rude, rough

chacota noisy mirth

cháchara chit-chat

chaleco vest

chambra house coat, dressing gown

champaña champagne

chamuscar to scorch, singe

chancear to joke; ——*se* to joke

chanza joke; *ni de* —— not even in jest

chanzoneta joke

chapa sheet metal

chapear to veneer

chapín slipper

chaquet jacket

chaqueta jacket

chaquetón jacket

charada puzzle

charanga brass band

charca pool

charco puddle

charla talk, chatting

charlar to chat; to chatter

charlatán humbug, fake

charolado enameled

charretera epaulet

chasco disappointment; *llevar un* —— to be disappointed

chasqueado tricked, deceived

chasquear to crack, snap

chato pug-nosed

chavala girl, 'kid'

chiar to squeak, chirp

chico *n.* child; *adj.* small, little

chicuelo *dim.* of *chico*

chicharra locust

chillar to shriek, shout

chillería scolding

chillido shriek

chillón loud

chimenea fireplace

china pebble

chinche bedbug

chinesco Chinese

chiquillada childish deed

chiquillo *dim.* of *chico*

chirriar squeaking

chirrido squeak, shrill sound

chisme *plu.* gossip

chismorrear to gossip, gabble

chismorreo gossip

chismoso gossiper

chispa spark

chispeante sparking, giving off sparks

chistar to utter a word

chiste joke; *tener* —— to be a joke

chistera top hat

chito sh!

chitón silence!

chivato rascal

chivo he-goat, buck

chocar to displease; to clash; to shock; to hit (against); to collide

chochear to be doddering

chocho doddering; —— *por* doting on

chopo (*slang*) musket, gun

choque clash, shock

chorreante dripping

chorro stream, trickle

choza hut

chubasco squall

chulería bragging

chuleta chop

chulo, -a dandy *or* coquette of the lower classes; pimp

chumbera cactus, prickly pear

chupado skinny

chupar to suck

chupón bloodsucker

churro fritter, kind of doughnut

chusco joker

chuzo pike

D

daca give me

dádiva gift

dado que provided that

daga dagger

dahomeyano native of Dahomey

dama lady; *plu.* checkers

damasco damask, fine figured silk cloth

dantesco of Dante, Dantesque

Danubio Danube

danzante dancer

danza dance

danzar to dance

dañado harmful

dañar to harm, hurt

dañino harmful

daño harm

dañoso harmful, injurious

dar to give; to strike, hit; —— *a* to force; ——*se* to be considered; —— *con* to find; to strike; to land (in); to slam (a window); —— *con su cuerpo* to land, fall; —— *de alta* to release (from hospital), to declare cured; —— *de*

comer to feed; —— *de mano* to strike; ——*de pie* to kick; —— *en* to take to, hit upon, bring oneself to, come upon; to insist on; —— *lugar* to give occasion; —— *lugar a* to cause, permit; —— *por libre* to set free; —— *por hecho* to consider something a fact; ——*se por* to consider oneself (as); —— *sobre* to attack, fall upon; *lo mismo le da* it's all the same to him
dardo dart
datar to date
dátil date
dato information
deán dean
deber to owe; ought; *n.* duty
debido due
débil weak
debilidad weakness
debilitar to weaken
debutar to make one's debut
débito debt
decadencia decadence, decline
decano dean
decantar to exaggerate; to praise
decena two-figure number
decencia decency; respectability
decente respectable
decepción disappointment
decidido resolved, determined
decidir to decide; to persuade; ——*se* to make up one's mind
decidor witty
décimo tenth
decisión determination
declaración explanation, elucidation; testimony
declarar to declare; ——*se* to make a declaration of love; *estar declarado* to be engaged
declinar to draw to an end
declive slope
decoración stage setting
decorado scenery
decorar to memorize
decoro decorum
decoroso decorous, proper
decretar to decree
decreto decree
dechado mold, model
dedal thimble
dedicar to devote, dedicate
dedo finger
defecto fault, defect
defender (ie) to defend

defensa defense; safety
deferencia deference
deficiencia shortcoming, deficiency
definición definition; decision
definitivo definite, definitive; *en definitiva* in short
deforme deformed, hideous
defraudar to defraud; to frustrate
defunto popular for *difunto*
degenerar to degenerate
degollar (üe) to behead; to cut in the throat
dehesa grazing land
deidad deity, divinity, divine nature
dejadez lassitude
dejar to leave; —— *de* to leave off, cease, leave aside, abstain from; to fail to
dél arch. for *de él*
delación accusation; scandalous information
delantal apron
delantero front, forward
delatar to proclaim; to inform upon
delectación pleasure, delight
deleitable delectable
deleitar to delight; ——*se* to enjoy
deleite delight
deleitoso delightful
deleznable slippery; frail; perishable
delgado slender, thin
delicadeza delicacy
delicado delicate
delicia delight, comfort
delicioso delightful
delincuente delinquent, guilty
delineante draftsman
delinquir to transgress, do wrong
delirante delirious
delirar to be delirious
delirio delirium, madness, passion; —— *alcohólico* delirium tremens
delito crime
della arch. for *de ella*
demacrado emaciated
demanda demand; petition; endeavor
demandadero a monastery servant
demandar to beg, ask (for)

demás: los —— others; —— *de arch.* besides; *por* —— uselessly
demasía excess; *en* —— excessively
demediar arch. to be half through; to be half enough
demencia madness
demente demented, crazy
demonio demon; ¡—!; by Jove! *qué* ——*s* what the dickens
demontre dickens!, the devil!
demostrar (ue) to represent, show
denegación negation, denial
denegrir to become black (by weathering)
dengoso finicky; affected
denominar to call
denostar (ue) to insult
denotar to denote
dentadura teeth
dentario dental
dentro within; *por* —— inside
denuedo daring, bravery
denuesto insult
denunciar to denounce
deparar to provide; to present
departamento compartment
departir to talk, converse
depender to depend
dependiente clerk
deplorar to deplore
deponer to put aside
deporte sport
depositar to deposit
depositaria depository, custodial
depositorio trustee, receiver
depósito storehouse, depository, depot; deposit; trust
depresión depression, hollow
depurado purified, pure
de que arch. after
derecho n. right; law; fee; *adj.* straight; *al* —— properly; *a la derecha* to the right; *de derechas* rightist, conservative; *en* or *por* —— straight across; *en su* —— within your rights
derramar to pour; to shed; to strew, spread; ——*se* to fall (of water); to spill; to be diffused
derredor: en —— around
derrengado crippled
derretir (i) to melt
derribado low (of shoulders)

derribar to knock down, strike down, throw down; to take down; to conquer

derrochar to squander

derroche flood

derrota defeat, rout

derruir to demolish, tumble down

derrumbadero cliff

derrumbarse to fall

desaborido insipid; witless

desabrido disagreeable, rude

desabrimiento rudeness; harshness

desacato disrespect, incivility

desacierto error, blunder; lack of success

desacorde discord

desacreditar to discredit

desafiar to challenge; to rival, compete with

desafío challenge; duel

desaforado excessive, immense; given to excesses; very loud

desagradable unpleasant

desagradar to displease

desagradecido ungrateful

desagrado displeasure

desaguisado n. improper or unjust deed; adj. improper, senseless

desahogado adj. comfortable, easy; n. brazen-faced fellow

desahogar to unburden

desahogo relief, ease, comfort; outpouring

desahucio dispossession

desairado unpleasant, unbecoming, graceless

desairar to rebuff, scorn

desaire slight, rebuff

desalado hasty, impatient

desalentado breathless

desaliento discouragement

desalmado heartless

desalojar to dislodge

desalumbrado dazzled, flattered

desamar to hate

desamor lack of love

desamparado unprotected, helpless, abandoned

desamparar to abandon

desamparo helplessness

desandar to retrace

desangrar to bleed (to death)

desanillar to uncoil

desaparecer to disappear

desaparición disappearance

desapiadado pitiless

desaprobar (ue) to disapprove

desarmar to disarm

desarrapado ragged

desarrollar to develop; ——se unfold

desarrollo development

desaseado unkempt, rumpled

desasir to loosen, free, detach

desasosegado restless

desasosegar (ie) to upset; ——se to become nervous

desasosiego restlessness, perturbation

desastrado disastrous, ill-fated, unfortunate, fatal

desastre disaster, misfortune

desastroso disastrous, unfortunate

desatar to untie, undo, loosen; ——se to become frayed (of the nerves)

desatender (ie) to neglect

desatentado discourteous; injudicious

desatento heedless; rude, discourteous

desatinado senseless, stupid, unintelligent

desatinar to talk foolishly

desatino stupidity, foolishness

desavenencia disagreement

desavío aberration; upset

desazón uneasiness; upset (health)

desazonado upset

desbancar to break the bank

desbarajuste disorder, confusion

desbaratado dishevelled, disorderly

desbaratar to destroy, break up

desbocado runaway (horse); broken-mouthed (jug)

descabalgar to dismount

descabellado crack-brained

descabezar: —— *un sueño* to nap

descalabrado wounded in the head

descalabradura wound in the head

descalabrar to break one's head, wound in the head

descalzar to take off (shoes or stockings)

descalzo barefoot

descansado restful, calm

descansar to rest; to ease

descansillo landing (of staircase)

descanso rest, ease; (military command) at ease!

descarado barefaced, impudent, shameless

descarga volley

descargar to discharge; to unload, unburden

descargo exoneration; excuse

descarnado bare; bony

descaro impudence, effrontery

descarriado straying, wandering

descender (ie) to descend; to get down

desceñir to take off

desclavado unnailed; disjointed

descoger to unfurl

descolgar (ue) to hang down; to take down

descolorido discolored

descollar (ue) to stand out

descomedido discourteous

descomponer to distort; to disarrange, unsettle; ——se to lose one's temper

descompuesto unprepared; slovenly, deranged; upset; discourteous

descomunal extraordinary

desconcertado disarranged; garbled

desconcertar (ie) to disconcert

desconcierto disturbance, confusion

desconfiado doubtful, suspicious; lacking in self-confidence

desconfianza distrust; diffidence

desconfiar to mistrust, doubt

desconocer to be unaware

desconocido unknown

desconsiderado inconsiderate

desconsolado miserable, disconsolate

desconsolador disheartening, grief-inspiring

desconsuelo desolation, misery

descontar (ue) to discount; to deduct; to keep out

descontentadizo easily displeased

descontentamiento discontent

descontentar to displease

descontento n. dissatisfaction; adj. displeased

descorazonado dejected; cowardly

descorazonar to discourage

descorrer to run back, draw aside

descortés discourteous

descortesía discourtesy; arrogance

descoser to rip out

descreído unbeliever

descuajar to dissolve

descubierta n. reconnoitering

descubierto unprotected

descubrir to discover; uncover, find; to reveal; ——*se* to take off one's hat; to uncover oneself

descuento discount; discounting

descuidado careless; unaware, off-guard

descuidarse to neglect; to be at ease; *si me descuido* if I don't watch out

descuido carelessness; *al* —— with studied carelessness

desdecir to deny; to be out of harmony with

desde luego immediately; of course

desdén disdain

desdeñar to disdain

desdeñoso disdainful

desdicha unhappiness, misfortune

desdichado unhappy, unfortunate, wretched, unlucky

desdoblar to unfold, open

desecarse to dry up

desechar to reject, cast aside

desecho rubbish

desembarazado empty; unencumbered, free

desembarazar to clear; ——*se* to free oneself from

desembarcadero landing place

desembarcar to disembark

desembaular to bring out, take out

desembocadura mouth (of river)

desembocar to debouch; to open; to enter; to emerge; to end

desembozarse to unmuffle oneself

desemejado strange looking

desempedrado unpaved

desempeñar to perform, carry out; to redeem (from pawnshop)

desencadenar to unchain, unleash; ——*se* to be unleashed

desencajado popping (of eyes)

desencuadernado unbound

desenfadado easy going

desenfado ease, natural manner

desengañar to disillusion, undeceive; ——*se* to become disillusioned

desengaño disillusionment, undeceiving; (bitter) truth

desenhebrado disjointed, disorganized

desenlace outcome

desenlazar to come to an end, have its outcome

desenojarse to calm oneself

desentender (ie) to ignore

desenterrar to dig up

desentonar to clash with, be out of harmony with

desentrañar to dig out

desenvainar to unsheathe

desenvoltísimo super. of *desenvuelto*

desenvoltura ease, facility, nonchalance

desenvolver (ue) to unwrap, undo; ——*se* to develop

desenvuelto forward, free and easy; clever

deseoso desirous

desequilibrar to unbalance

desequilibrio lack of balance

desertor deserter

desesperación desperation, hopelessness

desesperado hopeless, desperate

desesperar to despair, be hopeless, desperate

desestimar to scorn, hold in low esteem

desfallecer to decline, diminish; to grow weak

desfallecimiento weakness, faintness

desfavorecer to disdain

desfigurar to disfigure

desfiladero narrow mountain pass

desgana reluctance

desgano lack of appetite

desgarrador rending, tearing

desgarrar to shred, tear

desgarrón rip, tear

desgastar to wear

desgracia misfortune

desgraciado unfortunate, miserable, luckless, unlucky

desgranar to fall to pieces

desgreñado disheveled

deshacer to undo; to muss up; to destroy; ——*se* to be undone; to collapse; ——*se en* to work hard at something, do a thing vehemently; to be overcome with

deshecho undone, consumed, destroyed

desherrar (ie) to unshoe (a horse)

deshilachar to shred

deshilarse to vanish

deshojado leafless; undone

deshojar to strip the leaves off to wither; —— *se* to lose leaves; to fade or die

deshonesto indecent

deshonor dishonor

deshonrar to dishonor

deshora: a —— untimely; unexpectedly

desierto n. desert, wild region; adj. arid, desert

designar to designate; to show; to outline

designio design; qualification; purpose

desigual uneven, unequal; different

desigualdad inferiority

desilusión disillusion

desinfectar disinfect

desinteresado disinterested, impartial

desistir to desist, refrain

deslenguado foul-mouthed

desligar to untie

deslizar to slip, slide; ——*se* to slip, skim, glide

deslucir to tarnish

deslumbrante dazzling

deslumbrar to dazzle, bewilder

deslustrar to tarnish

desmán misfortune; wicked behavior

desmandarse to get out of hand; to go so far as

desmañado clumsy, awkward

desmayar to fade, disappear; ——*se* to faint, swoon

desmayo swooning, fainting, weakness; setting (of sun)

desmedido without measure, immense

desmedrar to deteriorate

desmelenado disheveled (hair)

desmentir (ie) to give the lie to, contradict; to deny

desmerecer to compare unfavorably

desmérito lack of merit, worthlessness

desmoralizar to demoralize

desmoronarse to crumble

desnaturalizar to denationalize; to denaturalize

desnivel unevenness

desnudar to bare; to unsheathe (a sword); *——se* to undress

desnudez nakedness; simplicity

desnudo nude, bare, naked; unprovided for, empty-handed; *——de* devoid of

desobedecer to disobey

desocupado unoccupied, idle, empty

desolado desolate

desollar (ue) to skin

desorden disorder

desordenado disorderly, haphazard

desorientar to confuse

despabilar to brighten by snuffing or trimming; to snuff out; to sharpen (one's eyes)

despacio slowly

despachar to dispatch, accomplish, finish; to attend to; to make haste

despacho office

despatarrado lying motionless on ground with legs split apart

despavorido startled, terrified

despectivamente scornfully

despechado spiteful

despechar to spite, pique, anger

despecho spite; despair; *a —— de* in spite of

despedazar to break to bits, pulverize

despedida leave-taking, parting; dismissal

despedir (i) to discharge; to give off; to send (away); *——se* to take leave

despegar to part, open; to tear away; to leave; *——sele a uno* to dislike

despegado bad tempered

despeinado uncombed, disheveled

despejado wide awake; bright; clear

despejar to clear; to unburden

despejo spriteliness, ease, smartness; wakefulness

despensa pantry

despeñadero cliff, precipice

despeñar to throw (from a precipice); *——se* to fall; to throw oneself

desperdiciar to waste; not to avail oneself of

desperdicio garbage, waste

despernado legless

despernarse (ie) to walk one's legs off

despertador arouser; stimulus

despertar (ie) to awaken

despiadado heartless

despintado unpainted

despintar to disfigure, disguise

desplegar (ie) to unfold, open

desplomarse to plunge, fall

desplumar to pluck; to strip *or* despoil of property; to clean out

despoblado *n.* uninhabited place; *adj.* unpopulated; bare

despojar to plunder, despoil, rob, take as booty; *——se de* to remove

despojito left over bit; worthless portion

despojo plunder, spoils; *plu.* spoils; leavings; treasure

desposar to marry

desposorio marriage, betrothal

despotismo despotism

despotricar to chatter

despreciable despicable

despreciar to despise

despreciativo contemptuous, cynical

desprecio scorn

desprender to let fall; to loosen; to free; *——se* to detach; to fall; to follow, be a consequence of; *——se de* to give up, give away

desprendido loosened; beginning to fall (of rain)

despreocupado unconcerned; unprejudiced

desprestigiar to lessen one's prestige, bring into disrepute

desprovisto devoid

despuntar to begin, start; to break (of the dawn); to graze

des que or *desque arch.* after

desquiciamiento unhinging; overthrowing, destruction

desquitar to get even, make up for

desquite revenge, satisfaction

desruralizado removed from the country

destacar to cause to stand out; *——se* to stand out

destartalado sloppy, unkempt

deste arch. for *de este*

destello flash; spark

destemplado untuned, out of tune

desteñido faded, lusterless

desterrado exiled

desterrar (ie) to exile

destiempo: a —— untimely

destierro exile

destilar to distill; to run

destinar to destine; to allot

destino destiny, fate, lot; job

destornillado unbalanced, 'touched'

destreza dexterity, skill

destrozar to break, destroy; to tear; to ruin

destruir to destroy

desunir to separate

desusado unusual

desvalido helpless, destitute

desván attic room; *plu.* attic, garret

desvanecer to cause to disappear, sweep away, dissolve; *——se* to fade away; to faint

desvariado extravagant, mad, delirious

desvariar to rave, be mad

desvarío mental disturbance, wandering, raving; strange idea

desvelado wakeful; sleepless

desvelarse to lie awake

desvelo vigilance; anxiety; pains

desventajoso unfavorable

desventura misfortune

desventurado unhappy; unlucky

desvergonzado shameless

desvergüenza shamelessness; shame

desviar to turn aside, shift, divert

desvío deviation; going astray; aversion, coldness

desvivirse to outdo oneself, make every effort

detallado detailed

detalle detail

detención delay, halt; *con* —— closely, carefully

detener to detain, hold back, restrain; to put off; ——*se* to stop; to delay

detenidamente at length, carefully

deteriorado deteriorated

determinado definite; certain

determinante determining; —— *de* bringing about, conducive to

determinar to determine; to persuade; to ascertain; to decide; to define, outline

detestar to detest

detrimento detriment

deuda debt

deudo relative

deudor *n.* debtor; *adj.* owing, in debt

devanar to wind up; —— *los sesos* to rack one's brains

devaneo mental aberration, illusion, dream; giddiness, dissipation; vanity

devastador devastating

devastar to devastate

devengar to draw, earn

devocionario prayer book

devolver (ue) to return

devorador devouring

devorante devouring

devorar to devour

devoto devout, religious; devoted; ——*s míos* devoted to me

día day; *el mejor* —— some one of these days; *en el* —— at the present time

diablo devil

diablura mischief, prank, deviltry

diabólico diabolic

diáfano transparent, diaphanous

dialéctica dialectics; argument

diamante diamond

diantre demon

diario daily, every day; *n.* diary

dibujante artist, one who sketches

dibujar to sketch, outline; to depict

dibujo drawing, sketch

diccionario dictionary

dictadura dictatorship

dictamen opinion

dictaminar to state (opinions)

dictar to dictate

dicha happiness; fortune; *por* —— by chance

dicho *n.* saying; *adj.* aforesaid

dichoso happy; blessed; (ironically) cursed

diente tooth

diestra right hand

diestro *n.* halter; fencing master; *adj.* right (hand); dexterous

dieta diet

diferir (ie) to differ

dificultarse to become difficult

dificultoso difficult

difundir to spread, diffuse; to infuse

difunto dead, deceased

difuso diffused, scattered

digerir (ie) to digest

dignarse to deign

dignidad dignity; high office

digno worthy

digresión digression

dije ornament, trinket

dilación delay

dilatado extensive, long

dilatar to dilate; to put off, delay

dilatorio delaying, postponing

dilema dilemma

diligencia errand; diligence, care, activity; precaution; stagecoach

diligente diligent, indefatigable

diluir to dilute

diluvio deluge, flood

dinastía dynasty

dineral fortune

dinero money; obsolete silver coin

dintel threshold

diocesano of the diocese

diosa goddess

diosecito little god

diputación provincial legislature

diputado deputy, congressman

dirección administration, management

directe directly

director, -a director, manager; warden

directriz leading, directing

dirigir to direct; ——*se (a una persona)* to address, direct oneself to, go toward

discernir (ie) to discern clearly

disciplina discipline, penance; *plu.* whip, scourge

disciplinario disciplinary (soldier condemned to punishment)

discípulo pupil

disconformidad disagreement

discordancia discord

discorde discordant

discordia discord

discreción cleverness; discretion

discrepante divergent

discreto clever; discreet; intelligent

disculpa excuse, pardon; explanation

disculpable excusable

disculpar to excuse

discurrir to run; to discourse; to reflect; to think of

discurso speech, discourse; thought; course (of time)

discutible questionable

disentir to disagree

disertación dissertation, speech

disertar to discourse

disforme hideous

disfraz disguise

disfrazar to disguise

disfrutar to enjoy

disgustar to displease

disgusto displeasure; unpleasantness; quarrel

disimular to feign, pretend, dissemble, hide (one's feelings)

disimulo dissimulation

disipar to disperse, scatter, dissipate

dislate foolish idea

disminuir to diminish

disnea labored breathing

disociado dissociate

disonar (ue) to be dissonant, out of tune

disparado like a shot

disparar to shoot; to break out, begin suddenly

disparate crazy idea, stupidity, foolish notion; outrage

dispendioso expensive

dispensa dispensation
dispensar to pardon, excuse
dispersar to disperse, scatter
disperso dispersed
displicencia peevishness
displicente peevish, unpleasant
disponer to dispose; to prepare
disposición aptitude, bent; arrangement; appearance
dispuesto disposed; trained; ready
disputa dispute
disputar to dispute
distar to be distant
distensión stretching, distention
distinción distinction
distinguir to make out, distinguish; to show regard for
distinto distinct; different
distracción distraction, amusement
distraer to distract, amuse; —*se de* to be inattentive to
distraído absent-minded
disturbar to disturb
disturbio disturbance
disyuntiva ultimation
diversidad diversity, difference
diverso different, diverse; several
divertido amusing, entertaining
divertimiento amusement
divertir (ie) to divert, turn aside; —*se* to amuse oneself, have a good time
divinal divine
divinidad divinity, divine nature
divino divine, holy
divisar to make out, sight, see
divulgar to divulge, spread
do arch. where
dobla gold coin
doblar to double, bend, fold; to round; to cross; to turn (a corner *or* a page); to toll (bells); —*le la edad* to be twice as old as
doble double
doblegarse to bend
doblez fold
doblón doubloon
docena dozen
dócil gentle, docile; peaceful
docto learned

doctor learned man
doctrina doctrine; learning; *de gran* —— filled with learning
dogal hangman's noose
dolencia illness; pain, suffering
doler (ue) to ache, pain; to grieve; to take pity
doliente doleful, sorrowful; suffering
dolo deceit, fraud
dolor pain; grief
dolorido suffering; aching
domador trainer (of animals), master
domar to tame
domesticidad household
doméstico adj. family; domestic
domicilio domicile
dominador dominating
dominante predominant, dominant
dominar to dominate
dominguero adj. Sunday, related to Sunday
dominio domain; sway, rule
dompedro morning-glory
don gift
donación donation, gift
donaire witticism; wit; grace, charm
doncel youth; squire
doncella damsel, maiden; housemaid
dónde: ¿—— *bueno?* where are you off to?
dondequiera anywhere, everywhere
donoso charming; witty
donosura charm
don-pedro see *dompedro*
doquier arch. or poetic for *dondequiera* everywhere, wherever
dorado golden; gilded
dorador gilder; dealer in art objects
dorar to gild, brighten
dormilón adj. sleepy
dormir (ue) to sleep; to put to sleep
dormitar to sleep
dormitorio bedroom; dormitory
dosel canopy; curtain
dotar to endow; to provide
dote dowry; endowment; talent
dríada dryad
dril drill (cloth)

dromedario dromedary, camel
ducado ducat
duda doubt
dudar to doubt; to wonder
dudoso doubtful; indistinct
duelo duel; grief; group of mourners; funeral
dueña possessor; chaperon; lady-in-waiting; *arch.* woman
dueño owner, possessor; master; employer
dulcificar to sweeten
dulzón sugared; overly sweet
dulzor sweetness
dulzura sweetness, gentleness
duplicar to duplicate
duquesa duchess
duradero enduring
durar to last, endure; to remain
durazno variety of peach
dureza harshness; hardness; obstinacy
duro *n.* dollar (five-peseta piece, now worth about seven cents); *adj.* hard
dux doge

E

ea well, all right, come on
ébano ebony
ebrio drunk, inebriated
écarté (French) card game for gambling
eclampsia convulsions
eclesiástico ecclesiastical
eclipsar to eclipse; to cause to disappear; to disappear
eco echo
economía thriftiness, saving, economy
económico financial; thrifty
ecuánime unruffled
ecuestre equestrian
echar to throw; to pay (compliments); to put; to set out; to stretch out; to set aside; to dismiss; —— *de ver* to show; —— *menos* (cf. *echar de menos*) to miss; —— *por delante* to send ahead; —— *por otro lado* to turn aside; —— *un cigarro* to smoke a cigar; —— *un sermón* to lecture (*slang*); —— *un viaje* to take a trip; —— *se* to lie down; to slip on (of a garment); —— *se a* to begin;

——*selas* to put on the air of; ——*se a revolucionario* to plunge into revolutionary activity; ——*se a la calle* to rush out; *echado adelante* daring, reckless

edad age; time; —— *media* Middle Ages

edén Eden, paradise

edicto edict

edificar to build

edificio building

educación rearing; breeding

educando pupil

educar to rear

efectivamente in fact, indeed

efectivo real

efecto effect; dramatic effect; result; *en* —— in fact, indeed; *venir a* —— to be accomplished

efectuar to carry out

efeto arch. for *efecto*

eficacia effectiveness; efficiency; strength, force

eficaz efficacious; efficient

efigie image

efímero ephemeral

efluvio emanation

efusión effusion; expression

egipcio Egyptian

égloga eclogue, idyll

egoísmo selfishness, egotism

egoísta selfish

egolatría self-worship

egregio extraordinary, outstanding

eje axle

ejecución execution

ejecutar to carry out, execute

ejecutivo executive

ejecutoria patent of nobility

ejemplar adj. exemplary; n. copy (of a book)

ejemplo example; fable; *por* —— for example

ejercer to exercise; to practice

ejercia rigging (of ship)

ejercicio exercise; task; military drill; employment

ejercitar to exercise; to train; ——*se en* to exercise; to practice

ejército army

ejido commons; community

elección choice

eléctrico electric

elegancia elegance

elegante elegant, tasteful

elegantón aug. of *elegante*

elegir (i) to choose; to elect

Elena Helen

elevamiento absent-mindedness

elevar to raise; ——*se* to rise

eliminar to eliminate

elocuencia eloquence

elogiar to praise

elogio praise, eulogy

emanar to emanate

emancipar to emancipate

embajada mission

embajador ambassador

embalsamado balmy

embalsamar to perfume

embarazado embarrassed; encumbered

embarazar to embarrass; to hinder

embarazozo bothersome

embarcación ship

embarcarse to take ship, embark

embargar to check, hinder, hold back, suspend; to attach (legally)

embargo (legal) attachment

embebecer to enrapture

embeber to imbibe; ——*se* to be enraptured

embelesado engrossed; enraptured

embelesar to enrapture

embellecer to beautify

emberrincharse to fly into a rage

embestir (i) to attack

emblemático emblematic

embobado fascinated; astonished

embocarse to swallow in haste, wolf

emborracharse to get drunk

emboscarse to hide in the forest

embotar to blunt, dull

embozado n. masked person (with cape pulled over face); adj. muffled, disguised

embozar to wrap up, muffle up

embozo collar of cape pulled over the face; mask

embriagar to intoxicate

embriaguez intoxication

embridar to bridle

embrocación embrocation, application of a liquid medicine

embrollo tangle; deception; misunderstanding

embromar to make fun of

embrutecer to stupefy

embuste trick, deceit

embustero n. deceiver; adj. deceitful

embutido inlay

embutir to stuff, cram; to set into, inlay

emigrar to emigrate

eminencia marvel; eminence

emisión emanation

emocionado moved, stirred

empacho shyness

empalidecer to become pale

empalmarse to join, unite

empañar to sully; to blur; to veil; to muffle

empapar to soak through

emparedar to wall up

emparejados side by side

emparejar con to come up beside

empecatado incorrigible

empecer to harm

empecible harmful

empeñado en mixed up in, involved in

empeñar to insist; to pawn; to pledge; to swear (an oath); ——*se* to insist; to persist; *la lucha está empeñada* the struggle has begun

empeño insistence; intense desire; care; influence, 'pull'; effort; pawning; *papeleta de* —— pawn ticket; *casa de* —— pawnshop

emperador emperor

emperatriz empress

emperifollado dressed elegantly, 'dolled up'

empero however

empezar (ie) to begin

empinado steep

empinar to raise; —— *el codo* 'to·bend the elbow,' drink

empíreo celestial, empyreal

emplazar to set (a date)

empleado clerk, employee, jobholder

emplear to employ, use

empleo job; use

emplomado leaded

empollar to hatch

emponzoñar to poison

emporio market

empotrar to embed
emprendedor enterprising
emprender to undertake, engage in
empresa business; undertaking; affair
empujar to push, impel
empujón shove
empuñar to seize, grasp
emulación emulation, imitation
émulo emulator
enaguas petticoat
enajenación derangement
enajenado enraptured
enajenarse de sí to make one beside himself
enaltecer to praise
enamorada lover, mistress
enamorado *n.* lover; *adj.* enamored, lovesick
enamoramiento love-making
enamorar to inspire love in; to make love
enano dwarf
enarbolar to raise
enarcar to bend, arch
enardecerse to become heated, become angry
encajar to fit (into *or* on); to bring together, close; to pass off
encaje neck-piece (of helmet); lace
encalabrinar to make dizzy
encalar to whitewash
encaminar to direct; to destine; —*se a* (*hacia*) to approach, go forward
encandilar to light up
encanecer to become gray, old
encanijar to make sick
encantado charmed
encantador *n.* magician, enchanter; *adj.* enchanting
encantamento *arch.* for *encantamiento*
encantamiento enchantment
encantar to enchant
encanto charm, enchantment
encaprichado given to whims, headstrong
encaramado mounted (on)
encaramar to exalt; —*se* to climb
encararse con to face
encarcelar to jail
encarecer to enhance; to extol; to overrate; to exaggerate

encarecimiento exaggeration
encargado, -a agent, manager
encargado de in charge of
encargar to entrust, charge; to request. order; —*se de* to take charge of
encargo duty, commission
encariñado infatuated
encariñar to inspire affection
encarnado red
encarnar to incarnate, symbolize
encarnizado bloodthirsty
encarrilar to set on the path, set straight
encasillar to pigeonhole
encefálico encephalic, of the brain
encelarse to become jealous
encenagar to stir up, muddy
encender (*ie*) to kindle; to burn; to turn on the light; —*se* to become angry
encendido flushed, burning, glowing
encerado blackboard
encerrar (*ie*) to enclose, shut in, imprison
encierro enclosure; detention
encima on top; *por* — *de* above, on a higher plane than; on top of; *venirle* — to befall (someone)
encina evergreen oak
encinar oak grove
enclavado nailed
enclenque sickly
encoger to shrink; — *los hombros,* —*se de hombros* to shrug one's shoulders
encogido shy, timid
encogimiento shyness
encomendar (*ie*) to commend; to entrust; to send regards
encomiador praiser, extoller
encomienda commission; decoration carrying with it the administration of and income from ecclesiastical estates
encomio praise, encomium
encontrado opposed, conflicting
encontrar (*ue*) to find, meet; — *con* (*algo*) to come upon (something), find (something)
encorvado bent (down)
encrespado rough

encrespar to curl; —*se* to ruffle
encrucijada crossroads
encuadernación binding
encuadernar to bind (books)
encubierto disguised; masked person
encubrir to cover, hide, shield
encuentro meeting, encounter; *salirle al* — *a uno* to come out to meet one
encumbrado lofty
encumbrar to raise; —*se* to rise, soar
ende or *de ende* *arch.* of it, from it; from there; from that time; *por* — on account of it, therefore
endecha dirge
endemoniado possessed by the devil
enderezar to straighten; to go straightway; to direct; to prick up (the ears); to correct; —*se* to straighten up
endiablado devilish, diabolical
endilgar to surprise; to send
endiosado deified; haughty
endulzar to sweeten
endurecer to harden
enemigo *n.* enemy; *adj.* inimical
enemistad enmity
enérgico energetic
energúmeno madman
enfadar to anger; to repel; to tire; —*se* to become angry
enfado anger; irritation, bore
enfadoso irking
enfangado sunk
enfermar to make sick; to become sick
enfermedad sickness
enfermero, -a nurse
enfermizo sickly
enflaquecer to weaken
enfrascar to bottle; —*se* to be wrapped up, absorbed
enfrenar to check, hold back
enfrentarse to face each other
enfrente opposite, across the street
enfriar to cool; to become cold; —*se* to become cold
enfurecerse to get mad
enfurruñado angry, peeved
enfurruñarse to get angry
engalanar to adorn

enganche (action of) hooking, tripping

engañador deceiving

engañar to deceive

engaño deceit, trick; deception

engañoso deceitful, treacherous

engarzar to set (jewels)

engendrar to engender, give life to

engolfar to engulf

engordar to grow fat, large

engreimiento self-satisfaction, conceit

engreír to encourage one's conceit; to elate

enhiesto upright

enhorabuena congratulations

enigmático enigmatic, unfathomable

enjaezar to harness; to saddle

enjalbegar to whitewash

enjalma pad

enjambre swarm

enjaretarse to insinuate oneself into

enjaulado caged

enjuagar to rinse

enjugar to dry

enjuto dry; lean

enlace union; marriage

enlazados arm in arm

enlazar to bind, intertwine; ——*de* to set round with

enlodar to befoul

enloquecer to become mad; to madden

enlosado paved

enlutar to dress in mourning; to darken

enmarañado tangled

enmendar (ie) to mend, amend

enmudecer to become silent, keep silent

enojar to anger; ——*se* to become angry

enojo anger; annoyance; distress

enojoso burdensome, troublesome

enramada arbor; grove

enrarecido rarefied

enredadero climbing

enredado involved

enredador busybody

enredar to tangle; to fool around; to mess things up; ——*se* to entangle oneself, become involved in

enredo tangle; falsehood, deceit

enredoso involved, intricate

enrejado enclosed in wire

enrevesado tangled; mixed up

enriquecimiento enrichment

enronquecer to become hoarse

enroscar to coil

ensalada salad

ensalzar to exalt, raise up

ensanchar to enlarge; ——*se* to broaden, widen; —— *el corazón* to cheer up

ensanche widening; freedom

ensangostarse to become narrow

ensañarse to vent one's fury

ensartar to string together

ensayar to try; to rehearse; ——*se arch.* to try out one's powers, do one's first deeds, strike one's first blows

ensayo attempt

enseñanza teaching; *primera* —— elementary school; *segunda* —— secondary school

ensilar to ensilage, store away

ensillar to saddle

ensimismado absorbed in thought

ensortijado kinky

ensueño dream, illusion

entablar to start; to initiate

entapujarse arch. to cover oneself

ente being

entena yard-arm

entendederas understanding, brain

entendedor one who understands, wise man

entender (ie) to understand; to know (of); to believe; *arch.* to hear; —— *en* to give attention to, attend to; ——*se (con)* to get along (with); *dar a* —— to imply

entendido well informed; intelligent; ¿——? understood?

entendimiento intellect, mind, intelligence

enterar to inform; ——*se de* to find out about; to understand

enterito every bit

enternecer to move, soften; ——*se* to be moved

enternecido moved, stirred

entero entire; firm, unshaken; (*math.*) whole number

enterrador grave-digger

enterrar (ie) to bury

entibiar to cool off

entoldar to adorn

entonación tone; intonation

entonadamente in harmony

entonar to intone, chant, sing

entontecido stupefied

entornar to half close

entrada entrance; foray; new case

entrambos both

entrante opening, space

entraña entrail, vital organ; *plu.* heart; vitals; depths; bowels; *sin* ——*s* heartless

entrañable heartfelt; dear

entrar to enter; to bring in; —— *le a uno* to come over one

entreabierto half-opened

entrecano grayish

entrecejo brow

entrecortado intermittent, broken

entrecuesto backbone

entrechocar to bump together; to rattle

entrega delivery; payment

entregar to hand over, give, give over; to pay; ——*se* to devote oneself; to surrender

entrelazado intertwined

entrellano level space

entremés farce

entremetido gossip

entresemana: días de —— week days

entretanto adv. meanwhile; *n.* interval

entre tanto que while

entretejer to intertwine; to string

entretela: de mis ——*s* of the cockles of my heart

entretener to converse with, keep one interested; to lead on; to while away; to foster; ——*se* to amuse oneself; to take time

entretenido amusing, interesting; amused; busily engaged

entretenimiento amusement, entertainment

entrever to glimpse, see vaguely

entrevista interview

entricado arch. intricate
entriega arch. for *entrega*
entristecer to sadden
entrometer to meddle
entrometido meddlesome
entronizar to enthrone
entumecido numb
enturbiar to disturb, stir up
entusiasmar to enthuse
entusiasmo enthusiasm
entusiasta enthusiastic
enunciar to enunciate
envainar to sheathe (a sword)
envalentonar to embolden
envejecer to grow old
envenenado poisoned
envenenar to poison
envergonzante modest,   poor
    but proud
enverjado grating
enviado envoy, messenger
envidia envy
envidiable worthy of envy
envidiar to envy
envidioso envious
envilecer to vilify
envite hand (in cards)
enviudar to become a widow
envoltorio wrapping, package
envoltura wrapping, coating
envolver (ue) to wrap; to
    swaddle; to cover
*epiceno: género —— *common
    gender
epicúreo epicure
epidemia epidemic
epifanía epiphany, appearance
epigrama epigram
epilepsia epilepsy
epílogo epilogue
epitalamio epithalamium, mar-
    riage song
época epoch, time
epopeya epic poem
equilibrio balance
equipaje baggage, luggage
equis (the letter) X
equitación equitation, riding
equitativo equitable
equivocado mistaken
equivocar to mix up; *——se*
    to be mistaken
era field, plot (of vegetables);
    threshing floor
eregir (i) to build, erect
erguido lofty; tall and straight
erguir (ie, i) to erect; to hold
    high; to straighten up

erizado bristly
erizar to bristle; *——se* to stand
    on end (hair)
erizo hedgehog; porcupine
ermita hermitage
ermitaño hermit
errante wandering; stray
errar (ie) to err, to make a mis-
    take in; to stray
erróneo wrong, erroneous
erudición erudition, learning
erudito learned
erupción eruption;   breaking
    out, rash
esbeltez slenderness
esbelto slender, svelte
esbozar to sketch; to outline
escabechar to pickle
escabel footstool
escabrosidad rough region
escabroso rough; scandalous
escabullirse to slip away
escala ladder; stairway; scale
escalar to scale
escaldar to scald
escalera stairs, stairway
escalofrío chill,   cold   sweat;
    shiver
escalón step
escaloncito dim. of *escalón*
escalpelo scalpel,   dissecting
    knife
escama scale, scale-like forma-
    tion
escanciadora pourer,   woman
    who pours
escandalizar to scandalize
escándalo scandal; uproar
escandaloso scandalous
escaño bench
escapada escape
escapar to escape
escaparate display window
*escape: a —— *very fast; in a
    hurry
escapatoria escape;   surrepti-
    tious trip
escapulario scapulary
escarbar to scratch, dig, pick
    (the teeth)
escarceo plu. prancing, capers
escarcha frost
escarlata scarlet
escarmiento warning; lesson
escarnecer to scorn
escarnio scorn, jeering, derision
escarpado precipitous,   steep;
    craggy

escasear to be scarce
escasez scarcity; privation
escaso scanty
escatimar to hold back; to be
    stingy with
escena scene; stage
escenario stage; setting
escenografía staging; acting
escéptico skeptic
esclavina pilgrim's cloak (orna-
    mented with shells which be-
    token a visit to the shrine of
    Santiago de Compostela, near
    the sea)
esclavitud slavery
esclavizar to enslave
esclavo, -a slave; humble ser-
    vant
escoba broom
escobajo stalk
escocer (ue) to irritate;   to
    smart
Escocia Scotland
escoger to choose
escogido choice; *lo ——* choice-
    ness
escolar *n.* student; *adj.* scho-
    lastic, of a school
escolta escort
escombrera dump
escombro ruin; *plu.* rubbish
esconder to hide
escondidas: a —— de without
    the knowledge of; *a ——* sec-
    retly
escondrijo hiding place; hoard-
    ing
escopeta shotgun, gun
escoria impurity, dross
escorpión scorpion
escotadura arm   hole   (in
    armor)
escotilla hatchway
escribano notary
escribiente notary; scribe
escrito writings, composition
escritor writer, author
escritorio desk
escritura writing; *divina ——*
    sacra —— Holy Scriptures
escrúpulo scruple
escrupuloso scrupulous;
    squeamish
escrutador searching
escrutinio scrutiny
escuadra squadron; squad
escuadrón squadron

escuálido skinny, undernourished

escudar to shield

escuderil of a squire

escudero squire

escudilla trencher, wooden bowl

escudillar to dish out

escudo escutcheon, shield, coat of arms

escudriñar to scrutinize

esculpir to sculpture; to engrave

escultor sculptor

escupir to spit (forth)

escurecer arch. to make obscure; to surpass

escureza arch. darkness

escuridad arch. for *oscuridad*

escuro arch. for *oscuro*

escurridizo slippery

escurrir (se) to slip away; to slip; —— *el bulto* duck, dodge

esencia essence

esfera sphere

esfinge sphinx

esforzarse (ue) to strive, make an effort

esfuerzo strength; effort; fortitude

esfumarse to vanish

esgrima fencing

esgrimidor fencer

eslabonado linked together

esmaltar to enamel; to adorn (with bright colors)

esmerado painstaking; delicate

esmeralda emerald

esmerarse to take care

esmero pains, special attention

eso: por —— (de) que because

espabilar to wake up, make wide awake

espacio space; region, place; room; occasion; time; *con ——* at leisure

espacioso spacious; slow

espada sword; *plu.* spades (in cards)

espadachín swordsman

espadaña reed

espadín rapier

espalda shoulder: back

espaldar backplate

espantable frightful

espantajo scarecrow

espantar to frighten; to surprise, astound

espantoso fearful, frightful

españolismo the quality of being typically Spanish; love for typically Spanish things

esparcido gay, jovial

esparcimiento recreation

esparcir to scatter, spread, spread abroad, divulge

esparto esparto grass (used in rugs and seats of chairs)

espasmódico spasmodic

espatarrado spread-eagled

espatarrarse to stretch out one's legs

especie kind, species, sort; rumor

espectáculo spectacle

espectador spectator

espectro specter

especulación speculation; investment; business proposition

espejo mirror

espejuelos glasses

espera: sala de —— waiting room

esperar to hope; to wait (for)

esperpento absurdity; odd person

espeso thick; heavy

espesura thicket; thick woods; thickness; density; darkness

espía spy

espiar to spy (upon), lay in wait

espiga head of grain

espigado tall (for one's age)

espina thorn; quill; suspicion; *dar mala ——* to cause doubt, suspicion

espinilla shin

espionaje spying

espíritu spirit; ghost

espiritual spiritual

esplendente splendid

esplendidez munificence; magnificence

espléndido splendid, magnificent

esplendor splendor; glow

espolear to spur

espolique groom

espolón spur

esponjarse to puff up

espontáneo spontaneous

esposa wife; *plu.* handcuffs

esposo husband

espuela spur

espulgarse to pick off fleas or lice

espuma foam

espumajo foam

espumoso foamy, frothy

esquela note; obituary notice

esqueleto skeleton

esquema plan, outline

esquila bell

esquilón large hand bell

esquina corner

esquivar to dodge, elude

esquividad isolation

esquivo elusive; isolated; harsh, cruel

estable adj. stable

establecer to establish

establecimiento establishment, business

establo stable

estaca stake; cudgel

estación season; station

estada stay; being

estado state; rank (in society), station; a measure of length (about 2 yds.); —— *mayor* general staff

estafar to swindle

estallar to burst, burst out, explode

estampa print, picture; figure; printing; appearance

estampar to print, imprint

estampía: de —— in a rush; stormily

estancarse to cease flowing, stagnate

estancia stay, sojourn; room; dwelling place

estandarte standard, banner

estante shelf; bookcase

estaño tin

estar: —— por to have a notion to; to be in favor of; —— *de buenas* to be in a good mood; —— *en* to agree to

estatua statue

estatura stature, figure

estela wake, track

estera grass rug, mat

estéril sterile, unproductive

esterilizar to make sterile

esternón breastbone

estética esthetics

estético esthetic

estiércol dung, manure

estigma mark, stigma

estilarse to be the style; to be common

estilística style; stylistics

estilo style; kind; *a —— de* in the manner of; *por el ——* of that kind, like that (this)

estimación esteem; worth, value

estimar to esteem

estímulo stimulus, inducement, incitement

estío summer, dog-days

estipendio stipend, fee

estirado stiff

estirar to stretch

estirpe race; lineage, family

estocada sword thrust

estofado stew

estómago stomach

estopa tow; *——s de encenderse y apagarse* easily kindled and extinguished materials

estoque sword

estorbar to disturb; to impede

estorbo hindrance

estorcer (ue) arch. to turn aside

estoria arch. for *historia*

estornudar to sneeze

estornudo sneeze

estrado dais

estrafalario strange, extravagant

estrago loss, havoc, ravishing

estrechar to tighten; to bind more closely; to press; *——se* to become narrow

estrechez narrowness; constraint; straitened circumstances, straits

estrecho n. strait; adj. narrow; close, intimate; strict

estrella star; fig. fortune, fate

estrellado starry

estrellar to break to pieces; *——se* to burst; to break, be shattered; to bump

estremecer to tremble, shake

estremecimiento quivering, trembling

estrena beginning, first deed

estrenar to act a play for the first time; to inaugurate; to wear for the first time; *——se* to begin

estreno first night (of play); beginning

estrépito noise

estrepitoso noisy

estribar to rest (on); to lie (in)

estribo stirrup

estridente strident

estropear to ruin; to harm, hurt

estropicio uproar

estructurar to give structure to

estruendo loud noise; *de ——* sonorous

estruendoso noisy

estrujar to crush; to press hard

estuche (jewel) box

estudio study; school; studio (of artist); painting

estudiosillo fairly studious

estufa hothouse

estupefaciente stupefying

estupefacto stupefied

estupendo stupendous

éter ether

eternidad eternity

eterno eternal

ético ethical

etíope Ethiopian

étnica ethnology, racial make-up

etiqueta formal attire; *de ——* in formal dress

eunuco eunuch

europeizante believing in a united Europe

europeo European; *a la ——a* in the European manner

evacuar to take care of, perform

evangélico evangelical

evangelio scripture, gospel

evaporar to evaporate

evidencia evidence; *con ——* clearly

evitar to avoid

evocación evocation

evocador evocative

evocar to evoke, call, call up

evolución evolution; turn

exactitud exactitude, correctness

exacto assiduous

exageración exaggeration

exagerar to exaggerate; to increase

exaltación excitement; exaltation, uplifting

exaltado excited

exaltar to exalt; *——se* to become excited

exánime in a faint, weak, lifeless

excederse to outdo oneself

excelencia excellence; exellency; *por ——* extremely good *or* well

excelso noble, excellent

exceso excess

excitar to excite; to stimulate, urge

exclamar to exclaim

excomulgado fig. cursed

excomulgar to excommunicate

excomunión excommunication

excursión trip, expedition

excusa excuse

excusado useless; *—— es* it's unnecessary

excusar to excuse; to avoid, turn aside; *——se* to spare oneself

exégesis exegesis, critical study

exención exemption

exentar to exempt

exequia plu. funeral services

exhalar to exhale

exhausto adj. exhausted

exigencia demand

exigir to demand

eximir to exempt; *——se de* to free oneself from

existencia reality; existence

éxito success

exótico exotic

expedicionario member of an expedition

expensas: a —— de at the expense of

experiencia experience; experiment; *hacer —— de* to try out, experiment with

experimentar to experience, feel

experimento experiment

expiar to expiate

expirar to die

explanadita little level space

explanar to explain

explotable exploitable

exponente proposer, originator of a plan

exponer to expose; to expound, explain

exprés express train

expresivo expressive; amiable

exquisito exquisite, delicate

extasiado ecstatic, in ecstasy

extático ecstatic

extender (ie) to extend, stretch out; to make out (a receipt)

extenso: por —— at length, extensively, in detail

extenuado extenuated
exterminador n. exterminator; adj. exterminating
exterminio extermination
extinguir to extinguish
extraer to extract, take away
extramuros outside (a walled city)
extranjero n. foreigner; foreign countries; adj. foreign
extrañar to surprise, amaze; ——*se* to be surprised, amazed
extrañeza strangeness; surprise, wonder
extraño strange; foreign; n. stranger
extravagancia wild idea
extravagante eccentric
extraviado wandering, strayed
extravío wandering, aberration
extremado extreme, great
extremaunción extreme unction
extremo n. extreme, end; exaggeration; adj. extreme
extremoso exaggerated, vehement
extrínseco extrinsic, objective
exuberante exuberant, great
exvoto votive offering

F

fábrica building; factory
fabricar to make, manufacture
fabricante manufacturer
fábula fable
fabulista writer of fables
fabuloso fabulous; fictitious
facción feature
facilidad facility; opportunity
facilitar to supply with, furnish
factible feasible
factura bill
facultad faculty; subject (of curriculum); plu. virtues
facultar to empower
facha appearance, sight; frightful appearance
fachada façade
faena task
faetonte Phaethon; driver
faisán pheasant
faja sash, band
fajo bundle, sheaf
falange phalanx
falaz deceitful

falcón falcon
falda skirt; shirttail; slope (of mountain); —— *de montar* riding skirt; —— *espesa* thickly wooded slope
faldamenta tails (of coat)
faldear to skirt, traverse a slope
faldero lap; *perrillo* —— lapdog
faldilla de barros petticoat
faldriquera pocket
falsar arch. to pierce
falsario fraud
falsear to falsify
falsete falsetto
falsía falsehood
falsificador falsifying, mendacious
falso false, counterfeit
falta lack; fault; flaw; *hacerle* —— *a uno* to need; *sin* —— without fail
faltar to be missing, be absent; to be lacking; to fail; —— *a* to offend against; to be imprudent; *no faltaba más* that's the last straw; the very idea!
falto de lacking in; through lack of
faltón adj. defective, deficient
faltriquera pocket, bag
fallar to pass judgment, sentence; to fail; to be lacking
fallecer to die; to falter, fail; —— *de* to falter in
fallecimiento decease, death
fallo judgment, sentence
fama fame; reputation; rumor
famélico hungry, starving, ravenous
familiar n. dependent; domestic; bosom friend; adj. familiar; unceremonious; of the family
familión aug. of *familia*
fanal (large) lantern; lighthouse
fandango popular song and dance of Andalucía
fandanguero 'dizzy'
fanega land measure (about 1.59 acres); grain measure (about 1.60 bu.)
fanfarrón braggart
fanfarronada boasting, braggadocio
fantasear to day-dream, indulge in fantastic imaginings

fantasía fantasy, imagination; conceit
fantasma ghost, phantom, apparition
fantasmagoría illusion; melodrama
fantástico fantastic, whimsical
fardel sack
fardo bundle
farmacia pharmacy; medicine
farol lantern; light
fárrago farrago, jumble
farsante (slang) fake, stuffedshirt, charlatan
fascinación fascination
fascinar to fascinate; to daze
fascista fascist
fastidiar to bore, weary; to do harm to, give trouble
fastidio boredom, ennui
fastidioso annoying; boring
fatal fatal; unlucky
fatalidad unlucky chance; calamity, fatality
fatídico fateful
fatiga fatigue, toil, pain; hardship
fatigar to fatigue; to molest; ——*se* to worry
fatigoso toilsome, debilitating; *fatigosamente* with difficulty
fatuo stupid person
fauces jaws
fauna fauna
fauno faun
fausto happy
favorecedor favorer; flatterer
favorecer to favor
favorito favorite
faz face, surface
fe faith; *a* —— by my faith; I swear
fealdad ugliness
febril feverish
fecundación fertilization
fecundidad fecundity, fertility
fecundo fertile, fecund
fecha ·date
fehaciente trustworthy
felice poetic for *feliz*
felicidad happiness, felicity
feligrés parishioner
feliz happy
fementido false, perfidious
fenecer to die; to end
feo ugly; bad
féretro coffin
feria fair; market

feriar to make a present
fermento ferment; yeast
feroz fierce, ferocious, savage
férreo iron; unbending
ferrocarril railroad
ferruginoso containing iron
ferviente fervent
fervoroso fervent
festejar to entertain; to celebrate; to do honor to
festejo rejoicing
festín feast
festivo gay
fetiche fetish (image or charm
worshipped by African peoples)
fetidez evil smell, stench
fétido fetid
feudal feudal
feudalismo feudalism
fiar to trust; to provide bail;
——*se de* or *en* to trust in;
——*se* to be satisfied
ficción fiction; imagining
ficticio fictitious
ficus (*Latin*) fig tree
fidelidad faithfulness
fiebre fever
fiel faithful
fiera wild animal, beast
fiereza fierceness
fiero fierce, wild, terrible; severe; high spirited
fiesta party; festival; holiday;
fun; *plu.* demonstrations of
joy; *hacer* —— *a* to celebrate; *de* —— in a gay mood
figón low tavern
figura figure, build; face card;
face; spectre
figuración supposition
figurado imagined, imaginary
figurar to sketch, represent; to
figure, take part in; to cut a
figure, be of importance; ——
sele a uno to imagine
figurón aug. of *figura*
fijar to fix, establish; to fasten;
to stop; ——*se en* to notice,
pay attention to
fijo fixed; *de* —— surely
fila rank, file
filete steak
filial filial
Filipinas Philippine Islands
filo edge, cutting edge
filomena nightingale
filósofo philosopher
filtrar to filter

filtro philter, love potion
fin end; object; objective; *plu.*
conclusion; *al* —— *y al cabo*
in the end; *en* —— in short,
finally; *sin* —— *de* a great
number of
financiero financial
finarse to die
finca farm; property; house
fincar arch. to remain; to rest
on; to fix on
fineza delicacy; *plu.* courteous
deeds *or* words
fingido false
fingir to feign, pretend; to imagine; to deceive
fino fine; refined, courteous;
skillful; *labio* —— thin lip; *de*
lo —— of the finest quality
finura fine manners, delicacy,
politeness
firma signature; *estar a la* ——
to be waiting for a signature
firmamento firmament, heavens
firmar to sign
firme firm, steadfast, constant;
(*military command*) hold
firm!; *de* —— hard; constantly
firmeza firmness; strength;
steadfastness
fisco treasury
fisga banter
fisgonear to snoop
físico physical
fisiólogo physiologist
fisionomía physiognomy; characteristics
fláccido flaccid, limp
flácido see *fláccido*
flaco thin; weak
flamante resplendent; brand-
new
flamear to blaze
flamenco Flemish
flámula banner, flag
flanco flank
Flandes Flanders
flaquear to weaken, falter
flaqueza weakness; leanness
flato gas
flauta flute
flautista flute player
flecha arrow
flema phlegm
flojedad flabbiness
flojo loose; slight
Flora Flora, goddess of flowers
and gardens

florecer to flower; to flourish,
thrive
florero (flower) vase
floresta forest
florete foil
florido flowery, in flower
flota fleet
flotante floating
flotar to float, drift
flote: a —— afloat
flúido "juice," electricity
fluir to flow
foco focus
fogón stove
fogonero fireman
fogoso fiery
follaje foliage
folletín newspaper serial novel
folleto pamphlet
fomentar to encourage
fonda inn
fondear to cast anchor
fondo bottom; depths, substance; background; backstage;
al —— at the back; *en el* ——
in essence; deep down
fontana spring; stream
forastero n. stranger; adj. foreign, strange
forcejear to struggle
forcejeo struggle
forjar to forge
formación formation; ranks
forma form; manner
formal serious, solemn; well-
mannered; grown-up, mature
formalidad good manners; seriousness
formalizar to execute, legalize;
to carry out
fórmula formula; *de* —— prescribed
formular to formulate, form
foro law court, forum
forrar to line
forro cover
fortaleza strength; fortitude;
fortress
fortificar to fortify
fortuna fortune, fate; *por* ——
fortunately
forzado necessary
forzar (*ue*) to force; to strain;
to rape; —— *la fuerza del
tiempo* to force events
forzoso necessary
forzudo powerful
fosfórico phosphorescent

fósforo match
fotógrafo photographer
fosa grave
foso ditch; moat
frac frock coat
fracasar to fail
fracaso failure; calamity; ruin
fragilidad fragility; frailty
fragoso broken; rocky
fragua forge
fraguar to forge; to make
fraile monk, friar
francachela huge meal, debauch
franciscano Franciscan
franco frank; generous; open; free and easy; gratis
franela flannel
franja fringe
franquear to pass through *or* over; to open
franqueza frankness
fraque frock coat
frasca flask
frasco flask
frase phrase; sentence
fraterno fraternal
fraude deceit
fray brother (of a monastic order)
frecuencia frequency; *con* —— frequently
frecuentar to frequent
fregar (ie) to scour, scrub
freile knight of military order
freír (i) to fry
frenesí frenzy
frenético frantic
freno brake; curb, restraint; bridle
frente forehead, brow; front; *a su* —— in front of him; *en* or *de* —— *de* in front of, opposite; —— *a* in front of, before; —— *por* opposite; *hacer* —— to face
fresa strawberry
fresca angry scolding; piece of one's mind
fresco *n.* cool air, fresh air; *tomar el* —— to enjoy the coolness, cool off; *adj.* cool; fresh
frescor coolness
frescura coolness; freshness; insolence
fresno ash tree
frialdad coldness
friega rubbing, massage

frisado fuzzy
frisar to border (on)
frito fried
frívolo frivolous
frondoso leafy
frontera frontier, limit
fronterizo frontier
frontero opposite
fructificar to flower; to bear fruit
fructuoso fruitful
fruncir to wrinkle; —— *las cejas* to frown
frutal *adj.* fruit
fruto product; fruit; *sin* —— fruitlessly, without result
fuego fire; *al* —— next to the the fire; ——*s artificiales* fireworks
fuelle bellows
fuente fountain; source; spring; platter; tureen
fuera outside; get out!; —— *de sí* beside oneself; *por* —— on the outside
fuero privilege, legal exemption; law
fuerte *n.* fort, fortification
fuerza force, strength; *a* —— *de* by dint of, on account of; *a* —— *de derecho* by rights, rightly; *por* —— by force, necessarily; *sacar* ——*s de flaqueza* to make a great effort; to screw up one's courage; *ser* —— to be necessary
fuga flight; escape
fugarse to run away
fugaz fugitive(ly), fleeting
fugitivo fugitive
fulanita Miss so-and-so
fulano so-and-so
fúlgido bright, shining
fulgor glow
fulgurante flashing, gleaming
fulgurar to shine brightly; to flash
fulminio giving off lightning flashes, flashing
fullero cheat
fumar to smoke
fumigar to fumigate
función function; party; performance
funcionar to work
funcionario, -a functionary, official; bureaucrat
fundación foundation

fundado well-founded; serious
fundador founder
fundamento foundation, basis
fundar to found; to base; ——*se en* to found one's belief on
fundir to fuse; to melt down
fúnebre *n.* funeral; *adj.* funereal; *empresa de servicios* ——*s* undertaking establishment
funebridad undertaking; gloomy business
funeral funereal, tragic, deathlike
funerario undertaker
funesto very unfortunate, fatal
furia fury
furibundo furious
furioso furious
furor fury, madness
furtivo furtive
fusil rifle; gun
fusilar to shoot
fusilería gunfire
fustán fustian (cotton cloth)
futbolista soccer "fan"
futileza futility
futuro future

G

gabán overcoat, outer coat
gabinete sitting room
gacela gazelle
gaceta gazette, the official newspaper
gacho bent down; *sombrero* —— hat with brim turned down
gaita bagpipe
gala adornment, finery; glory; accomplishment
galán *n.* lover, dandy, beau; *adj.* gallant; elegant
galano elegant; clever
galante gallant; flirtatious
galanteo courting
galantería gallant speech, compliment
galanura elegance
galardón gift; reward
galera galley
galería corridor, passageway, tunnel
galgo greyhound
galopar to gallop
galopín *dim.* of *galopo*
galopo rascal
galvanización evocation

gallardete pennant, flag
gallardía elegance, handsomeness
gallardo gallant, dashing; graceful; charming
gallego Galician, from Galicia
galleta hardtack
gallina hen, chicken; chicken-hearted person
gallinácea: —— vulgar common barnyard hen
gallineja sing. or plu. fried chicken intestines
gallo cock, rooster
gallofero tramp, vagabond, loafer
gamo deer
gana desire; appetite; darle a uno la —— to feel like; tener ——(s) to desire; de buena —— willingly
ganadería cattle raising; ranch land
ganadero cattleman
ganado cattle; flock; goats; animal; (slang) rabble
ganancia gain, earnings; conquest
ganapán day laborer
ganar to gain, win; to reach
gancho hook; punto de —— crochet, crochet work
gandul loafer
gandulazo big loafer
ganga bargain; (slang) cinch; marvel
gangrena gangrene
ganso goose; stupid person
Gante Ghent
gañán farmhand; rustic
garabatear to scribble
garabato scrawl
garambaina ridiculous affectation
garantía guarantee
garbanzo chick-pea
garboso sprightly
garganta throat, gullet; narrow mountain valley
gangantilla necklace
gárgara gargling
garguero throat
garito low dive
garra claw
garrafa carafe
garrote death penalty (by strangulation); club; walking stick
garza heron

gasa gauze
Gascuña Gascony
gaseosa soft drink, pop
gastado worn; see also gastar
gastar to spend; to waste; to indulge in
gasto expenditure; waste
gatera (large) hole
gatita kitten
gato cat; (slang) stake, hoard
gaveta till, money drawer
gavilán hawk
gaviota sea gull
gazapón gambling den, dive
gaznate windpipe
gazpacho cold soup
gelatina gelatine, aspic
gemelo twin
gemido moan; moaning, suffering
gemir (i) to moan
genealogista genealogist
generación generation
género class, kind, type; goods; species; order
generoso generous; noble; brave
genial genial; full of genius; of one's native disposition
geniecillo dim. of genio
genio genius; disposition, temper; bad temper; corto de —— diffident, shy
gente people; plu. servants
gentezuela low people
gentil graceful; handsome; splendid, fine
gentileza nobility; courtesy
gentilhombre gentleman
gentío crowd
gentuza low people
genuflexión kneeling, genuflexion
geólogo geologist
geranio geranium
geranio-hiedra climbing geranium
gerifalte hawk
germánico Germanic, German
germano German; Germanic tribesman
germen germ
germinador germinating
germinar to germinate; to hatch
gesticulación gesticulation, expression
gesto espression (of face); face; attitude

gigante giant
giganteo of giants
gigantesco gigantic
gira excursion; outing; —— campestre picnic
girar to revolve, gyrate
giro gyration; turn
gitano gypsy
glacial icy
gladiador gladiator
gleba land, glebe
glicerina glycerine
globo balloon
gloria glory; delight; dar —— to be a pleasure
gloriar to glorify
glorificar to glorify
glotón glutton
gobernador governor
gobernante governing
gobernar (ie) to govern; to control, manage
gobierno government; governing, managing, administration
goce joy, pleasure
godo Goth
goleta schooner
golfo gulf; tramp; hacer el —— to be a tramp
golondrina swallow
golosina sweetmeat, dainty
goloso gluttonous; fond of sweets
golpe blow; stroke; en un —— at one stroke; de —— suddenly, all at once; —— de tos fit of coughing; —— de vista insight, ability to size up a situation
golpear to beat (on), pound
golpeteo beating
goma rubber; mucilage
gordo fat, big
gordura fatness
gorguera collar
gorjear to warble
gorra cap
gorrión sparrow
gorro cap
gota drop
gotear to fall (in drops), dribble
gótico Gothic
gozar to enjoy; —— de to enjoy
gozo joy
gozoso joyful, glad
grabado engraving, etching
grabar to engrave; to mark

gracejo grace; humor, witty talk; charm

gracia grace; attractive quality; witty saying; wit; stunt; *tiene* —— that's funny; *hacer* —— to please

grácil graceful, delicate

gracioso witty, funny, amusing; graceful; pretty; pleasant

grada step

gradación gradation

grado degree; will; pleasure; rank; *de buen* —— willingly

grama grass

grana n. scarlet

granada pomegranate; grenade, shell

granadero grenadier

granado pomegranate tree

grand arch. for *grande*

grande n. grandee, nobleman of highest rank; *en* —— on a large scale

grandeza greatness, magnificence; nobility

grandiosidad grandeur

grandor bigness, size

granero granary

granizo hail

granjear to gain

granjería gain

grano seed; grain; grain (of weight)

grant arch. for *grande*

granuja rascal

grasa grease

grasiento greasy

gratificar to recompense; to satisfy

grato pleasing

gratuito gratuitous, free; undeserved

grave heavy; grave, serious

gravedad gravity

graveza arch. heaviness

gravitación gravitation

graznar to caw

graznido croak

Grecia Greece

gregoriano Gregorian

gremio guild, union

greña lock (of hair)

gresca revolt, riot

grey flock

griego Greek

grieta crack, fissure

grillo plu. irons (for prisoners), shackles

grima horror, revulsion

gripe influenza

gris gray

gritar to shout, call; to protest

grito scream, shout; *poner el* —— *en el cielo* to shout to high heaven

grosería bad manners, crudeness

grosero crude, rough, coarse, vile

grotesco grotesque

grúa crane

grueso heavy, stocky

grumete cabin boy

gruñido grunt

gruñir to grumble

gruñón grumpy

gruta cave, grotto

guadaña scythe

guantada blow (with glove), slap

guante glove

guapetón aug. of *guapo*

guapín dim. of *guapo*

guapo handsome; pretty

guarda guard; *guarda-agujas* switchman

guardado sheltered

guardador keeper

guardapelo locket

guardapiés petticoat

guardar to keep; to save; to guard; to jail, lock up

guardarnés armor closet

guardesa guard's wife; switchman's wife

guardia guard; policeman; *cuerpo de* —— troop of guards; —— *civil* civil guard, national policeman, gendarme; national constabulary; —— *del orden* municipal police

guardián guardian; *padre* —— father superior

guardilla garret

guardillón garret

guarida den, lair

guarismo figure

guarnamiento arch. adornment

guarnecer to adorn, embellish

guarnición trimming, ornament

guarro hog

guasón joker

guau bow wow

guedeja lock

guerra war; *dar* —— to give trouble

guerrero n. warrior, soldier; adj. warlike

guerrilla band of irregular troops, guerrilla band

guerrillero partisan; member of a guerrilla band

guía m. guide; f. guidebook

guiar to guide

guija pebble

guijarro stone

guillar (slang): *me las guillo* I'll beat it

guinda cherry

guiñapo rag; ragged person; unprincipled person

guiñar to wink; to close the eye to evil

guirnalda garland

guiropa stew

guisa way; manner

guisado stew

guisante pea

guisar to cook; —— *de comer* to cook

guiso dish

guitarra guitar

guitarrista guitar player

gula gluttony

gulusmear to nibble; to pry into

gusanera worm heap

gusano worm; —— *de luz* glowworm

gustar to please; to taste; —— *de* to like

gustazo aug. of *gusto*

gusto pleasure; taste; fancy, whim; *a* —— pleased, content; with pleasure; *a nuestro* —— to our liking

H

haba bean

habano of Havana

haber n. credit; property; plu. credit; property

habichuela kidney bean

hábil able, clever

habilidad ability

habilitado director; agent

habilitar to enable

habitación room; apartment

habitador dweller, inhabitant

habitar to live in, inhabit

hábito habit; robe; clothing

habituarse to become accustomed

habla speech

hablador talkative; slanderous

hablilla gossip

hacanea hackney, riding horse

hacendoso industrious

hacer to make; to do; to cause (with following *inf.*); to hold (a market); ——*se* to become; —— *caso* to give attention to; ——*de* to act as; —— *por* to try; —— *que* to pretend; —— *ventaja* to be ahead of, surpass; ——*se cargo de* to realize; ——*se el tonto* to play the fool

hacerio arch. blame

hacia toward, to

hacienda estate; wealth, property, fortune; treasury

hacinamiento pile, accumulation

hacha torch; ax, hatchet

hachazo blow with ax

hachero torch stand

hachón torch; —— *de viento* torch

hada fairy; Fate (mythological figure)

hadar to enchant, bewitch

hado fate

hala move along!, come on!; so there!

halagador flattering, cajoling

halagar to flatter; to please

halago flattery, insinuating way; caress

halagüeño flattering; endearing, alluring

halagüero flattering

halcón falcon

hambriento hungry; lean; good-for-nothing

hanega same as *fanega*

harapo rag

haraposo ragged

harina flour

harpa harp

hartar to satisfy, fill; ——*se* (*de*) to get one's fill (of); to stuff oneself (with)

hartazgo satiety, fill (of food)

harto adj. sufficient, more than enough; satiated, satisfied; fed up; adv. quite, very; very well

hasta up to; until; even; as many as

hastiar to bore

hastío boredom

hatajo despicable flock

hato flock

haya beech tree

haz bundle; rank, file (of army); surface

hazaña deed

he behold, see; —— *aquí* here is

hebra thread; hair

hecha: de esta —— from this moment

hechicera witch, enchantress

hechicero adj. bewitching, charming; n. wizard

hechizar to bewitch, enchant

hechizo spell, charm

hecho n. fact; deed; adj. ready made

hechura make; form

heder (*ie*) to stink

hedor stench

helado frozen, cold

helar (*ie*) to freeze

helecho fern

helenizante lover of Greek culture

heliotropo heliotrope

hembra female

hemisferio hemisphere

hemorragia hemorrhage

henchir (*i*) to stuff, fill

hendir (*ie*) to split open; force one's way

heno hay

heredad field, land; fief

heredado having received an inheritance

heredamiento heritage

heredar to inherit

heredera heiress

heredero heir

hereditario hereditary

hereje heretic

herejía heresy; fig. blasphemy

herencia inheritance, legacy; heredity

herida wound

herir (*ie*) to wound; to strike

hermafrodita hermaphrodite

hermanastra stepsister

hermosear to beautify

héroe hero

heroico heroic

herradura horseshoe; *camino de* —— bridle path, lane

herramienta tool

herrería forge

herrero blacksmith

hervir (*ie*) to boil, seethe

hervor boiling; ardor, excitement

hez dreg

hidalgo nobleman (of low rank); gentleman; *adj.* noble

hidalgote aug. of *hidalgo*

hidalguía nobility

hiedra ivy

hiel gall, bitterness

hielo ice; cold

hiena hyena

hierático hieratic, priest-like

hierba grass; weed; herb; —— *corrompida* weed; *mala* —— weed

hierbabuena mint

hierofante chief priest

hierro iron; bar; buckle

hígado liver

higiene hygiene

higuera fig tree

hilado thread; *huevo* —— a mixture of eggs and sugar made in the form of threads

hilandera spinner

hilar to spin

hilo string; thread; theme

himno hymn

hincapié: hacer —— to take a firm stand

hincar to fix; —— *de rodillas*, —— *la rodilla* to kneel; ——*se* to kneel down

hinchar to swell

hinojo: de ——*s* kneeling

hipérbole hyperbole, exaggeration

hiperbólico hyperbolical, exaggerated

hípico equestrian

hipo hiccup; urge; *darle el* —— *por* to have a yen for

hipocondría hypochondria

hipocresía hypocrisy

hipócrita n. hypocrite; *adj.* hypocritical

hipoteca mortgage; security

hiriente cutting

hirsuto bristly

hisopo sprinkler for holy water

Hispania Hispania, the Iberian peninsula

hispano Hispanic

historia history; story

historiador historian

hito: de —— *en* —— fixedly
hocico sing. or plu. snout, nose (of animal)
hogar hearth, home; fireplace
hoguera fire
¡hoj! uh!
hoja leaf; page; blade —— *de lata* sheet metal; tin
hojaldre kind of pastry
hojarasca dead leaves; rubbish
hojear to glance over (book, writing)
hola hello; here!
holgachón lenient, soft
holgado comfortable
holgar (ue) to enjoy, have a good time; to be pleased; —— *más* to prefer
holgazán lazy; idle
holgura ease; indulgence
hollar (ue) to tread, trample (on); to be bold
hombre man; one; —— *de bien* gentleman; man of worth
hombría manly strength
hombro shoulder
hombruno mannish, masculine
homeopático homeopathic
homicida murderer
homicidio murder
homilía homily, sermon
honda sling
hondo deep, profound; hollow
hondonada ravine
hondura depth
honestidad modesty; purity; honor
honesto respectable, decent
hongo mushroom; derby; *sombrero* —— derby
honra honor
honradez honesty
honrado honorable, honest; decent
honrar to honor
honroso honorable
hora hour; time; *a la* —— at once; *en buena* —— at a fortunate moment; very well; *en mala* —— and bad luck to you
horario Book of Hours, prayerbook
horca gallows
horcajada: a ——*s* astride
horda horde
horizonte horizon
hormiga ant

hornilla stove hole (in old coal range)
horno oven; furnace
horquilla hairpin
horrendo horrible
horrísono horrible sounding, deafening
horrorizar to horrify
hortaliza vegetable, vegetables, garden stuff
hortelano gardener
hortera dry goods clerk
hosco gloomy, sullen
hospedaje lodging; billeting
hospicio refuge; asylum
hostia host, communion wafer; *hacer un pan como una* —— to make a splendid bargain
hotel hotel; private home
hoyuelo dimple
huebra arch. ornament
hueco hollow; little space; well (of staircase)
huelga strike
huella trace, track
huérfano orphan
huero sterile, empty; *salir huera una cosa* to turn out badly
huerta vegetable garden; garden
huerto orchard; garden
huesa tomb, grave
huesecillo dim. of *hueso*
hueso bone
huésped, -a guest; host *or* hostess
hueste host, army
huida flight
huido fugitive, fleeing
huir to flee; to run away
hule oil cloth
humanar to humanize, make human; *Dios humanado* God in man's form; the communion wafer
humanidad humanity; humane treatment
humanista humanist
humano human; humane, kindly
humareda cloud of smoke
humedad dampness
humedecer to moisten, water
húmedo damp
humildad humility; *hacer* —— *a* to humble oneself to
humilde humble

humillación humbling; humiliation; loss of prestige
humillar to humiliate
humo smoke; *plu.* airs
humor humor, vein, temper
humorada humorous idea
hundimiento sinking
hundir to sink; to plunge, fall
huracán hurricane
huraño shy, withdrawn
hurgón poker; brawl
hurón ferret
huronear to ferret out; to pry into, investigate
huronera den, hole
hurtadillas: a —— slyly
hurtar to steal
hurto theft
huso spindle

I

ida going, outward trip
ídem the same, ditto
ides arch. for *vais*
idílico idyllic
idiotizar to stupefy
idólatra idolater
idolatría idolatry
ídolo idol
idóneo appropriate
iglesia church; —— *mayor* cathedral
ignominia ignominy, shame
ignominioso ignominious
ignorar not to know, be ignorant of
igual n. and adj. equal; *adj.* same, similar; fitting; even
igualado alike
igualar to equal, make equal
igualdad equanimity
igualmente likewise; equally
ijada flank, side
ijar flank
ileso unharmed, unscathed
ilícito illicit
ilimitado unlimited
iluminar to illuminate, to light; to brighten; to enlighten
ilusión illusion, dream; hope
ilusionado filled with illusions, dreams
ilusorio illusory, fleeting
ilustración education
ilustrado enlightened; cultured
ilustrar to cultivate; to enlighten

ilustre illustrious
imagen image
imaginar to imagine; to invent; to scheme; to think
imaginativo thoughtful
imán magnet
imbécil imbecile
imbuido steeped
imitador imitator
imitar to imitate
impacientarse to grow impatient
impasible passive, unmoved
impávido fearless
impedir (*i*) to impede, prevent, stop
impenetrable impenetrable
impensado unexpected
imperar to rule over; to overlook
imperdonable unpardonable
imperial imperial; soldier of the emperor
imperio empire; domination, sway
imperioso imperious
impermeable raincoat
impertinencia impertinence; impertinent words
imperturbado undisturbed
ímpetu impetus; rushing, headlong motion
impetuoso impetuous
impiedad impiety, lack of piety
impío impious; pitiless, heartless
implacable implacable, relentless
implorar to beseech, implore
imponente impressive, imposing
imponer to impose
importar to matter, be important; to be at stake
importunar to importune, bother
importunidad persistence, importunity, annoyance
importuno importunate, persistent, annoying
imposibilitado prevented
imposición obligation
impostor impostor
impotencia impotence; weakness; inability
imprecación imprecation
impregnar to impregnate
imprescindible indispensable
impresión printing

impresionar to affect
imprevisión recklessness
imprevisor improvident
imprevisto unforeseen
imprimir to impress, print
improbo dishonorable; difficult, laborious
improcedente unfit, not right
impropio unbecoming, unfitting
improviso unexpected; *de* —— unexpectedly
impudente shameless; thoughtless; impudent
impúdico immodest
impugnable inexpugnable, unconquerable
impugnar to contest; to assail
impulsar to impel
impulso impulse; *a* ——(*s*) *de* by force of, driven by
impune unpunished
impuro impure
imputar to attribute
inacabable unending
inaccesible inaccessible
inadvertencia unawareness, unpreparedness; unnoticed
inadvertido unwarned, unaware
inagotable inexhaustible
inaguantable unbearable
inanición inanition, weakness caused by hunger
inanimado inanimate
inasequible unattainable
inaudito unheard of
inaugurar to inaugurate
incansable tireless
incapaz incapable
incendiar to burn
incendio fire; flame
incensario incense burner
incentivo incentive, impulse
incesable unceasing
incesante incessant
incienso incense
incitar to incite
inclemente merciless
inclinación inclination; love
inclinado bent; resting; inclined
inclinar to bend down, bend over, bow; to win (over); ——*se* to take an inclination; to bow; ——*se* to bend over; ——*se a* to have an inclination for, be inclined

inclito illustrious
incluso including
incógnito unknown, nameless
incoherente incoherent
incomodar to make uncomfortable; to disturb; ——*se* to become angry
incomodidad discomfort
incómodo uncomfortable
incompatible incompatible
incomprensible incomprehensible
inconexo unconnected, incoherent
inconsciencia naturalness
inconsciente unconscious
inconsecuencia inconsistency
inconsistente unsubstantial
inconsolable inconsolable
inconstante inconstant, fickle
incontenible uncontrollable
inconveniencia undesirability; unsuitability
inconveniente *n.* objection; unpleasantness; disagreeable aspect; *adj.* objectionable
incorporarse to sit up; to stand up; to join
incorpórea bodyless
incorrección inaccuracy; breaking of the rules
increado uncreated
incredulidad incredulity
incrédulo incredulous
increíble unbelievable
increpar to rebuke, reproach
incruento bloodless
inculto uncultivated; uncultured
incumbencia task
incurrir to incur; to commit
indagación investigation
indagar to find out; to investigate
indecente indecent, low
indecible unspeakable
indeciso undecided
indecoroso unbecoming; bad-mannered
indefenso defenseless
indefectible unfailing
indescriptible indescribable
indeseable undesirable
indeterminado indeterminate, vague
indiano Spaniard who had spent some time in the Amer-

ican colonies and returned to Spain

indicación indication, hint; *por —— de* under the instructions of

indicar to point out, indicate, show, suggest

índice index

indicio indication, sign

indiferente indifferent, neutral

indigencia poverty, indigence

indigestar to give indigestion

indignado indignant

indigno unworthy

indio Indian; American

indirecto indirectly

indiscreto indiscreet

indisculpable inexcusable

indispensable indispensable

indispuesto indisposed, ill

indistinto vague, indiscriminate

individuo individual; member

índole nature

indolente indolent

inducir to induce, persuade

indudable without doubt, certain

indulgencia indulgence

indulgente indulgent; compassionate

indulto pardon

indumentario pertaining to clothes

industria industry; trick

industriar to scheme

industrioso industrious; crafty

inédito unpublished

ineducado uncultured, unpolished

inefable ineffable, inexpressible

ineficaz ineffectual

ineluctable inescapable, irresistible

ineludible unavoidable

inepcia incompetency

ineptitud ineptitude

inequivoco unequivocal

inercia inertia; laziness; immobility

inerme unarmed, defenseless

inerte inert

inesperado unexpected

inestabilidad instability

inexperto inexperienced

inexplicable unexplainable, inexplicable

inextinguible inextinguishable; ceaseless

infamante insulting, defaming

infamar to defame

infame infamous, base

infamia infamy, base thing

infancia infancy

infanta princess

infantazgo rank *or* estate of prince *or* princess

infante prince; infantryman

infantería infantry

infantil childish, infantile

infantina little princess

infatigable indefatigable

infección infection; corruption

infeccioso infectious

infecto tainted; stagnant

infeliz unhappy, wretched

inferir (ie) to infer

infestar to pollute

inficionar to infect, poison

infidelidad unfaithfulness, infidelity

infidencia broken pledge, treachery

infiel faithless, unfaithful

infierno hell

infiltrar to infiltrate, seep (into)

infinito infinity

inflamable inflammable; easily stirred

inflamado flaming

inflamar to kindle, inflame

inflar to inflate; to swell

influir to influence; to inspire

influjo influence

información information; (judicial) investigation

informante appraiser

informar to inform; to give evidence

informe report; *plu.* news, information

infortunio misfortune

infractor violator

infringir to infringe

infructuoso fruitless

infundado unfounded, untrue

infundio trickery, deceit

infundir to instill

ingeniero engineer

ingenio cleverness; genius; intelligence; talent

ingenioso ingenious, clever; *arch.* insane, mad

ingénito innate

ingente huge

ingenuidad ingenuousness

ingenuo ingenuous

Inglaterra England

inglés English; (*slang*) money lender

ingobernable ungovernable

ingratitud ingratitude

ingrato ungrateful

ingresar to enter

ingreso admission

inhabitable uninhabitable

inicial initial

iniciar to initiate, begin

iniciativa initiative

inicuo iniquitous

iniquidad iniquity, foul deed

injerto graft

injuria insult

injuriar to insult

injurioso insulting

injusto unjust; unworthy

inmaculado immaculate, spotless, pure

inmarchitable unwithering, evergreen

inmarchito unwithered

inmaterial incorporeal

inmediación *plu.* neighborhood

inmediatamente at once; —— *de leer* as soon as I read

inmediato next, nearby

inmemorial immemorial

inminencia imminence

inmodestia lack of modesty

inmoralidad immorality

inmotivado unmotivated

inmóvil motionless

inmovilizarse to stop moving

inmundicia filth; filthy hole

inmundo foul, filthy, unclean

inmutable immutable, unchangeable

inmutado excited

innecesario unnecessary

innegable undeniable

inocente innocent

inofensivo harmless

inopinado unexpected

inoportunidad inappropriateness

inoportuno inopportune

inquebrantable irrevocable

inquietar to worry, disquiet, disturb; ——*se* to worry

inquieto worried, disturbed; restless

inquietud worry; restlessness; problem

inquilino, -a renter, tenant; householder

inquirir (ie) to inquire
insano unhealthy
inseguro uncertain; insecure
insensatez senselessness
insensato senseless, foolhardy
insensible unfeeling
insidia ambush, snare
insigne famous, renowned
insignia insignia
insinuante insinuating
insinuar to ingratiate
insistencia persistence
insistir to insist; —— *en* to emphasize; to harp on
insolente insolent
insolvencia lack of payment; insolvency
insomnio sleeplessness, insomnia
insondable unfathomable
insoportable unbearable, insupportable
inspeccionado overlooked
inspiración inspiration
inspirar to inspire
instable unstable
instalar to install
instancia insistence, urging
instantáneo instantaneous
instante instant; *al* —— immediately
instar to urge
instintivo instinctive
instinto instinct
instituido instructed, informed
instrucción education
instruir to instruct
instrumento instrument
insubstancial inane
insuficiencia lack of learning; lacking
insufrible unbearable, intolerable
ínsula *arch.* for *isla*
insulano islander
insulo humorous for *insulano*
insulsez insipidity
insultante abusive person
insultar to insult
insulto insult
integridad integrity; entirety
íntegro entire, complete
inteligencia intelligence; understanding
intemperie rough weather
intención: con —— intentionally
intencionado pointed

intendente: —— *de ejército* quartermaster general
intensidad intensity
intentar to try, attempt; to strive; to intend
intento intention, plan, purpose
interés interest; *plu.* money matters, financial interests
interesar to interest; to be important
interior interior, inner
interlocutor interlocutor, one who takes part in a conversation
intermediario middle man
intermedio intermediate
internarse en to penetrate, enter within; to go underground
interpelación demand for an explanation
interpelar to appeal to, speak to
interpolar to interpolate; to assert
interponer to interpose
interpretar to interpret
intérprete interpreter
interrogar to interrogate, question
interrumpir to interrupt
intervalo interval
intervenir to intervene, take part; to play a part
intimar to become intimate
intimidad intimacy
íntimo, -a intimate
intoxicado intoxicated
intranquilo worried; restless
intransitable impassable
intrépido intrepid
intricar *arch.* to make intricate
intriga plot, intrigue
intrincado involved, complicated; entangled
íntringulis (slang) hidden drive, mystery, 'trick'
introducir to usher in; to introduce; ——*se (en)* to enter, penetrate; to extend
intruso intrusive
intuición intuition
inumerabilidad infinite number
inundación flood
inundar to inundate, flood

inútil useless; unfit; *n.* useless person
inutilizado disabled
inutilizar to disable
invalidar to invalidate
inválido crippled, lame
invencible invincible, unconquerable
invención invention; trick, stratagem; cleverness; composition
inventar to invent
inventario inventory
inventivo inventive, clever
inverecundia shamelessness
inverosímil untrue; unbelievable
invertir (ie) to invest
invicto never conquered
invierno winter
inviolable inviolable, inviolate
invocación invocation
invocar to invoke, call upon
involucrado involved
involuntario unwilling
invulnerable invulnerable
ir to go; *me va la vida en ello* my life is at stake; *no va mucho en esto* this isn't very important; *vaya* all right; go on; *vaya si* I should say
ira ire, wrath
iracundo wrathful, enraged
irascible irascible
irlandés Irish
irracional irrational, animal
irradiación radiation
irradiar to radiate
irrealizable unattainable
irreflexivo unthinking
irregularidad irregularity
irreverente irreverent
irrevocable irrevocable; unavoidable
irritado angered
irritante irritating
irritarse to become angry
irrupción bursting into; invasion
isla island
islote *aug.* of *isla*
israelita Jewish
itálico Italian
item item; also; —— *más* also, furthermore
izquierdo left; *a la izquierda* to the left; *de izquierdas* leftist, radical

J

¡ja! ha!
jabalí wild boar
jaca pony
jácara folk song (about deeds of violence)
jacarandaina ruffians
jacarandina ruffians
jacarear to sing *jácaras;* to have a noisy good time
jacerina coat of mail
jaco pony; nag
jactancia boasting
jactarse de to boast of
jadeante panting
jaez trappings (for horse); kind
jalear to urge on dancers by clapping
jaleo high time, excitement; type of peasant dance
jalma pack-saddle
jamelgo nag
jamón ham; —— *en dulce* boiled ham
jamugas side-saddle
jaque bully
jaqueca headache, migraine
jaquita dim. of *jaca*
jara arrow
jarana carousal
jardín garden
jarra jug, pitcher
jarrazo blow with jar
jarro pitcher, jug
jaspe jasper (an opaque colored variety of quartz)
jaula cage
jauría pack of hounds
jayán giant, burly fellow
jazmín jasmine
jazminero jasmine bed
¡je! ha!
jefe chief, head man, leader, boss; important person
jerarquía hierarchy, rank
jerarquización hierarchic separation
Jeremías Jeremiah
jerez sherry
jerga serge, dark-colored cloth; jargon
jergón pallet, straw mattress
jeringado (slang) blasted, cursed
Jesús heavens!
jícara (chocolate) cup; (slang) nut, bean, head
jilguero linnet, goldfinch

jineta a style of horsemanship; *a la* —— in fancy style; *de* —— mounted
jinete rider, horseman
jipío blubbering, sobbing
jira see *gira*
jirafa giraffe
jirón shred
jofaina wash basin
jornada act; journey, day's trip, expedition; circumstance
jornalero day laborer
Jove Jove, Jupiter
jovenzuelo dim. of *joven*
jovial cheerful, gay
jovialidad gaiety
joya jewel
joyel piece of jewelry
joyero jeweler
ju whew!
jubilación retirement
jubileo jubilee, festival; indulgence
júbilo joy
jubón doublet
Judea Judea
judía green bean; bean
judío Jew; skin-flint
juego game; gambling; set; *dar* —— to mesh, gear in with
juez judge
jugador gambler; player
jugar (ue) to play; to gamble
juglar minstrel
jugo juice
juguete plaything, toy; *de* —— toylike
juguetear to frolic, sport
juicio judgment; good sense; *sano* —— right mind
juicioso sensible
jumento ass, donkey
juncia sedge
junco rush, reed, cane
junta council
juntamente together; at the same time
juntar to join; to gather; ——*se* to meet, come together
junto together; at the same time; *arch. plu.* both; all
jurado court (of law); judge
jurador blasphemous
juramento oath, pledge
jurar to swear
jurisdicción jurisdiction
justa joust
justador tilter, jouster

justicia justice; judge; police; court
justiciero giver of justice
justificar to justify
justo just, proper; precise (ly); *al mes* —— just a month after; *el Justo* the Just One, Jesus
juvenil youthful
juventud youth
juzgado court (of law)
juzgar to judge; to believe

K

kilo kilogram
kilómetro kilometer

L

laberinto labyrinth, maze
labia 'gift of gab'
labio lip
labor work, needle work
laboriosidad industry
laborioso industrious
labrado wrought; carved; built
labrador farmer, peasant
labradora farm girl; farmer's wife
labrandera seamstress, embroiderer
labranza farming
labrar to embroider; to build; to cultivate
labriego n. farmer; adj. of a farmer
lacayo lackey
lacayuelo dim. of *lacayo*
lacerado miserable
lacería hardship; miserable portion
lacerio misery
lacio withered; droopy
lacónico laconical
laconismo laconism, brevity of speech
lacra fault
lacrimoso tearful, lachrymose
ladearse to move to one side
ladera side, slope
ladino sly; astute
lado side; *de al* —— adjacent
ladrar to bark
ladrido bark, barking
ladrón -a thief; *cueva de* ——*es* nest of thieves
ladronera den of thieves

lagar wine press
lagartona sly woman
lago lake
lágrima tear
lagrimear to weep
lamentar to lament; ——*se* to lament
lamento lament
lamer to lick; to lap
lámina engraving, print
lámpara lamp
lampiño beardless
lana wool; shaggy coat
lance affair; difficult position; affair of honor; occasion; matter
lancero lancer
lancha small boat
languidez languor
lánguido languid
lanteja arch. for *lenteja* lentil
lanza lance, spear
lanzar to throw, hurl, cast; to give forth; ——*se* to charge; to rush off; to leap
lanzón short thick lance
lápida stone, slab
largamente for a long while
largar to come out with; to let fly; to drive away; ——*se* to get out; 'to light out'; to scram
largo long; a lo —— de along; through, in the course of; *pasar de* —— to pass without stopping
larguillo dim. of *largo* longish
largura length
lástima pity; plu. lamentations; griefs
lastimado pitiful, poor
lastimar to pain, hurt, wound
lastimero pitiful, piteous
lastimoso pitiful
lastre weight
latania latania palm
lateral side
latero (slang) annoying
latido beat; throbbing
latigazo blow with a whip
látigo whip
latino Roman, Latin
latir to beat; to bark
latón brass
laúd lute
laureado crowned
laurel laurel
lauréola mezereon (flowering shrub)

lauro laurel
lavabo washbowl and pitcher, wash stand
lavandera laundress
laxo lax
lazada bow knot
lazo knot; snare; bond; ribbon, ornament
lealmente loyally; truly
lealtad loyalty
lebrel greyhound
lector reader
lectura reading
lechera milk pitcher
lechería dairy store
lecho couch, bed
lechoso milky
lechuga lettuce, head of lettuce
lechuza barn owl
legajo bundle; sheaf; file (of papers)
legal arch. for *leal*
legalizar to legalize
légamo slime, mud
legión legion, Roman regiment
legislador legislator, law-giver
legítima inheritance
legítimo legitimate
lego n. lay brother; layman; adj. lay, secular; fig. uneducated, uninstructed
legua league
leído well-read
lejanía distance
lejano distant, far
lejos: a lo —— in the distance
lema motto
lencero linen seller
lengua tongue; language; *con media* —— stammering
lenguaje speech, language
lente monocle-like eye (of owl)
lentejuela sequin
lentitud slowness
lento slow
leña firewood, wood
leño log
león lion
leona lioness
lercha wooden stringer
letal lethal
letanía litany, religious chant
letra letter; words; letter of credit
letrado n. educated man; adj. educated, learned
letrero sign

levadizo that can be raised; *puente* —— drawbridge
levadura yeast, leaven
levantamiento rise
levantarse to rebel
levante east
leve light; slight
levita Prince Albert coat
levitilla dim. of *levita*
ley law; rule; obligation; *a toda* —— under all circumstances; *de baja* —— of low standard; *de la mejor* —— of best quality, unsurpassable
leyenda legend
leyente reader
liana liana, creeper
liar to bind, fasten; ——*se* to be involved; to have a liaison
libar to suck
libelo slander, libel
liberal liberal; generous
libertar to free
libertinaje licentiousness
libra pound; *entran pocos en* —— are few and far between
libraco aug. of *libro*
librado: bien —— successful, lucky
librar to free; ——*se* to deliver to, turn over to
librea livery
librecultista freethinker
librepensador n. freethinker; adj. skeptical
librería bookstore
libreta loaf of bread weighing a pound
licencia leave, furlough; permission
licenciado licentiate, bachelor of laws
licenciamiento discharge
licencioso wanton
lícito lawful; permissible
licor liquid; liquor
lid fight, battle
lidiar to fight, struggle
liebre hare
lienzo linen cloth; canvas
liga birdlime; garter
ligadura binding
ligar to bind
ligereza swiftness; lightness; ease; thoughtlessness, lack of foresight
ligero light; swift, fast; slender; fine, delicate; flighty

lima lime
limar to file (down), make smooth
limitar to border, enclose
límite limit; boundary, border
limosna alms
limosnero *n.* almoner, alms-giver; *adj.* charitable
limpiar to clean, wipe off
límpido limpid
limpieza cleanliness; cleaning; clarity; emptiness
limpio clean; clear, straight-forward; *poner en* —— to make a clear copy; to set aright; *sacar en* —— to see clearly, get out
linaje lineage, family; kind
linajudo of noble descent
lince *n.* lynx; *adj.* lynx-eyed
linde boundary
lindeza beauty; *a las mil* ——*s* very beautifully
lindo pretty, beautiful, hand-some; fine; *de lo* —— in fine style
lino linen
lío bundle, roll; tangle, mixup; intrigue
lira lyre
lirio lily
lisiado crippled
liso smooth
lisonja flattery; caress
lisonjear to flatter; to fondle
lisonjero flattering
listo ready; clever
listón ribbon, tape
lisura smoothness
litera litter
literato author, literary man
litografía lithograph
litúrgico liturgical, of the lit-urgy
liviandad licentiousness; frivol-ity
liviano frivolous; licentious; slight, light, faint; incorporeal
lívido livid, pale
lo: —— *de* that affair of
loa praise; laudable reputation
loar to praise
lobo, -a wolf
lóbrego gloomy
local *n.* locale, place; office
localidad place; seat (in theater)
loco mad; extravagant

locuacidad loquacity
locuaz loquacious
locuela silly little girl
locura madness; mad idea
lodazal swamp
lodo mud
logaritmo logarithm
lograr to attain, get; to succeed in
logro success; attainment
loma ridge
lombriz earthworm
lomo back; loin
lona canvas
Londres London
longaniza sausage
longura length
lontananza distance
loor praise, acclaim
loriga armor, cuirass
loro parrot
losa flagstone; stone slab; tomb-stone
lotería lottery; *caerle a uno la* —— to win the lottery
loza china
lozanía vigor; freshness; luxuri-ance
lozano strong, brisk
lúbrico lewd
lucero bright star; morning star
lucidez lucidity; brilliance
lucido brilliant; superb
luciente bright
Lucifer Lucifer
lucimiento brilliance
lucir to shine; to show, show off
lucrarse to enrich oneself; to make a killing
lucha fight, struggle
luchador fighter
luchar to struggle, fight
luego immediately; afterwards; *desde* —— immediately; of course
luengo long
lueñe *arch.* distant
lugar place; village; occasion
lugareño, -a *n.* villager; *adj.* rustic
lúgubre lugubrious
lujo luxury
lujoso luxurious; refined
lujuria lust
lujurioso lustful
lumbre fire; light; *echar* —— to burn (with fever)

lumbrera luminary
luminaria illumination
luminoso luminous, bright
lunada *arch.* ham
lustre luster, brilliance
lustro period of five years
lustroso shiny, glossy, lustrous
luto mourning: *de* —— in mourning, black
luz light; intelligence; *de cortas luces* of little intelligence

LL

llaga sore; wound
llagar to wound
llama flame; light
llamado so-called; destined
llamar to call; to knock; to ring
llamativo seductive
llanamente plainly
llano *n.* plain; *adj.* flat, level; clear, evident; plain, smooth
llanto weeping, tears, lament, dirge
llanura plain
llave key
llavecita *dim.* of *llave*
llavín key
llegada arrival
llegar to arrive; to get; to make it; —— *a (followed by infini-tive)* to come to; to go as far as; ——*se* to approach
llenar to fill; to fulfill; to cover
llevadero bearable
llevador *adj.* capable of bear-ing, long suffering
llevar to take, carry; to take away; to lead; to wear (clothes); ——*se* to get along; —— *a mal* to take badly; —— *dos días, tres meses,* etc. to have been two days, three months, etc.
lloricón whining
lloro weeping, tears
llorón weeping
lloroso tearful, weeping
llovizna drizzle
lloviznar to drizzle
lluvia rain

M

maceta flower-pot
macilento withered; pale; ema-ciated

macizo robust, husky

mácula stain

machacar to crush, pound

macho n. mule; adj. male

machorro barren, sterile

madeja skein; lazy fellow; *coser madejillas* to tie up skeins

madera wood; makings, qualities

madero beam

madrastra stepmother

madre mother; —— *política* mother-in-law

madreselva honeysuckle

madriguera rabbit warren

madrugada early morning

madrugador n. early riser; adj. early rising

madrugar to rise early; to arrive early

madurar to mature, ripen

madurez ripeness; maturity

maduro ripe; mature

maestra teacher; boss (*slang*)

maestrante member of an aristocratic riding club

maestrazgo mastership

maestre grand master (of religious order)

maestrescuela rector

maestría skill

maestro, -a master, teacher; expert

Magdalena Madeline; Mary Magdalen

magia magic

mágico magic

magín mind, imagination

magistral masterly

magnánimo magnanimous

magnético magnetic

magnificar to magnify

magnificencia magnificence; generosity

magnífico magnificent

magnitud magnitude, immensity

mago, -a enchanter; witch doctor; *reyes magos* Magi, Wise Men

magullado mauled, bruised

Mahoma Mohammed

mahón nankeen, cotton cloth

maitines matins (a church service)

majada fold

majadería silly speech *or* act

majadero stupid

majestad majesty

majestuoso majestic

majo n. a dandy and bully of the lower classes in Andalucía; adj. elegant, dressed up

majuelo new vine

mal n. evil; ailment, sickness; misfortune; trouble; —— *haya* curses on!

malacondicionado surly, disagreeable

malandante unfortunate

malaventurado unfortunate

maldad wickedness; *plu.* evil deeds

maldecir to curse

maldiciente n. slanderer; adj. slandering

maldición curse

maldito cursed, damned person

maleante villainous

maledicencia slander, calumny

maleta suitcase, bag

malévolo malevolent

maleza thicket, underbrush

malgastar to waste

malhadado bewitched, cursed

malhechor evil-doer, criminal

malhumorado bad-humored

malicia malice, wickedness, perversity

malicioso malicious; sly; mischievous

maligno malign, evil

malmascado badly chewed

malogrado late lamented

malograr to come to an untimely end

malquerencia ill-will

malquerer to dislike

malsano unhealthy

maltratado bruised

maltratar to abuse, mistreat; to wear out

maltrecho battered

malva mallow

malvado wicked

malla mail, armor

mamar to suckle

mamarracho grotesque figure, sight

mamotreto monstrosity

manada swarm; flock

manantial spring (of water); source

manar to well forth, spring forth, flow from

mancebo n. youth; adj. youthful

mancilla spot, blot

mancillar to stain

manco maimed; one-armed; one-handed

Mancha, La the southeast district of Castilla la Nueva

mancha stain, blot, spot

manchar to spot, stain

manchego from la Mancha

manchón aug. of *mancha*

mandado order

mandamiento commandment

mandar to send; to order; *como Dios manda* proper (ly), fitting (ly)

mandato command, order

mandíbula jawbone

mandil cloth (for wiping down horses)

mando command; power; *al* —— under the command

manejable manageable

manejar to manage; handle; to drive

manejo management

manera manner, means; *de* —— *arch.* in such a way; *a* —— *de* like; *de igual* —— in the same way

manga sleeve; ——*s de camisa* shirt sleeves

mangoneo meddling

manía mania, craze, whim

maniatar to shackle

manicomio insane asylum

manifestación manifestation

manifestar (*ie*) to state; to show, manifest

manifiesto manifest

manjar dish, portion (of food)

mano hand; front foot (of animal); *echar* —— *de* to grab; *tener buena* —— to be skillful; *tener mala* —— to be unskillful

manojo bundle, sheaf; bunch

manotada blow (with hand); *dar* ——*s* to paw the ground

manotazo blow (with hand)

mansedumbre gentleness, meekness

mansión dwelling place, mansion

manso gentle; quiet

manta blanket

manteca butter

mantel tablecloth

mantener to maintain, support, keep, sustain

mantenimiento maintenance; sustenance

mantequilla butter

mantilla light scarf worn on head

manto robe; mantle, cloak

mantón shawl

manuscrito manuscript

manzano apple tree

maña skill; cunning; trick; evil trait

mañana morning; tomorrow; *muy de* —— very early in the morning

mañoso clever

máquina machine; structure; fabric; apparatus

maquinal mechanical

maquinar to scheme

maquinista engineer

maravedí penny, small coin

maravilla marvel, wonder; *a las mil* ——*s* marvelously

maravillar to marvel; ——*se* to be surprised; ——*se de* to marvel at

maravilloso marvelous

marca brand; sign

marcar to mark; to be noticed; to register

marcial martial

marco frame (of door); mark (about ½ pound)

marcha march; movement, working order; progress; *en* —— en route; *romper la* —— to set out

marchar to go; to go away; to walk; to march; to travel; ——*se* to leave

marchitar to wither

marchito withered

marea tide

mareado seasick

mareante causing dizziness, heady

marear to make seasick; to make dizzy

maremágnum confusion

mareo dizziness

marfil ivory

margarita daisy

margen margin; shore

maricón sissy

marido husband

marinero *n.* sailor, mariner; *adj.* seafaring

marina seascape, picture of the sea

marino of the sea

mariposa butterfly

marisma marsh

marmitón scullion

mármol marble

marqués marquis

marquesa marchioness

marrano pig

marron glacé (French) candied chestnut

marroquí Moroccan

marrullero whining

Marte Mars

martillo hammer

mártir martyr

martirio martyrdom; suffering

martirizar to martyr; to torture

más: de —— unneeded, superfluous

masa mass; dough

mascarada masquerade; disguise

mástel *arch.* for *mástil* mast

mastín mastiff

mastranzo mint

mata underbrush

matadero slaughter-house

matador killer, assassin

matanza slaughtering, killing

matar to kill

materia matter; material

material material; *en lo* —— with respect to physical things; *lo* —— the flesh, the physical being

materialismo materialism; specific nature; material gain

materialista materialistic

materializarse to become materialistic

materialmente physically, in the flesh

maternal maternal; native

matinal morning

matiz shade (of color)

matizar to tint

matón ruffian, bully

matorral thicket

matraca nonsense, twaddle

matrícula register; *de la* —— *de* out of

matrimonio marriage; married couple

matrona matron

matutino morning

maulería trickery

máxima principle

mayonesa mayonnaise

mayor *n.* mayor; *adj.* greater, greatest; larger, largest; higher; important; chief; *plu.* betters; *persona* —— grownup person; —— *edad* grown up

mayorazgo *n.* estate (inherited by eldest son); eldest son; *adj.* eldest

mayordomo steward

mayoría majority, greater part

mayormente principally, especially

mazmorra dungeon

mazo hammer

mazorca ear of corn; bunch

mecachis the deuce!

mecánica mechanics

mecánico mechanical

mecer to rock; to sway

mecha fuse, wick

mechón lock

media stocking; *plu. a* ——*s* partly, partially

mediado: a ——*s de* toward the middle of

mediano medium; medium-sized; moderate; mediocre

mediante by means of, through, by virtue of

mediar to intervene

medicamento medicine

médico doctor; —— *de guardia* official doctor

medida measure; *a* —— *que* as, in proportion as

medio *n.* means; middle; *adj.* half; average; *en* —— between; in the meantime

mediodía noon; south

mediquillo *dim.* of *médico*

medir (i) to measure; *vara de* —— yardstick

meditabundo pensive, meditative

meditar to meditate

medrar to get ahead, progress

medroso fearful; frightening

mejilla cheek

mejor: —— *dicho* more exactly; —— *que* —— better than ever; *estar* —— *con* to be on better terms with; *a lo* —— at any moment; probably

mejora improvement

mejorar to better, improve

mejoria improvement

melancolía melancholy

melecina enema

melena mane; long hair

melifluo sweet, honeyed

melindroso prudish

melinita melinite, high explosive

melocotón peach

melodía melody, melodiousness

melón melon

melosidad honeyed tone

meloso honeyed

mella nick; impression

mellar to nick

membrado robust, husky

memorial proposition, brief (of proposal); *echar ——es* to make a proposition

mención mention

mencionar to mention

mendicante *n.* beggar; *adj.* mendicant, begging; of a beggar

mendicidad begging

mendigar to beg

mendigo, -a beggar; *—— de punto* beggar having a regular station

mendrugo crust

menear to move from side to side; to shake; to stir; to wiggle; to manage, direct; to move

meneo swaying motion

menester need; occupation; *haber* or *tener ——* to need; *ser —— to be necessary

menesteroso needy

mengano what's-his-name

mengua lack, need; flaw, shortcoming, fault; shame

menguado reduced; slight; short; stupid; exhausted

menguar to lack; to diminish; *menguado de* lacking in

meníngeo pertaining to meningitis

menor younger; smaller, smallest, slightest; less; *—— edad* youthful age; *—— de edad* youth

menos: por lo —— at least; *venir a ——* to fall into bad circumstances

menospreciar to despise, scorn

mensaje message

mensajería message carrying

mensajero messenger

mensual monthly

mentar (ie) to mention

mente mind

mentecato *n.* fool; *adj.* foolish, crack-brained

mentidero place where gossipers gather

mentido false

mentir (ie) to lie

mentira lie; error; *parece ——* it seems impossible

mentís: dar un —— a to give the lie to, accuse of lying

mentor mentor, counselor

menudear to become frequent, be frequent

menudencias pork products

menudo small, tiny; short; common; *a ——* often, frequently; *por ——* in detail

mequetrefe jackanapes

mercader merchant

mercado market

mercancía merchandise, goods

mercantil commercial

mercar to purchase

merced grace; favor; *arch.* thanks; *—— a* thanks to; *a —— de* under the influence of; a prey to; *hacer ——* to spare

mercenario mercenary

merecedor meritorious, deserving

merecer to merit, deserve

merecido due, deserts

merecimiento merit; rank; *plu.* deserts

merendero summer house (for picnics)

merendona *aug.* of *merienda*

meridiano noonday; southern

meridional southern

merienda snack; picnic; lunch

merina merino sheep

merino merino, kind of wool cloth

mérito merit

merluza hake

mermar to diminish

mero mere

merodeo marauding

mesa table, desk; branch, subdivision (of a government office); *—— consola* console table

mesar to tear (the hair)

Mesías Messiah

mesmo *arch.* for *mismo*

mesón inn

mesonero innkeeper

metizo half-breed

mesura restraint; courtesy

meta goal

metafísico *n.* metaphysician; *adj.* metaphysical

metal metal; timbre

metalúrgico steelworker

metamorfosis metamorphosis, change

meter to put, put in, place; get (into); *—— ruido* to make noise; *——se* to go inside; *——se a* to set oneself up as; *——se con* to meddle with, interfere with; pick a quarrel with

metimiento familiarity, intimate dealings

metrificar to compose poetry

metro meter

mezcla mixture; *de ——* mixed color, spotted

mezclar to mix, mingle; *——se* to mix in

mezcolanza mixture

mezquino wretched; mean; puny

mezquita mosque

miaja bit

miasma miasma, infected air

microscópico microscopic

miel honey

miembro member; limb

mientes *arch.* mind; *parar ——* to fix one's attention on

mies grain; wheat

miga crumb; soft part of bread; *hacer ——s* to become *or* be friends

migaja crumb

milagro miracle

milagroso miraculous

milenario thousand year old; age-old

milicia troops, army; militia

militar *n.* soldier; officer (of armed forces); *adj.* military

milla mile

millar thousand; *a ——es* by thousands

mimar to indulge; spoil

mimbre willow

mimbrón *aug.* of *mimbre*

mímica pantomime

mimo indulgence; fondness;

"shining light"; pampering; caress

mina mine

minar to undermine

minero spring (of water)

mínimo very small; smallest degree

ministro minister

minucia trifling thing

minucioso minute, diminutive; thorough

minúsculo tiny, minute

minuta minutes; notes; copy

miopía near-sightedness

mira aim, object

mirada look, glance, gaze

mirado circumspect, straitlaced; *bien* —— well regarded; *mal* —— with evil intent

miramiento consideration; caution; circumspection; *plu.* scruples; fuss

mirar to look at; to pay attention to; *fig.* to consider, take into consideration, think; —— *a* to aim at

mirilla peephole

mirón onlooker

mirra myrrh

misa mass

miserable base; miserable, wretched, unfortunate

miserere Miserere (a religious chant)

miseria misery; baseness, meanness; poverty; filth; vermin; miserable amount

misericordia pity, compassion, mercy

misericordioso merciful

miseriuca wretched trait

mísero miserable; mean

misión mission

misionero missionary

misterio mystery

misticismo mysticism

místico mystic

mitad half; mid-point; *cara* —— 'better half'

mitigar to mitigate

mito myth

mixto mixed

mixtura concoction

mobiliario furniture, household goods, furnishings

mocedad youth

mocito *dim.* of *mozo*

moco mucus; drivel; *llorar a* —— *y baba* to cry violently

mocoso sniveling; *(slang)* brat

moda style, mode

modal *plu.* manners

modelado modeling

modelo model

moderado moderate

moderar to moderate

modificar to modify

modo manner; good manners; sort; *plu.* means; *a* —— *de* a sort of, something like; *de* —— *que* so that; *de todos* ——*s* in any case

modorra stupor

modosito *dim.* of *modoso*

modoso modest; well-bred

modular to modulate

mofa mockery

mofarse to mock

mohín grimace; pouting expression

mohino peevish, pouting

moho mold; rust

mojama dried fish

mojar to soak, wet

molde form; *letras de* —— type, print

mole mass

moler (ue) to grind; to press; to beat

molestar to bother

molestia bother, trouble, annoyance

molesto annoyed

molicie softness

molienda grinding

molino mill; —— *de viento* windmill

mollar soft; simple

mollera head, pate

momentáneo momentary, brief

momento: al —— immediately, instantly; *por* ——*s* at times

momia mummy

mona *n.* ape, monkey; *dormir la* —— to sleep off one's drunkenness

monacal monastic

monada cute little thing

monarca monarch

monasterio monastery

mondo clean; unembellished; trimmed

moneda coin, money; *monedita de veintiuno y cuartillo* a gold coin withdrawn from circulation in 1786, worth 21¼ *reales; casa de la* —— the Mint; —— *fraccionaria* small change

monería cute action

monigote lay brother; poorly painted figure

monja nun

monje monk

mono *n.* monkey, ape; *adj.* cute

monologar to talk to oneself

monomanía mania

monotonía monotony

monótono monotonous

monserga gibberish

monstruo monster; freak

montado a pelo on the ragged edge

montar to ride (horseback); to mount; to cock (a firearm); to set (precious stones); to set up

montaraz wild; mountain

monte hill, mountain; forest, woods; card game; *vestido de* —— in hunting costume; *Monte de Piedad* government pawnshop and savings bank

montepío savings account (in the Monte de Piedad); savings

montera hunter's cap

montero hunter

montiña mountain side

montón pile; lot

moño bun (of hair)

mora blackberry

morada dwelling place, house

morado purple

morador dweller

moral *n. m.* black mulberry tree; *f.* ethics; *adj.* mental; moral

moralista moralist

morar to dwell

morazo *aug.* of *moro*

morbidez smoothness

morboso diseased

morcilla blood pudding; —— *de sesos* head pudding

mordaza gag

mordelón biting

morder (ue) to bite

mordida bite

moreno dark; dark-skinned

morería Moorish camp; Moorish quarter (of city); Moorish people *moribundo* dying

morilla dim. of *mora* Moorish woman

morisco n. a Mohammedan converted to Christianity; adj. Moorish; *a la morisca* Moorish fashion

moro n. Moor; adj. Moorish

morrión helmet (without attached parts), morion

morriña melancholy

morrocotudo dandy, swell

mortaja shroud

mortecino sickly; wan; deathly

mortificación mortification

mortificar to mortify

mosca fly; —— *de luz* firefly; —— *de nieve* snowflake

moscatel impertinent person

moscón horsefly; annoying person

mosquita: —— *muerta* hypocrite

mostaza mustard

mosto grape juice; juice

mostrador counter

mostrar (ue) to show

mostrenco stupid

mota speck; burl, knot of thread

mote nickname; offensive title; motto, device

motejar to call offensive names; to mock

motín uprising

motivo motive, reason, cause

mover (ue) to move; to wage (war); to stir, shake

movible movable

moza lass, girl

mozo lad, youth; servant; —— *de caballo* groom, stable boy; —— *de cuerda* porter

mozuela aug. of *moza*

mucho: de —— much; *ni* —— *menos, ni con* —— nor far from it; *qué* —— what wonder; *no es* —— *que* it is unlikely that

muchedumbre multitude

muda cosmetic

mudable fickle; undecided

mudanza change; move; fickleness; figure (of a dance); *estar de* —— to be in the process of moving

mudar to change; ——*se* to be fickle; to move

mudo dumb; mute; silent

mueble n. piece of furniture; plu. furniture; furnishings; adj. movable; *capital* —— personal property

mueca grimace

muela tooth; molar

muelle n. spring; dock, pier; adj. soft

muerto dead; fig. half dead, tired out

muestra sample; sign; face (of clock)

mugir to bellow

mugre filth

mugriento filthy

mujercita dim. of *mujer*

mujeriego womanish; *a mujeriegas* side-saddle

mujeril womanly

mujerona aug. of *mujer*

mula mule

mulato mulatto

mulero muleteer; servant in charge of mules

muleta crutch

mulo mule

multitud crowd, multitude

mullido soft

mundanal worldly

mundano worldly

mundo world; high society; *gran* —— high society

municipio city, municipality

munificencia generosity, munificence

muñeca wrist

muñeco doll; puppet

muralla wall, city wall

murciano from Murcia

murciélago bat

murmullo murmur

murmuración gossip; slander

murmurador gossiper

murmurar to murmur; to gossip, backbite, slander

muro wall

murria melancholy

murta myrtle

mus a card game

musa muse

musculatura muscles

músculo muscle

musculoso muscular

musgo moss

música music; tune

músico n. musician; adj. musical

muslo thigh

mustio sad

musulmán Moslem

mutilar to mutilate

mutuo mutual

N

nabo turnip

nácar mother-of-pearl

nacer to be born

nacimiento birth

nada nothing; at all; ¡——! say no more

nadar to swim

nado swimming; *a* —— by swimming; *arrojarse a* —— to strike out swimming

naipe playing card

nalga buttock

Nápoles Naples

napolitano of Naples, Neapolitan

naranja orange

naranjada orange

naranjo orange tree

nardo lily

nariz nose; plu. nostrils; face

narrador narrator

narrar to narrate, tell

nata cream

natal native

nativo native

natura nature; kind

natural n. nature, character; adj. native

naturaleza nature

naturalidad naturalness

naufragio shipwreck

náufrago shipwrecked person

navaja razor; clasp knife; —— *de afeitar* razor

nave ship

navegar to sail, navigate

navidad Christmas

navío ship

nazareno Nazarene

nebli falcon

neblina fog

necedad foolishness, stupidity; plu. foolish words

necesidad need, necessity

necesitado needy

necio n. fool; adj. foolish, stupid

negar (ie) to deny; ——*se a* to turn a deaf ear to; to refuse *negativa* negative; denial; refusal

negociante businessman

negociar to handle

negocio business; affair; deal; matter

negro *n.* Negro; *adj.* black; wretched

negrusco blackish

nelumbo water lily

nemoroso wooded, bosky

nena darling, dear

nene baby; child

neófito neophyte, convert

neosófico of new wisdom

nervioso nervous

neto genuine; pure

neumático airtight, pneumatic

neurosismo neurosis

nevado covered with snow

nevar (ie) to snow

nido nest

niebla mist, fog

nicho niche; grave

nieto grandson

nieve snow

nimiedad prolixity; excess

nimio prolix; enduring, constant

ninfa nymph

Nínive Nineveh

niñera nursemaid

niñería childish thing

niñez childhood

nitidez neatness; whiteness

nítido clean; pure; bright; neat

nitrógeno nitrogen

nitroglicerina nitroglycerine

nivel level

nobleza nobility; generosity

nocturno nocturnal

noche: de —— at night; night; in evening attire

nodriza nurse

nogal walnut tree; walnut wood

nómada nomad

nombramiento appointment, naming

nombrar to name; to appoint

nombre: mal —— depreciatory nickname

nómina appointment

nominativo nominative

non *arch.* no, not; odd (number)

normalizar to become normal

norte north; *fig.* guide; direction

nostalgia nostalgia; yearning

notable remarkable, extraordinary

notar to note

notario notary

noticia report; information; news item; notice; knowledge; *plu.* news

noticioso aware

notorio evident; notable

novato beginner

novedad novelty; change; innovation; surprise

novel *adj.* novice

novela novel

novelesco storylike, romantic

novelero beginner

novelista novelist

novena novena (series of religious devotions lasting nine days)

novia sweetheart; bride

noviazgo engaged couple; engagement; courtship

novicia novice

novio suitor; bridegroom; sweetheart

nubarrón large, threatening cloud

nube cloud; *poner por* (or *en*) *las* ——*s* to praise highly, extol

nublar to cloud

nubarrón heavy, dark cloud

núcleo nucleus

nudillo knuckle

nudo knot

nuera daughter-in-law

nueso *arch.* for *nuestro*

nueva *n.* news

nuevo new; *de* —— again, anew

nuez walnut; Adam's apple; trigger

nulo null; nil

numantino *n.* inhabitant of Numancia; *adj.* of Numancia

numen god; inspiration

numérico numerical

nuncio messenger

nupcial nuptial

nupcias marriage

nutrimiento nutrition, nourishment

nutrir to nourish

O

obcecado blind; unyielding

obedecer to obey

obediencia obedience

obediente obedient

obelisco obelisk

obesidad obesity

obispado bishopric

obispo bishop

obligar to oblige; to cause; to place under obligation

obra work; deed; —— *muerta* upper works (of ship)

obrar to work; to act

obrero worker

obscurecer to darken

obscuridad darkness; vagueness

obscuro dark; gloomy; stupid (of people); *a obscuras* in the dark

obsequiar to treat; to entertain; —— *con* to present with

obsequias *arch.* obsequies, funeral service

obsequio gift

observante strict

observatorio observatory; lookout

obsesión obsession

obsesionar to obsess

obstáculo obstacle

obstante: no —— nevertheless; in spite of

obstinado obstinate

obstinarse to persist; to insist

obstruir to obstruct

ocasión occasion; opportunity; situation; provocation; reason why

ocaso sunset; setting (of sun)

occidente west; occident

océano ocean

ocio idleness; leisure

ociosidad idleness

ocioso idle; useless, vain

octogenario octogenarian

ocultar to hide

ocultis: de —— on the sly

oculto hidden

ocupar to occupy

ocurrencia idea, notion

ocurrir to happen; to occur; —— *a* to take care of; to think of

ochavo coin; *plu.* money

odalisca harem beauty

odiar to hate

odio hatred

odioso odious

ofender to offend; to attack; to insult; to do harm

ofensa offense

oficial officer (of army); official; tradesman

oficina office; (government) job

oficinista office worker; bureaucrat

oficio religious service; job; position; career; trade; political office

oficioso officious; accommodating

ofrecer to offer; *¿Qué se ofrece?* What do you wish?

ofrecimiento offer

ofrenda offer

ofuscar to darken; to confuse

oída hearing; *por ——s* by hearsay

oído ear

ojal buttonhole

ojazo big *or* wide eye

ojeada glance

ojera circle under the eye

ojeriza ill will

ojeroso having rings under the eyes

ojival ogive, Gothic

ojo: —— a watch

ola wave

olé come on!; hurray!

oler (ue) to smell

olfatear to sense; to smell

olfativo olfactory

olfato sense of smell

oliente smelling

olímpico Olympic

oliscar to sniff; to seek out; to ferret out

olivar olive grove

olivo olive tree

olmo elm

olor odor, perfume; fragrance; stench; *agua de ——* toilet water; *—— de santo* odor of sanctity

olorcillo dim. of olor

oloroso fragrant

olvido forgetfulness; oblivion

olla pot; stew; *fig.* food, livelihood

ombligo navel

omecillo hate

omitir to omit; to leave undone

omnipotencia omnipotence

omnipotente all-powerful

onda wave

ondear to wave

ondulante undulating

ondular to undulate

ontológico ontological, based on the nature of being

onza ounce; a gold coin (worth about $8)

opaco opaque

opalino opalescent

operar to operate

opinante one who holds an opinion

opinar to think

opinión opinion; public opinion; reputation, honor

oponer to oppose

oportuno opportune

opresión pressure

oprimir to oppress; to weigh down; to constrict, choke

oprobio opprobrium; disgrace

optar: —— a, por to decide to

óptica optics; *ilusión de ——* optical illusion

optimista optimistic

opuesto n. opponent; *adj.* opposite; opposed

opulencia opulence, wealth

opúsculo article, pamphlet

oquedad hollowness

ora now; *ora . . . ora . . .* now . . . now . .

oración prayer; sentence

oráculo oracle

orador orator

orangután orangutan

orar to pray

oratoria oratory

oratorio oratory, place for prayer

orbe orb, earth

orden m. order; *guardia del —— municipal* police; *—— público* police; *f.* order, command; group; religious order; *a la ——* at your service, very good; *recibir las órdenes* to be ordained

ordenación ordaining, ordination

ordenado well-ordered

ordenanza orderly; officers' handbook, manual of arms; *de —— standard, of the regular issue

ordenar to order; to ordain

ordeñar to milk

ordinariez coarseness, vulgarity

ordinario ordinary; unrefined; *de ——* ordinarily

orear to refresh

oreja ear

orejera ear covering

orfandad orphan's estate

organista organist

órgano organ

orgía orgy

orgullo pride

orgulloso proud

orientar to guide

oriente East, Orient; luster (of pearls)

origen origin

originar to originate

orilla border, edge; bank; shore

orín rust

oriundo de native to; coming from

orla border

ornar to ornament, decorate

orondo filled with vanity

orquídea orchid

orzar to luff, bear away

osadía daring

osado bold, daring

osar to dare

oscilar to waver

oscuridad darkness; obscurity

oscuro dark; obscure; unimportant; *a oscuras* in the dark; ignorant

óseo bony

ostentar to show

ostra oyster

otero (isolated) hill

otoñal autumnal

otoño autumn

otorgar to grant; *—— testamento* to make a will

otrosí arch. likewise

oveja sheep

overo peach-colored, sorrel

P

pabellón canopy

pábulo food; *dar ——* to encourage

pacer to pasture, graze

paciencia patience

paciente patient

pacto pact, agreement

padecer to suffer

padecimiento suffering

padrastro stepfather

padrenuestro Lord's Prayer

padrino godfather; second (of duelist)

padrón column *or* post with inscription

paga payment

pagador one who pays

pagamento payment

paganismo paganism

pagano pagan

pagar to pay; *arch.* to please; ——*se de* to be pleased with

pagaré promissory note, I.O.U.

página page

pago: en —— de in payment for

paisaje landscape

paisano *n.* peasant; *adj.* from the same region

paja straw; *silla de ——* cane chair

pajarillo *dim.* of *pájaro*

pájaro bird; *(slang)* fellow, guy

paje page boy

pajecico *dim.* of *paje*

pala spade

palabra word; word of honor; *tomar la ——* to take the floor

palacio palace; mansion

paladar roof of mouth; palate

paladión safeguard; offering to Pallas

palafrén palfrey

palangana wash basin

palanquín covered litter

palco box (in theater)

paletilla shoulder blade

palidecer to grow pale

palidez pallor

pálido pale

palillo toothpick

paliza beating

palma palm; hand

palmada blow (with palm of hand), slap, pat; *dar ——s* to clap

palmar palm grove

palmatoria small candlestick

palmetazo slap, blow (with ruler)

palmito dwarf fan palm; *(slang)* (woman's) face *or* figure

palmo span (measure); palm; small amount

palmotear to slap

palo stick, club; blow (with stick); mast; *—— mayor* main mast

paloma dove

palomar dovecot

palomica pigeon

palomino pigeon

palomo pigeon

palosanto lignum-vitae (a tropical wood)

palpar to feel

palpitación palpitation

palpitante palpitating

palpitar to palpitate, beat

palúdico malarial

pámpano vine leaf; vine shoot

pana corduroy

panadero baker

panal honeycomb; stick of honeycombed sugar for sweetening drinks

pandereta tambourine

pandero tambourine

pánico panic, terror

pantalón trousers, pants

pantano swamp

panteón pantheon, burial crypt

pantera panther

pantorrilla calf (of leg)

pantuflo slipper

pañal diaper

pañizuelo handkerchief

paño woolen cloth; cloth; *—— de manos* hand towel; *—— de pared* tapestry

pañolito kerchief

pañuelo handkerchief

papa Pope; *plu.* nonsense

papagayo parrot

papaito daddy

papanatas simpleton, blockhead

papel paper; role; note; promissory note; *plu.* wallpaper; *—— de fumar* cigarette paper; *—— sellado* legal paper; *hacer un ——* to play a role

papelejo old piece of paper

papelera filing case

papelería stationery shop

papeleta pawn ticket; ticket; paper; card

papelucho *aug.* of *papel* old paper

papilla pap, baby food

paquete package

par pair, couple; even (number); *al ——* likewise; *a la —— con* equal to; *de —— en ——* wide (open); *—— de* next to

par *arch.* for *por*

parabrisa windshield

parada stop

paradero stopping place

paradoja paradox

paradójico paradoxical

parado standing still; stunned

parador inn; tenement house

paráfrasis paraphrase

paraíso paradise

paralítico paralytic

paramento adornment

parar to stop; to parry; to end; ——*se* to stop

parásito parasitic

parche sticking plaster

pardiez by Jove

Pardillo a kind of wine

pardo dark gray, brown

parecer to seem; to appear; ——*se* to appear; ——*se a* to resemble; *n.* opinion; *a mi ——* in my opinion; *no le parece a usted?* don't you think so?

parecido *adj.* similar; *n.* resemblance, likeness; similarity

pared wall

paredilla *dim.* of *pared*

paredón *aug.* of *pared*

pareja pair, couple

parentesco relationship

pariente, -a relative

parihuela stretcher

parir to give birth to

parisiense Parisian

parlanchín chattering, talkative

parlero talkative

parlotear to chatter

paroxismo paroxysm

párpado eyelid

parra grape arbor; vine

párrafo paragraph

parroquia parish church; parish

parroquial parish church

parte *m.* communiqué; *f.* part; cause; place; party (of lawsuit); *plu.* talents, qualities; *de mi ——* on my behalf; *de —— de* on behalf of; *de —— en ——* from one side to the other; *en buena ——* with good intention; *dar —— to* inform; *en mala ——* with bad intention; *en todas ——s, por todas ——s* everywhere

partera midwife

participación sharing, share

participante participant, sharer

participar to share; to inform (of)

partícipe participant

particular special; peculiar; private

partida departure; group; match, game; *arch.* part

partidario partisan, supporter; partial

partido game, match; band, party; marriageable person; decision; district; side

partir to depart, set out; to split, cut in two; to keep from; to take away; to divide, share

parto birth; confinement; offspring; *profesora en* —*s* midwife

parva stack (of wheat ready for threshing)

pasada: de — in passing

pasadizo corridor

pasado *n.* past; *adj.* passed; last; previous

pasaje passage

pasajero passing, temporary; passenger

pasamanos railing; — *de hierro* iron railing

pasar to pass (through); to happen; to run through; to lead across; to get along; to swallow; to suffer; to bring; to come in; — *a* to come to be, turn into; — *de* to go beyond; to be more than; — *lo bien* to get along well; —*se* to bear; —*se al enemigo* to go over to the enemy; —*se sin* to get along without; —*se por* to pass over; *se me pasa* I forget; *se me pasó* I forgot

pasatarde appetizer

pasatiempo pastime

pascua Easter; festival; *buena* — what a pleasure

paseante idler

pasear to walk; —*se* to walk, take a walk; to walk up and down; to ride; to travel

paseo walk; ride; *dar un* — to take a walk; to take a trip; *mandarle a uno a* — to give someone the gate; to brush him off

pasillo hall

pasión passion; emotion; suffering; illness

pasionado one who suffers

pasitamente softly

pasito softly

pasividad passiveness

pasmar to astonish, surprise; to chill; —*se* to be overcome; to faint; to be surprised

pasmo fainting spell; astonishment

pasmoso astounding

paso step; walk; pace; passage, way, course; difficulty; feat; *a* — *at a walk*; *abrir* — to open a way; *al* — in passing; *al* — *de* in proportion to; *cortar el* — to intercept, block; — *contado* measured step; *de* — in passing, incidentally; — *tendido* long stride; *sala de* — antechamber; *salir al* — to intercept, come to meet; *salir del* — to get out of difficulty

pasta dough; breading; cookie

pastar to graze

pastel pastry; pie, cake

pasto food; fodder; *fig.* meal; *a* — with meals; in abundance

pastor shepherd

pastora shepherdess

pastoril pastoral

pata foot (of animal); shank; leg (of chair); *volverle patas arriba* to turn upside down; to defeat

patada kick

pataleo kicking, stamping

pataleta convulsion

patata potato

patatita *dim.* of *patata*

patatús fainting fit

pataza huge foot

patear to stamp one's foot; to kick

patente *n.* patent; mark; *adj.* obvious

paterno paternal

paternostre Lord's prayer

patíbulo scaffold, gallows

patiecillo *dim.* of *patio*

patilla sideburn, side whisker

patilludo with sideburns

patitieso stiff-legged; dumbfounded

pato duck

patraña tale

patria fatherland, country

patriarca patriarch

patrimonio patrimony

patrio native, of one's home

patriota *n.* patriot; *adj.* patriotic

patrón master; patron; patron saint

patrona landlady, woman who runs a boarding house; patron saint

patrono patron

patrulla patrol

patulea disorderly band

pausado slow, deliberate

pavesa ember, coal; hot ash

pavimento pavement; stone floor

pavo turkey; — *real* peacock

pavor fear, terror

payaso clown

paz peace

peal good-for-nothing

peana pedestal

pecado sin

pecador, -a sinner

pecaminoso sinful

pecar to sin; — *de* to be too

pécora schemer

peculio purse

pecuniario pecuniary

pecho chest, bosom, breast; heart; tax; tribute; *tomar a* — to take to heart; *hacer* — *a* to stand up to

pedagogo pedagogue, instructor

pedalear to pedal

pedante pedant

pedantería pedantry; stupidity

pedazo piece, fragment, bit; — *de ángel* lovable person

pedernal flint

pedestal pedestal

pedestre pedestrian

pedigüeño demanding, grasping, begging

pedir (i) to ask for; to beg

pedrada stoning

pedregoso stony

pedrería jewelry

pedrisco hailstorm

pedrusco rough stone

pega reproach

pegado stuck on, glued on

pegajoso sticky

pegar to stick; to beat; to press; to set (fire to); to infect, give (a disease); —*se* to be catching (of a disease); —— *gritos* to shout

película movie

pegujar small farm

peinar to comb; to dress one's hair

peine comb

pejuguar see *pugujar*

pelado plucked; hairless

pelambrera mass of hair

pelar to pull out (hair); to peel

peldaño step

pelea fight, battle

pelear to fight

pelele nincompoop

peleón strong wine

pelgar ragamuffin; tramp

peligrar to be in peril

peligro danger

peligroso dangerous

pelmazo indigestible; hard to take

pelo hair; *venir al* —— to be very apropos

peloso hairy

pelota ball; *jai alai*

pelotera quarrel, fight

pelucona slang for *onza*

peluche plush

peludo hairy

peluquero hairdresser; barber

pella lump; (*slang*) nest-egg

pelleja hide

pellejo skin, hide; wine skin

pellizco pinch; *dar* ——*s* to pinch; to nibble

pena penalty; pain; punishment; sorrow; suffering; *merecer la* —— to be worthwhile; *valer la* —— to be worth the trouble; *so* —— *de* under penalty of; *¡Qué pena!* What a pity!

penado grieved, grieving

penal penitentiary

penar to grieve

pendencia quarrel; struggle, combat

pender to hang

pendiente *n.* hill, slope; earring; *adj.* pending; hanging; —— *de* dependent on, living on

péndola clock

pendón banner, flag, pennant

penetrar to penetrate; to see; to see through

penitencia penitence; penance

penitente penitent, repentant

penoso painful, difficult

pensado: mal —— evil minded

pensamiento thought; intention

pensar *n.* thought

pensativo pensive, thoughtful

pensil beautiful garden

pensión pension

penumbra shadow

penumbroso shadowy

penuria penury, poverty

peña rock, crag; stone

peñasco crag

peón foot soldier; —— *de albañil* hod-carrier

peonza top

pepino cucumber

pepita seed

pepitoria stewed chicken

peplo tunic

pequeñez smallness; petty detail; pettiness

pequeñuelo *dim.* of *pequeño*

pera pear

percal percale

percatarse to observe

perceptible perceptible

percibir to perceive; to receive

percha clothes-hanger, hat tree

perchero hat tree, clothes rack

perder (*ie*) to lose; to ruin, bring to perdition

perdición perdition; *de* —— wicked

pérdida loss

perdidizo easily lost, subject to being lost

perdido *n.* debauchee, base fellow; *adj.* ruined, in wretched condition; *ratos* ——*s* spare moments

perdigonada bird-shot wound

perdiguero partridge hunting

perdiz partridge

perdulario *n.* wastrel; *adj.* reckless

perdurable enduring, unending, everlasting

perecedero perishable

perecer to perish

peregrinación wandering, peregrination

peregrino *n.* pilgrim; *adj.* strange; singular

perejil parsley

perenne perpetual

perentorio peremptory

pereza indolence, laziness

perezoso lazy

perfeccionar to perfect

perfidia perfidy, perfidious

pérfido perfidious

perfil profile

perfilar to outline

perforar to pierce

perfumar to perfume

perfume perfume

perfumear to give forth perfume

perfumera maker *or* seller of perfumes

pergamino parchment

pergenio disposition; appearance

pericial expert

perico parrot

periferia edge, periphery

perilla goatee

perímetro perimeter, boundary

período period; sentence

peripecia crisis, unforeseen event

perito skilled, expert

perjudicar to harm

perjudicial harmful, prejudicious

perjuicio prejudice; harm

perjurar to swear, vow

perla pearl; *de* ——*s* wonderful, perfect

permanecer to remain

permanente permanent

permiso permit

perniquebrar (*ie*) to break a leg

perogrullesco trite, commonplace

perorar to deliver a speech

perpetuador perpetuator

perpetuo perpetual

perplejo perplexed, perplexing

perra female dog; bitch; —— *chica* five céntimo piece (1/20 of a peseta); —— *gorda* ten céntimo piece (1/10 of a peseta)

perrillo *dim.* of *perro*

perrita *dim.* of *perra*; ——*de lana* poodle

perro *adj.* vile, base

persecución persecution; *en* —— *de* chasing

perseguir (*i*) to pursue; to persecute

perseverancia perseverance

perseverante persevering

perseverar to persevere, continue

persignarse to cross oneself

persistencia insistence, persistence

persistir to persist

personaje person, person of importance, personage; character

personalista centered in the individual

personarse to present oneself

perspectiva perspective; view

perspicacia perspicacity

perspicaz perspicacious

perspicuo perspicacious, clear-sighted

persuadir to persuade

pertenecer to belong

pertinacia persistence, stubbornness

pertinaz pertinacious, persistent, obstinate, opinionated

pertrechar to provide; to arm

perturbador n. disturber; adj. disturbing

perturbar to disturb

perverso perverse, wicked

pesadilla nightmare

pesado insistent; stupid; heavy

pesadumbre sorrow, trouble

pésame condolence

pesar to weigh; to grieve, sadden; to feel sorry about

pesar n. sorrow, grief, woe; a —— de in spite of; a —— mío in spite of myself

pescado fish

pescador fisherman

pescar to fish; to catch

pescuezo neck

pese a in spite of

peseta silver coin (⅕ of a *duro*)

pesia oath, curse

peso weight; burden; coin originally worth about a dollar; *tener en* —— to keep in abeyance

pespuntar to backstitch

pesquisa investigation

pesquisar to investigate, snoop

pesquisidor judge

pestaña eyelash

peste plague

pestífero pestiferous

pestillo bolt; latch

petaca cigarette or cigar case

petición petition; request

petifogue triangular sail

petitorio begging

peto breastplate

petrificado petrified

petulancia petulance; conceit

petulante insolent

pez m. fish; f. pitch

pezón nipple

pezuña hoof

piadoso pious; piteous, compassionate

pica pike

picacho aug. of *pico*

picadero riding ring; slaughterhouse

picajoso touchy, easily angered

picante ironical, stinging

picar to stick; to sting; to burn (of sun); to vex; to chop up fine; to pick; to spur; —— en to border on; to dabble in; —— por to go in for; —— espuelas to spur

picaramente in a rascally fashion

picardía low trick; mischief

pícaro n. rascal, rogue; adj. roguish; sly

picaruelo dim. of *pícaro*

pico peak; point; corner; bit; talkativeness; mouth; beak

picotear to chat, chatter

picotero chattering, talkative

pichón pigeon; darling

pie foot; footing, basis; al —— de la letra literally; —— quebrado short line (of poetry)

piedad pity; piety; act of mercy

piel fur; skin; ——es rojas Indians

pienso n. fodder

pierna leg; hacer ——s to prance; dormir a —— suelta to sleep soundly

pieza piece; way; game, quarry; animal; coin; room; (artillery) piece; —— de a dos coin worth two silver *reales* (a fourth of a *duro*); —— de a ocho piece-of-eight, *duro; todo en una* —— all rolled into one

pila baptismal font

pilar pillar

piloto pilot

piltrafa scrap (of food)

pillete rascal, crook

pillo rogue

pim zing; —— pam whizz bang

pimentón red pepper; paprika

pimienta black pepper

pimiento pepper

pinar pine grove

pincel brush

pindonguear to gad about

pindonguería trinket, cheap jewel

pingajo rag, tatter

pingo rag

pingüinillo stupid person of little importance

pino pine

pinta edge

pintado excellent

pintar to paint, represent; to color, dye

pintarrajeado bedaubed (with paint)

pintiparado made to order, perfect

pintor painter

pintoresco picturesque

pintura painting, picture

piña pineapple; pine cone

piñón pine nut

piñonate candied pine nuts

pío n. chirping; adj. pious

piojoso lousy

pipa pipe; cask, hogshead

pique: a —— de at the point of; *echar a* —— to sink (a ship)

piquillo bit, small amount

piramidal pyramidal

pirámide pyramid

pirata n. or adj. pirate

piropo compliment

piruetear to pirouette

pisada footfall, step

pisar to tread; to pack down

pisaverde foppish

piso floor; apartment

pisotear to trample underfoot

pista track

pistola pistol

pitañoso gummy

pitillera woman who sells cigarettes or works in a cigarette factory

pitillo cigarette

pizarra blackboard

pizca bit, particle

placa badge, insignia; plate

placentero pleasant, pleasing

placer to please; n. pleasure

plácido calm, placid

plagado plagued; filthy

plan plan

plancha sheet (of metal)

planchadora laundress

planchar to iron

planeta planet

plano n. plane; flat (of sword); *de* —— with the flat of sword; adj. flat

planta plant; sole (of foot); ground plan; fig. foot; *en* —— up and about

plantación planting

plantar to plant; to set up; to rebuff; ——*se* to hurry

plantear to set up; to offer

plantel nursery

plañidero whining

plata silver

plataforma platform; level space

plateado silvery

platear to silver

platero silversmith

plática chat, talk

platicar to chat; to chatter

platillo cymbal

Platón Plato

platónico Platonic

playa beach, shore

plaza square; place; bull ring; employment, job

plazo time; period of time, term

plazuela small square

plebe populace, common people

plebeyo plebeian

plectro plectrum (for plucking the strings of a lyre); inspiration

plegar (ie) to fold

plegaria prayer

pleguería fold; roundabout phrase

pleitear to litigate

pleitista quarrelsome person

pleito lawsuit; quarrel

pleno full, complete

pliego folded paper; envelope

pliegue fold; wave

plomo lead

pluguiera imperfect subjunctive of *placer*

pluma feather; pen; —— *de ave* quill

plumaje feathers, plumage

plumón feathers

población population; town

poblado n. town; adj. populated; clothed (with vegetation)

poblar (ue) to people, populate; to fill

pobrete, -a dim. of *pobre*

probretería poor people

pobretón aug. of *pobre*

pobreza poverty

poco: a —— *de* after a short while of; *al* —— *de* shortly after

podadera pruning hook

podenco hound

poder: no —— *menos de* not to be able to help; *no puedo con* I can't stand; n. power; power of attorney

poderío force, power

poderoso powerful

podredumbre rot, putrefaction

podrir to rot

poético poetic

poetizar to poetize, make poetical

polaco Polish

policía m. policeman; f. police force

polilla moths; mildew

política politics; policy

político n. politician; adj. political; *madre política* mother-in-law

polizonte 'cop'

polo pole (of the earth or sky)

poltrón indolent

polvo dust

pólvora powder, gunpowder

polvoriento dusty

polvoroso dusty

pollino, -a ass's colt, young donkey

polla chicken; (slang) young woman, 'spring chicken'

pollo chicken; youth; dandy

polluelo chick

pomito flask

pomo hilt, pommel

pompa pomp, ostentation

pomposo pompous

pómulo cheekbone

ponderación exaggeration; eulogy

ponderar to weigh, consider; to praise highly

poner to put; to arrange or furnish (a house); —— *blanco* to wash white; —— *la mesa* to set the table; —— *por obra* to set to work on; to carry out; ——*se a* to begin; to take time

to; ——*se (el sol)* to set; —— *en blanco* to leave in the lurch

poniente n. west; adj. setting

pontificio pontifical

ponzoña poison

ponzoñoso poisonous

popa poop, stern; *llevar el viento en* —— to sail before the wind, make good progress

popular popular, of the people

populoso populous; fig. thick-leaved

por arch. in order to; —— *que* (followed by subjunctive) so that; —— *mas que* however; —— *si* in case

porcelana porcelain

porción portion; large number

pordioseo begging

pordiosero beggar

porfía persistence; importunity; obstinacy; conflict; *a* —— in competition, each striving to outdo the other

porfiado stubborn

porfiar to insist; to persist

pórlan (Portland) cement

pormenor detail

poro pore

porquería dirty or disgusting thing

porrada blow; knocking

portada title page

portado dressed

portal entrance way, street door; arcade

portarse to bear oneself; to behave

portazo slam (of a door)

porte bearing, carriage

portento marvel

portentoso astonishing, prodigious

portera janitress, janitor's wife

portería gatehouse; room of doorkeeper or janitor

portero doorman; janitor

pórtico entrance, portico

portón aug. of *puerta*

porvenir future

porvida oath, swearing

pos: en —— *de* after, behind, following

posada inn; rooming house; dwelling place; lodging

posar to rest; to lodge; ——*se* to rest

posas buttocks, seat

poseedor possessor

poseer to possess

posesionarse de to take possession of; to be in possession of

posible *adj.* possible; *n. plu.* means

positivista *adj.* positivistic, materialistic

poso sediment, dregs

posponer to put behind, put in second place

pospuesto put in second place, put behind

posta post

poste post, pillar

postema abscess; *fig.* nuisance, hindrance

posterior subsequent, following

posternado prostrate

posternar to prostrate

postigo postern gate, small door within a larger one

postizo false

postrar to prostrate

postre dessert; end

postrero last, rear

postrimería last days

postrimero last

postulante supplicant

póstumo posthumous

postura posture

potencia power; faculty (of mind *or* soul)

potentado magnate, potentate

potente powerful

potestad ruler

potingue concoction

potro steed; young horse, colt; rack

poyo stone bench

pozo well

práctica practice, experience

practicable usable, workable

practicante doctor

práctico practical

pradecillo *dim.* of *prado*

pradera meadow

prado meadow

preámbulo preamble

preboste provost; *capitán* —— officer in charge of military police

precario precarious

precaución precaution

precaver to guard against

preceder to precede

precepto rule, precept

preciar to value, esteem; ——*se* to pride oneself; ——*se de* to boast of

precio price; worth

preciosidad darling; lovely thing

precioso cute, lovely, darling; dainty

precipicio precipice; gulf

precipitación haste

precipitado fast, hasty

precipitar to hurry, hasten, rush forward; to impel; ——*se* to rush; to throw oneself

precisamente precisely; right now

preciso precise; necessary, urgent; *ser* —— to be necessary

preclaro illustrious, outstanding

precocidad precociousness

preconizar to praise

precoz precocious; early

predecir to predict

predestinación predestination

predicación preaching

predicador preacher

predicar to preach; to say

predicción prediction

predilección preference, predilection

predilecto favorite

predominio predominance

prefación preface

preferencia preference; *con* —— first

preferente of preference, choice

preferir (*ie*) to prefer; to take preference over

pregón announcement, proclamation

pregonar to cry out, proclaim

pregonero *n.* town crier; *adj.* loud; public

pregunta question

preguntón inquisitive; given to asking questions

prejuicio prejudice

prelado prelate, bishop, abbot

premiar to reward

premio reward; prize

premioso burdensome, difficult; slow

prenda object of value; treasure; good quality; token; garment; *juego de* ——*s* game of forfeits

prendarse de to become fond of, fall in love with

prender to arrest; to capture; to hold, grasp; to catch (fire); to set (fire to); to hold together; *arch.* to take

prendido well groomed

prensa (printing) press; the press, newspapers

preñado pregnant

preocupación preoccupation; fixed notion

preocupar to preoccupy

preparativo preparation

presa prey; captive; prize, booty; dam; pond (formed by a dam); *tomar* —— to take, help oneself to

presagio prognostication, sign, foreboding

presbiterio chancel, area around altar

presbítero priest

prescindir to dispense with, to ignore

prescrito prescribed

presencia presence

presenciar to witness

presentado as a present

presente *n.* present (time); gift; *los* ——*s* the people present; *adj.* present; *tener* —— to keep in mind

presentir (*ie, i*) to have a presentiment of

presidio penitentiary

presidir to preside (over)

presión pressure

presita: tomar una —— to take something, help oneself

preso, -a *n.* prisoner; *adj.* captive, captured; seized, caught

prestamista money lender

préstamo loan

prestancia good appearance, looks

prestar to loan, lend; to contribute; ——*se* to offer

preste priest

presteza haste, speed

prestigioso honored, prestigious

presto *adv.* quickly; *adj.* swift; *de* —— swiftly

presumido presumptuous, conceited

presumir to presume; to be conceited; —— *de* to boast of being

presunción presumption, conceit; assumption

presuntuoso conceited
presupuesto budget
presura haste, swiftness
presuroso swift, fast, hurrying
pretencioso pretentious
pretender to try; to intend; to claim; to pay court to; to aspire to
pretendiente suitor; self-seeker
pretensión intention; suit, courting
pretérito past, preterite
pretextar to give as a pretext
pretexto pretext; *dar —— to* serve as a pretext
prevalecer to prevail
prevención warning; foresight; preparation
prevenir to warn, forewarn; to look after, attend to; to prepare, arrange; to forestall; to avoid; *——se* to prepare; to foresee
prever to foresee
previo *adj.* previous; *prep.* after
previsión foresight
prez glory, honor
priesa same as *prisa*
primaveral springlike
primero que before
primicia first fruit
primo, -a *n.* cousin; *adj.* first; *a prima noche* in the early evening; *—— hermano* first cousin
primogénito first born; heir
primogenitura birthright
primor delicacy; elegance
primoroso graceful; exquisite; dexterous
principal principal; first, foremost; most important; illustrious; main floor
príncipe prince
principio beginning; first step; principle; *al ——* at first
pringar to apply grease or ointment
prior prior
prisa haste, hurry; *a —— fast; darse ——* to hurry; *de ——* in a hurry; *tener —— to be* in a hurry
prisión prison, jail; *plu.* shackles
privación privation
privado *n.* favorite; *adj.* private

privar to deprive
privativo private
privilegio privilege
pro advantage; *en —— (de)* in favor (of); *de buena ——* worthy
proa bow, prow; *a —— forward*
probanza proof
probar (ue) to prove; to try, test, try out, put to trial; to taste
proceder to proceed; to be descended from; *n.* act; behavior
procedimiento procedure, method
proceso trial
procurador lawyer
procurar to try; to seek
prodigalidad prodigality
prodigio prodigy, marvel
pródigo generous
producto product; income
proeza prowess; *plu.* deeds of bravery
profanación desecration
profanar to desecrate
profano *n.* layman; *adj.* profane, worldly; uninitiated
proferir (ie, i) to utter; to proffer
profesar to profess, take vows
profesión taking of vows
profeta prophet
profético prophetic
prófugo, -a fugitive
profundidad depth, profundity
profundizar to delve deep
profundo *n.* depths; *adj.* deep, profound
progresista progressive
prohibir to prohibit
prójimo neighbor (in Biblical sense); fellow man
prole offspring, children
proletario proletarian; working man
prolijo prolix, tedious; constant; long
prólogo prologue
prolongar to prolong
promesa promise
prometer to promise
promover (ue) to stir up, set in motion; to move
pronosticar to predict, prognosticate
pronóstico prediction

prontitud speed
pronto ready, prepared; soon; quick; *de —— suddenly; por de ——* at first
pronunciar to pronounce, say; to enunciate
propaganda advertising
propagar to spread, propagate
propender to tend
propensión tendency
propenso inclined, disposed
propiamente properly speaking
propicio propitious; appropriate
propiedad quality, nature; *plu.* nature
propietario landowner; owner
propinar to give
propio own; characteristic; proper, appropriate; very; himself, etc.; *lo —— the same; —— a, —— de* appropriate to
proponer to propose; to set forth
proporción proportion
proporcionado proportioned
proporcionar to provide, furnish, give
proposición proposal
propósito *n.* objective, intention, purpose, plan; subject; *adj.* appropriate, fitting; *a (de) —— on purpose; apropos; a —— de* suited for
propuesto put in first place
prórroga postponement
prorrumpir to burst out
prosa prose; prosaic thing
prosaico prosaic
prosapia lineage
proscenio front of stage
proseguir (i) to continue
prosperado prosperous
prosperar to prosper
prosternarse to prostrate oneself
proteger to protect
protervo perverse, evil
protestante Protestant
protoencantador arch-enchanter
protomiseria poverty itself
provecto mature
provecho profit, advantage; *buen —— good luck*
provechoso profitable, beneficial
proveer to dispose; to provide; to manage; *—— de* to confer (the rank of)

provenir de to come from, spring from
providencia providence
próvido provident, foreseeing
provincia province
provisión food
provisto provided
provocante provocative
provocar to provoke; to incite, tempt
proximidad vicinity
próximo next; near; —— *a* about to
proyectil projectile
proyecto plan, project
prudencia prudence
prudente prudent
prueba proof; trial
prurito itch; intense desire
prusiano Prussian
¡pse! bah! I should say not!
psicología psychology
psicológico psychological
psíquico psychic
puah! ugh!
pubertad adolescence
publicar to make public, publish, declare
publicidad publicity; public knowledge
público *adj.* public; well-known *n.* audience
puchero pot; stew; *hacer* ——*s* to pout
pudrirse to rot
pueblo town, village; people; common people
puente bridge, deck; —— *levadizo* drawbridge
puerco *n.* hog; *adj.* dirty
pueril puerile, childish
puerto (sea) port; mountain pass
pues *adv.* so; *conj.* since; for; then
puesto stand; post; place; position; *adj.* prepared
puesto caso que *arch.* although
puesto que *arch.* although, even though
pugilato struggle
pugnar to struggle; to fight
pujanza power, force, impetus
pujar to falter; to struggle
pulcritud pulchritude, beauty; neatness
pulcro beautiful; neat
pulga flea

pulgar thumb
pulido polished
pulir to polish
pulmón lung
pulmonía pneumonia
pulsación beat
pulsar to play
pulso pulse
pulular to swarm
pulverizar to atomize, spray
pulla repartee, low wit; *echar* ——*s* to make smart remarks
pundonor honor; susceptibility (respecting honor)
pundonoroso punctilious; honorable
punir to punish
punta corner; end; point; tip
puntada stitch
puntapié kick; *tratar a* ——*s to* abuse
puntear to strum
puntiagudo pointed
puntillas: de —— on tiptoe
punto point; bit; instant, moment, jiffy; dot; stitch (sewing); *a* —— ready; *al* —— instantly; *a* —— *fijo* precisely; *andar en* ——*s* to quarrel; *de todo* —— completely; *estar a* —— to be ready; to be just right; *poner* —— or *poner* —— *final* to bring to an end; *por* ——*s* frequently; —— *final* period
puntual punctual
punzante piercing
punzar to prick, pierce
puñada blow (with fist)
puñado handful
puñal dagger; *¡puñales!* darn it!
puñalada dagger thrust, stab
puñetazo blow with fist
puño fist; cuff; hand; handle (of sword or cane); physical) power; —— *y letra* handwriting
pupila pupil; eye
pupilaje boarding school
pupilero master of boarding school
pupilo boarder; ward
purgatorio purgatory
purificar to purify
puro *n.* cigar; *adj.* sheer
púrpura purple; *n.* purple cloth
purpurino lavender, purplish

pusilánime pusillanimous, cowardly
pusilanimidad pusillanimity, cowardice
puta whore

Q

quebradero de cabeza puzzle
quebrantado in broken health, afflicted
quebrantar to break; to violate
quebranto weakness; affliction; broken health; rough road
quebrar (ie) to break; —— *la cabeza* to torment
quedar to remain; to be, become; —— *mal* to be in a bad position, come out badly
quedo quiet, still
quehacer task
queja complaint; trouble
quejarse to complain
quejoso complaining
quejumbroso complaining, whining
quema: vino de —— new wine
quemadero burning place, stake
quemar to burn
querella complaint
querellar to complain; to bring charges
querencia affection
querer to want, wish; to will; to try; *n.* will
querido *n.* lover, beloved; *f.* mistress
quesito *dim.* of *queso*
queso cheese
quiá bah!
quicio door jamb
quiebra loss
quietar to quiet
quietecito *dim.* of *quieto*
quietud quiet, repose
quilate carat; degree of excellence
quimera chimera; strange idea
quimérico chimerical, fantastic
quincallería hardware store
quincena fortnight
quinqué table lamp
quinta farm; estate; *plu.* draft
quinto fifth
quisquilloso touchy
quisto *arch.* for *querido*
quitar to take away, remove, take off; to get out of the way;

quite (usted)! Heaven forbid;
get away

R

rábano radish; *fig.* a bit; *(slang)*
the dickens!
rabel rebec (stringed musical
instrument)
rabia anger, wrath
rabiar to be mad; to rage
rabioso mad, raging
rabo tail
racimo bunch
raciocinar to reason
raciocinio reasoning; argument
ración share, portion, helping;
food
racional rational
racionalista rationalist; free-
thinker
radiante radiant
radical deep-seated; basic; ——
numérico root
radicar to be located
radio radius
ráfaga gust; gleam, flash; puff of
wind
raído worn, threadbare
raigón big root
raíz root; *bienes raíces* real
estate
rajar to cleave
ralo sparse
rama branch; roof
ramo branch; species; bouquet;
administrative division
rana frog
rancio old
rapacidad rapacity, greed
rapagón lad
rapamiento shaving; trimming
rapar to shave; to crop the hair
rapaz rapacious, predatory; *n.*
lad, youth
rapaza girl
rapiña plundering
rapiñar to plunder
raposa fox
rapto ecstasy, rapture
rareza rarity, strange trait,
strangeness
raro curious, odd; rare
ras level; *al —— de* on the
level of; *ras ras* the sound of
tearing cloth or paper
rascar to scratch
rasgado large (of eyes)

rasgar to tear; to scratch; to
destroy
rasgo trait, feature; stroke;
(splendid) deed; clever phrase
rasguear to strum
rasguñar to scratch
rasguño scratch
raso *n.* satin; *adj.* smooth; un-
inhibited; devoid; ignorant;
lo —— or *campo* —— open
country
rastras: a —— by dragging
rastrero creeping, groveling
rastro trail, track, trace
rata rat
ratero pickpocket
rato while; *dar mal —— a uno*
to make things unpleasant for
one; to make one suffer; *al
poco* —— after a little while
ratón mouse
ratonar to gnaw
raudal flood
raudo swift
raya line; limit; mark; border
rayar en to border on
rayo ray (of light); lightning
flash; thunderbolt
raza race
razón reason; right; word,
speech, part of conversation;
dar —— to give information;
en —— de with respect to;
puesto en —— reasonable; *ser
——* to be right; *tener (llevar)
——* to be right
razonable reasonable; fairly
good
razonadamente in reasoned
form
razonamiento reasoning, argument; speech
razonar to talk; to reason (out);
to rationalize
reacio obstinate, stubborn
real *n.* coin (of copper, ¼ of a
peseta; of silver, ⅛ of a dollar
or *duro*); camp; *adj.* real;
royal; handsome, fine; *camino
——* highway
realizar to realize; to bring
about; to make real
realzar to elevate; to re-establish; to increase
reanimado reanimated
rebajamiento lowering
rebajar to lower
rebanada slice (of bread)

rebañadura pickings
rebaño flock
rebasar to go past; to exceed
rebelarse to rebel
rebelde rebellious
rebeldía rebellion, revolt
rebelión rebellion
rebocillo *dim.* of *rebozo*
rebosar to overflow
rebotar to rebound; to exasperate
rebozado clandestine; muffled,
disguised
rebozo shawl (worn over head);
sin —— openly, frankly; *de
——* disguised
rebramar to roar
rebueno very good
rebullir to squirm
rebuscar to inquire thoroughly
(into), make researches; to
search carefully
rebutir to stuff
recado errand; message; materials; —— *de escribir* writing set
recaer to fall; to return
recalcado emphasized; —— *de
facciones* with prominent features
recapacitar to meditate, think
carefully; to recollect
recargo recurrence; increase (of
fever)
recatado cautious; quiet
recatar to hide
recato modesty; prudence; in-
hibition
recaudo care, precaution
recebir *arch.* for *recibir*
recelar to fear, distrust, suspect;
to threaten
recelo fear, misgiving
receloso timid, fearful
recentísimo very recent
receta recipe; formula
recibidor entrance hall
recibimiento reception; hall,
entrance room
recibo receipt
recién *adj.* recent; *adv.* recently
recinto (enclosed) place
recio strong, stout; heavy; hard;
loud
recíproco reciprocal
recitar to recite
reclamación claim; demand

reclamar to claim, demand

reclamo lure; complaint; tale, yarn

reclinar to rest; to lean back

reclusión seclusion

recluta recruit

recobrar to recover

recoger to pick up, gather, get; to take back; to pull in; to shelter; to recollect (the senses); ——*se* to retire, withdraw; to take shelter

recogida arrest

recogido compact

recogimiento protection; withdrawal from the world, retirement; refuge, asylum

recomendar (ie) to recommend; to commend

recompensa recompense

recompensar to recompense

reconcentrar to bring together

reconciliar to reconcile

reconcomio suspicion

reconocer to recognize; to reconnoitre; to examine closely

reconocimiento gratitude; reconnaissance

recontar (ue) to recount

reconvenir to reproach

recordar (ue) to remember; to remind; to recall; *arch.* to wake up

recorrer to travel; to visit; to go through; to walk back and forth; to look over, glance through; to traverse

recorrido distance, run

recortadito cut very short

recortar to outline; to cut

recostar (ue) to lean, lean back, recline

recovero poultry dealer

recrear to delight, entertain

recreo recreation; expansion; indulgence

recrudecer to increase

rectificar to rectify

rectitud honesty, rectitude

recto straight; upright, honest

rector rector; head of a University; priest

recuerdo memory, remembrance, recollection

recuesto slope

recurrir to have recourse

recurso recourse; resort, resource

rechazar to reject, refuse, repel

rechifla hissing, mockery, ridicule

rechinar to creak

red net; snare

redacción editorial staff or office (of a newspaper)

rededor *plu.* surroundings, neighborhood; *en* —— around

redención redemption

redentor redeemer

redimir to redeem; to purchase redemption from

rédito return; *plu.* interest (on loan)

redoble roll (of drum)

redondamente roundly; flatly

redondear to round; to supplement

redondo round; complete; *a la redonda* round about; *en* —— around

redor contour, outline; *en* —— around, about

reducido small

reducir to reduce; to subjugate

redundante redundant, superfluous

redundar to redound

refajo sash

refectorio refectory, dining hall

referencia account

referir (ie, i) to tell, relate; ——*se a* to refer to

refinado subtle; artful

refinamiento refinement

reflector reflector; search light

reflejar to reflect

reflejo reflection

reflexión reflection, thought

reflexionar to reflect

reforma improvement

reformar to reform; to amend; to rehabilitate; —— *conciencia* to salve one's conscience

reforzar (ue) to reinforce

refrán proverb; saying

refregar (ie) to rub, massage

refrenar to check

refrescar to refresh, cool

refresco refreshment; rest

refriega scuffle, struggle

refrigerio cool drink

refugiarse to take refuge

refugio refuge

refulgente refulgent

refundición reworking; amalgamation

refunfuñar to growl, grumble

refunfuño growling

regalado heartening; caressing; comfortable, well off

regalar to regale; to give (a present); to pet

regalo present; treat; easy life

regañadientes: a —— grumbling, unwilling

regar (ie) to water, irrigate

regatear to bargain; to lower in worth

regazo lap

regentar to rule

regidor alderman

regimiento regiment; town council

regio regal

regir (i) to rule; to manage; to drive

registrar to search, examine; to register

registro search; register; tone

regla rule; *en* —— in proper order

reglado moderate

reglamento regulation; *de* —— usual, expected

regocijado cheerful, merry

regocijar to make joyous

regocijo rejoicing, merry-making; joy

regresar to go back, return

regreso return

regulado regulated

regular regular; moderately good, ordinary; proper, right; average

rehabilitar to rehabilitate

rehacer to remake

rehén hostage

rehusar to refuse

reinado reign

reinar to reign

reino kingdom

reintegrarse to rejoin, go back to

reír (i) to laugh

reja grating, window bars; plowshare

rejón short spear; thrust with spear

rejuvenecer to rejuvenate

relación relation, account; connection; love affair; *plu.* love affair relamerse to lick one's lips

relámpago lightning flash; flash, spark

relampaguear to flash (of lightning)

relatar to relate

relegar to relegate

relente dampness, dew

relevar (ie) to stand out; to exonerate

relieve relief; *plu.* remnants

religioso monk

relinchar to whinny

reliquia relic; trace, vestige

reló same as *reloj*

reloj watch; clock; —— *de bolsillo* pocketwatch; —— *despertador* alarm clock

reluciente shining

relucir to shine

relumbrar to shine

relumbrón luster; tinsel

rellano landing (of stairway)

rellenar to refill

rematar to bring to an end, finish

remate end; ornament

remedar to imitate

remediar to help; to remedy

remedio remedy; help; *no tener más —— que* to have no choice but to

remedo imitation

remembranza remembrance

remendado spotted; patched

remendar (ie) to mend

remendón: *zapatero* —— shoe repair man

remero rower

remilgado affected, prudish

remilgarse to act terrified

remitir to remit, hand over; send; to lessen, become less intense; to defer; ——*se* to send

remo oar

remolino swirl, eddy; commotion

remolque towing; *a —— de* towed by

remontar(se) to go up; to rise; to climb

remorder (ue) to produce remorse

remordimiento remorse

remoto remote

remover (ue) to move, stir

remozar to rejuvenate

remusgo keen cold wind

renacer to be reborn

rencilla bad humor; dispute

renacimiento renaissance, rebirth

rencor spite, rancor

rencoroso spiteful

rendido worn out; submissive, abject, humble

rendija crack

rendimiento submission; devotion

rendir (i) to render; to pay; to humble; to surrender; to conquer, overcome; ——*se* to surrender

renegado, -a renegade; Moor; *fig.* rough, harsh

renegar (ie) to disown

reniego oath, curse

renglón line

renombre fame; renown

renovación renewal; replacement

renovar (ue) to renew, resume

renta income, rent

rentar to yield

rentista person having an income from investments, capitalist

renuevo sprout, shoot

renunciar to renounce, give up; to make known

reñido con at odds with

reñidor quarreler

reñir (i) to quarrel; to scold; to fight

reo criminal; —— *de muerte* man condemned to death

reojo: *de —— * from the corner of the eye, askance

reparación reparation, amends; repairs

reparar to amend, correct; to redeem; to restore; —— *en* to notice, pay attention to

reparo repair; help; objection

repartición distribution

repartimiento distribution

repartir to divide; to spread, scatter; to distribute

reparto cast

repasar to iron, press; to review, look over

repelar to pull out the hair of

repelón hair pulling

repente: *de —— * suddenly

repentino sudden

repercutir to reverberate

repetir (i) to repeat, do again

repicar to ring

repiqueteo clicking

replegar (ie) to fold back; —— *se* to bend back

repleto replete, full

replicar to answer; to talk back, answer impertinently

repliegue fold

reponer to replace; to reply

reportar to restrain

reposado calm

reposar to rest; ——*se* to rest

reposo repose; calm

repostería pastry

repostero caterer; tapestry with coat of arms

repre(he)nder to scold

reprensivo reproaching

represa dam; stop

representación representation; imagination, supposition; appearance; acting (of play)

representar to represent; to depict, picture; to act (a play); to show one's emotion

reprimenda reprimand

reprimir to repress

reprobación blame

reprobar (ue) to reproach

réprobo reprobate

reproducir to reproduce

repuesto recovered; re-established; retired, hidden

repugnar to dislike; to oppose

repulsa rebuff; refusal

reputar to repute; to consider

requebrar (ie) to pay compliments to; to court

requerir (ie) to require; to request

requiebro compliment

requilorio unnecessary trifle

requisito prerequisite, requisite

requisitoria (legal) requisition

res head of cattle; animal

resabio trace

resaltar to stand out

resbaladizo slippery

resbalar to slide, slip

resbalón slide

resbaladizo slippery

rescatar to ransom

rescindir to cancel, annul

rescoldo embers, hot ashes

resentirse (ie, i) to become angry; to be offended; to be impaired

reserva caution; reserve
reservar to reserve
resfriado cold
resfriar to chill
resguardar to shelter
resguardo guard; customs guard; shelter; *a —— de* safe from
residir to reside
residuo residue; waste
resignación resignation; submission
resignar to resign
resistir to resist
resolución determination; *—— in short*
resolver (ue) to solve; to turn; *——se* to make up one's mind
resollar (ue) to breathe heavily, take a breath
resonante echoing, resonant
resonar (ue) to resound, ring, rumble, make a noise
resoplido snort
resorte spring
respaldo back (of chair)
respecto: con —— a, —— de with respect to; *—— a* respecting, with respect to
respetar to respect
respeto respect
restante remaining
respetuoso respectful
respingo wincing
respiración breathing
respirar to breathe
respiro breath, breathing; respite
resplandecer to shine, be resplendent
resplandeciente shining
resplandor glow, radiance
responder to answer
respondonzuelo saucy
responsabilidad responsibility
responso response (religious chant)
respuesta reply
resquebrajo (humorous mistake for *requiebro*) compliment
resquemor sorrow; grief
restablecer to re-establish; *——se* to recuperate, recover
restablecimiento recovery
restañar to staunch
restar to remain; to subtract
restauración restoration
restaurar to restore

resto rest; remnant; remainder; relic, bones (of saint)
restregar (ie) to rub
resucitar to resuscitate
resuelto resolved, determined, resolute
resultado result
resultar to result, turn out
resumen résumé, summary, *en —— in brief*
resumido summed up; *en —— as cuentas* in brief
retablo altar piece, altar screen
retador challenger, challenging
retaguardia rear guard
retahila string; series
retama furze, broom
retar to challenge
retardar to put off
retardo delay
retazo piece, remnant; wisp; patch
retener to retain, hold back
reticencia reticence
retintín tinkling; sarcastic tone
retirada retreat
retirar to retire; to take back, take away; to set back; to put away, set aside; to withdraw; *——se* to retire, leave
retiro retirement, seclusion; retreat
retocar to touch up
retoñar to sprout
retoño sprout; scion
retoque touch
retorcer (ue) to twist; *——se* to writhe
retórica rhetoric, empty words
retórico rhetorician
retorno return; renewal
retozar to frisk
retozón frisking, frisky
retraerse to withdraw, retire
retrasar to delay
retraso delay
retratar to portray
retrato portrait
retrechería evasion
retribución remuneration
retroceder to draw back, move back
retruécano play on words, pun
rétulo arch. for *rótulo* sign, placard
retumbante high sounding
reuma rheumatism
reumático rheumatic

reunión gathering; group
reunir to bring together, collect; *——se* to come together, meet; to assemble
revancha retaliation
revelación revelation
revelar to reveal
reventar (ie) to burst; to burst out with; to break open; *(slang)* to die
reventazón bursting
reventón popping
reverberar to reflect
reverdecer to renew
reverencia reverence; bow
reverendo reverent; revered; reverend; *——ísimo* Right Reverend
revés backhand blow; *al —— on the contrary, on the other hand; contrariwise, backwards, the other way around; del —— back to front; inside out*
revestir (i) to invest with; to clothe
revisar to look over
revista review; *pasar —— to pass in review*
reviva hurray!
revoco plaster
revolar (ue) to flutter, hover
revolcar (ue) to knock down; *——se* to writhe
revolver (ue) to revolve, stir, churn; to dig around; to look over (books, papers); *——se* to be upset; to be nauseated; to writhe, toss about
revoltijo confusion, haphazard mixture
revuelta deviation, digression
revuelto mixed together; topsy turvy
revulsivo revulsory (medicine)
rezago remnant
rezar to pray
rezo prayer; praying
rezongar to grumble
rezumar to ooze
Rhin Rhine
riachuelo dim. of *río*
ribera bank; shore
ribeteadora seamstress
ricacho aug. of *rico*
rico rich; cute
rico-hombre arch. nobleman
ridículo n. ridicule; *adj.* ridiculous

riego irrigation
rielar to sparkle, glisten
rienda rein; —— *suelta* free rein
riesgo risk
rifar to wrangle
rígido rigid, stiff, unbending
rigor rigor, harshness; severity; *en* —— or *en* —— *de verdad* in strict truth; *de* —— necessary, customary
rigoroso severe, rigorous, strict, harsh, unyielding
riguroso see *rigoroso*
rima rhyme
rimar to rhyme
rincón corner
rinconada corner
riña quarrel
riñon kidney; *plu.* small of back
riqueza wealth
risa laughter
risilla giggle
risco crag
risotada laugh, chuckle
ristre rest for a lance
risueño smiling; cheerful
ritmo rhythm
rizar to ruffle; to curl, curve
rizo curl
robador robber
robar to steal; to abduct
roble oak
robo theft
robustez robustness, strength
robusto strong; stout
roca rock
roce contact
rociar to sprinkle
rocín nag; —— *de campo* traveling horse
rocinante nag
rocío dew
rodado dappled
rodar (ue) to roll; to pass; to tumble; to wander about; *echar a* —— to send rolling
rodear to surround; to turn around; to encircle
rodela round shield
rodeo turn, twist; roundabout course, detour
rodilla knee; *de* ——*s* kneeling
rodillazo blow with knee
roedor rodent
roer to gnaw

rogar (ue) to ask, beg; to pray, entreat
rojizo reddish
rolar to veer
rollizo roly-poly
romance ballad
romano Roman
romanticismo romanticism
romántico romanticist; romantic author
romantizar to romanticize
romboidal rhomboid shape
romero rosemary (plant); pilgrim
romper to break; to tear; to pierce; to open *or* begin (a statement); to suddenly start to
rompimiento break; breach
ron rum
roncar to snore
ronco hoarse
ronda avenue, boulevard; police patrol
rondar to prowl about; to be close to; to court; —— *la calle* to patrol the street; ——*le la calle a una mujer* to flirt with a lady from the street
rondeña n. popular Andalusian folk song and dance, named for the city of Ronda; *adj.* from Ronda
rondón: de —— straightaway
roña imperfection
roñoso miserable, wretched; dirty
ropa clothes
ropaje dress, clothing
Roque: vive —— ye gods!
roquero: castillo —— castle built on a crag
rosa rose; *rosa-enredadera* climbing rose
rosada rosy
rosal rose bush
rosario rosary; prayers
rosca twisted roll
rosquilla doughnut
rostro face
roto torn; broken; broken out; destroyed
rotundo round
rotura break; cut
rozar to rub (against), brush against, graze; ——*se* to associate
rubí ruby

rubio blond; golden; —— *de ceniza* ash-blond
rubor blush; shame
ruborizarse to blush
rucio gray (horse *or* donkey)
rudo severe; gross; rough, uncultured
rueca distaff
rueda wheel; slice
ruego plea, request; *a* ——*s de* at the request of
rufián ruffian
rufo n. ruffian; *adj.* redheaded
rugido roar
rugir to roar
ruido noise
ruidoso noisy
ruin base, vile
ruina ruin
ruindad baseness
ruinoso miserable; worthless
ruiseñor nightingale
rumbo course
rumboso n. swaggerer, showoff; *adj.* splendid, liberal
rumiante ruminant, animal that chews its cud
rumor noise
rumoroso murmuring
run run rumor, report
ruralizarse to return to the country
ruso Russian
rústico n. peasant; *adj.* rustic
ruta route
rutinario routine

S

sábana sheet
sabañón chilblain
saber to know; to taste; *n.* knowledge; —— *a gloria* to taste wonderful
sabidor wise, learned
sabiduría wisdom
sabiendas: a —— knowingly
sabio learned, wise
sable sabre; *reñir al* —— to fight with sabres
sabor taste, flavor, savor; *a mi* —— to my pleasure; *a* —— *de* in the light of
saborear to enjoy
sabroso savory, delicious
sacaperras money-making machine; gold mine
sacar to take out, bring out; to

get; —— *en consecuencia* to come to the conclusion; —— *en limpio* to see clearly

sacerdocio priesthood

sacerdotal priestlike

sacerdote priest

sacerdotisa priestess

saciar to satiate, satisfy

saco sack

sacramento sacrament

sacre saker (a kind of hawk)

sacrificio sacrifice

sacrílego sacrilegious, unholy

sacristán sacristan

sacro holy

sacudida shock; shove

sacudimiento trembling

sacudir to shake; to brush off, shake off, free oneself from; to deliver (blows); to move (with vigor); to stir

saeta arrow

sagaz wise, sagacious

sagrado sacred

sahumerio incense; burning of incense

sainete a one-act play, realistic and humorous in nature

sal salt; grace; wit

sala room; living room

salado witty; vivacious; salted; pickled

salador one who pickles

salario salary; *a* —— on a fixed salary

salchicha sausage

saldar to pay up, liquidate

saleroso witty, clever

salicilato salicylate

salida departure; sally; outburst; exit, door opening upon; —— *del sol* sunrise

salir to leave, go *or* come out; to enter; to turn out, result; ——*se con la suya* to get one's way; —— *adelante* to go on

saliva saliva; *gastar* —— to talk

salmista psalmist

salmo psalm

salmorejo a sauce for rabbit

salón room, hall, salon, drawing room; social gathering

salpicar to splatter; to scatter

salpicón cold meat

salsa sauce

saltador jumping

saltamonte grasshopper

salta-paredes wall climber; wild youth

saltar to jump, leap; to come off; ——*le (a una) novio* to get a sweetheart; ——*le a uno las lágrimas* to burst into tears

salteador highwayman

salto leap, bound, jump, start; *dar un* —— to jump; to make a hurried visit

salud health; salvation

saludable healthy; beneficial

saludar to greet; to salute

saludo greeting, salutation

salvado bran

salvaje savage, wild

salvar to save; to jump over, clear

salve hail!; prayer to Virgin Mary

salvo *adj.* safe, sure; *a* —— *de* safe from; *en* —— in safety; *sano y* —— safe and sound; *prep.* except

salvoconducto pass, safe conduct

sanar to cure; to get well

sanción sanction, punishment

sandez absurdity

sandio foolish, inane

saneado free from loans *or* mortgages; guaranteed

sangrar to bleed

sangre blood; *¡qué* ——! what a mean disposition!

sangriento bloody

sanguinaria bloodroot

sanguinario sanguinary, bloody

sanguinoso blood-colored; sanguinary

sanidad health, healthiness

sano healthy, well; wholesome; sane

santero sanctimonious

santidad holiness, sanctity

santiguarse to cross oneself

santo *n.* saint; saint's day; *adj.* holy, saintly; *viernes* —— Good Friday

santuario sanctuary, shrine

saña wrath, rage, madness

sapo toad

saquear to sack, plunder

sarao soirée, party

sardina sardine

sardónico sardonic

sargento sergeant

sarmiento vine stalk

sarna itch; keen desire

sartal string

sartén frying pan

sartenazo blow with a frying pan

sastre, -a tailor

Satanás Satan

satisfacción satisfaction, explanation

satisfacer to satisfy; to explain

saturnal saturnalia

saúco alder, elder (tree)

savia sap

sayal robe; sackcloth

sayo jerkin, doublet, smock

sayón jailor; hangman

sayuelo little smock

sazón season; time; occasion

sazonado seasoned; delicious

sazonar to season

sebo tallow; grease

seboso greasy

secar to dry; to dry up

sección section, department

seco dry; indifferent; *a secas* simply; —— *de carnes* lean

secretaría clerkship

secreto *n.* secret, secrecy; *adj.* secret, hidden, recondite; *de* —— in secret

secuestro confiscation

secundar to aid

seda silk

sedación calming

sedentario sedentary

sedicioso seditious, mutinous

sediento thirsty

sedosidad silkiness; softness

seducir to seduce; to entice, captivate

seductor *n.* seducer; *adj.* seductive

segar (ie) to reap; to cut

seglar secular

seguidamente successively; in an orderly way

seguidilla folk song and dance of Andalucía

seguido consecutive

seguridad sureness; security certainty

seguro sure; safe; *a buen* —— surely; *de* —— certainly; *irse del* —— to leave the sure way; *sobre* —— on sure ground

selva forest

selvático rustic; of the forest

sellar to seal
sello seal
semana week; *entre* —— in the middle of the week
semblante countenance, look
sembrado sown field
sembradura sowing
sembrar to sow
semejante like, similar; such (a); *plu.* fellow men
semejanza likeness, similarity
semejar to resemble; to seem, appear
semiandrajo half rag; shabby clothes
semilla seed
semillero breeding place
seminario seminary, school
semita Semite, Semitic
semítico Semitic
sempiterno everlasting, eternal
senado senate
senador senator
senadora senator's wife
senatorial of the senate *or* senator
sencillez simplicity
sencillo simple
senda path
sendero path
sendo one apiece
senectud old age
seno hollow, cavity, recess; bosom, breast, chest; *plu.* bosom, chest
sensación sensation
sensibilidad sensitivity, sensitiveness; emotion; perception
sensible sensitive; perceptible, tangible; deplorable
sensitivo sensitive
sensual sensual
sentar (*ie*) to seat; ——*se* to sit down
sentencia sentence, verdict; meaning; wise saying
sentenciado *n.* condemned criminal; *adj.* condemned
sentenciar to sentence, pronounce judgment
sentido *n.* sense; meaning; *adj.* deeply felt, moving
sentimiento sentiment, feeling; pain, grief, mourning
sentir (*ie*) to feel; to feel sorry, regret; to perceive; to hear; *n.* feeling
seña sign; scar; *plu.* address;

description; *¿qué señas?* what does he look like?; *por más señas* to give more details
señá popular for *señora*
señal sign, mark; scar
señaladamente especially, signally
señalar to point out, show; to mark, brand; to fix, assign
Señor Lord
señoría lordship, excellency
señorial noble, of the noble class
señorico *dim.* of *señor*
señoril of the master
señorío lordly estate; domain; upper class
señorito young man of upper middle class (used derogatorily by lower classes); good-for-nothing rich young man
separar (*se*) to move away
séptimo seventh
sepulcral sepulchral
sepulcro sepulcher, tomb
sepultar to bury
sepultura grave, tomb
sequedad dryness, aridness; taciturnity
ser: ¿qué será de mí? what will become of me? *es que* the fact is (that), the trouble is (that), it's that; *n.* being; *a no* —— *que* unless
seráfico angelic, seraphic
serafín seraph, angel
serena siren
serenar to calm
serenidad serenity, calm
sereno *n.* night watchman; *adj.* serene, calm; *al* —— in the open air
seriedad seriousness
sermón sermon
sermoncico *dim.* of *sermón*
sermonear to preach
serpear to bend, wind
serpentear to wind
serpiente serpent
serranilla mountain girl; poem about a mountain girl
serrano of the mountains; *n.* highlander
serreta nose piece (of bridle)
servicial helpful; obsequious
servicio service; *estar de* —— to be on duty; —— *a domicilio* home delivery

servido pleased
servidor servant
servil servile, slavish; meek
servilleta napkin
servir (*i*) to serve; to be of use; to do military service
sesera brain
sesión assembly
seso brains, intelligence, mind, sense
sesudo "brainy"
severidad severity
severo severe
si if; why, but
sibarítico sybarical, epicurean, voluptuous
sibila sibyl, prophetess
sien temple, brow
sierra mountain range, mountains; saw
siervo servant; serf
siesta nap after lunch, siesta; noonday heat
sietemesino born in seven months
sífilis syphilis
sifilítico syphilitic
sigilo secrecy
siglo century; secular world
significado meaning
significante meaningful
signo sign, symbol
sílaba syllable
silbador whistling
silbante *adj.* whistling, hissing; *n.* scoffer
silbar to hiss; to whistle
silbato whistle
silbido whistle; catcall
silbo whistle; whistling; whispering
silueta silhouette
silvestre wild
silla chair; saddle; —— *de caballo* saddle
silleta chair
sillón armchair
sima abyss
simbólico symbolical
simbolizar to symbolize
simetría symmetry
similar *n.* likeness; lookalike; *adj.* similar
simoníaco simoniacal; selfish
simpatía friendship, liking; charm
simpático pleasant, agreeable

simpatizar to be in harmony with

simpleza simpleness, foolishness

simplicidad foolish saying; stupidity

simplificar to simplify

simplilla naïve girl

simulacro imitation, representation

sinapismo poultice

sincerarse to justify oneself

sincero sincere; pure, uncontaminated

síncope fainting spell

sindicalista union man

sindicarse to organize a labor union

sindicato syndicate; labor union

sinfín great number, infinity

singular singular; strange, unusual, rare; —— *batalla* arch. single combat

singularizador distinguishing

singularizarse to set oneself apart; to stand out

siniestro n. calamity; adj. sinister

sinnúmero multitude

sino n. fate

sinónimo synonymous

sinrazón unreasonable act; wrong

sintaxis syntax

sintetizar to synthesize, sum up

síntoma symptom

sinvergüenza shameless person

sinvergüenzonaza double aug. of *sinvergüenza*

siquiera even; if only, at least

Siracusa Syracuse

sirena siren

sirviente, -a servant

sisa filching

sisar to filch

sisona petty thief; maid who steals from the household money

sistema system

sitial chair, seat

sitiar to besiege

sitio place; room

so you—! (used to reinforce an insult); arch. under

soberano n. and adj. sovereign; adj. supreme; superb

soberbia pride, haughtiness, self-confidence

soberbio proud; noble; superb

sobón, -a over-indulgent

soboncita dim. of *sobona*

sobra excess; leaving, leftover; *de* —— unnecessary; only too well; thoroughly; left over

sobrado too much, more than enough; splendid

sobrante excess, leftover, superfluous

sobrar to be left over; to be more than enough, be superfluous; to be abundant

sobre envelope; cover

sobrecogido overcome

sobredicho aforesaid

sobredorar to gold-plate

sobrehumano superhuman

sobremanera especially, extremely

sobremesa: de —— after dinner; table talk

sobrenatural supernatural

sobrenombre nickname; surname

sobreponerse to overcome, overpower; to control oneself

sobrepuesto one above the other

sobrepujar to surpass

sobresaltar to startle

sobresalto start; anxiety

sobreseer to suspend or drop (a lawsuit)

sobrevenir to come to pass, happen

sobrevivir to survive

sobriedad sobriety

sobrino nephew

socaliña trick

socarrón mischievous; joking; sly

socavar to execute

socorrer to aid, help; to save

socorro help

soez dirty, vile

sofá sofa

sofisma fallacy

sofocación breathlessness

sofocado out of breath

sofocar to suffocate, stifle

soga rope

sojuzgar to subjugate

solana sun porch, solarium

solapa lapel

solapado sly

solar property, estate

solariego manorial, ancestral

solas: a —— alone

solaz solace; enjoyment

solazarse to amuse oneself

soldadesco soldiery

soldado soldier

soleado sunny

soledad solitude; plu. lonely place

soledoso solitary, lonely

solejar sun gallery

solemnidad solemnity; solemn occasion

solene arch. for *solemne*

soler (ue) to be accustomed

solfear to sing; to drone out

solicitar to ask for, seek, solicit; to accost

solícito solicitous, anxious, diligent

solicitud solicitude; care; petition, request

soliloquio soliloquy

solitario solitary

solomillo filet mignon

solsticio solstice

soltar (ue) to loosen, let go of, set free; to come out (with); —— *el trapo* (slang) to start bawling

soltera unmarried woman, spinster

soltero n. bachelor; adj. unmarried

solterón aug. of *soltero* old bachelor

solterona aug. of *soltera* old maid, spinster

soltura ease, freedom

solventar to settle

sollozante sobbing

sollozar to sob

sollozo sob

sombra shade, shadow; ghost; *a la* —— in the shade or shadows

sombrero: —— *de copa* high silk hat

sombrío gloomy; shady, dark

somero superficial

someter to submit

somnolencia somnolence, stupor

son sound; tune; *en* —— *de* in the way of; as

sonable resonant, sonorous

sonámbulo sleepwalker

sonante resounding

sonar (ue) to sound, resound,

ring; to rustle; —— *a* to sound like

sonatina sonatina

sonda probe

sondear to probe

soneto sonnet

sonido sound

sonoro sonorous, ringing

sonoroso sonorous, resounding

sonreír (i) to smile

sonriente smiling

sonrisa smile

sonrojo shame

sonrosado rosy

sonsacar to pilfer; to entice away

soñado imagined

soñador *n.* dreamer; *adj.* dreaming

soñar (ue) to dream

sopa soup; sop

sopista *n.* poor student; *adj.* student

soplar to blow; to breathe into; to inspire; to snatch away

soplo breath, puff; instant; bit; breeze; draft

soponcio fainting spell

sopor stupor

soportar to bear, endure, tolerate

sor sister

sorber to sip, suck

sorbo gulp

sordidez sordidness, meanness

sórdido sordid, degraded

sordo deaf; dull (of sound)

sordomudo deaf and dumb

sorprendente surprising

sorprender to surprise; to come upon

sorpresa surprise

sortija (finger) ring

sortilegio sorcery

sosa soda

sosegado *adj.* calm

sosegar (ie) to calm, quiet; to repose; to be calm

sosiego *n.* calm

soslayo: de —— glancing

soso insipid; dull

sospecha suspicion

sospechar to suspect

sospechoso suspicious, doubtful

sospiro *arch.* for *suspiro*

sostén support

sostener to hold, hold up, sup-

port, sustain, keep up; to mean

sota jack (in cards)

sotabanco garret, attic

sotana cassock, priest's robe

sótano basement

sotita *dim.* of *sota*

soto grove

suave soft; gentle

suavidad gentleness; softness

suavizar to soften; to smooth

súbdito subject

subida ascent; increase

subido high

subir to rise; to go up, climb, mount; to raise, lift up; to flare up; —— *de punto* to increase

súbito sudden; *de* —— suddenly

sublevado rebel

sublevar to cause to rebel; —— *se* to revolt

sublimado exalted

sublimar to elevate, exalt

sublime sublime

sublimidad loftiness

subrayar to stress

subsistir to exist; to last, subsist

substancia substance

substancioso substantial

substituirse to relieve each other

subsuelo subsoil; *de* —— underhanded

subteniente second lieutenant

subterráneo *n.* basement; crypt; *adj.* subterranean

subyugar to subjugate

succión suction, drawing force

suceder to happen; —— *se* to happen to one after the other, succeed each other

sucesivo next; *lo* —— the future

suceso event, happening; *arch.* success

sucesor successor

sucinto brief

sucio dirty; base

sucumbir to succumb

sudado sweaty; soiled

sudar to sweat

sudario shroud

sudor sweat; labor

sudoroso sweaty

suegra mother-in-law

suegro father-in-law

sueldo salary

suelo floor; lower part; ground, earth; country, land

suelto *adj.* loose; free; stray; unfastened; *n.* change (money)

sueño sleep; dream

suerte luck, fate; sort; manner; *de esta* —— in this way; *de* —— *que* in such a way that, in such a condition that, so that

suficiencia aptitude, ability; *expresión de* —— profound expression; *con* —— satisfied

sufridero bearable

sufrido long-suffering

sufrimiento suffering; sufferance

sufrir to suffer; to bear

sugerir (ie) to suggest

sugestión suggestion

suicida *n.* suicide; *adj.* suicidal

suicidio suicide

Suiza Switzerland

sujeción subjection

sujetar to subjugate, conquer; to seize, hold

sujeto *n.* individual, person; *adj.* fixed, fastened; subject

sulfonal sulphonal

sulfúreo sulphurous

sulfúrico sulphuric

suma sum; *en* —— in short

sumar to add

sumergir to submerge

suministrar to provide, supply

sumir to sink; to plunge; ——*se* to be sunk

sumiso submissive

sumo supreme, highest, greatest; *lo* —— the highest degree; at most

suntuario sumptuary, involved in luxury

suntuosidad sumptuousness

superar to surpass

superficie surface

superfluidad superfluity, unnecessary things

superior upper; —— *(a)* greater (than)

superpuesto superimposed

superstición superstition

superviviente surviving

súpito sudden; impatient

suplantar to supplant

súplica supplication; appeal

suplicación entreaty
suplicante supplicating, begging
suplicar to supplicate, beg
suplicio suffering; punishment
suplir   to supply; to supplement; to take part
suponer to suppose; *n.* supposition
suprasensible supersensible, beyond perception
suprimir to suppress; to omit
supuesto fictitious, assumed, supposed; *por* —— of course; —— *que* since, even if
surcar to furrow, plow
surco furrow
surgir to spring up, rise, arise; to appear suddenly
surtidor fountain; spring
surtir to supply; —— *mal efecto* to have a bad effect
sus get up! go on! (to horse *or* dog)
suscribir to accept
suspender to suspend, discontinue; to hold back; to hold in suspense
suspensión distraction
suspenso astounded; distracted; in suspense; —— *de* hanging from
suspicacia distrust
suspirado longed for
suspirar to sigh
suspiretear to heave a sigh
suspiro sigh
sustancia substance, essence
sustancioso substantial; nutritious
sustentar to sustain, bear; to nourish; to maintain
sustento sustenance; support; food
sustituir to substitute
sustituto substitute
susto fright; *de* —— unexpectedly
sustraer to subtract; to remove
susurrar to whisper
susurro whisper, whispering; rustling
sutil subtle; slender, thin
sutileza subtlety; cunning
sutilizarse to be sublimated

T

tabaco tobacco; cigarettes

tábano horsefly
tabaquera tobacco pouch
taberna tavern
tabernero tavern keeper
tabernucha low tavern
tabique partition, wall
tabla plank, board; picture; —— *rasa* plank; —— *redonda* Round Table
tabladillo cot
tacañería miserliness
tacaño *n.* miser; *adj.* stingy, close-fisted
tacilla *dim.* of *taza*
taciturno taciturn
tacón heel
taconazo blow with heel; *dar* ——*s* to make a noise with one's heels
táctica tactic; *mucha* —— a lot of tricks
tacto touch; tact
tacha fault, bad point
tachar to find fault with; to accuse
tachuela tack
tafetán taffeta; scarf
tahur low gambler; *hecho un* —— gambling furiously
taimado sly, cunning
tajada slice; gash
tajar to slice, cut through; to divide, share
tajo blow (with edge of sword), cut; gorge; chopping block
tal cual just as
talabarte sword belt
tálamo wedding bed, couch
talante will, desire; *de buen* —— good humoredly, willingly
talar to cut down; to destroy
talego bag, money sack
taleguillo *dim.* of *talego*
talente *arch.* for *talante* desire, wish, will
talento talent, cleverness
talla carving; figure, stature; hand (at cards); importance
tallar to carve; to deal (cards)
talle height; figure; waist
taller workshop
tallo stalk, stem
tamaño *n.* size; *adj.* so great, so big
tambalearse to stagger
tambor drum; drummer
tamizado filtered, sifted

tangente tangent; in contact with, touching on
tantán tom-tom
tantear to feel out, test; to touch
tanto *n.* bit; *adj.* so much, as much; *plu.* so many, as many; such and such; *en* —— *que, entre* —— *que* while; *por (lo)* —— therefore, consequently
tañer to play (a musical instrument); to ring (a bell)
tapa cover
tapar to cover; to hide; to stop up
taparrabo loincloth
tapete table scarf; carpet
tapia wall
tapial wall
tapiz tapestry
tapizar to cover, hang with tapestry
tarambana crackpot
tararear to hum (a tune)
tarareo humming
tarasca shrew, slattern, termagant
taravilla chatterbox
tardanza delay
tardar to be long, delay
tarde late; too late; *de* —— *en* —— rarely, once in a long while
tardo slow; tardy
tarea task
tarifa price, rate
tarima low platform; rough bed
tarjeta card
tarjetazo petition by card
tarro jar
tartamudear to stammer
tasa measure, limit
tatarabuelo great-great-grandfather, ancestor
tatuaje tattoo mark
taza cup; basin (of fountain)
tazón *aug.* of *taza*
té tea
tea torch
teatral theatrical, dramatic
teatro theater; stage
tecla key (of piano)
teclado keyboard
técnico technician
techo roof; ceiling; attic
teja tile; *de* ——*s abajo* here

below; *de* ——*s arriba* heaven

tejado roof

tejar tile kiln

tejer to weave

tejido web; fabric

tela cloth; —— *pintada de flores* flower print

telaraña spider web

telarañoso cobwebby

telón curtain

tema theme, subject; contention; obsession

temblar (*ie*) to tremble

temblor shaking, trembling

tembloroso trembling

temerario rash; daring

temeridad temerity, rashness

temible fearful

temido feared, dreaded

temor fear

temoroso fearful

tempestad storm

tempestuoso stormy

templado tempered; mild; tepid, lukewarm; brave and calm

templanza temperance

templar to temper; to moderate; to tune; to manipulate; ——*se* to cool off

temple temper; disposition; harmony

templete little temple

templo temple

temporada season; period of time

temporal temporary; temporal

temprano *adj.* and *adv.* early

tenacidad tenacity

tenaz tenacious; stubborn; tight

tenaza (or *plu.*) pincers

tendal tent

tendencia tendency

tender (*ie*) to extend; to stretch, stretch out; to lower (a drawbridge); —— *el vuelo* to fly; —— *los ojos, la vista* to cast one's gaze; —— *de* to hang with

tendero shopkeeper

tendido stretched; *paso* —— long stride

tenebroso dark, shadowy, gloomy

tenedor, -a holder; *m.* fork; —— *de libros* bookkeeper

tener to have; to hold; ——*se* to hold on; to stop; —— *de*

arch. for —— *que;* —— *en mucho* to esteem highly; —— *en poco* to scorn; —— *entendido* to understand, believe; —— *por* or *a* to consider as; —— *por bien* to agree to; —— *que ver con* to have to do with

tenería tannery

teniente lieutenant; —— *coronel* lieutenant colonel

tenor tenor; manner

tenorio lady-killer

tentación temptation

tentador *n.* tempter; *adj.* tempting

tentar (*ie*) to touch, feel; to tempt

tenue tenuous

teñir (*i*) to dye, tint, stain

teologal theological

teología theology

teólogo theologian

teoría theory

teórico theoretical

terapéutica remedy, cure

tercero, -a go-between, intermediary; third floor (not counting the street floor

terciado crosswise

terciana tertian fever

terciar to lower (a lance); to mediate; to act as a go-between; —— *la capa* to fling the corner of the cape over the shoulder

tercio third; player; *arch.* regiment

terciopelo velvet

terco stubborn

terminante absolute, final

término end, limit; term; *primer* —— foreground; —— *medio* compromise

ternejal bullying

ternera calf; veal

ternerita *dim.* of *ternera*

ternura tenderness

terquedad stubbornness

terremoto earthquake

terrenal earthly, of the world

terreno *n.* terrain, territory, land; *adj.* earthly, worldly

terrero *n.* mark; *adj.* earthen

terrestre terrestrial

terrón lump

terrorífico terrifying

terruño region; earth

terso smooth

tertulia social gathering, circle; *estar de* —— to enjoy oneself

tesoro treasure; treasury

testador testator

testamentario executor

testamento will

testarudo stubborn

testificar to testify

testigo witness; second (in duel)

testimonio testimony

teta breast

tetera tea kettle

tétrico gloomy

texto text

tez complexion

tibieza lukewarmness, tepidity

tibio tepid, cool

tiempo time; weather; proper moment; *a un* —— at the same time

tienda shop; tent; —— *de campaña* army tent

tiento examination (by feeling); staff; *a* —— groping; *con* —— cautiously, carefully

tierno tender; young; *ojos* ——*s* crossed eyes

tieso stiff

tiesto flower-pot

tifoidea typhoid fever

tigre tiger

tijera (or *plu.*) scissors

tijerazo action of scissors, cutting action

tila tea of linden flowers

tildar to stigmatize, brand

tilín ding dong; tinkling noise; ting-a-ling; *hacerle a uno* —— to please someone very much, be a great favorite with someone

timbre bell; timbre, tone

timidez timidity

tímido timid

timo: dar el —— to cheat

timón rudder, helm

timonel helmsman

tin tin tinkling noise

tinaja hogshead; large earthen jar

tiniebla shadow, darkness

tino judgment; tact

tinta ink; tint

tinte complexion

tintero inkwell

tinto stained

tiña itch; desire

tío uncle; (*slang*) fellow, guy

tiovivo merry-go-round

tira ribbon

tirada aparte offprint

tirador marksman, rifleman

tiranía tyranny

tirano, -a *n.* tyrant; *adj.* tyrannical; evil

tirante *adj.* taut

tirantez tension

tirar to throw, throw away; to shoot; to draw; to knock down; to push away; to deal (cards); to move; —— *a* to tend towards; —— *de* to drag, pull on; —— *para* to head for; —— *por* to head down (a road); *de un* —— all at once

tiritar to shiver

tiro shot; *a* ——*s* by shooting them

tirón jerk, pull

tiroteo shooting, gunfire, fusillade

tirria (*slang*) dislike, antagonism

tísico consumptive

tisis tuberculosis

tisú tissue, cloth

titánico gigantic, titanic

titubear to hesitate

título title, heading; count; titled person

tiza chalk

tiznar to smudge, blacken with soot

tizne soot

toba tartar (of teeth)

tobillo ankle

toca headdress

tocado *n.* headdress; *adj.* wearing (on the head)

tocador dressing table; dressing room

tocante a respecting

tocar to touch (at); to play (an instrument); to ring (a bell); to fall to one's lot; to be one's turn; to affect; —— *a* (plus an infinitive) to sound the call for, be at the point of; to reach

tocino bacon

todo: del —— completely; *with neg.* at all; *de* —— *en* —— completely; definitely

tolerar to tolerate, permit

tolondrón concussion, bump

toma dose

tomate tomato

tomillo thyme

tonel cask

tonelada ton

tonillo tone

tono tone; *a este* —— in this style, of this sort; *darse* —— to give oneself airs

tontear to play the fool, fool around

tontería foolishness

tontillo *dim.* of *tonto* my silly dear

tonto foolish, silly; stupid

topacio topaz

topar to bump; to come upon, meet; —— *con* to encounter; *topóme Dios con* God made me come upon; ——*se* to come upon

tope butt; attack

toque touch

tórax chest, thorax

torbellino whirlwind

torcaz: paloma —— ringdove

torcedor source of pain

torcer (*ue*) to twist; to turn (aside); to warp; —— *el camino* to turn aside; —— *por* to start down (a path); ——*se* to turn about

tordo dapple gray

torero bull fighter

tormenta storm; tumult

tormento torment; suffering; torture

tornar to return; to turn; to change; to turn away; to turn back; —— *a* to do something again

tornasolado iridescent

tornátil well-turned

torneo tourney

tornera door keeper

torno *arch.* contour; *en* —— around; *en* —— *de* around

toro bull; *plu.* bull fight

torpe stupid, dull; disgraceful

torpeza stupidity; clumsiness

torre tower

torrente torrent, flood

torreón turret, tower

torrezno bacon

torso torso, upper part of the body

torta cake

tortícolis wry neck, stiffness of neck

tortilla cake, wafer

tórtola turtle-dove

tortolica *dim.* of *tórtola*

tortuoso winding, tortuous

tos cough

tosco rough, rude

toser to cough

tósigo poison

tostada (piece of) toast

tostado tanned

tostar (*ue*) to toast; to tan; to roast

tostón roasted chick-pea

total total; in short, when all is said and done

traba fetter, hindrance

trabajado toilsome

trabajador hard worker

trabajo work; hardship, difficulty

trabajoso toilsome; laborious

trabar to bind; to seize, grasp; to form (friendship); *arch.* to blame; ——*se* to start

trabucar to mix up

trabuco blunderbuss

traductor translator

traer to bring; to have; —— *en boca* to bandy about

tráfago dealing, affair, business

tragar to swallow

trago swallow, draught

traguito *dim.* of *trago*

traición treachery; *a* —— treacherously

traidor *n.* traitor; *adj.* treacherous

trajeado clothed

traje suit; costume

trajinar to move things about

trama woof (of cloth)

tramar to contrive

trámite step; channel

tramo flight (of stairs)

tramontar to set behind mountains (of the sun)

trampa trap; trick, deceit; *hacer* ——*s* cheating

tramposo *n.* cheat, swindler; *adj.* tricky, deceitful

trance peril; critical situation; *a todo* —— at any cost

tranco long stride

tranquilidad calm, peace

tranquilizar to calm

tranquilo tranquil, calm, quiet; easy

transacción compromise

transcribir to transcribe

transcurrir to pass

transcurso course

transeúnte transient, passerby

transformar to transform

transfusión transfusion

transido exhausted

transigir to put up with; to compromise

tránsito passage; end, terminus; circulation

transitorio transitory, fleeting

translúcido translucent

transmisible transmittable

transmitir to transmit

transmutación change, transmutation

transparentado showing through

transparente transparent

transportar to transport, carry; ——*se* to be carried away, be in a transport

tranvía streetcar

trapera ragpicker

trapisonda subterfuge

trapisondista swindler, cheat, good-for-nothing

trapo rag, cloth

traqueteo shaking, jerking

tras behind, after; beyond; ——*de* behind

trascendencia great importance

trascendente transcendent; supernatural

trascordarse (ue) to forget

trascurrir to pass (of time)

trasegar (ie) to change bottles or casks (of wine)

trasero back, "behind"

trasgo ghost

trashumante traveling; moving from one pasture to another (of sheep and cattle)

trashumar to take from one pasture to another

trasladar to transport; to transfer, move

traslado copy

traslúcido translucent

traslucir to show through

trasnochar to stay out all night

trasparencia transparency

traspasar to pass through, pierce; to set (of the sun); to pain

trasplantar to transplant

trasponer to pass beyond; to traverse

traspontín mattress pad; (*slang*) buttocks

traste fret

trastear to trick

trastienda apartment back of store; *fig.* intuition, foresight

trasto utensil; stuff; rubbish, trash; worthless fellow, good-for-nothing

trastornado upset; mad, unbalanced

trastornar to upset, agitate

trastorno upheaval, disorder

trasunto copy; likeness

tratable tractable

tratado treatise; chapter

tratamiento treatment

tratar to treat; to deal with; to discuss; —— *de* to try to; to discuss; —— *del género* to make purchases; ——*se de* to have to do with

trato manner, way of dealing with people, friendly intercourse; dealings; deal; treatment; pact

través: a —— (de), al —— through; a —— de across; through; *de —— sideways,* crosswise

travesía short cut, alley; trip

travesura prank

travieso cute; lively, mischievous

trayecto distance; stretch

traza appearance; plan, scheme

trazar to trace; to plan; to write

trazo outline; profile

trebejar to toy, play

trecho distance; *a ——s* here and there

tregua truce

tremebundo awesome, frightful

tremendo tremendous, immense

tremolar to wave

trémulo tremulous, shaking

tren train; pomp, ostentation

trencilla *dim.* of *trenza*

trenza braid

trenzar to braid

trepar to climb, scramble up

tresillo a card game

tribu tribe

tribulación tribulation, affliction, suffering

tribuna tribune; platform

tribunal court

tribuno orator

tributo tribute; tax

trigal wheat field

trigo wheat

trigueño medium dark

trillo threshing tool

trinar to trill; to become furious

trincar to break; to catch; to drink; to slap on

trinchera trench, ditch

trino warbling trill

tripas tripe; stomach; intestines, guts

tripería tripe market

tripudo pot-bellied

triquiñuela trickery

tristura *arch.* sadness

triunfal triumphal

triunfar to triumph

triunfo triumph; triumphal parade

trocar (ue) to exchange, change

trocha trail

troje storehouse, barn

trompa trumpet; trunk (of elephant)

trompada (*slang*) blow

trompeta trumpet

tronado quarrelsome

tronar (ue) to thunder

tronco tree trunk

troncho stalk

tronera loophole

trono throne

tropa troops, soldiers

tropel troop, band

tropezar (ie) to stumble; to slip; ——*se* to "mess with"; —— *con* to encounter

tropezón stumble; faux pas; stumbling block; *dar ——es* to stumble

tropiezo stumbling; slip

trotaconventos go-between

trote trot

trovador troubadour

Troya Troy

troyano Trojan

trozo fragment, piece

trueco exchange

trueno thunder; —— *gordo* debacle; great scandal

trueque change, exchange

truhán scoundrel, knave

trujo arch. for *trajo*

truncar to cut off, truncate

tuerto wrong; one-eyed man

tul tulle, gauze-like cloth

tullido maimed, crippled

tumba tomb

tumbado sprawled

tumbar to knock down

tumbo tumble; *dar* ——*s* to stagger, to jostle

tumultuoso tumultuous

tunante rogue

tundir to clip

túnica robe

tuno rascal

tupido thick, dense

turba mob, crowd

turbación emotion; confusion, embarrassment; disturbance

turbado perturbed, disturbed

turbar to disturb, stir up; ——*se* to become dizzy; to become alarmed; to become upset

turbio muddy; indistinct; *de* —— *en* —— from dawn to dusk

turbión squall, downpour

turco Turkish

túrdiga strip (of hide)

turno turn; *entrar en* —— to take precedence

turrón nougat

turulato dumbfounded

tute a card game

tutear to use *tú*, speak familiarly

tutelar adj. patron, tutelary

tutor guardian

U

ubre udder; breast

uced arch. for *usted*

¡uf! ugh!

ufanarse to be proud

ufano proud; haughty

ujier usher

úlcera ulcer

último: por —— finally; *al* —— in the end

ultrajar to insult

ultraje outrage; indignation

ultramarinos groceries

ultratumba: de —— after death, in the afterlife

ulular to howl, ululate

umbral threshold

umbrío shady

umbroso shadowy, shady

unanimidad unanimity

unción extreme unction

unidad unit; unity

uniforme uniform

unir to unite, bring together, join

unísono unison; *al* —— in unison

unitario unitarian

uña finger nail; claw; —— *de vaca* hock of beef

urbanidad urbanity, courtly manners

urbano adj. city

urbe n. city

urgencia urgency

urgir to be urgent

urna urn

urraca magpie

usar to use; to be accustomed; to follow (a trade)

usarced arch. your grace

usía arch. you

uso use; custom; *a* or *al* —— *de* in the manner of, in the fashion of, according to custom

usufructar to enjoy

usufructo usufruct

usura usury; interest

usurero usurer

usurpar to usurp

utensilio utensil

útil useful; n. plu. utensils, tools

utilidad utility; pragmatism

V

v. gr. abbreviation for *verbigratia* for example

vaca cow, beef

vacar to have a vacation

vaciar to empty

vacilación hesitance

vacilante hesitating

vacilar to vacillate, hesitate; to sway

vacío n. space, void; adj. empty, void

vacunar to vaccinate

vadera ford

vagabundo vagabond, good-for-nothing

vagancia vagrancy; *andar de* —— to live as a vagabond

vagar to wander

vago vague; wandering; n. loafer

vagón railroad car

vaguido dizzy spell

vahído dizzy spell, dizziness

vaho vapor, fume; breath

vaina sheath

vaivén coming and going; surge; excitement

vajilla set of dishes; plate (dishes of gold or silver)

val vale, valley

vale (Latin) farewell

valentía valor; arrogance, boasting

valer to be worth; to be the same as; to help; ——*se de* to avail oneself of, make use of; n. worth

valeroso valiant

valía worth

valiente brave

valioso valuable

valona ruff

valor worth; valor

valorar to value; to evaluate

valla stockade

valladar wall

vallado hedge; stockade

valle valley, vale

vanagloria conceit

vanidad vanity

vano vain; useless; light, gentle; unreal, non-existent

vapor steam, vapor; n. steamboat

vaporcillo small steamboat

vaporoso vaporous, airy, ethereal; filmlike

vapuleo beating

vápulo beating

vaquera shepherd girl

vaqueta sole leather; *cara de* —— a stern face

vara rod, staff, staff of authority; bridge (of nose); yard (measure)

varear to whip

variar to change, vary

vario various, several; varied

varioloso small pox patient

varita dim. of *vara*

varón n. man; adj. male

varonil manly, masculine

vasallo vassal

vasar shelf (especially for glasses)

vasco Basque

vasija vessel

vaso glass; vase

vástago offspring

vecindad neighborhood; neighborly relations

vecino, -a n. neighbor; tenant; townsman; *adj.* neighboring, near

vedar to prohibit

vee, vees arch. for *ve, ves*

vega fertile lowland

vehemencia vehemence

vehículo vehicle

veinteno arch. twentieth

vejación vexation, irritation

vejancona oldish woman

vejar to vex

vejestorio shriveled old man

vejete dim. of *viejo*

vejez old age; age, years

vejiga bladder; ice-bag

vela candle; sail; wakefulness; *en* —— sleeplessly; on guard; *estar en* —— to stay up, stay awake

velada evening festival, celebration

velado husky

velador small table; *adj.* wakeful

veladura veiled *or* hidden quality

velar to watch (over), keep a vigil; to veil, hide

velarte fine broadcloth

velero sailing ship; swift

veleta weather-vane

velo veil

velocidad velocity, speed

veloz swift

velloncito little fleece

vellorí inferior broadcloth

velludo velvet

vena vein

venablo javelin

vencedor, -a n. conqueror; *adj.* surpassing, overcoming

vencer to conquer; to surpass; to win

vencido due (of interest *or* payment)

vencimiento conquering; expiration; due date

venda bandage; blindfold

vendar to bandage

vendaval strong wind

vendedor seller; sales person

vender to sell; to betray

vendimiador grape harvester

Venecia Venice

veneciano Venetian

veneno poison

venenoso poisonous

venerable venerable, revered

venerando venerable

venerar to venerate

venganza vengeance

vengar to avenge

vengativo vengeful, desirous of revenge

venia permission

venial corrupt; venial

venida coming; visit

venidero future

venir: —— a *(followed by infinitive)* to end by *(followed by present participle)*; —— *en* to agree to; *lo por* —— the future

venta inn; sale, (action of) selling; *en* —— on sale

ventaja advantage

ventajoso advantageous, profitable

ventana nostril

ventanal large window

ventana-verjel window filled with flowers

ventanero fond of looking out the window

ventanón large window

ventear to sniff

ventilado airy

ventilar to air

ventura good fortune; happiness; *por* —— by chance; *sin* —— luckless, unfortunate

venturoso felicitous, fortunate, happy

ver to see; to examine; —— *de* to see about; to try to; *tener que* —— to have to do

veracidad veracity, truthfulness

veras truth; serious things; *de* —— seriously

veraz truthful

verbena verbena

verbigracia for example

verbipotente powerful through speech

verbo word; verb; the Lord

verbosidad verboseness, prolixity

verdad: de —— really and truly

verdadero true; real

verde green; youthful

verdín mold, mildew

verdinegro greenish black

verdiñal green-skinned

verdor greenness

verdoso greenish

verdugo hangman, executioner

verdugón welt

verdura verdure; foliage; *plu.* vegetables

vergonzante shamefaced; proud

vergonzoso shameful; bashful

vergüenza shame; bashfulness

vericueto rough path; short cut

verídico true; truthful; real

verificar to fulfill, accomplish, carry out; ——*se* to take place, happen

verja grating; gate

verjel flower garden

verosímil likely, credible

verosimilitud likelihood

versado versed

verso line (of poetry); stanza; —— *heroico* heroic verse

vertedero dumping place

verter (ie) to shed; to pour

vertiente slope

vertiginoso dizzy, giddy

vértigo dizzy spell, lightheadedness

vestido dress; garb, costume

vestidura clothing

vestiglo horrid monster

vestimenta vestment

vestir (i) to dress; to put on; *de más* —— more dressy

vestuario wardrobe; dressing room

veterano veteran

veterinaria veterinary medicine

vetusto old

vez: a la ——, *de una* —— at the same time; *a su* —— in his turn; *en* —— *de* instead of; *hacer las veces de* to serve as; *una* —— once, once in a while; *tal* —— perhaps

vía road; way; *por* —— *de* by way of; *hacer* —— to walk, travel

viaducto viaduct

vial path

vianda food
víbora viper, snake
vibrar to vibrate; to brandish
vicario vicar
viciar to break
vicio vice
vicioso vicious, corrupt
víctima victim
víctor hurray (for)
victoria victory
vid grapevine
vida life; living; *ganarse la ——* to earn one's living; *en (tu) ——* never
vidriera window
vidrio glass; pane (of glass)
vidrioso of glass; fragile, delicate
viejecita little old woman
viento wind
vientre abdomen; belly; *danza del ——* belly dance
viga beam, girder, rafter
vigilancia vigilance
vigilante vigilant
vigilar to guard, watch over; to keep a vigil
vigilia night of wakefulness; fast; *plu.* long studies
vigor vigor, strength
vihuela guitar
vil vile
vileza vileness
villa city, town
villanaje peasant
villanía villainy, base deed
villano peasant, serf, churl; *adj.* baseborn
villanchón *aug.* of *villano*
vinagre vinegar
vínculo bond, tie
viña vineyard
violar to violate
violentarse to go against one's own desires, enforce by violent means
violento violent
violeta violet
virar to tack (a ship), turn
virgen virgin
Virgilio Virgil
virreinato viceroyalty
virrey viceroy
virtud virtue; power
virtuoso virtuous
viruela(s) smallpox
virus virus, germ

visaje grimace, face
víscera vital organ, viscera
viscoso slimy
visera visor
visión sight; vision; *ver ——es* to build castles in the air
visita visit; visitor; *de ——* on a visit, visiting
viso glimmer
vislumbrar to make out, see dimly, glimpse
víspera eve; *en ——s de* on the eve of
vista sight, view, gaze; *de —— on watch*; *estar a la ——* to be obvious; *a —— de* in sight of
vistazo glance
visto: por lo —— apparently, obviously
vistoso brilliant, flashy, striking
vital *adj.* life, vital
vitalicio for life, lifelong
vitalidad vitality
vítor hurrah!
vitorear to cheer, shout
vitoria *arch.* for *victoria*
vituperar to vituperate
vituperio censure, blame
viuda widow
viudez widowhood; state of widow *or* widower
viudo widower
vivacidad vivacity, liveliness
vivaracho lively
vivaz keen, lively
víveres food, provisions
vivero nursery
viveza liveliness, keenness, vividness
vivienda dwelling place
viviente living
vivificación vivification; enlivening
vivir to live; *vive Dios, viven los cielos* by heavens!; *viva* hurray (for)!, long live!
vivo alive, living; spirited, lively; keen, intense; *al ——* vividly
vizcaíno Basque
vizconde viscount
voacé *arch.* for *usted*
vocablo word
vocación vocation, calling
vocear to shout
vocería clamor

vociferar to shout
volandas: en —— through the air; flying
volandero soaring
volar (ue) to fly, flutter
volatería flight
volatizarse to pass off as vapor
volcán volcano
volcánico volcanic
volcar (ue) to turn over
voltereta somersault; acrobatic feat; revolution
voluble voluble
volumen volume
voluntad will (power); purpose; kindness
volver (ue) to return; to turn; to carry back; *—— en sí* to come to one's senses; *——se* to turn around, turn back; *——sele* to become; *—— de comienzo* to begin over again; *—— a* (plus an infinitive) to do again
vomitar to vomit
voraz voracious
vos *arch.* for *os* or *vosotros*
votar to swear
voto vow; vote; opinion; curse, oath; *——va* I swear
voz voice; cry, shout; word; rumor; *a media ——* in a low tone; *a voces* loudly; *dar voces* to shout; *—— entera* firm voice
vuelco turn; leap
vuelo flight; *de ——* flying, in great haste
vuelta return; turn; *a la —— on our return a la —— de* around (a corner); *con —— a* at the corner of; *dar la ——* to turn back; to go around; to return; *dar la —— a* to walk around; *dar media ——* to turn around; *dar una ——* to take a walk; to return; to change; *dar ——s* to walk back and forth; *dar ——s a* to turn over, think over; *de —— back*
vueso, -a *arch.* for *vuestro, -a*
vulgar ordinary, common
vulgaridad commonplace
vulgo common people
vulnerado wounded

Y

y arch. there
ya already, now, soon; oh, yes;
　ya . . . ya now . . . now,
　either . . . or; ——*va* all right
yacente lying
yacer to lie
ya que although; if
yedra ivy
yegua mare
yelmo helmet
yerba grass; herb
yermo desert place; wild region
yerno son-in-law
yerro error
yerto rigid, stiff; motionless
yodo iodine
yodoformo iodoform (medicine)
yugo yoke
yugular to cut the throat
yunque anvil

Z

zafio coarse; ignorant
zafiro sapphire

zaga: no irle en —— a uno, no
　quedarle en—— a uno not to
　remain behind someone; to be
　as good as *or* equal to some-
　one; *a —— de, en —— de*
　pursuing, following
zagal shepherd; youth
zagala shepherdess; maiden
zaguán entrance hall
zahareño wild, untamed
zalacatón slice of bread
zalamería flattery
zalamero flattering; wheedling;
　n. flatterer
zambullirse to dive
zampar to devour, gulp, 'wolf'
zancada long stride
zancadilla tripping; *dar ——s*
　to trip
zancajo stride
zángano drone
zangoloteo shaking,   rattling;
　hopping around
zanguango dunce
zapatería shoe shop
zapatero shoemaker

zarandear to shake
zarandeo 'whirl'; agitation
zarcillo earring
zarrapastroso ragged, slovenly
zarza bramble
zarzamora brambleberry
zinc zinc
zócalo base
zona zone; clime
zopenco dolt, blockhead
zorcico a folk song of the
　Basque country
zorra shot
zote dunce, fool
zozobra anxiety; foundering
zozobrar to sink (of ships); to
　ruin, destroy; to founder
zozobroso anxious, worried
zumaya barn owl
zumbar to buzz
zumo juice
zupia wine full of dregs
zurcido darning
zurdo left handed; poorly made
zurrar to win out
zurrón sack, knapsack